고관절학

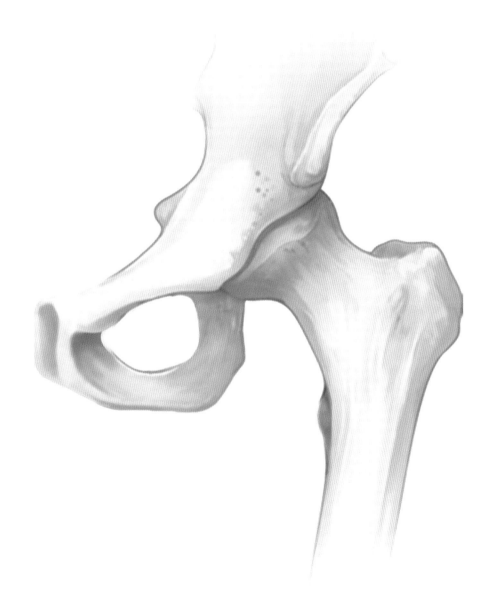

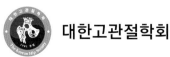 대한고관절학회

고관절학 제2판

둘째판 1쇄 인쇄 | 2019년 11월 20일
둘째판 1쇄 발행 | 2019년 11월 29일

지 은 이 대한고관절학회
편찬위원장 김희중
발 행 인 장주연
출 판 기 획 한수인
책 임 편 집 이경은
표지디자인 김재욱
내지디자인 유현숙
일 러 스 트 이호현
발 행 처 군자출판사(주)
　　　　　 등록 제4-139호(1991. 6. 24)
　　　　　 (10881) **파주출판단지** 경기도 파주시 회동길 338(서패동 474-1)
　　　　　 전화 (031) 943-1888　　　팩스 (031) 943-0209
　　　　　 www.koonja.co.kr

ISBN 979-11-5955-505-3 [93510]

정가 230,000원

고관절학

편찬위원장

김희중

간사

유정준, 윤필환

편찬위원

권석현	김이석	김태영	백승훈
서동훈	송주현	이경재	이기행
이상수	이영균	이우석	임군일
		정영률	조명래

대한고관절학회

집필진

강준순	인하의대	박관규	연세의대	이기행	가톨릭의대
강창수	계명의대	박명식	전북의대	이상수	한림의대
고한석	인제의대	박상원	고려의대	이상홍	조선의대
공규민	인제의대	박윤수	성균관의대	이수호	울산의대
구경회	서울의대	박장원	이화의대	이승림	국립경찰병원
권석현	원광의대	박종석	순천향의대	이승준	서울의대
권순용	가톨릭의대	백승훈	경북의대	이영균	서울의대
김강일	경희의대	서근택	부산의대	이우석	연세의대
김광균	건양의대	서동훈	고려의대	이중명	윌스기념병원
김상민	고려의대	서유성	순천향의대	임군일	동국의대
김성곤	고려의대	선두훈	대전선병원	임수재	순천향의대
김승찬	가톨릭의대	성열보	인제의대	임승재	성균관의대
김신윤	경북의대	손원용	고대의대	임영욱	가톨릭의대
김영호	한양의대	손현철	충북의대	장재석	울산의대
김영후	이화의대	송주현	가톨릭의대	장준동	한림의대
김용식	가톨릭의대	신원철	부산의대	전영수	경희의대
김원유	가톨릭의대	양익환	연세의대	정영률	광주기독병원
김이석	한양의대	오광준	비에스종합병원	조명래	대구가톨릭의대
김종오	이화의대	오현철	국민건강보험공단 일산병원	조영호	대구파티마병원
김준식	이화의대	우영균	가톨릭의대	조윤제	경희의대
김지완	울산의대	원예연	아주의대	조홍만	광주보훈병원
김태영	건국의대	유기형	경희의대	주석규	인제의대
김현준	동아의대	유명철	경희의대	최일용	한양의대
김희중	서울의대	유정준	서울의대	하용찬	중앙의대
남광우	제주의대	유제현	한림의대	한계영	강원의대
노권재	이화의대	윤강섭	서울의대	한석구	가톨릭의대
문경호	인하의대	윤선중	전북의대	한승범	고려의대
문남훈	부산의대	윤택림	전남의대	한창동	연세의대
문도현	가천의대	윤필환	울산의대	황규태	한양의대
문영완	성균관의대	윤형구	차의대	황득수	충남의대
민병우	계명의대	윤호현	중앙보훈병원	황성관	연세의대
박경순	전남의대	이경재	계명의대		

Textbook of
The Hip
Second Edition

Editor-in-Chief

Hee Joong Kim / Seoul National University

Editorial Secretary

Jeong Joon Yoo/ Seoul National University
Pil Whan Yoon/ University of Ulsan

Editorial Board

Seung-Hoon Baek/ Kyungpook National University
Myung-Rae Cho/ Daegu Catholic University
Young-Yool Chung/ Kwangju Christian Hospital
Gun-Il Im/ Dongguk University
Tae-Young Kim/ Konkuk University
Yeesuk Kim/ Hanyang University
Seok Hyun Kweon/ Wonkwang University
Kee-Haeng Lee/ The Catholic University of Korea
Kyung-Jae Lee/ Keimyung University
Sang-Soo Lee/ Hallym University
Woo-Suk Lee/ Yonsei University
Young-Kyun Lee/ Seoul National University
Joo-Hyoun Song/ The Catholic University of Korea
Dong Hun Suh/ Korea University

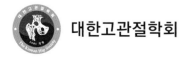

대한고관절학회

집필진

Seung-Hoon Baek
Kyungpook National University

Jae-Suk Chang
University of Ulsan

Jun-Dong Chang
Hallym University

Hong-Man Cho
Gwangju Veterans Hospital

Myung-Rae Cho
Daegu Catholic University

Yoon-Je Cho
Kyung Hee University

Youngho Cho
Daegu Fatima Hospital

Il-Yong Choi
Hanyang University

Suk-Kyu Choo
Inje University

Young Soo Chun
Kyung Hee University

Young-Yool Chung
Kwangju Christian Hospital

Yong-Chan Ha
Chung-Ang University

Chang-Dong Han
Yonsei University

Kye-Young Han
Kangwon National University

Seung Bum Han
Korea University

Suk Ku Han
The Catholic University of Korea

Deuk-Soo Hwang
Chungnam National University

Kyu-Tae Hwang
Hanyang University

Sung Kwan Hwang
Yonsei University

Gun-Il Im
Dongguk University

Chang-Soo Kang
Keimyung University

Joon-Soon Kang
Inha University

Ji Wan Kim
University of Ulsan

Hee Joong Kim
Seoul National University

Hyeon Jun Kim
Donga University

Jong Oh Kim
Ewha Womans University

Jun-Shik Kim
Ewha Womans University

Kang-Il Kim
Kyunghee University

Kwang-kyoun Kim
Konyang University

Sang Min Kim
Korea University

Seung-Chan Kim
The Catholic University of Korea

Shin-Yoon Kim
Kyungpook National University

Sung Kon Kim
Korea University

Tae-Young Kim
Konkuk University

Weon-Yoo Kim
The Catholic University of Korea

Yeesuk Kim
Hanyang University

Yong Sik Kim
The Catholic University of Korea

Young-Ho Kim
Hanyang University

Young-Hoo Kim
Ewha Womans University

Han-Suk Ko
Inje University

Gyu Min Kong
Inje University

Kyung-Hoi Koo
Seoul National University

Seok Hyun Kweon
Wonkwang University

Soon-Yong Kwon
The Catholic University of Korea

Joong-Myung Lee
Wiltse Memorial Hospital

Kee-Haeng Lee
The Catholic University of Korea

Kyung-Jae Lee
Keimyung University

Sang-Hong Lee
Chosun University

Sang-Soo Lee
Hallym University

Soo-Ho Lee
University of Ulsan

Soong Joon Lee
Seoul National University

Woo-Suk Lee
Yonsei University

Young-Kyun Lee
Seoul National University

Seung-Jae Lim
Sungkyunkwan University

Young-Wook Lim
The Catholic University of Korea

Byung-Woo Min
Keimyung University

Do-Hyun Moon
Gachon University

Kyoung Ho Moon
Inha University

Nam Hoon Moon
Pusan National University

Young-Wan Moon
Sungkyunkwan University

Kwang Woo Nam
Jeju National University

Hyun Cheol Oh
National Health Insurance Ilsan Hospital

Kwang-Jun Oh
BS Hospital

Jang-Won Park
Ewha Womans University

Jong-Seok Park
Soonchunhyang University

Kwan Kyu Park
Yonsei University

Kyung-Soon Park
Chonnam National University

Myung-Sik Park
Chonbuk National University

Sang-Won Park
Korea University

Youn-Soo Park
Sungkyunkwan University

Kee Hyung Rhyu
Kyung Hee University

Kwon Jae Roh
Ewha Womans University

Won Chul Shin
Pusan National University

Hyun-Chul Shon
Chungbuk National University

Won Yong Shon
Korea University

Joo-Hyoun Song
The Catholic University of Korea

Dong Hun Suh
Korea University

Kuen Tak Suh
Pusan National University

You-Sung Suh
Soonchunhyang University

Doo-Hoon Sun
Sun General Hospital, Daejeon

Yerl-Bo Sung
Inje University

Ye Yeon Won
Ajou University

Young-Kyun Woo
The Catholic University of Korea

Ick-Hwan Yang
Yonsei University

Seung Rim Yi
National Police Hospital

Soo-Jae Yim
Soonchunhyang University

Je-Hyun Yoo
Hallym University

Jeong Joon Yoo
Seoul National University

Myung Chul Yoo
Kyung Hee University

Hyung-Ku Yoon
CHA University

Kang Sup Yoon
Seoul National University

Pil Whan Yoon
University of Ulsan

Sun Jung Yoon
Chonbuk National University

Taek-Rim Yoon
Chonnam National University

Ho hyun Yun
VHS Medical Center

'고관절학 제2판' 교과서를 발행하며 …

고관절학 제2판의 편찬위원장을 맡게 되어 자랑스러워했던 것이 엊그제 같은데 벌써 발간에 이르게 되었습니다. 과학 서적으로서 학문의 발전에 발맞추어 적절한 시기에 출판하게 된 것을 기쁘게 생각하고 시기를 놓치지 않고 제2판의 출판을 기획하고 지원을 아끼지 않으신 대한고관절학회 회장단과 평의원님들께 깊이 감사드립니다.

이번 판 편찬의 기본 원칙은 2014년 발간된 초판의 내용을 기반으로 그동안 있었던 고관절 및 골반 부에 관련된 학문적 발전을 최대한 반영함과 동시에, 초판에서 다소 미진하였던 점을 보충 보완하는 것이었습니다. 특히 과의 특성상 영상 자료가 무엇보다 중요함을 고려하여 가능한 좋은 사진을 실을 수 있도록 노력하였습니다.

교과서적인 개념의 책자인 만큼, 그 내용에 집필자의 주관적인 생각이 반영되는 것을 최대한으로 억제하는 것이 무엇 보다 중요하다 생각하였습니다. 시간적으로 여유를 갖기 위해 각 단원별로 편찬 장과 간사를 두어 초판에 비하여 편찬 실무진의 숫자를 늘렸는데 많은 인원이 원고를 함께 검토할 수 있어 내용의 객관성을 확보하는 데 큰 도움이 되었습니다.

장준동 초판 편찬위원장께서 판을 거듭하며 좀 더 훌륭한 교과서를 만들어 달라하셨는데, 기대에 부응할만한 책이 되었다 자평합니다. 바쁘신 가운데 훌륭한 원고를 집필하여 주신 저자 분들과 많은 시간을 할애하여 원고를 검토하여 주신 편찬위원님들께 심심한 감사의 말씀을 올립니다. 특히 이기행, 이우석 교수님의 초판 편찬 경험이 큰 힘이 되었고, 윤필환 교수님의 헌신적인 노력이 감명 깊었음을 밝힙니다. 그리고 출판을 맡아주신 군자출판사에도 고마운 마음을 전합니다.

2019년 11월

고관절학 편찬위원장   김희중

1981년 대한고관절학회가 출범한 이래 33년이 지난 2014년 10월, 각고의 노력 끝에 처음으로 대한고관절학회 교과서인 '고관절학' 초판이 탄생하였고 5년이 지난 현재 고관절학 제2판을 발간하게 되었습니다.

고관절 분야는 지난 반세기 동안 수많은 고관절 전문 의사와 연구자들의 부단한 연구와 노력으로 발전을 거듭해 왔으며, 대부분의 고관절 질환에 대한 원인, 병태 생리를 밝힐 수 있었고 치료에서도 많은 발전이 있었습니다.

이 책 '고관절학'은 고관절 질환을 공부하시는 학생, 정형외과 전공의, 개원의, 고관절전문 선생님들께 고관절 분야의 최신 지견을 포함한 광범위하고 균형 잡힌 의학지식을 전달하고, 환자를 치료함에 있어서 보다 정확하고 확립된 치료 방법을 제공하기 위해 만들어졌으며 지난 5년간 고관절 질환의 교과서로서의 사명을 다 해왔습니다.

그러나 세계 의학은 빠른 속도로 발전하고 있으며 새로운 진단과 진단 기준이 변하고 있고 치료법 또한 변화하고 있기에 고관절학 초판에서의 미흡한 점을 보완하고 진단과 치료에 있어서 변화된 최신 지견을 균형 있게 추가하는 작업을 하여 제2판을 완성하였습니다.

지난 1년 동안 고관절학 제2판을 발간하기 위해 지대한 노력과 정성을 기울여 주신 편찬위원장님과 간사님, 편찬위원님들, 집필해주신 모든 교수님들께 감사의 말씀을 드리며 또한 제2판의 기초가 되는 초판의 발행에 많은 기여를 해주신 초판 편찬위원장님과 모든 분들께도 감사의 말씀을 드립니다. 아울러 이 책의 초판 및 제2판을 출판해주시는 군자출판사에도 진심으로 감사의 말씀을 드립니다.

새로 태어나는 고관절학 제2판이 비록 완벽하다고 말할 수는 없으나 지극한 정성과 노력을 다해 만들어진 귀중한 교과서이기에 다시 개정판이 나올 때까지 향후 수년간 고관절을 공부하시고 환자를 진료하시는 모든 학생 및 의사 분들께 훌륭한 지침서가 되기를 간절히 바랍니다.

2019년 11월

대한고관절학회 회장   조윤제

SECTION 3 수술적 방법(Surgical Methods)

SECTION 6 골절 및 탈구(Fracture and Dislocation)

SECTION 7 골다공증(Osteoporosis)

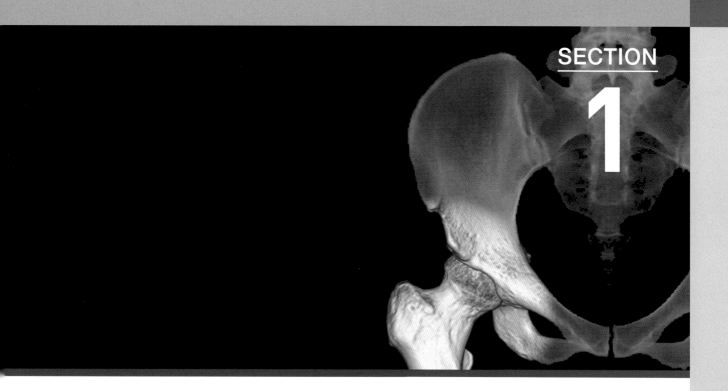

SECTION

1

총론
Introduction

1

발생학
Embryology

정상적인 고관절이 만들어지는 과정은 매우 섬세하고 복잡한 일련의 과정들이 상호작용하여 비구와 대퇴골 근위부가 형성되고, 관절내 구조물들을 발달시키며, 혈관신경 계통을 적절히 형성한다. 따라서 고관절 발생에 대한 개념은 소아기 고관절 질환이나 변형의 원인과 기전을 이해하는 데 중요할 뿐만 아니라 성인의 고관절 질환을 이해하는 데도 필수적이라 하겠다. 하나의 세포에서 태아가 만들어지는 발생과정은 크게 두 부분으로 구분하는데, 수정 직후부터 첫 8주를 배아기(embryonic period) 혹은 기관형성기(period of organogenesis)라 하며 몸의 중요한 기관과 계통이 형성된다. 8주부터 출생까지를 태아기(fetal period)라고 하는데, 분화가 진행되면서 각 기관들이 급속히 성장하고 성숙하는 단계이다. 임상적으로 발생의 시기를 기술할 때 임신 나이(gestational age)가 주로 사용되는데, 수정된 시기부터 계산하는 태아의 실제 나이, 즉 태아 나이(fetal age)와 구별하여야 한다. 임신 나이는 최종 정상 월경기(last normal menstrual period, LNMP) 첫째 날로부터 계산하는 것으로 태아 나이보다 약 2주 정도 앞서게 된다. 따라서 태아의 발달과정을 논의할 때는 어떤 나이를 기준으로 하고 있는지를 명확히 할 필요가 있으며, 이 장에서는 태아 나이를 기준으로 기술하였다.

1. 사지의 발생

수정 후 3주 동안 배아로부터 초기형태의 외배엽(ectoderm), 중배엽(mesoderm), 내배엽(endoderm) 등이 배아 원반(embryonic disc)에서 형성된다(그림 1).

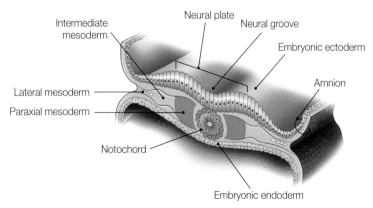

그림 1. 배아 원반
발생 초기 배아 원반으로부터 외배엽(ectoderm), 중배엽(mesoderm), 내배엽(endoderm)이 형성되며 외배엽으로부터 피부, 신경계가 발생하고, 중배엽에서 근골격계, 심혈관계, 비뇨생식계가, 그리고 내배엽으로부터 폐나 소화기계가 발생한다.

배아기 4-8주에 관절의 중요한 부분의 분화가 완성되고, 8주부터 출생까지는 사지와 관절들이 성장과 성숙 단계를 거쳐 예정된 형태를 이루게 된다. 발생 4주 말에 사지형성이 시작되는데 배아의 전외측에서 4개의 돌기가 나타나 융기되면서 지아(limb bud)를 형성한다. 보통 상지가 26일째 나타나기 시작하고, 하지는 2일 늦은 28일에 요추 및 1 천추에 해당하는 체절에서 발생한다. 따라서 상지가 발생의 전 과정에서 하지보다 먼저 진행된다. 지아는 벽측 중배엽(somatic mesoderm)에서 유래된 간엽조직(mesenchyme)과 이를 둘러싼 한 층의 입방형 외배엽세포로 구성되어 있으며, 간엽조직에서 향후 사지의 골조직과 결합조직이 형성된다. 지아 끝에는 외배엽이 두꺼워진 첨외배엽 능선(apical ectodermal ridge, AER)이 형성되어 여러 성장인자들을 발현하여 그 직하부의 간엽세포들과 상호작용하여 사지발생이 진행된다. 첨외배엽 능선 바로 밑에 있는 간엽조직은 분화되지 않으면서 빠르게 증식하는 세포들로 구성되어 있어 지아의 성장이 일어나고, 첨외배엽 능선에서 점차 멀어진 간엽조직은 이러한 영향력이 적어지면서 점차 분화하여 혈관, 근육, 골의 연골모형을 만든다. 이러한 분화는 몸의 근위부에서부터 시작되어 점차 원위부로 진행되는데, 대퇴골과 비구가 간엽조직으로부터 지아의 가장 근위부에 발생하고 이것이 하퇴부나 발의 구조물이 분화할 수 있는 토대를 제공한다. 발생 5주 기간 동안 팔다리는 길어지면서 간엽조직은 치밀화되어 뼈의 간엽모형이 형성되고, 5주 말에는 연골화 중심(chondrification center)이 나타나서 6주 말경에는 모든 팔다리뼈대가 연골모형을 형성한다. 팔다리는 계속 성장하면서 끝 부분은 납작해져 주걱모양의 수부판(hand plate)과 족부판(foot plate)을 형성하는데, 발생 6주 말부터 이곳의 간엽조직이 응집되면서 손(발)가락선(digital ray)을 형성한다. 손가락선 및 발가락선 사이의 간격은 엉성한 간엽조직으로 구성되어 있다가 세포자멸사(apoptosis)에 의해 떨어져나가 절흔이 형성되면서, 발생 8주 말에는 각각 분리된 손가

락과 발가락 형태를 가지게 된다. 만일 이러한 과정이 원활하지 않을 경우 합지증이 발생하게 된다.

장관골(long bone)의 골형성 과정은 지아 내부의 간엽세포들이 뭉쳐 연골세포로 분화하여 연골 원기(cartilage anlage)를 형성하면서 시작되는데 그 중앙부의 연골세포들은 비후하고 그 주변 연골기질이 석회화되면서 연골세포는 자멸사하게 된다. 동시에 장관골 간부 주위로 형성된 연골막(perichondrium)내에서 얇은 골이 축적되면서 연골막하 골 테두리(bone collar)가 발생하고, 연골막은 골막으로 전환된다. 중간의 골 테두리에서 섬유혈관 조직이 사멸된 연골세포들 속으로 자라 들어오면서 함께 이동한 간엽세포들이 분화하여 골 기질을 생산함에 따라 일차 골화 중심(primary ossification center)을 형성한다. 이렇게 형성된 일차 골화 중심에서 근위부 및 원위부 양 끝단으로 연골내 골화 과정(enchondral ossification)이 진행된다 (그림 2). 또한 연골 원기 양단에서 별도의 이차 골화 중심(secondary ossification center)이 출현하고, 일차와 이차 골화 중심 사이에 남아 있는 연골조직을 골단판(epiphyseal plate)이라 하며 성장이 완료될 때까지 계속해서 연골 세포의 증식과 연골내 골화가 일어난다. 골형성은 연골 원기 중간에 있는 일차 골화 중심에서부터 발생 7주에 시작되어, 발생 12주가 되면 모든 장관골에 일차 골화 중심이 나타나 출생 시는 양쪽 골단을 제외한 골간부는 대개 골화가 완전히 이루어져 있다. 그러나 손목뼈의 골화는 출생 후 첫해 동안 일어난다.

팔다리는 발생초기에는 손바닥과 발바닥이 서로 마주보고 있는 상태로 앞쪽으로 신전되어 있어 축전성(preaxial) 구조물은 두부측(cranial)으로, 축후성(postaxial) 구조물은 꼬리측(caudal)을 향하고 있다가 7주경에 서로 반대방향으로 회전하게 된다. 이때 상지는 90° 외회전하여 장차 팔꿈치가 될 부분이 등쪽(dorsal)을 향하고, 신전근은 후측방에 위치하게 되는데 반해, 하지는 거의 90° 내회전하여 장차 무릎이 될 부위가 배쪽(ventral)을 향하면서 신전근이 전방에 위치한다.

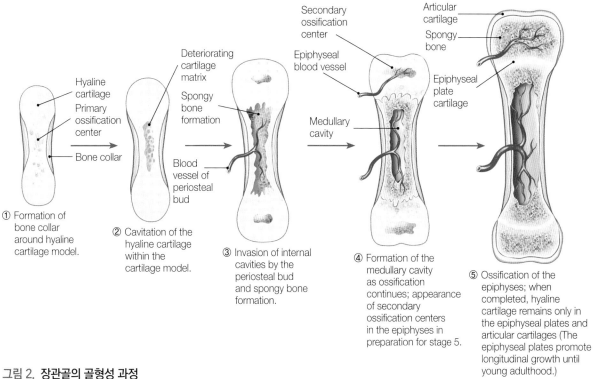

Hyaline cartilage
Primary ossification center
Bone collar

① Formation of bone collar around hyaline cartilage model.

Deteriorating cartilage matrix
Spongy bone formation
Blood vessel of periosteal bud

② Cavitation of the hyaline cartilage within the cartilage model.

③ Invasion of internal cavities by the periosteal bud and spongy bone formation.

Secondary ossification center
Epiphyseal blood vessel
Medullary cavity

④ Formation of the medullary cavity as ossification continues; appearance of secondary ossification centers in the epiphyses in preparation for stage 5.

Articular cartilage
Spongy bone
Epiphyseal plate cartilage

⑤ Ossification of the epiphyses; when completed, hyaline cartilage remains only in the epiphyseal plates and articular cartilages (The epiphyseal plates promote longitudinal growth until young adulthood.)

그림 2. 장관골의 골형성 과정

2. 출생 전 고관절의 발생

1) 고관절의 발생

다리의 지아가 점차 성장하면서 근위부에서는 장차 고관절을 형성할 부분이 연골모세포의 세포덩어리인 하나의 연골 원기(cartilage anlage)로 시작된다. 발생 6주경 지아 내에서 원시 연골모세포가 장차 대퇴골을 형성할 부분에서 근위부, 중간, 원위부에 응집되어 점차 연골화 과정과 서로 간의 유합을 통해 곤봉모양의 연골모형을 형성한다. 이 시기에 비구는 대퇴골두 근위부에 얕은 함몰부분으로 나타나기 시작하며, 이는 장차 장골, 좌골, 치골을 형성할 전구세포로부터 발생한다. 먼저 장골에서 연골세포의 응집이 일어나고 그 후 치골, 좌골 순으로 진행되어 각 부분의 연골화 중심들이 만들어지는데, 이곳으로부터 점차 연골화가 이루어지고 점차 서로를 향하여 진행되어 결국 합쳐져 연골모형을 만든다. 발생 7주가 되면서 장차 고관절을 형성할 부분에 세포들이 치밀하게 모여 중간

층(interzone)을 형성하고 그 중간층의 중심부세포에서 세포자멸사가 일어나면서 그 사이에서 균열이 발생하여 실질적인 관절강(joint space)이 만들어진다. 이때 관절강 속에서 활액막 조직이나, 원형인대의 초기모양을 관찰할 수 있고, 비구의 변연부에서는 세포들이 응집되면서 비구순을 만들기 시작한다. 발생 8주에는 1차 골화 중심이 대퇴골 간부에 형성되어 점차 근위부와 원위부로 골화과정이 진행되며, 고관절의 연부조직 구조물들이 그 형태를 가지기 시작하는데, 장차 원형인대, 횡비구인대(transverse acetabular ligament)를 형성할 부위들이 구별되기 시작한다. 비구순은 6주경에 비구 변연부를 따라 세포들이 응집되면서 형성되기 시작하여 8주경에는 단면적이 삼각형 모양의 형태를 갖게 된다. 고관절의 분화는 약 20주까지 지속되나, 주요한 해부학적 구조들은 8주경에 현미경적으로 확인할 수 있다. 발생 8주를 지나면서 태아기로 이행되는데 이 기간에는 골격계의 골화가 진행되고, 혈관 형성이 일

어나며, 각 기관들이 성장하고 더욱 정교해진다. 발생 11주가 되면서 고관절을 구성하는 모든 부분들을 육안적으로 확인할 수 있는데, 대퇴골 근위부는 구형의 골두와 짧은 경부, 그리고 원시 대전자(primitive greater trochanter)로 구성된다. 이때가 고관절 탈구가 발생할 수 있는 최초의 시기가 된다. 16주가 되면 고관절을 감싸는 근육과 관절막이 발달하며 관절막은 대퇴골의 연골막과 결합하고, 근육의 작용으로 고관절을 능동적으로 움직일 수 있게 된다. 대퇴골의 골화는 계속 진행되어 소전자 부근까지 이르게 된다. 이 시기에 고관절의 관절강이 완전히 형성되며, 관절면도 성숙된 초자 연골로 덮이게 된다. 또한 혈관계통이 성숙되면서 대퇴골 간단부와 골단에 분포하는 혈관들이 구별되기 시작하면서 지대혈관(retinacular vessel)이 골두와 경부로 분포한다. 골반골의 일차 골화 중심은 장골, 좌골, 치골의 순으로 나타나는데 장골의 경우 발생 8-9주경에, 좌골은 발생 3개월째에, 그리고 치골은 4-5개월에 일차 골화 중심이 나타난다. 그러나 비구의 골화 중심은 보통 청소년기가 되어서야 관찰된다. 출생 시 대퇴골두는 아직 골화되지 않았으며, 비구도 대부분 연골로 구성되어 있고 관절막도 유연하여 고관절은 매우 불안정한 상태이다.

2) 대퇴골의 발달

발생 7주경에 하지는 내회전하기 시작하여 배아기 말에 슬관절이 전방을 향하는 위치에 이르게 된다. 11주가 되면 고관절과 슬관절은 굴곡하고 하지는 내전위치를 갖게 되는데, 계속 성장하면 모체 내의 한정된 공간에 적응하기 위해 관절은 더욱 굴곡위를 취하게 된다. 대퇴골 염전은 초기 태아기 때는 후염(retroversion)이었다가 점차 전염(anteversion)으로 전환되어 발생 11주에는 전염각이 5-10°를 보이며 이후 점차 증가하여 36주에는 45°까지 증가하다가 출생 후에는 다시 점차 감소하여 생후 1년째에는 약 31°, 성장이 끝날 때에는 약 15°의 전염각을 형성한다. 대퇴골 경간각(neck shaft angle)은 초기 발달과정에서는 심한 외반상태로, 발생 15주에 145°였다가 36주에 130°로 감소하며, 출생 후에도 점차 감소하여 18세경에 약 127°에 이른다. 태아기 동안 이런 대퇴골 전염각과 경간각의 변화가 일어나는 기전은 아직 명확하게 밝혀지지는 않았으나, 자궁 내 발달과정에서 하지의 내회전 위치로 인한 것이라는 견해와 고관절에 작용하는 근육의 작용과 관련된다는 견해가 제기되고 있다. 특히 출생 후에는 고관절에 작용하는 근육의 작용이 관련성이 높다고 여겨지고 있는데, 이러한 견해는 실제 뇌성마비 환자에서 과도하게 증가된 전염각과 경간각이 유지되는 것이 이 환자들이 갖는 근육경직이나 연부조직 구축과 관련된 것으로 여겨지면서 그 타당성을 인정받고 있다. 이외에도 Fabeck 등은 보행과정에서 대퇴골두 성장판에 작용하는 기계적 스트레스와 관련이 있다는 주장을 제기하였는데, 이는 전염각이 큰 경우 보행할 때 작용하는 하중이 대퇴골두 성장판에 전단력으로 작용하면서 상대적으로 대퇴골 경부 전면의 성장을 촉진하여 전염각이 점차 줄어들게 되어 결국 대퇴골두에 작용하는 힘이 성장판의 횡단면에 수직으로 작용하게 된다는 것이다.

3. 출생 후 고관절의 발달

1) 비구

비구는 출생 당시 미성숙된 상태로 전체가 연골 조직으로 구성되어 있고 대퇴골두를 감싸는 연골성 고리 형태를 보이며, 외측으로 접시모양의 비구연골과 내측으로 Y자 형태의 삼방사 연골(Y-shaped triradiate cartilage)로 구성되고, 이 두 부분이 계속 성장하여 최종적으로 비구의 형태를 결정한다. 삼방사 연골은 태아기 때 형성된 장골, 좌골 및 치골의 일차 골화 중심으로부터 비구 중심부를 향해 골화가 진행되면서 서로 합쳐지는 비구의 중심부에 남아있는 연골조직으로, 신생아에서는 골반골에 비해 상대적으로 넓은 부분을 차지하나 점차 고관절이 발달하면서 좁아져서 소아나 청소년기에는 5-6 mm 정도의 폭을 가진다. 삼방사 연골은 일종의 복합 골단(composite epiphysis)으로 각 분지는 성장판처럼 그 중심부로부터 인접한 골반골의 골간 단부를 향해 양방향으로 양극성 성장(bipolar growth)을 하게 되며 이를 통해 비구가 방사상으로 성장하게 된다(그림 3).

이 시기에 대퇴골두를 둘러싸는 연골성 비구는 점차 커지면서 하중을 지탱하는 부분을 형성하는데, 이 과정은 부가성장(appositional growth)을 하는 대퇴골두의 성장속도와 조화를 이루어 일어난다. 삼방사 연골의 세 분지는 성장과 함께 합쳐져 하내측에 비관절성 비구, 즉 비구와(acetabular fossa)를 형성하고, 비구연골은 컵모양의 비구연을 형성한다. 비구의 골화 중심은 생후 8–9세경에 치골에서부터 나타나기 시작해서 사춘기를 거치면서 성장하여 17–18세경에 융합되는데, 치골의 골화 중심으로부터 비구의 전벽이 만들어지고, 장골로부터 상방 천정부분(superior dome)이, 좌골로부터 후벽이 만들어진다. 성장이 끝나면 삼방사 연골은 폐쇄되고 비구연골은 비구측 관절연골만 남고

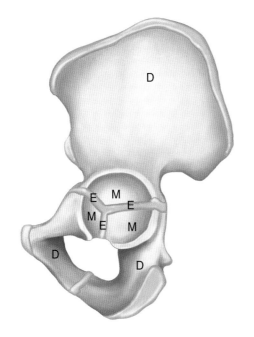

그림 3. 삼방사 연골의 성장
삼방사 연골은 일종의 복합골단으로 중심부에서 양측 골반골의 골간단을 향해 양방향으로 성장한다(양극성 성장).
E: epiphysis, M: metaphysis, D: diaphysis.

모두 골화된다. 비구의 모양과 깊이는 생후 8–9세경에 골화 중심이 나타나면서 대부분 결정되며, 그 이후에는 재형성과정을 거의 기대할 수 없다. 따라서 이때가 소아기 고관절 질환의 예후를 결정하는 주요한 시기가 된다. 비구의 높이와 폭이 성장하는 것은 삼방사 연골에서 일어나는 간질성장(interstitial growth)에 의해 일어나지만 최종적인 비구의 형태를 만드는 데는 구형의 대퇴골두와의 상호작용이 매우 중요하며, 만약 대퇴골두의 형성부전이나 탈구 등이 있는 경우에는 비구가 정상적인 형태를 형성하기 어렵고, 관절연골의 위축이나 퇴행이 발생한다. 그러므로 비구의 정상적인 발달을 위해서는 구형의 대퇴골두가 필수적이다. 청소년기에 급속한 성장(growth spurt)을 하게 되는데 이 시기에 장골, 치골 및 좌골에서 이차 골화 중심이 발달하게 되고 이를 통해 비구가 깊어지게 된다. 비구순(labrum)은 출생 시 연골성 비구 주위를 둘러싸는 얇은 섬유연골로 형성되며, 비구의 깊이를 깊게 하는 데 매우 중요한 역할을 한다. 따라서 발달성 고관절 탈구의 치료 시 비구순을 제거하는 것은 바람직하지 않다.

2) 대퇴골

대퇴골의 골화는 태아기 동안 계속 근위부로 진행되어 대전자에 이르며, 출생 시에는 경부 근처까지 골화가 진행되고 대퇴골 근위부는 대전자, 소전자, 대퇴골두가 통합된 하나의 연골골단(chondroepiphysis)을 형성한다. 이 연골골단으로 다수의 연골 관(cartilage canal)이 분포하여 이를 통해 초기에 연골골단에 영양을 공급하는 기능을 하며, 향후에는 골조직의 분화를 일으키는 세포들을 운반하는 실질적인 혈관 기능을 하고 이를 통해 근위 대퇴부 연골 골단의 발달을 유도하게 된다. 출생 초기에는 대전자와 골두를 구별하기 어렵고 상대적인 높이도 차이가 없어 관절–전자간 거리(articulo–trochanteric distance)가 중립위치이나 점차 발달하게 되면 경부가 길어지면서 관절–전자간 거리도 함께 증가한다(그림 4).

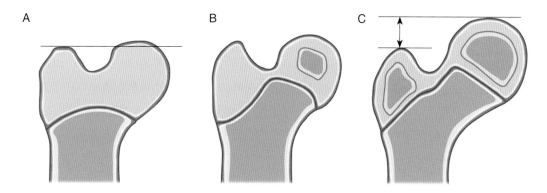

그림 4. 대퇴골 근위부의 발달
(A) 출생 시 대퇴골 골단과 대전자부위가 하나의 연골골단을 형성하고 있고, 관절–전자간 거리(articulo–trochanteric distance)는 중립위치를 보인다. (B) 생후 1세에 골단이 점차 성장하고 있다. (C) 생후 4세경에 대전자 골화 중심이 발달하며, 관절–전자간 거리는 증가한다.

근위 대퇴골은 세 개의 성장판으로 구성되어 있으며, 대퇴골 경부의 종축 성장판(longitudinal growth plate), 대전자 성장판(trochanter growth plate), 그리고 이 두 부위를 연결하는 대퇴골 경부 외측연의 성장판(connecting growth plate)인 대퇴골 경부 협부(femoral neck isthmus)로 이루어진다. 이 세 성장판의 통합적인 작용으로 대퇴골의 종축 길이 성장과 대퇴골 근위부의 모양이 형성된다. 종축 성장판에 의해 대퇴골두가 내측–근위방향으로 성장하고, 대전자는 대전자 성장판에 의해 외측–근위방향으로 성장한다. 대퇴골 경부 협부는 두 성장판과 함께 대퇴골 경부의 외측연을 넓히는 작용을 한다. 세 성장판은 각각 대퇴골 종축에 대해 일정한 각을 형성하여 각각 개별적인 축방향으로 성장하기도 하지만, 공통 벡터의 작용으로 대퇴골의 장축을 따라 길이 성장을 유도한다(그림 5). 따라서 성장 장애, 외전근 약화, 감염, 손상 등의 원인으로 세 부분 중 어느 한 부분의 성장 장애가 발생하면, 대퇴골 근위부의 각변형이나 단축이 발생한다.

대퇴골두의 골화 중심은 일반적으로 생후 4-7개월에 출현하는데, 2-10개월까지를 정상범위로 간주하기도 한다. 이 골화 중심으로부터 골화가 원심성으로 진행되어 결국 반구형의 골두형태를 형성한다. 고관

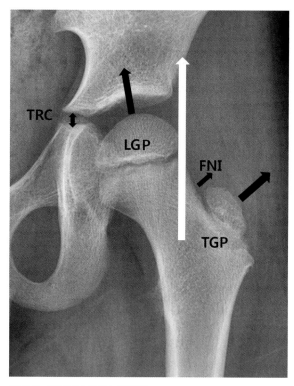

그림 5. 대퇴골 근위부 성장판
대퇴골 근위부에 세 개의 성장판은 서로 개별적인 축방향으로 성장하지만, 동시에 대퇴골 간부의 종축방향으로 길이 성장을 이룬다. 이 중 어느 한 부분의 성장 장애는 결국 대퇴골 근위부의 성장 장애와 변형을 유발하게 된다.
LGP: longitudinal growth plate, TGP: trochanter growth plate, FNI: femoral neck isthmus, TRC: triradiate cartilage.

절 이형성증에서는 이러한 골화 중심의 출현이 지연되며, 치료 후 합병증으로 골괴사가 발생하면 더욱 지연된다. 이 시기에 고관절은 관절막이 이완된 상태이나, 4-6개월이 지나면서 비구순이 발달하여 고관절의 안정성이 강화된다. 생후 6-12개월 동안 대퇴골 경부는 계속 자라면서 명확한 대퇴골두 골단을 형성하고 골두는 점점 근위부로 이동하나, 대전자부위는 아직 연골 형태를 가지고 있어 관절-전자 간 거리가 더욱 증가한다. 대전자의 이차 골화 중심은 대개 3-4세경에 나타나기 시작하여 주위의 대전자 연골 골단으로 확장하여 그 아래의 골간단부와의 사이에 성장판을 형성한다. 이러한 대전자부의 확장과 대퇴골 골단의 성장은 5-8세 동안 지속적으로 이루어져서 해부학적으로 명확한 대퇴 전염각, 경간각을 보이고, 기능적으로 분리된 대퇴골두와 대전자 부위를 형성한다. 9-12세 사이에는 육안적으로 뚜렷한 변화는 일어나지 않지만 대전자나 대퇴골두의 골화 중심은 계속 성장하고 대퇴골 경부도 점차 넓어진다. 대퇴골두 골단이 골간단 주위로 확장되고 관절면이 골단뿐만 아니라 골간단까지 덮게 되는데, 특히 하내측 골간단의 일부는 향후 골두의 일부분을 이룬다. 13-16세 기간은 급격한 성장이 일어나는 시기로 성장판에 가해지는 전단력에 취약하여 대퇴골두 골단분리증의 발생 가능성이 증가한다. 골단판의 폐쇄는 가장 먼저 골두에서 일어나고 이어 대전자에서도 폐쇄되면서 골간단이 각 골단들과 결합한다. 일부 남아 있는 대퇴골두 골단의 초자 연골은 점차 연골하골을 형성하고 관절표면에 인접한 일부만이 관절연골로 남게 된다.

초기 연골성 근위 대퇴골에 과도한 압력이 가해지면 혈액 관류(perfusion)에 문제가 발생하고 이로 인해 연골세포의 괴사를 초래하거나 대퇴골두와 성장판에 손상을 줄 수 있다. 이에 따라 대퇴골두의 변형이 생긴다. 이에 반해 대전자는 별다른 영향을 받지 않아 상대적으로 대전자의 과잉 성장(over growth)을 초래하게 된다. 또한 대퇴골에 작용하는 근육의 불균형이 있는 경우에도 근위 대퇴골의 성장과 형태에 영향을 줄 수 있는데 과도한 내전근의 작용이 있거나 반대로 불충분한 외전근의 작용이 있는 경우에는 근위 대퇴골의 외반 변형이 발생할 수 있다.

4. 혈관의 발생

대퇴골 근위부는 특별히 혈관분포의 변이가 많아, 출생 후 성장과 발달과정에서 독특한 혈관장애가 발생할 수 있다. 따라서 정상적인 발달에 필요한 혈액공급을 이해하기 위해서는 혈행의 변화 패턴을 먼저 알아야 한다. 대퇴골의 혈관분포는 발생 8주에 대퇴골 간부에 일차 골화 중심이 나타나는 것과 함께 시작된다. 모세혈관들이 간부 중간 1/3지점에서 골막을 뚫고 분포하며, 이 혈관들을 통해 섬유모세포와 조혈세포들이 이동한다. 이 부위는 장차 영양동맥(nutrient artery)이 생성될 위치이며, 앞으로 수주간의 발달과정에서 전체 대퇴골의 유일한 골내 혈액 공급원이 된다. 발생 12-14주경에 대퇴골 경부 기저부 주위로 고리형태의 혈관들이 형성되는데, 이는 장차 내측 대퇴회선동맥(medial femoral circumflex artery)과 외측 대퇴회선동맥(lateral femoral circumflex artery)이 될 혈관들이 문합(anastomosis)을 이루면서 형성된다. 이 부위에서 혈관들이 대퇴골두 및 경부의 연골모형으로 침투해 들어가서 향후 지대동맥 혹은 상행 경부동맥(ascending cervical artery)을 형성할 모세혈관 구조물이 발생한다. 출생 전 형성된 대퇴골 근위부의 혈관 구조는 소아기 성장과정 동안 계속 유지된다. 같은 시기 대퇴골두와 경부에 혈관이 들어간 직후, 비구에 분포하는 혈관들이 형성된다. 원형인대와 비구와에는 발생 8주경 모세혈관의 형성이 관찰되기도 한다. 그러나 이러한 혈관들이 15세경 대퇴골두의 골화가 완성되기 전까지는 대퇴골두 혈행에 거의 관여하지 않으며 대퇴골두의 발달에도 기여하지 않는 것으로 알려져 있다. 실제 고관절 탈구의 관혈적 정복술 시 원형인대를 제거하는 경우에도 대퇴골두에 별다른 성장 장애가 일어나지 않는다.

9

성장기 소아의 대퇴골 근위부 동맥 분포는 관절막외 동맥고리(extracapsular arterial ring), 관절막내 상행 경부동맥(intracapsular ascending cervical artery), 활액막하 관절막내 동맥고리(subsynovial intracapsular arterial ring) 등 세 가지로 구성되어 있다. 대퇴골 경부 기저부에 형성된 관절막외 동맥고리로부터 상행동맥(또는 지대동맥)이 기시하여 관절막을 뚫고 대퇴골 경부를 따라 활액막 아래로 대퇴골두를 향해 주행한다. 이는 다시 위치에 따라 내측과 외측, 전방과 후방의 4개로 구분된다. 이 상행동맥들은 경부와 연골성 골두가 연결되는 부위에서 다시 문합하여 활액막하 관절막내 동맥고리를 형성하고 여기서 다시 골단 분지와 골간단 분지로 나누어지는데, 골단 분지는 직접 골단판을 관통하지 않고 그 주위의 연골막 환(perichondral ring)을 통해 골단의 연골 부분에 분포하고, 골간단 분지는 대퇴골 경부를 통해 원위부로 주행한다. 이처럼 골단판은

성장이 끝나고 폐쇄되기까지 일차, 이차 골화 중심 간 직접적인 혈행을 차단하는 역할을 한다(그림 6). 출생 시에는 내측 대퇴회선동맥과 외측 대퇴회선동맥이 대퇴골두, 경부, 대전자 부위의 혈액공급에 있어서 거의 같은 역할을 수행한다. 그러나 3-5세가 되면 외측 대퇴회선동맥의 역할은 전방 분지를 통해 골간단부에 주로 분포하고, 내측 대퇴회선동맥이 외측 분지를 통해 대퇴골두의 주요한 혈액 공급원이 된다. Chung은 0-2세와 3-10세 소아군을 비교 관찰한 결과로 외측 및 후방 상행동맥은 그 수가 유지되나, 내측 및 전방 상행동맥은 3-10세 소아군에서 그 혈관수가 현저하게 감소한다고 보고하였다. Lauritzen도 내측 대퇴회선동맥이 외측 분지로 되면서 대퇴골 골단에 주요한 혈액공급을 담당하며, 그 중요성은 나이가 들수록 더욱 증가한다고 보고하였다. 상행 경부동맥은 발달과정 동안 골단 동맥을 통해 연골성 대퇴골두에 분포한다. 초기에는 각 혈

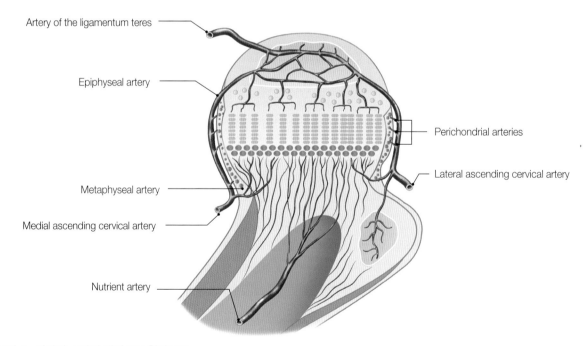

그림 6. 성장기 소아의 대퇴골두 혈관구조
대퇴골 경부 기저부에 형성된 관절막외 동맥고리에서 기시한 혈관들은 상행 경부동맥들을 형성하여 대퇴골두로 주행한다. 이 혈관들은 대퇴골 경부와 골두의 경계부위에서 문합하여 활액막하 동맥고리를 형성한 후 다시 골단동맥과 골간단동맥으로 나누어져 골단과 골간단부에 분포한다. 이때 골단동맥은 골단판을 직접 관통하지 않고 연골막 환을 우회하여 골단의 연골부분에 분포한다.

관들은 각각의 독립적인 분포영역을 갖고 있다가 점차 자라면서 혈관들이 서로 문합하여 광범위한 혈관망을 이루는데, 만약 이 문합망이 불완전하게 형성된 경우 특정 혈관이 차단되면 고유의 혈관분포 영역에 국소적인 괴사가 발생하게 된다. 외측 상행 경부동맥은 대퇴골 경부와 대전자간의 좁은 공간에 놓여 있게 되는데, 특히 8세 이하의 소아에서는 관절막이 두껍고, 대전자와 관절막 사이의 공간이 매우 좁아 외부 압박에 취약하다. 또한 관절내 동맥고리가 남아에서 여아보다 불완전하게 형성되는 경우가 많은 것으로 알려져 있어

이러한 해부학적 특성이 Legg-Calvé-Perthes 병의 발생과 연관이 있는 것으로 여겨지고 있는데, 일반적으로 이 질환은 6-8세에서 호발하고, 남아에서 4-5배 많이 발생한다. 골반골이나 비구의 혈행은 대퇴골과 달리 그 임상적 유용성이 크지 않은데 이는 출생 전부터 비구가 상둔동맥, 하둔동맥, 폐쇄동맥의 후방 분지 등을 통해 각각 비구 상부, 후방, 전방 및 비구와 등에 구분하여 분포하고 있으며, 풍부한 골 내외 혈관문합을 형성하고 있어 혈행장애는 매우 드물다.

참고문헌

1. 김현우. 기초의학. 정형외과학. 제7판. 서울: 최신의학사; 2013;27-35.

2. 윤강섭. 고관절 병변. 정형외과학. 제7판. 서울: 최신의학사; 2013;932-6.

3. 최인호, 정진엽, 조태준, 유원준, 박문석. 이덕용 소아정형외과학. 제3판. 서울: 군자출판사; 2009;345-8.

4. Moore KL, Persaud TVN. 인체발생학 6판. 고재승 등 역. 범문사; 2002;433-50.

5. Sadler TW. 사람발생학 12판. 박경한 등 역. 범문에듀케이션; 2013;151-60.

6. Cashin M, Uhthoff H, O'Neill M, Beaulé PE. Embryology of the acetabular labral-chondral complex. J Bone Joint Surg Br. 2008;90(8):1019-24.

7. Chung SM. The arterial supply of the developing proximal end of the human femur. J bone Joint Surg Am. 1976;58(7):961-70.

8. Crock HV. An atlas of the arterial supply of the head and neck of the femur in man. Clin Orthop Relat Res. 1980;152:17-27.

9. Delaere O, Dhem A. Prenatal development of the human pelvis and acetabulum. Acta Orthop Belg. 1999;65(3): 255-60.

10. Fabeck L, Tolley M, Rooze M, Burny F. Theoretical study of the decrease in the femoral neck anteversion during growth. Cells Tissues Organs. 2002;171(4): 269-75.

11. Fabry G, MacEwen GD, Shands AR Jr. Torsion of the femur. A follow-up study in normal and abnormal conditions. J Bone Joint Surg Am. 1973;55(8):1726-38.

12. Ganey TM, Ogden JA. Pre- and Postnatal Development of the Hip. In: Callaghan JJ, Rosenberg AG, Rubash HE, ed. The adult hip. New York: Lippincott Williams & Wilkins; 2007;35-50.

13. Jouve JL, Glard Y, Garron E, Piercecchi MD, Dutour O, Tardieu C, Bollini G. Anatomical study of the proximal femur in the fetus. J Pediatr Orthop B. 2005;14(2): 105-10.

14. Klit J, Gosvig K, Jacobsen S, Sonne-Holm S, Troelsen A. The prevalence of predisposing deformity in osteoarthritic hip joints. Hip Int. 2011;21(5):537-41.

15. Lauritzen J. The arterial supply to the femoral head in children. Acta Orthop Scand. 1974;45(5):724-36.

16. Lee MC, Eberson CP. Growth and Development of the Child's hip. Orthop Clin N Am. 2006;37:119-32.

17. Masłoń A, Sibiński M, Topol M, Krajewski K, Grzegorzewski A. Development of human hip joint

in the second and the third trimester of pregnancy; a cadaveric study. BMC Dev Biol. 2013;13:19. http: //www. biomedcentral. com/1471-213X/13/19.

18. Posenti IV. Growth and development of the acetabulum in the normal child. Anatomical, histological, and roentgenographic studies. J Bone Joint Surg Am. 1978; 60(5):575-85.

19. Rooker GD. The embryological congruity of the human hip joint. Ann R Cill Surg Engl. 1979;61(5):357-61.

20. Siffert RS. Patterns of deformity of the developing hip. Clin Orthop Relat Res. 1981;160:14-29.

21. Strayer LM Jr. Embryology of the human hip joint. Clin Orthop Relat Res. 1971;74:221-40.

22. Walker JM. Histological study of the fetal development of the human acetabulum and labrum: significance in congenital hip disease. Yale J Biol Med. 1981;54(4): 255-63.

CHAPTER

2 해부학
Anatomy

고관절은 골반골의 비구와 대퇴골 근위부로 이루어져 있으며, 운동 범위보다는 체중 부하와 전달에 따른 관절의 안정성이 더 중요한 다축성(multiaxial) 볼−소케트 형의 활막 관절(synovial joint)이다. 구형의 대퇴골두는 절반 이상이 구체를 형성하면서 컵모양의 비구 및 섬유 연골조직인 비구순으로 이루어진 비구 안에 들어 있어 안정성을 가지며, 관절막(joint capsule) 및 주위의 근육조직이 고관절에 안정성을 더하게 된다(그림 1). 고관절은 하지의 위치에 따라 굴곡 120°, 신전 30°, 외전 45−50°, 내전 20−30°, 내회전 35°, 외회전 45° 정도의 비교적 큰 운동 범위를 가지며, 정상 보행 시는 약 30°의 굴곡, 10°의 신전, 5°의 외전, 내전, 내회전 및 외 회전을 필요로 한다.

1. 골

1) 비구

비구는 단단한 전방과 후방 골 지주(bony column)로 이루어져 하중을 전달한다(그림 2). 비구의 입구는 전방으로 약 10−15°, 하방으로 약 45° 기울어져 있다. 비구는 약 170°의 대퇴골두를 감싸는 반구(hemisphere) 형태이다. 말발굽 형태의 관절 연골은 내측이 얇고 바깥쪽으로 갈수록 두껍다. 입구의 둘레를 따라서 붙어 있는 비구순이 비구를 깊게 만들어 관절의 안정성을 높여주고, 비구 표면을 증가시켜 관절의 접촉응력을 줄이는 데 기여한다. 비구순은 전방에서 가장 넓고 상방에서 가장 두꺼운 구조로, 하방에서 횡비구인

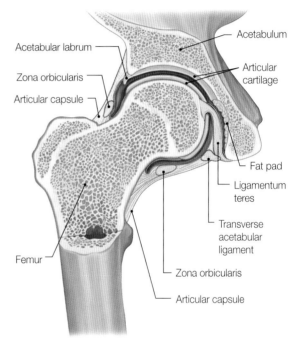

Acetabular labrum

Zona orbicularis

Articular capsule

Acetabulum

Articular cartilage

Fat pad

Ligamentum teres

Transverse acetabular ligament

Zona orbicularis

Articular capsule

Femur

그림 1. **고관절의 해부학적 구조**

대(transverse acetabular ligament)와 연결된다(그림 3). 비구 내의 지표(landmark)는 특히 고관절 전치환술의 비구컵의 위치 결정에 중요한데, 중요한 비구 내의 지표는 전방 비구연(anterior margin), 후방 비구연(posterior margin), 비구와 그리고 횡비구인대이며, 전방 및 후방 비구연은 비구컵의 전방 및 하방 경사의 결정에, 비구와의 바닥면은 내측 도달 정도의 결정에, 그리고 횡비구인대는 비구 하방의 경계를 알 수 있는 지표이고, 비구 상방의 관절면이 단단한 경우 비구 확공

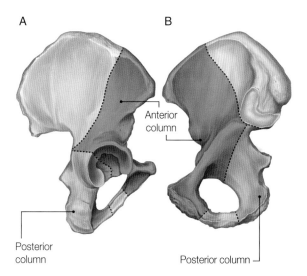

그림 2. 골반골의 전방 지주와 후방 지주
(A) 외측면, (B) 내측면

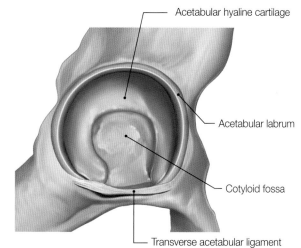

그림 3. 비구의 해부학적 구조

기가 하방으로 향하는 것을 막아주는 역할을 한다. 비구 외의 지표(extra-acetabular landmark) 중 가장 중요한 전상장골극(anterior superior iliac spine, ASIS)은 비구컵뿐 아니라, 비구컵 고정 나사못의 삽입 위치를 결정하는 데 도움이 되는 지표이다.

2) 근위 대퇴골

대퇴골은 전방과 외측으로 휘어 있는데, 만곡이 심할 경우 길고 곧은 정형외과적 삽입물을 삽입하는 데 제한이 생겨, 보다 작은 크기의 삽입물 사용을 고려해야 하므로 임상적으로 중요하다. 근위 대퇴골의 골간단과 경부가 대퇴골 원위부의 내외과를 연결하는 관상선과 이루는 전염각(anteversion)은 약 15° 정도이다. 대퇴골 근위부의 해면골은 크게 다섯 개로 구분되는 골소주가 독특한 구조를 이루고 있는데, 일차 및 이차 압박 골소주(compression trabeculae), 일차 및 이차 인장 골소주(tensile trabeculae) 및 대전자 골소주(greater trochanter trabeculae)가 있으며, 이 중 일차 및 이차 압박 및 일차 인장 골소주가 Ward 삼각을, 일차 압박, 일차 인장 골소주 및 골두의 연골하골이 Babcock 삼각을

이룬다(그림 4). 대퇴거(calcar femorale)는 대퇴골 골수강내에서, 소전자 바로 전방의 대퇴골 내측 피질골로부터 상외측으로 대전자를 향하여 관상면으로 뻗쳐 있는 박판(laminated)형의 피질골 판이다(그림 5). 대퇴골 간부와 경부의 중심축이 이루는 경간각은 약 125° 정도이다. 많은 경우 대전자의 첨단이 대퇴골두 중심보다 조금 근위에 위치하는데, 경간각이 크면(외반고, coxa valga) 골두 중심이 좀 더 근위에, 경간각이 작으면(내반고, coxa vara) 좀 더 원위에 위치하게 된다. 또한, 일반적으로 골두 중심에서 대퇴골 중심축까지의 수직 거리인 오프셋이 외반고에서는 작아지고, 내반고에서는 커지나, 반드시 경간각에 일치하지는 않으며 다양하게 분포하게 된다.

2. 관절막

1) 관절막의 구조

고관절의 관절막(joint capsule)은 강하고 치밀하여 관절의 안정성에 중요한 역할을 한다. 비구에서는 비구순 바깥쪽과 횡비구인대에 부착되고, 대퇴골에서는 전방의 경우 전자간 선(intertrochantric line)에 부

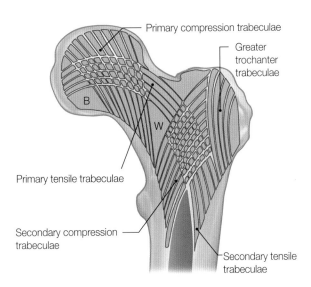

그림 4. 대퇴골 근위부 골수강내의 골소주
B: Babcock 삼각, W: Ward 삼각.

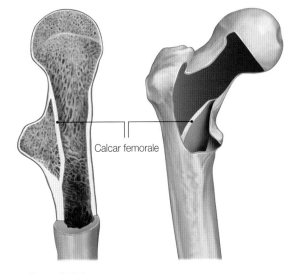

그림 5. 대퇴거
대퇴거(calcar femorale)는 대퇴골 골수강내에서 소전자 바로 전방의 대퇴골 내측 피질골로부터 상외측으로 대전자를 향하여 관상면으로 뻗쳐 있는 박판(laminated)형의 피질골판이다.

착하므로 고관절의 전방에서는 대퇴골 경부가 관절막 내(intracapsular)에 위치하는 반면, 후방은 관절막이 경부의 2/3 정도만 덮어 경부 기저부와 전자간 능선(intertrochanteric crest)이 관절 외에 위치한다. 관절막이 대퇴골 부착 부위로부터 일부 관절막 섬유가 다시 상방으로 연장되어 대퇴골두의 관절연골 직하부까지 대퇴골 경부를 싸고 있는데, 이를 지대(retinaculum)라고 한다. 이 지대가 대퇴골 경부의 골막에 해당되나 일반적인 골막과는 달리 형성층(cambium layer)이 없다. 관절막의 섬유들은 거의 모두 종(longitudinal) 방향으로 골반에서부터 대퇴골에 이르지만, 괄약근층(zona orbicularis)은 대퇴골두 원위부에서 경부를 환상형(circular)으로 감싸면서 관절막 내에서 가장 좁은 부위를 형성한다(그림 1).

2) 고관절 주위 인대

고관절 주위에는 전방에 'Bigelow Y 인대'라고도 불리는 거꾸로 된 Y 모양의 장대퇴(iliofemoral)인대와 치대퇴(pubofemoral)인대가, 후방에 좌대퇴(ischio-femoral)인대가 위치한다(그림 6). 고관절이 신전할 때 뒤틀리게 위치한 이들 세 인대가 꼬이면서 '나사 회전 효과(screw home effect)'를 보여 가장 큰 안정성을 갖게 된다. 반면, 관절면의 가장 안정적인 접촉은 최대 신전 시보다는 굴곡, 외전, 그리고 외회전 시 인대가 느슨해지며 이루어지게 된다. 굴곡 및 내전 상태는 고관절의 관절 접촉면이 작고, 안정성이 떨어져, 외상 시 탈구가 일어날 위험성이 가장 커지는 위치이다.

3) 활액막

고관절내의 활액막(synovial membrane)은 섬유성 관절막과 맞닿아 있으면서 관절막에 견고하게 부착되어 있어 비구와 대퇴골두를 섬유성 관절막과 구분해주는 역할을 한다. 대부분은 근위부에서 비구 가장자리에 부착되어 있고, 내측으로는 비구와에 있는 지방조직까지 덮으며, 횡비구인대를 가로질러 비구 기저부 및 비구와의 변연부까지 덮는다.

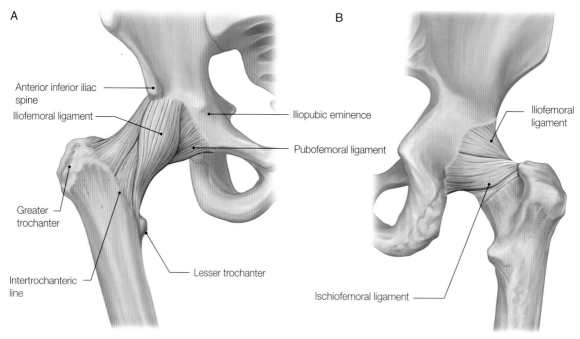

그림 6. 고관절의 관절막 및 이를 덮고 있는 인대
(A) 전면, (B) 후면

3. 근육

1) 굴곡근

고관절의 주된 굴곡근(flexors)은 장요근(iliopsoas), 대퇴직근(rectus femoris), 봉공근(sartorius)이며, 대퇴근막장근(tensor fascia lata), 즐상근(pectineus), 장, 단, 대내전근(adductor longus, brevis, magnus) 및 중, 소둔근(gluteus medius and minimus)의 전방 부위도 굴곡근의 역할을 한다(표 1, 그림 7). 또한 박근(gracilis)도 슬관절이 신전되어 있는 상태에서 고관절의 굴곡에 관여한다. 이 중 장요근은 장골근(iliacus)과 대요근(psoas major)으로 이루어지며 한 개의 건으로 합쳐져 소전자에 부착한다. 대퇴직근은 고관절 굴곡 이외에 슬관절의 신전에 역할을 하게 되는데, 이는 대퇴직근의 부착부위가 고관절과 슬관절을 지나 경골 근위부에 부착하기 때문이다. 따라서 슬관절 신전 상태에서는 근육의 길이가 단축되고 전부하가 최소화되어 고관절을 굴곡시키는 힘이 약해지며, 슬관절 굴곡 상태에서는 그 반대가 된다.

2) 신전근

고관절의 주된 신전근(extensors)은 대둔근(gluteus maximus)과 슬근(hamstrings)이며, 이 근육들은 대내전근(adductor magnus)의 도움을 받는다. 대둔근은 중립 위치에서 고관절을 최대 신전시키며, 대퇴의 외회전 기능과 장경대(iliotibial band)를 통한 슬관절의 안정화 기능도 한다. 대퇴이두근(biceps femoris)의 장두(long head)와 반건양근(semitendinosus), 반막양근(semimembranosus)으로 이루어진 슬근은 고관절을 신전시키고 슬관절을 굴곡시키지만, 고관절의 신전력은 세 근육의 힘을 합하여도 대둔근보다 약하다. 슬근의 힘은 고관절이 굴곡될수록 커지나, 대둔근의 힘은 슬관절이 중립 이상으로 굴곡될수록 작아진다.

3) 외전근

주요 외전근(abductors)으로는 상둔신경(superior gluteal nerve)의 지배를 받는 중둔근(gluteus medius),

표 1. 고관절에 작용하는 주 근육과 신경 분포

	근육	신경
굴곡근(Flexors)	장요근(Iliopsoas)	장요근분지신경(L2, L3, L4)
	즐상근(pectineus)	대퇴신경(L2, L3, L4)
	대퇴직근(rectus femoris)	대퇴신경(L2, L3, L4)
	봉공근(sartorius)	대퇴신경(L2, L3, L4)
신전근(Extensors)	대둔근(gluteus maximus)	하둔신경(L5, S1, S2)
	반막양근(semimembranosus)	경골신경(L4, L5, S1)
	반건양근(semitendinosus)	경골신경(L4, L5, S1)
	대퇴이두근(biceps femoris) longhead	경골신경(L4, L5, S1)
	대내전근(adductor magnus)	경골신경(L4, L5, S1)
외전근(Abductors)	중둔근(gluteus medius)	상둔신경(L4, L5, S1)
	소둔근(gluteus minimus)	상둔신경(L4, L5, S1)
	대퇴근막장근(tensor fascia lata)	상둔신경(L4, L5, S1)
내전근(Adductors)	단내전근(adductor brevis)	폐쇄신경(L2, L3)
	장내전근(adductor longus)	폐쇄신경(L2, L3)
	대내전근(adductor magnus) 전방섬유	폐쇄신경(L2, L3)
	박근(gracilis)	폐쇄신경(L2, L3)
외회전근(Externalrotators)	이상근(piriformis)	이상근분지신경(S1, S2)
	대퇴방형근(quadratus femoris)	대퇴사두근 및 하쌍자근분지신경(L4, L5, S1)
	하쌍자근(inferior gemellus)	대퇴사두근 및 하쌍자근분지신경(L4, L5, S1)
	상쌍자근(superior gemellus)	상쌍자근 및 내폐쇄근분지신경(L4, L5, S1)
	내폐쇄근(obturator internus)	상쌍자근 및 내폐쇄근분지신경(L4, L5, S1)

소둔근(gluteus minimus)과 대퇴근막장근(tensor fascia lata)이 있다. 중둔근은 전방, 중간 및 후방 섬유를 가지는데, 전방 섬유는 고관절 굴곡과 내회전 시에, 후방 섬유는 신전과 외회전 시에 더 큰 외전의 기능을 하게 된다. 중둔근과 소둔근은 입각기(stance phase) 때 체중에서 비롯되는 내전 모멘트에 대응하는 기능을 가진다.

4) 내전근

장, 단, 대내전근(adductors), 즐상근 및 박근이 내전의 기능을 한다. 내전근들의 근력의 합은 외전근의 근력의 합보다 크기 때문에 고관절의 이상이 있는 경우에는 내전근 구축이 나타나게 된다.

5) 외회전근

고관절의 외회전은 이상근(piriformis), 상쌍자근(gemellus superior), 내폐쇄근(obturator internus), 하쌍자근(gemellus inferior), 외폐쇄근(obturator externus), 대퇴방형근(quadratus femoris)으로 구성된 단외회전근(short external roatators)에 의해 주로 이루어진다. 일반적으로 좌골신경은 이상근의 전방에 위치하고 이상근과 상쌍자근 사이로 나와서 나머지 단외회전근의 후방에 놓이기 때문에, 후방 접근법으로 수술 시 외회전근을 후방으로 젖히면 좌골신경이 보호되지만, 약 10%에서는 좌골신경의 비골 분지가 이상근을 통과하여 지나간다는 것을 숙지하여야 한다(그림 8).

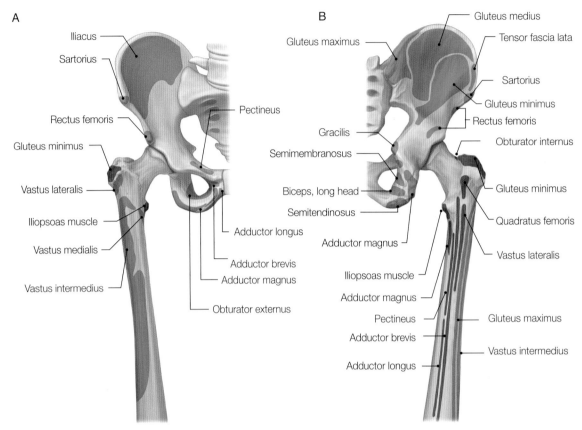

A

Iliacus
Sartorius
Rectus femoris
Gluteus minimus
Vastus lateralis
Iliopsoas muscle
Vastus medialis
Vastus intermedius
Pectineus
Adductor longus
Adductor brevis
Adductor magnus
Obturator externus

B

Gluteus medius
Gluteus maximus
Tensor fascia lata
Sartorius
Gluteus minimus
Rectus femoris
Gracilis
Obturator internus
Semimembranosus
Gluteus minimus
Biceps, long head
Quadratus femoris
Semitendinosus
Adductor magnus
Vastus lateralis
Iliopsoas muscle
Adductor magnus
Pectineus
Gluteus maximus
Adductor brevis
Vastus intermedius
Adductor longus

그림 7. 고관절의 근육
(A) 전면, (B) 후면

6) 내회전근

단독으로 내회전(internal rotators) 기능이 있는 근육은 없고 중, 소둔근의 전방 섬유 및 대퇴근막장근 그리고 이외 반건양근, 반막양근, 즐상근, 대내전근 등이 고관절의 내회전에 관여한다.

4. 혈관

1) 고관절의 혈액 공급

고관절의 혈액 공급은 인접해 있는 혈관들 대부분의 분지들로부터 이루어지며, 특히 내측 대퇴회선동맥(medial femoral circumflex artery), 외측 대퇴회선동맥(lateral femoral circumflex artery), 폐쇄동맥(obturator artery), 상둔 및 하둔동맥(superior and inferior gluteal artery)에 의해 혈액 공급을 받고, 심부대퇴동맥의 첫 번째 관통 분지(first perforating artery)도 위로 향하며 고관절 방향으로 분지를 낸다. 관절막의 경우에는 대퇴골 상단부의 공급을 담당하는 분지들의 작은 갈래에 의해 혈액을 공급받게 된다.

2) 대퇴골두의 혈액 공급

대퇴골두는 세 개의 말단 동맥에 의해 혈액이 공급되는데, 원형인대동맥(ligamentum teres artery), 외측 대퇴회선동맥(lateral femoral circumflex artery)과 내측 대퇴회선동맥(medial femoral circumflex artery)의 말단 분지로 이루어진다. 외측 및 내측 대퇴회선동맥은 대퇴골 경부 기저부의 관절막 바깥에서 상·하

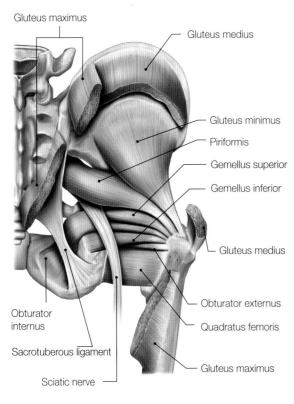

Gluteus maximus

Gluteus medius

Gluteus minimus

Piriformis

Gemellus superior

Gemellus inferior

Gluteus medius

Obturator externus

Quadratus femoris

Obturator internus

Sacrotuberous ligament

Sciatic nerve

Gluteus maximus

그림 8. 외회전근

둔동맥(superior inferior gluteal artery) 및 1 천공동맥(first perforating artery)과 함께 관절막외 동맥고리를 형성하는데, 이는 관절막 밖에서 형성된 혈관 문합 망(vascular anastomotic network)이다. 이 혈관 고리로부터 지대동맥(retinacular vessel)이 기시되어 관절막을 뚫고 들어가, 지대 속으로 경부를 따라 올라가면서 골간단(metaphyseal) 및 골단(epiphyseal) 분지로 나뉘어 각각 골두와 경부에 혈액을 공급한다. 이들 골간단 및 골단 분지들은 뼈 속으로 뚫고 들어가기 직전에, 골두 직하의 관절 연골 가장자리에서 다시 고리 모양의 문합망인 활액막하 관절막내 동맥고리(synovial intracapsular arterial ring)를 형성한다. 여러 개의 지대동맥 중 경부의 후방 특히 후상방에 있는 지대동맥이 대퇴골두의 가장 중요한 혈액 공급원이다. 대퇴골두는 이외에 폐쇄동맥 혹은 내측 대퇴회선동맥에서 기시하는 원형인대동맥이나 대퇴골 간부에서 들어오는 영양동맥으로부터 약간의 혈액을 공급받기도 하는데, 원형인대동맥은 성인에서 항상 존재하는 것은 아니다(그림 9).

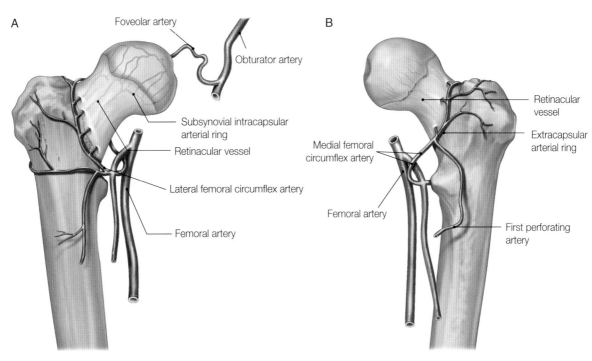

그림 9. 대퇴골두의 혈행
(A) 전면, (B) 후면

3) 비구의 혈액 공급

폐쇄동맥이나 내측 대퇴회선동맥 또는 두 혈관 모두에서 분지되는 비구 분지(acetabular branch)와 대퇴골두로 향하는 분지들은 비구의 조직에 혈액을 공급한다. 상둔동맥의 가지들은 고관절막의 상위 부분과 대전자에 혈액 공급을 하고, 하둔동맥의 분지들은 비구 후방부, 하방부 가장자리와 그 인접 섬유막에 혈액 공급을 하게 된다(그림 10).

5. 신경

1) 고관절의 신경 분포

고관절은 주로 대퇴신경(femoral nerve)과 대퇴신경의 근육 분지, 폐쇄신경(obturator nerve), 부폐쇄신경(accessory obturator nerve), 상둔신경(superior gluteal nerve), 그리고 대퇴방형근(quadratus femoris)에 분포하는 신경분지에 의해 지배를 받는다. 고관절은 다른

중요 관절에 비해 신경 분포가 덜 겹치는 양상을 보이고, 많은 신경 분지들은 주로 혈관성 신경이다. 대퇴신경분지는 주로 장대퇴인대의 하방에 분포하며, 관절막의 후상방 및 치대퇴인대 부위에도 분포한다. 폐쇄신경과 부폐쇄신경은 치대퇴인대 부위에 분포하며, 상둔신경의 분지는 관절막의 상부와 외측 부위에 분포한다. 또한 대퇴방형근에 분포하는 신경분지는 관절막의 후방에 분포하게 된다.

2) 고관절 주위의 신경

좌골신경은 4, 5 요추 및 1, 2, 3 천추신경근의 전후방 분지에서 시작하여 상부 천골 신경총(upper sacral plexus root)을 이루면서, 경골신경(tibial nerve)과 비골신경(peroneal nerve)으로 이어지게 된다. 좌골신경은 골반 내에서 대좌골 절흔(greater sciatic notch)(그림 11)을 거쳐 이상근의 전내측으로 내려오는데, 골반

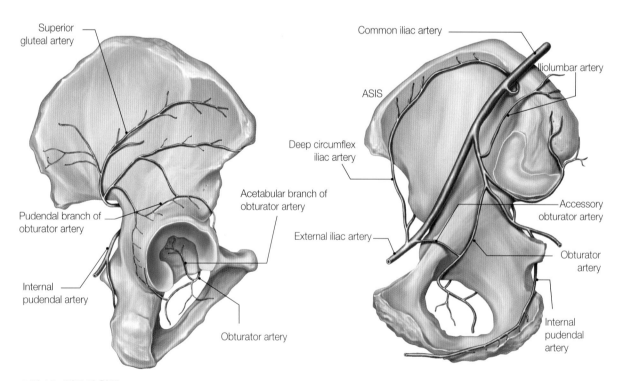

그림 10. 비구의 혈행
(A) 외측면, (B) 내측면

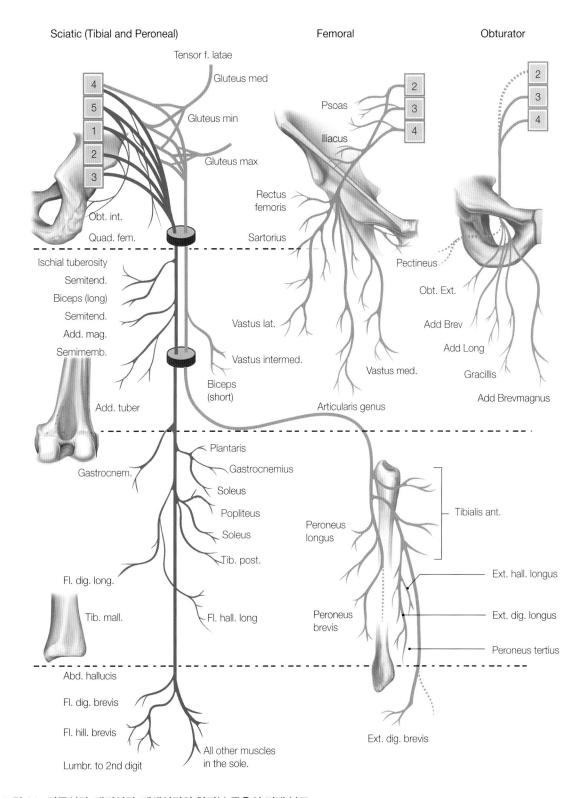

Sciatic (Tibial and Peroneal)

Tensor f. latae

Gluteus med

4
5
1
2
3

Gluteus min

Gluteus max

Obt. int.

Quad. fem.

Ischial tuberosity

Semitend.

Biceps (long)

Semitend.

Add. mag.

Semimemb.

Add. tuber

Gastrocnem.

Plantaris

Gastrocnemius

Soleus

Popliteus

Soleus

Tib. post.

Fl. dig. long.

Tib. mall.

Fl. hall. long

Abd. hallucis

Fl. dig. brevis

Fl. hill. brevis

Lumbr. to 2nd digit

All other muscles in the sole.

Rectus femoris

Sartorius

Vastus lat.

Vastus intermed.

Biceps (short)

Articularis genus

Femoral

Psoas

Iliacus

2
3
4

Pectineus

Vastus med.

Obturator

2
3
4

Obt. Ext.

Add Brev

Add Long

Gracillis

Add Brevmagnus

Peroneus longus

Peroneus brevis

Tibialis ant.

Ext. hall. longus

Ext. dig. longus

Peroneus tertius

Ext. dig. brevis

그림 11. 좌골신경, 대퇴신경, 폐쇄신경의 하지부 근육의 지배 분포

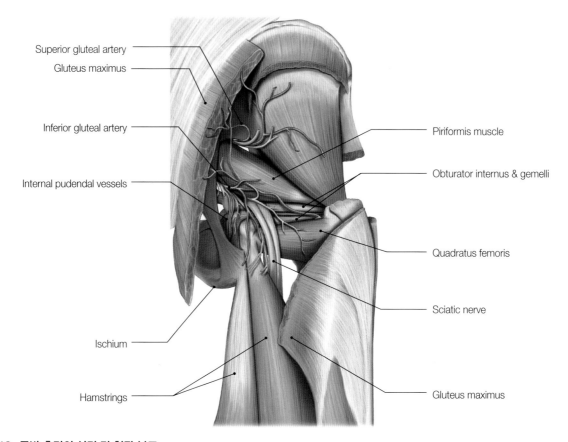

Superior gluteal artery
Gluteus maximus
Inferior gluteal artery
Internal pudendal vessels
Ischium
Hamstrings
Piriformis muscle
Obturator internus & gemelli
Quadratus femoris
Sciatic nerve
Gluteus maximus

그림 12. 골반 후면의 신경 및 혈관 분포

으로부터 대좌골 절흔을 통해 나오는 지점의 가동성이 적기 때문에 이 부위에서 가장 손상 받기가 쉽다. 경골 부위(tibial portion)보다는 비골부(peroneal portion)에서 손상이 더 흔한 것으로 보고 되고 있고, 비골부 중에서도 외측부 손상이 흔하다(그림 12). 대퇴신경은 골반 내 2, 3, 4 요추신경의 가지에서 형성되어 장요근을 지나 대퇴 삼각(femoral triangle)을 통해 대퇴 부위를 지나게 된다. 이는 고관절의 전면 및 내측에 인접하며, 이 공간 내에서 대퇴신경 손상이 가장 흔하다. 이 공간은 상대적으로 탄력이 부족하여 신전, 혈종, 수술 작업 등에 의한 손상 가능성이 많다. 상둔신경은 4, 5 요추 및 1 천추신경근의 후방분지에서 시작하여 이상근의 상방으로 대좌골공(greater sciatic foramen)을 통해 골반 밖으로 나와 소둔근과 중둔근 사이로 진행한

다. 주로 Hardinge의 접근법과 같은 측방 도달 시 중둔근을 절개할 때 5 cm 이상 상방으로 절개하면 손상받게 되는데, 이에 따라 지속적으로 수술 후 외전근 약화에 따른 파행이나 탈구가 올 수 있다. 폐쇄신경은 2, 3, 4 요추신경의 전방 분지에서 시작하며 폐쇄동, 정맥과 함께 비구 내측면(quadrilateral surface of acetabulum) 부위를 지나 폐쇄공(obtrator foramen)을 통해 골반골을 빠져나가 내전근에 분포하게 된다. 고관절 치환술 시 폐쇄신경 손상이 흔하지는 않으나, 비구의 전하방(anterior inferior acetabular quadrant)에 나사 고정 시 손상이 발생할 수 있으므로 주의를 요한다. 외측 대퇴 피부신경(lateral femoral cutaneous nerve)은 요추신경 총의 분지로 2, 3 요추신경의 후방 분지에서 기시한다. 장요근의 외측을 지나 전상장골극 부위에서 서혜인대

밑을 지나며, 대퇴근막장근과 봉공근 사이에서 내측으로 진행하게 된다. 고식적인 후방이나 전측방 접근을 이용한 고관절 전치환술 시는 외측 대퇴피부신경의 손

상이 흔하지 않으나, 직접 전방 접근법을 이용한 고관절 치환술 시 이 신경의 손상이 우려되므로 주의를 요한다.

참고문헌

1. 대한정형외과학회. 정형외과학 제6판, 최신의학사; 2006.

2. Anda S, Svenningsen S, Dale LG, et al. The acetabular sector angle of the adult hip determined by computed tomography. Acta Radiol Diagn. 1986;27:443–447.

3. Anderson JE. Grant's Atlas of Anatomy. 7th ed. Baltimore: Williams &Wilkins; 1978;97.

4. Barrack RL, Butler RA. Avoidance and management of neurovascular injuries in total hip arthroplasty. Instr Course Lect. 2003;52:267–274.

5. Beaton LE, Anson BJ. The relationship of the sciatic nerve to the piriformis muscle. Anat Rec. 1937;70:1.

6. Berger RA. Total hip arthroplasty using the minimally invasive two-incision approach. Clin Orthop Relat Res. 2003;417:232–241.

7. Berry DJ, Berger RA, Callaghan JJ, et al. Minimally invasive total hip arthroplasty: development, early results, and a critical analysis. J Bone Joint Surg Am. 2003;85(11):2235–2246.

8. Callaghan JJ, Rosenberg AG, Rubash HE. Adult Hip. 2nd ed. Philladelphia: Williams & Wilkins; 2007.

9. Clamente CD. Gray's Anatomy, 30th Am. ed. Lea & Febiger. 1986.

10. D'Ambrosia RD. Musculoskeletal Disorders, Regional Examination and Differential Diagnosis. 2nd ed. Philadelphia: JB Lippincott Co. 1986.

11. Dai KR, An KN, Hein T. Geometric and biomechanical analysis of the femur. Trans Orthop Res Soc. 1985;10: 99.

12. Edwards BN, Tullos HS, Noble PC. Contributory factors and etiology of sciatic nerve palsy in total hip arthroplasty. Clin Orthop Relat Res. 1987;218:136–141.

13. Gowitzke BA, Milner M. Scienti c Bases of Human Movement. 3rd ed. Baltimore: Williams & Wilkins. 1988.

14. Inman VT, Ralston HJ, Todd F. Human Walking. Baltimore: Williams & Wilkins. 1981.

15. Johanson NA, Pellicci PM, Tsairis P, et al. Nerve injury in total hip arthroplasty. Clin Orthop Relat Res. 1983; 179:214–222.

16. Kingsley PC, Olmsted KL. A study to determine the angle of anteversion of the neck of the femur. J Bone Joint Surg Am. 1948;30:745.

17. Nemeth G, Ohlson H. In vivo moment arm lengths for hip extensor muscles at different angles of hip exion. J Biomech. 1985;18:129–140.

18. Norkin CC, White DJ. Measurement of Joint Motion A Guide to Goniometry. Philadelphia: FA Davis Co. 1985.

19. Simmons C, Izant TH, Rothman RH, et al. Femoral neuropathy fol lowing total hip arthroplasty. J Arthroplasty. 1991;6:559–565.

20. Soderburg GL, Dostal WF. Electromyographic studyof the three parts of the gluteus medius muscle during functional activities. Phys er. 1978;58:6.

21. Williams PL, Warwick R. Gray's Anatomy. 37th ed. Philadelphia: WB Saunders; 1985.

3

고관절의 생역학
Biomechanics in the Hip Joint

1. 힘과 응력의 정의

힘(force)이란 물체를 가속하거나 또는 변형시킬 수 있는 물리적인 양이라고 정의된다. 힘은 두 물체 사이의 작용을 의미하는데, 물체가 직접 다른 물체의 표면과 접촉함으로써 발생되는 경우와 중력처럼 일정한 거리를 두고 간접적으로 발생되는 경우로 구별할 수 있다. 현재 표준화된 국제규격인 System International (SI)에서는 힘의 일반적인 단위로 Newton (N)을 사용하고 있다. 1 Newton이란 1 kg의 질량(mass)을 1 m/s^{2}으로 가속시키는 데 필요한 힘이라고 정의하고 있다 (1 N = 1 kg · m/s^2).

무게(weight)란 어떠한 질량이 지구의 중심을 향하여 끌려가는 힘이라고 정의된다. 질량과 무게는 다른 개념으로 질량은 관성량으로서 장소에 관계없는 고유한 양이지만 무게는 힘의 일종으로서 지구 중력 때문에 나타나는 힘의 특수한 형태라고 설명될 수 있다. 지구의 중력에 의하여 만들어지는 물체의 가속도는 지구의 표면에 따라 다양하지만 근사적으로 9.8 m/s^{2}이다. 따라서 1 N은 1 kg의 질량을 1 m/s^{2}으로 가속시키는 데 드는 힘이므로 1 kg의 질량에 작용하는 중력의 힘은 지구에서 약 9.8 N이다. 체중 60 kg 무게의 사람은 지구 표면에서는 약 600 N의 힘을 갖게 된다.

어떤 물체에 힘이 가해지면 그 물체는 변형이 된다. 이때 우리 육안으로 보이는 변형도 있고 육안으로 볼 수 없는 변형도 있다. 힘을 받은 물체는 골고루 똑같은 변형이 일어나지 않으며 변형된 정도는 각 부위마다 다르게 된다. 이와 같이 어떤 물체의 내면에 가해진 힘을 표시하기 위하여 응력(stress)이란 개념이 도입되었다. 응력이란 그 물체의 단위 면적당 받은 힘(force/area)이다. 즉 응력이란 개념은 어떤 물체가 받는 압박력이라고 할 수 있으며 그 단위는 MPa로 표시된다. 동시에 어떤 물체에 변형이 발생된 경우 이것을 변형률(strain)이라고 명명한다. 변형도란 변형된 크기를 나타내는 것으로 외관상 그 힘의 영향력을 확인이 가능한 것을 의미하나 응력은 외관상 나타내지 못하는 내재적인 단위이다. 변형도는 원래의 길이에 대하여 하중이 가한 후의 변형된 길이의 비율을 의미하며 ε=△L/L0로서 그 단위는 in/in, m/m로 표시된다.

정역학(static mechanics)에서는 응력개념을 정의할 때 편의상 물체의 어떠한 점을 정사각형으로 확대하여 응력의 개념을 설명하고 있다. 즉 어떤 정사각형의 한 면에 수직으로 작동하는 힘에 따른 응력을 수직응력(normal stress)이라고 하고, 그 면에 평행한 힘에 의한 응력을 전단응력(shear stress), 즉 비틀림 응력으로 정의하고 있다. 수직응력은 압축응력(compressive stress)과 인장응력(tensile stress)으로 구분된다. 고체역학에서는 어떤 물체나 인체의 어느 한 점에의 응력은 한 가지로 표시되는 것이 아니고 6개의 독립적인 응력의 성분을 가지고 있다. 어느 한 점의 응력을 구하고자 한다면 그 한 점을 성냥갑과 같은 입방체로 확대하여 해석하며 각 X, Y, Z 평면에 수직으로 작용하는 3개의 수직응력과, 각 X, Y, Z 평면에 평행으로 작용하는 힘에 의한 응력 즉 XY, YZ, ZX 성분의 비틀림을 일으키는 3개의 전단응력으로 구성되어 있다. 이를 벡터(vector)의 상위개념인 텐서(tensor) 형태로 표시하고 이것을 응력 텐서(stress tensor)라고 한다(그림 1). 벡터는 하나의 방향을 표시하지만 텐서는 동시에 두 개 이상의 방향을 표현하므로 삼차원 공간에서의 응력을 잘 표현할 수 있다.

이것을 인체의 대퇴골 피질에 적용해보면 1) 대퇴골 장축 방향으로 굽힘응력(bending stress), 2) 대퇴골 피질이 팽창되는 것에 대한 응력인 환형응력(hoop stress), 3) 횡방향의 반경응력(radial stress)의 3가지 수직응력이 대퇴골 피질내에 분포하고 있으며 이외에 위

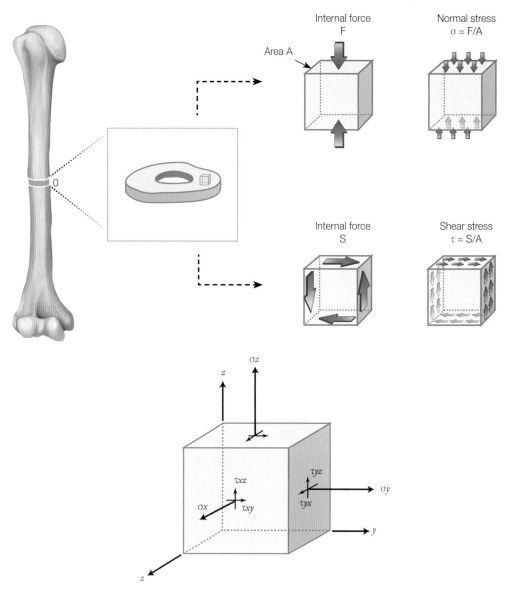

그림 1. 응력의 개념

물체의 어느 한 점에 외력이 가해지면 그 점에서의 응력은 3개의 수직응력과 3개의 전단응력이 발생되어 총 6개의 독립적인 응력성분 (σx, σy, σz, τxy, τxz, τzx)으로 구성되며 이러한 응력의 성분들을 행렬(matrix)수식으로 표기하며 'stress tensor'라고 한다.

3개의 응력에 수직인 전단응력을 확인할 수 있다. 즉 대퇴골의 어느 한 점에서도 6개의 독립적인 응력성분이 존재한다.

모멘트란 어떤 힘이 물체에 작용 시 그 물체를 회전(rotation)시키거나, 돌리거나(turning) 또는 비트는(twisting) 효과를 발휘하는 경우를 지칭하며 일반적으로 M이란 약자로 나타낸다. 사실상 인간의 모든 운동들은 관절을 가로지르는 근육들에 의하여 적용되는 모멘트의 결과라고 할 수 있다. 즉, 모멘트란 힘과 그 힘이 작용하는 수직거리의 곱(힘×거리)이라고 정의된다. 모멘트의 국제 규격 단위는 Newton-meters (Nm)로 표기된다. 모멘트는 벡터양으로서 힘의 크기와 방향이 있다. 모멘트의 크기는 힘이 가해지는 지렛대의 회전 중심에서 힘이 가해지는 부위(지렛대 거리)까지의 길이 곱하기 힘의 값이다.

2. 고관절에 작용하는 힘과 평형

물체가 움직이지 않고 있는 것은 힘의 평형이 이루어졌기 때문이다. 물체가 이동하지도 회전하지도 않은, 즉 정지상태를 물체의 평형상태라고 말할 수 있다. 어떤 물체에 가해지는 무수한 힘의 총합, 즉 합력(resultant)이 0이라면 그 물체는 힘의 평형상태(equilibrium state)에 있는 것이다. 이때 만약 그 힘이 수직 및 수평으로 분해가 되어 물체에 작용한다면 모든 상하로 작용하는 힘의 총합 $\Sigma Fy=0$ 및 모든 좌우로 작용하는 힘의 총합 $\Sigma Fx=0$을 동시에 만족시켜야 한다. 또한 모멘트의 평형, 즉 회전의 평형을 만족시켜야 물체는 진정으로 평형상태를 유지한다고 할 수 있다. 물체에 작용하는 모든 모멘트의 합 역시 0을 만족하여야 물체의 회전은 발생되지 않는다. 힘의 평형과 모멘트의 평형을 고관절에서도 적용이 가능하다.

고관절에 작용하는 힘과 평형을 설명하기 위해 이차원적인 평면에서 체중이 몸의 무게 중심에서 대퇴골 머리의 중심까지 가해지는 지렛대를 생각해 볼 수 있다. 두 다리로 체중을 지탱하여 서 있을 경우 인체

의 무게 중심은 2 천추체(body of sacrum) 앞에 위치하게 되고, 체중에서 양쪽 하지의 무게를 뺀 무게만큼이 양쪽 고관절에 동일하게 수직 방향의 하중으로 가해지게 된다. 예를 들면 한쪽 다리로 서 있는 사람의 경우 골반이 상체의 무게와 외전근 근육의 힘이 고관절 주위에서 균형을 이루고 있다. 고관절의 한쪽 면에 있는 상체의 무게와 반대쪽 고관절 외전근 힘은 대퇴골두에 대응하는 비구를 압박하게 된다. 대퇴골두는 동일한 크기지만 반대의 힘, 즉 고관절 반작용 힘(reaction force)에 대응되게 되며 이것이 힘의 평형에 해당된다. 모멘트 평형의 예로는 동일하게 한쪽 다리로 서 있는 사람에서 지탱하고 있는 고관절의 외전근 근육의 힘이 상체 및 반대측 다리 체중, 즉 한쪽 다리의 무게인 체중의 1/6을 제외한 5/6의 체중이 반대 방향으로 회전하려는 힘에 저항하는 것에 해당되며 모멘트가 균형을 이루는 것에 해당된다(그림 2). 즉 지탱하고 있는 하지의 무게를 제외한 체중(K)이 서 있는 하지의 고관절에 작용하게 되는데, 이때 K는 고관절에 편심적으로 작용하며 골반을 대퇴골에 대하여 내전 방향으로 기울어지게 하며 외전근은 M의 힘을 방출하여 이에 저항하게 된다. K가 지렛대 거리(moment arm)를 h'로 하고 외전근력 M이 지렛대 거리를 h로 하면, 골반을 수평으로 유지하기 위하여는 이 두 가지 힘의 합은 0이어야 한다($Kh'=Mh$)(그림 3). 이때 고관절에 미치는 힘의 합력(reaction force of hip), $R=\sqrt{K^2+M^2+2KM\cos{(KM)}}$로서 주로 K^2과 M^2 합의 루트값에 해당된다.

체중 K의 모멘트 거리는 외전근의 지렛대 길이의 3배 정도의 길이이므로 고관절 대퇴골두의 중심을 통과하는 힘의 합력 R은 부분 하중의 4배보다 약간 작거나 총체중의 3배보다 약간 크다고 할 수 있다. R은 고관절에 위에서 아래 방향으로 경사지게 고관절 내부에서 바깥 방향으로 작용하며 그 경사도는 정상 고관절의 경우 Pauwels에 따르면 수직에서 16° 정도이다. 외전근 자체와 그 작용 기전이 정상이더라도 고관절 질환으로 파행이 있을 경우 Trendelenburg 보행과 같이 환측으로

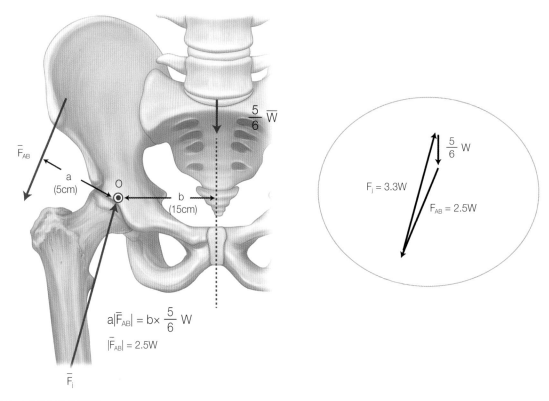

그림 2. 고관절 힘의 평형

고관절은 체중이 고관절에 미치는 힘과 반대 방향으로 이 힘에 대항하여 평형을 유지하려는 외전근에 의하여 발생하는 힘이 서로 모멘트 평형을 이루어야 정상 보행을 유지할 수 있다.

a: 외전근 지렛대 거리, b: 체중 지렛대 거리, $\bar{F}_j$: 고관절에 미치는 힘의 총합 , $\bar{F}_{AB}$: 외전근의 힘.

체중 부하를 할 때 몸통을 환측으로 기울이며 걷게 된다. 이렇게 하면 인체의 무게 중심이 고관절 쪽으로 치우치게 되어 체중의 모멘트 팔이 짧아지고, 이에 따라 외전근 근력도 감소하게 되어 고관절에 가해지는 하중이 크게 감소하게 된다. 결과적으로 고관절 자체에 미치는 힘의 총합 R을 감소시키려는 본능적인 동작이라고 할 수 있다. 이외에도 다른 조건이 같은 상황에서 대퇴골 경부의 길이가 짧은 사람일수록, 골반의 폭이 넓을수록 고관절에 가해지는 하중이 커지게 된다.

3. 고관절의 응력

대퇴골두와 비구에 미치는 하중의 양상은 주로 압축력이며, 관절의 연골하골에 압축응력을 분포시키게

된다. 비구의 경우 비구의 관절면의 압축응력은 비구의 오목한 면으로부터 방출되는 양상으로 퍼져나가면서 응력이 감소되는 양상을 취하게 된다. 그러나 대퇴골두의 경우는 비구와 정반대 개념으로 압축력이 대퇴골두의 볼록면에서부터 대퇴골두 안쪽으로 모이는 양상으로서 응력이 증가하게 된다. 따라서 대퇴골두 기저부나 대퇴골 경부는 대퇴골두보다 단위 면적이 작기 때문에 대퇴골두의 응력이 대퇴골 원위부로 전달되면서 대퇴골 경부를 통과할 때 상당히 큰 응력이 발생되게 된다. 즉 대퇴골두보다 대퇴골 경부에서 높은 응력 집중이 발생된다. 이런 원인으로 노인의 경우 가벼운 충격에도 대퇴골 경부 골절이 많이 발생되는 것이다.

또한 가해지는 하중과 뼈의 구조는 무관하지 않아서,

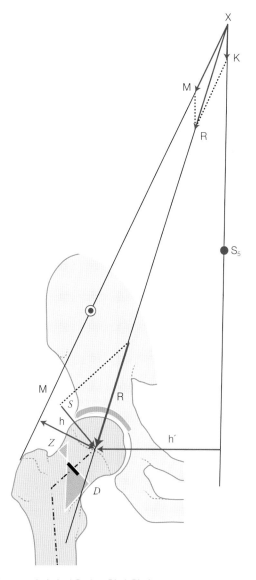

그림 3. 고관절에 작용하는 힘의 합력
고관절에 작용하는 힘의 합력 R은 고관절에 작용하는 외전근 모멘트(M)와 체중 모멘트(K)의 벡터 값의 합으로서
R = √K²+M²+2KMcos (KM)로 표시된다.
K: 체중이 고관절에 미치는 힘의 총합, M: 외전근 힘, S: 전단력,
R: 고관절에 미치는 힘의 총합, h: 외전근 지렛대 거리, h′: 체중 지렛대 거리, Z: 인장력, D: 압축력.

비정상적인 하중을 받게 되는 경우 sourcil이라 불리는 비구개의 골응측(bony condensation)과 대퇴골 근위부 골수강내의 골소주에 변화가 생긴다. 정상인 경우 비구개 골응측은 비교적 얇고 일정한 두께로 체중 부하

면에 골고루 형성되지만, 비구 이형성증에서는 삼각형 형태로 비구외연 쪽이 두꺼운 쐐기 형태가 된다(그림 4). 대퇴골 근위부 골수강내의 골소주는 대퇴골의 경간각에 이상이 있는 경우 변화를 보이는데, 내반고의 경우 상외측에 가해지는 인장력이 커지고 이에 따라 일차 인장 골소주가 더 뚜렷해지는 반면 외반고의 경우에는 아치형의 일차 인장 골소주가 직선형의 압박 골소주 형태로 바뀌면서 Ward 삼각이 없어진다.

고관절의 중심 대퇴골두에 작용하는 힘의 합력 R은 대퇴골두의 중심을 통과하여 수직하방으로 작용하므로 그 작용 방향이 대퇴골 경부의 중심축과 일치하지 않고 대퇴골 경부 중심축보다 내측으로 향하게 된다. 따라서 고관절의 합력 R은 대퇴골 경부를 굽히려는 힘(bending force)으로 작용하게 되어 경부 내부에서 내측에는 압축응력을 외측에는 인장응력을 각각 유발하는데, 대퇴골 경간각이 정상인 경우 인장응력보다는 압축응력이 크다. 대퇴골 경부에 비스듬하게 작용되는 고관절의 합력 R은 대퇴골 경부에 대해 압축력과 전단

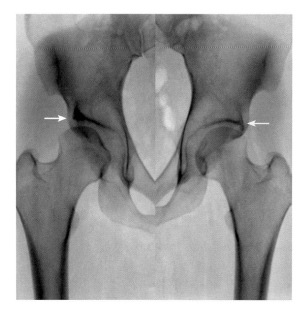

그림 4. 비구 이형성증에서의 비구개 골응축
정상인 경우 골응축은 비교적 얇고 일정한 두께로 체중 부하면에 골고루 형성되지만(노란색 화살표), 비구 이형성증에서는 삼각형 형태로 비구외연 쪽이 두꺼운 쐐기 형태가 된다(하얀색 화살표).

력으로 분해될 수 있는데 이때 전단력의 크기는 대퇴골 경간각의 크기에 따라 달라진다(그림 5). 경부 중심축이 고관절의 합력 R의 작용 방향과 좀 더 평행하게 되는 외반고에서는 전단력이 줄어들고 압축력이 커지는 반면, 경부 중심축이 고관절의 합력 R의 작용 방향과 좀 더 수직으로 되는 내반고에서는 압축력이 줄어들고 전단력이 커지게 된다(그림 6).

요약하면 고관절의 역학적 응력은 고관절에 작용하는 힘의 총합 즉 합력 R에 의한 압축력이 관절 압력으로 작용하게 되며, 이 압축력을 좌우하는 요소로는 1) 합력 R의 크기, 2) 관절면의 체중 부하 면적, 3) 체중 부하 면적 내에서 R의 위치가 있으며, 이러한 요소들이 골관절염이나 절골술, 고관절 치환술 분석의 기초가 된다.

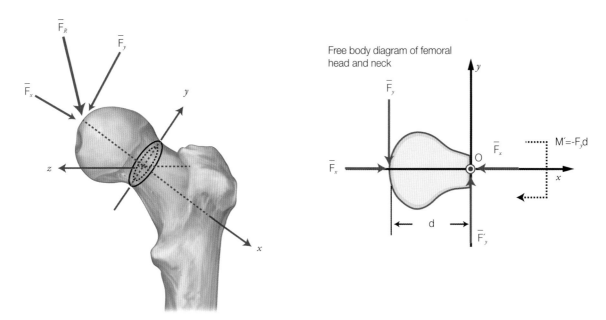

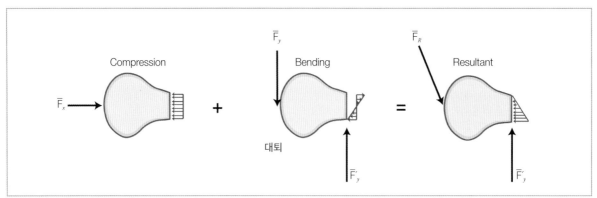

그림 5. 대퇴골두에 작용하는 힘
대퇴골두에 작용하는 힘의 합력 R은 압축력과 전단력으로 분해되어 각각 대퇴골 경부에 작용하게 된다. 굽힘력은 +, 전단력은 −로 표시되며 이를 합산하면 결과적으로 대퇴골 경부 내측면은 주로 압축력이 작용하게 된다.

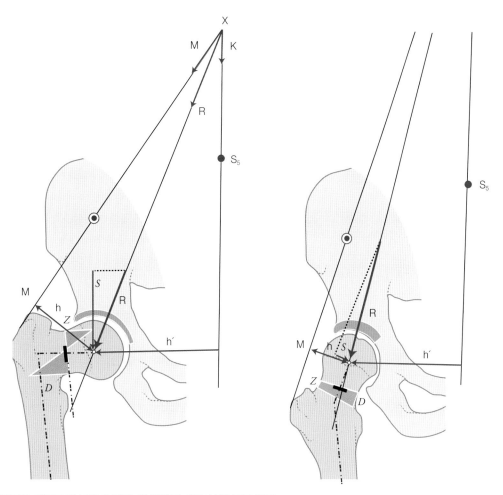

그림 6. 내반고와 외반고의 고관절 힘의 합력(R)과 체중 부하 면적 비교

내반고는 외전근 모멘트 거리(h)가 길어짐으로 인하여 결과적으로 고관절에 미치는 힘의 합력(R)이 외반고보다 적어진다. 또한 내반고는 고관절의 체중 부하 면적이 외반고보다 넓게 분포되어 단위 면적당 고관절에 미치는 응력이 적어진다.

S_5: 몸의 중심력(center of gravity), R: 고관절에 미치는 힘의 총합, D: 압축력, M: 외전근이 고관절에 미치는 힘의 총합, K: 지탱하고 있는 하지를 제외한 체중의 무게

참고문헌

1. 대한정형외과학회. 정형외과학 제7판, 최신의학사. 2013; 936-38

2. Callaghan JJ , Rosenberg AG , Harry ER. The Adult hip. Philadelphia: Lippoincort-Reven Publishers. 2015; 145-53.

3. Carter DR and Fyhrie DP: Relationships between loading history and femoral cancellous bone architecture. J Biomechanics. 1989;22:231-44.

4. Christinavon HWand Nordin M. Introduction to problem solving in Biomechanics. philadelphia: Lea & Febiger; 1986.

5. Crowninshield RD , Pedersen DR, Brand RA. A measurement of proxirnal femur strain with total hip arthroplasty. J Biomechan Eng; 1980;102-23.

6. Maquet PG. Biomechanics of the Hip. New york: springer-Verlag; 1985;18-80.

7. Mow VC, Hayes WC. Basic Orthopaedic Biomechanics. New York: Raven press; 1991;330-88.

8. Popov EP. Engineering mechanics of solids. 3rd ed. Prentice-Hall international. Inc; 1992.

9. Simon SR. Orthopaedic Basic science. American Acacemy of Orthopaedic Surgeons; 1994;403-7.

CHAPTER

4 임상 검사
Clinical Examinations

고관절은 인체 관절 중 가장 큰 관절이며 견관절에 이어 두 번째로 운동 범위가 큰 관절이다. 비구와 대퇴골 근위부로 이루어지며 체중 부하와 체중 전달의 기능 상 운동 범위보다는 관절의 안정성이 더 중요하다. 고관절의 안정성은 구형 관절(ball and socket joint)로서 컵 모양의 비구와 비구순에 의해 구형의 대퇴골두가 잘 받쳐져 있기 때문에 매우 안정적이다. 다른 관절과 달리 고관절은 매우 깊이 위치하며, 주변에 다양한 연부조직이 있기 때문에 고관절의 동통을 호소하는 환자에 대한 임상적 접근이 쉽지 않아 단순한 진찰만으로는 정확한 평가가 힘들 때가 많다. 또한 단순 방사선 사진만으로는 정확한 병변과 그 위치를 찾기 힘든 경우가 많아 전산화단층촬영과 자기공명영상 검사 등을 흔히 필요로 한다.

1. 문진

정확한 병력 청취는 고관절 질환을 가진 정형외과 환자의 평가에 중요한 부분으로 임상 의사의 진찰을 통해 얻은 추가 정보와 함께 정확한 진단을 얻기 위한 효과적인 계획을 수립하는 데 필수적인 요소이다. 병력 청취가 주 증상에 초점을 맞추어 이루어지더라도 환자의 전반적인 상황과 다른 의학적 문제를 고려하는 것 또한 중요하다. 상세하고 포괄적인 병력 청취는 의사가 적절한 진단을 내리는 데 도움을 줄 뿐만 아니라 최상의 치료가 이루어질 수 있는 직관력을 제공해 주기도 한다.

고관절 질환을 가진 환자의 주소(chief complaint)로는 통증, 강직, 보행 장애, 하지 길이 차이, 탄발음 등이 있으나 가장 흔하고 중요한 것은 통증이다. 따라서 병력 청취 시 통증의 양상(통증의 강도, 빈도, 위치, 다리를 올리거나 내릴 때 나타나는 방사통의 유무 등)에 대하여 반드시 상세하게 알아보아야 한다(표 1). 또한 증상의 악화 요인과 완화 요인에 대해서도 알아보아야 한다. 고관절 질환에 의한 통증은 일반적으로 서혜부, 둔부 혹은 대퇴골 근위부에 나타나며, 간혹 슬관절에도 연관통(referred pain)이 생길 수 있다. 고관절에서 기인하는 통증과 허리, 천장관절, 무릎 혹은 내부 장기로부터 기원하는 통증을 감별하는 것이 중요하다.

이와 더불어 환자의 작업수행 능력(patient's ability to work), 활동 정도(level of activity), 보행 능력(walking capacity), 기능(functional ability: 계단의 사용 혹은 양말, 신발을 신는 능력 등), 그리고 지팡이나 목발 등의 보행 보조 수단의 필요 여부 등이 병력 청취 시 기록되어야 한다. 또한 환자의 직업, 여가생활 스타일, 일상생활 활동(activity of daily living), 그리고 전반적인 삶의 질에 있어서 통증에 영향을 줄 수 있는 요소에 대하여 판단을 하고 이러한 변수들에 환자의 연령, 전신적 건강 상태, 진찰 소견, 방사선적, 혈청학적 자료 등을 고려하여 합리적인 치료 계획을 세워야 한다. 수술이 결정되면, 전반적 병력 청취와 환자의 건강상태, 특히 이전의 치과적, 비뇨기과적, 위장관계, 심혈관계, 호흡기적, 신경학적, 그리고 감염성 질환 병력에 대한 청

표 1. 고관절 통증의 위치에 따른 고관절 병변

고관절 통증 위치	고관절 병변
전방(Anterior)	굴곡근 건병증(flexor tendinopathy)
	비구순 파열(labral tear)
	고관절 골관절염(hip osteoarthritis)
	대퇴골두 골괴사(osteonecrosis of femoral head)
	석회성 건염(calcific tendinitis)
	내부형 발음성 고관절(internal snapping hip)
	장요근 점액낭염(Iliopsoas bursitis)
	원형인대 파열(ligamentum teres tear)
	장골극하 충돌 증후군(subspinal impingement syndrome)
후방(Posterior)	외회전근 건병증 또는 손상(external rotator tendinopathy or injury)
	슬근 건병증 또는 손상(hamstring tendinopathy or injury)
	척추 병변(spinal disease)
	이상근 증후군(piriformis syndrome)
	치골대퇴 충돌 증후군(Ischiofemoral impingement syndrome)
	천장관절염(sacroiliitis)
	좌골 점액낭염(ischial bursitis)
	장골 치밀화 골염(osteitis condensans ilii)
측방(Lateral)	외전근 건병증 또는 손상(abductor tendinopathy or injury)
	외전근 석회화 건염(calcific tendinitis)
	외부형 발음성 고관절(external snapping hip)
	전자부 점액낭염(trochanteric bursitis)
	대퇴 감각이상증(meralgia paresthetica)

취를 하여야 한다. 특히 혈전성 정맥염, 폐색전 그리고 심부정맥혈전증 병력에 대한 검토가 꼭 필요하다.

1) 연령 및 성별

환자의 연령대와 성별에 따라 발생하는 질환에는 차이가 있다. 예를 들면, 발달성 고관절 이형성증은 유아기 여아에서 볼 수 있으며, Legg-Calvé-Perthes 병은 3세에서 12세 남아에서 흔하다. 또한, 대퇴골두 골단분리증(slipped capital femoral epiphysis)은 10−16세 급성장기 남아에서 호발하며, 대퇴골두 골괴사(osteonecrosis of femoral head)는 30−50대의 남자에서 주로 발생한다.

2) 과거 병력

환자들에게 어린 시절 고관절 부위에 문제가 있었는지 물어보는 것도 중요하다. 어렸을 때 발생한 발달성 고관절 이형성증, Legg-Calvé-Perthes 병, 대퇴골두 골단분리증(slipped capital femoral epiphysis), 소아마비, 패혈증, 외상 등은 환자가 성인이 되었을 때 고관절 통증을 유발할 수 있기 때문이다.

3) 외상 병력

손상 기전을 파악하는 것이 진단에 도움을 준다. 환자가 고관절 외측을 부딪히면서 넘어졌는지(예: 전자부 점액낭염), 무릎으로 떨어지거나 부딪혔는지, 반복적인 체중 부하 활동의 여부(예: 대퇴골 피로 골절) 등에 대한 병력 청취가 필요하다. 경증 고관절염의 경우, 하루에 몇 시간씩 서 있거나 걸어 다니면서 관절 부위에 스트레스를 주지 않는 한 통증을 일으키지 않지만 관절 부위에 손상을 가하는 외상이 발생하면 갑작스럽게 시작되는 통증을 유발할 수 있다. 환자가 외상이 가해진 상황에 대해 기억이 뚜렷하지 않거나 잘 설명하지 못하는 경우, 손상이 가해질 당시의 사지의 자세, 힘의 방향 등 손상을 평가하는 데 있어 중요한 여러 가지 세부사항에 대해 하나하나 질문하여 최대한의 정보를 얻어야 하겠다.

4) 통증 양상

고관절 자체의 이상으로 인한 통증은 주로 서혜부와 대퇴의 전측 혹은 내측을 따라 느껴진다. 이 부위의 통증은 4 요추부 신경근 통증과 유사하므로 요추부의 문제가 없는지에 대한 조사가 필요하다. 또한 성인에서도 소아에서와 같이 고관절 보다는 동측 무릎의 통증(연관통)을 호소하는 경우도 있는데 이런 경우 슬관절 자체의 이상 유무를 확인할 필요가 있다. 고관절 질환에 의한 통증은 특징적으로 보행 시 악화되며, 외전근 파행(abductor limping)을 보이기도 한다.

골반부의 근골격계와 관계없이 고관절 부위의 통증이 유발되는 경우도 드물지 않다. 체성통(somatic pain)은 둔부와 골반부의 내장통과 연관이 있다. 이것은 난소낭종, 탈장, 허혈성 혈관 질환 등과 같은 골반 내 질환을 의심할 수 있다. 만성 전립선염은 천골 부위의 통증과 동반되어 나타날 수 있으며, 만약 정낭을 침범한다면 침범한 쪽의 둔부와 다리로 방사통이 나타나기도 한다. 골반과 둔부에 발생한 원발성 혹은 전이성 종양으로 인해 고관절 부위 통증이 발생할 수도 있으므로 반드시 이를 감별 진단하여야 한다.

5) 기타 병력

환자의 일상생활 중 환자의 현 증상에 관여하는 반복적이고 지속적인 활동이나 자세 등은 병력 청취를 통해 확인할 수 있다. 고관절 질환이 점차 진행되면 환자들은 간단한 일상생활도 수행할 수 없게 된다. 증상의 심각도는 차에서 타거나 내리는 것, 계단을 올라가는 것, 낮은 의자에 편안하게 앉는 것, 발을 잘 씻을 수 있는 것 등 일상생활 수행능력을 통해서 평가된다. 마지막으로 환자의 전반적인 병력 청취가 이루어져야 한다. 현병력뿐만 아니라, 과거에 앓은 병이나 복용한 약물 등의 과거 병력, 알러지 유무, 가족력, 사회력(직업, 일상생활 수행 정도, 음주력, 흡연력) 등에 대해 잘 파악하는 것도 중요하다. 이러한 환자에 대한 전반적인 평가는 현재의 환자 증상을 평가하고, 치료 계획을 수립하며, 치료 결과를 예측하는 데 있어서 필수적이다.

2. 신체 검사

진찰은 환자가 처음 진료실로 들어서는 순간부터 시작된다. 임상의는 환자가 어떻게 보행하는지, 의자에서 어떻게 일어서는지 등의 환자의 행동에 대해서도 잘 살펴보아야 한다. 검사 시 고관절, 하지뿐만 아니라 전신에 대한 상세한 관찰이 이루어져야 한다. 시진 및 촉진에서부터 통증의 정도에 대한 평가, 근력, 운동 범위, 하지 길이 등을 모두 측정해야 한다.

1) 시진 및 촉진

시진은 환자를 직립시킨 상태에서 환자의 자세를 관찰하는 것부터 시작한다. 고관절이나 척추부의 과거 외과적 상처의 유무를 관찰하고 몸통, 둔부, 대퇴부의 근 위축 여부도 관찰한다. 장골능(iliac crest)과 후상장골극(posterior superior iliac spine), 대전자를 촉지하고 골반의 경사(obliquity)를 확인한다. 하지 길이 불일치(leg length discrepancy)는 명백한 골반의 경사를 유발하며 이는 단축된 하지에 블록을 받침으로써 교정될 수 있으나 척추변형으로 인한 고정된 골반의 경사는 이러한 방법으로는 교정되지 않는다. 또한 직립위에서 Trendelenburg 검사(Trendelenburg test)를 시행함으로써 외전근의 기능을 평가할 수 있다.

환자가 보행을 하도록 한 뒤 다리를 저는지, 보폭, 하지의 정렬, 근력 그리고 전신적 체형 등에 대한 것을 확인하여야 한다. 고관절이 이환된 경우, 환측 다리를 짚을 때 환측의 체중 부하를 줄이기 위하여 상체를 환측으로 기울이게 되고(외전근 파행), 충격 흡수를 위해 무릎은 약간 굽히게 된다. 보폭은 짧아지면서 환측의 체중 부하 시간을 줄이기 위해 입각기(stance phase)가 짧아진다. 고관절에 경직이 있는 경우 체간과 환측 다리가 함께 크게 움직이게 된다. 보행 시 보조기구를 사용하는 환자는 가능하면 보조기구를 사용한 상태 그리고 사용하지 않은 상태에서 걷는 것을 각각 확인해야 한다.

다음으로 환자를 진찰대에 눕게 한 후 종물(mass)의 유무를 촉지하고 전상장골극(anterior superior iliac spine)이나 대전자 부위의 압통 여부를 확인한다. 봉공근(sartorius)이나 대퇴직근(rectus femoris)의 견열 시 환자의 전상장골극이나 그 하부에 압통이 있다. 대퇴 감각이상증(meralgia paresthetica)의 경우 대퇴 원위부 외측의 감각이 저하되어 있으며 외측 대퇴피부신경(lateral femoral cutaneous nerve)이 지나는 전상장골극의 내측에 압통이 있을 수 있다. 대전자부 점액낭염의 경우 전자부에서 압통이 있으며, 전자부 근위부 끝에서 압통이 있는 경우 중둔근염일 수 있다. 전자부 후방에서 압통이 있는 경우 외회전 건염을 암시한다. 일부 환자들은 고관절부에서의 탄발음에 대해 고관절이 빠진다고 호소하기도 한다. 고관절을 굴곡, 내회전시킬 때 대전자 위의 장경대(iliotibial band)에서 탄발음을 촉지할 수 있다. 탄발음은 장요건(iliopsoas tendon)이 장치 융기(iliopectineal eminence)를 지나면서, 장대퇴인대(iliofemoral ligament)가 대퇴골두에 접촉하면서, 혹은 관절내 유리체 등에 의해서도 발생될 수 있다.

2) 관절 운동 범위

고관절은 구형 관절 형태의 깊고 안정적인 구조로 상당한 운동 범위를 가지고 있다. 그러나 고관절의 병변은 이러한 운동 범위의 제한을 초래하게 된다.

(1) 굴곡과 신전

환자를 단단하고 편평한 표면에 앙와위로 눕히고 반대측 고관절을 고정하고 요추를 편평하게 한다(그림 1). 슬근의 긴장에 의한 운동 범위의 제한을 배제하기 위해 슬관절을 굴곡위에서 고관절의 굴곡 범위를 측정한다. 최대 굴곡 시 골반의 회전이 시작되며, 정상 성인의 고관절 굴곡 범위는 0°에서부터 110−135° 사이이다. 고관절의 신전은 복와위에서 측정하고 정상범위는 0°에서부터 15−30° 사이이다.

(2) 외전과 내전

외전 범위의 측정은 환자가 앙와위에서 하지를 신전시킨 상태에서 시행한다(그림 2). 시행 전 환자의 하지와 골반의 전상장골극 간 횡선이 이루는 각도가 직각이 되도록 한다. 최대 외전 시 골반은 기울어지기 시작한다. 정상 성인의 고관절 외전 범위는 0−40°이다. 검사

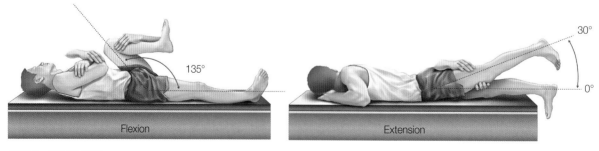

그림 1. 굴곡과 신전

하고자 하는 고관절의 반대측 하지를 위 혹은 아래로 이동시켜 검사 부위 고관절을 내전시킨다. 정상 성인의 고관절내전 범위는 0°에서 30° 정도이다.

(3) 외회전과 내회전

고관절의 회전은 고관절을 굴곡 혹은 신전위에서, 그리고 앙와위 혹은 복와위에서 측정할 수 있다. 일반적으로 고관절을 약 90° 굴곡시켜 측정하게 되지만, 보행 자세에서 회전을 측정하는 것이 더 정확하다. 고관절과 무릎을 직각으로 굴곡시킨 후, 대퇴와 전상장골극 간 횡선이 이루는 각도가 직각이 되도록 고정한다 (그림 3). 정상 성인의 내회전 범위는 0°에서부터 30-40° 사이이고 외회전 범위는 이보다 조금 큰 0°에서 40-60°

사이이다. 예로 관절염 환자의 경우는 처음에는 내회전과 내전의 운동 범위 제한이 오게 된다. 관찰자는 반드시 양측을 비교해서 기록해야 하며 작은 차이도 병변을 발견하는 데 도움이 될 수 있다.

3) 근력 검사
(1) 굴곡근 및 신전근

고관절의 일차 굴곡근은 장요근(iliopsoas)으로 환자를 앉힌 상태에서 고관절을 굽히게 하면서 근력을 측정한다. 고관절의 일차 신전근은 대둔근(gluteus maximus)으로 환자를 복와위로 눕히고 무릎을 90° 굽힌 상태에서 고관절을 펴게 하고 대퇴부에 저항을 주어 근력을 측정한다.

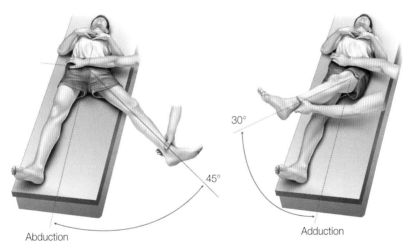

그림 2. 외전과 내전

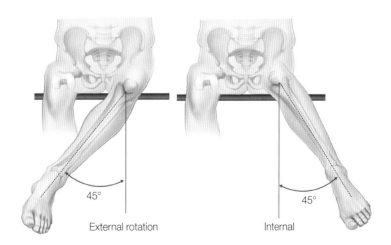

그림 3. 외회전과 내회전

(2) 외전근 및 내전근

고관절의 외전근은 환자의 건측을 아래로 하여 측방으로 눕히고 저항을 준 상태에서 고관절을 외전하도록 하여 근력을 측정한다. Trendelenburg 검사로도 근력약화를 확인할 수 있다. 고관절의 내전근은 환자를 앙와위로 눕히고 대퇴부의 내측에 저항을 주고 고관절을 내전하도록 하여 근력을 측정한다.

4) 하지 길이의 측정

하지 길이는 앙와위에서 측정하게 되며 진성 하지 길이와 현성 하지 길이로 나눈다(그림 4).

(1) 진성 하지 길이

진성 하지 길이의 측정은 고정된 골성 구조 사이의 거리로 측정하게 되며 대부분 전상장골극과 족관절내

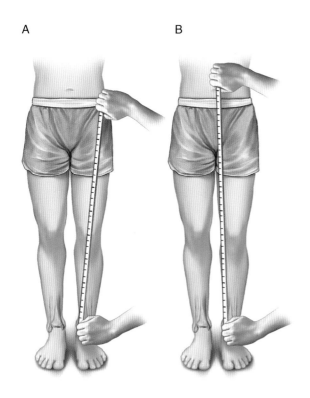

그림 4. 하지 길이 측정 방법
(A) 진성 하지 길이 측정. (B) 현성 하지 길이 측정

과의 사이 거리로 측정된다. 하지 길이를 측정하기 전에 기능적 단축이 발생하지 않도록 앙와위에서 골반을 평행하게 수평으로 위치시키고 하지와의 균형을 맞추어야 한다. 다리는 약 15-20 cm 가량 벌리고 서로 평행하게 되도록 한다. 하지는 골반에 대하여 서로 같은 자세로 놓여야 한다. 만약 일측의 고관절이 구축 등에 의해서 외전 혹은 내전되어 있는 경우에는 건측의 고관절도 동일하게 외전 혹은 내전시켜야 정확한 길이 측정을 할 수 있다. 진성 하지 길이 차이(true leg length discrepancy)는 골반이나 하지 골격 자체의 길이 변화가 원인이며 이로 인해 골반이나 척추에 이차성 변화로 골반 경사와 척추 측만이 발생하게 된다.

(2) 현성 하지 길이

현성 하지 길이는 검상돌기(xiphisternum) 혹은 배꼽에서 족관절내과 사이의 길이를 측정한다. 기능적 하지 길이 차이(functional leg length discrepancy)는 근구축(muscle contracture), 관절의 구축 및 강직에 따른 자세 변화에 대한 보상이 원인이 되며 고관절 외전근 구축, 일측성 족부 회내전 혹은 척추 측만증 등에서 발생한다.

5) 고관절 병변의 검사법
(1) 직립 상태 측정

① Trendelenburg 검사(Trendelenburg test): 고관절의 안정도와 대퇴골에 대하여 골반을 안정화시키는 고관절 외전근의 능력을 평가하게 된다. 정상적으로 환자가 한 발로 섰을 때 골반은 지면과 평행을 이루게 되고 상체가 중앙선에 유지되는데 이를 음성 검사라 한다. 양성 검사의 경우 환측 다리로 섰을 때 반대측 골반이 아래로 떨어지며 상체는 환측으로 기울어지는데, 고관절 외전근의 쇠약이나 환측 고관절이 불안정할 때 관찰할 수 있다. 검사 시 건측부터 시행해야 환자에게 검사 방법을 이해시킬 수 있다(그림 5).

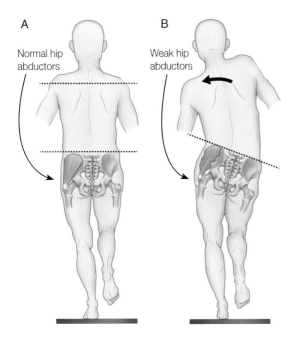

그림 5. Trendelenburg 검사
(A) 정상적으로 환자가 한 발로 섰을 때 골반은 지면과 평행을 이루게 되고 상체가 중앙선에 유지되는 데 반해, (B) 환측 다리로 섰을 때 반대측 골반이 아래로 떨어지고 상체는 환측으로 기울어지면 Trendelenburg 검사 양성이다.

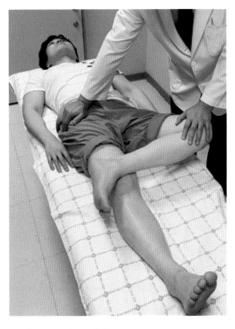

그림 6. Patrick 검사
앙와위 자세에서 환자의 환측 발을 반대측 무릎 위에 올린 후, 천천히 다리를 검사대 쪽으로 내리면서 외전시킬 때 통증이 발생 시 양성 소견이다.

(2) 앙와위 측정(supine position)

① Patrick 검사(Patrick test, FABER test: flexion, abduction, external rotation): 제한된 고관절 운동을 확인할 뿐만 아니라 천장관절 질환으로부터 고관절 질환을 분별하는 데 도움이 된다. 환자를 앙와위로 눕히고 환자의 환측 발을 반대측 무릎 위에 올리고, 천천히 다리를 검사대 쪽으로 내리면서 외전시킨다. 음성 검사의 경우 환측의 다리는 반대측 다리와 평행해 지거나 그 이하로 검사대 쪽으로 내려간다. 검사 시 후방으로 증가되는 통증은 천장관절과 관련이 있고 반면에 회음부의 통증은 고관절 병변과 관련이 있다(그림 6).

② 충돌 검사(impingement test): 고관절 비구순 병변 유무 판별에 도움이 되는 검사법이다. 전방 충돌 검사(anterior impingement test)는 환자를 앙와위 자세에서 고관절을 부드럽게 90° 굴곡하고 내전 및 내회전을 가한다. 이때 통증이 발생하면 전방 관절순에 병변이 있음을 의미한다(그림 7). 후방 충돌 검사(posterior impingement test)는 환자를 앙와위에서 하지가 지지되지 않도록 진찰대 끝에서 시행한다. 고관절을 신전 및 외회전 시키면서 외전시킬 때 통증이 유발되면 후방 비구순 파열을 의심할 수 있다(그림 8).

③ Stinchfield 검사 또는 저항 하지 직거상 검사(Stinchfield test, resisted straight leg raise test): Stinchfield 검사는 고관절 굴곡근 및 장요근의 근력을 측정할 수 있으며 또한 장요근이 고관절을 압박함으로써 관절내 병변이 있는 경우 통증이 유발될 수 있다. 검사 방법은 앙와위에서 슬관절을 신전한 상태에서 슬개골 아래에서 검사자의 손으로 저항을 가하면서 고관절을 30° 굴곡시켰을 때 고관절부에 지속적인 통증이 있으면

39

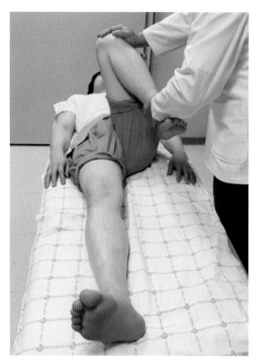

그림 7. 전방 충돌 검사
전방부 비구순 병변이 있는 환자는 앙와위 자세에서 고관절의 굴곡, 내전, 내회전 시 통증을 느낀다.

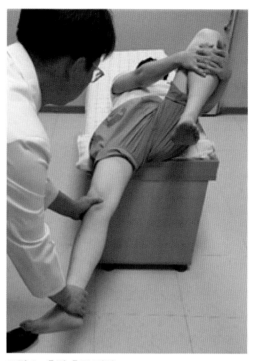

그림 8. 후방 충돌 검사
후방부 비구순 병변이 있는 환자는 앙와위 자세에서 환측 하지를 검사대 밖으로 하고 고관절의 신전, 외전, 외회전 시 통증을 느낀다.

양성 소견으로 고관절부 병변이 있음을 나타낸다. 다만, 감각 신경 분포에 따라 연관통이 발생할 수 있으며, 또한 고관절뿐만 아니라 천장관절이나 요추부에도 압박이 가해지므로 천장관절부나 요추부에 병변이 있을 시에는 그 부위에 통증을 보이므로 주의깊게 진찰해야 한다(그림 9).

④ **통나무 굴림 검사**(log roll test): 앙와위에서 환자의 다리를 신전하거나 약간 굴곡 상태에서 수동적으로 대퇴부를 내회전 또는 외회전을 시행한다. 이때 환자가 통증을 호소한다면 관절의 불안정성, 관절부종, 관절내 병변 등을 의심할수 있다(그림 10).

⑤ **Thomas 검사**(Thomas test): 고관절 굴곡 구축을 평가하는 방법이다. 고관절을 안정화하고 요추 전만을 제거해야 더욱 정확한 측정을 할 수 있

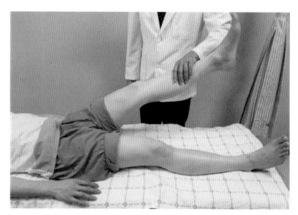

그림 9. Stinchfield 검사 또는 저항 하지 직거상 검사
앙와위 자세, 슬관절 신전 상태에서 환자가 능동적으로 하지 거상할 때 검사자가 저항을 가하고, 이때 고관절부에 지속적인 통증이 발생 시 양성 소견이다.

다. 환자를 앙와위로 눕히고 검사자가 환자의 고관절을 굽혀 양측 무릎을 가슴에 닿도록 하여 요

추부를 편평하게 한 후 환자 자신이 한쪽 다리를 잡아 굴곡을 유지하면서 반대쪽 다리를 곧게 펴도록 한다. 만약 굴곡 구축이 없다면 다리는 곧게 펴져 전체가 바닥에 닿게 된다. 굴곡 구축이 있는 경우 다리는 곧게 펴지지 않아 검사대에 닿지 못하게 되며 다리를 누르면 요추 전만이 증가하게 되는데 이를 Thomas 검사 양성으로 한다(그림 11).

⑥ 슬근 구축 검사(hamstring contracture test): 대표적으로 세 가지 방법이 있다. 신경근 이상의 경우에도 양성 소견을 보이므로 감별을 요한다. 환자를 앉혀 한쪽 다리는 가슴까지 구부려 잡게 하고 다른 쪽은 곧게 편 상태에서 정상의 경우 팔을 뻗어 발가락에 닿을 수 있는데 닿지 못하는 경우 신전 측 다리의 슬근(hamstring muscle)이 긴장됨을 의미한다. 삼각 징후(tripod sign)는 환자

를 검사대의 가장자리에 무릎이 90°로 굽혀지도록 걸쳐 앉히고, 검사자가 환자의 환측 무릎을 수동적으로 신전시킬 때 환자의 체간이 뒤로 젖혀지면 슬근 구축에 대한 양성 검사 소견이 된다. 90-90 하지 직거상(straight leg raising)은 환자가 앙와위에서 고관절을 90°로 구부리고 무릎도 구부린다. 양손으로 무릎 뒤를 지지한 상태에서 무릎을 능동적으로 신전시켰을 때 슬관절이 약 20° 굴곡 이내의 범위까지 펴져야 정상이다(그림 12).

(3) 측와위 측정(lateral position)

① 대퇴근막장근 구축 검사(Ober's test): 대퇴근막장근(tensor fascia lata)의 구축을 평가하는 검사이다. 환자를 건측이 아래로 되도록 옆으로 눕히고 환측의 고관절을 중립위, 슬관절을 90° 굴곡한

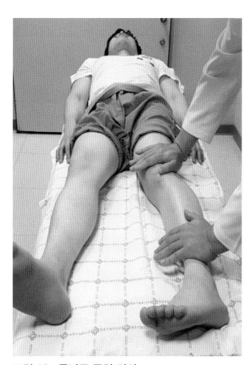

그림 10. 통나무 굴림 검사
검사자가 환자의 신전된 하지를 통나무 굴리듯이 내회전 또는 외회전을 할 때 고관절 부위에 통증이나 불안감을 호소하면 양성이다.

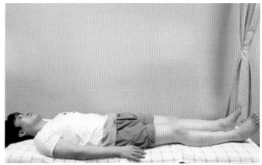
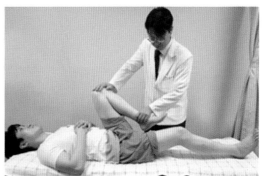

그림 11. 고관절의 굴곡 측정을 위한 Thomas 검사
(A) 환자의 고관절을 충분히 신장시켰을 때 굴곡구축이 고정된 환자는 허리부분의 척추가 휘어짐으로써 보정될 것이다. (B) 보정된 요추 전만증(lumbar lordosis)은 환자의 반대측 고관절 굴성에 의해 없어진다.

상태에서 고관절을 최대한 외전시킨 후 힘을 놓아 다리가 아래로 떨어지도록 한다. 구축이 없는 경우 고관절이 쉽게 내전되어 아래쪽 다리에 닿게 되나 구축이 있는 경우에는 다리가 외전 상태로 유지되어 떨어지지 않는다(그림 13).

② **이상근 검사(piriformis test):** 환자의 환측 다리를 위로 하고 고관절은 60°, 슬관절은 90° 굴곡

한 상태에서 골반부를 한 손으로 고정하고 다른 한 손으로 슬관절 부위를 아래로 누를 때 이상근 근육의 긴장으로 좌골신경이 자극을 받아 통증이 발생하게 되며, 이상근 증후군(piriformis syndrome)을 진단할 수 있다(그림 14).

(4) **복와위 측정(prone position)**

① **대퇴골 전염 검사(femoral anteversion test, Craig's test):** 대퇴골 전염을 보는 방법으로, 복와위 상태에서 슬관절을 90° 굴곡시키고, 고관절을 대전자부의 튀어나온 부위가 수평면상에서 가장 외측부에 도달할 때까지 내회전시킨다. 이 상태에서 경골의 축과 가상의 수직선 간에 이루는 각도가 대퇴골 전염각이 된다. 정상적으로 대퇴골 전염각은 10−20° 사이이다(그림 15).

② **대퇴직근 구축 검사(Ely's test):** 대퇴직근의 긴장도를 검사하는 방법으로 환자를 눕히고 무릎을 수동적으로 굴곡시킨다. 만약 대퇴직근의 구축이 있다면 무릎을 굴곡함에 따라 같은 쪽의 고관절이 굴곡되어 엉덩이가 들리게 된다(그림 16).

그림 12. 90-90 하지 직거상 검사
앙와위 자세에서 고관절을 90° 굴곡시키고 슬관절 신전 시 정상적으로 20° 이내 범위까지 신전이 가능하다.

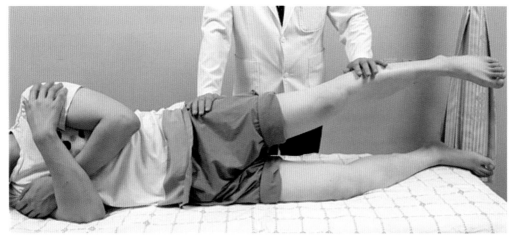

그림 13. 대퇴근막장근 구축 검사
양성 소견−환측의 고관절을 중립위, 슬관절을 90° 굴곡한 상태에서 고관절을 최대한 외전시킨 후 힘을 놓았을 때 다리가 외전된 상태를 유지한다.

그림 14. 이상근 검사

양성 소견 – 하지를 고관절 60°, 슬관절 90° 굴곡시키고 내전 시
이상근에 의한 좌골신경 압박으로 하지의 통증이 발생한다.

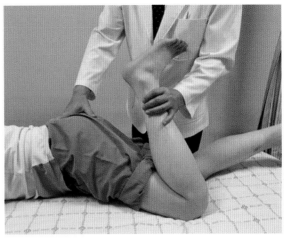

그림 16. 대퇴직근 구축 검사

양성 소견 – 복와위 자세로 무릎을 수동적으로 굴곡 시 고관절이
굴곡하게 된다.

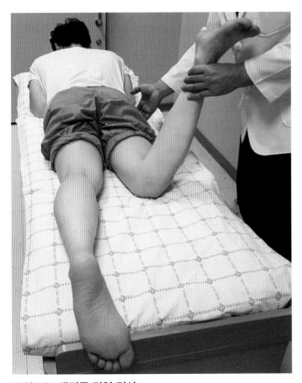

그림 15. 대퇴골 전염 검사

복와위 자세, 슬관절 90° 굴곡시킨 상태에서 대전자부를 수평면
상 가장 외측부까지 위치하도록 내회전한 상태에서 경골축과 수
직선 간의 각도이다.

참고문헌

1. Callaghan JJ, Rosenberg AG, Rubash HE. The adult hip. 2nded, Philadelphia: LWW Co; 2007;343-93.

2. Dabov G, Perez EA. Miscellaneous Nontraumatic Disorders. In: Canale ST ed. Campbell's Operative Orthopaedics, 10th ed. St. Louis: Mosby. 2004;934-55.

3. Itoman M. Examination and diagnosis. In: Lee JM translation, Clinical hip, Japan, Medical view Co; 2006; 37-82.

4. Lee CJ, Kim YM. Affection of the hip. In. Suk SI ed. Orthopaedics, 5th ed. Seoul, Korean Orthopaedic Association; 1999;469-84.

5. Magee DJ: Orthopedic Physical Assessment, 3rd ed. Philadelphia: WB Saunders Co; 1997;460-505.

6. Mehlhoff MA. The Adult Hip, In: Weinstein SL and Buckwalter ed. Turek's Orthopaedics, 5th ed, Philadelphia: Lippincott Co; 1994;511-29.

7. Parvizi J, Leunig M, Ganz R. Femoroacetabular impingement. J Am Acad Orthop Surg. 2007;15(9): 561-70.

8. Rodrigo JJ, Gersbwin M. Management of the arthritic joint. In: Chapman MW ed. Chapman's orthopedic surgery, 3rd ed. Philadelphia: Lippincott Co; 2001; 2551-72.

9. Seo YS, Choi WS. Diagnosis in hip, J Kor Hip Society. 2006;18(4):218-25.

10. Callaghan JJ, Rosenberg AG, Rubash HE. The adult hip. 3rd ed, Philadelphia: LWW Co; 2016;552-84.

11. Suk SI ed. Orthopaedics, 7th ed. Seoul, Korean Orthopaedic Association; 2013; 7-13.

5 영상 검사
Imaging Studies

고관절 영상 검사는 고관절 질환의 진단을 위한 기본적인 수단으로 영상의학적 정보의 정확한 해석은 환자의 진단과 치료에 있어서 매우 중요하다. 정확한 진단을 위해서는 적절한 영상 검사 방법을 선택하여 사용해야 하는데 일반적으로 가장 기본적인 검사법인 단순 방사선 영상부터 시작하여 좀 더 정밀한 검사법인 전산화단층촬영, 자기공명영상, 핵의학 검사, 초음파 검사 등의 다양한 영상 검사들의 조합을 통한 관찰을 시행한다. 따라서 다양한 영상 검사 방법의 특성과 장단점을 충분히 이해하여야만 환자의 진단과 치료에 필요한 것이 무엇인가를 정확하게 파악하고 합리적이고 적절한 영상 검사 방법을 선택할 수 있다.

1. 단순 방사선 검사

1) 촬영 방법

단순 방사선 검사(plain radiography, x-ray)은 일반적으로 고관절 전후면 영상과 측면 영상을 촬영한다. 고관절 전후면 사진은 양측 고관절을 한 장의 필름에 촬영하며 치골 결합의 상방과 좌우 전상장골극을 연결한 선의 중간지점을 향해 입사하며 x-ray 튜브와 필름 사이의 거리는 1.2 m로 한다. 앙와위에서 고관절 전후면 영상을 촬영하는 경우에 범하기 쉬운 가장 흔한 실수는 고관절이 외회전된 채로 촬영되어 실제 이미지가 왜곡되어 나타나는 것이다. 따라서, 고관절 전후면 영상을 촬영 시 대퇴골의 전염(anteversion)을 보정하기 위해서 하지를 15–20° 내회전하여 양측 슬개골을 정면으로 향하도록 해야 한다(그림 1). 고관절의 굴곡 구축이

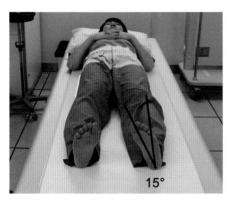
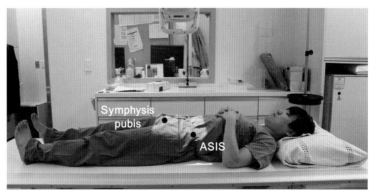

그림 1. 고관절 전후면 영상 촬영 방법
앙와위에서 치골 결합(symphysis pubis)의 상방과 좌우 전상장골극을 연결한 선의 중간지점을 향해 입사하여 촬영하며 대퇴골의 전염을 보정하기 위해서 양측 슬개골을 정면으로 하고 하지를 15–20° 내회전 위로 한다.
ASIS: anteriorsuperior iliac spine, 전상장골극.

있는 경우 영상의 확대율 증가나 감소 또는 고관절의 회전이 일어나 정확한 전후면 영상 촬영이 어려워지게 되므로, 이런 경우에는 환자를 촬영대에서 빼내어 슬관절 굴곡위로 하고 다리를 바닥에 수직으로 떨어뜨려 촬영한다. 고관절 측면 촬영방법으로는 개구리 다리 측면 영상(frog-leg lateral view), Löwenstein 영상, cross-table 측면 영상 등이 있다. 개구리 다리 측면 영상은 양측 고관절을 한 장의 필름에 촬영하며 앙와위에서 슬관절을 30-40° 굴곡하고 고관절을 45° 외전한 자세에서 치골 결합의 상방과 좌우 전상장골극을 연결한 선의 중간지점을 향해 입사한다(그림 2). Löwenstein 영상은 앙와위에서 고관절 90° 굴곡, 외전 45°에서 대퇴부가 촬영대에 접하도록 체간을 기울이고 서혜부에서 수직으로 입사하여 한쪽씩 촬영한다(그림 3). Cross-table 측면 영상은 앙와위에서 촬영하는 쪽 하지를 15-

20° 내회전 위로 하고 반대편 고관절과 슬관절을 굴곡하여 방사선 투사에 방해가 되지 않도록 한 채로 카세트를 입사각의 직각으로 고관절의 측면에 위치시키고 대퇴의 장축에 평행하게 서혜부에 35-45° 각도로 입사하여 촬영한다(그림 4). False-profile 영상은 기립한 자세에서 촬영하고자 하는 고관절을 카세트 스탠드 쪽으로 하고 이에 대하여 65° 회전하여 촬영한다. 이때 촬영하는 고관절 쪽 발은 카세트와 평행하게 위치시킨다(그림 5).

2) 영상 판독

영상 판독을 위해서는 먼저 영상이 정확하게 촬영된 것인지를 확인하는 것이 중요하다. 특히 고관절 전후면 영상에서는 골반 경사와 회전을 정확히 확인하여야 하는데, 일반적으로 정확히 촬영된 영상은 미골

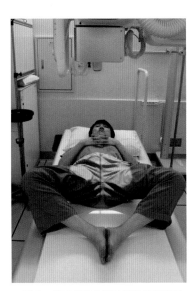

그림 2. 개구리 다리 측면 영상 촬영 방법
앙와위에서 슬관절을 30-40° 굴곡하고 고관절을 45° 외전한 자세에서 치골 결합의 상방과 좌우 전상장골극을 연결한 선의 중간지점을 향해 입사하여 촬영한다.

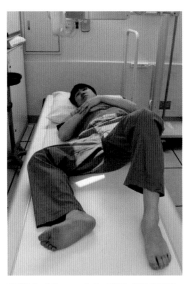

그림 3. Löwenstein 영상 촬영 방법
앙와위에서 고관절 90° 굴곡, 외전 45°에서 대퇴부가 촬영대에 접하도록 체간을 기울이고 서혜부에서 수직으로 입사하여 촬영한다.

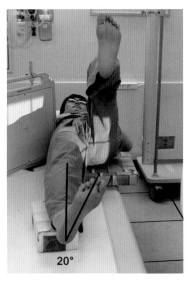

그림 4. Cross-table 측면 영상 촬영 방법
앙와위에서 촬영하는 쪽 하지를 15-20° 내회전 위로 하고 반대편 고관절과 슬관절을 굴곡하여 방사선 투사에 방해가 되지 않도록 한 채로 카세트를 입사각의 직각으로 고관절의 측면에 위치시키고 대퇴의 장축에 평행하게 서혜부에 35-45° 각도로 입사하여 촬영한다.

과 치골 결합이 일직선으로 중심선에 위치하여야 하며 양측 장골익과 폐쇄공이 대칭이어야 하고 미골 최하단과 치골 결합 최상단의 거리가 1–3 cm 사이여야 한다 (그림 6). 이외에도 대전자 및 소전자는 명확하게 구분되

어야 하며, 대전자가 대퇴골 경부와 너무 많이 겹치면 안 된다. 대퇴거(calcar femorale)는 명확하게 보여야 한다. 방사선 사진상 보이는 소전자의 폭이 5 mm 미만이면 대퇴골 전염의 보정이 부적절하게 이루어진 고관절 전후면 영상일 가능성은 줄어든다. 고관절이 외회전된 채로 촬영된 경우에는 골절 진단에 부정적인 영향을 줄 수 있는데, 예를 들어 대퇴골 경부 외반 감입 골절의 진단을 어렵게 하거나 골극을 스트레스 골절로 오진할 수 있다. 또한 수술 전 정확한 가늠술(templating)을 어렵게 하고 방사선 측정이 포함된 연구에서 측정 결과와의 오류를 유발할 수 있다.

다양한 고관절 측면 영상은 각각의 장단점이 있다. 예를 들어 개구리 다리 측면 영상은 쉽게 반복적으로 동일한 자세에서 촬영이 가능하고 골두의 모양 (sphericity), 관절의 일치성(congruency), 대퇴골두–경부 연결부(femoral head–neck junction) 모양 및 오프셋 등을 잘 관찰할 수 있는 장점이 있다(그림 7). Löwenstein 영상은 개구리 다리 측면 영상과 유사한 영상을 한 쪽씩 쉽게 촬영하여 얻을 수 있는 장점이 있다(그림 8). 하지만, 두 영상 모두 대퇴골두–경부 연결 부위가

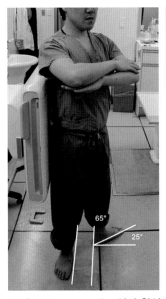
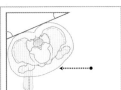

그림 5. False-profile 영상 촬영 방법
기립한 자세에서 촬영하고자 하는 고관절을 카세트 스탠드 쪽으로 하고 이에 대하여 65° 회전하여 촬영한다. 이때 촬영하는 고관절 쪽 발은 카세트와 평행하게 위치시킨다.

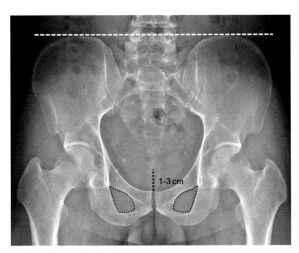

그림 6. 표준 고관절 전후면 영상
미골과 치골 결합이 일직선으로 중심선에 위치하며 양측 장골익과 폐쇄공이 대칭이고 미골 최하단과 치골 결합 최상단의 거리가 1–3 cm 사이이다.

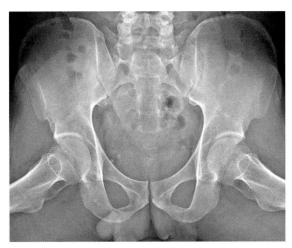

그림 7. 개구리 다리 측면 영상

47

대전자부에 가려서 잘 보이지 않는 경우가 발생하는 단점이 있으며 골절이 의심되는 경우에는 잘 사용하지 않는다. Cross-table 측면 영상에서는 대전자가 후방 쪽으로 위치하기 때문에 대퇴골두-경부 연결부가 잘 관찰되는 장점이 있으며, 단점은 비만 환자에서는 연부조직 음영에 가려서 골 음영이 잘 보이지 않는 경우가 발생할 수 있다는 것이다(그림 9). False-profile 영상에서는 비구의 전방 피복 정도를 명확히 확인할 수 있는 장점이 있다(그림 10).

앞서 언급한 각각의 영상 모두는 정확한 진단을 위하여 필요한 중요한 정보를 특이적으로 제공하여 준다. 일반적으로 고관절 전후면 영상과 false-profile 영상은 비구의 모양에 대한 중요한 정보를 제공하여 주며 다양한 측면 영상들은 대퇴골두를 포함한 근위 대퇴골의 정보를 제공하여 준다. 고관절 전후면 영상에서 확인할 수 있는 정보들을 열거하면 다음과 같다: 1) 하지 길이, 2) 경간각, 3) 비구 피복(acetabular coverage): 외측 center-edge (CE) 각, 대퇴골두 돌출 지수(femoral

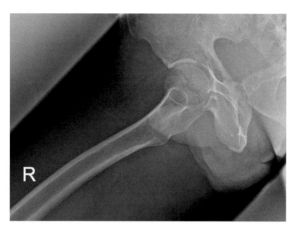

그림 8. Löwenstein 영상

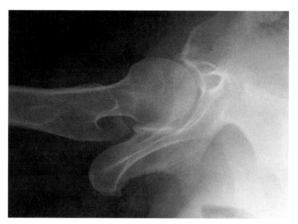

그림 9. Cross-table 측면 영상

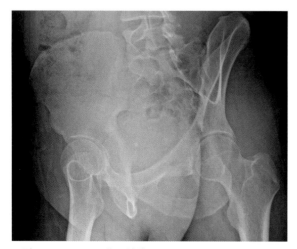

그림 10. False-profile 영상

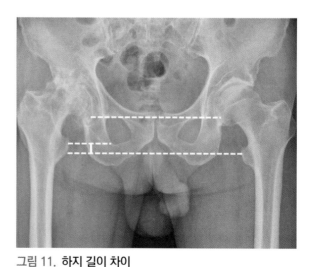

그림 11. 하지 길이 차이
고관절 전후면 영상에서 눈물 방울을 평행하게 이은 선과 소전자의 가장 돌출된 부분을 이용하여 양측 하지 길이 차이를 측정하는 방법이다.

head extrusion index), 4) 비구 깊이(depth), 5) 비구 경사(inclination), 6) 비구 염전(version), 7) 대퇴골두 모양, 8) 관절 너비(joint space width).

(1) 하지 길이

장골 능선의 높이를 비교하여 양측 하지의 길이 차이를 확인할 수 있으며, 눈물 방울(tear drop)이나 좌골 조면을 평행하게 연결한 선과 소전자의 가장 돌출된 부분 사이의 거리의 차이로도 확인이 가능하다(그림 11).

(2) 경간각

경간각(neck-shaft angle)은 대퇴골 경부의 종축과 대퇴골 간부의 종축이 만나서 이루는 각으로 정상은 125-140° 사이이며, 140°보다 큰 경우는 외반고(coxa valga)라 하고 125°보다 작은 경우는 내반고(coxa vara)로 정의한다(그림 12).

(3) 비구 피복

비구가 대퇴골두를 덮는 정도를 측정하는 방법은 외측 CE 각과 대퇴골두 돌출 지수가 있다(그림 13). 외측 CE 각은 내퇴골두의 중심에서 수직으로 그은 선과 비구의 외측 연을 이은 선이 이루는 각도로 정상은 25-40°이며 20° 미만인 경우에 비구 이형성증으로 진단하

고 40° 이상인 경우는 과도하게 덮은 경우이다. 대퇴골두 돌출 지수는 대퇴골두가 비구에 의해서 덮이지 않는 부분의 비율을 나타낸 것으로 정상은 25% 미만이다.

(4) 비구 깊이

비구와(acetabular fossa)와 대퇴골두의 위치를 장좌선(ilioischial line)을 기준으로 판단한다. 즉, 비구와가 장좌선에 맞닿는 경우는 심부 비구(coxa profunda)로 진단하며 대퇴골두가 내측으로 전위되어 장좌선과 중첩되는 경우는 돌출 비구(protrusio acetabuli)로 진단한다(그림 14).

(5) 비구 경사

비구 경사는 비구 천장 경사각(acetabalar roof angle of Tönnis)으로 표현하는데 비구 천장의 경화 구역(sclerotic zone)의 가장 아래쪽 부분에서 평행하게 그은 선과 비구의 외측 연을 이은 접선(tangent)이 이루는 각도이다(그림 15). Tönnis 각이 0-10° 사이인 경우가 정상이며, 10° 이상인 경우에는 비구 경사가 증가되어 고관절 불안정성이 발생하기 쉬운 경우이고, 0° 미만인 경우에는 pincer형 대퇴비구 충돌이 발생하기 쉬운 경우이다.

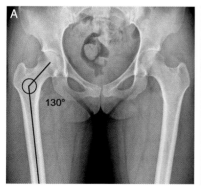
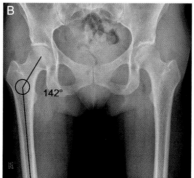
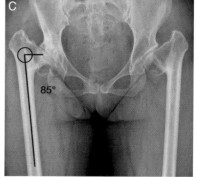

그림 12. 경간각
(A) 정상, (B) 외반고, (C) 내반고

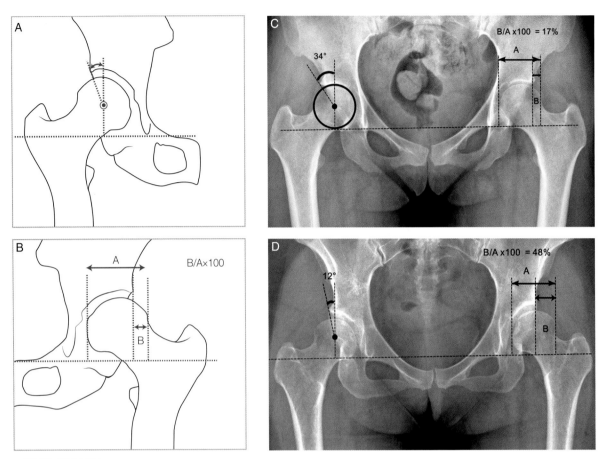

그림 13 비구 피복

(A) 외측 CE 각 측정 방법, (B) 대퇴골두 돌출 지수 측정 방법, (C) 정상 비구 – 외측 CE 각 34°, 대퇴골두 돌출 지수 17%, (D) 비구 이형성증 – 외측 CE 각 12°, 대퇴골두 돌출 지수 48%

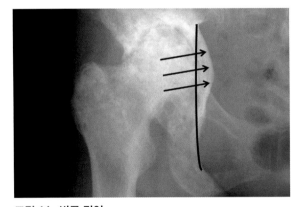

그림 14. 비구 깊이

대퇴골두와 비구와가 내측으로 전위되어 장좌선과 중첩된 돌출 비구(protrusio acetabuli)

(6) 비구 염전

모든 비구는 crossover 징후 또는 figure-of-eight 징후의 존재 유무에 따라서 전방 염전 또는 후방 염전으로 분류할 수 있다. 비구의 전방 연을 이은 선이 후방 연을 이은 선과 교차하지 않는 경우는 전방 염전이며, 반면에 비구의 전방 연을 이은 선이 후방 연을 이은 선과 교차하는 경우는 후방 염전이다. 대퇴골두의 중심이 비구 후방 연의 외측에 위치하는 경우, 즉 후벽 결손(deficient posterior wall) 소견이 보이거나 좌골극(ischial spine)이 골반 내로 돌출되어 보이는 경우도 후방 염전을 시사하는 소견이다(그림 16). 특히 비구 염전 평가 시에 주의할 점은 전후면 영상 촬영 시 과도한 골

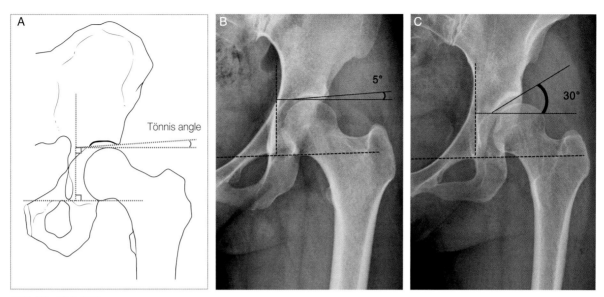

그림 15. 비구 경사
(A) Tönnis의 비구 천장 경사각 측정 방법, (B) Tönnis 각 5°로 정상, (C) Tönnis 각 30°로 증가된 경우로 관절 불안정성을 시사한다.

반 경사나 회전이 있었던 경우에는 비정상 후방 염전으로 잘못 판독되는 수가 많기 때문에 반드시 정확히 촬영된 고관절 전후면 영상을 가지고 평가하여야 한다.

(7) 대퇴골두 모양

골두 모양은 구형(spherical) 또는 비구형(aspherical)으로 분류할 수 있는데, 대퇴골두의 골단(epiphysis)이 참고 원(reference circle)보다 2 mm 이상 밖으로 벗어나면 비구형으로 진단한다(그림 17).

(8) 관절 너비

관절 너비는 기립 방사선 영상에서 측정하며 대퇴골두의 최상 연과 비구의 최하 연 사이의 최단거리로 나타낸다. 관절 너비는 Tönnis의 골관절염 분류에 사용된다.

False-profile 영상에서는 비구의 전방 CE 각을 확인한다. 측정방법은 대퇴골두의 중심에서 수직으로 그은 선과 비구의 전방 연을 이은 선이 이루는 각도로 20° 미만인 경우에 비구 전방 피복이 부족한 것으로 판단한

다(그림 18). 일반적으로 고관절 측면 영상에서는 대퇴골두-경부 연결부 모양 및 오프셋, 알파각(α-angle) 등을 확인한다. 전방 대퇴골두-경부 연결부 모양은 후방 모양과 비교하여 세 종류로 분류한다. 전후방 모양이 대칭적으로 모두 오목한 경우(concavity)는 정상이며, 전방의 오목한 정도가 후방의 오목한 정도보다 적은 경우는 대퇴골두-경부 오프셋이 감소되었다는 표현을 쓰며, 전방이 볼록한 경우(convexity)는 cam 형태(cam morphology)로 진단한다. 대퇴골두-경부 연결부 모양을 좀 더 객관적으로 측정하는 방법으로 대퇴골두-경부 오프셋 비(head-neck offset ratio)와 알파각이 있다. 대퇴골두-경부 오프셋 비는 세 개의 선을 이용하여 측정한다; ① 대퇴골 경부의 중앙과 골두의 중심을 종으로 이은 선, ② ①번 선과 평행하게 대퇴골 경부의 최전방 연과 만나는 선, ③ ①번 선과 평행하게 대퇴골두의 최전방 연과 만나는 선. 대퇴골두-경부 오프셋 비는 ②번과 ③번 선 사이의 거리를 대퇴골두의 지름으로 나눈 값이다(그림 19). 이 비율이 0.15 미만인 경우는 대퇴 전방 오프셋이 감소하여 cam 형태 소견이 있다

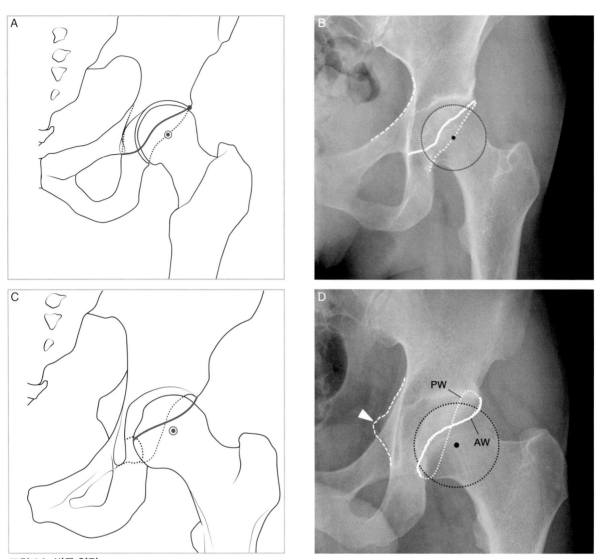

그림 16. 비구 염전

(A) 비구 전염의 모식도, (B) 비구 전염 영상, (C) 비구 후염 모식도, (D) 비구 후염 영상; crossover 징후 또는 figure-of-eight 징후, 후벽 결손 징후, 좌골극 징후(화살표)

PW: posterior wall, AW: anterior wall.

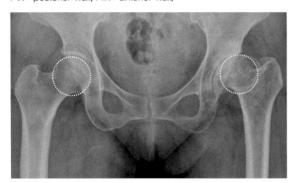

그림 17. 대퇴골두 모양

참고 원으로 확인하면 우측 대퇴골두는 구형(spherical)으로 보이나 좌측 대퇴골두는 비구형(aspherical)으로 나타난다.

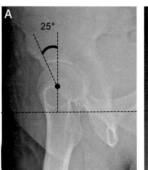
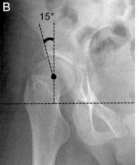

그림 18. False-profile 영상에서 비구의 전방 CE 각 측정

(A) 25° 정상, (B) 15°로 전방 덮개 부족 소견

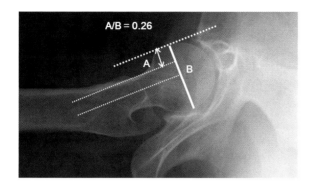

그림 19. 대퇴골두−경부 오프셋 비 측정 방법

대퇴골두−경부 오프셋 비는 세 개의 선을 이용하여 측정한다. ① 대퇴골 경부의 중앙과 골두의 중심을 종으로 이은 선, ② ①번 선과 평행하게 대퇴골 경부의 최전방 연과 만나는 선, ③ ①번 선과 평행하게 대퇴골두의 최전방 연과 만나는 선. 대퇴골두−경부 오프셋 비는 ②번과 ③번 선 사이의 거리(A)를 대퇴골두의 지름(B)으로 나눈 값이다. 이 비율이 0.15 미만인 경우 대퇴 전방 오프셋이 감소된 것으로 판단한다. 예시 사진은 대퇴골두−경부 오프셋 비가 0.26으로 정상 소견이다.

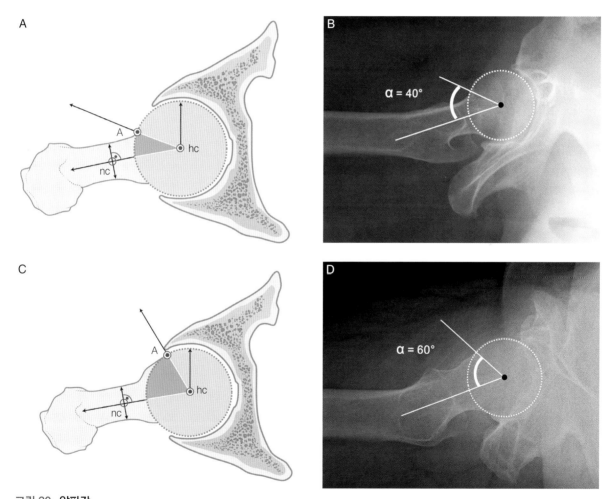

그림 20. 알파각

대퇴골 경부의 중앙과 골두의 중심을 종으로 이은 선과 골두 중심에서 골두 전외측방에서 원형을 벗어나기 시작하는 지점을 연결한 선이 이루는 각도. 알파각이 50−55°를 넘는 경우를 cam 형태로 진단한다. (A) 정상에서 측정 방법, (B) 40°로 정상 소견, (C) cam 형태에서 측정 방법, (D) 60°로 cam 형태가 있는 비정상 소견이다.
nc: neck center, 경부 중심, hc: head center, 골두 중심.

고 진단한다. 알파각은 전산화단층촬영이나 자기공명영상의 축상 영상(axial view)에서 보다 정확하게 측정할 수 있으나 단순 방사선 측면 영상에서도 두 개의 선을 이용하여 측정할 수 있다. 대퇴골 경부의 중앙과 골두의 중심을 종으로 이은 선과 골두 중심에서 골두 전외측방에서 원형을 벗어나기 시작하는 지점을 연결한 선이 이루는 각도이다(그림 20). 알파각이 50−55°를 넘는 경우를 cam 형태로 진단한다.

2. 전산화단층촬영

고관절 전산화단층촬영은 앙와위에서 하지가 중립위가 되도록 양 무릎과 양 전족부를 고정한 상태에서 시행한다. 편측으로 관절 운동 범위의 제한이 있는 경우에는 건측을 환측과 같은 자세로 유지시켜 촬영한다. 대퇴 염전각을 측정하기 위해서는 전산화단층촬영 축상 영상에서 대퇴골두, 경부, 대전자를 포함한 슬라이스에서 각 중점을 잇는 선을 경축으로 하며, 대퇴골

과부(femoral condyle)의 횡단면 사진을 촬영하여 후방과를 잇는 선을 기준선으로 하여 두 개의 영상을 비교하여 염전각을 측정한다(그림 21). 이와 같이 전산화단층촬영에서는 단순 방사선 사진에서는 확인할 수 없는 골조직의 횡단면 영상을 관찰한 정보를 얻을 수 있으며, 근육이나 혈관 등의 연부조직도 나타나기 때문에 혈종, 농양, 종양 등의 국소적 위치나 주위 조직과의 위치 관계도 확인할 수 있다(그림 22). 일반적으로 전산화단층촬영은 골반 골절의 진단, 고관절 탈구, 비구 골절의 평가와 관절내 골편의 유무 평가(그림 23), 골내 병변의 검사(그림 24), 관절내 병변의 검사, 대퇴골두 골단분리증이나 대퇴골 경부 골절에서 골두의 전위 방향과 그 정도를 평가하는 데 유용하다. 전산화단층촬영은 3차원 영상 구축이 가능하고 자기공명영상 검사에 비해서 가격이 저렴한 장점이 있지만, 방사선 피폭량이 크며 금속물을 이용한 내고정술이나 관절치환술 환자에서는 삽입물 때문에 음영의 질이 떨어지는 단점이 있다.

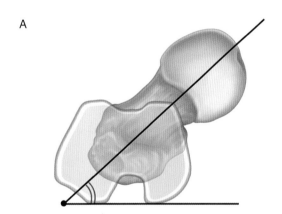

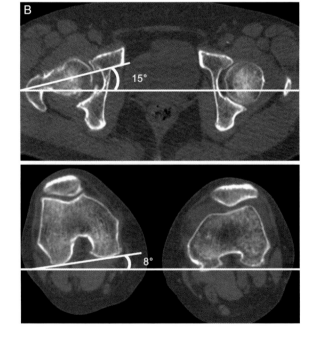

그림 21. 전산화단층촬영 축영상에서 대퇴골 염전각 측정 방법
(A) 대퇴골두, 경부, 대전자를 포함한 단면에서 각 중점을 잇는 선을 경축으로 하며, 대퇴골 과부의 횡단면 사진을 촬영하여 후방과를 잇는 선을 기준선으로 하여 두 개의 영상을 비교하여 염전각을 측정한다. (B) 예시 사진의 우측 대퇴골 염전각은 전방 염전 7°이다.

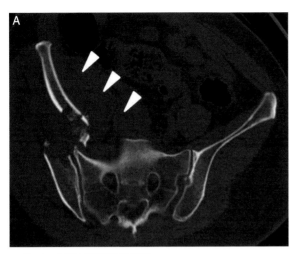
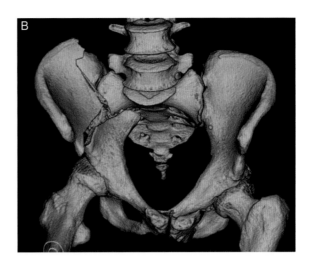

그림 22. 골반 전산화단층촬영

(A) 축영상에서 장골 골절 및 장골근 내 거대 혈종(화살표)이 형성된 것을 관찰할 수 있다. (B) 3차원 영상을 통하여 골절의 위치를 정확히 파악할 수 있다.

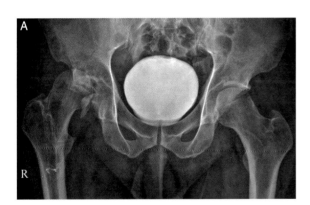
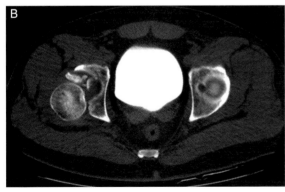
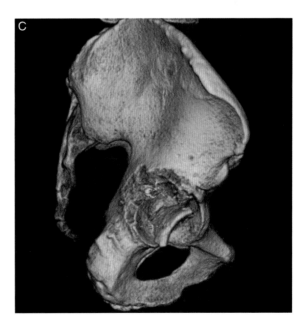

그림 23. 고관절 골절-탈구에서 전산화단층촬영

(A) 단순 방사선 영상에서 우측 고관절이 후방 탈구되어 있다. (B) 전산화단층촬영 축영상에서 관절내 다발성 골편의 존재를 확인할 수 있다. (C) 대퇴골두를 제거한 3차원 영상에서 비구 후벽의 결손 및 관절내 골편의 위치를 정확히 파악할 수 있다.

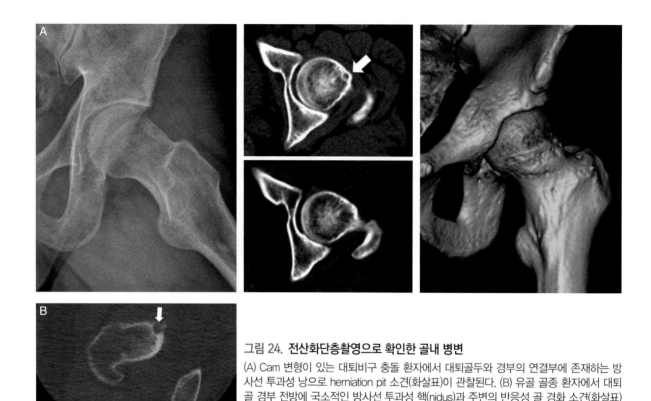

그림 24. 전산화단층촬영으로 확인한 골내 병변

(A) Cam 변형이 있는 대퇴비구 충돌 환자에서 대퇴골두와 경부의 연결부에 존재하는 방사선 투과성 낭으로 herniation pit 소견(화살표)이 관찰된다. (B) 유골 골종 환자에서 대퇴골 경부 전방에 국소적인 방사선 투과성 핵(nidus)과 주변의 반응성 골 경화 소견(화살표)이 관찰된다.

3. 자기공명영상 검사

자기공명영상(magnetic resonance imaging, MRI)이란 원자핵이 자장 내에서 특정 주파수의 전자파 에너지를 공명 흡수하여 이것을 전자파로 방출하는 핵자기 공명 현상을 이용한 촬영법이다. 고관절의 경우 전신용 코일을 사용하여 양측 고관절을 동시에 촬영한다. 기본적으로 스핀 에코 기법을 통해 얻은 축상면과 관상면 영상을 많이 사용하며 시상면 영상은 대퇴골두 골괴사를 확인하는 데 매우 유용하다. 최근에는 고속 촬영 기법도 많이 도입되었으며 가돌리늄(gadolinium)을 이용한 조영 증강 영상으로 염증성 변화나 혈관 분포의 정도도 구분할 수 있게 되었다. 자기공명영상은 기본적으로 조직에 따른 T1, T2 강조 영상의 음영 차이를 이용하여 질환의 감별에 사용한다.

지방조직은 T1 강조 사진에서 고신호, T2 강조 사진에서 저신호–중간신호, 관절액은 T1 강조 영상에서 저신호, T2 강조 영상에서 고신호, 피질골 및 건, 인대는 T1, T2 강조 영상 모두에서 저신호, 근육은 T1, T2 강조 영상 모두에서 중간신호, 섬유연골(fibrocartilage)은 T1, T2 강조 영상 모두에서 저신호, 유리연골(hyaline cartilage)은 T1, T2 강조 영상 모두에서 다양한 신호가 된다(표 1). 이와 같이 자기공명영상은 각 조직을 감별할 수 있다는 점, 촬영 단층면이 임의로 결정된다는 점 때문에 다양한 질환이나 병변의 검사에 유용하게 사용된다. 임상적으로 고관절에서 자기공명영상이 유용한 질환으로는 대표적으로 대퇴골두 골괴사, 일과성 골다공증, 잠재 골절(occult fracture), 비구순 병변, 인공 관절 주변 가성종양(pseudotumor) 등이 있다.

먼저 고관절 자기공명영상이 유용한 가장 대표적인 질환은 대퇴골두 골괴사이다. 자기공명영상을 통해

표 1. 조직에 따른 자기공명영상 음영의 차이

조직	T1 강조 영상	T2 강조 영상
지방	고신호	저신호-중간신호
관절액	저신호	고신호
피질골	저신호	저신호
건, 인대	저신호	저신호
근육	중간신호	중간신호
섬유연골	저신호	저신호
유리연골	다양한 신호	다양한 신호

서 이 질환을 조기에 발견할 수 있고 괴사의 범위를 확인하는 데도 유용하다. T1 강조 영상에서는 괴사 부위와 정상 부위의 경계면에 저신호의 골수 음영을 보이는 지도상 병변이 나타나며, T2 강조 영상에서 고신호의 두 번째 내측 테두리가 나타나는데 이를 이중선 징후(double line sign)라고 하며, 이는 대퇴골두 골괴사의 진단에 매우 특징적인 소견이다(그림 25). 괴사의 중심 부위는 질병의 진행 시기에 따라서 다양한 신호 강도를 보이게 된다. 고관절 자기공명영상이 유용한 두 번째 질환은 일과성 골다공증(transient osteoporosis)이

다. 주로 일측성으로 나타났다가 저절로 소실되는 질환(self-limiting disease)으로 골수부종 증후군(bone marrow edema syndrome)이라고도 하며 임신 후기의 여성에서 처음 보고가 되어 이런 여성에서 주로 발생한다고 알려졌으나, 그 이후의 연구 결과에서는 중년 남성에서 가장 흔하게 발생하는 것으로 밝혀졌다. 초기 단순 방사선 사진에서는 대퇴골두가 정상 또는 광범위 골감소(diffuse osteopenia) 소견을 보이지만 자기공명영상에서 대퇴골두의 광범위한 골수부종 소견을 보이며 국소적인 골괴사나 연골하골절을 동반하지 않는다(그림 26). 고관절 자기공명영상은 단순 방사선 영상에서는 나타나지 않는 골 좌상(bone contusion)이나 골절선이 명확하게 잘 보이지 않는 잠재 골절을 진단하는 데도 매우 유용하다(그림 27). 물론 골주사 검사가 이러한 골절의 유무를 확인하는 데 유용하게 사용되지만 고령의 환자에서는 수상 후 48시간 이내에는 위음성 소견을 보일 수 있기 때문에 주의를 요한다. 자기공명영상은 다양한 비구순 병변을 확인하는 데도 유용하다(그림 28). 하지만, 일반적인 1.5 T 자기공명영상으로는 비구순 파열의 진단율은 25% 정도로 매우 저조하기 때문에 관절조영 자기공명영상술(MR arthrography,

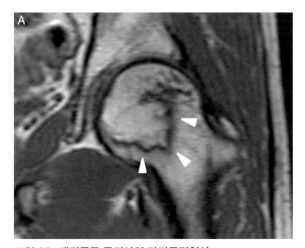
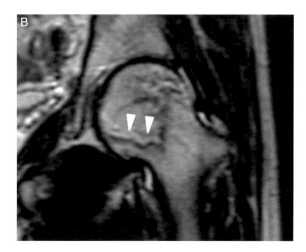

그림 25. 대퇴골두 골괴사의 자기공명영상
(A) T1 강조 영상에서는 괴사 부위와 정상 부위의 경계면에 저신호의 골수 음영을 보이는 지도상 병변(화살표), (B) T2 강조 영상에서 고신호의 두 번째 내측 테두리가 나타나는 이중선 징후(화살표)

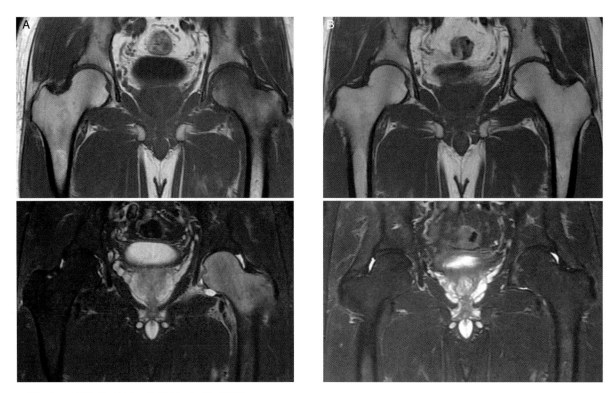

그림 26. 고관절 일과성 골다공증의 자기공명영상

56세 남자로 T1 강조 영상에서 좌측 대퇴골두에서 전자부 부위까지 광범위한 저신호의 골수 음영 소견을 보이고(A 위), Short T1 Inversion Recovery (STIR) 영상에서 동일 부위에 광범위한 고신호의 골수부종 소견을 보인다(A 아래). 또한 관절내 삼출액 증가 소견을 동반하고 있으나 국소적인 골괴사나 연골하골절 소견은 보이지 않는다(B). 동일 환자의 3개월 추시 자기공명영상에서 삼출액 감소와 함께 골수부종이 사라진 소견을 보인다.

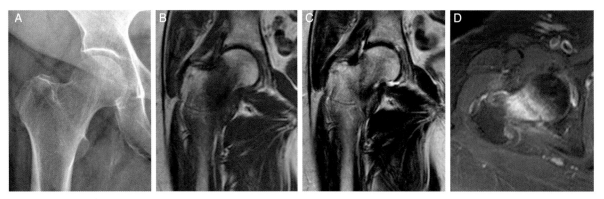

그림 27. 대퇴골 경부 잠재 골절

단순 방사선 사진(A)에서 명확한 골절 소견이 보이지 않으나, 자기공영영상(B, C)에서 특징적으로 수직 방향의 저신호 음영을 보이며, 지방 억제(fat suppression)영상(D)에서 골절 주위로 골수부종이 동반된 소견을 보인다.

MRA)을 시행하여 진단율을 92%까지는 향상시킬 수 있었다는 보고가 있다. 하지만, 관절조영 자기공명영상은 조영제를 관절내로 주입하는 침습적인 술기를 시행해야 하는 단점이 있는데, 최근에는 3.0 T 자기공명영상으로 1.5 T 관절조영 자기공명영상만큼 높

은 비구순 파열 진단율을 보인다는 보고들이 발표되고 있다(그림 29). 또한 최근에는 고관절 연골 이상을 초기에 발견하고 정량화하기 위하여 특별한 자기공명영상 촬영기법이 활발히 연구되고 있다. 대표적인 방법으로는 delayed gadolinium−enhanced MRI of cartilage

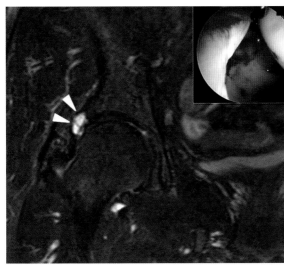

그림 28. 비구순 주위 낭종
자기공명영상에서 비구순 주위 낭종(화살표) 소견이 보이며 관절경 수술로 확인되었다.

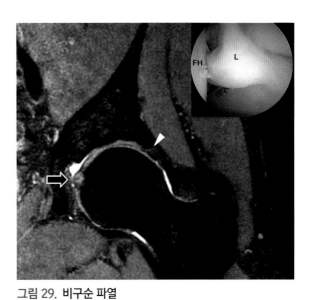

그림 29. 비구순 파열
조영증강 3.0 T 자기공명영상에서 좌측 고관절의 전상방 비구순 내부에 신호 강도가 증가되어 있으며 비구순 파열(흰색 화살표) 및 원형인대 비후(검은 화살표)가 동반되어 있다. 관절경으로 비구순 파열 소견이 확인뇌었다.
L: labrum, FH: femoral head

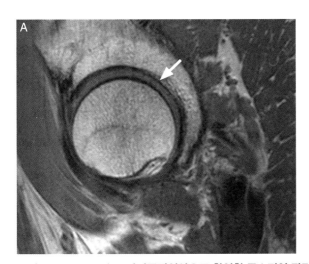

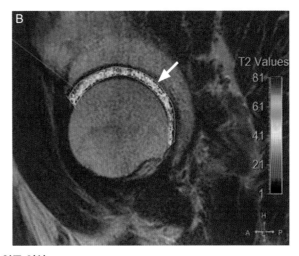

그림 30. T2 mapping 자기공명영상으로 확인한 국소적인 관절 연골 이상
(A) 양자밀도(proton density) 시상면 영상에서 관절연골의 두께와 신호강도가 정상(화살표)이나, (B) 고관절 후상방에 국소적으로 증가된 T2 완화시간을 보여(화살표) 연골의 초기 이상 소견을 시사한다.

(dGEMRIC), T1rho 영상, T2 mapping(그림 30) 등이 있다. 금속-금속 관절면을 이용한 고관절 전치환술이나 표면 치환술 후에 통증을 호소하는 환자에서 단면 영상 검사(cross-sectional imaging)의 일환으로 금속 간섭을 줄이는 기법의 자기공명영상(metal artifact reduction sequence MRI, MARS MRI)을 시행하여 인공관절 주변의 가성종양 등을 확인할 수 있게 되었다(그림 31).

4. 핵의학 검사

먼저 대표적인 핵의학 검사인 골주사 검사는 골에 친화력이 강한 방사선 동위 원소를 정맥 내에 주입한 다음에 일정 시간이 지난 후 이들이 골에 침착되는 정도를 촬영하는 방법이다. Tc^{99m}-methylene diphosphonate (MDP) 또는 Tc^{99m}-hydroxymethylene diphosphonate (HMDP)를 정맥 투여하고 골에 흡수되고 혈액에서 없어지고 난 후인 2-3시간 정도 후에 주로 촬영한다. 전신을 촬영하고 필요하면 국소 촬영을 추가로 시행할 수 있다. 골모세포(osteoblast)나 국소 혈류량이 활성화되

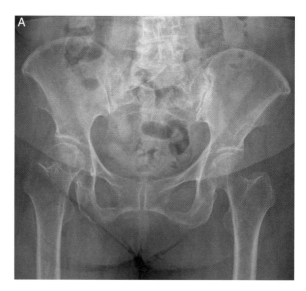

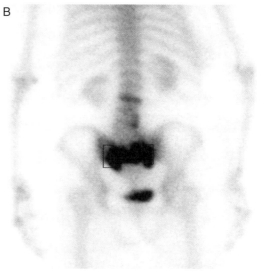

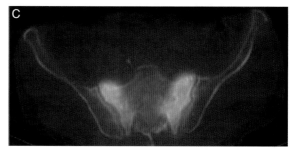

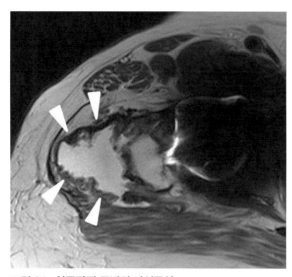

그림 31. 인공관절 주변의 가성종양
금속-금속 관절면을 이용한 고관절 표면 치환술 후에 통증을 호소하는 환자의 MARS-자기공명영상에서 가성종양 소견(화살표)이 관찰된다.

그림 32. 천추 부전 골절(sacral insufficiency fracture)
(A) 단순 방사선 영상에서 잘 확인되지 않는 골절이, (B) 골주사 검사상 특징적인 H 징후로 나타나며, (C) SPECT 검사상 명확한 골절로 확인된다.

면 열소(hot spot)로 나타난다. 골주사 검사는 골 교체(turn over)를 반영하는 것이기 때문에 주로 골수염, 골종양 및 골전이, 골괴사 등을 조기에 발견하는 데 도움이 되며, 단순 방사선 사진에서 잘 확인되지 않는 골절을 발견하는 데에도 도움이 된다(그림 32). 골주사는 민감도(sensitivity)는 높지만 특이도(specificity)가 낮아서 염증, 종양, 골절 등 어떤 현상에서도 집적되기 때문에 전신적인 검색이나 병변의 부위, 확산, 분포를 관찰하기는 좋지만 질환을 정확히 감별하기는 어려운 단점이 있다. 최근에는 골주사 영상의 해상력이 떨어지는 단점을 보완하기 위해서 단일 광자 방출 단층촬영술(single photon emission computed tomography, SPECT)이나 양전자방출 단층촬영(positron emission tomography, PET)도 이용되고 있다.

5. 초음파 검사

초음파 검사(ultrasonography)는 비침습적으로 비교적 간단하게 고관절 주위 조직에 시행할 수 있는 검사로 방사선 피폭의 위험이 없고 역동적인 영상을 얻을 수 있다는 장점이 있다. 초음파는 압통이 있는 부분을 영상으로 확인하여 건, 인대, 근육과 같은 연부조직 손상을 확인할 수 있으며, 연부조직 종괴의 감별 진단(종양, 결절종, 낭종 등)에도 도움이 되며, 소아의 발달성 고관절 이형성증이나 비구형성 부전의 진단에도 유용하다. 관절강내 삼출액의 유무를 파악하여 증가된 경우에는 초음파 유도 하에 실시간으로 관절액 천자가 가능하다(그림 33). 고관절 주위 대전자부, 좌골 조면, 장요근 등에 발생한 점액낭염의 진단에도 유용하며 초음파 유도 하에 실시간으로 병변내 치료 약물 주입이 가

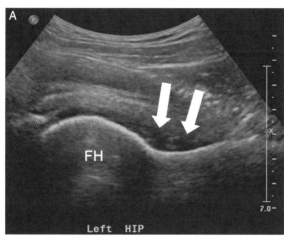
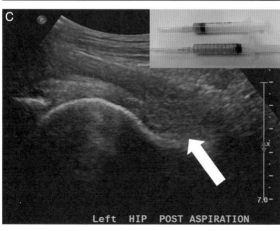
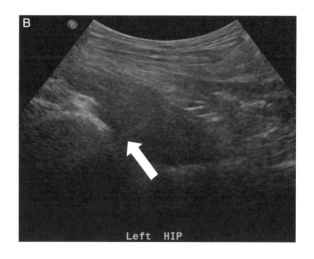

그림 33. 고관절내 삼출액의 초음파 영상
(A) 전방 관절강내 삼출액 소견(화살표), (B) 초음파 유도 하에 흡인 바늘(화살표)을 이용한 관절액 천자, (C) 관절내 삼출액이 없어진 소견(화살표) FH: femoral head, 대퇴골두.

능하다(그림 34). 최근에는 비구순 파열이나 비구순 주위 낭종의 진단에도 초음파가 사용되고 있으나 주로 고관절 전상방 비구순만 관찰이 가능하고 자기공명영상보다 민감도와 특이도가 떨어지는 제한점이 있다 (그림 35). 초음파 검사의 단점은 제한된 대조 해상도, 투과도의 한계, 좁은 시야 그리고 검사자의 숙련도에 따라 결과의 차이를 보일 수 있다는 것이다.

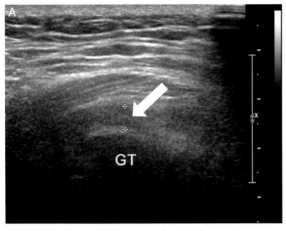
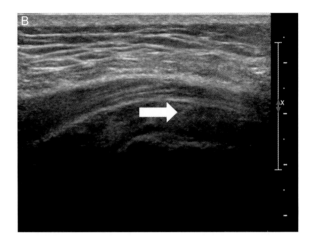

그림 34. 대전자부 점액낭염의 초음파 영상
(A) 대전자부 외측에 낭성 종괴의 형태를 보이는 점액낭(화살표), (B) 초음파 유도 하에 바늘을 이용한 점액낭 내에 약물 주입(화살표)
GT: greater trochanter, 대전자.

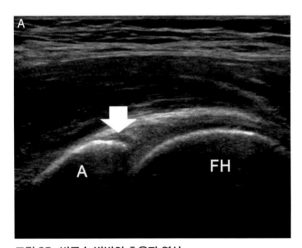
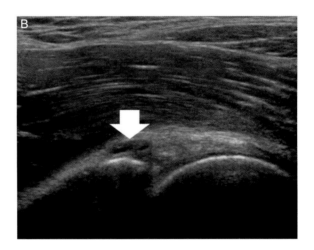

그림 35. 비구순 병변의 초음파 영상
(A) 비구순 파열의 초음파 소견; 전상방 비구순 내부로 사선상의 저에코 음영(화살표), (B) 비구순 주위 낭종의 초음파 소견; 전상방 비구순 주위 앞쪽에 형성된 저에코의 분엽성(lobular) 낭종(화살표)
A: acetabulum, 비구, FH: femoral head, 대퇴골두.

참고문헌

1. Azar FM, Beaty JH, Canale ST. Campbell's Operative Orthopaedics, 13th ed., Philadelphia, Elsevier. 2017; 134-164.

2. Callaghan JJ, Rosenberg AG, Rubash HE. The Adult Hip. 3rd ed., Philadelphia, Wolters Kluwer. 2016;341-393.

3. Chopra A, Grainger AJ, Dube B. Comparative reliability and diagnostic performance of conventional 3T magnetic resonance imaging and 1.5T magnetic resonance arthrography for the evaluation of internal derangement of the hip. Eur Radiol. 2018;28:963-971.

4. Clohisy JC, Carlisle JC, Beaulé PE, et al. A systematic approach to the plain radiographic evaluation of the young adult hip. J Bone Joint Surg Am. 2008;90(Suppl 4):47-66.

5. Jacobson JA, Khoury V, Brandon CJ. Ultrasound of the groin: techniques, pathology, and pitfalls. AJR Am J Roentgenol. 2015;205:513-523.

6. Kwon YM. Cross-sectional imaging in evaluation of soft tissue reactions secondary to metal debris. J Arthroplasty. 2014;29:653-656.

7. Lim SJ, Park YS. Plain radiography of the hip: a review of radiographic techniques and image features. Hip Pelvis. 2015;27:125-134.

8. Link TM, Schwaiger BJ, Zhang AL. Regional articular cartilage abnormalities of the hip. AJR Am J Roentgenol. 2015;205:502-512.

9. Naraghi A, White LM. MRI of labral and chondral lesions of the hip. AJR Am J Roentgenol. 2015;205: 479-490.

10. Saha S, Burke C, Desai A, Vijayanathan S, Gnanasegaran G. SPECT-CT: applications in musculoskeletal radiology. Br J Radiol. 2013;86:20120 519.

6 수술적 접근법
Surgical Approaches

I. 고관절의 수술적 접근법

수술적 접근법은 수술 중 출혈을 최소화하고 주위의 신경과 혈관에 손상을 주지 않으면서 수술 부위의 모든 곳에 접근이 용이해야 한다. 특히 고관절 주변 부위에서는 지혈대를 사용할 수 없기 때문에 피부 절개 시부터 세심한 지혈을 해야 한다. 이를 위해 고관절의 해부학적 구조물에 대한 완전한 이해가 필요하다. 고관절 치환술의 발전으로 최근까지 다양한 수술적 접근법이 소개되었으나 대부분은 기존의 방법이 다소 변형된 것으로, 이 단원에서는 일반적인 수술을 위한 전방, 외측, 후방, 난외회전근 보존 후외측 및 내측 접근법을 기술하기로 한다.

1. 전방 접근법

전방 접근법으로 Smith-Petersen 접근법과 Somerville 접근법이, 전외측 접근법으로 Watson-Jones 접근법이 주로 사용된다. 두 방법 모두 앙와위와 측와위에서 시행 가능하며, 후방 접근법에 비하여 수술 후 탈구율이 낮다는 장점이 있다. 특히 전외측 접근법은 출혈이 적고, 쉽고 빠르게 고관절에 접근할 수 있다. 두 방법 모두 중둔근의 전방으로 접근하므로 대퇴근막장근에 이르는 신경이나 외측 대퇴회선동맥에 손상을 줄 수 있어 주의를 요한다.

1) 전방 접근법

(1) 개요

장대퇴(iliofemoral) 또는 Smith-Petersen의 접근법으로 알려져 있으며 소아의 골반 절골술, 관절 유합술에 많이 사용된다. 대퇴신경이 지배하는 봉공근과 상둔신경(superior gluteal nerve)이 지배하는 대퇴근막장근 사이로 접근하는 신경간 접근법이다. 비구의 전방 지주(anterior column)를 광범위하게 노출시킬 수 있어 비구컵 재치환술이 필요한 경우, 고관절 강직 환자의 고관절 전치환술 시 절골선의 결정이 어려운 경우, 선천성 고관절 탈구 환자에게 고관절 전치환술 시 비구컵을 진성 고관절 중심(true hip center)에 삽입하고자 하는 경우에 유용하다. 외전근을 근위 부착부에서부터 광범위하게 박리하기 때문에 근력이 약화될 수 있고, 이소성 골형성의 발생 빈도가 높다는 것이 단점이다. 또한 절개부를 지나는 외측 대퇴피부신경이 손상되기 쉽고, 다른 접근법에 비해 출혈이 많아 인공 고관절 전치환술 시에는 잘 쓰이지 않는다.

(2) **수술 방법**(그림 1)

① 장골능(iliac crest)의 중간에서 시작하여 장골능의 외측 경계를 따라 전방으로 전상장골극을 지난 다음 외측으로 방향을 바꾸어서 원위 약 10-12 cm까지 피부를 절개한다.

② 대퇴근막장근과 중둔근의 부착부를 장골능으로부터 지혈하면서 분리한다.

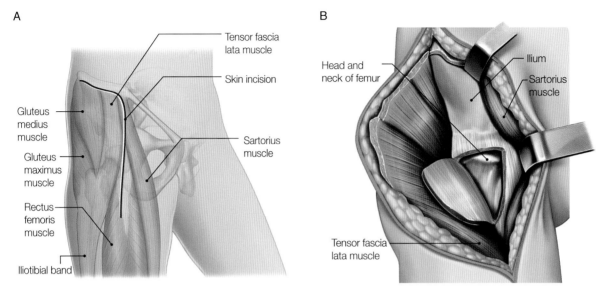

그림 1. 전방 접근법
(A) 피부 절개선, (B) 대퇴근막장근과 대퇴직근의 사이로 고관절에 도달하며 비구의 노출이 용이하다.

③ 원위부에서 근육 섬유의 방향으로 봉공근과 대퇴근막장근을 구분한 다음 전상장골극의 내측 및 원위 1 cm 정도에서 근막을 뚫고 나오는 외측 대퇴피부신경을 보호해야 한다.

④ 중둔근과 소둔근의 근위 부착부를 골막과 함께 박리하여 외측으로 젖히면서 장골의 영양동맥으로부터의 출혈을 지혈한다.

⑤ 대퇴근막장근은 외측으로 견인하고 봉공근 및 대퇴직근은 내측으로 견인한다. 고관절의 원위 5 cm 정도에서 보이는 외측 대퇴회선동맥의 상행 가지를 결찰하여 출혈을 방지한다.

⑥ 관절낭을 노출한 후 횡으로 절개하면 대퇴골두와 비구순을 노출할 수 있고, T 모양으로 절개하면 관절 전체를 관찰할 수 있다. 필요시 원형인대(ligamentum teres)를 자르고 하지를 내전 및 외회전하여 골두를 전방으로 탈구시킨다.

2) 전외측 접근법
(1) 개요

Watson-Jones의 접근법으로 알려져 있으며 고관절 전치환술, 대퇴골 경부 골절의 개방 정복술 및 불유합 치료, 대퇴골두 골단분리증에서의 절골술 등에 사용된다. 중둔근의 전방으로 접근하며 비구순부터 전자부까지 고관절 전면을 노출할 수 있다. 중둔근의 전방부가 손상될 수 있고, 상둔신경의 하방 가지의 손상으로 대퇴근막장근의 마비가 발생할 수 있는 단점이 있다. 이러한 단점을 줄이기 위한 방법으로 중둔근의 앞 부분을 대전자 부착부에서 박리하고 소둔근을 부착부에서 부분 절개하여 고관절에 도달할 수 있다.

(2) **수술 방법**(그림 2)

① 전상장골극의 2.5 cm 원위 및 외측부위에서 대전자부 측면의 후방 및 원위로 곡선 모양으로 진행하며 대전자 기저부에서부터 대퇴골의 외측연을 따라 피부 절개를 한다.

② 피부 절개선에 따라 대퇴근막장근을 섬유 방향에

A

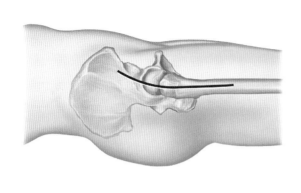

B

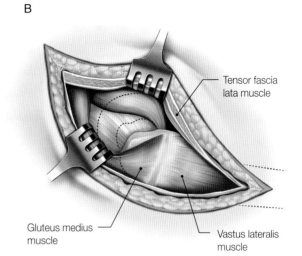

Tensor fascia lata muscle

Gluteus medius muscle

Vastus lateralis muscle

그림 2. 전외측 접근법
(A) 피부 절개선, (B) 중둔근을 견인하는 과정에서 상둔신경의 손상에 주의해야 하며 상둔신경의 손상을 줄이기 위해서는 중둔근의 앞부분을 대전자 부착부에서 박리하고 소둔근을 부착부에서 부분 절개할 수도 있다.

따라 근위부는 전상장골극 방향으로 분할하고 원위부는 전방으로 연장하여 외측 광근을 노출시킨다.

③ 근막 피판을 전방으로 견인하고 대퇴근막장근과 중둔근 사이의 간격을 확인한다. 두 근육 사이의 간격은 전상장골극과 대전자의 중간 지점에서 가장 쉽게 확인이 가능하다.

④ 중둔근과 소둔근을 근위 및 외측 방향으로 견인하여 관절낭 바깥의 지방층과 연부조직을 제거한다. 견인이 힘든 경우 중둔근을 대전자의 전방부로부터 부분 절개하여 관절낭을 노출시킬 수도 있다.

⑤ 관절낭을 대퇴골 경부의 전상부를 따라 종으로 절개하면 원위부에서 외측 광근의 기시부에 접근하여 박리할 수 있으며, 절개를 연장하면 대전자 기저부 및 근위 대퇴부의 수술 시야를 확보할 수 있다. 또한 하지를 외회전하고 관절낭을 T형으로 절개한 후 하지를 내전, 외회전하여 대퇴골두를 전방으로 탈구시킬 수 있다.

3) 변형된 전방 접근법(Somerville 접근법)
(1) 개요

장골과 비구부를 충분히 노출하여 고도의 고관절 탈구에서도 사용이 가능하기 때문에 선천성 고관절 탈구에 대한 수술적 정복 시 유용하다. 하지만 절개 부위가 커서 출혈이 많고 잔존 변형이 있을 경우 추가 교정을 위한 재수술이 힘들다는 단점이 있다. 또한 외측 대퇴 피부신경의 손상 가능성도 높다.

(2) 수술 방법(그림 3) – 탈구된 고관절의 치료

① 모래 주머니 등을 도달할 고관절의 둔부 아래에 놓고 수술 부위를 약간 거상할 수 있다.

② 전상장골극의 하방 및 내측과 장골능의 중간부를 잇는 직선 모양의 피부 절개를 한다.

③ 외전근을 장골익(iliac wing)에서부터 골막하 박리하여 원위부로 관절낭까지 노출시키고, 내측으로는 전상장골극 하방 2.5 cm에서 대퇴근막장근과 봉공근을 분리하여 관절낭을 노출시킨다.

④ 대퇴직근의 reflected head는 비구와 관절낭으로

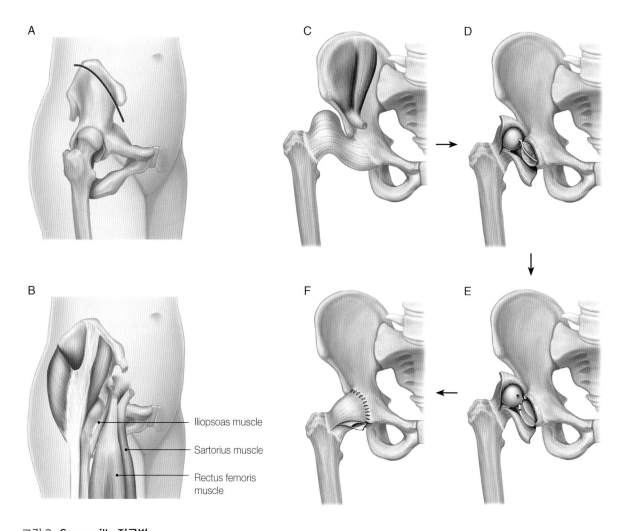

그림 3. Somerville 접근법
(A) 피부 절개선(bikini incision), (B) 장골 골단(iliac epiphysis), 봉공근, 대퇴직근을 분리한다. (C) 관절낭에 대하여 T 절개하고, (D) 고관절 관절낭 절개 후 정확한 비구의 위치를 찾기 위해 원형인대를 확인한다. (E) 비구순의 절제술 및 비구 내 조직 제거하고, (F) 관절낭을 봉합한다.

부터 박리하고, straight head는 필요에 따라 박리한다.

⑤ 관절낭은 비구연(acetabular rim)을 따라 전후방으로 절개하고 대퇴골 경부를 따라 절개하여 전체적으로 T형 절개를 한다.

⑥ 하지를 견인하여 대퇴골두와 비구부를 노출시켜 정복을 방해하는 비후된 원형인대나 섬유 지방조직(pulvinar)을 제거한다. 내번된 관절순(inverted limbus)이 있는 경우에는 방사형으로 절개하여 외번시킨다.

⑦ 대퇴골두를 정복한 후 대퇴부를 30° 외전 및 내회전한 상태로 관절낭을 봉합한다. 피부 봉합을 한 다음 고 수상 석고 고정(hip spica cast)을 시행한다.

2. 외측 접근법

전외측으로 접근하는 경전자 접근법(transtrochanteric approach)과 직접 외측 접근법(direct lateral approach)인 경둔근 접근법(transgluteal approach)이 있으며 두 접근법 모두 앙와위나 측와위에서 시행할 수 있다. 경전자 접근법으로는 Harris의 방법이, 경둔근 접근법으로는 Hardinge의 방법, Mcfarland와 Osborne의 방법, 그리고 Bauer의 방법 등이 있다. 고관절 부위의 광범위한 노출이 가능하고, 전방 및 후방 탈구가 모두 가능하지만 대전자 불유합 및 점액낭염, 이소성 골형성 등의 합병증이 발생할 수 있고 경전자 접근법에서 더 흔하다.

외측 접근법은 고관절 후방 연부조직을 보존하여 후방 접근법에 비해 후방 탈구의 위험성이 낮으며 비구 및 근위 대퇴부로의 접근이 용이하다. 단점으로 외전근의 약화가 발생할 수 있는데 이는 중둔근의 일부가 분할되는 것과 대전자로부터 근위 5 cm 정도에 있는 상둔신경의 주요 가지가 손상되는 것과 관련이 있다. 외측 접근법은 다른 접근법에 비해 변형이 용이하여 광범위한 노출이 필요한 고관절 재치환술에 유용하다.

1) 경둔근 접근법

McFarland와 Osborne이 처음 제안하였고, Bauer가 중둔근을 전후방 1/2씩으로 분할하는 변형된 수술법을 보고하면서 '경둔근 접근법'으로 명명하였다. Hardinge은 중둔근의 전방 2/3와 후방 1/3을 분할하는 변형된 경둔근 접근법을 고안하였고 현재까지 보편적인 경둔근 접근법으로 사용되고 있다. Hardinge의 접근법은 고관절의 외측 및 전방부의 노출이 용이하여 대퇴골 경부 골절, 근위부 대퇴골 절골술, 활액막 제거술 및 고관절 전치환술 등에 사용된다. 중둔근과 외측 광근의 연속성을 보존할 수 있으며 후방 탈구의 위험성을 줄일 수 있다. 활주 전자부 절골술이나 광범위 변형 접근법(extensile modification approach)으로 변형이 가능하여 광범위한 노출을 요하는 고관절 재치환술에 유용하다. 외전 기능의 손상 가능성 및 이와 관련하여 근위

로의 절개가 제한되는 것은 단점이다. 후외측 접근법의 경우보다 이소성 골형성의 발생이 많은 것으로 알려져 있다.

(1) Hardinge의 접근법(그림 4)

① 피부 절개는 대전자부를 중심으로 대퇴골 간부의 전방 경계선을 따라 8 cm 정도의 절개를 한 후 근위부의 절개는 약간 후방으로 향하게 하여 전상 장골극과 평행한 선까지 연장한다.

② 장경대(iliotibial band)와 둔근막(gluteal fascia)을 피부 절개와 같은 방향으로 절개한다.

③ 대퇴근막장근은 전방으로, 대둔근은 후방으로 견인한다.

④ 대전자부 점액낭은 제거하며 중둔근 부착부의 건 골막을 중둔근 섬유의 섬유방향을 따라 대전자부로부터 분리한다. 이때 중둔근의 전방 2/3 정도를 박리하며 후방 1/3은 보존한다.

⑤ 외측 광근을 절개선을 따라 대퇴골 전방부로부터 분리하여 중둔근, 대전자부 건 골막부, 외측 광근을 하나의 피판(flap)으로 하여 전방으로 견인한다.

⑥ 소둔근과 전방 장대퇴인대의 부착부를 함께 대전자부로부터 박리하고 관절낭을 절개하면 골두를 전방으로 탈구시킬 수 있다.

⑦ 봉합할 때에는 소둔근과 전 장대퇴인대를 골부착시키고, 중둔근과 건 골막부, 외측 광근 조직편을 남아있는 조직편과 봉합하여 외전의 분열을 방지한다.

(2) Mcfarland와 Osborne의 접근법(그림 5)

① 대전자부 중심에서부터 근위 5 cm 및 전방으로 향하는 피부 절개를 하고, 원위로는 대전자 하단의 중앙부를 지나 대퇴골 간부까지 이르는 직선 형태로 절개한다.

② 장경대와 둔근막을 피부 절개와 같은 방향으로 절개한다.

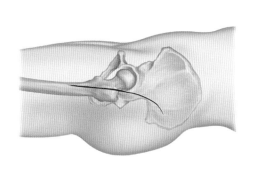

A

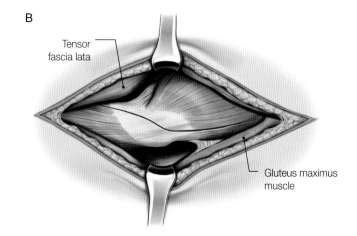

B

Tensor
fascia lata

Gluteus maximus
muscle

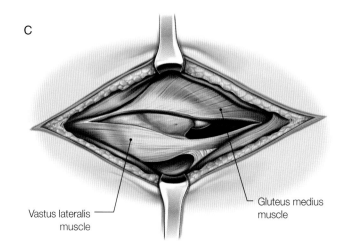

C

Vastus lateralis
muscle

Gluteus medius
muscle

그림 4. Hardinge의 경둔근 접근법
(A) 피부 절개선, (B) 중둔근을 박리할 때 후방 1/3은 보존하고 전방 2/3만 박리하며, (C) 외측 광근을 절개선을 따라 대퇴골 전방부로 부터 분리하여 중둔근, 대전자부 건–골막부, 외측 광근을 하나의 피판으로 한다.

③ 대퇴근막장근은 전방으로, 대둔근은 후방으로 견인한다.

④ 대전자부 후방 모서리에 부착된 중둔근의 후방 변연을 식별한 후, 이 지점에서부터 대전자부 중하방을 향해 비스듬히 절개하여 중둔근의 건 골막을 박리하고 대전자 하단과 대퇴골 외측의 중간부를 따라 원위부로 절개선을 연장한다.

⑤ 외측 광근의 기시부까지 박리하고 중둔근과 골막, 외측 광근을 하나의 피판으로 하여 전방 견인한다. 소둔근과 전방 장대퇴인대를 대전자부로부터 박리하고 관절낭을 T형 절개하여 관절에 도달한다.

⑥ 봉합 시에는 소둔근과 전방 장대퇴인대를 골부착시킨다.

3. 후방 접근법

고관절의 접근법 중 가장 많이 사용되는 방법으로 여러 가지 후방 접근법은 대둔근 절개 부위의 차이가 있을 뿐 대퇴근막과 대둔근을 절개한 후 단외회전근을 부착부에서 절단하고 골두를 후방으로 탈구시키는 과정에는 근본적인 차이가 없다. Gibson의 후외측 접근법과 Moore의 후방 접근법이 대표적인 후방 접근법이다. 후방 접근법(posterior approach)은 측와위에서 시행하며, 특히 고관절 전치환술 시에는 골반을 견

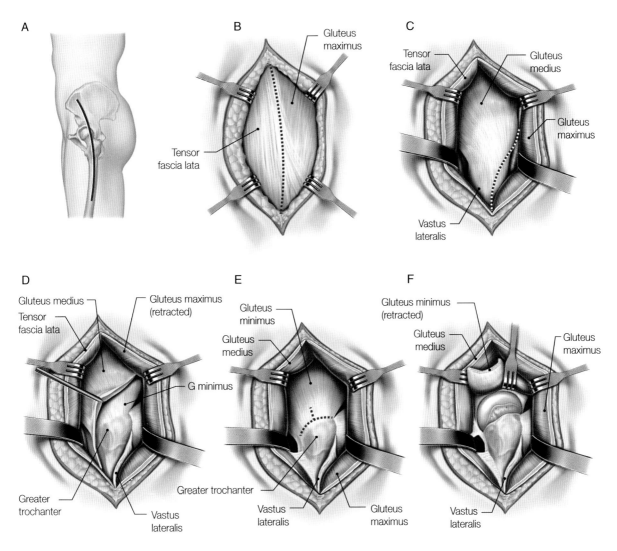

그림 5. Mcfarland와 Osborne의 경둔근 접근법

(A) 피부 절개선, (B) 둔근 근막과 장경대를 정중에서 절개한다. (C) 중둔근의 후방 변연으로부터 대전자부 중하방을 향해 비스듬히 절개하여, (D) 중둔근의 건–골막을 박리하고, 외측 광근을 하나의 피판으로 하여 전방으로 견인한다. (E) 소둔근을 절개하여 상방으로 견인하고, (F) 관절낭을 절개하여 관절부위를 노출한다.

고히 고정해야 비구컵을 정확한 위치로 삽입할 수 있다. 기술적으로 용이하고, 이소성 골형성과 외전근 손상의 위험성이 적지만 탈구와 좌골신경 손상의 가능성은 상대적으로 높다. 특히 좌골신경 손상을 막기 위해서는 대둔근을 분할한 후에 사용하는 자가 견인기(self retractor)를 너무 깊게 위치시키지 말아야 한다.

1) 후외측 접근법

(1) 개요

Langenbeck이 화농성 고관절염의 배농을 목적으로 처음 고안한 후에 Kocher가 비구부 접근이 용이하도록 변형하였고 이를 Gibson이 보편화시켜 Gibson의 접근법으로 알려져 있다. Gibson이 소개할 때에는 고관절을 전방으로 탈구시켰으나 현재는 후방으로 탈구시키는 수정된 Gibson의 접근법이 주로 사용된다. 고관절 전치환술, 고관절의 후방 탈구 골절의 수술적 정복 등에 광범위하게 사용될 수 있다. 출혈은 적은 편이나, 후방 탈구 및 좌골신경 손상의 위험성은 다른 접근법에 비하여 높다.

(2) 수술 방법(그림 6)

① 측와위에서 후상장골극의 전방 6-8 cm, 장골능 직하방에서 절개를 시작하여 대전자부의 전연부를 통과하여 원위부로 대퇴부를 따라 부드러운 곡선의 피부 절개를 한다.

② 대둔근의 전연부를 확인한다.

③ 원위부에서 장경대를 섬유 방향으로 대전자부까지 절개한 후 고관절을 외전시킨다. 대둔근의 전연부 경계를 따라 근위로 절개를 연장하고 고관절을 내회전하여 대전자의 후외측부와 부착되는

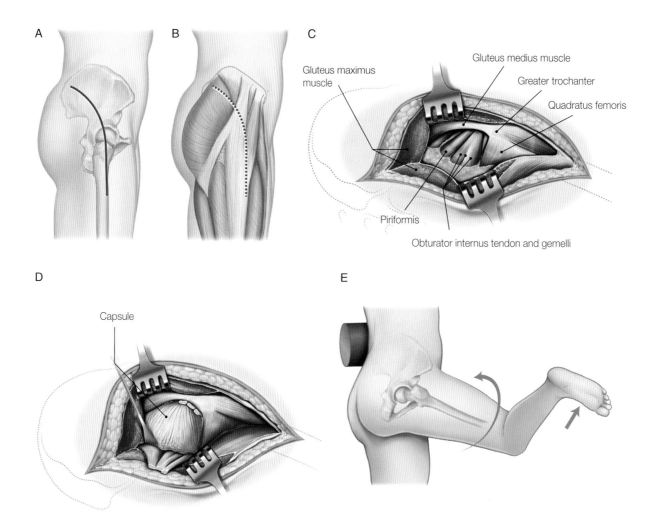

그림 6. 후외측 접근법

(A) 피부 절개선, (B) 근막 절개선, (C) 대전자의 후외측부에 부착되는 단외회전근을 노출할 때에 좌골신경의 손상에 주의해야 한다. (D) 단외회전근을 대전자 부착부에서 절단하면 후방 관절낭을 노출할 수 있다. (E) 하지를 굴곡, 내회전시켜 고관절을 탈구시킨다.

단외회전근을 노출한다.

④ 중둔근과 이상근 사이를 박리하여 구분하고 중둔근과 소둔근을 전방으로 견인하여 고관절 상부를 노출시킨다.

⑤ 단외회전근을 대전자 부착부에서 절단(tenotomy)하여 후방 관절낭을 노출시킨다.

⑥ 관절낭을 대퇴골 경부를 따라 절개하고 비구연을 따라 전방으로 연장하여 전자 간부 전면을 따라 절개한 후 고관절과 슬관절을 굴곡, 대퇴부를 내회전하여 탈구시킨다.

⑦ 고관절이 충분히 노출되지 않으면 피부 및 근막 절개를 연장하고 단외회전근 중 가장 원위부에 부착하는 대퇴방형근(quadratus femoris)의 상방 1/2까지 절개할 수 있다.

⑧ 봉합 시 단외회전근을 대전자 후연의 연부조직에 봉합하거나 대전자 후연을 따라 천공을 하여 봉합한다.

2) 후방 접근법
(1) 개요

후방 접근법(posterior approach)은 Gibson의 접근법과 대부분 유사하나 대둔근을 절개하는 것이 다르다. 대둔근의 절개를 윗부분(superior part)에서 하면 Osborne의 접근법, 아래 부분(inferior part)에서 시행하면 Moore의 접근법 또는 southern 접근법이라 한다. 대퇴골 경부의 후면 및 비구 후벽으로의 접근이 용이하여 고관절 전치환술 외에도 후방 비구 골절 및 고관절 탈구의 수술적 정복, 화농성 관절염의 배농, 근위 대퇴부 재건술에 사용한다. 후외방 접근법과 마찬가지로 후방 탈구 및 좌골신경 손상의 위험성이 있다.

(2) 수술 방법 – Moore의 접근법(그림 7)

① 후상장골극의 원위 약 10 cm에서 대전자의 후방부까지 대둔근의 섬유 방향을 따라 피부 절개를 한 후 대퇴골 간부를 따라 원위부까지 진행한다.

② 피부 절개선을 따라 근막을 절개하고 대둔근의 섬유를 결을 따라 비절개 박리(blunt dissection)한다.

③ 대둔근 근위부의 상둔혈관의 분지를 세심하게 지혈한다.

④ 분할된 대둔근을 전후방으로 견인하여 대전자부를 노출하고 거친 선(linea aspera) 근위부 주위에 부착되는 대둔근의 일부를 절개한다.

⑤ 고관절을 내회전시키면서 단외회전근의 대전자 부착부를 절단한다. 이때 좌골신경을 확인할 필요는 없다.

⑥ 단외회전근을 후방으로 접어 올려 좌골신경이 다치지 않도록 내측으로 견인하고 후방 관절낭을 노출시킨다.

⑦ 관절낭을 대퇴골 경부를 따라 절개하고 대퇴골두를 노출시킨 후 고관절과 슬관절을 굴곡, 대퇴부를 내회전하여 탈구시킨다.

3) 단외회전근을 보존하는 변형된 후외측 접근법

전통적인 후외측 접근법을 이용하여 단외회전근을 노출시킨 후, 이상근, 내폐쇄근, 상쌍자근은 보존시킨 채 하쌍자근 및 외폐쇄근 만을 삽입 부위에서 절개한다(그림 8).

내폐쇄근을 근위부로, 대퇴 사각근을 원위부로 견인하면서 후방 관절낭을 노출시키는데(그림 9), 이때 내폐쇄근의 손상을 막기 위해서 Hohmann 견인기(retractor)를 이용하여 근위부로 가볍게 당긴다. 후방 관절낭을 가능한 넓게 절개하고 고관절을 후방 탈구시킨다.

Hohmann 견인기를 비구의 전면부에 위치시켜 대퇴골근위부를 앞쪽으로 견인하고, 비구 횡인대의 아래쪽과 비구의 전상방, 후상방 모서리에 각각 추가로 견인기를 걸고 관절낭을 완전히 절제한다(그림 10).

이 과정을 통해 비구 확공 및 비구컵 삽입을 위한 충분한 공간을 확보할 수 있게 되며(그림 11), 대퇴골 확공 및 대퇴스템 삽입은 기존 방식처럼 진행한다.

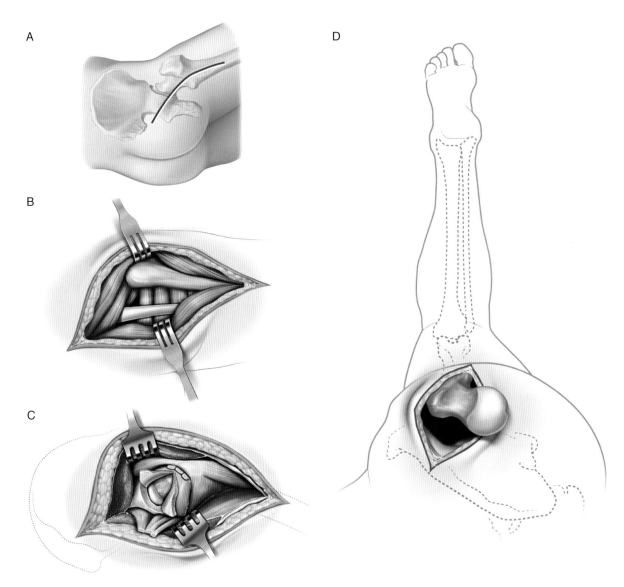

그림 7. Moore의 후방 접근법

(A) 피부 절개선, (B) 대둔근의 절개를 아래 부분에서 시행하며, 좌골신경의 손상에 주의한다. 대전자의 후외측부에 부착되는 단외회전근을 노출할 때에 좌골신경의 손상에 주의해야 한다. (C) 단외회전근을 대전자 부착부에서 절개 후 관절낭을 절개하여 (D) 하지를 굴곡, 내회전시켜 고관절을 탈구시킨다.

4. 내측 접근법

1) 개요

내측 접근법(medial approach)은 Ludloff가 처음 제안하였다. 다른 변형된 방법들도 대부분 Ludloff 접근법을 기본으로 한다. 선천성 고관절 탈구의 개방성 정복, 소전자부의 종양의 치료, 폐쇄신경 절제술(obturator neurectomy), 화농성 관절염의 배농 등에 사용할 수 있다. 앙와위에서 시행되며 중립 자세보다 고관절을 굴곡, 내전, 외회전시킨 상태가 피부로부터 관절까지 거리가 짧고 노출이 쉽다. 폐쇄신경을 특히 주의해야 하는데 근육 경직성을 줄이기 위해 폐쇄신경 절제술을 할 수도 있다.

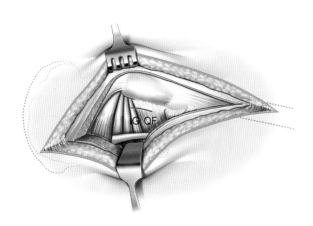

그림 8. 단외회전근의 절개부위

후방 접근법으로 하쌍자근과 대퇴방형근 상부 일부 절제 후 관절낭을 노출시킨다(점선).
IG: inferior gemellus, QF: quadratus femoris.

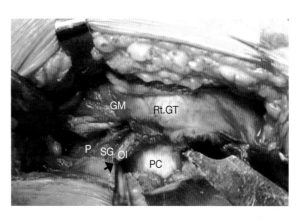

그림 9. 후방 관절낭의 노출

견인기(화살표)로 내폐쇄근, 상쌍자근, 이상근을 근위부로 견인하고, 대퇴방형근은 후방 관절낭을 노출시키기 위하여 하방으로 견인한다.
OI: obturator internus, SG: superior gemellus, P: piriformis,
PC: posterior capsule, Rt. GT: right greater trochanter,
GM: gluteus medius.

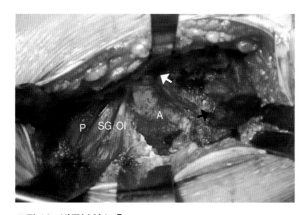

그림 10. 비구부의 노출

관절낭 절제술 후 비구가 잘 노출되고 있으며, 견인기의 끝은 비구의 전벽에 위치함으로써(흰색 화살표) 대퇴골 근위부는 전방으로 당겨진다(검정 화살표).
A: acetabulum, OI: obturator internus, SG: superior gemellus,
P: piriformis.

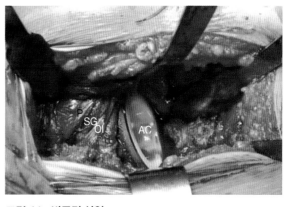

그림 11. 비구컵 삽입

내폐쇄근, 상쌍자근, 이상근이 손상받지 않은 상태에서 비구컵이 삽입되어 있다.
AC: acetabular component, OI: obturator internus,
SG: superior gemellus, P: piriformis.

2) 수술 방법(그림 12)

① 환자를 앙와위로 하고 고관절을 굴곡, 외전, 외회전시킨 상태에서 장내전근(adductor longus)을 확인하고 근육의 근위 부착부인 치골 결절을 촉지한다.

② 치골 결절보다 약 2.5 cm 원위에서 장내전근의 주행을 따라 종절개를 한다.

③ 장내전근과 박근(gracilis)을 확인하여 장내전근을 전방으로, 박근을 후방으로 견인한다.

④ 대내전근(adductor magnus)과 단내전근(addctor

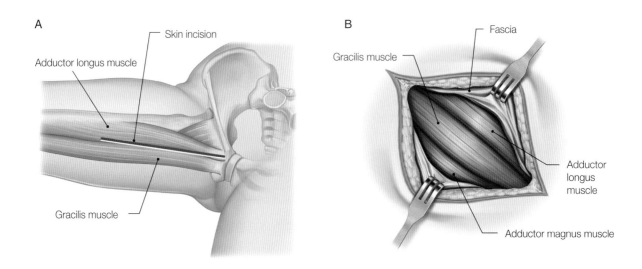

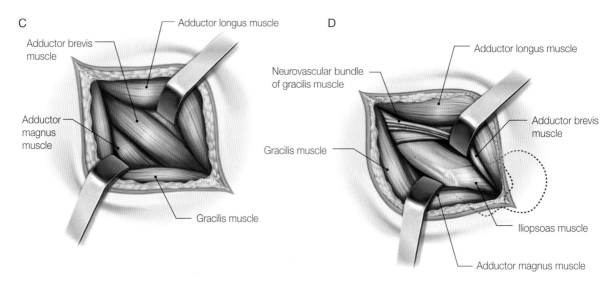

그림 12. 내측 접근법
(A) 피부 절개선, (B) 장내전근과 박근 사이로 접근하여, (C) 장내전근은 전방으로 견인하고 박근과 대내전근은 후방으로 견인한다. (D) 소전자 부위를 확인하고 노출한다.

brevis) 사이를 박리하고 폐쇄신경의 전방 가지를 포함하여 단내전근을 전방으로 견인한다.

⑤ 폐쇄신경의 후방 가지 및 박근의 신경혈관 다발을 확인하고 손상에 주의하면서 소전자부에서 장 요근을 박리하여 관절낭의 내측을 노출시킨다.

5. 대전자 절골술

1) 개요

최근 고관절 전치환술에서 대부분의 경우 대전자 절골술(trochanteric osteotomy) 없이 시행되고 있지만 수술 부위의 노출과 외전근 길이의 증가를 위한 외측 전이술(lateral reattachment)은 Charnley 개념의 필수적인 부분이다. 절골술의 장점으로는 수술 당시 대전자 절골술 후 절골편을 외측, 원위부로 전이할 수 있으며, 수술 시 고관절의 탈구를 용이하게 하며, 비구측 부분의 노출을 더 좋게 할 수 있다는 점이다. 또한 시멘트 및 인공 삽입물을 더 쉽고 정확하게 삽입할 수 있다. 단점으로는 출혈의 증가와 그로 인한 혈종 형성 발생률이 높아지는 것이다. 또한 수술 시간이 길어지고, 대전자 절골술 후 고정이 기술적으로 어려울 뿐만 아니라 불유합, 강선 파손, 대전자 점액낭염, 수술 후 통증, 재활 지연 등의 합병증이 있을 수 있다.

고관절 탈구를 동반한 발달성 고관절 이형성증, 심한 골반 내 돌출, 유합된 고관절 등 비정상적인 고관절의 경우에는 절골술이 필요할 수 있다. 때로는 충분한 길이와 대퇴 오프셋을 확보하였음에도 불구하고 잔존하는 외전근의 약화는 고관절의 불안정성을 증가시킬 수 있다. 이러한 경우 대퇴골 대전자 절골술을 통한 절골편의 원위 전이술은 하지의 길이 증가 없이 고관절을 보다 안정화시킬 수 있다. 고관절 재치환술에 있어서 절골술은 비구와 대퇴골 모두의 노출을 용이하게 하며 대퇴골의 골절 위험을 증가시키지 않고 대퇴스템을 제거할 수 있다.

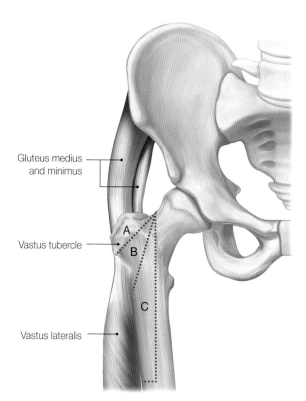

Gluteus medius and minimus

Vastus tubercle

Vastus lateralis

그림 13. 대전자 절골술의 유형과 근육 부착 부위와의 관계
(A) 외전근이 위쪽으로 부착된 표준적인 대전자 절골술, (B) 외전근 및 외측 광근이 대전자 절골편에 부착된 전자부 절골술, (C) 광범위한 대전자 절골술

2) 수술 방법

현재 사용되는 대전자 절골술에는 3가지 기본적인 절골술이 있는데(그림 13), 상부의 외전근을 포함하는 표준적 절골술(standard trochanteric osteotomy), 외전근과 외측 광근을 포함하는 절골술, 광범위한 절골술(extended trochanteric osteotomy) 등이다. 대전자 절골술은 수술의 목적에 따라 선택하고 절골술의 종류에 따라서 고정의 방법도 달라져야 한다.

표준적 절골술의 적응증은 비구측의 큰 구조골 이식술, 골반 내 돌출 방지를 위한 케이지 삽입이 필요한 경우, 복잡한 비구컵 재치환술에 있어서 광범위한 비구측 노출이 필요한 경우 등이 있다. 대전자와 외전근의 상부 견인은 상둔신경혈관 다발의 긴장을 줄일 수 있다. 표준적 대전자 절골술 시, 첫 번째로 외측 광근을 대퇴부의 외측에서 광근 결절(vastus tubercle)까지 골막 아래로 박리시켜야 한다. 절골술은 광근 결절의 바로 원위부에서부터 근위부, 내측으로 45°의 각도로 행해져야 하고, 대퇴골 경부를 지나서는 안 되며 좌골신경이 손상되지 않도록 주의해야 한다. 일반적으로 중둔근, 소둔근의 건 부착 부위를 모두 포함한 비교적 큰 부위가 포함되어야 한다. 절골편을 상부로 전위시키기 위해 단외회전근을 포함한 연부조직에 대해 필요시 유리술을 시행할 수 있다. 절골술은 기글리 톱(Gigli saw) 등을 이용하여 외전근보다 더 깊은 부위에서 외측을 향해 시행한다(그림 14).

외전근에 의한 대전자 부위의 과도한 긴장은 전자부 원위부의 연부조직을 유지함으로써 줄일 수 있

A

B

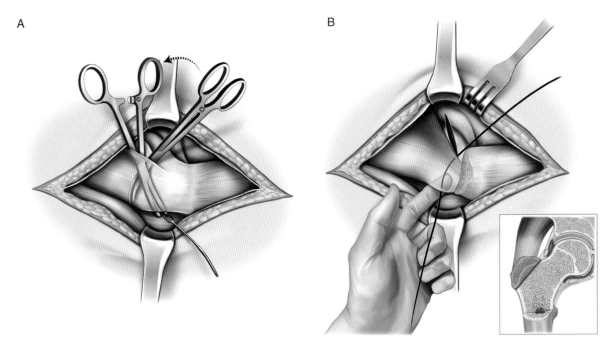

그림 14. 대전자 절골술
(A) 기글리 톱(Gigli saw)을 통과시키기 위해 감자를 관절 방향으로 넣어 중둔근 부착부와 관절낭을 분리한다. (B) 대전자를 절골하기 전에 손가락으로 기글리 톱이 충분히 후방에 위치해 있고 좌골신경이 톱과 골 사이에 위치하는지 확인한다. 절골의 방향은 대전자를 외전근 결절 바로 근위부에서 박리하기 위해, 원위부 및 외측으로 향한다.

다. Glassman 등은 중둔근, 대전자, 외측 광근 등으로 구성된 근골조직을 유지하는 절골술을 소개한 바 있는데, 이것을 전자부 활주 절골술(trochanteric slide technique)이라 한다(그림 15). 절골술 후 불유합률은 다른 술식과 비슷하며, 1 cm 이상 대전자의 상부 전이가 발생할 경우 11%의 불유합률을 보인다. 반면에 외전근 기능부전 및 파행은 다른 술식보다 현저하게 낮다.

최근에 다양한 광범위한 대전자 절골술이 소개되고 있는데, 다양한 정도로 대퇴골 외측 피질골의 골편을 포함하여 절골한다. 이러한 술식은 인공관절 재치환술에서 잘 고정된 대퇴스템을 제거하거나 표준 절골술을 적용하기에 골질이 좋지 않을 때 장점을 가진다. 대퇴골 외측 피질골이 광범위하게 절골되기 때문에 시멘트형 대퇴스템은 불완전할 수 있어 광범위한 대퇴골 대전자 절골술은 무시멘트형 대퇴스템에 사용될 수 있는 술식이다.

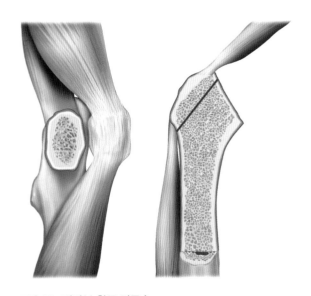

그림 15. 전자부 활주 절골술
시상면 방향으로 절골술을 시행하여 외측 광근의 기시부를 포함한다.

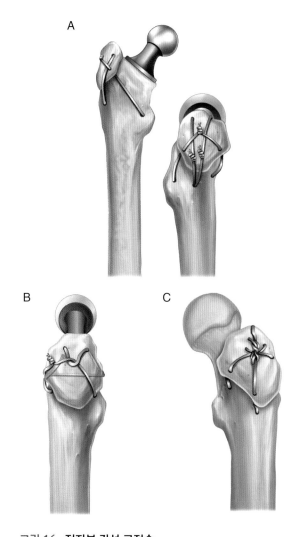

그림 16. 전자부 강선 고정술
(A) 2개의 수직 강선과 1개의 횡 강선을 이용한 고정법, (B) Coventry 단일 강선 고정법, (C) 사선 교합 강선 고정법(oblique interlocking wire technique)

지연 유합 또는 불유합을 유발할 수 있다. 유합률을 증가시키기 위해서는 절골면에 압박력이 필요하다. 고관절을 굴곡시킨 상태에서 부하를 줄 때, 전후면으로의 전이와 고정 실패는 단순한 외전근에 의한 절골편의 당김에 의한 상부 전이보다 심각하다. 양면(biplanar) 절골술 및 갈매기(chevron) 절골술은 단면(uniplanar) 전골술보다 전후면에서 전골편의 전이에 더 많은 저항을 줄 수 있다.

2-4개의 강선을 사용한 다양한 강선 고정 방법이 소개되어 있다(그림 16, 17). 굵기는 16, 18 또는 20번 강선을 사용할 수 있으며, spool wire는 유연하여 쉽게 감기나 조일 수 있다. 이외에 K-강선, 스테인리스강, 코발트-크롬 합금, 티타늄 합금 강선 등이 대퇴스템의 금속 성분에 따라 사용될 수 있다.

강선을 이용한 고정술의 불유합률은 25% 정도로 보고되고 있다. 무시멘트형 대퇴스템을 이용한 재치환술 시 강선과 나사를 골수 내로 통과시키는 것은 기술적으로 어려워 대부분의 경우 골수외 고정술이 더 선호된다(그림 18). 또한 금속판을 갈고리(hook) 모양으로 연장시키는 등의 고정방법이 소개되어 있다(그림 19). 수술 후 진체중 부하는 고정술이 확고하지 못할 경우 4-6주 정도 지연해야 한다. 고정술이 안정적이지 못하다면

외전근의 길이는 절골된 대전자부가 외측 전이되는 정도에 따라 길어질 수 있다. 재부착 시에 고관절은 10-15° 이상 외전되지 않아야 하며, 고정 시 과도한 압력은 고관절 내전 시 절골편의 견인이나 불유합을 유발할 수 있다. 절골편의 재부착 위치는 유합에 영향을 미치며, 해부학적인 정복 또는 약간 원위부로 재부착된 경우 유합에 6개월 정도가 걸린다. 절골편 잔여부의 상부 및 내측 기울임이 존재하는 상태에서의 고정은

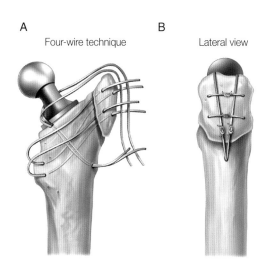

A Four-wire technique   B Lateral view

그림 17. Harris four-wire 고정술

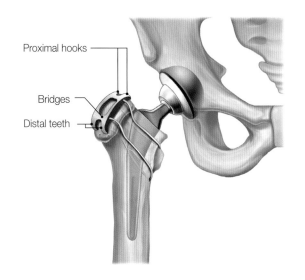

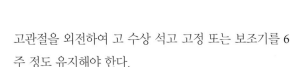

그림 18. 전자부 고정 갈고리
대전자 골편은 근위부 갈고리에 의하여 잡혀 환형 케이블과 함께
대퇴골에 고정된다.

그림 19. 전자부 고정 금속판
대전자 골편은 근위부 갈고리에 의하여 잡혀 있으며, 금속판 연장
부는 환형 케이블과 함께 대퇴골에 고정된다.

고관절을 외전하여 고 수상 석고 고정 또는 보조기를 6
주 정도 유지해야 한다.

　Dall은 직접 외측 접근법(direct lateral approach)을
변형시켜 외전근이 붙는 부위보다는 대전자 부위의 앞
쪽 부분을 절골부위에 포함시켰으며, Head 등은 고관절
재치환술 시 광범위한 외측 접근법에서 유사한 절골술
을 사용하였다(그림 20). 이러한 절골술은 외전근의 내회
전 부위만을 박리할 뿐 중요한 중둔근 부위를 남겨두
는 것으로 대전자부위 앞부분의 절골편의 재부착은 일
차성 골유합 과정을 보이게 된다.

6. 최소 침습 접근법

1) 개요

　최근 외과 수술 분야 전반에 걸쳐 기존의 방법과 결
과는 비슷하거나 같으면서 침습성이 적은 수술적 치
료에 대한 관심이 증가하고 있다. 이와 더불어 관절치
환술에도 침습성이 적은 수술 방법에 대한 발전이 지
속적으로 이루어지고 있으며, 특히 적은 연부조직 손

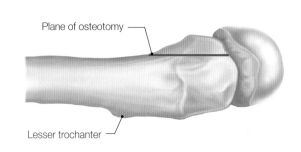

그림 20. 외측 접근 시 전방 전자부 절골술

상, 빠른 통증 감소, 빠른 재활, 환자의 미용상의 만족
도 증가 등의 이유로 단일 또는 두 부위 절개를 이용한
최소 침습 고관절 전치환술(minimally invasive surgery
for total hip arthroplasty, MIS-THA)에 대한 관심이
더욱 증가하고 있다. 그러나 아직까지는 이러한 방법
들에 대한 안전성과 효용성에 대한 논란이 남아 있다.

　Siguier 등은 1993년부터 최소 절개 전방 접근법을 통
해 고관절 치환술을 시행하였다고 보고한 바 있으며,
초기에는 대개 단일 절개를 통한 수술이 행해졌다. 단

일 절개를 통한 최소 침습 고관절 전치환술에서는 일반적으로 10 cm 미만의 절개를 최소 절개로 정의하고 있다. 그러나 단일 절개를 통한 최소 침습 고관절 전치환술은 기존의 전통적인 방법에 비해 획기적으로 절개 부위를 줄일 수 있었지만, 근육과 인대 손상 등의 연부조직 손상을 줄이는 데는 한계가 있었다. 이에 주변 근육, 인대, 혈관 등의 손상을 줄이기 위해 대퇴 및 비구 삽입물을 위한 각각 다른 두 개의 절개선을 이용하는 두 부위 절개 최소 침습 고관절 전치환술 방법이 개발되었다. 최소 침습 고관절 전치환술의 목표는 단순히 피부 절개를 작게 하는 것이 아니라 성공적인 시술에 필요한 최소한의 절개를 하는 것이다. 환자를 적절히 선택한다면 6 cm 정도의 피부 절개만으로도 수술이 가능하겠지만, 술자의 경험과 환자의 체형, 즉 연부조직의 두께 등에 의해서 피부 절개의 정도가 결정된다. 따라서 모든 일차성 고관절 전치환술이 최소 침습 접근법(minimal invasive approach)의 대상이 될 수는 있겠지만, 비만하거나 근육이 매우 발달하여 연부조직이 두꺼운 환자, 관절 강직이 심한 환자, 비구의 골반 내 돌출 환자, 체내 금속 삽입물을 가진 환자, 재치환술 등에서는 적용하기 어려울 것으로 생각된다.

2) 수술 방법

(1) 단일 절개법

단일 절개는 최소 절개 방법 중 현재 가장 흔하게 사용되는 방법으로, 주로 전외측 접근법(modified Watson-Jones), 후방 또는 후외측 접근법(modified Moore) 등이 사용된다.

① **전외측 접근법:** 피부 절개는 대전자부 상방 1 cm에서부터 대전자의 기저부를 따라서 하며, 대퇴근막장근을 절개하고 앞쪽으로 견인하면서 견인기를 중둔근 표면에 삽입하고, 대전자부 상방의 중둔근을 손가락을 이용하여 박리하면서 하방 부위의 외측 광근은 종축 방향으로 절개한다 (그림 21). 이후 중둔근과 외측 광근을 후방으로 견

인하고, 소둔근을 대전자부로부터 절개하여 관절낭을 노출시키고 대퇴골두를 제거한 다음 비구부 삽입물 및 대퇴스템을 삽입한다. 또 다른 방법으로는, 대전자부를 중심으로 후상방에서 전하방으로 약 5-9 cm의 단일 피부 절개를 시행하고 노출된 중둔근 중 대전자부 앞쪽의 1/3을 근육의 주행 방향에 따라 L자 모양으로 절개하고 절개된 중둔근을 앞쪽으로 젖힌 후 소둔근과 관절낭을 절개하여 비구를 노출한다. 하지를 내전, 굴곡 및 외회전하고 견인기를 이용하여 대퇴골수강이 잘 노출되도록 한 후 대퇴스템을 삽입한다.

② **후외측 접근법:** 대퇴골 대전자부 후방 1/3 부위에 대퇴골과 평행하게 대전자부를 중심으로 약 1/3은 상방으로, 2/3는 하방으로 약 6-10 cm의 피부 절개를 한 후, 피부 절개 부위보다 약 2-3 cm 상하방으로 대퇴근막장근과 둔근막을 절개한다(그림 22). 이후 C자 모양의 Hohmann 견인기와 Aufranc 견인기를 포함한 여러 특수 견인기(그림 23)를 이용하여 대퇴골 경부를 노출시킨 뒤, 이상근과 단외회전근을 대전자 후방부에서 절개하여 표시해 놓은 후에 대퇴골 경부를 절단하여 제거한다. C자 모양의 Hohmann 견인기를 비구부 전벽부에 위치하여 대퇴골을 전방으로 견인하고, 넓은 직각의 Hohmann 견인기를 비구순과 후방 관절낭 사이 비구부 후벽부에, Aufranc

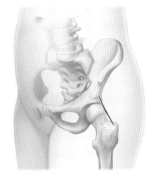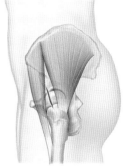

그림 21. 단일 절개 전외측 접근법의 피부 절개

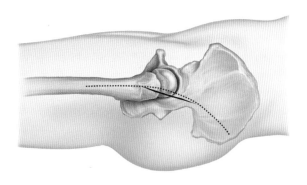

그림 22. 단일 절개 후외측 접근법의 피부 절개
점선은 고식적인 전외측 접근법의 피부절개이고, 실선이 전외측 접근법의 피부 절개선이다.

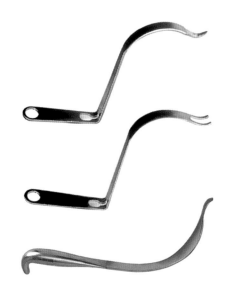

그림 23. 최소 침습 접근법에 사용되는 견인기

견인기는 폐쇄공 내의 횡비구인대 하방에 위치한다. 스테인만(Steinmann) 핀을 비구부 상부의 외전근의 하방에 위치시켜 비구부를 노출시킨 후 비구를 확공하고 비구 삽입물을 삽입한다. 이후 대퇴골 경부 견인기를 대퇴골 경부 전방을 따라 위치시키고, Aufranc 견인기를 내측에 위치하여 대퇴골 근위부를 노출시킨 뒤, 대퇴골을 확공하고 대퇴스템을 삽입한다. 고관절을 정복한 후 이상근과 단외회전근 및 후방 관절낭을 봉합하고,

근막, 피부를 봉합한다.

또 다른 방법으로, 측와위에서 후외측 접근법을 통해 대전자부의 후방 1/3 지점에 대전자부 1 cm 상방에서부터 하방으로 평균 7.5 cm 정도의 피부 절개를 시행하고, 변형된 Hohmann 견인기 2개와 비구부에 2-3개의 스테인만 핀 고정을 통해 비구부 노출을 비교적 쉽게 할 수 있다.

③ **후방 접근법**: 대전자의 후상방부를 중심으로 평균 3.5인치의 피부 절개를 하고, 근막 절개 시 대둔근 섬유를 따라서 피부 절개 끝 부분에서 3 cm을 더 절개하고, 이상근, 외폐쇄근 및 쌍자근 등은 절개하여 표시해 두며, 전통적인 방법과 달리 대퇴사두근과 대둔근 섬유는 절개하지 않고 보존한다. 관절낭은 대퇴골 경부 후방 쪽으로 절개하여 표시해 두고, 비구연 전후방에 구부러진 Hohmann 견인기를 삽입하여 비구부 시야 확보를 도모한 후, 비구 삽입물을 삽입하며, 폭이 좁고 구부러진 Hohmann 견인기로 외전근과 피부를 보호하며 확공하여 대퇴스템을 삽입한다(그림 24). 다른 방법으로는, 측와위에서 대전자부의 후방연을 중심으로 상하방으로 각각 3.5 cm 정도 피부를 절개하고, 대둔근을 따라 절개하여 단외회전근을 노출시켜 절제한다. 좌골신경을 보호하면서 대퇴골두를 탈구시켜 절제한 후, 코브라 형태의 견인기와 Meyerding 견인기 등을 이용하여 비구 및 대퇴 삽입물을 삽입한다.

(2) 두 부위 절개법

방사선 투과가 가능한 수술대에서 앙와위로 수술을 시행한다. 방사선투시기(fluoroscopy)로 대퇴골 경부를 확인하고(그림 25), 금속 표지자를 이용하여 대퇴골두와 경부 교차점에서부터 경부 중앙을 잇는 약 4-6 cm의 선을 표시하고, 여기에 전방 피부 절개를 시행한다. 피부 절개 부위의 근막 하방에서 봉공근을 근위 내측으로, 대퇴근막장근을 원위 외측으로 견인하면, 대퇴직

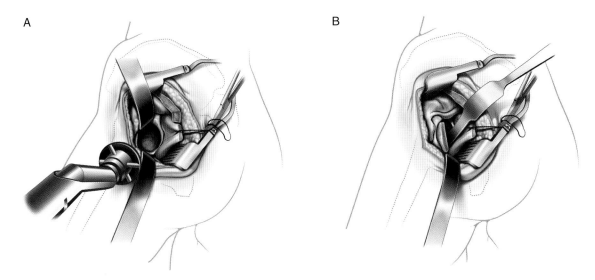

그림 24. 단일 절개 후방 접근법

(A) 비구연 전후방에 구부러진 견인기를 삽입하여 비구부을 노출하고, (B) 폭이 좁고 구부러진 견인기로 외전근과 피부를 보호하고 대퇴골을 확공한다.

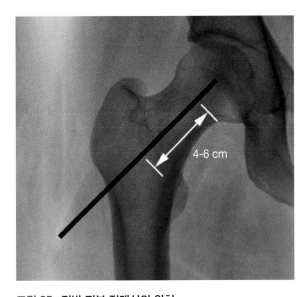

그림 25. 전방 피부 절개선의 위치

방사선투시기로 금속 표지자를 이용하여 대퇴골두와 경부 교차점에서부터 경부 중앙을 잇는 약 4-6 cm의 선을 표시하고, 여기에 전방 피부 절개를 시행한다.

근의 외측 경계가 노출된다. 이때 내측 견인기를 재위치하여 대퇴직근을 내측으로 견인하면 외측 대퇴회선

동맥과 관절낭을 확인할 수 있게 되며, 외측 대퇴회선동맥을 전기 소작기로 조심스럽게 결찰한다. 두 개의 굴곡 Hohmann 견인기를 대퇴골 경부 관절낭 외측에 위치시키고, 대퇴골 경부의 축을 따라 관절낭을 절개한 뒤, 대퇴골 경부에 수직으로 두 개의 굴곡 Hohmann 견인기를 관절낭 내에 다시 위치시킨다. 경부는 이중으로 절골술을 시행하여 먼저 제거한 후 대퇴골두를 제거한다. 세 개의 굴곡 Hohmann 견인기를 각각 비구부 상방, 횡비구인대 전방 변연부의 전방, 비구부 후방에 위치시켜 비구부 시야를 확보한 후, 비구순을 절제하여 비구 변연부 전체를 노출시킨다.

이때, 전통적인 고관절 전치환술에서 사용하는 방법과 달리 비구부의 전체가 한눈에 보이지는 않기 때문에 필요에 따라 앞뒤, 혹은 위아래로 가볍게 견인을 하면서 비구부를 관찰하여야 한다. 한쪽으로 견인을 너무 심하게 할 경우 오히려 절개부를 짧게 만들게 되어 시야 확보가 힘들어지므로, 시야를 확보하고자 하는 비구부 쪽의 견인을 할 때는 반대편의 견인을 느슨하게 한다. 최소 절개 수술법을 위해 특별히 고안된

beveled reamer (확공기)를 이용하여 45° 외전, 20° 전향각이 되게 비구부 확공을 시행하며, 방사선투시기를 이용하여 확인한다. 마지막 확공기 크기보다 2 mm 큰 비구컵을 삽입하고, 방사선투시기로 외전각 및 전염각을 확인한 후에 비구에 밀착시킨다. 비구컵의 안정성을 확인하고, 보조적 안정성을 위해 비구컵 후상방에 두 개의 나사못을 삽입한다.

비구 라이너(acetabular liner)를 끼운 후에 모든 견인기를 제거한 다음 다리를 최대한 내전 시키고 중립회전 시킨 상태로 대퇴부 후외측 이상근과 평행하게 약 3−5 cm의 피부 절개를 가하여 대퇴부에 접근한다. 둔근막을 분리하고 이상근과 중둔근 사이로 접근하여 절개부를 통해 방사선투시기 하에서 Charnley 송곳을 외전근의 뒤쪽, 이상근와의 전방으로 진행시킨다. 특별히 고안된 외측 측면 절개 확공기를 이용하여 시작점을 먼저 확공하며, 방사선투시기 하에서 순차적으로 확공을 시행한다. 방사선투시기의 도움하에 대퇴스템의 크기를 결정하고(그림 26), 대퇴스템을 삽입한 다음(그림 27), 전방 절개부를 통해 대퇴스템의 전염각을 확인하며 인공 대퇴골두를 넣고 정복한다.

또 다른 방법으로, 측와위 자세에서 시술하며, 전방

절개 부위는 약 6−8 cm 정도로 고관절의 전측방부에 대퇴골 대전자부에서 전상장골극 후방 2 cm 위치로 향하는 피부 절개를 시행한다(그림 28). 대퇴근막을 절개하고, 대퇴근막장근과 중둔근 근육 사이로 절개한다. 대퇴근막장근과 중둔근 사이로 절개해 나갈 때, 관절낭에 도달하기 전 외측 대퇴회선동맥을 확인하고 결찰한다. 관절막은 대퇴골 경부의 축에 따라 비구부 주변에서부터 전자간부까지 절개하며, 굴곡된 Hohmann 견인기를 대퇴골 경부 상하의 관절낭 내에 위치하여 시야를 확보하면서 경부 절골술을 시행하고, corkscrew를 이용하여 대퇴골두를 제거한다. 한 개 혹은 두 개의 스테인만 핀을 비구의 후상방부에 삽입하여 외전근을 견인하고 비구부 주위에 전하방, 후하방, 하방 부위에 굴곡된 Hohmann 견인기를 위치하여 시야를 확보한다. 비구컵을 삽입할 때, 방해가 되는 관절낭 일부와 비구순 등의 연부조직을 제거한 후, 비구부 확공을 하고 비구컵을 압박 고정한다(그림 29).

후방 절개 부위는 약 4−6 cm 정도로 대둔근 섬유를 따라서 하게 되며, 이 절개 부위는 고관절을 굴곡하고 슬관절을 90° 정도로 굴곡한 채로 뒤쪽으로 밀어 올리면 잘 나타나게 된다(그림 30). 대둔근 섬유를 따라서 절

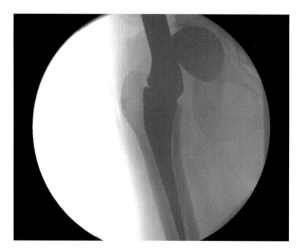

그림 26. 방사선투시기 하 대퇴부 확공
방사선투시기 하에 순차적으로 확공하고, 대퇴스템의 크기를 결정한다.

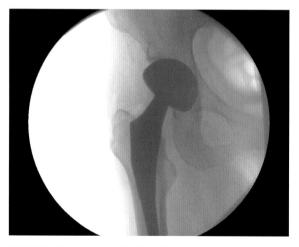

그림 27. 방사선투시기 하 인공 관절의 삽입 상태
대퇴스템을 삽입한 다음, 전방 절개부를 통해 대퇴스템의 전염각을 확인하며 인공 대퇴골두를 넣고 정복한다.

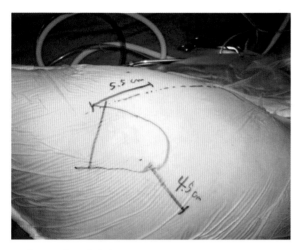

그림 28. 피부 절개선

전방 절개 부위는 약 6-8 cm 정도로 고관절의 전측방부에 대퇴골 대전자부에서 전상장골극 후방 2 cm 정도로 향하게 피부 절개한다.

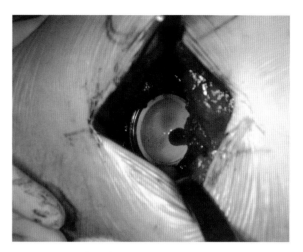

그림 29. 비구컵 삽입

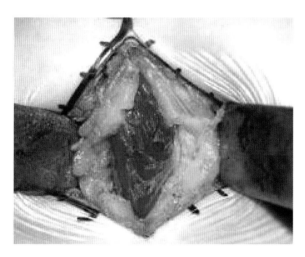

그림 30. 후방 절개

후방 절개부위는 약 4-6 cm 정도로 대둔근 섬유를 따라서 한다.

개를 진행하면 대둔근과 중둔근 사이의 지방층이 나타나게 되고, 이 지방층을 절개하면 중둔근과 이상근이 나타나게 된다. 이상근을 해부학적 표지자(landmark)로 하여 중둔근과 이상근 사이를 절개하여 후방 관절낭에 도달한다.

이후에 시야로 직접 확인하면서 후방 관절낭을 절개

하여 대퇴부를 확공하고, 방사선투시기로 적당한 크기의 대퇴스템을 결정한 다음, 대퇴스템을 삽입한다 (그림 31). 대퇴스템 삽입 후, 스템 경부를 전방으로 돌려서 전방 절개부를 통해 적당한 크기의 인공 대퇴골두를 삽입 후 정복한다. 슬개골 상방 및 족부 하부를 기준으로 양측 하지 길이를 비교한 후에 적당한 크기의 인공 대퇴골두를 최종 결정하고 정복을 시행한다.

7. 직접 전방 접근법

1) 개요

직접 전방 접근법(direct anterior approach, DAA)은 전통적인 Smith-Petersen 접근법의 원위부 1/2을 사용하며, 1980년 Light와 Keggi에 의해 처음 소개된 후, 수정된 전방 접근법이 최근 대중적으로 사용되고 있다. 수술적 도달 간격은 근육간, 신경간 둘 다에 해당하므로 근육 절개가 상대적으로 적게 필요하다. 수술은 앙와위로 일반적인 방사선 투과 수술대 혹은 특별한 골절 수술대에서 시행하며, 수술대 측면에 거치한 갈고리 모양의 부가 장비(accessory hook)를 이용하여 대퇴골을 전방 견인하여 대퇴골 확공 및 대퇴스템 삽입을

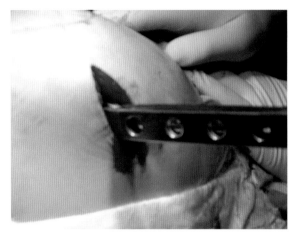 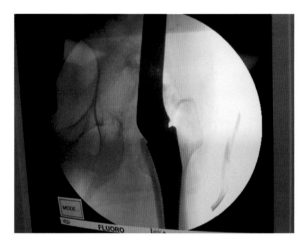

그림 31. 대퇴스템 삽입
후방 관절낭을 절개하여 대퇴부를 확공하고, 방사선투시기로 적당한 크기의 대퇴스템을 결정한 다음 대퇴스템을 삽입한다.

보다 수월하게 할 수 있다. 수술 중 방사선투시기를 통해 확공 과정, 삽입물의 위치, 다리 길이를 쉽게 확인할 수 있는 장점이 있으나, 다른 수술 접근법에 비해 수술시간이 길고, 방사선 노출이 많으며, 외측 대퇴피부신경(lateral femoral cutaneous nerve) 손상 위험 등 단점도 있다.

직접 전방 접근법은 익숙하지 않은 술자들에게 약간의 학습 곡선(learning curve)을 요한다. 비구부 술식은 다소 쉬운데 반해, 대퇴부 술식이 상대적으로 어려워 길이가 짧거나 근위부가 약간 꺾인 대퇴스템이 많이 사용된다.

수술 도달 간격의 원위부로의 확장이 쉽지 않아 절골술을 요하는 대퇴골 변형이 있거나 수술 중 골절이 발생하여 환형 강선 고정술이 필요한 경우에는 다른 추가적인 절개가 필요하다. 또한, 넓은 장골능을 가지거나 짧고, 내반된 대퇴골 경부를 가진 환자에서는 대퇴골 관으로의 접근이 보다 어려워진다. 특히 환자가 비만한 경우, 상대적으로 두꺼운 외측 피하층이 중력에 의해 절개부위에서 후방으로 멀어져 수술이 보다 어려워지며, 창상 문제(wound problem)가 발생할 수 있다.

2) 수술 방법

방사선 투과가 가능한 수술대에서 앙와위로 수술을 시행하며, 수술 중 고관절이 과신전될 수 있도록 전상장골극(anterior superior iliac spine)이 수술대가 접히는 부위에 위치하도록 해야 한다(그림 32). 전상장골극 상부까지 피부 소독을 하고, 수술 중 반대편 다리 아래로 숫자 4 (figure-of-four) 자세를 할 수 있도록 양쪽 하지를 모두 피부 소독하여 각각 준비한다. 대퇴부 술식을 하는 동안 반대편 하지를 지지할 수 있는 Mayo 스탠드(Mayo stand)를 멸균 수술포에 싸서 준비하면 도움이 된다.

전상장골극의 3 cm 원위부, 3 cm 외측에서 시작하여 원위부로, 그리고 약간 외측 방향으로 8-12 cm 정도 길이의 피부 절개를 시행하는데, 이때, 외측 대퇴피부신경 손상을 피하기 위해 대퇴근막장근과 봉공근 사이의 외측으로 피부 절개를 하는 것이 좋다. 외측 대퇴피부신경보다 외측에서 대퇴근막장근 근막을 절개하여(그림 33), 대퇴근막장근과 봉공근 사이를 2수지를 이용하여 부드럽게 내측으로 절개해 들어간다. 전방 관절막 위의 얇은 지방층을 통해 대퇴골 경부가 만져지며,

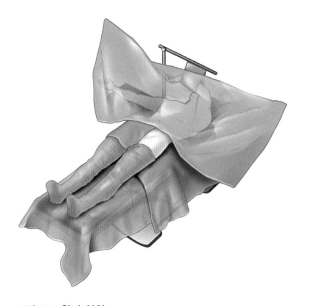

그림 32. 환자 위치

앙와위에서 수술 중 고관절이 과신전될 수 있도록 전상장골극이 수술대가 접히는 부위에 위치하도록 한다.

지방층 내 원위부에 외측 대퇴회선동맥 상행지를 찾아 전기 소작기로 조심스럽게 결찰한다(그림 33).

2개의 굴곡 Hohmann 견인기를 대퇴골 경부 위, 아래에 위치시키고, 또 다른 견인기를 대퇴직근 직접 기시부의 직하부에서 비구 전방부 가장자리에 위치하여 전방 관절낭을 노출시킨다(그림 33). 이때, 고관절을 약간 굴곡하고 대퇴직근 섬유를 이완하여 대퇴직근 직접 기시부의 내측 견인을 보다 향상시킬 수 있으며, 견인기를 대퇴직근 아래에 위치하여 대퇴신경과 혈관 손상을 피해야 한다. 전방 관절낭을 T-자 혹은 H-자 모양으로 절개하며, 하부 관절낭을 소전자 부위까지 충분히 이완시켜야 한다. 굴곡된 Hohmann 견인기를 대퇴골 경부 상하의 관절낭 내에 다시 위치하여 대퇴골 경부를 충분히 노출시킨다.

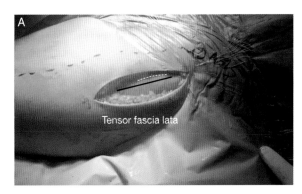

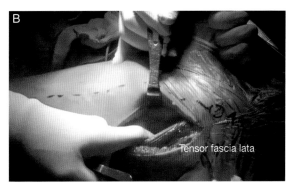

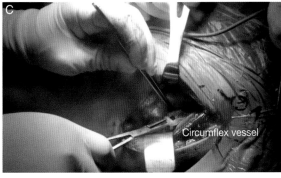

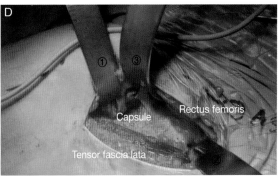

그림 33. 직접 전방 접근법

(A) 대퇴근막장근과 봉공근 사이(흰색 점선)의 외측으로 8–12 cm 피부 절개를 한 뒤, 외측 대퇴피부신경보다 외측에서 대퇴근막장근 근막을 절개(검정 실선)하며, (B) 근막 아래로 2수지를 이용하여 대퇴근막장근과 봉공근 사이 간격으로 비절개 박리를 통해 들어간다. (C) 대퇴근막장근과 봉공근 사이 간격의 원위부 구역의 지방층 내에 위치한 외측 대퇴회선동맥 상행지를 찾아 전기 소작기로 결찰한다. (D) 관절막 절개를 하기 전, 2개의 굴곡 Hohmann 견인기를 대퇴골 경부 위(①), 아래(②)에 각각 위치시키고, 또 다른 견인기(③)를 대퇴직근 direct head 아래에 위치하여 내측으로 견인한다.

수술 전 가늠술(templating) 과정에서 결정한 위치에서 대퇴골 경부 절골술을 시행하고, 필요한 경우 골두 아래에서 2차 절골술을 시행하여 보다 수월하게 골두를 제거하도록 한다(그림 34). Corkscrew를 이용하여 골두를 제거한 후, 절골한 경부 높이를 다시 확인하여 길 경우 추가로 절골술을 시행하도록 한다.

비구를 노출시키기 위해 굴곡 견인기를 횡비구인대 원위부와 비구 후방 가장자리를 따라 각각 위치하여 대퇴골을 후방으로 전이시키며, 필요시 비구 전방 가장자리에 추가로 견인기를 위치시킨다(그림 34). 비구순을 절제하고, 비구를 확공하는데 이때, 오프셋이 있는 확공기와 비구컵 삽입기를 사용하면 보다 수월할 수 있다. 직접 전방 접근법은 앙와위로 수술을 시행하므로 비구컵 삽입 시, 외전각과 전염각이 커지는 경향이 있다는 점에 유의해야 한다.

비구컵 수술은 상대적으로 수월한 데 반해, 대퇴스템 삽입이 보다 어려운데, 특히 대퇴골을 전방으로 견인하는 것이 가장 어려운 부분이다. 대퇴골 근위부를 노출하기 위해 반대편 다리 아래로 숫자 4 (figure-of-four) 자세를 취하고, 하지를 약간 내전하고 90° 외회

전시킨다. 이때, 대퇴직근이 긴장되면 대퇴골 견인이 더 어려워지므로 슬관절의 과굴곡을 피해야 한다. 이후, 수술측 다리가 신전 되도록 수술대를 꺾고, 반대편 다리는 Mayo 스탠드(Mayo stand) 위에 올려 놓는다(그림 35A).

뼈 갈고리(bone hook)를 이용해 대퇴골 대전자 골절이 발생하지 않도록 유의하며 대퇴골을 외측, 상방으로 견인한다. 수술대 측면에 부착한 소독된 갈고리(hook)를 이용하기도 하는데, 갈고리(hook)를 광근 능(vastus ridge) 바로 원위부에 위치하여 대퇴골을 견인하도록 한다(그림 35B). 내측 연부조직을 견인하기 위해 굴곡 견인기를 대퇴골 경부 후내측 아래 위치시키고, 추가로 갈라진 견인기(pronged retractor)를 대전자 첨부에 위치하여 외전근을 보호하는 동시에 대퇴골을 전방으로 견인한다. 과도한 견인력으로 대퇴골 골절이 발생하는 것을 예방하기 위해 이 단계에서 추가적인 연부조직 이완이 종종 필요한데, 상부 관절막을 대퇴골로부터 전후방으로 이완하거나(그림 36), 더 어려운 경우, 대퇴골 견인을 보다 수월하게 하기 위해 이상근 건을 이완한다.

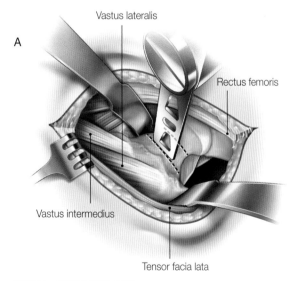
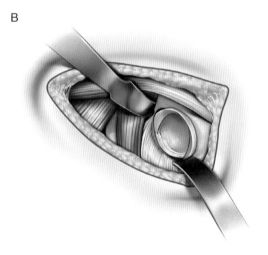

Vastus lateralis
Rectus femoris
Vastus intermedius
Tensor facia lata

A
B

그림 34. 대퇴골 경부 절골
(A) 대퇴골 경부에 2개의 평행한 절골을 하여 골편을 제거한 뒤, Corkscrew를 이용하여 골두를 제거한다. (B) 횡비구인대 아래에 견인기를 위치하고, 또 다른 견인기를 이용하여 대퇴골을 후방으로 견인한다.

A

B

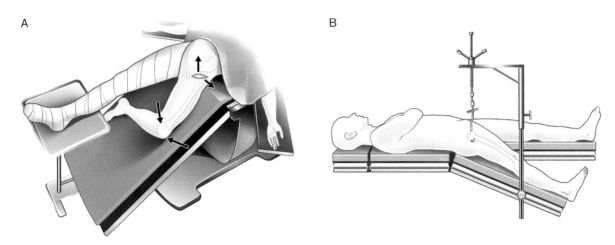

그림 35. 대퇴골 술식을 위한 수술대 위치

(A) 수술측 다리를 반대편 다리 아래로 숫자 4 (figure-of-four) 자세를 취하고 다리가 신전 되도록 수술대를 꺾어 떨어뜨린다. 반대편 다리는 Mayo 스탠드(Mayo stand) 위에 올려 놓는다. 대퇴골을 전방으로 견인하기 위해 수술대에 연결한 뼈 갈고리(bone hook)를 이용할 수 있다(B).

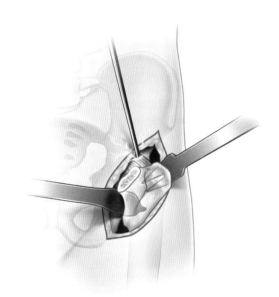

그림 36. 대퇴골 견인을 위한 연부조직 이완

상부 관절막을 대퇴골로부터 전후방으로 이완하여 전자와를 노출하면 대퇴골을 보다 수월하게 전방으로 견인할 수 있다.

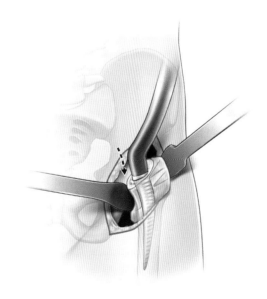

그림 37. 대퇴스템 삽입

대퇴골을 적절히 전방 견인한 후, 오프셋 손잡이가 있는 스템 삽입장비를 이용하여 대퇴스템을 삽입한다.

브로치 기법(broach-only technique)을 이용해 대퇴스템을 삽입하며, 비구컵과 마찬가지로 특별히 제작된 꺾인 브로치 손잡이(broach handle)와 스템 삽입장비를 사용하는 것이 좋다(그림 37). 시험(trial) 정복 후, 고관절

을 신전, 외회전하여 전방 안정성을 잘 확인해야 하며, 필요시 방사선투시기(fluoroscopy)를 이용해 삽입물 위치와 다리 길이, 오프셋(offset)을 확인할 수 있다. 전방 관절낭이 남아있는 경우 견고하게 봉합해 주도록 한다.

89

8. 상부 관절막 경피적 접근법(SuperPath)

1) 개요

상부 관절막 경피적 접근법(supercapsular percu-taneously assisted approach)은 소둔근과 이상근 사이를 통해 관절막에 도달하는 접근법으로 조기 거동, 관절 가동 범위 증가, 통증 조절의 향상 등을 위해 고안되었다.

2) 수술 방법

표준적인 측와위로 수술을 시행하며, 발을 Mayo 스탠드(Mayo stand) 위에 올려서 하지를 45-60° 굴곡, 20-30° 내회전, 그리고 약간 내전시켜 진행한다(그림 38).

대퇴골 대전자로부터 대퇴골 축을 따라 근위부로 약 6-8 cm 피부 절개한다(그림 39). 대둔근을 섬유를 따라 부드럽게 절개한다. 중둔근과 소둔근을 전방으로 견인하고, 이상근을 후방으로 견인하여 상부 관절막에 도달한다.

피부 절개 통로를 통해 대퇴골 경부 안장으로부터 비구 가장자리의 1 cm 근위부까지 관절막을 절개한다.

대퇴골 경부 상부에 대퇴스템 삽입을 위한 통로(channel)를 만들어 원위부로는 대퇴골 관을 확공하고(그림 40), 근위부로는 둥근 절골도(round osteotome)와 꺾인 큐렛(curet)을 이용하여 대퇴골두 중심부까지 확공한다. 이어서 대퇴골두와 경부가 붙어있는 채로 단계적인 대퇴골 브로칭(broaching)을 시행한다(그림 41). 삽입된 마지막 브로치(broach) 경부 위치에서 대퇴골 경부를 절골하고(그림 42), 2개의 샨츠 핀(schanz pin)을 골두에 삽입하여 원형인대를 절제한 뒤, 골두를 제거한다.

로마넬리 자가 견인기(Romanelli self-retaining retractor)와 젤피 자가 견인기(modified Zelpi self-retaining retractor)를 위치시키고, 추가적인 원위부 삽입구(portal)를 통해 장경인대와 외회전근의 이완 없이 특수 제작된 비구 확공기와 비구컵 삽입장비를 이용하여 비구컵을 삽입한다(그림 43, 44).

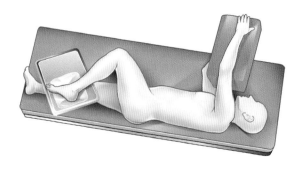

그림 38. 환자 위치
발을 Mayo 스탠드(Mayo stand) 위에 올려 측와위로 수술을 시행한다.

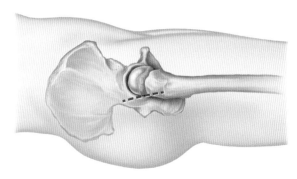

그림 39. 상부 관절막경피적 접근법
대둔근을 섬유 방향을 따라 절개하여 중둔근을 노출한다.

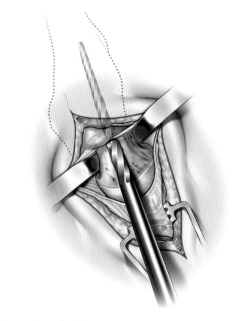

그림 40. 상부 관절막경피적 접근법
상부 관절막을 절개한 뒤, 대퇴골 경부 상부에 대퇴스템 삽입을 위한 통로를 만든다.

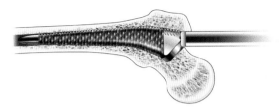

그림 41. 대퇴골 브로칭

통로를 통해 단계적인 대퇴골 브로칭(broaching)을 시행한다.

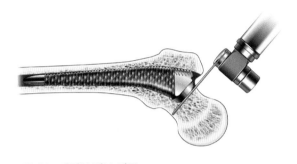

그림 42. 대퇴골 경부 절골

마지막 삽입한 브로치(broach) 경부 위치에서 대퇴골 경부를 절골한다.

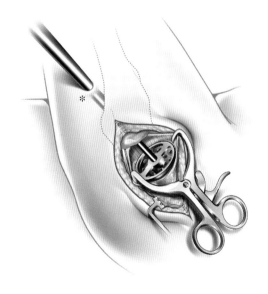

그림 43. 비구컵 확공

원위부에 피부절개(*)를 통한 추가적인 삽입구를 통해 비구 확공을 시행한다.

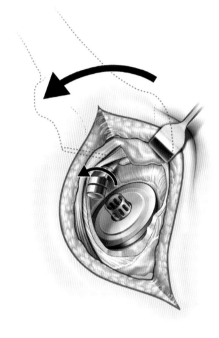

그림 44. 비구컵 삽입

삽입구를 통해 최종적으로 비구컵을 삽입한다.

   뼈 갈고리(bone hook) 등을 이용해 대퇴골을 부드럽게 견인하여 시험(trial) 정복을 하고, 관절의 안정성을 체크한다. 삽입구를 통해 라이너(liner)를 삽입하고, 나머지 치환물들의 삽입을 완료한다.

   이 접근법은 근육 절개가 없으므로 절개한 관절막만을 봉합하고, 이어서 지방과 피부를 봉합한다.

Ⅱ. 비구의 수술적 접근법

1. 장서혜 접근법(Ilioinguinal approach)

   치골과 천장관절을 침범한 골절은 물론 전벽과 전주 그리고 양주 골절 등 전반적인 비구 골절에 사용할 수 있어 흔히 사용되는 접근법이다. 따라서 후벽 또는 후방 지주에 별도의 내고정이 필요한 경우(비구의 T형 또는 횡골절 등)에는 사용할 수 없다. 장서혜 접근법은 골반의 내측에 접근하는 접근법이지만, 고관절면 즉, 비구의 안쪽 관절면을 직접적으로 확인할 수 없는 관절외 접근법(extra-articular approach)이다. 남성에서는 정삭(spermatic cord), 여성에서는 자궁 원인대(round ligament), 그리고 대퇴신경 및 혈관을 유동화(mobilization)할 때 주의가 필요하다.

① 앙와위 자세로 골절 수술대와 일반 수술대에서 모두 시행 가능하며 방사선투시기(fluoroscopy)가 수술부위 반대편 골반까지 전체적으로 투시될 수 있도록 준비한다.

② 배꼽 위, 즉, 가슴 아래의 검상돌기(xiphisternum) 하방부터 아래쪽 치골결합(pubis symphysis)까지 수술 범위보다도 넓은 부위를 소독을 하며, 수술하는 쪽 하지 전체도 소독하여(surgical drape) 수술 중 자유롭게 움직일 수 있도록 한다. 또한 측동측의 원위 대퇴골에 핀을 삽입하여 견인을 시행하면, 골절 정복에 도움이 되기도 한다.

③ 전상장골극으로부터 장골능 직하방을 따라서 치골 결절 근위부 1 cm되는 부위를 통과하여 치골 결합에서 손가락 너비의 1-2배 즉, 근위부 3-4 cm 정도에 이르기까지 충분한 길이의 곡선 절개를 한다. 필요에 따라서 외측 피부 절개를 전상장골극에서 장골능의 중후방부까지 연장할 수 있다.

④ 장골능에서 장근(iliacus)과 복부 근육의 부착부를 박리하여 들어 올리면서 장근을 골막하 박리하여 장골의 내측부와 천장관절의 전방부까지 노출한다.

⑤ 서혜부 쪽으로 외복사근 건막(external oblique aponeurosis)을 절개하고 가장 내측의 복직근(rectus abdominis muscle)의 근막까지 절개한다.

⑥ 외복사근 건막과 복직근의 근막을 서혜 관 외입(external inguinal ring)의 근위 1 cm 정도까지 절개하여 서혜관(inguinal canal)을 노출시키고 외측으로는 전상장골극으로부터 1-2 cm 내측에 존재하는 있는 외측 대퇴피부신경을 확인하고 보호한다. 이 신경은 내외복사근과 복횡근이 만나서 이루는 연합건(conjoined tendon)의 외측부위

에서 이 연합건 바로 아래에 존재한다.

⑦ 정삭이나 원인대 주변의 장골서혜신경에 손상이 가해지지 않도록 비절개 박리(blunt dissection)를 하고 고무 밴드 등으로 구분한다.

⑧ 내복사근(internal oblique muscle)과 복횡근막(transversalis fascia)을 서혜인대(inguinal ligament)의 주행을 따라가면서 부착부보다 1-2 mm 정도 상방에서 절개한다.

⑨ 그러면 요근 건막(psoas sheath)이 노출되며 정삭이나 원인대를 외측으로 견인하면 서혜 관의 바닥을 이루는 복횡근막과 내복사근과 복횡근의 연합건(conjoined tendon)이 노출된다.

⑩ 절개의 내측 부위에서 이 내복사근과 복횡근의 연합건을 절개하고 복직근을 가로 방향으로 절개하여 치골 결합과 방광 사이의 공간(the cave of Retzius)을 확보한다.

⑪ 서혜인대 밑으로 장치 근막(iliopectineal fascia)에 의해 분할되는 외측과 내측 구획을 확인하고 비절개 박리로 장요근, 대퇴신경, 외측 대퇴피부신경을 포함하는 외측 구획과 외장골 혈관 및 림프관을 포함하는 내측 구획을 고무 밴드 등으로 구분한다. 다음 과정이 가장 중요하다고 할 수 있는데 대퇴 혈관을 내측으로, 장요근을 포함한 대퇴신경을 외측으로 견인하면 장치 근막(iliopectineal fascia)이 확인된다. 이것을 육안으로 확인하면서 원위부 및 골반 방향으로 절개를 하면, 비절개 박리를 통해 외장골 혈관이 포함된 내측 구획을 유동화시키기 쉬워진다. 이후 비구의 내측 표면과 치골 지의 내측 표면을 노출시키고, 장요근을 포함하는 외측 구획 또한 내측으로 견인하면 천장관절 주위의 장골 내측까지도 접근이 용이하게 된다.

이러한 과정을 완성하면, 3개의 창(windows)이 완성된다. 천장관절면부터 장치골 융기(iliopectineal eminence)까지 장골 내측면 전체를 확보할 수 있는 곳

이 외측 창(lateral window)이며, 이때 장요근을 이완시키기 위해 고관절을 굴곡시키면 이 창의 시야가 최대로 확보된다. 그리고 대퇴 혈관을 조심스럽게 내측으로 견인하면서 형성되는 두 번째 중간 창(middle window)을 통해 골반 상협부(pelvic brim)와 사변형 표면(quadrilateral surface)을 확보할 수 있다. 나머지 하나의 창은 가장 내측의 창(medial window)으로 대퇴 혈관을 기준으로 내측 부위이며, 복직근 부착부를 일부 유리시켜서 구분된 정삭이나 원형인대를 유동화시켜서 상가지(superior ramus) 내측면 전체와 치골 결합 부위까지 노출시킬 수 있는 창이다.

2. 광범위 장대퇴 접근법 (Extended iliofemoral approach)

Smith-Petersen의 고관절 전방 접근법을 기본으로 하며 피부 절개의 근위부 및 원위부 연장을 통해서 장골의 내측면뿐만 아니라 외측의 접근이 가능하게 한 접근법이다. 장골의 내측면과 외측면, 비구부 및 양 지주(both column)에 대한 동시 접근이 가능한 접근법으로 특히, 장골의 외측면에 대해서는 장골 날개 전체 부위를 포함하여 비구관절면의 후방부위까지 노출이 가능하며, 고관절의 관절막 절개를 통해 관절면까지도 접근이 가능하다. 비구의 양 지주 골절처럼 복잡한 양상의 골절을 하나의 절개를 통해 비구의 전방과 후방을 동시에 광범위하게 노출시켜 수술적으로 정복하고 내고정이 가능하다는 장점이 있다. 통상적인 장대퇴 접근법으로는 이런 과정을 실행하기에 부족하며 대부분의 경우 절개선을 연장한 광범위 장대퇴 접근법을 사용하고 있어 이를 기준으로 소개하고자 한다. 물론 절개선의 위치나 모양도 수술자의 경험과 선호도에 따라 다소 변형이 있을 수 있다. 광범위 장대퇴 접근법의 단점은 중둔근과 소둔근의 기시부와 부착부를 포함하여 전반적으로 광범위한 연부조직 박리가 불가피하며, 아울러 이러한 광범위한 연부조직의 박리와 더불어 상둔 혈관의 손상으로 인한 외전근의 허혈성 손상이 초래될 수 있다는 점이다. 그래서 외전근의 원위 부착부인 대전자에 부착부위를 보존하기 위해서 대전자를 절골하여, 중둔근과 소둔근을 절제하지 않고 대전자 부착부와 함께 후방으로 견인하는 방법이 쓰이기도 한다. 이는 수술 후 절골 부위를 재부착함으로써 외전근의 기능 손실을 줄이고자 하는 방법이 소개되기도 하였다.

① 환자는 측와위 자세이며, 수술 부위 다리까지 포함해서 수술 중 자유롭게 움직일 수 있도록 준비한다. 후상장골극에서 시작하여 장골능을 따라 전상장골극까지 피부절개를 한 후 대퇴부 전외측으로 하방 절개를 연장한다(그림 45).

② 피부 절개를 따라 중둔근과 대퇴근막장근을 장골의 외벽으로부터 전상장골극에 가깝게 박리하고 원위부에서는 대퇴근막장근과 봉공근의 사이로 절개를 연장한다. 골반 내측의 노출을 위해서는 복근을 장골능에서 분리하고 장요근을 골막하 박리하여 내측으로 견인한다.

③ 외측 대퇴피부신경의 주요 가지를 주의하면서 전상장 골극, 그리고 봉공근과 대퇴근막장근 사이의 공간이 보일 때까지 피하 지방을 박리하여 선방 피판을 만들고 후방 피판도 같은 방식으로 하여 중둔근과 대둔근을 노출시킨다.

④ 외측 광근과 대전자부를 덮고 있는 근막을 종 절개하여 노출된 대퇴근막장근과 봉공근 사이로 대퇴직근까지 비절개 박리하여 들어가면서 외측 대퇴회선동맥의 상행 가지를 찾아 결찰한다(그림 46).

⑤ 장골능 골편이 부착된 외전근을 골반 외측에서 상둔신경 및 혈관 손상에 주의하면서 골막하 박리하고, 외전근의 원위 부착부인 대전자부위에서 절제하여 후방으로 견인한다(그림 48). 이때 외전근의 부착부를 보존하기 위해 대전자를 절골하고, 중둔근과 소둔근을 대전자 부착부와 함께 후방으로 견인하기도 한다(그림 49). 후방으로 대좌골 절흔(greater sciatic notch)까지 상둔 혈관 및 신경

손상에 주의하면서 박리한다.

⑥ 단외회전근은 대퇴방형근만 남기고 대전자부 착부에서 절단하여 고관절의 후방을 노출시킨다 (그림 50).

대퇴직근의 direct (straight) head와 indirect (reflected) head를 통해 고관절 전방의 위치를 확인할 수 있으며, 전방 부분까지 노출을 진행한다면 이를 절단할 수 있다(그림 47).

좌골신경의 손상에 주의하면서 견인기구를 대좌골 절흔에 위치시키고 노출된 관절낭을 비구 경

계를 따라 절개한다(그림 51).

봉공근과 서혜인대를 전상장골극에서 절단하고 복근의 기시부를 장골능에서 분리한 후에 장요근을 골막하 박리를 하면서 내측으로 견인하면 골반 내측에 도달할 수 있다. 또한, 봉공근의 기시부와 서혜인대가 부착된 전상장골극을 절골하여 분리하고 장골능을 따라 10-12 cm 정도의 길이와 1.5 cm의 너비를 가지는 골편이 되도록 장골능을 절골하는 방법을 추가해서 결국, 외전근의 기시부와 부착부인 장골능과 대전자를 각각 절골

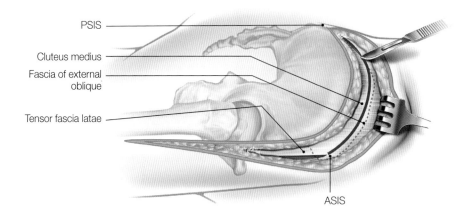

그림 45. 후상장골극에서 시작하여 장골능을 따라 전상장골극까지 피부절개를 한 후 대퇴부 전외측으로 하방 절개를 연장한다.

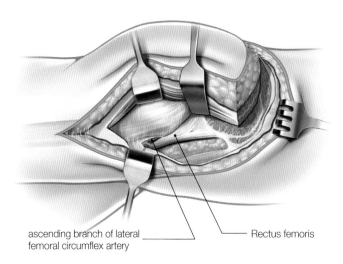

그림 46. 외측 광근과 대전자부를 덮고 있는 근막을 종 절개하여 노출된 대퇴근막장근과 봉공근 사이로 대퇴직근까지 비절개 박리하여 들어가면서 외측 대퇴회선동맥(lateral femoral circumflex artery)의 상행 가지를 찾아 결찰한다.

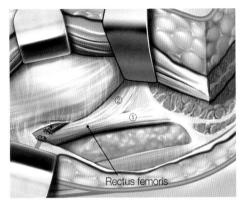

그림 47. 대퇴직근의 direct head(①)와 indirect head(②)를 통해 고관절 전방의 위치를 확인할 수 있다.

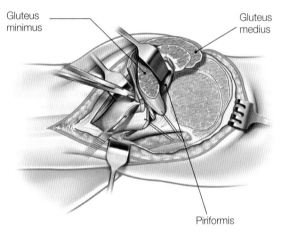

그림 48. 장골능 골편이 부착된 외전근을 골반 외측에서 상둔신경 및 혈관 손상에 주의하면서 골막하 박리하고, 외전근의 원위 부착부인 대전자부위에서 절제하여 후방으로 견인한다

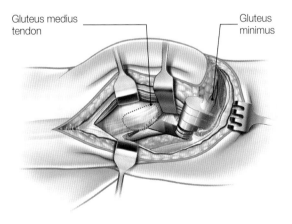

그림 49. 부착부를 보존하기 위해서 대전자를 절골하고, 중둔근과 소둔근을 대전자 부착부와 함께 후방으로 견인할 수도 있다.

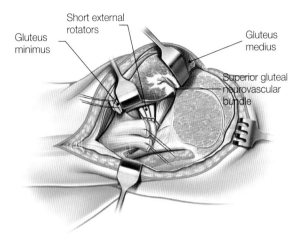

그림 50. 단외회전근은 대퇴방형근만 남기고 대전자 부착부에서 절단하여 고관절의 후방을 노출시킨다.

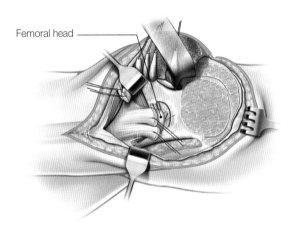

그림 51. 좌골신경의 손상에 주의하면서 견인기구를 대좌골 절흔에 위치시키고 노출된 관절낭을 비구 경계를 따라 절개한다.

하는 2가지 방법을 동시에 적용시킬 수도 있다.

⑦ 봉합 시에는 대퇴직근을 전하장골극에 천공 구멍을 통해 부착시키고 절골된 대전자 골편은 나사 고정한다.

그 외에 Mears와 Rubash 접근법으로 알려진 삼방사접근법(triradiate approach)은 골반 및 비구의 외측면을 Y형 절개와 대전자 절골술을 시행하여 Letournel의 장대퇴 접근법과 비슷한 정도의 수술 시야를 얻을 수 있으면서 외전근 손상을 줄일 수 있다. 하지만, 장골의 후방부나 천장관절의 노출은 힘들고 불유합이나 Y형 절개선의 피부 괴사 등의 단점이 있어 잘 사용되는 접근법은 아니다.

3. 후방 접근법(Posterior approach, Kocher-Langenbeck approach)

Kocher-Langenbeck의 접근법으로 알려진 비구부의 후방 접근법(posterior approach)은 비구의 후벽과 후방 지주에 도달하기 위한 방법으로 비구의 전방 지주에는 도달할 수 없다. 수술 중 대퇴골을 하방으로 견인해야 하는 경우 슬관절을 굴곡하여 좌골신경에 견인 손상이 되지 않도록 주의해야 한다.

① 측와위 또는 복와위에서 시행할 수 있으며, 일반적으로 후벽 및 후방 지주의 노출이 필요할 때에는 측와위에서, 비구부의 횡골절 등을 수술할 때에는 복와위에서 시행한다. 또한 복와위에서 시행할 경우 대퇴골두가 하방으로 처지게 되어 관절면 정복이 다소 유리하다는 의견도 있다.

② 대퇴골 대전자 부위에서 후상장골극으로부터 6 cm 이내까지 피부절개를 가하며, 원위로는 대퇴부의 외측으로 필요한 만큼 추가적으로 절개를 한다.

③ 피부 절개를 따라 장경대와 둔근막을 절개하고, 대둔근은 섬유 방향을 따라 비절개 박리한다. 하둔신경 가지가 대둔근의 전상방에 분포하므로 주의해야 한다.

④ 단외회전근의 대전자 부착부를 절단하고 후방으로 견인한다. 이때 주의할 점은 대퇴방형근의 상부 경계면을 따라 주행하면서 대퇴골두의 혈행에 중요한 역할을 담당하는 내측 대퇴회선동맥의 심부 가지(deep branch of medial femoral circumflex artery)의 손상을 주지 않는 것이며, 따라서 대퇴방형근의 부착부는 남겨 두도록 한다. 보다 넓은 노출이 요구될 때에는 대둔근의 부착부를 일부 절단할 수 있다.

⑤ 중둔근과 소둔근이 부착되는 장골의 외측 및 후방에서 두 근육을 고관절막의 상부와 상부 비구 관절면에서 골막하 박리하여 전방으로 견인하여 견인 기구를 통해 들어 올릴 수 있다. 이때 과도한 견인은 이소성 골화 형성에 영향을 줄 수 있음을 주지해야 하며 다른 방법으로는 2개의 Steinmann 핀을 상둔신경 및 혈관 손상에 주의하면서 대좌골 절흔보다 근위의 장골에 삽입하여 견인을 유지하는 방법을 쓰기도 한다.

⑥ 필요하다면, 고관절막의 절개를 시행하고 대퇴골을 하방 견인하면서 관절면 안쪽의 양상을 파악할 수 있으며 이때, 잔존하는 비구순(labrum)에 손상이 가해지지 않도록 주의한다.

⑦ 대전자 절골술(trochanteric flip osteotomy)을 시행하면 비구 후방 지주에 대해 충분한 시야를 확보할 수 있어, 특히 전위된 주 골절편이 후방 지주인 비구 횡골절을 치료하는 경우 정복이 용이하며, 전방 지주 방향으로 삽입하는 나사를 보다 안전하게 고정하는 데 유리하다.

4. Stoppa 접근법

이 접근법의 이름의 기원은 1989년 탈장 수술을 위해 Stoppa가 소개한 정중절개를 이용한 접근법을 비구 골절에 적용시키면서 인용되었다. 그러나, Stoppa가 소개한 정중절개만으로는 비구 골절을 정복하고 고정하는 데 제한점이 많아서 장서혜 접근법의 외측 창(lateral window, third window)을 추가함으로써 장골능 및 전방 지주의 정복과 고정을 용이하게 이용하게 되었는데 이를 변형된 Stoppa 접근법(modified Stoppa approach)이라고 한다. 따라서, 장서혜 접근법의 중간 창(middle window) 없이도, 장서혜 접근법이 적용되는 비구 골절 형태에 대부분 적용할 수 있다. 대퇴신경과 대퇴혈관의 손상 위험을 배제할 수 있으며 특히, 사변형 표면(quadrilateral surface)의 내측 전위가 있는 경우 이에 대한 직접적인 관찰이 가능하며, 반대편 치골과 장골까지도 절개선을 연장해서 반대편 전방 골반환 손상에 대한 내고정을 시행할 수 있다는 장점이 있어 최근에 많이 이용되고 있다.

이때 피부 절개는 수술자의 선택이나 익숙함에 따라서 Stoppa가 원래 소개한 정중 절개(midline incision)를 이용할 수도 있고, 혹은 횡절개를 이용할 수 있는데 횡절개를 시행하는 경우 연장된 Pfannenstiel 접근법 (extended Pfannenstiel approach)으로 이해하면 된다.

정중 절개는 배꼽 하방에서 치골 결합부위까지 절개를 가하며, 횡절개는 치골 결합부위 2.5 cm 상방에서 10 cm 길이로 횡절개를 가한다(그림 52).

① 환자를 앙와위에서 무릎 뒤에 실리콘 패딩을 받쳐 고관절과 슬관절을 굴곡시켜 장요근(iliopsoas muscle)이 이완되도록 한다.

앞서 언급한 것처럼, 횡절개든 종절개든 이후의 박리 과정은 다음에 소개할 치골결합부의 전방 접근법인 Pfannenstiel 접근법과 동일하다고 보면 된다. 다만, 복직근의 종 방향의 절개 길이에 의해 사변형 표면에 대한 Stoppa 수술 시야가 영향을 받으므로 통상적인 Pfannenstiel 접근법보다도

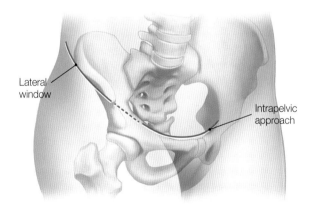

그림 52. 장서혜 접근법의 중간 창(middle window) 없이도, 장서혜 접근법이 적용되는 외측 창 절개와 연장된 Pfannenstiel 절개선으로(Stoppa incision, intrapelvic approach) 두 가지를 혼합한 것이 변형된 Stoppa 접근법(modified Stoppa approach)이다. 이때, intrapelvic approach를 위한 절개선을 종절개로 시행할 수도 있다.

복직근의 절개의 수직길이는 가능한 범위에서 최대한 확보해야 하며, 치골 결합 부위 하방과 전방에서 치골에 부착하는 복직근의 골막하 박리를 하는 것이 좋다(그림 53, 54). 또한 수술 중 고관절부터 하지를 위로 올리는 Trendelenburg 체위로 테이블을 조정하면 복부 장기가 근위부로 위치하게 되어 치골 뒤 공간(retropubic space)의 수술 시야 확보에 도움이 된다.

② 이런 과정을 거친 후에 전방 지주는 물론이고 사변형 표면과 장골 내측면 그리고 대좌골 절흔 (greater sciatic notch) 및 천장관절까지 노출시키기 위해서는 Deaver retractor를 이용하여 방광을 보호하고 치골 결합부위부터 골반 원(pelvic brim)을 따라 지방과 복막을 스폰지 감자 혹은 손가락을 이용하여 골막하 비절개 박리를 한다. 복벽을 조심스럽게 견인해서 들어 올리면 외장골 혈관(external iliac vessels)을 보호함과 동시에 비구 골절 부위에 대한 시야 확보를 할 수 있다 (그림 55).

③ 이때 폐쇄신경(obturator nerve)에 손상을 주지 않도록 주의해야 하는데 폐쇄신경이 확인되면 Deaver retractor를 이용하여 심부로 조심스럽게 견인하면서 사변형 표면의 시야 확보할 수 있도록 한다(그림 56).

④ 앞서 언급한 대로 장서혜 접근법의 외측 창을 별도로 추가 형성함으로써 더 좋은 시야와 공간을 확보할 수 있다.

5. 치골 결합 부위에 대한 접근법 (Approach for symphysis pubis, Pfannenstiel approach)

종양 생검, 치골 결합 분리나 골절 등 수술적 정복과 내고정 때 사용한다. 요도 도관을 삽입하면 수술 중 요도를 촉지하여 보호할 수 있다.

① 치골 결합 부위 2~2.5 cm 근위부에서 필요에 따

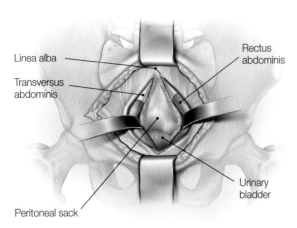

그림 53. 복직근의 중앙봉선(rectus raphe)을 찾고 중앙을 종으로 절개한다. 근위부에서부터 복직근막(rectus fascia)의 절개를 가하고 Metzenbaum 가위나 손가락을 이용하여 복직근을 분리한다. 치골 결합 부위까지 절개를 연장한다.

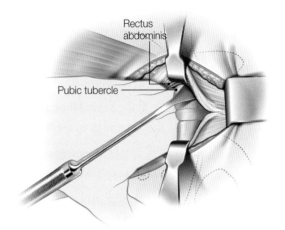

그림 54. 필요에 따라서 치골 결합의 앞부분에서 복직근의 치골 부착부위를 비절개 박리(blunt dissection)를 시행하면 여유 있는 수술 시야를 확보할 수 있다. 그리고 요도와 방광의 기저부를 손가락으로 촉지한 다음 양측 치골 상지를 외측으로 4–5 cm까지 필요한 만큼 전방, 상방, 후방으로 골막하 박리한다.

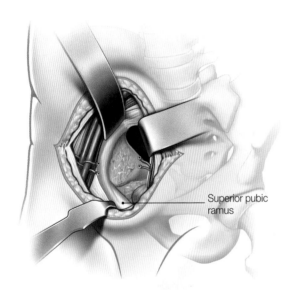

그림 55. 치골 결합 부위부터 골반 원(pelvic brim)을 따라 지방과 복막을 스폰지 감자 혹은 손가락을 이용하여 골막하 비절개 박리(subperiosteal blunt dissection)를 한다. 복벽을 조심스럽게 견인해서 들어 올리면 외장골 혈관(external iliac vessels)을 보호하면서 비구 골절 부위에 대한 시야 확보를 할 수 있다.

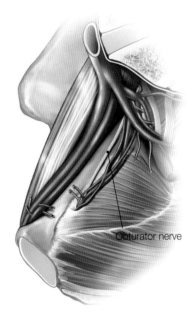

그림 56. 폐쇄공(obturator foramen)으로 내려가는 폐쇄신경(obturator nerve)에 손상을 주지 않도록 폐쇄신경이 확인되면 Deaver retractor를 이용하여 심부로 조심스럽게 견인하면서 사변형 표면의 시야를 확보할 수 있도록 한다.

라 5~10 cm 횡 절개를 시행한다. 서혜인대와 평행하게 외복사근 건막을 절개한다. 외측으로 절개 및 피하층 박리를 시행할 때 남성에서는 정삭, 여성에서는 원형인대 그리고 인접한 장서혜 신경에 주의한다.

② 치골 상지에 부착하는 두 개의 복직근의 건막을 확인하고 이어서 복직근의 중앙봉선(rectus raphe)을 찾고 중앙을 종으로 절개한 이후 근위부에서부터 복직근막(rectus fascia)의 절개를 가하고 양측의 두 개의 복직근을 Metzenbaum 가위나 손가락을 이용하여 분리한다(그림 57). 이후 손가락을 복직근 아래에 위치시켜 복막을 보호한 상태에서 치골 결합 부위까지 복직근막의 절개선을 연장한다. 필요에 따라서 치골 결합의 앞부분에서 복직근의 치골 부착부위를 비절개 박리를 시행하면 여유 있는 수술 시야를 확보할 수 있다(Stoppa approach의 설명과 그림 53, 54를 참고).

③ 요도와 방광의 기저부를 손가락으로 촉지한 다음 양측 치골 상지를 외측으로 4-5 cm까지 필요한 만큼 전방, 상방, 후방으로 골막하 박리한다.

④ 봉합 시에는 치골 뒤의 공간에 배액관을 삽입하도록 하며 서혜부 탈장을 예방하기 위해 외복사근 건막을 세심하게 봉합한다.

6. 천장관절의 접근법 (Approach for sacroiliac joint)

골반환의 안정성 소실과 함께 천장관절이 불안정하여 천장관절 부위에 수술적 정복과 내고정할 때 사용된다.

1) 전방 접근법

전방에서 천골의 골절을 정복하고 고정하는 경우 4 또는 5 요추신경근이 천장관절 전방에서 1-1.5 cm 내측에 존재하기 때문에 수술 시 상당한 주의를 요한다(그림 58).

장골능을 따라서 장골능 후방까지 길게 절개를 가한다. 절개의 길이는 노출 정도의 필요에 따라 조절한다. 전상장골극 부위에서는 외측 대퇴피부신경이 있다는

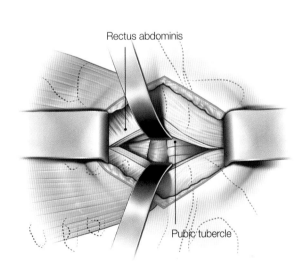

그림 57. 복직근의 중앙봉선(rectus raphe)의 중앙을 종으로 절개한다. 이후 손가락을 복직근 아래에 위치시켜 복막을 보호한 상태에서 치골 결합 부위까지 절개를 연장한다.

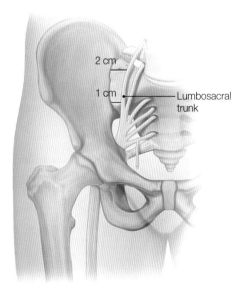

그림 58. 4 및 5 요추 신경근이 천장관절 내측에 인접해 있다.

점을 주지해야 한다. 장골능을 덮고 있는 외복사 근육과 근막(external oblique muscle and fascia)을 확인하고 절개를 가한 후 골막 박리를 시행한다(그림 59).

Cobb 분리기(Cobb elevator) 등을 이용하여 비절개 박리를 시행하면서 천장관절까지 접근한다. 같은 방법으로 전내측으로는 장치골 융기(iliopectineal eminence) 시작부위까지 박리가 가능하다. 천장관절부위가 확인되면 조심스럽게 견인 기구를 천골익(sacral alar)에 그리고, 상둔근 혈관 및 신경에 손상이 가하지 않도록 대좌골 절흔 상방에 견인 기구를 위치시킴으로써 천장관절을 완전히 노출시키게 된다(그림 60, 61).

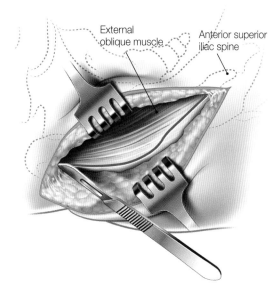

그림 59. 장골능을 덮고 있는 외복사 근육과 근막(external oblique muscle and fascia)을 확인하고 절개를 가한 후 골막 박리를 시행한다.

2) 천장관절의 후방 접근법

후방 접근법은 후방으로부터의 천장관절의 접근은 물론, 후방 장골 표면의 일부와 천골의 후방 부분을 노출시킬 수 있다. 복와위에서 양측 후상장골극을 따라서 곡선 절개를 가하되, 필요한 노출의 정도에 따라 절개의 길이는 결정된다(그림 62).

심부 근막을 절개하여 후상장골극에서 기시하는 대둔근의 근위부를 노출시킨다. 후상장골극에서 극돌기 주위근(paraspinous muscle, multifidus muscle)을 내측으로 후상장골극 주위의 대둔근을 절개하여 외측으로 견인하면 천장관절과 장골의 후면까지 노출할 수 있다(그림 63). 절개 원위부와 박리를 시행하고 대좌골 절흔을 통해서 손가락으로 좌골신경을 촉지 할 수 있으며, 이때 손가락 하내측으로 신경혈관 조직이 지나가게 된

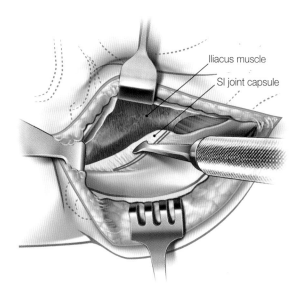

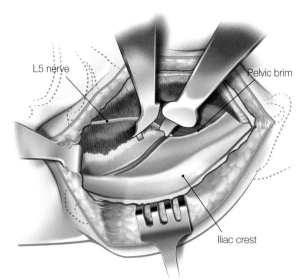

그림 60, 61. Cobb elevator 등을 이용하여 비절개 박리를 시행하면서 천장관절까지 접근한다. 조심스럽게 견인 기구를 천골익(sacral alar)과, 상둔근 혈관 및 신경에 손상이 가하지 않도록 대좌골 절흔 상방에 견인 기구를 위치시킴으로써 천장관절을 완전히 노출시키게 된다.

100

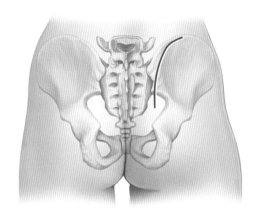

그림 62. 천장관절의 후방 접근법을 위한 절개선

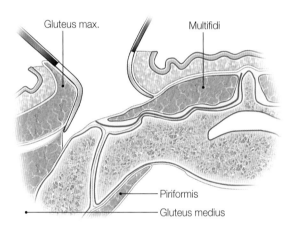

그림 63. 후상장골극에서 극돌기 주위근(paraspinous muscle, multifidus muscle)을 내측으로 후상장골극 주위의 대둔근을 절개하여 외측으로 견인하면 천장관절과 장골의 후면까지 노출할 수 있다.

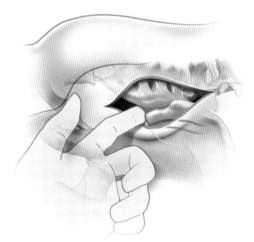

그림 64. 절개 원위부에서 대좌골 절흔을 통해서 손가락으로 후방 천장관절의 제일 아랫부분과 좌골신경을 촉지할 수 있으며, 이때 손가락 하내측으로 신경혈관 조직이 지나간다.

다(그림 64).

후방에서 양측 천장관절을 연결하는 posterior bridging plate나 나사를 고정하는 수술을 시행할 수 있으며, 금속판의 위치가 양측으로 돌출된 장골극에 방해를 받는 경우라면 양측에 돌출된 장골극을 중둔근의 기시부가 손상되지 않도록 주의하여 후상장골극을 절골하고, 천골로부터 극돌기 주위근을 골막하 박리하고 피하 구멍(subcutaneous tunnel)을 형성하여 금속판을 통과시켜 고정시킨다. 필요하면 천골의 극돌기(spinous process)를 제거하여 금속판 부착을 용이하게 할 수 있다(그림 65).

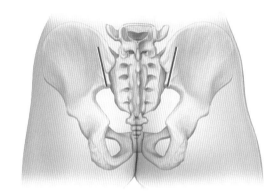

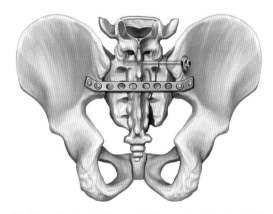

그림 65. 양측의 각각 후방 절개선을 통해서 양측 천장관절을 연결하는 posterior bridging plate나 나사를 고정하는 수술을 시행할 수 있으며, 금속판의 위치가 양측으로 돌출된 장골극에 방해를 받는 경우라면 양측에 돌출된 장골극을 절골하고, 금속판을 통과시켜 고정시킬 수 있다.

101

참고문헌

1. 김강일. 비구부 양주 골절시 대전자 절골술 및 관절 절개술을 이용한 관혈적 정복술의 결과. 대한고관절학회지. 2001;13(1):58–64.

2. 김지완, 김영창 비구 골절에 대한 Modified Stoppa 접근법. 대한골절학회지 2014;27(4):274–280.

3. 김희중. 후방 접근법(Posterior Approach in THA). 대한고관절학회지. 2003;15(4):308–311.

4. 박윤수. 고관절의 전방 접근법(Anterior Approach). 대한고관절학회지. 2003;15(4):300–303.

5. 선두훈. Modified Posterior Approach to Total Hip Arthroplasty. 대한고관절학회지. 2011;23(3):165–168.

6. 윤강섭. 고관절의 수술적 접근법: 측방 접근법. 대한고관절학회지. 2007;19(3):324–327.

7. Canale ST. Campbell's Operative Orthopaedics. Philadelphia, Mosby; 2013.

8. Ebraheim N, Lu J, Biyani A, Yeasting RA. Anatomic Considerations for Posterior Approach to the Sacroiliac Joint. Spine 1996;21(23):2709-2712.

9. Gansslen AS. Grechenig M, Nerlich M, Muller M. Standard Approachs to the Acetabulum Part1:Kocher-Langenbeck Approach Acta Chir. orthop. Traum. čech., 2016;83(3):141-146.

10. Gansslen AS. Grechenig M, Nerlich M, Muller M. Standard Approachs to the Acetabulum Part3: Intrapelevic Approach Acta Chir Orthop Traumatol Cech. 2016;83(5): 293–299.

11. Gibson A. Posterior exposure of the hip joint. J Bone Joint Surg Br. 1950;32(2):183-186.

12. Hagen JE, Weatherford BM, Nascone JW, Sciadini MF. Anterior Intrapelvic Modification to the ilioinguinal approach J Orthop Trauma 2015;29(2):S10-13.

13. Hardinge, K. The direct lateral approach to the hip. J Bone Joint Surg Br. 1982;64(1):17-19.

14. Harris, W. H. A new lateral approach to the hip joint. J Bone Joint Surg Am. 1967;49(5):891-898.

15. Hoppenfeld S, de Boer P. Surgical exposures in orthopaedics: the anatomic approach. Philadelphia, Lippincott Williams & Wilkins; 2003.

16. Hoppenfeld S, deBoer P. Surgical exposures in orthopaedics: the anatomic approach. Philadelphia, Lippincott Williams & Wilkins; 2003.

17. Kim YS, Kwon SY, Sun DH, Han SK, William JM. Modified Posterior Approach to Total Hip Arthroplasty to Enhance Joint Stability. Clin Orthop. Relat Res. 2008; 466:294-299.

18. Magu NK, Rohilla R, Arora S, More H. Modified Kocher-Langenbeck Approach for the Stabilization of Posterior Wall Fractures of the Acetabulum. J Orthop Trauma 2011;(25):243-249.

19. Marcy, GH, Fletcher RS. Modification of the posterolateral approach to the hip for insertion of femoral-head prosthesis. J Bone Joint Surg Am. 1954; 36(1):142-143.

20. Martz P, Viard B, Demangel A, Baulot E, Trouilloud P. Modified iliofemoral approach with osteotomy of the iliac crest, sparing the abdominal muscle,for the treatment of acetabular fracture Orthopaedics & Traumatology: Surgery & Research 101 (2015);749–752.

21. Matta JM. Surgical approaches to the acetabulum and pelvis. Chapman's orthopedic surgery. Philadelphia, Lippincott Williams & Wilkins; 2011.

22. McFarland B, Osborne G. Approach to the hip: a suggested improvement on Kocher's method. J Bone Joint Surg Br. 1954;36:364-367.

23. McGann WA. The adult hip. Philadelphia, Lippincott Williams & Wilkins; 2007.

24. Reinert CM et al. A modified extensile exposure for the treatment of complex or malunited acetabular fractures. J Bone Joint Surg Am. 1988;70(3):329-337.

25. Sagi HC, Afsari A, Dziadosz D, The anterior Intra-Pelvic (Modified Rives-Stoppa) Approach for Fixation of Acetabular Fractures J Orthop Trauma 2010 ;24(5): 263-270.

26. Smith-Petersen MN. Approach to and exposure of the hip joint for mold arthroplasty. J Bone Joint Surg Am. 1949;31(1):40-46.

27. Tosounidis TH, Giannoudis V, Kankaris NK, Giannoudis PV. The Ilioinguinal Approach, State of the Art Int Orthop. 2015;39:2219-26.

CHAPTER

7 골이식
Bone Grafting

골이식(bone graft)은 1) 골낭종, 골 종양과 같은 원인으로 골에 결손부가 발생하거나 2) 관절 유합술을 위해 관절을 연결해야 하는 경우, 3) 장골의 연속성을 유지하기 위해 골 결손부를 메우고, 원위부와 근위부를 연결해야 하는 경우, 4) 관절의 운동을 제한하기 위해 관절제동술(arthroereisis)을 시행하기 위해 골조각(bone block)을 사용하는 경우, 5) 가관절증(pseudoarthrosis) 환자에서 골유합을 얻어야 하는 경우, 6) 지연유합, 부정유합이 있는 골절이나, 절골술을 했을 때 골 결손부의 유합을 도모하는 경우 시행할 수 있다.

이식된 자가골(autogenous bone)에 의한 골절 치유 촉진 기전은 세 가지로 설명할 수 있다. 첫째는 이식골에 존재하는 중간엽 줄기세포에서부터 골모세포까지의 분화 단계에 있는 각종 세포들이 이식부에서 생존하여 골모세포로 분화하고 골조직을 생성하는 골형성(osteogenesis) 기전이다. 그러나 이식골에 존재하는 세포 중 상당수는 이식 후 혈관 공급이 차단되기 때문에 사멸하게 된다. 그나마 생존하는 세포들은 골조직 표면에 존재하는 세포들이기 때문에 피질골보다는 해면골을 이식하는 것이 더욱 활발한 골형성 기전의 작용을 기대할 수 있다. 또한, 채취한 이식골을 이식하기까지 장시간 체외에서 보관할 때에는 건조되지 않도록 생리적 식염수, 혈액 등에 보관하여야 한다. 둘째는 이식골 세포외 간질에 함유되어 있는 골형성 단백을 비롯한 각종 성장인자들이 나오면서 이식부 주변에 존재하는 중간엽 줄기세포와 골모세포 분화 과정에 있는 각종 세포들을 골모세포로 분화하게 하는 골유도(osteoinduction) 기전이다. 이식골 조직의 표면적이 넓을수록 이식골 조직 내에 함유된 성장인자들이 효과적으로 배출될 수 있고 이런 측면에서 해면골이 피질골에 비해서 월등한 골유도 능력을 가지고 있다. 셋째로는 신생 혈관이나 골조직이 이식부 조직으로부터 침투하여서 이식부의 골조직에 일부로 결합되는 발판으로 작용하는 골전도(osteoconduction) 기전이다(표 1).

피질골이식은 구조적 지지를 위해 우선적으로 사용되며 해면골이식은 골형성을 위해 사용된다. 구조적

표 1. 골절 치유 기전의 분류

분류	기전
골형성(Osteogenesis)	이식골에 존재하는 중간엽 줄기세포에서부터 골모세포까지의 분화 단계에 있는 각종 세포들이 이식부에서 생존하여 골모세포로 분화하고 골조직을 생성
골유도(Osteoinduction)	골모세포 분화 과정에 있는 각종 골세포들이 골모세포로 분화하게 하는 기전
골전도(Osteoconduction)	이식부 골조직의 일부로 결합되는 다공성 지지체(porous scaffold)나 직접 골형성을 제공하는 기전
결합성(Combined)	상기 기전들이 복합적으로 작용하는 기전

지지와 골형성은 서로 동반되어 이루어지며, 이는 골이식으로 얻을 수 있는 큰 이점 중 하나이다. 그러나 구조적 지지와 골형성은 골 구조에 따라 달라진다. 골이식에서 모든 혹은 대부분의 세포 요소는 죽고 천천히 대체되며(creeping substitution), 골이식은 단지 새로운 골형성을 위한 발판 역할을 하게 된다. 단단한 피질골에서 이 대체 과정은 해면골에서보다 상당히 느린 반면에, 해면골은 골형성이 더 잘 될지라도 효과적으로 구조적 지지를 제공하기에는 충분하지 않다. 따라서, 이식골이나 이식골의 조합을 결정할 때 집도의는 피질골과 해면골의 골 구조의 기본적인 차이에 대하여 알고 있어야 한다. 이식골이 원래 있던 골과 유합하고 일부의 보호 없이 사용할 수 있을 만큼 튼튼해지면 기능적 요구에 상응하는 골 구조의 재형성이 이루어진다 (표 2).

1. 골이식의 종류

1) 자가골이식

자가골이식(autogenous bone graft)은 동일 개체 내에서, 골이식의 공여자가 환자 자신인 경우 본인 골을 채취하여 이식하는 것이다. 자가골이식을 위해서 적절한 공여부 선택이 필요하며, 이식부위의 유합이나 골 결손부위를 채우기 위해서 계획된다. 자가골은 골형성, 골유도 그리고 골전도 특성을 모두 가지고 있다. 대개

경골, 비골, 혹은 장골에서 채취하며, 피질골, 해면골, 골 전체를 얻을 수 있다. 골이식 후 이식부의 견고함을 유지하기 위해 내고정이나 외고정 장치가 필요하며, 특히 장골(long bone)이나 가관절증의 경우에는 골이식 후 고정이 필수적이다. 자가골은 흔히 장골(ilium)의 망상골에서 채취하는데, 전상장골극에서 후방으로 약 5 cm 부위의 장골능은 두꺼워져 있기 때문에 해면골을 많이 채취할 수 있다. 기타 경골이나 요골의 원위부와 같은 장관골의 골간단 부위에서도 약간의 해면골을 얻을 수 있는데, 같은 수술 범위에서 소량의 해면골을 필요로 할 때에 적절하게 이용할 수 있다.

(1) 골이식 방법

① **자가 해면골이식(autogenous cancellous bone graft)**: 망상골을 조각으로 만들어서 사용하는 해면골은 골이식에 널리 사용되고 있으며, 현재 사용되고 있는 이식골들 중 골형성 능력이 가장 뛰어나다. 골낭종 등 골 종양에서 수술 후 만들어진 공동 또는 골 결손을 채우는 데 특히 좋다. 또한 불유합이나 신선 복잡 골절의 경우, 절골술을 시행하는 경우, 척추 고정이나 관절 고정술을 시행하는 경우 사용할 수 있다. 장골(ilium)은 망상골을 많이 얻을 수 있는 부위이며, 대퇴골 골수강 내에서도 많은 양을 채취할 수 있다. 자가 해면골

표 2. 골이식 종류에 따른 골이식 활성도

	골형성	골전도	골유도	강도	혈류성
자가골이식					
골수	++	±	+	−	−
해면골	++	++	+	+	−
피질골	+	+	±	++	−
혈관 부착	++	++	+	++	++
동종골이식					
해면골	−	++	+	+	−
피질골	−	±	±	++	−
탈회 골기질	−	++	+++	−	−

은 골과 골 사이의 작은 틈이나 구멍 혹은 경계가 불규칙한 빈 공간에 이식할 수 있고 단단하게 충전할 경우 어느 정도의 압축력을 제공하며 다양한 골이식부에 사용될 수 있다. 자가 해면골이식의 대부분은 장골(ilium)에서 채취한다. 후방에서 장골 채취 시 상둔신경 및 상둔동맥에 손상을 주지 않도록 주의하고 천장관절을 침범하지 않도록 해야 한다. 장골의 전방에서 자가골 채취 시는 전상장골극 내측으로 지나가는 외측 대퇴피부신경의 손상을 주의해야 하며, 전상장골극의 외측에서 절개를 하는 것이 수술 시 손상을 피할 수 있다. 적은 양의 해면이식골은 대퇴골 대전자, 원위 대퇴부나 경골 상부의 골간단, 경골의 족관절내과, 주두, 원위부 요골 등에서 얻을 수 있다.

② **자가 피질골이식(autogenous cortical bone graft)**: 자가 피질골은 비골, 늑골이나 장골에서 채취한다. 자가 피질골은 해면골에 비해 조골세포와 골세포의 수, 성장인자의 양 및 단위 질량당 표면적의 크기가 작으며, 피질골 자체가 숙주골로부터 혈관 침범에 장애물로 작용하고 재형성이 잘 되지 않기 때문에 생물학적인 활성은 떨어진다. 피질골은 해면골과 재혈관화 및 골재형성 과정에서 상당한 차이가 있다. 자가 피질골은 초기 기계적인 안정성과 강도를 제공한다는 강점이 있지만 이식 후 2주 이내에 파골세포에 의해 피질골의 흡수와 골 결손이 발생하면서 일시적으로 기계적인 강도가 최고 75% 정도까지 낮아진다고 알려져 있다. 그러나 이와 같은 강도의 감소는 시간이 경과하면서 회복된다.

③ **단일 외재 피질골이식과 이중 외재 피질골이식**: 이식골을 받고자 하는 골의 표면 위에 이식골을 놓아주는 방법을 외재 골이식(onlay bone graft)라 한다. 만족스러운 금속판이 개발되기 전 대부분의 간부 골절 불유합에서 가장 간단한 치료 방법으로 사용되었다.

단일 외재 피질골이식(single onlay cortical bone graft)은 경골이나 대퇴골의 피질골을 절골술을 시행하거나, 부정유합된 경우에 제한적으로 사용될 수 있다. 이 방법으로 수술된 부위는 장기간 체중 부하가 불가능하므로, 골의 크기가 작거나 예상되는 스트레스가 거의 없을 경우에 한정된다.

이중 외재 피질골이식(dual onlay cortical bone graft)은 해결이 어려운 불유합이나 광범위한 결손을 치료함에 있어 유용하다. 연결되어 있지 않은 골 결손부 상하에서 각각 피질골로 구성된 긴 막대 형태의 이식골 두 개를 결손 골의 양쪽에 부착 후 금속나사나 강선으로 고정하는 방법이다. 단일 외재 피질골이식에 비교했을 때 이중 외재 피질골이식의 장점은 강한 기계적 고정력을 얻을 수 있어, 안정적인 내고정이 가능하다는 점이다. 또 한두 개의 이식으로 강도와 안정성을 더할 수 있고, 추가적인 해면골의 이식까지 기대할 수 있으며, 회복기간 중에 이식된 해면골로부터 섬유성 수축이 일어나는 것을 예방할 수 있다.

④ **내재 골이식**: 내재 골이식(inlay bone graft)은 장관골 불유합, 관절 고정술, 골간 융합 등에 사용되며 활강 방법(sliding technique), 이식골 전환술(graft reversal technique), 지주 이식(strut graft) 등이 있다.

내재 골이식의 경우 이식골을 채취할 때 공여부(donor site)의 피질골에 직사각형 형태의 결손이 발생한다. 결손부에는 결손 크기와 같거나 약간 작은 크기의 이식골이 결손부에 끼워진다. 그러나, 골 결손이 남아 응력 집중부위(stress riser)가 되면서 골절을 발생시킬 수 있기 때문에 최근에는 골간부 불유합의 치료에서 더 간편하고 효과적인 외재 골이식이 선호되어 사용되고 있다. 이식골 전환술은 이식골의 위-아래를 바꾸어 다시 감압시키면 되고 경골 내과 불유합에서 유용하게 사용될 수 있다. 지주 이식은 척추 전방 유합에서 많이 사용되며 늑골, 비골 및 장골이 사용된다.

⑤ **피질-해면골이식:** 장골 능선 부위에서 장골은 삼면이 얇은 피질골에 의해 둘러싸여 있고, 가운데 부분에 해면골이 있다. 여기에서 직사각형 형태의 골을 채취하면 삼면이 피질골로 둘러싸여 있고 내부에 해면골을 포함하고 있는 삼 피질골(tricortical bone)을 얻을 수 있다. 골형성 능력과 더불어 어느 정도의 힘을 이길 수 있을 정도의 강도가 필요한 경우에는 피질-해면골이식(cortico-cancellous bone graft)을 시행하게 된다.

⑥ **반원통 골이식(hemicylindrical bone graft):** 경골이나 비골의 큰 결손부에 적용하는 데 적당하다. 일종의 외재 골이식 방법으로 비골이나 척골에서 그 직경의 1/2~2/3 정도의 반원통형 골을 길게 떼어내어 이식하는 방법이다. 공여부 피질골의 결손부는 장골의 해면골로 보충할 수 있으나 공여부의 약화가 심해질 수 있고, 수여부도 매우 약하여 장기간 비체중 부하 및 고정을 시행해야 하는 단점이 있다.

⑦ **전체 골이식:** 전체 비골이식(whole fibular bone graft)은 이중 외재 피질골이식보다 더 효과적인 방법으로, 상지 골절부 결손에 대한 치료에 사용할 수 있다. 비골이식이 전체 두께를 포함하는 경골이식보다 강도가 강하고, 경골을 채취하는 것보다 비골을 채취하는 것이 합병증 발생 위험이 적다. 비골 근위부는 비골 원위부, 요골 원위부로 대치할 수도 있다. 유리 혈관 자가골이식은 가장 큰 골형성 능력을 보일 수 있으나, 기술적으로 매우 어려운 방법이다. 적응증으로는 장골의 골종양으로 인한 광범위한 절제 혹은 골 결손이 심한 인공 관절 재치환술 시에 사용할 수 있다.

• **유리 혈관 골이식**

유리 혈관 골이식(free vascularized bone graft)은 일반적인 방법으로 치료하기 힘든 장관골의 불유합이나 골수염의 경우에 실시되는 골이식 방법

중의 하나로, 혈관이 부착된 상태로 골이식이 시행되므로 살아있는 골세포가 그대로 이식되어 골절 치유와 같은 과정으로 신속하게 골유합이 이루어진다. 비골 동정맥(peroneal artery and vein) 부착 비골이식, 심부 회선 장골 동정맥(deep circumflex iliac artery and vein) 부착 장골이식, 후 늑골간 동정맥(posterior intercostal artery and vein) 부착 늑골이식 등이 이용된다. 혈관 부착 골이식 방법은 수여부의 상태가 좋지 않을 경우에도 골유합이 이루어진다는 장점이 있으나, 미세 현미경 수술이므로 수술시간이 장시간 소요되며, 공여부의 주요 혈관 손상이나 구획증후군 등의 합병증이 발생할 수 있어 주의를 요한다. 그리고 수술 후 혈관 개통 여부를 확인하기 쉽지 않다는 단점이 있다. 최근에는 유리 혈관 골-근육-피부 이식(free vascularized bone-muscle-skin graft)이 수여부의 필요에 따라 동시에 이루어지기도 한다.

• **혈관 유경 골이식**

혈관 유경 골이식(vascular pedicle bone graft)은 이식골에 혈관이 부착된 상태로 인근에 있는 골 결손이나 불유합 부위에 이식하는 방법으로 대퇴골 근위부에 심부회선동맥을 부착한 장골을 이식하거나, 비골동맥을 부착한 비골을 경골 근위부나 슬관절 관절고정술 등에 이용하기도 한다. 그러나 유경의 길이가 짧아 이동범위가 작은 부위에만 이용해야 하는 단점이 있다. 드물게 대퇴골두 골괴사의 경우 혈류 개선을 목적으로 대퇴골 대전자부 후방에서 대퇴방형근(quadratus femoris)을 부착한 채로 이식하는 근 유경 골이식(muscle pedicle bone graft)을 하기도 한다.

• **근 유경 골이식**

대퇴골두 골괴사에서 혈관 유경 장골, 비골이식과 더불어 사용되는 방법으로, 광범위한 혈관이 포함되어 있어 수술 중 손상이나 혈전으로 인

한 이식 실패율이 낮고, 혈관의 급격한 각형성
(angulation)이나 꼬임(torsion) 등이 근육으로 보
호된다는 장점이 있다. 사용되는 근육은 대퇴방
형근, 봉공근(sartorius), 중둔근(gluteus medius),
그리고 대퇴근막장근(tensor fascia lata)가 있다.
Cho 등은 ARCO 분류 II의 대퇴골두 골괴사 환
자군에서 중둔근 유경 대전자 골이식을 시행하
여 좋은 결과를 보고하였다. Baksi 등은 성인에서
는 장경대를, 청소년에서는 봉공근을 이용할 것
을 권장했는데, 이는 대퇴골두의 괴사 병변이 주
로 전상방에 위치하므로 전방의 근육이 더 병변
에 가깝고, 장경대와 봉공근이 부착하는 장골능
에서 더 튼튼한 피질-해면골을 얻을 수 있어 이
식 후 구조적인 안정성을 통해 대퇴골두 함몰을
막는 데 더 도움이 될 것으로 기대되기 때문이다.
장경대를 이용한 근 유경 골이식의 수술 과정은
우선 장경대의 전방 2.5 cm 부위를 장골능 부착
부와 함께 채취한 후, 대퇴골두 골괴사 부위의 충
분한 소파술 및 천공술을 시행하고 대퇴골두 전
상방 부위에 생성된 빈 공간에 장경대와 부착된
이식골을 삽입한 후 이식골은 봉합을 통해 고정
을 시행한다.

(2) 골이식 공여부

① **장골:** 가장 많이 이용되는 부위이며, 전상장골극
의 외연, 혹은 후상장골극 주변에서 얻을 수 있다.
환자가 복와위로 있을 경우 장골의 후방 1/3이 사
용되며, 환자가 앙와위로 있을 경우 전방 1/3을 사
용할 수 있다. 소아에서는 장골능선의 성장판은
연결된 근육과 함께 보존되어야 한다. 장골의 전
방에서 자가골 채취 시는 전상장골극 내측으로 지
나가는 외측 대퇴피부신경의 손상을 주의해야 하
며, 전상장골극의 외측에서 절개를 하는 것이 수
술 시 손상을 피할 수 있으며, 후방에서 장골 채취
시 cluneal 신경에 손상을 주지 않도록 주의하고

천장관절을 침범하지 않도록 해야 한다. Cluneal
신경은 후상장골극 외측 8 cm보다 더 전방에서
박리할 경우에 손상 위험이 있다(그림 1). 다량의
골 채취 시 전기톱을 이용해 채취한 장골 전층 이
식편이 절골술을 이용해 채취하는 것보다 강도가
강하다고 보고된다(그림 2, 3).

② **경골:** 경골의 피하의 전내측면은 구조적 자가골
이식(structural autogenous bone graft)의 훌륭한
제공 부위이며, 피질골을 제거한 후 해면골은 경
골의 근위부에서 얻을 수 있다. 골이식 시 이식골
에 부착된 골막을 남겨둠으로써 얻는 이점은 없
으나, 골 채취 후 결손 부위의 골막을 봉합하는
것에는 분명한 장점이 있다. 경골 내의 결손 부위
가 새로운 골로 채워질 때 골막은 경계막을 제공
하는 역할을 함으로써 불규칙한 가골 형성을 방
지하는 것으로 추정되며, 골막에서 떨어져 나온

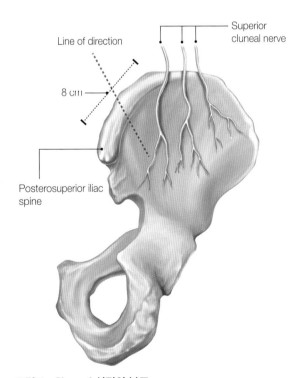

그림 1. Cluneal 신경의 분포
후상장골극으로부터 전방 8 cm까지는 Cluneal 신경의 손상을 피
할 수 있다.

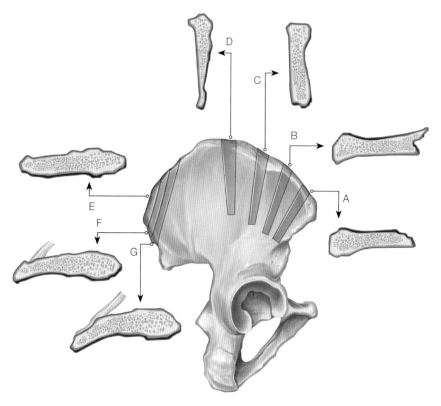

그림 2. 장골에서 골 채취

장골의 전방부터의 후방까지(A–G) 골 채취 부위에 따라 이식골의 형태와 두께가 다르다.

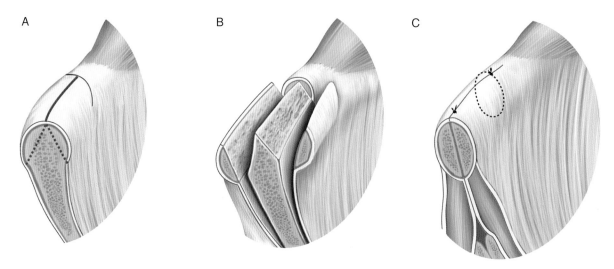

그림 3. 골 채취 방법(Wolfe-Kawamoto technique)

전방 장골에서 전체 두께의 골을 채취할 수 있다. (A), (B) 장골의 외부 융기를 따라 근육 및 골막의 부착을 유지하면서 사선상으로 절개를 가하여 이식골을 채취한다. (C) 이식 골 채취 후 공여부의 봉합 방법이다.

일부 골세포는 결손을 채우는 데 필요한 골형성에 도움이 된다.

골이식의 공여부위로 경골을 사용함에 있어 불리한 점은 다음과 같다. 1) 정상적인 하지가 불안정해지며 2) 수술의 시간과 규모가 커지고 3) 경골 내의 결손이 부분적으로 치유될 때까지 보행을 연기해야 하며 4) 경골 골절의 예방을 위해 6-12개월 정도 보호해야 한다. 이러한 이유로 현재는 경골을 이용한 구조적 자가골이식은 흔히 시행되지는 않는다(그림 4).

③ **비골:** 비골이식을 준비할 때 주의할 점은 비골신경이 손상되지 않도록 하고, 비골 원위부 1/4은 족관절 안정성 유지를 위해 남겨두어야 하며, 비골근이 손상되지 않도록 한다. 비골 근위부 2/3는 하지의 기능을 저해하지 않고 채취할 수 있지만, 대부분의 환자가 비골 일부를 절제한 후 경미한 근력 약화를 호소한다. 비골 근위부는 부분적으로 초자 연골로 덮여있기 때문에 요골 원위부 1/3이나 비골 원위부 1/3을 대체함에 있어 만족할 만한 이식을 형성하는 둥근 융기(rounded prominence)를 가지고 있다. 비골 중간 1/3은 미세혈관수술로 비골동맥과 비골정맥을 이용한 유리 혈관 자가골이식에 사용할 수 있다. 이식 후에 초자 연골은 섬유 연골로 된 표면으로 빠르게 변성된다. 장골능 일부도 유리 혈관 자가골이식에 사용할 수 있다. 유리 혈관 자가골이식은 전문가 수준의 미세혈관 수술이 요구되고 공여부의 이환이 동반되기 때문에, 적용 대상은 한정적이다(그림 5).

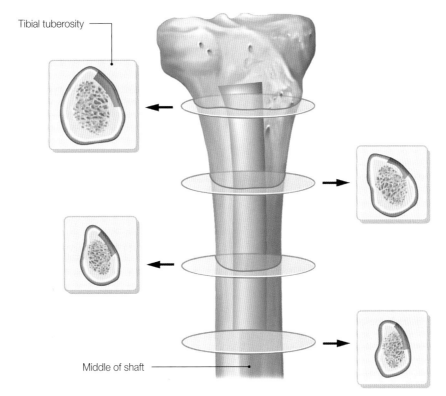

그림 4. 경골로부터의 피질골 채취 방법
근위부가 원위부보다 넓은 이식물을 얻을 수 있다.

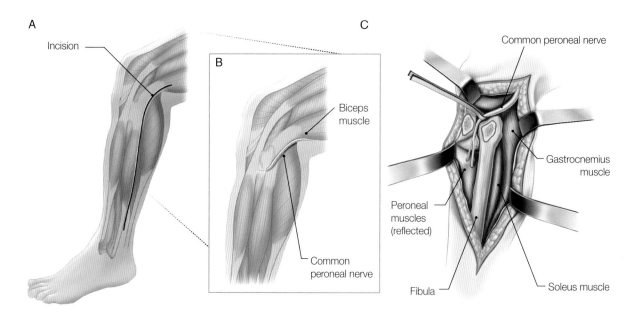

그림 5. 이식을 위한 비골의 채취

(A) 절개선, (B) 비골두와 경부 주변으로 주행하는 총비골신경, (C) Henry method, 총비골신경의 손상에 주의하여 비골두로부터 신경을 분리시키는 접근법이다.

2) 동종골이식

동종골(allogenous bone)은 환자 자신이 아닌 동종 개체로부터 얻어진다. 체구가 작은 소아에서 일반적인 자가골 공여부는 큰 결손을 채울 수 있을 만큼의 피질골을 제공하지 못하며, 해면골 또한 큰 결손이나 낭종을 채울 수 있을 만큼 충분하지 못할 수도 있다. 또한 이식할 골을 채취하면서 성장판이 손상될 가능성에 대해서도 고려해야 한다. 따라서, 자가골만으로 충분한 골이식을 할 수 없을 경우 동종골이식이 선호된다. 골결손을 동반한 고관절 재치환술, 삽입물 주위 골절, 그리고 종양 절제 후 재건술에 큰 구조적 동종골이식이 성공적으로 시행될 수 있다. 또한 골연골 동종골이식(osteochondral allogenous bone graft)은 종양 절제 후 사지 구제술(limb salvage)에 사용된다.

동종골의 적응증은 소아, 노인, 수술로 인한 위험성이 높은 환자, 자가골 사용이 부적합한 환자에서 사용될 수 있다. 자가 해면골은 골형성 잠재력을 제공하기

위한 '종자(seed)'의 역할로서 동종골에 소량으로 첨가할 수 있다. 이러한 자가골과 동종골의 이식골 혼합은 동종골 단일 사용보다 빠른 유합을 얻을 수 있다.

안전하고 유용한 동종골 재료를 효과적으로 제공하기 위한 골은행(bone bank) 시스템은 신중한 공여자 선별, 신속한 조달, 안전하고 청결한 가공이 필요하다. 동종골의 처치는 식약처에 의해 지정된 표준 지침을 따라야 하며, 공여자는 후천성 면역 결핍증과 간염을 포함한 바이러스성, 세균성, 진균성 감염 등이 배제되어야 하고 피부의 기저세포암종을 제외한 악성종양, 콜라겐혈관병, 대사성 골질환, 독소의 존재 등은 모든 공여에 금기이다. 현재는 골과 인대, 그리고 골과 건이 동종 이식으로 사용하기 위해 골은행에 저장된다. 골은 다양한 형태로 저장하고 무균화할 수 있다. 청결하지만 무균 상태는 아닌 환경에서 채취된 골은 저장을 위해 방사선 조사, 강산 혹은 에틸렌 옥사이드, 그리고 동결 건조를 통해 살균된다. 영하 70-80°의 초저온 냉

동을 통해 무균 환경에서의 저장이 가능하다. 신선 동결 골(fresh frozen bone)은 동결 건조 골(freeze-dried bone)에 비해 견고하고 동종골의 구조적 사용에 더 유리하다. 관절 연골과 반월연골판(meniscus) 역시 같은 방법으로 냉동 보존이 가능하다. 동종 해면골은 자가 해면골과 마찬가지로 수여자의 골에 유합된다. 이러한 동종골의 경우 골전도는 가능하나 골유도는 가능하지 않다. 해면골은 골형성 잠재력을 증가시키는 탈회된 형태로 채취 가능하나 압력에 대한 저항성이 감소한다. 동종 피질골은 수여자의 혈관이 침투하여 제한된 범위 내에서, 특히 대량 이식의 경우 새로운 수여자의 골로 천천히 대체되는 것을 관찰하였다. 따라서 이러한 피질골을 이용한 골이식에서는 사골(dead bone)의 재형성이 이루어지지 않기 때문에 골절의 위험성이 높아지게 된다.

3) 이종골이식

이종골이식(xenogenous bone graft)은 종이 다른 개체 간에 골이식을 시행하는 것이다. 대개 이종골이 이식되면 심한 거부 반응을 일으키고, 골이식의 실패율이 높아서 최근에는 사용되지 않는다.

2. 골 대체재

골 대체재(bone substitute)란 골 결손 부위에 자가골 대신 충진하여 자가골이식과 유사하거나 혹은 향상된 결과를 얻을 수 있는 재료를 뜻한다. 장골능과 같은 부위에서 채취한 자가골이 외상, 감염, 종양, 혹은 수술 등으로 인한 골 결손부를 충진하는 데 가장 좋은 방법이지만, 골 채취에 의한 이환율의 상승, 마취시간과 실혈량의 증가, 그리고 자가골 채취부위의 통증, 피로 골절, 이소성 골형성 등의 수술 후 합병증을 초래할 수 있다. 이러한 제한점으로 인해 여러 가지 골 대체재들에 대한 요구가 증가하게 되었다. 골 대체재는 골이식 확장재(bone graft extender)와 골이식 촉진재(bone graft enhancer)를 포함하는 의미로도 사용되는데, 골

이식 확장재란 자가골이식 시에 추가적으로 사용하여 유합의 범위를 증가시키거나, 자가골 단독으로 사용할 경우 요구되는 자가골의 채취량을 줄일 수 있으면서 자가골이식 때와 비슷한 유합률을 얻을 수 있는 재료를 뜻한다. 골이식 촉진재는 동일한 양 혹은 적은 양의 자가골을 사용하면서 첨가하였을 때 자가골 단독 사용보다 우수한 유합률을 얻을 수 있는 재료를 뜻한다. 이상적인 골 대체재의 조건으로는 거부반응이 적으며, 적절한 생 흡수성, 골전도력과 골유도력이 우수하여야 한다. 또한 구조적으로 생체골과 유사하며, 사용하기 쉽고 비용 효율이 좋아야 한다.

Laurencin 등은 골 대체재를 기반이 되는 재료에 따라 크게 동종골-기반(allograft-based), 인자-기반(factor-based), 세포-기반(cell-based), 세라믹-기반(ceramic-based), 그리고 폴리머-기반(polymer-based)의 다섯 가지로 분류하였다(표 3). 동종골-기반의 경우는 그 형태에 따라 하중에 대한 구조적 지지 역할을 하거나, 골 결손부의 충진재로 이용된다. 인자-기반의 골 대체재는 자연상태에서의 형태와 재조합 성장인자(recombinant growth factor)를 모두 포함하며, 단독으로 사용하거나 다른 제품과 함께 병합하여 사용할 수 있다. 세포-기반의 경우 신생골 형성에 여러 세포들이 관여한다. 세라믹-기반의 골 대체재는 여러 가지 세라믹을 이용하여 골성장의 가교(scaffold) 역할을 한다. 그리고 폴리머-기반의 경우는 생분해성 폴리머 단독으로 사용하거나 다른 재료들과 함께 사용한다.

1) 동종골-기반 골 대체재

동종골은 여러 가지 형태가 가능하며, 동결-건조, 방사선 조사, 혹은 탈회(decalcified) 등의 여러 방법을 이용하여 처리할 수 있다. 피질골을 동결-건조와 방사선 조사의 방법으로 처리하였을 경우 구조적인 지지가 가능한 형태로 제작이 가능하다. 일부의 경우 척추 유합술에서 케이지에 사용되거나, 골 확장재처럼 사용할 수 있도록 특별한 형태로 제작될 수 있다.

표 3. 골이식 및 골대체재

분류	특성	종류	작용기전
자가골이식	단독 사용	피질골	골유도
		해면골	골전도
		피질-해면골	골형성
동종골이식	단독 사용	피질골	골전도
	병합 사용	해면골	골유도
		골연골	
인자-기반 골 대체재	단독 사용	TGF-β	골유도
	병합 사용	PDGF	운반체와 사용 시 골전도 및 골유도
		FGF	
		BMP	
세포-기반 골 대체재	단독 사용	간엽 줄기세포	골형성
	구조 기질에 침착		운반체와 사용 시 골형성 및 골전도
세라믹-기반 골 대체재	단독 사용	hydroxyapatite	골전도
	병합 사용	tricalcium phosphate	골수와 혼합 시 제한적 골유도
		calcium sulphate	
폴리머-기반 골 대체재	단독 사용	polylactic acid (PLA)	골전도
	병합 사용	poly glycolic acid (PGA)	생흡수성
		poly lactic-co-glycolide (PLGA)	
기타	산호-유래 하이드록시아파테이트	Coralline hydroxyapatite	골전도 생흡수성

탈회 골기질(demineralized bone matrix, DBM)은 동종골의 탈회 형태로, 90%의 1형 교원질과 10%의 비교원질성 단백질로 구성된다. 분쇄된 동종골에 염산을 이용해 3시간 정도 무기질은 제거한 후 무균수로 세척한 다음, 에틸알콜에서 탈수시키고 에틸에테르에서 지방을 제거한다. 이후 동결-건조 또는 건조 과정을 통해 제조되며, 골형성 단백질(bone morphogenetic protein, BMP)과 같은 골유도 단백질과 성장인자가 미량 포함되어 있어 골 생성을 활성화시킬 수 있다. 탈회 골기질은 처음에는 분말 형태이지만 퍼티(putty), 주사형 겔(injectable gel), 페이스트(paste), 과립(granule), 조각편(strip), 혹은 이들의 혼합 형태로 다양하게 제작이 가능하며, 이런 형태의 일부에서는 골형성 다분화세포(osteogenic pluripotent cell)를 첨가하기 위해 골

수와 혼합하기도 한다. DBM은 일반적으로 글리세롤(glycerol), 황산칼슘 분말(calcium sulfate powder), 히알루론산 나트륨(sodium hyaluronate), 젤라틴(gelatin) 같은 운반체(carrier)와 혼합하여 사용한다.

DBM에는 BMP-2나 BMP-7 등 골유도 물질이 포함되어 있지만 그 양이 매우 적다. 또한, DBM은 동종골의 공여자, 제조 공정, 제품의 형태, 운반체의 종류, 보관방법 등의 여러 요인에 따라 각각의 제품 간의 골유합률의 편차가 커 일관된 골유도능을 제공하지 못하는 것으로 알려져 있다. 따라서 DBM은 골유도 특성이 있지만 골전도 특성을 주된 기능으로 하며, 자가골이식을 대체하기보다는 자가골 또는 골수나 다른 골 대체재와 혼합하여 골이식 확장재로 사용한다.

DBM은 제조 과정을 통해 감마 방사선 조사와 에틸

렌옥사이드를 이용하여 멸균을 시행함으로써 감염의 위험을 감소시키고, 골표면 항원의 파괴 등으로 이식 거부와 같은 면역 반응이 적으며, 흡수성도 낮다는 장점이 있다. 하지만 이 과정에서 골유도능 역시 감소하게 된다. 공여자 선별을 엄격히 하고, 여러 방법으로 멸균을 시행하더라도 바이러스 및 세균에 의한 감염의 위험을 완벽하게 제거할 수는 없다. 하중에 대한 구조적 지지를 확보하기 위해 다량의 동종골이식을 시행할 경우 감염의 위험 역시 증가한다. 동종골 혹은 동종골 기반의 골 대체재를 사용한 환자에서 세균감염과 B형, C형 간염의 전파가 보고된 바 있다. DBM은 공여자로부터 수여자로의 감염 전파 위험이 다른 동종골이식에 비해 유의하게 낮은 편이다. DBM은 심한 혈관 질환, 신경계 질환, 발열, 조절되지 않는 당뇨, 임산부, 고칼슘혈증, 저하된 신기능, 골수염, 수술부위 감염 등을 가진 환자에게는 금기이다.

2) 인자-기반 골 대체재

골형성 단백질(bone morphogenetic protein, BMP)은 변형 성장인자 베타(transforming growth factor-beta, TGF-β) superfamily 중 하나로, 1965년 Urist에 의해 처음 발견되었으며 연골내 골형성(enchondral bone formation)의 능력이 있음을 알게 되었다. 이후 여러 가지 단백질이 발견되었는데, 최근 사용되는 골형성 단백질의 대부분은 TGF-β superfamily이다. 이들 superfamily에는 inhibin/activin family, Müllerian inhibiting substance family, decapentoplegic family 등이 포함된다. TGF-β family의 대부분의 단백질은 직접 골형성을 돕지는 않지만, 간엽 줄기세포(mesenchymal stem cell), 조골모세포나 조골세포 그리고 골세포의 수용체에 결합함으로써 생성, 조절, 변형에 관여하여 세포의 증식과 골분화에 영향을 준다(표 4). 현재는 재조합 골형성 단백질 2형(recombinant human bone morphogenic protein 2, rhBMP-2)과 7형 (rhBMP-7)만 인체 사용에 효과와 안정성이 검증되어 임상적으로

사용되고 있다. 동물실험 결과 이소성 골형성 등 골유도 특성이 확인되었으며 임상적으로도 자가골이식과 비교하여 유사하거나 향상된 골유합률이 확인되어, 미국 식약청에서는 전방 요추 유합술에서 티타늄 케이지와 함께 사용하는 경우나 급성 개방성 경골 골절에서 rhBMP-2를 사용하는 것을 승인하였으며, rhBMP-7은 경골 불유합에서 자가골이식과 동등한 것으로 입증되어 장골 불유합과 후방 요추 유합 재수술에서의 사용을 승인하였다. 이 밖에 골형성 능력을 가진 것으로 보이는 다른 BMP는 4형, 6형, 그리고 9형이다. 골생성을 유발할 수 있을 것으로 생각되는 기타 단백질로는 혈소판 유래 성장인자(platelet-derived growth factor, PDGF)와 혈관 내피 성장인자(vascular endothelial growth factor, VEGF)가 있으며, 이들은 혈소판에 풍부하기 때문에 이를 추출하여 골이식 부위에 성장 인자를 제공하기 위해 사용되기도 한다. BMP는 수용성이어서 단독으로 사용할 수 없기 때문에 수술 부위에 효과적으로 잔류하기 위해서는 적절한 운반체가 필요하다. 골전도 성질이 있는 운반체를 선택함으로써 골유도 과정의 효과를 극대화시킬 수 있다. 운반체 선택에 있어 BMP 손실을 피할 수 있도록 주의가 필요하다.

그러나 BMP 사용에 따른 다양한 합병증이 보고되고 있는데, 척추 수술에 BMP를 사용한 후 보고된 합병증으로는 연부조직 종창, 이소성 골형성, 내고정물의 파단이나 해리, 마비나 척수신경 손상 및 경막 열상, 성기능 장애, 대장 및 방광 기능 장애, 역행성 사정 등이 있다. 이외에도 전신 합병증으로 호흡 부전으로 인한 사망까지 보고되고 있으며, 국소 합병증으로 과다출혈, 반흔 등이 발생한 예가 있어 주의를 요한다.

3) 세포-기반 골 대체재

최근 가장 흔하게 사용되는 세포-기반의 골 대체재는 자가골수(autogenous bone marrow)이다. 하지만 채취되는 골수의 대부분이 적혈구이기 때문에, 골수에서 골조상세포(osteoprogenitor cell)만을 효과적으

표 4. 골형성 단백질

아형	기능	유전자 위치
1형	TGF-β 군에 속하지 않으며, 금속단백분해효소(metalloprotease)로서 1, 2, 3형 전교원질 (procollagen)에 작용 연골 발달에 관여	염색체: 8 위치: 8p21
2형	골 및 연골 형성 유도 골모세포 분화에 핵심 역할	염색체: 20 위치: 20p12
3형	골생성 유도	염색체: 14 위치: 14p22
4형	중배엽으로부터 치아, 사지, 골의 형성을 조절 골절 치유에 관여	염색체: 14 위치: 14q22-q23
5형	연골 발달에 관여	염색체: 6 위치: 6p12.1
6형	성인 관절면 원상회복에 관여	염색체: 6 위치: 6p12.1
7형	골모세포 분화에 핵심 역할	염색체: 20 위치: 20q13
8a형	골 및 연골 발달에 관여	염색체: 1 위치: 1p35-p32
8b형	해마(hippocampus)에서 발현	염색체: 1 위치: 1p35-p32
10형	배아기 심장(embryonic heart)의 골소주 형성(trabeculation)에 관여	염색체: 2 ocation: 2p14
15형	난모세포(oocyte)와 난포 발달(follicular development)에 관여	염색체: X 위치: Xp11.2

로 농축시키는 방법은 아직까지 연구가 필요한 상태이다. 미래에는 성인이나 태아의 줄기세포(adult and embryonic stem cells)나 골수 간질세포(bone marrow stromal cells) 등이 골 대체재로 사용될 수 있을 것으로 기대된다.

교원질을 변성시켜 우형(bovine, xenograft) 혹은 인체형(human) 1형 교원질 형태로 하여 골유도 물질로 사용할 수 있다. 이들은 rhBMP-2와 rhBMP-7의 운반체로도 사용되어 BMP 손실의 가능성을 피할 수 있도록 도와준다.

4) 세라믹-기반 골 대체재

1980년대부터 사용된 세라믹 혹은 교원질-기반의 골 대체재는 감염 전파의 위험성 없이 골전도 능력을 제공할 수 있지만, 골형성 혹은 골유도능은 가지고 있지 않다. 황산칼슘(calcium sulfate), 인산칼슘(calcium phosphate), 그리고 생체활성 유리(bioactive glass)가 유용한 형태의 세라믹이다. 이 제품들은 골전도뿐만 아니라 골결합 성질(osteointegration)을 가지고 있어 조직들이 단단한 결합을 형성하도록 도와주지만, 취성이 강하고 인장강도가 낮아 운반체 혹은 케이지 같은 제품을 함께 사용하여 보강해 주어야 한다. 황산칼슘(CaSO4)은 황산칼슘이수화물(calcium sulfate dehydrate)을 알파형 반수 황산칼슘(α−hemihydrate calcium sulfate)으로 변환시켜 사용되는데, 거부 반응이 적고 생활성이 높으며 이식 후 비교적 조기(12주경)에 흡수되는 특징이 있다. 주로 외상 후 혹은 종양 수술 후 발생한 골 결손에 충진해서 좋은 결과가 보고되고 있다. 현재 임상적으로 사용되는 황산칼슘은 알약 형태(pellets)나 페이스트 형태로 기공이 없어 골조직이 자라 들어갈 수 없다는 단점이 있으며, 기계적 강도가 낮아 하중이 걸리는 부위에 사용되는 데 제한이 있다. 인산칼슘계 세라믹에는 삼인산칼슘(tricalcium phosphate)과 하이드록시아파타이트(hydroxyapatite) 같은 다양한 형태가 있고, 이 제품들은 페이스트, 퍼티, 과립 형태로 제작될 수 있다. 생체친화성이 좋고 골전도성이 뛰어나며, 골유도 물질과 함께 사용함으로써 골이식 확장재로 사용되고 있다. 최근에는 골조직과의 결합 능력을 향상시키기 위해 골시멘트(polymethyl methacrylate)와 함께 사용하기도 한다. 이 제품들은 압축 강도를 제외한 기계적 강도가 낮으며, 하중 부하를 위해 단독으로 사용하는 것은 권장되지 않는다. 탈회 골기질과 함께 사용하거나 골형성 단백질의 운반체로서 사용될 수 있다. 삼인산 칼슘은 베타형을 주로 사용하며, 생체적합성 및 골전도 특성도 높을 뿐만 아니라 다공성 및 생흡수성이 하이드록시아파타이트에 비해 높다. 삼인산칼슘의 흡수와 재형성은 기공률에 큰 영향을 받는다. 척추, 골반 및 사지의 골 결손부 충진이나 척추 유합술 등에서 사용되고 있으며, 하이드록시아파타이트보다 더 기계적으로 취약하여 구조적 안정성을 요하는 부위에는 약한 기계적 강도 때문에 내고정물과 함께 사용하는 것이 추천된다. 생체활성 유리 세라믹은 교원질, 성장인자, 피브린(fibrin)과 결합하여 골형성 세포(osteogenic cell)들이 자라 들어갈 수 있는 다공성 기질(porous matrix)을 형성한다. 이 구조는 어느 정도의 압축 강도를 가지지만

구조적인 지지력은 제공하지 않는다. 골과 직접 화학적으로 결합하는 것으로 알려져 있으며, Kokubo 등은 CaO−SiO2− P2O5를 기본 조성으로 하는 결정화 유리를 개발하여 이전의 인산 칼슘계 화합물이나 초기에 개발된 생체활성 유리보다 기계적 강도가 개선되었다고 보고하였다. 생체활성 유리 세라믹은 다양한 조성으로 물성을 조절할 수 있는 장점이 있기 때문에 치밀체 형태로 제조되어 하중을 지탱하는 인공 척추체, 인공 추간판 대체재와 인공 장골 등에 사용되었다. 최근에는 하이드록시아파타이트보다 기계적 강도와 골전도성을 향상시킨 CaO− SiO2−P2O5−B2O3계 생체활성 유리 세라믹이 개발되어 척추 유합술 등에 사용되고 있다.

5) 폴리머−기반 골 대체재

폴리머는 자연상태(natural), 합성물(synthetic), 생분해성(biodegradable)과 비생분해성(nonbiodegradable)으로 구분할 수 있으며 모두 골 대체재로 유용하다. 생분해성 폴리머에는 polyglycolic acid와 poly (lactic-co-glycolic) acid가 있으며, 흡수율이 높아 하중 부하 부위에 사용이 제한적이다. 일부 비생분해성 폴리머는 폴리머와 세라믹의 혼합물이고, 하중부하 부위에 사용될 수 있다.

6) 기타 골 대체재

Coralline hydroxyapatite는 산호(coral)의 인산칼슘(calcium phosphate)에서 유래된 물질로 골 대체재로 처음 사용된 물질의 하나이다. 생체의 피질골 및 해면골과 유사한 다공성 구조를 가지는 것이 Chiro에 의해 발견된 후, 산호에 수화, 고압, 가열을 통해 탄산칼슘을 하이드록시아파타이트로 치환하여 골 결손부 충진이나 척추 유합술 등에 사용하고 있으며, 매우 천천히 흡수되어 골형성 단백질의 운반체로서 사용할 수 있다. 인공적으로 합성한 하이드록시아파타이트도 척추 유합술 등에 사용하고 있다. 골전도성은 뛰어나지

만 생체흡수성이 매우 낮고 인장 강도가 낮아 쉽게 파손되는 단점이 있으며 자가골과 함께 사용하여야 골유합을 기대할 수 있다. Polysaccharide chitin에서 유래한 키토산(chitosan)과 교원질에 하이드록시아파타이트나 삼인산칼슘과 같은 인산칼슘을 혼합한 복합체(collagen−calcium phosphate complex)를 스폰지 형태로 제조한 것(sponge skeleton)이 임상에 사용되고 있으나, 아직 유용성이 검증되지 않았다.

참고문헌

1. 이재협. 척추외과 영역에서의 생체재료. 척추외과학. 3판. 최신의학사; 2011;56−68.

2. American Academy of Orthopaedic Surgeons Information Statement: Preventing the transmission of bloodborne pathogens. Available online at www.aaos. org/about/papers/advistmt/1018.asp. Accessed April 12, 2010.

3. American Association of Tissue Banks: Standards for tissue banking, ed 11, Arlington, VA, 2006, American Association of Tissue Banks.

4. Axhausen W. The osteogenetic phases of regeneration of bone. A historical and experimental study. J Bone Joint Surg Am. 1956;38:593-600.

5. Bottoni CR, Brooks DE, DeBerardino TM, et al. A comparison of bioabsorbable and metallic suture anchors in a dynamically loaded, intra-articular Caprine model. Available online at www.orthosupersite.com/ print. asp?rID=3291. Accessed December 2009.

6. Brawley SC, Simpson RB. Results of an alternative autogenous iliac crest bone graft harvest Method. Orthopedics. 2006;29:342.

7. Bucholz RW, Carlton A, Holmes RE. Hydroxyapatite and tricalcium phosphate bone graft substitutes. Orthop Clin North Am. 1987;18:323-34.

8. Carragee EJ, Hurwitz EL. Weiner BK. A critical review of recombinant human bone morphogenetic protein-2 trials in spinal surgery: emerging safety concerns and lessons learned. Spine J. 2011;11(6):471-91.

9. Chapman MW and Rodrigo JJ. Bone grafting, bone graft substitutes, and growth factors. In; Chapman MW ed. Chapman's orthopedic surgery. 3rd ed. Philadelphia, Lippincott Williams & Wilkins; 2001;181-211.

10. Christopher GF. Bone grafting and bone graft substitutes. J Bone Joint surg Am. 2002;84(3):454-64.

11. Connolly JF, Guse R, Tiedeman J, Dehne R. Autologous marrow injection as a substitute for operative grafting of tibial nonunions. Clin Orthop. 1991;266: 259-70.

12. Connolly JF. Injectable bone marrow preparationsto stimulate osteogenic repair. Clin Orthop Relat Res. 1995; 313:8-18.

13. Cypher TJ, Grossman JP. Biological principles of bone graft healing. J Foot Ankle Surg. 1996;35:413-17.

14. DeLong WG, Einhorn TA. Koval K, et al. Current concepts review. Bone grafts and bone graft substitutes in orthopaedic trauma surgery: a critical analysis. J Bone Joint Surg Am. 2007;89:649.

15. Elsinger EC, Leal L.Coralline hydroxyapatite bone graft substitutes. J Foot Ankle Surg. 1996;35:396-9.

16. Finkemeier CG. Bone frafting and bone graft substitutes. J Bone Joint Surg Am. 2002;84(3):454-64.

17. Gardiner A, Weitzel PP. Bone graft substitutes in sports medicine. Sports Med Arthrosc Rev. 2007;15:158.

18. Giori NJ, Sohn DH, Mirza FM, et al. Bone cement improves suture. anchor fixation. Clin Orthop Relat Res. 2006;451:236-41.

19. Greenwald AS, Boden SD, Goldberg VM, et al. Bone-graft substitutes: facts, fictions, and applications. J Bone Joint Surg Am. 2001;83:98.

20. Hirota K, Hashimoto H, Kabara S, et al. The relationship between pneumatic tourniquet time and the amount of

pulmonary emboli in patients undergoing knee arthroscopic Surgery. Anesth Analg. 2001;93:776.

21. Hollinger JO, Brekke J, Gruskin E, Lee D. Role of bone substitutes. Clin Orthop Relat Res. 1996;324:55-65.

22. Khan SN, Cammisa FP Jr, Sandhu HS, et al. The biology of bone Grafting. J Am Acad Orthop Surg. 2005;13:77.

23. Kokubo T, Kim HM, Kawashita M. Novel bioactive materials with defferent mechanical properties. Biomaterials. 2003;24(13):2161-75.

24. Kopylov P, Jonsson K, Thorngren KG, Aspenberg P. Injectable calcium phosphate in the treatment of distal radial fractures. J Hand Surg [Br]. 1996;21:768-71.

25. Laurencin C, Khan Y, El-Amin SF.Bone graft substitutes. Expert Rev Med Devices. 2006;3:49-57.

26. Lee JG, Hwang CJ, Song BW, Koo KH, Chang BS, Lee CK. A prospective consecutive study of instrumented posterolaateral lumbar fusion using synthetic hydroxyapatite as a bone graft extender. J Biomed Mater Res A. 2009;90(3):804-10.

27. Meyer DC, Jacob HAC, Pistoia W, et al. The use of acrylic bone cement for suture Anchoring. Clin Orthop Relat Res. 2003;410:295.

28. Muschler GF, Boehm C, Easley K. Aspiration to obtain osteoblast progenitor cells from human bone marrow: the influence of aspiration volume. J Bone Joint Surg Am. 1997;79:1699-709. Erratum. 1998;80:302.

29. Newman JT, Stahel PF, Smith WR, et al. A new minimally invasive technique for large volume bone graft harvest for treatment of fracture Nonunions. Orthopedics. 2008;31:257.

30. Parikh SN. Bone graft substitutes in modern orthopedics. Orthopedics. 2002;25:1301.

31. Stevenson S. Enhancement of fracture healing with autogenous and allogeneic bone grafts. Clin Orthop. 1998;355 Suppl:S239-46.

32. Tiedeman JJ, Garvin KL, Kile TA, Connolly JF. The role of a composite, demineralized bone matrix and bone marrow in the treatment of osseous defects. Orthopedics. 1995;18:1153-8.

33. Upton J, Glowacki J. Hand reconstruction with allograft demineralized bone: twenty-six implants in twelve patients. J Hand Surg Am. 1992;17:704-13.

34. Wang JC, Mark AD, Kanim LE, Campbell PA, Dawson EG, Lieberman JR. A comparison of commercially available demineralized bone matrix for spinal fusion. Eur Spine J. 2007;16(8):1233-40.

35. Whiteman D, Gropper PT, Wirtz P, Monk P. Demineralized bone powder. Clinical applications for bone defects of the hand. J Hand Surg Br. 1993;18: 487-90.

36. William RM, Stephen EG, Gregory IB. Synthetic bone graft substitutes. ANZ J Surg. 2001;71:354-361.

37. Younger EM, Chapman MW. Morbidity at bone graft donor sites. J Orthop Trauma. 1989;3:192-5.

38. Fillingham Y, Jacobs J. Bone grafts and their substitutes. Bone Joint J. 2016;98-B(1 Suppl A):6-9.

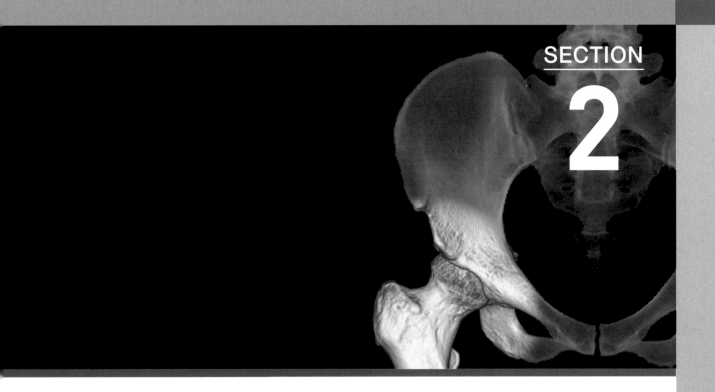

SECTION

2

질환
Nontraumatic Disorders

대퇴골두 골괴사
Osteonecrosis of the Femoral Head

대퇴골두 골괴사는 원인 및 발생 기전이 불명한 골세포의 괴사로 초기에는 증상이 없지만 대퇴골두의 함몰이 진행되면서 이차적인 골관절염을 초래한다. 1925년에 Haenish에 의해 처음 보고되었고, 1948년에 Chandler는 이 질환에 대하여 고관절의 관상동맥 질환(coronary disease of the hip)이라고 기술하였다. 이 질환의 명칭은 여러 차례에 걸쳐 변경되었는데 처음에는 감염에 의한 골의 괴사와 구별하기 위하여 무균성 괴사(aseptic necrosis)라고 하였고, 이후에는 무혈성 괴사(avascular necrosis) 또는 허혈성 괴사(ischemic necrosis)라고 하였다. 현재는 어떤 원인이나 병리 기전의 의미를 내포하지 않은 명칭인 '대퇴골두 골괴사(osteonecrosis of the femoral head)'가 널리 사용되고 있다.

지금까지 대퇴골두 골괴사의 발병률이나 유병률에 대한 정확한 역학조사는 없다. 우리나라, 대만, 중국, 일본을 포함한 동남아시아와 그리스, 스페인에서 상대적으로 높은 유병률을 보이고 있다. 미국에서는 해마다 22,000명 정도의 새로운 환자가 발생하는 것으로 알려져 있고 전체 고관절 치환술을 시행받는 환자의 10% 정도를 차지하고 있다. 일본의 경우 2004년에 11,400명이 유병되었으며, 1년에 새롭게 발견되는 환자는 1,200−2,400명(인구 10만 명당 10−20명의 빈도로 발생)으로 알려져 있다. 우리나라에서도 2002−2006년 사이에 연 평균 14,103명(인구 10만 명당 28.91명)이 유병된 것으로 추산되었으며 1년에 새롭게 발견되는

환자는 평균 1,700−1,800명으로 추정되었다. 2010년 건강보험 심사평가원 자료에 의하면 9,353명의 대퇴골두 골괴사 환자가 진료를 받았다. 대퇴골두 골괴사는 우리나라에서 고관절 치환술을 시행받는 환자의 가장 큰 비중을 차지하는 질환이다. 대부분의 경우 30대에서 50대의 비교적 젊은 연령에 발생하며, 남자가 여자에 비해 3−4대 1의 비율로 더 많이 발생하고, 양측으로 발생하는 경우가 50% 이상으로 보고되고 있다. 따라서 편측에 병변이 확인된 경우 반대측도 이환 가능성이 있음을 주지하여야 하겠다(그림 1).

1. 원인

대퇴골두는 주로 내측 및 외측 대퇴회선동맥으로부터 상행 경부동맥(ascending cervical artery)을 통해 주된 혈액 공급을 받고 있다. 대퇴골두는 측부 순환(collateral circulation)이 적어 이들 동맥에 문제가 발생하면 골괴사가 발생할 수 있다. 따라서 이 혈류에 이상이 초래될 수 있는 고관절 탈구 또는 대퇴골 경부 골절 후 혈류 단절에 의한 괴사의 병리 기전에 대해서는 이견이 없다. 반면 비외상성 골괴사의 경우 원인과 발병 기전은 아직 확실하게 밝혀지지 못한 상태로 그 발생과 관련이 있을 것으로 판단되는 여러 가지 질병과 위험 인자들만이 알려져 있다.

이들 질병이나 위험 인자들을 골괴사 발생과의 관련 정도를 고려하여 직접적(direct), 근접적(strong), 가능적(possible)으로 관련성이 높은 것에서 낮은 순으로 분

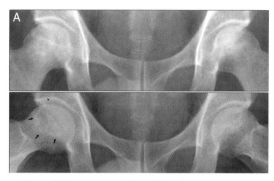 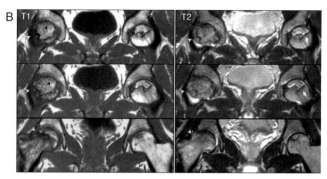

그림 1. 대퇴골두 골괴사의 영상 소견

우측 서혜부 통증을 주소로 내원한 41세 남자 환자(A)의 고관절 전후면 사진상 우측 대퇴골두 내 골음영이 증가되었으며 개구리 다리 측면 사진상 괴사부의 외연을 따라 불규칙한 경화선(화살표)과 함께 골두 함몰(화살촉)이 관찰된다. 증상이 없는 좌측 골두에는 뚜렷한 이상 소견은 없다. (B) 자기공명영상에서는 증상이 없는 좌측 대퇴골두에도 병변이 확인된다. T1 강조 영상에서 양측 대퇴골두 내 저신호 강도 띠가 관찰되고 이 띠는 T2 강조 영상에서 괴사측은 고신호 강도, 그 바깥쪽은 저신호 강도의 이중선 징후(화살표)로 관찰된다. 통증이 없는 좌측과는 달리 우측에서는 연골하골절선(MR crescent sign, 검은색 화살촉)과 괴사부 밖으로 골수 부종(흰색 화살촉)이 관찰된다.

표 1. 대퇴골두 골괴사의 위험 인자

직접적 관련성	외상(골절 및 탈구), Gaucher 병, 감압병, 겸상 적혈구 빈혈, 방사선 조사
근접적 관련성	과다 음주, 스테로이드 치료
가능적 관련성	• 흡연 • 류마티스 질환, 결체조직 질환: 강직성 척추염, 레이노드 병, Sjögren 병, 다형근염, 류마티스 관절염, 루프스 질환 • 영양: 비만, 영양 결핍 • 소화기 질환: 췌장염, 염증성 장 질환, • 혈관성 질환: 동맥 경화, 다발성 혈액 응고, 혈우병, 혈전 성향증, 섬유소 저용해, 백혈병 • 의인성(iatrogenic): 혈액 투석, 장기 이식, 고활동성 레트로바이랄 치료 • 감염: 골수염, 후천성 면역 결핍증, 중증 급성 호흡기 증후군 • 대사성 질환: 만성 신부전, 쿠싱 증후군, 당뇨, 통풍, 고지혈증, 갑상선항진, 임신, 신경 손상

류한 시도도 있다. 상당수의 골괴사 발생과 관련된 질환은 그 질환과 관련된 부신피질 호르몬 치료 및 혈액학적 이상에 의한 관련성일 수 있으며, 지방 세포 이상으로 인한 지방 축적, 지방 색전, 골수내 압력 상승, 혈전, 혈액 응고 장애, 방사선, 세포독성제(cytotoxic agent) 등이 관련되어 있다고 추정하고 있다(표 1).

1) 외상성 대퇴골두 골괴사

대퇴골 경부 골절과 고관절 탈구가 고관절 부위의 외상 후 대퇴골두 골괴사가 속발될 수 있는 대표적 질환

이다. 드물게 대퇴골 전자간 골절 후에도 괴사가 발생할 수 있으며, 대퇴골 근위부 금속정 삽입 후에도 괴사 발생이 보고되어 있다. 외상 후 대퇴골두 골괴사는 대퇴골두의 주요 혈액 공급 혈관인 상행 경부동맥의 직접적인 손상이나 내측 및 외측 대퇴회선동맥과 같은 주요 공급 혈관들의 차단으로 발생한다. 보고에 따라 차이가 있으나 대퇴골 경부 골절 후 10-40%에서, 고관절 탈구 후 10-25%에서 대퇴골두 골괴사가 발생한다고 알려져 있다.

2) 비외상성 대퇴골두 골괴사

(1) 부신피질 호르몬

1957년 최초로 부신피질 호르몬 사용 후 발생한 대퇴골두 골괴사 사례가 보고된 이후 많은 인간 및 동물 연구에서 부신피질 호르몬은 대퇴골두 골괴사와 연관성이 있다고 확인되었으며, 비외상성 대퇴골두 골괴사의 가장 흔한 위험 인자로 알려져 있다. 부신피질 호르몬은 심혈관 계통에 영향을 주어 혈압 상승, 혈관 경화, 혈관 내피 세포의 손상, 혈관 신생 억제 등을 유발한다. 또한 부신피질 호르몬 치료는 골세포의 세포 활성도에도 영향을 미치며, 골모세포 수를 감소시킨다. 부신피질 호르몬이 골괴사를 발생시키는 기전에 대한 가설은 여러 가지가 있다. 이 약제에 의한 지방 대사의 이상으로 고지혈증, 전신 지방 색전, 혈관 내피 손상이 유발되어 뼈 안에 있는 말단 부위 혈관을 폐쇄시킬 수 있다. 또한 대퇴골두 내 지방세포 증식과 비대는 골수내 압력을 증가시켜 골두 혈류를 감소시키는 것으로 추정하고 있다.

부신피질 호르몬이 골세포의 자멸사(apoptosis)를 유도하여 괴사가 온다는 주장도 있다. Weinstein 등은 부신피질 호르몬을 이용한 골괴사 동물 모델에서 대퇴골의 골밀도 감소, 골모세포와 파골세포의 감소 소견과 골세포 자멸이 증가된 것을 확인하고 부신피질 호르몬에 의한 골괴사와 골다공증의 일차적 병인으로 골세포 자멸을 주장했다. 괴사의 발병과 부신피질 호르몬 사용량 및 기간과의 관계는 아직 명확하지 않다. 2-3개월 동안 투여한 누적 용량이 프레드니솔론 2,000 mg 이상일 경우 골괴사가 발병할 수 있다는 보고가 있다. 저용량의 부신피질 호르몬 치료는 골괴사와의 관련성이 뚜렷하지 않지만 음주나 흡연 등 위험 인자가 동반될 경우에는 발병할 수 있으며, 단기간의 고용량의 부신피질 호르몬 투약 후에 발생한 보고도 있다. 일본의 전국적인 역학조사에서는 괴사의 발생과 복용한 부신피질 호르몬 양은 평균 일일 용량이 누적 용량보다 더 중요한 요소였고, 부신피질 호르몬 유발성 골괴사의

기저 질환은 전신성 홍반성 낭창이 20-35%, 신증후군이 10-15%이었다.

(2) 음주

알코올 섭취에 의한 골괴사의 발병 기전은 명확히 알려져 있지 않으나 부신피질 호르몬 사용과 관련된 골괴사와 유사한 것으로 생각하고 있다. 과다한 알코올 섭취는 간 기능과 췌장 기능의 저하에 따른 지방 대사의 이상으로 발전한다. 지방 대사의 이상은 지방간으로 인한 지방 색전을 유발시키고, 고지혈증이 발생되어 자유 지방산과 프로스타글란딘(prostaglandin)의 작용으로 혈류 장애를 초래한다는 이론이다. 골수 줄기세포를 이용한 실험에서도 알코올 처리는 골형성을 저하시키고 지방 분화를 촉진시키는 것이 관찰되었다. 또한 음주는 골수내 지방 축적과 지방세포 비대를 일으켜 골수내 압력이 증가되어 골괴사가 발생한다는 주장도 있다. Matsuo 등은 이 질환의 발생과 알코올 섭취량과의 연관성에 대하여 일주일에 320 ml 이하인 경우 2.8배, 320-800 ml인 경우에는 9.4배, 800 ml 이상인 경우 14.8배의 위험도 증가를 보고하였다. Hirota 등은 체내 알코올 축적량을 중요시하여, 일주일 평균 알코올 섭취량과 음주 기간을 곱한 값인 연간 음주량이 3,200 ml 이하인 경우 2.2배, 3,200-8,000 ml인 경우에는 9.7배, 8,000 ml 이상인 경우는 12.9배의 위험도 증가를 보고하였다.

(3) 감압병(Caisson disease)

감압병으로 알려져 있는 이압성(dysbaric) 골괴사는 고압 환경과 연관이 있으며 기압의 차이로 발생하는 대퇴골두 골괴사는 터널 공사 작업자와 잠수부에서 흔히 발생한다고 알려져 있으나, 작업 환경의 안전한 압력 관리로 최근에는 발병률이 현저히 감소하였다. 보고에 따르면 터키의 해산물 채취 다이버 혹은 일본의 다이빙 어부에서 이압성 골괴사 유병률은 50-85%라고 한다. 이압성 골괴사는 오랜 기간 고압 환경에 노출된

경우 발생하며 흔히 발생하는 부위는 대퇴골두, 상완골두, 대퇴골 및 경골 간부이다. 기압이 증가하면 조직은 다량의 기체를 흡수하게 되는데 산소와 이산화탄소는 폐를 통해 배출되지만 지방 내에서 5배의 용해성을 갖고 있는 질소 가스는 조직으로 쉽게 흡수된다. 골괴사가 발생하는 기전은 갑작스러운 기압 저하가 발생할 경우 질소 방울이 체액으로 방출되어 동맥 말단부를 막아서 괴사가 발생한다는 주장과, 골수내 지방세포에 다량의 질소가 용해되면 지방세포의 부종이 발생하여 골수강내 압력을 상승시킨다는 주장이 있다. 골두의 조직병리 소견으로 혈소판 응집, 적혈구 침윤, 정맥 혈전 등이 관찰된다. 잠수의 깊이, 잠수의 횟수, 부적절한 감압, 낮은 산소 농도 등이 위험인자이며, 300 feet 이상 자주 잠수하는 경우에는 골괴사의 유병률이 22%까지 보고되며, 30미터 이내의 잠수나 17 lbs/inch^2 (psi) 이하에서 하는 작업은 골괴사의 위험을 증가시키지 않는다는 보고도 있다.

(4) 혈색소 질환(겸상 적혈구 빈혈)

겸상 적혈구 빈혈은 상염색체 열성 질환으로 특징적인 비정상적 모양(겸상)의 적혈구가 파괴되면서 용혈성 빈혈이 초래된다. 모세혈관 내의 산소압이 45 mmHg 이하가 되면 혈색소가 액체 결정(crystal)을 형성하면서 적혈구 외피가 손상되어 변형되는데 이를 겸상화(sickling)라 한다. 겸상 적혈구는 혈액 내의 점도를 증가시켜 혈류의 정체와 혈전을 유발하여, 혈관 폐쇄와 저산소증이 발생하게 되고 겸상화는 더 악화되며, 혈소판 활성의 증가, 섬유소의 침착, 섬유소 용해 장애 등의 응고성 병리 기전이 동반되어 골괴사를 유발시킨다고 설명되고 있다. 또한 이 질병의 만성 용혈성 빈혈에 대한 보상 반응으로 골수의 과분화에 의한 골수내 압력 증가가 병리 기전이라는 주장도 있다. 대퇴골두 골괴사는 hemoglobin SC 병 환자나 겸상 적혈구성 탈라세미아(thalassemia) 환자에서 높은 유병률을 보인다. 대퇴골두 골괴사는 겸상 적혈구 빈혈에서는

4-12%, hemoglobin SC 병에서는 20-68%의 발병률을 보이며, 여성에서 남성보다 많고(1.6 대 1), 25세 이하에 발병한다. 겸상 적혈구 빈혈 환자들은 골괴사 및 골수염으로 인해 수술적 치료가 필요한 경우가 흔하다.

(5) 자가면역 질환

① **전신성 홍반성 낭창**(systemic lupus erythematosus): 1960년 Dubois와 Cozen이 최초로 전신성 홍반성 낭창 환자에서 증상이 있는 골괴사 유병률은 3-30%이며 일반적인 골괴사 유병률보다 높다고 보고하였다. 이후 전신성 홍반성 낭창 환자의 골괴사 유병률은 5~14.5%로 다양하게 보고되었고, 진단 후 5년간 골괴사 발생률이 꾸준히 증가한다는 보고도 있었다. 전신성 홍반성 낭창 환자에서 골괴사의 위험 요소는 부신피질 호르몬 사용, 레이노 현상, 혈관염, 혈전 정맥염, 전자간증(preeclampsia), 관절염 등이다. 이중 골괴사의 중요 요인은 부신피질 호르몬 사용으로 골괴사 위험도가 18배 증가한다는 보고도 있다. 전신성 홍반성 낭창 환자에서 부신피질 호르몬을 전혀 사용하지 않는 경우는 매우 드물기 때문에 부신피질 호르몬을 사용하지 않았을 때 골괴사 발생률에 대한 연구를 진행하는 것은 어려워 다른 위험 요소에 대하여는 확인된 바가 없다.

② **항인지질 증후군**(antiphospholipid syndrome): 항인지질 증후군은 자가면역 질환 중 하나로 다발성 혈전증과 반복적 유산 등이 나타나며 혈청 검사에서 항인지질 항체(루푸스 항응고인자 또는 항카디오리핀 항체 또는 항베타 2당단백 I항체)가 양성인 질환이다. 기저 질환 없이 발생한 일차성과 전신성 홍반성 낭창과 같은 자가면역 질환과 연관이 있는 이차성으로 구별한다. 항인지질 항체의 표적 항원은 항베타 2당단백 I과 같은 혈장 단백질인데 이러한 항체들은 여러 기관에서 다양한 크기의 혈관 혈전에 관여하며 특히 항카

디오리핀 항체는 골 혈관의 혈전과 연관이 있다. 항인지질 항체가 골 종말동맥 부위에 혈전성 미세혈관질환을 유발하여 골괴사가 발생한다는 이론이다.

(6) Gaucher 병

Gaucher 병은 상염색체 열성 대사장애로서 glucosyl-ceramide ß-glucosidase 효소 결핍으로 인한 glucocere-broside가 체내에 비정상적으로 축적되는 질환이다. Gaucher 세포가 골수 내 축적되면 골 통증이 나타나며 Gaucher 병 환자 중 최대 60%에서 골괴사증이 발생한다. Gaucher 병에 의한 괴사의 발병 기전은 beta-glucosidase의 결핍으로 세망 내피 세포 내에 glucocerebroside가 축적되어 골수강내 압력이 증가되고 이로 인한 혈류 장애로 설명되고 있다. 또 손상 받은 대식세포에서 분비되는 효소에 의해 골괴사가 발생하였다는 보고도 있다.

(7) 장기 이식

① **신장 이식**: 골괴사는 신장 이식 후 12주내 발생하는 주요 합병증 중 하나이며 발생률은 3-40%로 알려져 있다. 골괴사 발생 폭이 큰 이유는 신장 이식 후 부신피질 호르몬 면역 억제 요법이 다양하며 대부분의 연구에서 무증상 골괴사에 대한 조사가 이루어지지 않았기 때문이다. Shibatani 등이 발표한 문헌에 따르면 신장 이식 후 발생하는 골괴사는 이식 후 8주간 사용하는 부신피질 호르몬 투여량과 관련 있으며 투여량이 적을수록 골괴사 위험도를 낮출 수 있다고 하였다. 이식 전 투석 기간, 이식 후 급성 거부반응 횟수, 갑상선 항진증, 저인산혈증이 신장 이식 후 골괴사 발생의 위험 요소로 알려져 있다. 신장 이식 후 면역 억제제로 cyclosporine, tacrolimus가 사용되면서 부신피질 호르몬 투여, 급성 거부반응 및 골괴사 발생률이 감소했으며 tacrolimus는 골괴사 발생

을 억제하는 것으로 알려져 있다.

② **간 이식**: 만성 간 질환 환자에서 간 이식이 증가하고 있으며 이식 간의 수명이 증가함에 따라 면역억제제 치료 후 대퇴골두 골괴사의 발생 위험이 증가하고 있다. 간 이식 후 골괴사 유병률(1.3-9%)은 신장 이식 후 골괴사 유병률보다 낮다. Tacrolimus와 같은 면역 억제제가 사용되면서 간 이식 후 골괴사 발생이 감소했다.

③ **심장 이식**: 심장 이식 후 증상이 있는 골괴사는 흔히 발생하는 합병증이 아니다. 심장 이식 후 부신피질 호르몬 치료를 받은 환자에서 골괴사 발생률은 3%로 보고된 바 있으며 이식 후 한 달 동안 투여한 고용량 경정맥 부신피질 호르몬 누적량이 골괴사 발생에 중요한 요인으로 알려져 있다.

(8) 방사선 조사

악성 종양의 방사선 치료 후 조사 부위에 골괴사가 발생할 수 있다. 발생 기전은 방사선 조사에 민감한 조혈 골수 세포에 대한 직접 독성 효과 또는 장기간에 걸친 방사선 치료에 의한 골조직 혈관계의 손상 때문으로 생각한다. 방사선 조사 후 대퇴골 경부 골절은 1,600 rad 이하에서도 발생할 수 있으며, 방사선 조사와 관련된 골의 변화는 3,000 rad에서 나타나고 5,000 rad에서 골세포가 죽게 된다.

(9) 기타 질환

대퇴골두 골괴사는 고지혈증, 통풍, 임신, 췌장염, 전이성 악성 종양, 염증성 장 질환, 흡연, 과민반응 등과 관련이 있을 수 있으며 최근에는 후천성 면역 결핍증도 원인 인자로 거론되고 있다. 고지혈증은 스테로이드와 관련된 괴사의 28%, 알코올과 관련된 괴사의 69%에서 동반된다. 염증성 장 질환에서 대퇴골두 골괴사는 3-4%에서 발생하며 염증 치료로 사용한 부신피질 호르몬과 관련이 있다고 한다. 후천성 면역 결핍증 환자군에서 골괴사의 유병률은 0.12-4.4%이다. 이 질

병의 환자군에서 알코올 중독이나, 부신피질 호르몬의 과거력, 흡연 등의 위험 요소가 많은 점과, 혈액 응고 장애, 항바이러스 치료제의 부작용 등을 발병 기전으로 생각하고 있다. 고활동성 레트로 바이랄 치료군에서 평균 12개월(2-24개월) 후 골괴사가 발생한다고 한다.

(10) 특발성 골괴사

특발성 대퇴골두 골괴사는 어떤 원인이나 위험 인자도 없는 경우이다. 위험 인자를 어느 정도까지 인정하느냐에 따라 차이가 있겠지만, 전체 괴사의 약 25% 정도로 추정하고 있다. 앞으로 병리 기전이 밝혀짐에 따라 그 비율이 점차 줄어들 것이다.

2. 병태생리

1) 병리 소견

골괴사의 가장 특징적인 병리학적 소견은 괴사조직(necrotic tissue), 회복조직(reparative tissue), 생존조직(viable tissue)으로 구성된 지역 형성(zone formation)이다. 괴사 부위는 회복조직에 둘러싸여 있고 회복조직은 주변의 생존 골조직 및 골수조직으로 연결된다. 이러한 지역 형성은 심근경색과 뇌경색에서도 관찰되기 때문에 골괴사를 골경색으로 표현하기도 하였다. 괴사

골 외연을 따라 생존 골과의 사이에 생성되는 회복조직층은 회복 구역(zone of repair) 혹은 반응대(reactive interface)라 불린다. 골괴사 초기의 회복조직은 대식세포, 육아조직, 섬유조직으로 구성되어 있으며 시간이 경과하면서 부가 골형성(appositional bone formation) 혹은 점진 대체(creeping substitution)와 같은 골 회복이 일어나면서 골소주가 두꺼워지면 회복조직은 괴사부와 접한 혈관이 풍부한 육아조직층과 그 외측의 두꺼워진 골소주층의 이중 구조를 갖게 되어 T2 강조 자기공명영상에서 이중선 징후로 나타난다. 골절이 속발되는 경우 대부분 괴사부의 연골하골에 선상으로 발생하여 방사선 사진에서 초승달 징후로 나타날 수 있다. 조직학적으로 연골하골절은 괴사부 외연의 부가 골형성으로 두꺼워진 골소주와 괴사 골소주의 연결 부위에서 발생한다. 골절 발생 기전에 대하여는 괴사 부위내 피로에 의한 미세 골절의 축적, 파골세포의 활동으로 인한 회복조직 내 골소주 약화, 회복 구역 내 두꺼운 경화성 골소주와 괴사 골소주 사이에 국소적 응력 집중 등의 가설이 있다. 이 골절을 시작으로 괴사부는 점차 함몰되고 이차적인 골관절염 소견이 속발된다(그림 2).

Arlet와 Durroux는 골조직에 혈류가 차단되면 골수내 조혈 세포가 가장 먼저 괴사되고 이어서 지방세

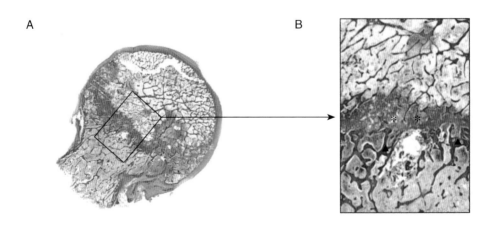

그림 2. 대퇴골두 골괴사의 조직병리 소견
(A) 전체 대퇴골두의 괴사된 부위와 연골하골절이 관찰되며 괴사부 바깥쪽의 골수강 내는 삼출액으로 차 있다. (B) 괴사부 외연은 혈관이 풍부한 육아조직(*)으로 싸여 있고 그 바깥쪽의 골소주는 부가 골형성으로 두꺼워져 있다(▲).

포와 골소주가 순차적으로 괴사되어 마지막으로 괴
사부와 생존부 사이에 경계성 섬유층과 신생 골형성
이 나타난다 하여, 골괴사의 병리 소견을 1형 조혈
골수(hematopoietic marrow)의 소실, 2형 지방 골수
(fatty marrow)의 괴사, 3형 골수 및 골소주의 완전 괴
사(complete medullary and trabecular necrosis),
4형 경계성 섬유화 및 신생 골형성이 동반된 완전 괴
사(complete necrosis with marginal fibrosis and new
bone formation)로 분류한 바 있다. 그러나 1~3형의
괴사는 이제는 완전히 다른 질환으로 인정되고 있는
골수 부종 증후군에서도 관찰되는 소견들이며, 2, 3형
의 괴사 병소가 4형으로 발전하지 않는 경우가 많기 때
문에 4형만 골괴사로 인정하고 있는 추세이다.

2) 발병 기전

발병 기전에 대하여는 아직까지 확실히 밝혀지지 않
고 있으나 대퇴골두의 혈액 공급 장애에 의한 것으로
이해되고 있다. 대퇴골두의 혈류 장애 발생 기전으로
는 고관절 골절이나 탈구로 인한 혈류 단절, 지방세포
증식과 골수내 지방 침착에 의한 혈관외 압박, 혈관내
혈전이나 지방 색전 등에 의한 혈전성 폐색 등이 있다.
최종적으로 골괴사가 발생하는 데는 여러 가지 인자들
이 복합적으로 작용할 수 있는데 지방 대사 이상, 지방
세포 비대 및 축적, 혈액 응고 장애, 골수내 압력 상승
등이 관련되어 있다고 추정하고 있다. 관련 인자들에
노출되는 양의 합이 적정선을 넘어갈 경우 괴사가 시
작되는 다인자 질병이며, 골괴사에 취약한 유전적 소
인이 있는 환자에서 이차적 원인에 의해 발병한다는
주장도 제기되고 있다(그림 3).

(1) 지방 색전과 지방 축적

대퇴골두 골괴사 부위의 혈관 내에서 미세한 지방 색
전을 발견할 수 있다는 보고가 있다. 대퇴골두 골괴사
환자나 이 질환의 발생 위험이 높은 전신 질환을 가진
환자에서 혈액내 지방, 특히 콜레스테롤이 증가되고

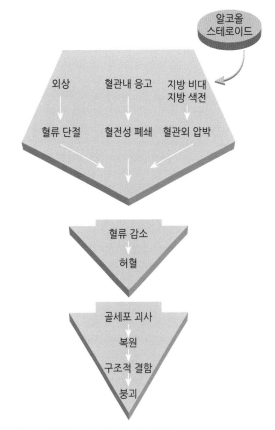

그림 3. 대퇴골두 골괴사의 병리 기전

지방 대사의 이상이 동반되기 때문에 지방 색전은 골
괴사의 주요 병리 기전으로 인용되고 있다. 지방 색전
은 부신피질 호르몬이나 알코올에 의한 지방간, 혈장
내 지방 단백의 응결, 골수내 축적된 지방의 분해 등에
의해 만들어질 수 있다. 지방 색전에 의한 괴사의 발병
기전은 대퇴골두내 세동맥 폐쇄와 지방 분해 효소나
프로스타글란딘에 의한 자유 지방산 분비로 인한 혈관
내 응고라고 생각하고 있다. 겸상 적혈구 빈혈과 감압
병에 의한 골괴사의 기전도 지방 색전과 연관하여 설
명한다. 겸상 적혈구에 의한 혈전이나 공기 방울 등이
미세 혈관에 색전증을 초래하여 골괴사가 발생할 수
있으며, 이 경우에는 대퇴골두나 대퇴골 경부뿐 아니
라 골간단부에서 골단으로 연결되는 부위에서도 괴사
가 발생한다는 의견도 있다.

(2) 골내 압력 증가

부신피질 호르몬 기인성 대퇴골두 골괴사 환자와 실험 동물에서 지방 대사의 이상이 관찰되며 골세포내 지방 축적과 골수내 지방세포의 증식과 비대가 관찰된다. 골수내 지방 축적과 지방세포 증식은 골내 압력을 증가시킬 것으로 판단된다. 혈류와 골내 압력에는 직접적인 관련이 있어 압력 증가는 혈류 감소로 이어진다. 이 기전에 의한 골두 괴사는 스탈링 저항(Starling resister) 작용으로 설명하고 있다. 외벽이 단단한 통 안에 얇은 막으로 된 관이 있다면, 통 안의 압력이 올라가면 관은 협착된다. 이 기전을 골괴사에 적용하면 골두는 통으로, 정맥과 세정맥을 얇은 벽을 가진 관으로 생각해 볼 수 있다. 대퇴골두의 정상 골내압은 약 15 mmHg이나, 대퇴골두 골괴사에서 골내압은 30 mmHg 이상으로 증가되어 있다고 한다. 여러 연구에서 이환된 대퇴골두에서 골내 압력의 증가와 수력 저항을 확인하고, 정맥 순환의 정체가 골괴사의 결과가 아닌 원인으로 주장하고 있다. 그러나 세포 괴사에 의한 효소 생성물이 골두내 압력을 증가시킬 수 있어 골두내 압력 증가가 괴사의 원인인지 결과인지 분명치 않다. 또한 이 기전을 근거로 시행하는 핵심 감압술의 치료 효과가 만족스럽지 않은 점도 의문을 갖게 한다.

(3) 혈관내 응고

혈전성향증(thrombophilia)과 섬유소저용해(hypofibrinolysis) 등 혈관내 응고의 활성을 일으키는 여러 원인들(고지혈증, 골수강내 지방 색전, 과민성 반응, 세균성 내독소 반응, 단백질 분해 효소, thromboplastin 분비)이 있는데, 정상 대조군보다 골괴사군에서 응고인자의 이상 소견이 더 많이 발견되었다. 즉 응고인자의 이상이 위험 인자라고 생각되며, 유전에 의한 것이거나 특정한 질병의 중복 이환이나 질병의 치료와도 관련이 있을 것이라는 주장이다.

섬유소저용해의 원인 중에서 가장 주목을 받고 있는 것은 plasminogen activator inhibitor-1(PAI-1)인데,

혈관 내피 세포, 혈소판, 대식세포 등에 분포하고 있다. PAI-1은 섬유소용해의 주요 단계인 tissue plasminogen activator의 주요 억제 인자로 섬유소 용해 과정의 균형을 담당하고 있다. PAI-1은 심근경색증, 정맥 혈전증 등 혈전 질환, 부신피질 호르몬 치료와 관련된 Cushing 병에서도 증가되어 골괴사의 혈관 응고와 연관된 병리 기전으로 주목받고 있다. 혈전성향증은 혈전을 잘 일으키는 유전적 경향을 말하며 응고인자 V의 기능 저하에 관계하는 protein C (natural anticoagulant)와 protein S 결핍이 원인이다. 항인지질 항체 양성 환자, 겸상 적혈구 빈혈 환자, 염증성 장 질환 환자에서 미세혈관의 혈전 발생 위험이 높으며 전신성 홍반성 낭창과 같은 자가 면역 혈관 질환에서는 항카디오리핀 항체가 괴사의 원인으로 추정되고 있다.

(4) 간엽 줄기세포의 역할

골괴사 환자와 동물 실험 모델에서 다능성(multipotential) 줄기세포의 분화와 증식에 대한 흥미로운 연구 결과가 보고되고 있다. Hernigou와 Beaujean은 골괴사의 원인이 서로 다른 환자군의 비교 연구에서 골두내 간질세포 활성과 조혈모세포의 활성이 알코올과 부신피질 호르몬 관련 질환에서 대조군에 비해 더 저하되어 있다고 보고하였다. 다른 연구에서는 부신피질 호르몬 관련 골괴사군에서 섬유모세포의 증식성이 겸상 적혈구 빈혈 환자군에 비해 현저히 낮음을 발견했다. 이는 다능성 간엽 줄기세포의 감소가 골 재형성이나 복원에 충분하지 못한 원인일 수 있음을 시사한다. Gangji 등의 연구에서는 골괴사 환자의 세포 증식률이 골관절염 환자에 비해 현저히 낮았는데, 이러한 세포 증식률 차이가 골괴사 발생이나 골 손상의 회복에 영향을 줄 수 있다고 하였다. Seo 등은 알코올과 관련된 골괴사 환자는 대퇴골 골절 환자에 비해서 줄기세포의 증식능과 골형성 분화능에 현저한 감소가 있다고 보고하면서 간엽 줄기세포와 골괴사 병리 기전의 연관 가능성을 제시하였다. 그러나 Yoo 등은 대퇴골두 골괴

사 환자와 다른 원인의 고관절 질환 환자의 골수 줄기세포를 비교하였을 때 그 증식능이나 골형성 분화능에 별다른 차이를 보이지 않았다고 보고하면서 이는 대퇴골두 골괴사 환자에서 골절 치유나 무시멘트형 고관절 삽입물의 골성 고정이 다른 질환 환자들과 별다른 차이가 없는 것과 상통한다고 하였다. 줄기세포와 관련하여 핵심 감압술과 함께 자가 골수 농축 세포를 이식하여 대퇴골두 붕괴 및 고관절 치환술의 빈도를 감소시켰다는 다수의 논문 보고 있으나, 환자군 선택과 치료 방법 및 치료 결과 분석의 다양성 등 편향된 요소가 혼재되어 그 치료 효과에 대해서는 추가 검증이 필요하겠다.

(5) 유전적 요인

미세혈관, 응고 경로, 허혈, 혈관생성, 세포자멸사, 지질 생합성 및 골 재형성 과정에서 혈전 형성에 관여하는 단백질 유전자 발현의 차이가 다양한 인자에 의한 질병으로 인식되고 있는 골괴사 진행에 영향을 미칠 수 있을 것으로 생각된다. 골괴사가 발병하기 쉬운 유전적인 소질을 갖고 있는 환자가 위험 요인에 노출될 경우 유전적 요인이 촉발 인자가 되어 골괴사가 발생할 수 있겠다. 이런 가설로 부신피질 호르몬이나 알코올과 같은 위험 요인에 노출되고도 대부분의 사람이 골괴사로 발전하지 않는 이유를 설명할 수 있다. 앞에서 기술하였듯이 혈액 응고인자 이상의 혈전성향증이나 섬유소용해증은 골괴사의 위험 요인이 된다. 혈전성향증이나 섬유소용해증에서 응고인자 V Leiden, plasminogen activator inhibitor-1, methylenetetrahydrofolate reductase의 유전자 변이가 골괴사와 관련성이 있다고 보고된 바 있다. Asano 등은 P-당단백질과 같은 약물 수송 단백질의 변이가 골괴사 발생에 관련이 있다고 보고하였다. 신장 이식 환자 136명 중 30명은 골괴사가 발견되었고, 106명에서는 발견되지 않았는데, 골괴사 환자들은 다약제 내성 유전자 1(ABCB1, MDR1)에서 단일 염기 다형성

(polymorphism)을 보였다고 한다. 이와 같이 최근 골괴사에 대한 유전자형 연구(genotyping studies)는 유전자나 단백질의 다형성과 골괴사의 연관성을 제시하고 있다. 최근 메타분석에서 VEGF, eNOS 및 ABCB1에 초점을 맞춘 결과 골괴사의 위험이 증가한다는 것을 확인했다. VEGF와 관련된 systematic review에 따르면, 대퇴골두 괴사 부위에 VEGF가 과발현됨을 확인하였고 이에 VEGF gene 634G/C 다형성과 골괴사가 연관성이 있음을 보고하였다. 또한 인트론 4(27-base pair repeat) 및 엑손 7(G894T)의 다형성의 결과로서 eNOS의 활동성이 감소하는 것이 골괴사의 발병과 연관있다는 연구가 있으며, ABCB1 gene, ACE gene, MDR1 gene 다형성은 부신피질 호르몬 유발성 골괴사의 위험을 감소시킨다는 연구가 있다. 그 외에 Kim 등은 동맥경화, 당뇨, 지질 대사병 등 산화성 스트레스 질병의 발병과 관계 있는 항산화 효소인 catalase 유전자의 다형성이 골괴사의 발병과 관련 있다고 보고하였다. 또한 혈관 응고, 염증, 세포자멸사의 생리적 기능을 담당하는 Annexin 유전자의 다형성이 골괴사의 고위험군을 감별하는 유전 표지자(genetic marker)로 의미가 있다는 보고도 있다.

3. 임상 소견

인체 다른 장기나 조직과 달리 골괴사는 발생 시 특별한 증상이 없다. 주된 증상은 통증으로, 갑자기 극심하게 나타날 수도 있고 만성적으로 서서히 나타날 수도 있다. 통증은 대퇴골두 연골하골절 때문에 발생하는 것으로 이해되고 있다. 하지만 함몰이 분명하지 않은 조기 병변에서도 괴사 부위 주위에 골수 부종이 동반되면 통증이 생길 수 있다. 또한 골수 부종이 동반된 경우 대퇴골두 함몰이 발생할 가능성이 많다고 알려져 있다. 서혜부의 통증이 가장 흔하고 대퇴부의 전방 또는 전내측의 방사통도 흔히 나타난다. 종종 척추 문제로 인한 방사통으로 오진되는 경우가 있고, 슬관절에 연관통을 유발하여 진단에 혼란을 초래하는 경우도 있

다. 둔부의 통증은 그다지 흔하지는 않다. 통증은 안정 시에도 나타날 수 있고, 고관절을 움직이거나 체중을 부하하면 심해진다. 환자는 흔히 통증성 파행을 보인다. 신체 검사 소견으로 Patrick 검사가 양성이고 고관절의 운동 범위가 감소하는데 특히 굴곡, 외전, 내회전 등이 제한된다. 질병 경과는 수개월에서 수년에 이를 수 있으며 통증에 대한 개개인의 느끼는 정도도 다양하다. 일반적으로 혈액 검사는 정상이나 관련 원인이 있을 경우 이상을 나타낼 수 있다.

4. 영상 소견

골괴사가 일어나면 골괴사부 외연에 혈관이 풍성한 육아조직층이 형성된다. 이 육아조직층은 'T1 강조 자기공명영상에서 저신호 강조 띠(low-signal intensity band)로 보이게 되며 이 소견이 골괴사 발생 시 자기공명영상에서 가장 처음 나타나는 이상 소견이다(그림 1, 4).

시간이 흐르면 괴사 부위 외연의 육아조직층 밖의 골소주가 두꺼워지면 방사선 사진에서 경화된 선으로 보이게 된다(그림 1, 3). 괴사 부위에 골절이 발생하는데 주로 연골하골판 바로 아래쪽에 발생하여 방사선 사진상

초승달 징후(crescent sign)로 보이며, 이와 함께 자기공명영상에서 괴사부 밖에 골수 부종 소견이 확인된다(그림 1, 4). 골수 부종은 T1 강조 영상에서는 저신호 강도의 어두운 음영, 그리고 T2 강조 영상에서는 고신호 강도의 밝은 음영으로 보인다. 골절 발생 이후에는 대퇴골두의 함몰과 편평화로 진행한다. 이후에는 이차적으로 관절 간격이 좁아지고 골극 형성, 골낭종 형성, 연골하 경화 등의 골관절염 소견을 나타낸다(그림 4).

대퇴골두의 함몰과 초승달 징후는 전후면 사진보다는 '개구리 다리 측면' 사진에서 더 잘 관찰된다(그림 5).

Tc^{99m} 골주사는 방사선 사진에 이상 소견이 없는 초기 질환의 진단에 유용하다. 급성 경색기(stage of acute infarction)에는 허혈 부위의 흡수가 감소하고(그림 6), 괴사 부위 가장자리는 재생을 위한 대사 증가로 흡수 증가가 초래되어 '증가 속의 감소 병변(cold in hot lesion)'의 특징적인 소견을 보인다(그림 6). 질병이 진행하여 고관절에 퇴행성 변화가 증가하면 흡수 감소 병변이 퇴행성 변화에 따른 흡수 증가에 가려져서 흡수 증가 양상만을 보일 수 있다. 골주사는 골괴사의 조기 발견이나 대퇴골두 이외의 동반될 수 있는 다른 부위의

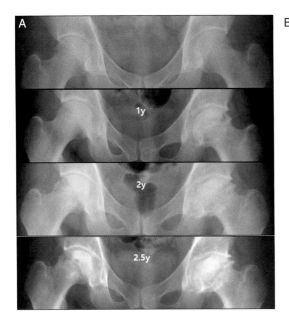
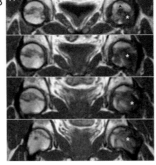
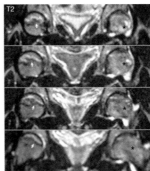

그림 4. 양측 대퇴골두 골괴사의 영상 소견
좌측 고관절 통증으로 내원한 28세 남자의(A) 내원 시 단순 방사선 사진상 뚜렷한 이상 소견이 없으나, 시간이 경과하면서 골두의 함몰 및 이차성 골관절염 소견을 보인다. (B) 첫 내원 시의 자기공명영상에 증상이 없는 우측에는 괴사부 외연을 따라 T1 강조 영상에서는 저신호 강도 띠, T2 강조 영상에서는 이중선 징후(화살표)가 관찰된다. 통증이 있는 좌측에서는 자기공명 초승달 징후(화살촉)와 골수내 부종 소견(별표)이 관찰된다.

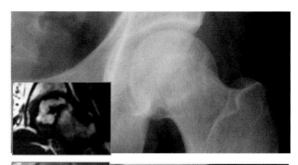

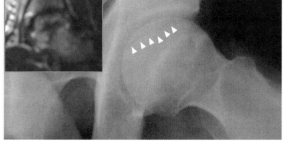

그림 5. 초승달 징후
전후면 사진에서는 관찰되지 않으나 개구리 다리 측면 사진에서
확인된다.

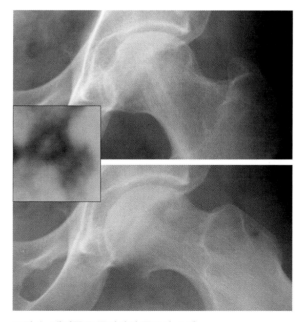

그림 6. 대퇴골두 골괴사의 골주사 소견
골두의 경미한 함몰이 있는 좌측 대퇴골두에 증가속의 감소 병변
이 관찰된다.

골괴사를 진단할 선별 검사 방법으로 사용된다. 골주
사는 민감도는 높으나 특이도가 낮고 공간 해상도가
제한적이어서 최근에는 자기공명영상으로 대체되었다.

자기공명영상은 Tc^{99m} 골주사에 비하여 민감도와 특
이도가 높고 골괴사 병변 부위의 윤곽을 잘 보여준다.
대퇴골두 골괴사의 관상면 자기공명영상에서 진단의
민감도는 95%, 특이도는 90%에 달한다. 가장 초기에
발견되는 이상 소견은 T1 강조 영상에서 관찰되는 저
신호 강도 띠로 괴사부 외연에 생기는 혈관이 풍부한
육아조직층에 해당한다. 괴사가 발생하고 육아조직층
이 자기공명영상으로 인지될 수 있을 정도로 발달하는
데는 수일 혹은 수 주가 소요될 것으로 예상된다.

이후 육아조직층 밖의 골소주가 두꺼워지면 괴사 외
연의 띠는 점차 두꺼워지는데 T1 강조 영상에서는 육
아조직층과 두꺼워진 골소주층이 모두 저신호 강도이
나 T2 강조 영상에서는 혈관이 풍부한 육아조직층은
고신호 강도, 두꺼워진 골소주층은 저신호 강도로 소
위 '이중선 징후(double line sign)'로 나타난다(그림 1, 4).

자기공명영상은 병기, 병변의 크기, 병변의 위치에
대한 정확한 정보를 제공한다. Tc^{99m} 골주사와 마찬가
지로 단순 방사선 소견에 이상이 없는 질환의 초기에
진단을 가능하게 하는 동시에 병변의 크기와 위치를
알 수 있으므로 예후를 예측하는 데 매우 유용하다. 아
울러 전산화단층촬영에서는 발견되지 않는 골수 부종
과 관절액 증가 소견이 관찰되므로 연골하골절 유무의
판단에도 유용하다. 미만성 골수 부종이나 관절액 증
가 소견은 연골하골절이 발생하였음을 시사하는 소견
으로 그 유무는 치료 방향 즉, 대퇴골두 보존술 혹은
관절치환술의 선택의 결정에 있어 의미가 크다.

전산화단층촬영은 연골하골절을 가장 정확히 알 수
있는 진단 방법이나 자기공명영상 촬영이 불가능한
경우에 이용되고 있으며, 과거에 이용되던 골수 주사
(bone marrow scan), 골수압(bone marrow pressure) 측
정은 이용되지 않고 있다.

5. 병기 및 분류

병기는 질환을 치료하지 않았을 경우에 나타나는 자연 경과에 기반을 두고 있다. 특정한 영상 소견을 바탕으로 하는 다양한 병기 분류 체계가 소개되어 있는데, 질환의 진행 과정을 더 정확하게 평가하고, 서로 다른 치료 방법에 따른 결과를 비교하며, 예후를 잘 파악하여 가장 좋은 치료 방법을 선택하기 위해서는 객관적이고 표준화된 병기 분류가 필요하다.

초기의 병기 분류 체계는 진행에 따른 형태학적 특징만을 반영하였다. 가장 널리 사용되었던 분류 체계는 Ficat가 고안하였다(표 2). 0기는 무증상 고관절로서 방사선 소견에는 이상이 없으나, 반대측 고관절에 분명한 병변이 있을 때 의심해 볼 수 있다. I기는 증상이 있으나 단순 방사선 소견은 정상이고, 자기공명영상이나 Tc^{99m} 골주사 소견은 양성이다. II기는 방사선 사진상 괴사 부위 주위에 경화된 띠(sclerotic band) 소견을 보이지만 연골하골절과 대퇴골두의 형태 변화는 없고, 낭포 형성이 관찰될 수 있다. III기는 연골하골절에 의한 대퇴골두의 함몰 소견을 보인다. 괴사 부위 골절은 대부분 연골하골의 바로 아래에서 발생하나(그림 5), 괴사 부위의 기저부에서도 일어날 수 있다. 골절된 괴

사 부위는 부골화된 분절(sequestrated segment)로 관찰될 수도 있다. IV기는 관절 연골 간격이 비동심성(nonconcentric)으로 소실되고, 관절의 양측 모두에 연골하 경화와 골극이 나타나는 이차적 골관절염이다.

Ficat는 병의 진행 시기만을 분류하였고 향후 함몰과 골관절염 진행의 지표가 되는 괴사 부위의 크기와 위치에 대한 구분은 하지 않았다. 괴사 부위의 크기와 위치에 대한 평가는 대퇴골두 골괴사의 치료방침을 정하는 데 필수적이다.

이와 같은 문제점을 해결하기 위하여 정량적 분류 체계가 제시되었다. University of Pennsylvania 분류 체계는 질환을 형태에 따라 6단계로 구분하고, 병변의 부피, 연골하골절의 범위, 함몰의 깊이에 따라 병기를 결정하였다(표 3). 주로 미국에서 사용되는 이 분류 방법은 복잡하며 같은 병변이라도 병변의 부피, 연골하골절의 범위에 따라 달리 분류될 수 있으며, 관찰자 내 일치도(intraobserver variability)와 관찰자 간 일치도(interobserver variability)가 모두 낮다.

Ohzono 등은 체중이 부하되는 부위에 병변이 있을 때 대퇴골두의 함몰이 흔하다는 연구 결과에 기반하여 방사선 소견상 병변의 위치에 따라 6가지 형태로 구

표 2. Ficat 분류 체계

	단계	임상 증상	방사선적 징후	혈류역학	골주사	중심생검 없는 진단
조기	0 증상 발현 전	0	0	+	흡수 감소	불가능
	I 방사선 변화 전	+	0	++	흡수 증가	불가능
	II 골두 편평화 또는 부골형성 이전	+	미만성 다공증, 경화 또는 낭종	++	+	가능
전환기			**편평화, 초승달 징후**			
후기	III 붕괴	++	골두 윤곽 파괴 부골 관절 간격 정상	+ 또는 정상	+	확실
	IV 골관절염	+++	편평화된 골두 윤곽 관절 간격 감소 골두 붕괴	+	+	관절염

표 3. University of Pennsylvania 분류 체계

단계	기준
0	정상 또는 단순 방사선 사진, 골주사 검사, 자기공명영상에서 진단되지 않음
I	단순 방사선 사진 정상, 골주사 검사 또는 / 그리고 자기공명영상 비정상 A: 경도(이환된 관절면: 15% 미만) B: 증등도(이환된 관절면: 15–30%) C: 중도(이환된 관절면: 30% 초과)
II	골두의 방사선적 투과 및 경화적 변화 A: 경도(이환된 관절면: 15% 미만) B: 증등도(이환된 관절면: 15–30%) C: 중도(이환된 관절면: 30% 초과)
III	편평화 없는 연골하 붕괴(초승달 징후) A: 경도(이환된 관절면: 15% 미만) B: 증등도(이환된 관절면: 15–30%) C: 중도(이환된 관절면: 30% 초과)
IV	골두의 편평화 A: 경도(이환된 관절면: 15% 미만 그리고 2 mm 미만의 함몰) B: 증등도(이환된 관절면: 15–30% 또는 2–4 mm 함몰) C: 중도(이환된 관절면: 30% 초과 또는 4 mm 초과의 함몰)
V	관절 간격 협소 또는 / 그리고 비구 변화 A : 경도 B : 중등도 C : 중도
VI	진행된 퇴행성 변화

분한 분류 체계를 제시하였다. 주로 일본에서 사용되는 이 방법은 수정을 거쳐 현재 Japanese Investigation Commitee (JIC) 분류 체계로 발전되었다. JIC 분류 체계는 체중 부하 부위를 3등분하여 방사선 소견상 병변의 위치에 따라 4가지 형태로 구분하였다(그림 7).

Association Research Circulation Osseous (ARCO)는 Ficat 분류 방법을 기본으로 하고 다양한 분류 체계를 하나로 통합하여 병기, 병변의 크기, 병변의 위치를 기준으로 한 분류 체계를 제시하였다(표 4). 하지만 Ficat가 제시한 stage 0 병변은 실제 골괴사로 진행하지 않는다는 사실이 밝혀졌고 기존의 ARCO 분류 방법이 임상에 서 이용하기에는 복잡하므로 2019년 ARCO는 새로운 병기 분류 방법으로 개정하였다(표 5). 새로운 분류 방법에서는 stage 0가 제외되었고, stage 3를 3A (crescent sign 혹은 2 mm 이내의 함몰)와 3B (2 mm 보다 심한 함몰)로 나누었으며, 병변의 크기, 병변의 위치에 대한 분류는 제외하였고 크기와 위치에 대하여는 새로운 분류 방법을 개발하기로 결정하였다.

한편 병변의 크기를 단순하게 정량화하는 방법도 소개되었다. Kerboul 등은 전후면과 측면 단순 방사선 사진에서 병변의 각도를 측정하여 병변의 크기를 구분하였다(그림 8).

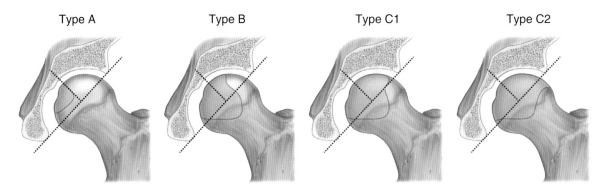

그림 7. Japanese Investigation Committee 분류 체계

T1 강조 자기공명영상의 정중관상면 또는 전후면 단순 방사선 사진에서 대퇴골두 병변의 위치에 따라 4가지 형태(A, B, C1, C2)로 구분한다. A형은 체중 부하 부위의 내측 1/3 미만을 침범한 상태, B형은 내측 2/3 미만을 침범한 상태이다. C1형은 내측 2/3 이상을 침범하지만 비구 변연부까지는 침범하지 않은 상태이고, C2형은 내측 2/3 이상을 침범하는 동시에 비구 변연부까지 병변이 확대된 상태이다.

표 4. ARCO 분류 체계

단계	0	1	2	3	4
소견	모든 영상 검사에서 정상 혹은 진단할 수 없음	단순 방사선 사진 및 전산화단층촬영: 정상 아래 항목 중 적어도 하나는 양성	단순 방사선 사진: 비정상 (골경화, 골용해, 국소적 골다공증)	단순 방사선 사진: 초승달 징후 ± 대퇴골두의 편평화	단순 방사선 사진: 관절염 소견(관절 간격 감소, 비구변화, 관절면 손상)
영상기법	단순 방사선 검사 전산화단층촬영 골주사 검사 자기공명영상	골주사 검사 자기공명영상 *자기공명영상에서 정량화	단순 방사선 검사 전산화단층촬영 골주사 검사 자기공명영상 *단순 방사선 사진 및 자기공명영상에서 정량화	단순 방사선 검사 전산화단층촬영 * 단순 방사선 사진에서 정량화	단순 방사선 사진만 촬영
하위 분류	없음	위치 내측	중심	외측	없음
정량화	없음	정량화 괴사의 면적 경도 A: <15% 중등도 B: 15–30% 중도 C: >30%	골절의 길이 A: <15% B: 15–30% C: >30%	함몰의 정도 A: <2 mm B: 2–4 mm C: >4 mm	없음

표 5. 개정된 ARCO 병기 분류 체계

단계	1	2	3A	3B	4
소견	단순 방사선 사진 및 전산화단층촬영: 정상 아래 항목 중 적어도 하나는 양성	단순 방사선 사진: 비정상(경화성 띠, 골용해, 국소적 골다공증)	단순 방사선 사진: 초승달 징후 혹은 2 mm 이내의 대퇴골두 함몰	단순 방사선 사진: 2 mm보다 큰 대퇴골두 함몰	단순 방사선 사진: 관절염 소견(관절 간격 감소, 비구 변화, 관절면 손상)
영상기법	골주사 검사 자기공명영상	단순 방사선 사진	단순 방사선 사진	단순 방사선 사진	단순 방사선 사진

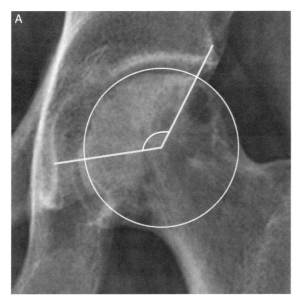
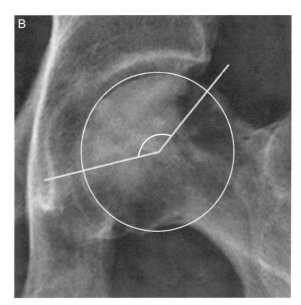

그림 8. 단순 방사선 사진에서 병변의 크기를 정량화하는 방법
전후면(A)과 측면(B) 단순 방사선 사진에서 병변의 각도를 합산하여 병변의 크기를 측정한다.

Ha 등은 자기공명영상의 정중관상(midcoronal)면과 정중시상(midsagittal)면에서 각도를 측정하는 modified Kerboul 방법을 소개하였다(그림 9). 자기공명영상의 정중관상(midcoronal)면(A)과 정중시상(midsagittal)면(B)에서 괴사 각도를 측정하고 두 각도의 합을 구한다.

이처럼 각도를 이용한 방법은 병변의 윤곽에 따라 크기가 다소 차이는 있으나 임상적으로 사용하기에 간편하고 관절면 침범 범위를 평가하여 향후 함몰 발생을 예측하고 치료방침을 결정하는 데 유용하다.

Kim 등은 중심점 위치 설정에 따라 계측 각도 차이가 큰 문제점을 피할 수 있도록 병변의 전후 및 내외측 길이를 측정하여 대퇴골두의 최대 직경과의 비율을 구하는 방법을 소개하였다(그림 10, 11).

6. 자연 경과

대퇴골두 골괴사에 대한 자연 경과는 현재까지도 완전히 규명되어 있지 않다. 대퇴골두 골괴사를 그냥 두었을 때 어떻게 진행할 것인가를 예측하는 것은 어떤

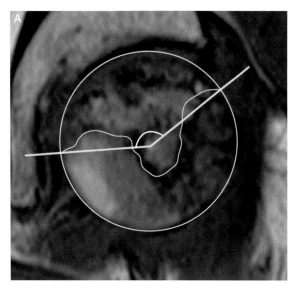
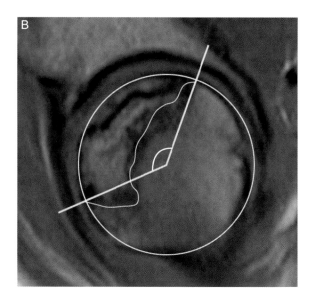

그림 9. 자기공명영상에서 병변의 크기를 정량화하는 방법

자기공명영상의 정중관상(midcoronal)면(A)과 정중시상(midsagittal)면(B)에서 각도를 이용한 괴사 범위 지수(index of necrotic extent)를 측정하여 대퇴골두의 함몰 위험을 예측할 수 있다.

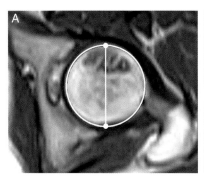
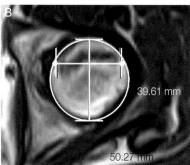
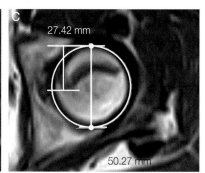

그림 10. 축상면에서 크기를 측정하는 방법

(A) 정중축상(midaxial)면에서 대퇴골두의 가장 큰 직경을 측정하고(d=50.27 mm), (B) 가장 크게 측정되는 괴사 부위의 내외(mediolateral) 길이(a=39.61 mm)와 (C) 전후(anteroposterior) 길이를 각각 측정한다(b=27.42). 병변의 크기=a×b/d2=42.98%

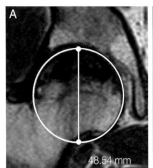
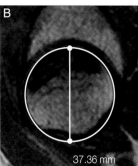
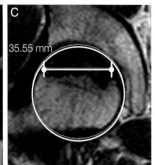
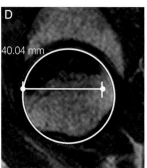

그림 11. 관상면과 시상면에서 크기를 측정하는 방법

(A) 정중관상(midcoronal)면과 (B) 정중시상(midsagittal)면에서 각각 대퇴골두의 가장 큰 직경을 측정하고(c=48.54 mm, d=37.36 mm), (C) 정중관상면과 (D) 정중시상면에서 괴사 부위가 가장 크게 측정되는 곳의 길이를 각각 측정한다(a=35.55 mm, b=40.04). 병변의 크기 =a×b / c×d=61.92%

치료 방법으로 어떻게 치료해야 할지를 결정하는 데 도움이 될 수 있다. 최근에는 CT나 MRI 등 새로운 영상에 바탕한 대퇴골두 골괴사에 대한 분류방법이 소개되어 자연 경과를 이해하는 데 도움을 준다. ARCO 분류법은 괴사의 크기나 골두의 함몰을 반영하여 병변의 크기가 50% 이상인 경우, 대퇴골두의 함몰이 3 mm 이상인 경우에 그렇지 않은 경우보다 골두 괴사가 진행이 될 확률이 높거나 예후가 나쁘다고 알려져 왔으나 병변의 위치를 반영하지 못한 단점이 있다(표 4). JIC (Japanese Investigation Committee) 분류법은 병변의 크기보다는 병변의 위치를 반영하여 병변이 내측에 있을 경우 거의 진행하지 않으나 외측 체중 부하 부위에 있을 경우 골두 붕괴에 의한 함몰이 잘 일어난다고 하였다(그림 7). 방사선 사진상의 골반 전후면과 개구리다리 측면 영상 사진에서 괴사 병변의 각도의 합(Kerboul combined index)이 200°보다 클 경우 골두 붕괴의 확률이 크다고 예측할 수 있다(그림 8). 그러나 이 방법은 방사선 사진상 병변의 크기를 구분할 수 있는 Ficat-Arlet 진행 2기가 되어야 각도 측정이 가능하다. 이와는 다르게 MRI 영상에서 진단이 가능한 Ficat-Arlet 진행 1기에서 정중관상면과 정중시상면 MRI 영상에서 괴사 병변의 크기를 각도로 측정해 합이 240° 이상일 때 거의 모든 예에서 골두 함몰이 일어난다는 보고(Koo combined index)도 있다(그림 9). 중심점 위치설정에 따라 계측각도 차이가 발생할 수 있어 MRI 관상면의 전체 영상과 시상면 전체 영상에서 병변의 내외측 길이를 측정하여 대퇴골두의 최대 직경과의 비율을 곱해서 백분율을 구해 50% 이상이 되면 골두의 함몰이 거의 대다수에서 일어난다는 보고도 있다(그림 10, 11). 종합적으로 괴사 병변이 골두의 내측 또는 중심에 위치하거나, 병변의 크기가 15% 이하이거나 Kerboul combined index가 160° 이하이거나, Koo combined index가 190° 이하일 때, 병변의 백분율이 30% 미만일 때는 골두의 골절 및 함몰이 일어날 확률이 매우 낮기 때문에 주기적으로 단순 경과 관찰만 하면 되겠다. 그러나 외측 체중 부하 부위의 병변이거나, Kerboul combined index가 200°보다 클 경우, Koo combined index가 240° 이상일 때, 병변의 골두에 대한 백분율이 50% 이상일 때는 골두의 골절과 함몰이 일어날 확률이 크기 때문에 젊은 환자에서는 골두를 보존하기 위한 적극적인 치료 방법이 요구된다. 골괴사의 원인에 따른 예후 차이는 없는 것으로 알려져 있으며 드물지만 크기가 작은 증상이 없는 병변이 저절로 치유되었다는 보고도 있다.

7. 치료

대퇴골두 골괴사는 주요 관련 인자나 병리, 병인, 자연 경과, 분류를 고려하여 다양한 치료법이 시도되고 있다. 병변이 골두의 내측에 국한되어 있는 경우 통증이 발생하지 않을 가능성이 높기 때문에 특별한 치료 없이 단순 경과 관찰만 할 수 있다. 하지만 병변이 외측 체중 부하 부위에 있는 경우에는 크기가 작더라도 괴사부 골절과 통증이 유발되어 고관절 치환술을 요할 수 있다. 최근 고관절의 재료, 고정 방법, 관절면 등의 개선으로 고관절 치환술의 수명이 과거에 비해 상당히 길어졌지만 젊은 연령의 환자들에 대하여는 대퇴골두를 보존하기 위하여 괴사의 재생을 도모하거나 진행을 늦추고자 하는 비수술적 또는 수술적 치료 방법들이 시도되고 있다.

1) 비수술적 치료
(1) 단순 경과 관찰
증상이 없는 경우나 일상 생활에 지장을 주지 않을 정도의 경미한 통증이 간헐적으로 있을 때 적용된다. 골두의 함몰이 일어나지 않았거나 2 mm 미만의 함몰이 있어도 병변이 내측 혹은 중심부에 있는 경우에는 추가적인 진행이 일어날 확률이 희박하기 때문에 그냥 두어도 된다. 때로는 병변이 너무 커서 다른 방법으로는 대퇴골두의 보존이 불가능해도 환자의 증상이 심하지 않을 경우에는 일정 기간 지켜볼 수 있다. 골괴사의 위험 인자를 피하고 관절에 과도한 부하가 가지 않도록 하며 3–6개월 간격으로 주기적인 방사선 촬영을 하여 진행 여부를 판단하여 치료 방법을 결정한다.

(2) 약물 치료

① **비스포스포네이트(bisphosphonate):** 골괴사가 일어나면 정상 골조직과의 경계면에서 파골세포에 의해 골흡수가 일어나고 골모세포가 흡수된 자리로 이동하여 골형성을 하는 생리적인 현상이 일어난다. 하지만 정상적으로 이러한 과정이 너무 천천히 진행되기 때문에 괴사된 골조직은 정상 역학적인 부하를 감당할 수 없어 결국은 골두의 붕괴가 일어난다. 비스포스포네이트는 골흡수를 억제하는 약물로서 일시적으로 골아세포의 증식을 자극하거나 골아세포에 의한 항흡수단백인 osteoprotegerin의 생산 증가, 항염증 작용을 통해 골괴사 부위의 부종 감소, 골의 형태유지, 골밀도 증가 등의 효과가 있으나, 파골세포에 의한 괴사골의 흡수를 억제하면 새로운 골조직의 형성도 억제되어 정상적인 골재생이 제한될 것이기에 이론적 한계가 있어 보이며, 긍정적인 효과를 보고한 대부분의 논문들의 대상 증례와 추시 기간이 충분치 못한 반면, 효과가 없었음을 보고한 다기관 연구도 있다.

② **지질 저하제(lipid-lowering agent):** 골괴사에 이환된 대퇴골두의 혈관 안에서 지방 색전이 발견됨을 근거로 지방 색전에 의한 직접적인 혈관의 폐색이 골괴사의 중요한 원인이 될 수 있다는 가설이다. 대퇴골두 골괴사 환자에서 동맥 내막의 비후가 빈번히 관찰되고 고지혈증 특히 총 콜레스테롤 수치보다는 triglyceride가 높고, HDL이 낮고 LDL이 높으며 HDL과 LDL의 비율을 반영하는 apoprotein B/A 비율이 높게 나타난다. 콜레스테롤혈증(hypercholesterolemia)이 동반되는 경우가 있고 알코올의 과도한 섭취나 부신피질

호르몬의 단기간 대량 투여가 지질대사에 이상을 초래한다는 근거에 의하여 혈중 지방 농도를 낮추려는 목적으로 statin같은 지질 저하제의 투여가 시도되고 있으나 아직 유효성이 검증되지는 못했다.

③ **항응고제(anticoagulant):** 저섬유소용해증(hypo-fibrinolysis)과 혈전성향증(thrombophilia)에 의해 혈전이 쉽게 발생하고 이 혈전에 의해 대퇴골두로의 미세혈류가 방해되어 골괴사가 발생한다는 이론에 근거를 둔다. 저섬유소용해증에서는 주로 stimulated tissue plasminogen activator (tPA)의 수치가 낮고, plasminogen activator inhibitor (PAI)의 수치가 올라가 있으면서, 종종 lipoprotein A가 높은 수치를 보인다. 또한 항응고 단백질인 protein S 또는 C, resistance to activated protein C (RAP-C)의 수치가 낮아서 응고인자 V 와 VIII의 혈액 응고 조정 기능이 감소되어 있다는 것이다. 특발성 대퇴골두 골괴사 환자들에서 이와 같은 혈액 응고의 장애가 있었고 warfarin과 같은 혈전용해제나 항응고제를 사용하여 대퇴골두 골괴사의 진행을 억제할 수 있었다는 몇몇 보고가 있다. 하지만 동양인 특히 한국인에서 유전적 이상인 RAP-C 또는 Factor-V Leiden이 발견되지 않아 가설 자체가 설득력이 떨어지고 치료 또한 이론적일 뿐이다.

④ **혈관확장제(vasodilator):** 지방세포의 비후에 의한 동맥혈 공급 제한, 정맥혈 울혈이 발생할 수 있고 혈전증에 의한 동맥혈 공급 제한이 발생하면 간질액(interstitial fluid)이 과도하게 증가하여 골수 부종이 초래되고, 이 골수 부종이 교정되지 않을 경우 골내 압력(intraosseous pressure, IOP)이 증가하여 결국 골괴사가 일어난다는 가설에 근거한다. 혈관작용 물질(vasoactive substance)인 iloprost는 동맥과 정맥에 동시에 작용하여 혈관을 확장시키고 내피 기능을 안정화시키며, 혈소

판, 백혈구 및 적혈구의 활동을 억제하는 것으로 알려져 있는데 이로 인해 정맥 말단 분지에서 정수압을 감소시킴으로써 골수 부종을 줄일 수 있다고 하여 대퇴골두 골괴사에도 적용이 시도되고 있으나 효과는 아직 확립된 바 없다.

(3) 비약물 치료

① **파동 전자기장(pulsed electromagnetic field, PEMF)**: 대퇴골두 골괴사의 치료에 파동 전자기장을 사용하는 이론적 근거는, 국소적인 염증을 조절하며 관절 연골의 퇴행성 변화를 막는 효과가 있고, 신생 혈관 및 신생 골의 형성을 촉진하여, 대퇴골두 골괴사 부위에서 손상 회복과 치유 과정을 증진시킬 수 있다는 것이다. 1980년경부터 시도되었으나 그 효과에 대하여는 상반된 보고들이 많았고 현재는 거의 시행되지 않고 있다.

② **체외충격파 치료(extracorporeal shock-wave therapy, ESWT)**: 체외 충격파는 매우 높은 압력과 속도를 가진 음파(acoustic wave)로서, 인체의 뼈를 향해 충격파를 가할 경우 에너지의 반사(reflection)와 축적(deposition)이 뼈와 연부조직 사이처럼 저항이 변하는 곳에 미치게 되는데, 이러한 에너지의 축적이 골형성과 신생 혈관 형성에 영향을 끼칠 것이라는 이론에 근거하고 있다. 주로 유럽에서 시행되고 있으나 그 효과에 대하여는 검증이 필요하겠다.

③ **고압 산소(hyperbaric oxygen, HBO) 요법**: 대퇴골두 내 미세 혈류의 손상으로 허혈 상태가 지속되어 골괴사가 발생한다는 가정 하에, 손상 초기에 산소 공급을 하면 미세 혈류의 손상으로 인한 허혈 상태에 의한 조직의 부종(postischemic edema)을 감소시켜 괴사의 진행을 막거나 회복시킬 수 있을 것이라는 이론에 근거하고 있다. 성공적인 결과 보고가 있기는 하나 효과 검증을 위해서는 많은 연구가 필요한 실정이다.

2) 수술적 치료

대퇴골두를 보존하려는 방법과, 고관절 전치환술을 시행하는 방법의 두 가지로 대별할 수 있다. 골두를 보존하는 방법은 다시 괴사부의 재생을 도모하는 재생 수술과 괴사가 안 된 부분으로 체중 부하를 하도록 바꾸어 주는 구제 수술로 나눌 수 있다. 치료 방법을 선택하는 데 있어 고려하여야 할 것은 환자의 나이나 활동성, 병기, 병변의 크기나 병변의 위치, 술자의 수술 술기 등이다.

(1) 대퇴골두를 보존하는 방법

핵심 감압술(core decompression), 다발성 천공술(multiple drilling), 절골술(osteotomy), 고식적 골이식술(conventional bone graft), 혈관을 통한 혈류 공급을 촉진하는 생골이식술(living bone graft), 골괴사 부위를 체중 부하 부위에서 벗어나게 하는 경전자 회전 절골술 또는 내반 절골술 등이 있다. 수술 방법은 난이도가 다르고 술자에 따라 숙련도와 결과가 다양하기 때문에 적응증을 잘 고려하여 신중히 결정을 하여야 한다.

① **핵심 감압술과 다발성 천공술**: 핵심 감압술은 증가된 골수강내 압력을 감소시켜 통증 완화를 유도하고 골수강내 혈류 증가와, 통로를 따라서 새로운 골조직이 형성될 수 있다는 이론적 근거를 가지고 있다. 또한 통로를 이용하여 골이식을 하거나, 골대체 물질이나 줄기세포 주입이 가능하다. 비교적 술식이 쉽고 실패할 경우에도 다른 보존 수술을 시도할 수 있으며 고관절 전치환술로 전환도 쉽다는 장점이 있다(그림 12). 자연 경과보다는 치료 효과가 있다고 하나, 괴사 부위가 작거나 중간 정도의 병변에서 골두 함몰이 되기 전 초기상태에서 시행하는 것이 바람직하겠다.

다발성 천공술은 핵심 감압술과 유사하나 직경이 훨씬 작은 여러 개의 구멍을 통해 감압 효과를 크게 하고 천공 면적을 넓혀 새로운 골형성에 유리하다는 이론적인 근거로 시도되었다(그림 13). 핵심

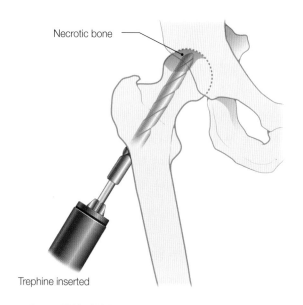

Necrotic bone

Trephine inserted

그림 12. 핵심 감압술
관상톱(trephine)의 삽입 위치가 대퇴골 소전자부의 하방일 경우 피로 골절의 합병증 발생 가능성이 있어 주의가 필요하다.

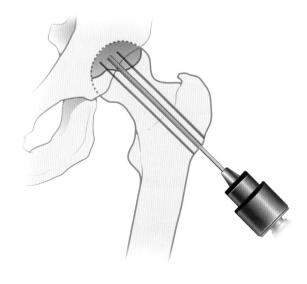

그림 13. 다발성 천공술
핵심 감압술에 비해 대퇴골두의 함몰이나 천공구를 통한 대퇴골 골절의 위험이 적으며, 대퇴골두의 전방부에 쉽게 도달 할 수 있다.

감압술보다 골두 함몰을 줄였다는 보고도 있고, 최소 침습법으로 피부절개 없이 시행이 가능하다. 최근에는 핵심 감압술 시행 후 압박 자가 해면골 이식, 줄기세포를 포함하는 자가 골수 이식, 골유도 촉진물질인 bone morphogenic protein을 추가 하는 방법도 시도되고 있다.

② **골이식술:** 골이식술은 고식적인 골이식술과 혈관 부착 또는 혈관 문합을 이용한 생골이식술로 나눈다. 고식적 골이식술은 핵심 감압술 후 제거된 괴사 부위를 단순히 해면골편으로 채우거나, 골이 치유되는 동안 대퇴골두의 함몰과 변형을 방지하기 위하여 관절면을 기계적으로 지지해주는 목적으로 경골, 비골, 피질골을 포함한 장골을 이용하여 지주골이식(strut bone graft)을 하는 방법(Phemister 수술법)이다(그림 14).

이와는 다르게 대퇴골두-경부 연결부에 창(trap door)을 열어 순수한 해면골을 감입(impaction)시키는 방법(light bulb 수술법)이나 장골에서 얻은

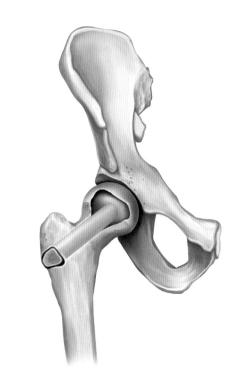

그림 14. 지주 골이식술
골두의 함몰과 변형을 방지하기 위하여 시행되나 골재생의 속도가 느려서 괴사의 진행을 막거나 늦추기에는 한계가 있다.

피질골 포함 지주골과 해면골이식을 같이하는 방법도 있다. 생골이식술에 비해 수술이 간단하고 공여부의 손상이 적다는 장점이 있다. 대퇴골두를 탈구시킨 후 괴사 부위의 관절 연골과 연골하 피질골에 창(window)을 내듯이 들어 올리고 이를 통해 괴사조직을 제거한 후 자가 혹은 동종 구조골로 지주골과 자가 해면골을 이식하고 들어 올린 골연골 창을 덮어주는 방법(trapdoor 수술법)도 있다.

고식적 골이식술은 대퇴골두의 함몰이 되지 않은 초기에 크기가 중간 이하의 괴사인 경우에 적응증이 될 수 있다. 3 mm 이상의 함몰이 있거나 비구부의 퇴행성 변화가 진행된 경우, 대퇴골두 연골의 변성이 시작된 경우에는 예후가 좋지 않은 것으로 보고되어 있다.

생골이식술은 이식골의 혈류를 유지하기 위하여 근육 또는 혈관을 부착한 채로 골을 채취하여 이식하는 방법이다. 혈행을 유지하기 위해 골편을 공급하는 혈관 분지를 기시부까지 박리한 후 혈관 분지의 방향을 바꾸어 이식하는 유경 이식(pedicle graft)과 골편과 공급 혈관을 함께 절제해내서 이식하고 혈관을 이식부의 혈관에 연결하는 유리 혈관부착 이식(free vascularized graft)이 있다. 이론적 장점은 고식적인 골이식보다 골유도 능력이 월등히 좋고, 괴사된 부위에 생역학적인 구조를 유지시켜 지주 역할을 하기 때문에 골두의 함몰을 방지할 수 있으며, 감압의 효과가 좋고 숙주골과 골 동화(incorporation)가 빨리 일어나 괴사부의 조기 재생을 도모할 수 있다는 것이다. 단점으로는 수술이 기술적으로 어렵고, 시간이 많이 걸리며, 공여부에 남는 손상, 여러 가지 합병증, 긴 재활기간을 들 수 있다. 공여부로는 비골과 장골이 주로 이용된다.

유경 이식술은 대퇴골두의 괴사 부위를 제거한 후 대퇴방형근(quadratus femoris)이나 대퇴근막장근(tensor facia lata), 중둔근(gluteus medius), 소둔근(gluteus minimus), 봉공근(sartorius) 등의 근육이 부착된 부분의 골을 이식해 주는 근유경 골이식술(muscle pedicle bone graft) 방법과 Smith-Petersen 접근법으로 회선 장골 혈관(superficial or deep circumflex iliac vessel)이나 외측 대퇴회선 상행부지에 부착된 장골을 이식하고 주변은 해면골을 충진 시켜주는 혈관 유경 골이식술(vessel pedicle bone graft) 방법이 있다. 혈관을 장골과 붙여 이동시킬 때 혈관의 꼬임(kinking)이나 비틀림에 의해, 또 이 혈관의 길이가 짧아 과도한 긴장(tension)에 의해 혈류가 장애 받을 수 있다. 또 관절을 열어야 하기 때문에 수술 후 관절 운동 장애가 올 수 있고 장골을 대퇴골두의 일차 압박 골소주 방향으로 고정하기 힘들어 체중 부하에 대한 지주 역할이 떨어진다.

유리 혈관 유경 이식술에는 비골이 채취가 비교적 쉽고, 지주 역할을 하기에 충분한 길이와 강도를 가지고 있으며, 혈관 문합이 비교적 용이하고 혈류 공급이 풍부하기 때문에 주로 이용된다 (그림 15). 비골혈관을 대퇴부에서 외측 대퇴회선 동맥과 정맥의 상행 분지(ascending branch of lateral femoral circumflex artery) 또는 심부대퇴 동맥과 정맥(profunda femoris artery)의 1 또는 2 천공 분지(first or second perforating branch)를 end-to-side 또는 end-to-end 방법으로 봉합하여 비골이 살아있는 생골이식이 되도록 하는 방법이다. 이 방법은 고도의 수술수기와 장시간의 수술을 요한다.

비골 이식을 떼어낸 부위의 발목 관절 통증, 비골 신경 지배의 운동 및 감각 마비, 대전자 부위의 이소성 골형성, 근위부 대퇴골 골절, 갈퀴 족지 등 합병증도 적지 않다. 그리고 동, 정맥 문합된 부위의 폐쇄, 협착 등이 발생할 수 있다. 생골이식의 성공 여부 판정은 혈관조영술(angiography),

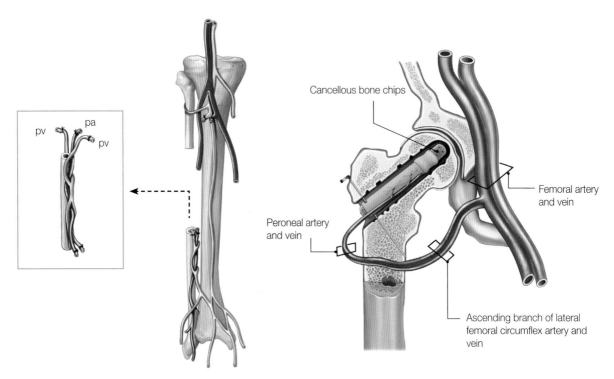

pv pa pv

Cancellous bone chips

Femoral artery
and vein

Peroneal artery
and vein

Ascending branch of lateral
femoral circumflex artery and
vein

그림 15. 비골 생골이식술
비골의 영양 혈관(nutrient vessel)은 대부분 비골의 중간 1/3에서 영양을 공급하며 골이식 시 외측 대퇴회선동맥에 문합한다.
pa：peroneal artery, pv：peroneal vein.

골주사, 자기공명영상 조영술, buoy monitor flap 을 이용하여 평가한다. 핵심 감압술이나 고식적 인 비골 이식술에 비해 유리 혈관부착 비골 이식 술이 골재생이나 골두의 함몰 방지에 더 좋았다 는 보고들이 상당히 있었다.

생골이식술은 대퇴골두가 함몰되기 전 초기 단 계나 이미 붕괴가 되었더라도 3 mm 이하의 골 두 함몰이 있는 경우에 적응증이 될 수 있다. 다 른 술식과 비교하여 높은 성공률을 보이나 괴사 범위가 50% 이상이거나 체중 부하 부위가 이환 된 경우에는 성공률이 낮은 것으로 보고되고 있 다. 또한 40세 이상의 연령, 흡연이나 알코올 중 독, 말초 혈관 질환 등 혈관에 영향을 줄 수 있는 요인이 있는 환자에서는 피하는 것이 좋다.

③ **대퇴골 절골술:** 경전자 회전 절골술(transtro-

chanteric rotational osteotomy)과 전자간 각형성 절골술(intertrochanteric angulation osteotomy)이 있다. 전자간 각형성 절골술로 대표적인 전자간 내반 절골술이 먼저 시도되었다. Sugioka 등은 내 반 절골술에다 괴사 부위의 위치에 따라 전방으 로 회전하여 괴사 부위를 체중 부하 부위로부터 비체중 부하 부위로 옮기고, 건강한 골두의 하방 부가 체중 부하를 하도록 하는 술식을 고안하였 고(그림 16), 이후 Atsumi 등은 골두를 후방으로 회 전하는 것이 체중 부하 부위를 변경하는 데 더 효 과적이었다고 소개하였다.

경전자 회전 절골술의 경우 단순 방사선 Sugioka view에서 골두 후방의 정상인 부위가 전체 관절 면의 1/3 이상인 경우나 중앙 시상면 자기공명영 상에서 괴사가 없는 대퇴골두의 완전한 부분의

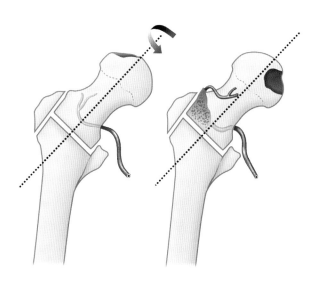

그림 16. 경전자 회전절골술

각도가 120° 이상인 경우 적응증이 된다고 하였으며, 병변이 크더라도 상기 조건을 만족시킬 경우 초기나 골두의 함몰이 3 mm 이하인 진행된 경우도 적응이 될 수 있다고 하였다. 수술의 성공률은 아시아 지역에 비해 유럽이나 미주 지역에서 낮게 보고되고 있다. 실패의 주요 원인으로는 부적합한 환자의 선택, 내측 대퇴회선동맥의 손상, 부적절한 시술, 절골 후 의도된 내전의 부족 등이 지적된 바 있다. 이 수술의 단점은 괴사 부위가 광범위할 경우는 시술할 수 없고, 숙련된 술기가 요구되고 수술시간이 길며, 단축과 회전 변형으로 인한 파행 등이다.

(2) 관절치환술

고관절 전치환술, 고관절 표면 치환술(resurfacing arthroplasty), 고관절 반치환술(hemiarthroplasty)이 있다.

① **고관절 전치환술:** 대퇴골두 골괴사에서 고관절 전치환술은 상당한 증상이 있으나 관절 보존 수술의 적응이 안되는 경우 가장 널리 시행되는 수술이다. 특히 비구 연골의 손상 혹은 3 mm 이상

의 대퇴골두 함몰이 있거나 이미 퇴행성 변화가 생긴 경우에는 적응이 된다. 골괴사 환자의 동반된 질환으로 인해 골질이 좋지 않은 점, 논란이 있지만 골수 줄기세포의 수나 기능이 감소되었다는 이유 등으로 골괴사 환자에서 시행한 고관절 전치환술의 결과가 다른 환자에서 보다 좋지 않았다는 보고도 있었으나 최근에는 관절면의 개선, 새로운 수술법의 개발, 향상된 삽입물의 고정 방법 등으로 결과에 차이가 없다는 것이 밝혀지고 있다.

② **고관절 표면 치환술:** 표면 치환술은 고관절 전치환술에 비해 근위 대퇴골을 보존할 수 있고, 큰 골두 사용으로 운동 범위 증가, 충돌현상 및 탈구율의 감소와, 대퇴골 경부를 통한 생리적인 응력 부하로 근위 대퇴골의 응력 차단 현상과 대퇴부 통증 감소, 또 실패 시 대퇴 재치환술이 용이하다는 이론적 장점이 있다. 금속-금속 관절면 사용으로 인한 혈중 금속 이온의 증가로 발생되는 장기 독성, 림프계 및 조혈계통의 악성 종양의 발생 가능성, 금속에 대한 과민성, 시멘트 고정 시 발열, 대퇴골 경부 골절 등 해결되어야 할 문제점이 많다. 고관절 전치환술에 비해 장기 결과가 좋지 않고 최근 많이 이용되는 대체 관절면을 이용한 고관절 전치환술의 장기 결과가 좋기 때문에 적응증에 한계가 있다. 특히 금속 마모 입자나 이온에 대한 인체 반응으로 발생하는 것으로 판단되는 관절 주변 조직의 괴사성 파괴인 ALVAL (aseptic lymphocytic vasculitis associated lesions) 병변의 심각성이 확인되면서 최근 금속-금속 관절면의 사용이 줄어들어 이를 적용한 표면 치환술은 급격히 줄어 들었다. 대퇴골두 표면만을 치환하는 부분 표면 치환술(hemiresurfacing)은 젊은 환자의 초기 골괴사에 적응되지만 비구쪽 연골상태의 확인이 어렵다. 대퇴골두가 함몰되고 나이가 젊고 활동력이 필요한 경우 전표면 치환

술을 고려하지만 적응 대상을 55세 이하 남자, 대퇴골두의 직경이 >55 mm, 병변이 <2 cm^{2}로 엄격하게 제한하여야 한다는 주장도 있다.

③ **고관절 반치환술:** 양극성 반치환술은 수술 후 서혜부 통증이 남는 경우가 자주 있고, 얇은 폴리에틸렌 삽입물로 인한 더 많은 마모 입자 형성과 대퇴스템의 경부와 비구컵의 충돌에 의한 심한 마모로 인한 골용해, 그리고 육안적으로 건강해 보이는 비구 연골에도 이미 병리학적 변화가 존재한다는 점 등이 제기되고 있어 거의 시행되지 않고 있다.

참고문헌

1. ARCO Committee on Terminology and Staging. The ARCO perspective for reaching one uniform staging system of osteonecrosis. In: Schoutens A, Arlet J, Gardeniers JWM, Hughes SPF, eds. Bone circulation and vascularization in normal and pathological conditions, New York: Plenum Press. 1993;375-80.

2. Aaron RK LD, Bunce GE, Ebert T. The conservative treatment of osteonecrosis of the femoral head. A comparison of core decompression and pulsing electromagnetic fields. Clin Orthop Relat Res. 1989;249:209-18.

3. Adili A, Trousdale RT. Femoral head resurfacing for the treatment of osteonecrosis in the young patient. Clin Orthop Relat Res. 2003;417:93-101.

4. Agarwala S, Joshi VR. The use of alendronate in the treatment of avascular necrosis of the femoral head: follow-up to eight years. J Bone Joint Surg Br. 2009;91:1013-8.

5. Aigner N PG, Schneider W, Krasny C, Grill F, Landsiedl F. Juvenile bone-marrow edema of the acetabulum treated by iloprost. J Bone Joint Surg Br. 2002;84:1050-2.

6. Ajmal M MA, Kuskowski M, Cheng EY. Does statin usage reduce the risk of corticosteroid-related osteonecrosis in renal transplant population? Orthop Clin North Am. 2009;40:235-9.

7. Alves EM, Angrisani AT, Santiago MB. The use of extracorporeal shock wave in the treatment of osteonecrosis of femoral head. Clin Rheumatol. 2009;28:1247-51.

8. Amstutz HC, Le Duff MJ. Hip resurfacing for osteonecrosis: two- to 18-year results of the Conserve Plus design and technique. Bone Joint J. 2016;98-B(7):901-9.

9. Arlet J. Nontraumatic avascular necrosis of the femoral head. Past, present, and future. Clin Orthop Relat Res. 1992;277:12-21.

10. Asano T, Takahashi KA, Fujioka M et al. ABCB1 C3435T and G2677T/A polymorphism decreased the risk for steroid-induced osteonecrosis of the femoral head after kidney transplantation. Pharmacogenetics. 2003;13:675-682.

11. Assouline-Dayan Y, Chang C, Greenspan A, Shoenfeld Y, Gershwin ME. Pathogenesis and natural history of osteonecrosis. Semin Arthritis Rheum. 2002;32:94-124.

12. Astrand J, Aspenberg P. Systemic alendronate prevents resorption of necrotic bone during revascularization: a bone chamber study in rats. BMC Musculoskelet Disord. 2002;3:19.

13. Atsumi T, Muraki M, Yoshihara S, Kajihara T. Posterior rotational osteotomy for the treatment of femoral head osteonecrosis. Arch Orthop Trauma Surg. 1999;119:388-93.

14. Baek SH, Kim SY. Cementless total hip arthroplasty with alumina bearings in patients younger than fifty with femoral head osteonecrosis. J Bone Joint Surg Am. 2008;6:1314-20.

15. Bassett CA, Schink-Ascani M, Lewis SM. Effects of pulsed electromagnetic fields on Steinberg ratings of

femoral head osteonecrosis. Clin Orthop Relat Res. 1989;246:172-85.

16. Bassett LW, Gold RH, Reicher M et al. Magnetic resonance imaging in the early diagnosis of ischemic necrosis of the femoral head: preliminary results. Clin Orthop Relat Res. 1987;214:237-48.

17. Behnke AR. Hyperbaric oxygenation. N Engl J Med. 1967;276:1423-9.

18. Bjorkman A, Svensson PJ, Hillarp A, Burtscher IM, Runow A, Benoni G. Factor V Leiden and prothrombin gene mutation: risk factors for osteonecrosis of the femoral head in adults. Clin Orthop Relat Res. 2004;425:168-72.

19. Boettcher WC, Bonfiglio M, Hamilton HR, et al. Non-traumatic necrosis of the femoral head, I: relation of altered hemostasis to etiology. J Bone Joint Surg Am. 1970;52:312-21.

20. Bradway JK, Morrey BF. The natural history of the silent hip in bilateral atraumatic osteonecrosis. J Arthroplasty. 1993;8:383-7.

21. Calder JDF, Buttery L, Revell PA, Pearse M, Polak JM. Apoptosis: A significant cause of bone cell death in osteonecrosis of the femoral head. J Bone Joint Surg Br. 2004;86:1209-13.

22. Cane BP, Soana S. Pulsed magnetic fields improve osteoblast activity during the repair of an experimental osseous defect. J Orthop Res. 1993;11:664-70.

23. Chandler FA. Coronary disease of the hip. J Int Coll Surg. 1948;2:34-6.

24. Chen JM, Hsu SL, Wong T, Chan WY, Wang CJ, Wang FS. Functional outcomes of bilateral hip necrosis: total hip arthroplasty versus extracorporeal shock wave. Arch Orthop Trauma Surg. 2008;129:837-41.

25. Chen CC, Lin CL, Chen WC, Shih HN, Ueng SW, Lee MS Vascularized iliac bone-grafting for osteonecrosis with segmental collapse of the femoral head. J Bone Joint Surg Am. 2009 Oct;91(10):2390-4.

26. Chen CH, Chang JK, Lai KA, Hou SM, Chang CH, Wang GJ. Alendronate in the prevention of collapse of the femoral head in nontraumatic osteonecrosis: A two-year multicenter, prospective, randomized, double-blind, placebo-controlled study. Arthritis Rheum. 2012;64(5):1572-8.

27. Cheng EY, Laorr A, Saleh KJ. Spontaneous resolution of osteonecrosis of the femoral head. J Bone Joint Surg Am. 2004;86:2594-9.

28. Cheras PA, Sikorski JM. Intraosseous thrombosis in ischemic necrosis of bone and osteoarthritis. Osteoarthritis Cartilage. 1993;1:219-32.

29. Cho KJ, Park KS, Yoon TR. Muscle pedicle bone grafting using the anterior one-third of the gluteus medius attached to the greater trochanter for treatment of Association Research Circulation Osseous stage II osteonecrosis of the femoral head. Int Orthop. 2018 Oct;42(10):2335-41

30. Cooper MS, Hewison M, Stewart PM. Glucocorticoid activity, inactivity and the osteoblast. J Endocrinol. 1999;163:159-64.

31. Cui Q, Wang GJ, Su CC, Balian G. Lovastatin prevents steroid induced adipogenesis and osteonecrosis. Clin Orthop Relat Res. 1997;344:8-19.

32. Cui Q, Wang Y, Saleh KJ et al. Alcohol induced adipogenesis in a cloned bone marrow stem cell. J Bone Joint Surg Am. 2006;88:148-54.

33. Dean MT, Cabanela M. Transtrochanteric anterior rotational osteotomy for avascular necrosis of the femoral head. Long term results. J Bone Joint Surg Br. 1993;75:597-601.

34. Disch AC, Perka C. The management of necrosis associated and idiopathic bone-marrow edema of the proximal femur by intravenous iloprost. J Bone Surg Br. 2005;87:560-4.

35. Downey DJ, Simkin PA, Lanzer WL, Matsen FA II. Hydraulic resistance: A measure of vascular outflow obstruction in osteonecrosis. J Orthop Res. 1988;6:272-8.

36. Drescher W, Furst M, Hahne et al. Survival analysis of hips treated with flexion osteotomy for femoral head necrosis. J Bone Joint Surg Br. 2003;85:969-74.

37. Ferrari P, Schroeder V, Anderson S et al. Association of plasminogen activator inhibitor-1 genotype with

avascular osteonecrosis in steroid- treated renal allograft recipients. Transplantation. 2002;74:1147-52.

38. Ficat RP, Arlet J. Ischaemia necrosis of the bone, Baltimore, The Wiliams and Wilkins Co(Edited and adapted by David S. Hungerford). 1979.

39. Ficat RP. Idiopathic bone necrosis of the femoral head: early diagnosis and treatment. J Bone Joint Surg Br. 1985;67:3-9.

40. Fini M, Giavaresi G, Carpi A, Nicolini A, Setti S, Giardino R. Effects of pulsed electromagnetic field on articular hyaline cartilage : review of experimental and clinical studies. Bio-med Pharmacother. 2005;59:388-94.

41. Fukushima W, Fujioka M, Kubo T, Tamakoshi A, Nagai M, Hirota Y. Nationwide epidemiologic survey of idiopathic osteonecrosis of the femoral head. Clin Orthop Relat Res. 2010;468(10):2715-24.

42. Gangji V, Hauzeur JP, Schoutens A, Hinsenkamp M, Appelboom T, Egrise D. Abnormalities in the replicative capacity of osteoblastic cells in the proximal femur of patients with osteonecrosis of the femoral head. J Rheumatol. 2003;30:348-51.

43. Gangji V, Hauzeur JP, Matos C. Treatment of osteonecrosis of femoral head with implantation of autologous bone-marrow cells. A pilot study. J Bone Joint Surg Am. 2004;86:1153-60.

44. Glickstein ME, Burk DL, Schiebler ML et al. Avascular necrosis versus other diseases of the hip: sensitivity of MR imaging. Radiology. 1988;169:213-15.

45. Glimcher MJ, Kenzora JE. The biology of osteonecrosis of the human femoral head and its clinical implications: I. Tissue biology, II. Pathological changes in the femoral head as an organ and in the hip joint, III. Discussion of the etiology and genesis of the pathological sequelae; Comments on treatment. Clin Orthop Relat Res. 1979;138:284-309;139:283-312;140:273-312.

46. Glueck CJ, Fontaine RN, Gruppo R et al. The plasminogen activator inhibitor-1 gene, hypofibrinolysis and osteonecrosis. Clin Orthop Relat Res. 1999;366:133-46.

47. Glueck CJ, Freiberg RA, Fontaine RN, Tracy T, Wang P : Hypofibrinolysis, thrombophilia, osteonecrosis. Clin Orthop Relat Res. 2001;386:19-33.

48. Glueck CJ, Freiberg RA, Glueck HI, Tracy T, Stroop D, Wang Y. Idiopathic osteonecrosis, hypofibrinolysis, high plasminogen activator inhibitor, high lipoprotein(a), and therapy with Stanozolol. Am J Hematol. 1995;48:213-20.

49. Gutierrez F, Padilla S, Ortega E et al. Avascular necrosis of the bone in HIV-infected patients: Incidence and associated factors. AIDS. 2002;16:481-3.

50. Ha YC, Jung WH, Kim JR, Seong NH, Kim SY, Koo KH. Prediction of collapse in femoral head osteonecrosis: a modified Kerboul method with use of magnetic resonance images. J Bone Joint Surg Am. 2006 Nov;88 (Suppl 3):35-40.

51. Heilpern GN, Shah NN, Fordyce MJ. Birmingham hip resurfacing arthroplasty: A series of 110 consecutive hips with a minimum 5 year clinical and radiological follow-up. J Bone Joint Surg Br. 2008;90:1137-42.

52. Hernigou P, Beaujean F, Lambotte JC. Decrease in the mesenchymal stem-cell pool in the proximal femur in corticosteroid-induced osteonecrosis. J Bone Joint Surg Br. 1999;81:349-55.

53. Hernigou P, Beaujean F. Treatment of osteonecrosis of the femoral head with autologous bone marrow grafting. Clin Orthop Relat Res. 2002;405:614-23.

54. Hernigou P, Habibi A, Bachir D, Galacteros F. The natural history of asymptomatic osteonecrosis of the femoral head in adults with sickle cell disease. J Bone Joint Surg Am. 2006;88:2565-72.

55. Hirota Y, Hotokebuchi T, Sugioka Y. Idiopathic osteonecrosis of the femoral head: Nationwide Epidemiologic Studies in Japan. Osteonecrosis, 1st ed. Chicago, IL: American Academy of Orthopaedic Surgeons. 1997;7:51-8.

56. Hofmann S, Engel A, Neuhold A, Leder K, Kramet J, Plenk H Jr. Bone-marrow oedema syndrome and transient osteoporosis of the hip. An MRI-controlled study of

146

treatment by core decompression. J Bone Joint Surg. 1993;75-B:210-6.

57. Hughes DE, Wright KR, Uy HL. Bisphosphonates promote apoptosis in murine osteoclasts in vitro and in vivo. J Bone Miner Res. 1995;10:1478-87.

58. Hungerford DS and Jones LC. Diagnosis of osteonecrosis of the femoral head. In: Schoutens A, Arlet J, Gardeniers JWM, Hughes SPF,eds, Bone Circulation and Vascularization in normal and pathological conditions, New York: Plen um Press; 1993;265-75.

59. Hungerford DS, Jones L. Asymptomatic osteonecrosis: should it be treated? Clin Orthop Relat Res. 2004;429: 124-30.

60. Hungerford DS: The importance of increased intraosseous pressure in the development of osteonecrosis of the femoral head: implications for treatment. Orthop Clin N Am. 1985;16:635-54.

61. Iwakiri K, Kaneshiro Y, Iwaki H. Effect of simvastatin on steroid-induced osteonecrosis evidenced by the serum lipid level and hepatic cytochrome P4503A in a rabbit model. J Orthop Sci. 2008;13:463-8.

62. Jergesen HE, Heller M, Genant HK. Signal variability in magnetic resonance imaging of femoral head osteonecrosis. Clin Orthop Relat Res. 1990;253:137-49.

63. Johannson HR, Zywiel MG, Marker DR, Jones LC, McGrath MS, Mont MA. Osteonecrosis is not a predictor of poor outcomes in primary total hip arthroplasty: a systematic literature review. Int Orthop. 2011;35(4): 465-73.

64. Jones JP Jr. Fat embolism, intravascular coagulation, and osteonecrosis. Clin Orthop Relat Res. 1993;292:294-308.

65. Jones LC, Hungerford DS. The pathogenesis of osteonecrosis. American Academy of Orthopaedic Surgeons. Instr Course Lect. 2007;56:179-96.

66. Kabata T, Matsumoto T, Yagishita S, Wakayama T, Iseki W, Tamita K. Vascular endothelial growth factor in rabbit during development of corticosteroid-induced osteonecrosis: A controlled experiment. J Rheumatol. 2008;35:2383-90.

67. Kang JS, Moon KH, Kwon DG, Shin BK, Woo MS. The natural history of asymptomatic osteonecrosis of the femoral head. Int Orthop. 2013;37(3):379-84.

68. Kang JS, Park S, Song JH, Jung YY, Cho MR, Rhyu KH. Prevalence of osteonecrosis of the femoral head: a nationwide epidemiologic analysis in Korea. J Arthroplasty. 2009;24:1178-83.

69. Kenzora JE, Steele RE, Yosipovitch ZH, Glimcher MJ.Experiment osteonecrosis of the femoral head in adult rabbits. Clin Orthop Relat Res. 1978;130:8-46.

70. Kerboul M, Thomone J, Postel M et al. The conservative surgical treatment of idiopathic aseptic necrosis of the femoral head. J Bone Joint Surg Br. 1974;56:291-6.

71. Kim HK, Randall TS, Bian H, Jenkins J, Garces A, Bauss F. Ibandronate for prevention of femoral head deformity after ischemic necrosis of the capital femoral epiphysis in immature pigs. J Bone Joint Surg Am. 2005;87:550-7.

72. Kim SY, Kim YG, Kim PT, Ihn JC, Cho BC, Koo KH. Vascularized compared with nonvascularized fibular grafts for large osteonecrotic lesions of the femoral head. J Bone Joint Surg Am. 2005;87(9):2012-18.

73. Kim SY, Suh JS, Park EK, et al. Factor V Leiden gene mutation in femoral head osteonecrosis J Korean Ortho Res Soc. 2003;6:259-64.

74. Kim TH, Hong JM, Shin ES et al. Polymorphism in the annexin gene family and the risk of osteonecrosis of the femoral head in the Korean population. Bone. 2009;45:125-31.

75. Kim Y-H, Choi Y-W, Kim J-S. Cementless total hip arthroplasty with alumina-on-highly cross-linked polyethylene bearing in young patients with femoral head osteonecrosis. J Arthroplasty. 2011;26(2):218–23.

76. Kim Y-H, Kim J-S. Histologic analysis of acetabular and proximal femoral bone in patients with osteonecrosis of the femoral head. J Bone Joint Surg. 2004;86-A(11): 471-4.

77. Kim YM, Ahn JH, Kang HS, Kim HJ. Estimation of the osteonecrosis of the femoral head in MRI. J Bone Joint Surg Br. 1998;80:954-8.

78. Kokubo T, Takatori Y, Ninomiya S et al. Magnetic resonance imaging and scintigraphy of avascular necrosis of the femoral head. Clin Orthop Relat Res. 1992;277: 54-60.

79. Koo KH, Ahn IO, Kim R et al. Bone marrow edema and associated pain in early stage osteonecrosis of the femoral head: prospective study with serial MR images. Radiology. 1999;213:715-22.

80. Koo KH, Kim R. Quantifying the extent of osteonecrosis of femoral head. A new method using MRI. J Bone Joint Surg Br. 1995;77:875-80.

81. Kyung-Hoi Koo, Michael A. Mont, Lynne C. Jones, Osteonecrosis. London. Springer. 2014; 35~160

82. Koo KH, Song HR, Yang JW, Yang P, Kim JR, Kim YM. Trochanteric rotational osteotomy of the femoral head. J Bone Joint Surg Br. 2001;83:83-9.

83. Koo KH, Jeong ST, Jones JP Jr. Borderline necrosis of the femoral head. Clin Orthop Relat Res. 1999 Jan;(358): 158-65.

84. Kubo T, Yamamoto T, Inoue S et al. Histological findings of bone marrow edema pattern on MRI in osteonecrosis of the femoral head. J Orthop Sci. 2000;5:520-3.

85. Kuroda T, Tanabe N, Wakamatsu A et al. High triglyceride is a risk factor for silent osteonecrosis of the femoral head in systemic lupus erythematosus. Clin Rheumatol. 2015 Dec;34(12):2071-7

86. Lai KA, Shen WJ, Yang CY, Shao CJ, Hsu JT, Lin RM. The use of alendronate to prevent early collapse of the femoral head in patients with nontraumatic osteonecrosis. A randomized clinical study. J Bone Joint Surg Am. 2005;87:2155-9.

87. Lee YK, Ha YC, Cho YJ et al. Does Zoledronate Prevent Femoral Head Collapse from Osteonecrosis? A Prospective, Randomized, Open-Label, Multicenter Study. J Bone Joint Surg Am. 2015 Jul 15;97(14):1142-8.

88. Lieberman JR, Conduah A, Urist MR. Treatment of osteonecrosis of the femoral head with core decompression and human bone morphogenetic protein. Clin Orthop Relat Res. 2004;429:139-45.

89. Lin PC WC, Yang KD, Wang FS, Ko JY, Huang CC. Extracorporeal shockwave treatment of osteonecrosis of the femoral head in systemic lupus erythematosis. J Arthroplasty. 2006;21:911-5.

90. Little DG, Peat RA, McEvoy A, Williams PR, SmithEJ, Baldock PA. Zoledronic acid treatment results in retention of femoral head structure after traumatic osteonecrosis in young Wistar rats. J Bone Miner Res. 2003;18:2-16.

91. Ludwig J, Lauber S, Lauber HJ, Dreisilker U, Raedel R, Hotzinger H. High-energy shock wave treatment of femoral head necrosis in adults. Clin Orthop Relat Res. 2001;387:119-26.

92. Ma HZ, Li XL, Chai YM. Temporal and spatial expression of BMP-2 in subchondral bone of necrotic femoral heads in rabbits by use of extracorporeal shock waves. Acta Orthop. 2008;79:98-105.

93. Marcus ND, Enneking WF and Massam RA. The silent hip in idiopathic aseptic necrosis: treatment by bone grafting. J Bone Joint Surg Am. 1973;55:1351-66.

94. Massari L, Fini M, Cadossi R, Setti S, Traina GC. Biophysical stimulation with pulsed electromagnetic fields in osteonecrosis of the femoral head. J Bone Joint Surg Am. 2006;88:56-60.

95. Matsuya H, Kushida T, Asada T, Umeda M, Wada T, Iida H. Regenerative effects of transplanting autologous mesenchymal stem cell in corticosteroid-induced osteonecrosis in rabbits. Mod Rheumatol. 2008;18:132-9.

96. Meyers MH. Osteonecrosis of the femoral head treated with the muscle pedicle graft. Orthop Clin North Am. 1985 Oct;16(4):741-5.

97. Mitchell DG, Rao VM, Dalinka MK, et al. Femoral head avascular necrosis: correlation of MR imaging, radiographic staging, radionuclide imaging, and clinical findings. Radiology. 1987 Mar;162(3):709-15.

98. Mitchell DG, Joseph PM, Fallon M et al. Chemical shift MR imaging of the femoral head: an in vitro study of normal hips and hips with avascular necrosis. Am J Radiol. 1987;148:1159-64.

99. Miyanishi K, Yamamoto T, Irisa T, Noguchi Y, Sugioka

Y, Iwamoto Y. Increased level of apolipoprotein B/apolipoprotein A1 ratio as a potential risk for osteonecrosis. Ann Rheum Dis. 1999 Aug;58(8):514-6.

100. Miyanishi K YT, Irisa T, Yamashita A, Jingushi S, Noguchi Y, Iwamoto Y. Bone marrow fat cell enlargement and a rise in intraosseous pressure in steroid-treated rabbits with osteonecrosis. Bone. 2002;30:185-90.

101. Mont MA, Einhorn TA, Sponseller PD, Hungerford DS. The trapdoor procedure using autogenous cortical and cancellous bone grafts for osteonecrosis of the femoral head. J Bone Joint Surg Br. 1998;80:56-62.

102. Mont MA, Fairbank AC. Core decompression versus nonoperative management for osteonecrosis of the hip. Clin Orthop Relat Res. 1996;324:169-78.

103. Mont MA, Marulanda GA, Seyler TM, Plate JF, Delanois RE. Core decompression and nonvascularized bone grafting for the treatment of early stage osteonecrosis of the femoral head. ICL, 2007;Vol 56:213-33.

104. Mont MA, Ragland PS, Etienne G. CR. Core decompression of the femoral head for osteonecrosis using percutaneous multiple small-diameter drilling. Clin Orthop 2004;429:131-106. Mont MA, Zywiel MG, Marker DR, McGrath MS, Delanois RE. The natural history of untreated asymptomatic osteonecrosis of the femoral head: a systematic literature review. J Bone Joint Surg Am. 2010;92:2165-70.

105. Motomura G, Yamamoto T, Miyanishi K, Jingushi S, Iwamoto Y. Combined effects of an anticoagulant and a lipid-lowering agent on the prevention of steroid induced osteonecresis in rabbits. Arthritis Rheum. 2004; 50: 3387-91.

106. Nagasawa K, Tada Y, Koarada S. Prevention of steroid induced osteonecresis of femoral head in systemic lupus erythematosus by anti-coagulant. Lupus. 2006;15:354-7.

107. Nakamura J, Harada Y, Oinuma K, Iida S, Kishida S, Takahashi K. Spontaneous repair of asymptomatic osteonecrosis associated with corticosteroid therapy in systemic lupus erythematosus: 10-year minimum follow-up with MRI. Lupus. 2010;19:1307-14.

108. Nakamura T, Matsumoto T, Nishino M, Tomita K, Kadoya M. Early magnetic resonance imaging and histologic findings in a model of femoral head necrosis. Clin Orthop Relat Res. 1997;334:68-72.

109. Nam KW, Kim YL, Yoo JJ, Koo KH, Yoon KS, Kim HJ. Fate of untreated asymptomatic osteonecrosis of the femoral head. J Bone Joint Surg Am. 2008;90:477-84.

110. Niimi R, Sudo A, Hasegawa M, Uchida A. Course of avascular necrosis of femoral head without collapse of femoral head at first examination: minimum 8-year follow-up. Orthopedics. 2008;31(8):755.

111. Nich C, Sarialiel H, Hannouche D, Nizard R, Witvoet J, Sedel L, Bizot P. Long-term results of alumina-on-alumina hip arthroplasty for osteonecrosis. Clin Orthop Relat Res. 2003;417:102.

112. Nishio A, Sugioka Y. A new technique of the varus osteotomy at the upper end of the femur. Orthop Trauma. 1971;20:381–6.

113. Nishii T, Sugano N, Miki H, Hashimoto J, Yoshikawa H. Does alendronate prevent collapse in osteonecrosis of the femoral head? Clin Orthop Relat Res. 2006;443:273-9.

114. Nishii T, Sugano N, Ohzono K, Sakai T, Sato Y, Yoshikawa H. Significance of lesion size and location in the prediction of collapse of osteonecrosis of the femoral head : a new three-dimensional quantification using magnetic resonance imaging. J Orthop Res. 2002;20: 130-6.

115. Ohzono K, Saito M, Takaoka K, et al. Natural history of nontraumatic avascular necrosis of the femoral head. J Bone Joint Surg Br. 1991;73:68-72.

116. Pan X, Xiao D, Zhang X, Huang Y, Nin B. Study of rotating permanent magnetic field to treat steroid induced osteonecrosis of femoral head. International Orthop. 2009;33:617-23.

117. Patterson RJ, Bickel WH and Dahlin DC. Idiopathic necrosis of the head of the femur. J Bone Joint Surg Am. 1964;46:267-82.

118. Peskin SA, Levin D, Norman D. Effects of non-weight bearing and hyperbaric oxygen therapy in vascular

deprivation-induced osteonecrosis of the rat femoral head. Undersea Hyperb Med. 2001;28:187-94.

119. Plakseychuk AY, Kim SY, Park BC, Varitimidis SE, Rubash HE, Sotereanos DG. Vascularized compared with nonvascularized fibular grafting for the treatment of osteonecrosis of the femoral head. J Bone Joint Surg Am. 2003;85(4):589-96.

120. Plenk H Jr, Gstettner M, Grossschmidt K, Breitenseher M, Urban M, Hofmann S. Magnetic resonance imaging and histology of repair in femoral head osteonecrosis. Clin Orthop Relat Res. 2001;386:42-53.

121. Plenk H Jr, Hofmann S, Eschberger J, et al. Histomorphology and bone morphometry of the bone marrow edema syndrome of the hip. Clin Orthop Relat Res. 1997; 334:73-84.

122. Pritchett JW. Statin therapy decreases the risk of osteonecrosis in patients receiving steroids. Clin Orthop Relat Res. 2001;386:173-8.

123. Ramachandran WK, Brown RR, Munns CF, Cowell CT, Little DG. Intravenous bisphosphonate therapy for traumatic osteonecrosis of the femoral head in adolescents. J Bone Joint Surg Am. 2007;89:1727-34.

124. Reis ND, Schwartz O, Militianu D et al. Hyperbaric oxygen therapy as a treatment for stage-I avascular necrosis of the femoral head. J Bone Joint Surg Br.2003 Apr;85(3):371-5.

125. Revell MD, Mcbryde CW, Bhatnagar S, Pynsent PB, Treacy RBC. Metal on metal hip resurfacing in osteonecrosis of the femoral head. J Bone Joint Surg Am. 2006;88 (Suppl 3): 98-103.

126. Rijnen WH, Gardeniers J W, Buma P, Yamano K, Slooff TJ, Schreurs BW. Treatment of femoral head osteonecrosis using bone impaction grafting. Clin Orthop Relat Res. 2003;417:74-83.

127. Robinson HJ, Hartleben PD, Lund G et al. Evaluation of magnetic resonance imaging in the diagnosis of osteonecrosis of the femoral head. J Bone Joint Surg Am. 1989;71:650-63.

128. Rosenwasser MP, Garino JP, Kiernan HA et al. Long term follow up of the femoral head for avascular necrosis thorough debridement and cancellous cone grafting of. Clin Orthop Relat Res 1994:306:17–27.

129. Roudiere L, Viard JP. Osteonecrosis of the hip, lipodystrophy and antiretroviral treatment. AIDS. 2000;14:2056.

130. Saito S, Ohzono K, Ono K. Early arteriopathy and postulated pathogenesis of osteonecrosis of the femoral head. The intracapital arterioles. Clin Orthop Relat Res. 1992;277:98-110.

131. Scher MA, Jakim I. Intertrochanteric osteotomy and autogenous bone grafting for avascular necrosis of the femoral head. J Bone Joint Surg. 1993;75:1119-33.

132. Scully SP, Aaron RK, Urbaniak JR. Survival analysis of hips treated with core decompression or vascularized fibular grafting because of avascular necrosis. J Bone Joint Surg Am. 1998;80(9):1270-75.

133. Seyler TM, Bonutti PM, Shen J, Naughton M, Kester M. Use of an alumina-on-alumina bearing system in total hip arthroplasty for osteonecrosis of the hip. J Bone Joint Surg Am. 2006;88(Suppl 3):116-25.

134. Smith KR, Bonfiglio M, Montgomery WJ. Non-traumatic necrosis of the femoral head treated with tibial bone-grafting. A follow-up note. J Bone Joint Surg Am. 1980;62(5):845-

135. Song WS, Yoo JJ, Kim YM, Kim HJ. Results of multiple drilling compared with those of conventional methods of core decompression. Clin Orthop Relat Res. 2007 Jan;454:139-46.

136. Steinberg DR, Steinberg ME, Garino JP, Dalinka M, Udupa JK. Determining lesion size in osteonecrosis of the femoral head. J Bone Joint Surg Am. 2006;88:27-34.

137. Steinberg ME, Hayken GD and Steinberg DR. A new method for evaluation and staging of avascular necrosis of the femoral head. In: Arlet J, Ficat P, Hungerford D eds, Bone circulation, Baltimore: Williams & Wilkins. 1984;398-403.

138. Steinberg ME, Hayken GD and Steinberg DR. A quantitative system for staging avascular necrosis. J Bone

Joint Surg Br. 1995;77:34-41.

139. Stulberg BN, Bauer TW, Belhobek GH et al. A diagnostic algorithm for osteonecrosis of the femoral head. Clin Orthop Relat Res. 1989;249:176-82.

140. Stulberg BN, Levine M, Bauer TW et al. Multimodality approach to osteonecrosis of the femoral head. Clin Orthop Relat Res. 1989;240:181-93.

141. Sugano N, Atsumi T, Ohzono K, Kubo T, Hotokebuchi T, Takaoka K. The 2001 revised criteria for diagnosis, classification, and staging of idiopathic osteonecrosis of the femoral head. J Orthop Sci. 2002;7:601-5.

142. Sugano N, Nishii T,Shibuya T, Nakata K, Masuhara K, Takaoka K. Contralateral hip in patients with unilateral nontraumatic osteonecrosis of the femoral head. Clin Orthop Relat Res. 1997;334:85-90.

143. Sugano N, Ohzono K, Masuhara K, Takaoka K, Ono K. Prognostication of nontraumatic avascular necrosis of the femoral head. Significance of location and size of necrotic lesion. Clin Orthop Relat Res. 1994;303:155-64.

144. Sugioka Y. Transtrochanteric anterior rotational osteotomy of the femoral head in the treatment of osteonecrosis affecting the hip: A new osteotomy operation. Clin Orthop Relat Res. 1978;130:191-201.

145. Suh KT, Kim SW, Roh HL, Youn MS, Jung JS. Decreased osteogenic differentiation of mesenchymal stem cells in alcohol-induced osteonecrosis. Clin Orthop Relat Res. 2005;431:220-225.

146. Trancik LE, Strum D. The effect of electrical stimulation of osteonecrosis of the femoral head. Clin Orthop Relat Res. 1990;256:120-4.

147. Urbaniak JR, Coogan PG, Gunneson EB, Nunley JA. Treatment of osteonecrosis of the femoral head with free vascularized fibular grafting. A long-term follow-up study of one hundred and three hips. J Bone Joint Surg Am. 1995;77(5):681-4.

148. Vail TP, Urbaniak JR. Donor-site morbidity with use of vascularized autogenous fibular grafts. J Bone Joint Surg Am. 1996;78(2):204-11.

149. Wang CJ, Wang FS, Ko JY. Extracorporeal shock wave therapy shows regeneration in hip necrosis. Rheumatology. 2008;47:542-6.

150. Wang CJ, Wang FS, Huang CC, Yang KD, Weng LH, Huang HY. Treatment for osteonecrosis of the femoral head : comparison of extracorporeal shock waves with core decompression and bone-grafting. J Bone Joint Surg Am. 2005;87:2380-7.

151. Wang CK, Ho ML, Wang GJ et al. Controlled-release of rhBMP-2 carriers in the regeneration of osteonecrotic bone. Biomaterials. 2009;30:4178-86.

152. Weinstein RS, Nicholas RW, Manolagas SC. Apoptosis of osteocytes in glucocorticoid-induced osteonecrosis of the hip. J Clin Endocrinol Metab. 2000;85:2907-12.

153. Yan Z, Hong D, Guo C, Chen Z. Fate of mesenchymal stem cells transplanted to osteonecrosis of femoral head. J Orthop Res. 2009;27:442-6.

154. Yoo JJ, Song WS, Koo K-H, Yoon KS, Kim HJ. Osteogenic ability of bone marrow stromal cells are not defective in patients with osteonecrosis. Int Orthop. 2009;33:867-72.

155. Yoo MC, Chung DW, Hahn CS. Free vascularized fibula grafting for the treatment of osteonecrosis of the femoral head. Clin Orthop Relat Res. 1992;277:128-38.

156. Yoshida T KY, Okamura M, Negoro N, Inoue T, Yoshikawa J. Long-term observation of avascular necrosis of the femoral head in systemic lupus erythematosus: an MRI study. Clin Exp Rheumatol. 2002;20:525-30.

157. Zalavras CG, Vartholomatos G, Dokou E, Malizos KN. Genetic background of osteonecrosis: Associated with thrombophilic mutations? Cllin Orthop Relat Res. 2004;422:251-5.

158. Zhao FC LZ, Zhang NF, Wang BL, Sun W, Cheng LM , Liu ZH. Lesion size changes in osteonecrosis of the femoral head: a long-term prospective study using MRI. Int Orthop. 2009;23:122-8.

159. ZiZic TM, Marcoux C, Hungerford DS, Stevens MB. Early diagnosis of ischemic necrosis of bone. Arthritis Rheumat. 1986;29(10):1177-86.

CHAPTER

2

소아 고관절 질환의 후유증
Sequelae of Childhood Hip Diseases

1. 발달성 고관절 이형성증과 비구 이형성증

발달성 고관절 이형성증은 대표적인 소아 고관절 질환으로 히포크라테스 시대부터 기술되어 왔다. 개발도상국에서는 소아 1,000명당 1.5내지 20명이 발생하며, 진단법과 검사 시기에 따라 다양한 발생률을 보인다. 한국에서는 2011년도부터 영유아 건강검진이 시작되면서 진단되는 시기가 이전에 비해서 많이 빨라져 수술적인 치료가 필요한 경우가 많이 줄었다.

선천성 고관절 탈구(congenital dislocation of the hip)로 불리던 이 질환은 현재 발달성 고관절 이형성증(developmental dysplasia of the hip)으로 바뀌어 불리고 있으며, 이는 성장 환경 및 문화에 따라서 발병의 빈도가 달라지는 것을 반영한 것이라고 하겠다.

비구 이형성증(acetabular dysplasia)은 성장이 종료된 후 비구의 유효 체중 부하 면적을 감소시켜 이차적으로 골관절염을 유발한다. 따라서 소아기에 적절한 선별 검사를 통해 조기에 진단하고 적절한 치료를 하는 것이 성장 후 예후를 결정하는 중요한 인자이다.

1) 병인
(1) 고관절의 발달

배아(embryo) 시기에 대퇴골두와 비구는 같은 원시 간엽 세포(primitive mesenchymal cell)로부터 분화하여 발달하며 임신 7주에 틈새(cleft)가 생겨 대퇴골두와 비구가 분리되고, 태생 11주까지 고관절은 완전히 형성된다. 이 시기가 고관절 탈구가 일어날 수 있는 가장 빠른 시기가 된다. 태내 기간 동안 비구는 발달을 계속하며 비구 연골과 삼방사 연골 복합체(triradiate cartilage complex)의 성장에 의하여 비구의 외형이 결정되고 특히 비구순의 발달이 두드러진다. 생후 비구의 성장은 삼방사 연골 복합체 내의 간질 성장(interstitial growth)에 의해 넓이가 확정되어 직경이 결정되며 비구의 깊이는 비구 연골 내의 간질 성장 및 연골 변연부에서의 부가 성장(appositional growth), 그리고 비구 가장자리에서의 골막 신생 골형성에 의해 증가된다. 대퇴골두는 대퇴골두 성장판, 대전자부 성장판, 그리고 이 두 부분을 연결하는 대퇴골 경부 협부의 성장에 의하여 대퇴골 근위부의 외형이 만들어진다. 태어날 때 대퇴골두는 비구 깊숙이 위치하며 관절액의 표면 장력에 의하여 견고히 유지되나 고관절 이형성증에서는 대퇴골두와 비구 사이에 밀착이 상실되어 대퇴골두가 비구로부터 쉽게 전위된다. 비구와 대퇴골 근위부의 성장은 서로 밀접하게 연관되어 영향을 미치는 것으로 알려져 있는데, 대퇴골두가 비구의 중심에 정확하게 위치하여야 비구의 오목면이 정상적으로 발달되며 비구와 대퇴골 근위부 모두 균형 잡힌 성장을 이룰 수 있다. 비구가 확장됨에 따른 정상적인 비구의 깊이 성장을 위해서는 비구 연골과 삼방사 연골, 그리고 인접 골의 성장 사이에 균형이 이루어져야 하며 이러한 균형은 유전적인 요소와 태내 환경 등에 의해 조정되는 것으로 추정되고 있다. 약 8세경이 되면 비구의 성장이 대부분 완성되므로, 발달성 고관절 이형성증의 예후를 가늠할 수 있다.

(2) 원인

고관절의 관절낭과 인대의 과유연성(hyperlaxity)이 주된 원인으로 알려져 있으며 이러한 관절낭과 인대의 과유연성은 태내에서의 물리적인 요인, 유전적인 요인, 호르몬의 영향 등에 의해 발생할 수 있고 그 외에 출산 후의 환경적인 요인 등이 원인으로 알려져 있다. 이 중 어떤 것이 가장 중요한 원인인지에 대해서는 아직 정립된 바가 없으며 하나의 원인에 의하여 발생하는 것이 아니라, 여러 요인들이 일련의 과정으로서 질병 발생에 기여하는 것으로 보고 있다. 태내혹은 생후의 물리적인 요소가 주된 원인이라는 이론도 있는데, 일례로 진둔위(frank breech presentation)의 경우 슬관절이 과신전되어 있고 고관절이 과도하게 굴곡되어 있으므로 탈구가 쉽게 발생할 수 있는 요인이 된다는 것이다. 여아, 첫 아기, 둔위 출산, 양수과소증(oligohydramniosis), 발달성 고관절 이형성증의 가족력, 하지에 변형이 있거나 사경(torticollis)이 있는 경우, 인종적 배경(예: 아메리카 원주민), 과체중

아 등의 요인이 위험 요소로 알려져 있으나, 60% 이상에서는 위험 요소가 발견되지 않는다. 관절구축증(arthrogryposis), 다운 증후군과 같은 신경근육계의 이상에 의해 비전형적인 탈구가 발생할 수도 있으며 빈도는 높지 않지만 치료의 예후가 나쁜 것으로 알려져 있다.

(3) 병리 소견

발달성 고관절 이형성증에 관찰되는 비정상적인 해부학적 구조는 일차적으로 비구 측에서 변형이 먼저 발생하고 이차적으로 근위 대퇴골의 변형으로 이어지며, 탈구의 기간이 길수록 비구, 근위 대퇴골, 관절낭 등의 변형은 더욱 심해진다.

출생 시 고관절의 병리적 소견은 경도의 관절낭의 이완부터, 중증의 대퇴골두 탈구에 의한 변형까지 다양하게 보고된다. 탈구되지는 않았으나 아탈구(subluxation) 상태의 불안정성 고관절은 관절낭이 헐겁게 늘어져 있으며 원형인대는 길고 두꺼워져 있고

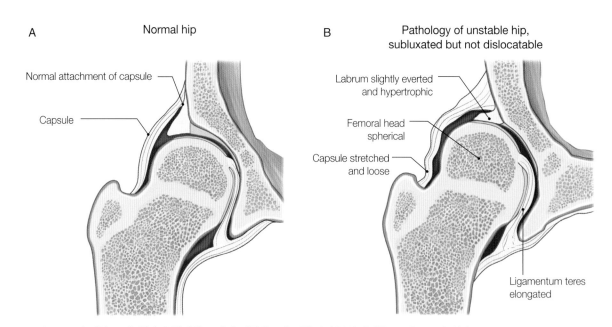

그림 1. 소아 정상 고관절(A)과 발달성 고관절 이형성증에 이환되어 불안정성을 보이는 고관절(B)
탄력을 잃은 고관절낭과 늘어난 원형인대가 고관절의 안정성에 기여하지 못하며, 상방으로 경도로 전위된 대퇴골두에 의하여 상방의 비구순이 외번되어 있다.

비구순은 외번(eversion)되어 있다(그림 1). 대퇴골두는 정상적인 모양을 유지하고 있으나, 출생 시 비구와 근위 대퇴골이 과도하게 전염(anteversion)되어 있는 경우 해부학적으로 불안정한 고관절 구조를 이룬다. 아탈구된 고관절은 대퇴골두의 후내측이 편평해지면서 구형(sphericity)이 소실되고 대퇴골 및 비구의 전염이 과도하게 증가한다. 비구는 얕아지며 후상방 가장자리의 변형이 시작된다. 비구순은 초기에는 외번되어 있으나 탈구가 지속되면서 비구의 후상방이 두터워지고 내번(inversion)된다(그림 2). 비구순의 내번은 초기에는 정상 형태로 돌아갈 수 있는 가역적인 특성을 가지지만, 시간이 오래 경과되는 경우 대퇴골두의 정복을 방해하며, 비가역적인 병변으로 고정된다. 완전 탈구된 고관절은 대퇴골두가 비구에서 나와 후상방으로 이동되어 장골의 외벽 위에 놓여 변형되고 비구는 얕아지고 좁아지는 병적 변화가 점차 심화된다.

탈구된 고관절에서 고관절의 정복을 방해하는 여러 개의 구조물들이 있는데, 좁게 늘어난 모래시계 모양의 관절낭은 하방 입구가 좁아져서 대퇴골두가 비구로 들어가는 것을 방해하며 비구의 내측으로 전위된 횡비구인대(transverse acetabular ligament) 역시 비구 하방에서 대퇴골두의 정복이 되는 것을 막는다. 늘어나고 비후된 원형인대와 내번된 비구순, 비후된 비구내 지방조직(pulvinar) 역시 대퇴골두의 정복을 방해하는 관절내 구조물들이며(그림 3), 고관절의 전방을 지나는 장요근건(iliopsoas tendon)은 가늘게 늘어난 관절낭을 전방에서 압박하여 비구 입구를 좁아지게 함으로써 대퇴골두의 정복을 방해한다(그림 4).

2) 자연 경과

발달성 고관절 이형성증의 자연 경과는 신생아 시기에서는 고관절의 불안정성 유무가 주된 문제이지만 이 시기가 지나 병적 상태가 굳어지면 고관절의 탈구 정도에 따라 결정된다. 따라서 신생아 시기에서의 자연 경과, 그리고 완전 탈구, 아탈구 및 이형성증에서의 자연 경과를 구분하여 기술할 필요가 있다.

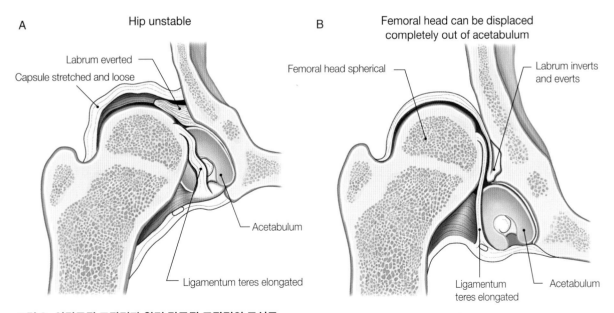

그림 2. 아탈구된 고관절과 완전 탈구된 고관절의 모식도
(A) 아탈구된 대퇴골두에 의하여 상방의 비구순이 비후되고 외번되어 있으며, (B) 탈구로 진행되면 비구순은 내번되고, 심하게 늘어져 있는 원형인대와 왜곡된 비구내 구조물에 의하여 정복이 어려워진다.

155

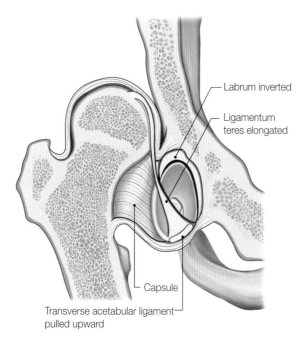

그림 3. 탈구된 고관절에서 대퇴골두의 정복을 방해하는 구조물
관절 바깥에서는 모래시계처럼 잘록해진 관절막이, 관절 내에서는 늘어나있는 원형인대, 내번된 비구순, 상방으로 전위된 횡인대, 비후된 비구내 연부조직 등이 정복을 방해할 수 있다.

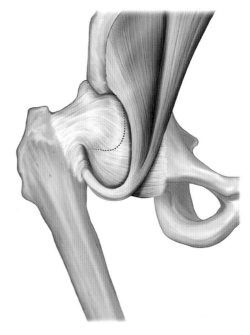

그림 4. 탈구된 대퇴골두의 정복을 방해하는 장요근건
정상적으로 대퇴골두의 전방을 지나 소전자부에 부착하는 장요근건은 탈구 후 관절낭을 압박하여 대퇴골두의 정복을 방해한다.

(1) 소아에서의 자연 경과

신생아기에 불안정성을 보이는 발달성 고관절 이형성증은 대부분 별다른 치료 없이도 단기간 내에 안정성을 가지게 되나 이 중 일부는 불안정성이 지속되거나 경과를 예측할 수 있는 방법은 없으므로 모든 신생아기의 불안정성은 치료를 해야 한다.

소아기에 발생하는 반복적 또는 지속적인 대퇴골두의 탈구는 소아가 성인으로 성장하는 동안 고관절 주변의 연부조직뿐만 아니라, 대퇴골과 비구의 구조에도 비가역적인 변화를 일으킨다. 성인이 될 때까지 교정되지 않고 잔존하는 해부학적 이상은 고관절의 생역학적 부조화를 초래하여 골관절염과 같은 심각한 문제를 야기한다.

소아의 정상 비구와 대퇴골 근위부는 출생 시 성인에서 보다 전염각이 증가되어 있으며, 정상 고관절 범위에 맞게 적응하며 성장하여 정상 성인 고관절의 해부학적 구조로 발달한다. 그러나 이환된 대퇴골과 비구는 모두 정상 소아의 그것보다 과도하게 전염되어 있으며, 탈구 또는 아탈구가 진행되면 교정력이 부여되지 않아 불안정한 고관절 구조가 교정되지 않고 지속된다. 적절한 관절 운동을 통한 자극을 받지 못한 비구는 점차적으로 두꺼워지고 깊이가 얕아진다. 구형에서 타원형으로 변형 모양을 가지며, 일부에서는 전벽과 후벽의 결손이 발생하기도 한다. 탈구된 대퇴골두는 비구에 의하여 후내측이 편평한 배 모양으로 변형되며, 결국 비구와 대퇴골두의 관절면이 일치하지 않아 이차적으로 관절의 파괴를 유발한다.

(2) 성인에서의 자연 경과

완전 탈구된 고관절은 중년까지 하지 단축으로 인한 파행 외에는 통증 또는 기능 장애가 거의 없는데, 나이가 들면서 고관절 통증보다는 하지 단축으로 인한 생역학적 부조화로 척추나 슬관절 등 인접 관절에 조기 퇴행성 변화를 유발할 수 있다. 통증은 50-60대에 발생하나 빠르면 30-40대에서 시작할 수 있다. 이러한 통증은 대부분 활동에 제한을 주지 않을 정도의 통증이다.

탈구된 고관절의 자연 경과에 영향을 미치는 가장 중요한 위험 인자로는 잘 발달된 가성 비구(false acetabulum)의 존재와 편측성 탈구를 들 수 있다. 가성 비구가 형성된 경우, 관절 간격의 협소, 골내 낭종의 형성, 골극 형성, 대퇴골두의 편평화 등의 퇴행성 변화가 진행하여 불량한 임상 경과를 보인다. 가성 비구가 형성되어 있지 않은 경우 대퇴골두는 장골과 접촉 없이 관절낭으로 잘 덮여 있어, 대부분의 환자들이 늦게까지 심각한 기능적 장애 없이 좋은 고관절 운동 범위를 유지하며 생활할 수 있다(그림 5). 편측성 완전 탈구가 있는 경우에는 환측 슬관절의 외반 변형과 이로 인한 외측 구획의 골관절염, 건측 고관절의 이차성 골관절염, 척추 측만 등을 유발할 수 있으므로, 인접 관절의 이차적 문제 발생에 대하여 주의 깊게 관찰해야 한다. 양측성 완전 탈구가 있는 경우에도 과도한 요추 전만 변화에 의해 하부 요통과 보행 장애 등의 이차적인 문제가 발생할 수 있으나 편측성 탈구보다 양호한 임상 경과를 가진다.

고관절의 아탈구는 방사선적으로 대퇴골두와 비구가 부분적으로는 접촉이 있으나 비구 내벽과는 접촉이 없고 Shenton 선이 단절되는 것으로 정의하며, Shenton 선이 단절되지 않고 유지되나 단지 비구 및 대퇴골두의 발육이 비정상적인 것을 고관절 이형성증으로 정의한다(그림 6). 고관절의 아탈구와 이형성증은 그 진행이 다를 수 있어 구분을 할 필요가 있으나, 이형성증은 이차적인 퇴행성 변화에 의해 아탈구로 진행될 수 있다. 고관절 이형성증의 경우 젊은 나이에서는 대개 증상이 없으며, 우연히 진단되는 경우가 많다. 이형성증과 아탈구는 결과적으로 체중 부하 부위의 관절 연골에 과도한 하중이 가해지고, 역동학적 불안정성과 비구순 파열,

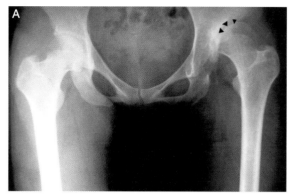
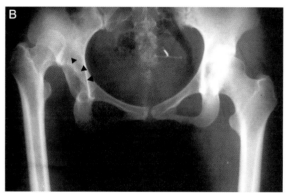

그림 5. 잘 발달된 가성 비구과 퇴행성 변화
(A) 좌측 비구에 잘 발달된 가성 비구가 관찰되며, 골관절염의 진행과 함께 불량한 고관절 기능을 보인다. 잘 발달된 가성 비구는 고관절의 퇴행성 변화를 가속시켜 오히려 나쁜 임상 결과를 나타낸다. (B) 우측 대퇴골두가 진성 비구로부터 완전히 탈구되어 있으나 가성 비구는 형성되어 있지 않으며, 하지 길이의 불균형 외에는 통증이 거의 없이 양호한 고관절 기능을 보인다.

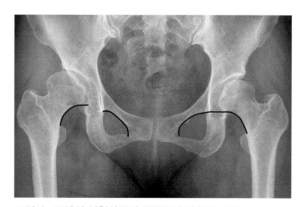

그림 6. 고관절 이형성증과 아탈구의 방사선 소견
양측 고관절 이형성증으로 좌측은 Shenton 선이 유지되고 있으며 우측은 Shenton 선이 단절된 아탈구된 고관절이다.

근육 피로 등을 야기하여 종국에는 골관절염으로 이어지는데 고관절에 발생하는 이차성 골관절염의 원인들 중 20-30%를 차지하는 것으로 보고 있다.

3) 진단

(1) 단순 방사선 검사

성인의 발달성 고관절 이형성증을 진단하는 방사선학적 지표로는 CE 각(center-edge angle)과 비구 골두 지표(acetabular head index, AHI), 비구의 깊이, 비구 경사각 등이 있다. 이차성 골관절염의 이행과의 관련성에 대해서 논란이 있지만 이들 측정값이 이형성증의 정도를 평가하는 변수이고, 이형성증의 정도가 관절염 발생에 중요한 요인임은 분명하다.

이형성증에 이환된 고관절의 평가를 위해서는 골반의 전후면 단순 방사선 사진이 가장 중요하며, 기본이 된다. 기립 자세에서 하지를 15-20° 내회전하여 촬영하여야 대퇴골두와 대퇴골 경부를 정확하게 평가할 수 있다. 양측 골반과 대퇴골 근위부가 대칭되게 촬영된 것을 확인한 후 다음의 지표들을 측정한다.

① **외측 CE 각**(lateral center-edge angle): 고관절 이형성증 골반에서 가장 중요한 방사선적 지표로 이형성증의 진단적 의의가 있다. 골성 비구에 의한 대퇴골두의 상방과 외측의 덮임 정도를 평가할 수 있다. 양측 대퇴골두의 중심(C1)을 기준으로 수평한 선(C2-C1)을 긋고, 대퇴골두 중심을 지나면서 이에 수직인 선을 그린 후, 대퇴골두 중심과 비구의 가장 외측을 연결한 선과의 각도를 측정한다. 비구의 가장 외측은 실질적으로 체중 부하의 영향이 미치는 눈썹처럼 보이는 연골하골의 경화성 선(sourcil)의 외측단을 기준으로 설정한다. Wiberg 등은 CE 각을 정의하면서 25° 이상의 값을 가질 때 정상 범위로, 20°에서 25°를 경계 범위, 20° 이하에서 비구 이형성증으로 정의하였다(그림 7).

② **비구 천장 경사각**(acetbular roof angle of Tönnis):

비구 지붕의 위치를 평가하는 지표로, 대퇴골두의 외측 덮임 정도를 볼 수 있다. Sourcil의 가장 내측 점(T)과 가장 외측 점(E)을 연결하는 사선과 sourcil의 가장 내측 점으로부터 수평으로 그은 선 사이의 각도로 정의한다. 정상에서는 10° 이하로, 이형성증에서는 10° 이상으로 측정된다(그림 8).

③ **비구 깊이-너비 비**(acetabular depth-width ratio): 비구의 깊이를 나타내는 지표로서, 비구의 외측에서 비구의 가장 낮은 점까지의 거리(W)와 이로부터 수직으로 비구의 가장 깊은 곳까지의 거리(D)의 비(D/W × 100)로 정의하며, 정상 고관절에서 38% 이상으로 측정된다(그림 9).

④ **비구 골두 지표**(acetabular head index, AHI): 비구의 위치와 대퇴골두의 덮임을 평가하는 지표로 비구와 대퇴골두의 관절조화(congruity) 유지 여부 역시 확인할 수 있다. 비구의 가장 내측과 비구의 가장 외측까지의 거리(A)와, 역시 비구의 가장 내측과 대퇴골두 가장 외측의 거리(B)의 비로 정의하며, 75% 이하에서 병적 상태로 정의한다(그림 10).

⑤ **전방 CE 각**(anterior center-edge angle): 골반 전후방 사진에서 측정한 CE 각이 비정상적으로 측정되었다면, 대퇴골두의 전방 덮임 정도 역시 측정하여야 한다. 기립 자세에서 골반과 약 65° 기울어진 방향으로 필름 카세트를 위치시키고, 방사선을 필름에 수직으로 조사하여 촬영하는 false profile 영상에서 이를 확인할 수 있다(그림 11). 대퇴골두의 중심(C)을 지나는 수직선과, 이 중심(C)에서 비구의 가장 전방 점(A)을 잇는 사선이 이루는 각으로 정의하며, 정상에서 25° 이상으로 측정된다(그림 12).

(2) 전산화단층촬영

전산화단층촬영은 단순 방사선 사진에서 확인된 고관절의 이형성에 대해 수술적 치료를 계획한 경우 시

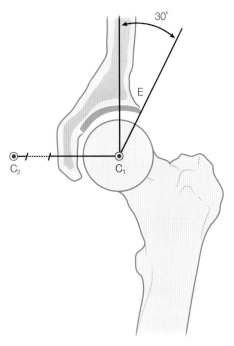

그림 7. 외측 CE 각

양측 대퇴골두의 중심(C_1, C_2)을 기준으로 수평한 선(C_2–C_1)을 긋고, 이에 수직인 선을 기준으로 삼은 후, C_1과 비구의 가장 외측을 연결한 선과의 각도로 정의한다. 비구의 가장 외측은 실질적으로 체중 부하의 영향이 미치는 눈썹처럼 보이는 연골하골의 경화성 선(sourcil)을 기준으로 설정한다.

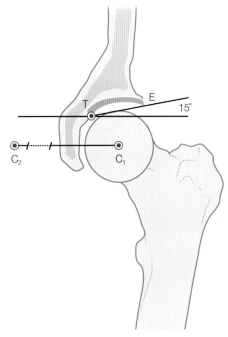

그림 8. 비구 천장 경사각

대퇴골두를 덮고 있는 비구의 지붕의 위치를 평가하는 각도이다. Sourcil의 가장 내측과 외측을 잇는 선과 수평선이 이루는 각으로 정의한다.

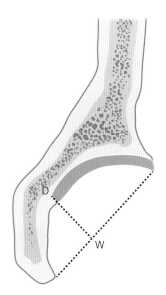

그림 9. 비구 깊이-너비 비

비구의 깊이를 나타내는 지표로서, 비구의 너비와 깊이의 비로 정의한다(D/W × 100).

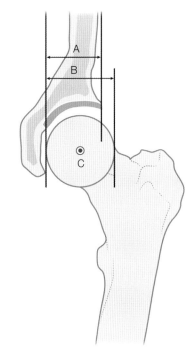

그림 10. 비구 골두 지표

대퇴골두를 덮는 비구의 정도를 비율로 나타낸 지표로서 비구의 가장 내측에서 골두의 가장 외측까지의 거리(B)와 비구의 가장 외측까지의 거리(A)의 비로 정의한다(A/B × 100).

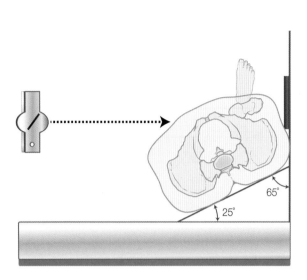

그림 11. False profile 영상 촬영법
대퇴골두의 전방 덮임 정도를 평가하기 위한 방사선 검사법이다.

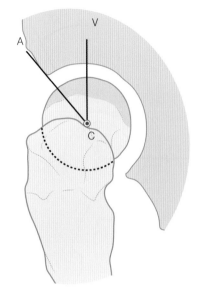

그림 12. 전방 CE 각
비구에 의한 대퇴골두의 전방 덮임 정도를 평가하는 지표이다.

행한다. 전산화단층촬영을 통하여 수술적 치료 방법과 수술 후의 덮임 정도를 정확하게 예측할 수 있다. 대퇴골두 중심의 축상면 영상에서 대퇴골두의 중심에서 비구의 전방 덮임 정도(anterior acetabular sector angle, AASA)와 후방 덮임 정도(posterior acetabular sector angle, PASA)를 측정한다(그림 13).

4) 치료

(1) 소아에서의 치료

이 시기의 고관절 이형성증의 치료 목적은 고관절의 중심성 정복(concentric reduction)을 얻고, 정복을 유지하며, 정상 고관절의 생역학적 관계를 수복하여, 결과적으로 정상적인 고관절로의 성장을 도모하고, 성인이 된 후에 이차성 골관절염이 발생하는 것을 최소화하는 것이다.

출생 후 6개월 이전까지는 고관절의 신전과 내전을 방지하여, 불안정한 고관절 탈구를 예방하는 것을 목적으로 보존적 치료를 사용한다. Pavlik 보장구는 안전한 범위 내에서 고관절의 운동을 허용하면서도, 탈구를 예방할 수 있어 가장 많이 사용되고 있다(그림 14).

생후 6개월이 지나면 기어 다닐 수 있을 정도로 유아들의 근력이 강해지기 때문에 Pavlik 보장구로는 정복의 유지가 되지 않는다. 따라서 전신 마취하에 도수 정복술을 시행하고 고 수상 석고(hip spica cast)로 정복 상태를 유지시켜야 한다. 도수 정복술 시에 관절조영술(arthrogram)을 실시하여 정복상태를 확인해야 하고 안정 범위(safe range)를 측정한다. 안정적 정복이 되었다고 판단이 되면 100° 굴곡, 40–50° 외전, 10° 미만의 내회전 위치, 일명 human position에서 석고 고정을 시행하는데, 최소 3개월 정도 석고 고정을 유지해야 한다.

도수 정복 치료에 실패하거나 도수 정복술 시에 안정 범위가 너무 작은 경우에는 관혈적 정복술을 필요로 한다. 전내측 또는 전방 접근법을 사용할 수 있으며, 대퇴골두의 정복을 방해하는 관절내 구조물을 절제하고, 대퇴골두를 정복한다. 전내측 접근 시에는 내측 대

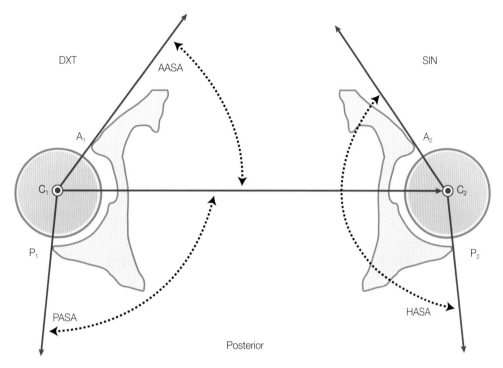

그림 13. 전산화단층촬영 검사의 지표들
대퇴골두 중심에서 축 영상에서 비구의 전방 덮임 정도(anterior acetabular sector angle, AASA)와 후방 덮임 정도(posterior acetabular sector angle, PASA)를 평가할 수 있다.

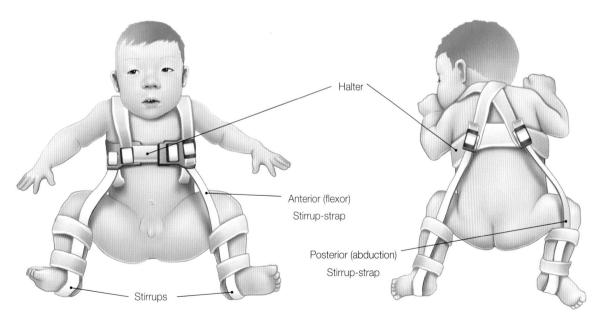

그림 14. Pavlik 보장구

퇴회선동맥이 가까이 위치하므로 손상을 주지 않도록 한다. 관절낭 봉합 후 human position에서 석고 고정을 시행한다.

2세 이상의 소아에서는 수술적 정복술을 시행하는 것이 일반적이며, 3-4세까지 수술적 정복술이 유용한 것으로 알려져 있다. 필요한 경우 대퇴 감염 절골술(femoral derotational osteotomy), 비구 성형술 등을 같이 시행하여 고관절의 안정을 도모할 수 있다.

(2) 소아에서 합병증

고관절 이형성증 환아에서 가장 우려되는 합병증은 대퇴골두에 발생하는 골괴사이다. 생후 12개월 이내에 도수 정복 또는 수술적 정복 등을 시행 받은 환아에서 대퇴골두 골괴사가 발생하는 빈도는 6-48%까지 다양하게 보고되고 있다. 괴사의 발생과 가장 깊은 관계를 가지는 요소로는 골화 핵(ossific nucleus)의 출현 여부와 석고 고정의 자세를 꼽을 수 있다.

골화 핵은 일반적으로 생후 3-4개월 전후에 나타나며, 탈구된 고관절에서는 생후 17개월까지 출현이 지연될 수 있다. 골화 핵의 출현과 성장은 대퇴골두의 단단함을 증가시키므로 괴사의 발생을 억제할 수 있다는 동물 모델이 보고된 바 있으며, 실제로 생후 12개월 이내, 골화 핵이 존재하는 상태에서 정복을 시행한 경우 괴사의 발생이 적었다는 보고가 있다. 일부 연구자들은 골화 핵이 나타날 때까지 정복을 지연시켜야 한다는 의견을 가지고 있으나, 발견 즉시 가능한 빠른 시기에 정복을 하는 것이 대퇴골뿐만 아니라 비구의 병적 성장을 최소화할 수 있고, 치료를 지연하는 경우 수술적 치료의 가능성을 높일 수 있다.

1969년 Salter 등은 정복 후 석고 고정 시 고관절을 심하게 외전시키는 것이 대퇴골두 골괴사의 발생과 관계가 있음을 보고하였다. 고관절을 과도하게 외전시키거나, 외전과 함께 내회전시키면 대퇴골두로 가는 혈류가 차단되며, 골단 연골과 성장판에 압박 괴사를 유발하여 괴사의 빈도를 높이는 것으로 알려져 있다.

Ramsey 등은 대퇴골두에 괴사를 일으킬 수 있는 고관절 위치의 범위와 재탈구가 일어날 수 있는 범위를 정의하고, 정복 후 고정 시에 위험을 최소화할 수 있는 'safe zone' 개념을 발표하여 임상에 적용하였다.

(3) 성인에서의 치료

치료되지 않거나, 잘 치료되지 못한 고관절 이형성증은 성인에서 이차성 골관절염의 원인이 된다. 젊은 성인에서 고관절의 퇴행성 변화를 조기에 발견하는 것은 수술의 종류와 적응증을 고려할 때 중요한 문제이다. 고관절 전치환술의 성공률이 높고 인공 관절의 사용 연한이 크게 증가하기는 하였으나, 활동량이 많은 젊은 연령의 고관절 이형성증에서 고관절 전치환술을 시행한 경우 여명 기간 중 재수술의 가능성이 높고 어느 정도의 활동 제한을 감수하여야 한다. 이러한 이유 때문에 젊은 환자에서 고관절 전치환술은 최후의 수단으로만 고려하여야 하며, 적절한 시기에 절골술(osteotomy)을 시행하는 것이 이상적으로 받아들여지고 있다. 관절염이 어느 정도 진행된 이형성증 고관절에서도 고관절 전치환술을 늦추기 위한 중간적 수단으로서 절골술을 선택하기도 한다.

비구주위 절골술(periacetabular osteotomy)은 근위 대퇴골 및 비구의 변형을 호전시키고, 이를 통하여 고관절의 역학을 호전시켜 골관절염의 진행을 막거나 늦추기 위하여 시행한다. 주로 대퇴골 병변인 경우 근위 대퇴골 절골술을, 비구의 병변인 경우에는 비구주위 절골술을 실시하는 것이 일반적이다.

골반골의 절골술은 절골 후에 대퇴골두를 덮는 비구 관절면이 정상적인 초자 연골인 경우는 재형성 절골술(reconstructive osteotomy)이라고 하고 비구 회전 절골술, Bernese 절골술, 이중 및 삼중 절골술 등 대부분의 절골술이 여기에 속하며, 관절면이 섬유 연골인 경우는 구제 절골술(salvage osteotomy)로 분류하며 Chiari 절골술이 여기에 속한다. 재형성 절골술은 절골술 후 대퇴골과 비구 사이의 관절 일치성이 양호하고 체중 부하 면적이 증가될 수 있는 젊은 환자가 좋은 적응이 되며(그림 15), 구제 절골술은 절골술 후 대퇴골두와 비구의 관절 일치성을 회복할 수 없는 변형이 동반된 경우가 좋은 적응증이 된다. 소아에서는 삼방사 연골 성장판이 폐쇄된 후부터 절골술이 가능하고, 폐쇄 전에도 일부 술식에서 선택적으로 시행하고 있다. 고령에서는 실제 나이보다는 환자의 활동 상태를 고려하여

수술을 결정하여야 한다. 성장판 손상이 우려되는 성장기의 청소년, 진행된 골관절염, 관절 운동의 제한이 심한 경우, 대퇴골두가 가성 비구 내에 있는 경우는 비구주위 절골술의 금기이다. 대퇴골두 골괴사 또는 지속된 아탈구에 의하여 대퇴골두에 대고(coxa magna) 등의 변형이 발생할 수 있다. 이러한 경우 대퇴골 근위부에서 절골술을 시행하여, 왜곡된 고관절의 생역학적

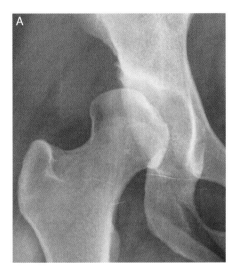 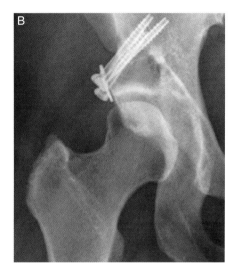

그림15. 발달성 고관절 이형성증에서의 비구 회전 절골술
(A) 수술 전 우측 고관절 방사선 사진 (B) 수술 후 8년 추시 방사선 사진

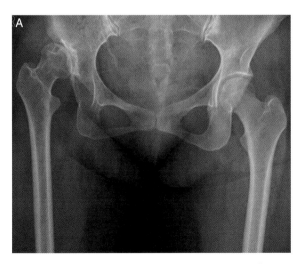 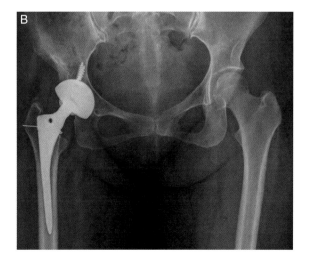

그림 16. 발달성 고관절 이형성증에서의 고관절 전치환술
(A) 가성 비구 형성 및 심한 이차성 골관절염이 동반된 우측 고관절에 대하여 (B) 진성 비구 위치에서 고관절 전치환술을 시행하였다.

163

환경을 개선하고, 이차적인 관절 파괴의 진행을 완화시킬 수 있다. 대퇴골두와 비구 모두에 변형이 동반된 발달성 고관절 이형성증은 고관절 관절면의 불일치로 인하여, 비교적 조기에 골관절염이 진행하며, 정상적인 대퇴골두를 가진 환자에 비하여 수술 후 예후가 좋지 않다.

진행된 관절염을 동반한 발달성 고관절 이형성증에서, 고관절 전치환술은 좋은 결과를 보여주고 있으며 이에 대한 많은 연구가 발표되고 있다(그림 16). 고관절 이형성증에 이환된 고관절에서는 높은 위치로 전위된 고관절 중심(high hip center), 작은 대퇴골 골수강, 근위 대퇴골의 회전 변형(대퇴골의 전염각 증가), 대전자의 후방 위치 등 고관절 전치환술을 어렵게 하는 다양한 해부학적 변형 존재하므로 수술 전 이에 대한 철저한 준비가 필요하다. 특히 탈구된 대퇴골두가 지나치게 근위로 전위되어 있는 경우, 수술적 도달의 어려움, 수술 중 과도한 신장으로 인한 신경-혈관 손상의 위험 등의 문제가 있다. 따라서 비구컵을 정상보다 근위에 삽입하여 이를 피하는 것이 적합하다고 말하는 연구자들이 있으나 근육의 이완을 줄이고, 고관절의 생역학적 관계를 가능한 재건하기 위하여 진성 고관절 중심(true hip center)에 비구컵을 위치시키는 것이 이상적이다. 비구컵을 진성 고관절 중심에 위치시키면서 신경-혈관 손상의 문제를 최소화하기 위하여 대퇴골 근위부 혹은 원위부에서 단축 절골술(shortening osteotomy)을 시행할 수 있다.

2. Legg-Calvé-Perthes 병

1) 소아에서의 Legg-Calvé-Perthes 병

(1) 정의 및 역학

Legg-Calvé-Perthes 병은 소아에서 특발성으로 대퇴골두의 골핵(ossific nucleus)에 다양한 정도의 골괴사가 발생하는 질환으로 편평고(coxa plana)라고도 한다. 1910년에 Legg, Calvé, Perthes가 각각 소아에서 발생한 비감염성 편평고 증례를 보고하면서 이 질환이

알려지기 시작하였다. 1921년 Phemister는 조직학적으로 골단의 골괴사가 발생한 것을 밝혔으며, 1922년 Waldenström은 방사선 소견을 기준하여 병의 진행 과정을 보고하였다. 1971년 Catterall은 골단의 괴사 정도를 4개 군으로 나누었으며, 1984년 Salter는 괴사 정도에 따른 예후를 제시하였다. 이 질환은 4-8세 소아에서 가장 흔하게 발생하지만, 2세 이하 12세 이상의 소아에서도 발병이 보고되고 있다. 남아에서 여아보다 4-5배 호발하며, 10-20%에서 양측성으로 발생한다. 약 10-20%에서 가족력이 있으나, 확실한 유전적 소인은 없다고 한다. 백인, 아시아인, 중부 유럽인에서 보다 흔하고 아메리카 인디언, 그리고 흑인에서는 드물다.

(2) 원인

Legg-Calvé-Perthes 병의 원인은 아직 정확하게 밝혀지지 않았고 발생 기전에 대해서도 많은 논란이 있다. 혈전성향증(thrombophilia)은 가능성이 높을 것으로 인정되고 있는 원인 중 하나이다. 응고 기전에 작용하는 S 단백 혹은 C 단백 등 조절 인자의 유전적인 결함에 의해 혈전증과 저섬유소용해증(hypofibrinolysis)이 유발되어 정맥 순환 장애를 일으키고 이는 대퇴골두 골괴사를 야기시켜 결국 이 병이 발생하는 것으로 가정하였다. 최근까지 많은 연구들이 진행되고 있지만 아직까지 뚜렷한 결론에 도달하지 못하고 있다. 고관절 일과성 활액막염(transient synovitis of the hip)이 이 병의 전구 단계라고 하였으나, 일과성 활액막염 환자 중 1-3%에서만 발생하였다고 한다. 원인은 확실하지 않지만 대퇴골두의 혈행 장애가 발생하면 괴사가 초래되고 여러 가지 기전에 의해 대퇴골두의 변형이 발생한다.

(3) 임상 및 방사선 소견

가장 흔히 보이는 증상은 통증 없이 서서히 시작되면서 오랫동안 지속되는 파행이며, 두 번째로 흔한 증상은 서혜부, 대퇴부 내측, 슬관절 부위의 통증이다.

갑작스럽게 보행이 불가능한 상태를 보이는 경우도 드물게 있다. 대부분 환아에서 초기부터 고관절의 외전과 내회전에 제한이 있으며, 약간의 굴곡 구축이 동반되는 경우도 있다. 조기의 외전 제한은 내전근의 긴장에 기인하지만, 질병이 진행하면서 고관절 변형에 의하여 발생되어 고착화된다.

단순 방사선 사진은 질환의 진행과 골단의 침범 정도를 결정할 수 있어 진단과 추시에 유용하다(그림 18A, B). 고관절의 전후방과 개구리 다리 측면 단순 방사선 사진으로 이상을 관찰할 수 있다. 초기 방사선 소견은 대퇴골두 골핵의 크기가 반대쪽과 비교하여 작고 내측 관절 간격이 넓어지고, 진행되면 대퇴골두의 방사선 음영의 증가 및 대퇴골두의 연골하골절이 관찰된다. 방사선 동위 원소 골주사 검사와 자기공명영상으로 조기 진단을 할 수 있으며, 관절조영술은 대퇴골두의 편평화나 경첩 외전(hinge abduction) 현상을 관찰하는 데 도움이 된다.

(4) 방사선적 분류
Legg-Calvé-Perthes 병의 분류는 고관절 전후방과 개구리 다리 측면 방사선 촬영상에서 대퇴골두의 침범 정도를 기준하여 분류하는데 Catterall 분류법과 Herring lateral pillar 분류법이 가장 널리 사용되고 있다. Catterall 분류법은 1군에서 4군까지로 분류하는데, 이 분류법을 이용한 경우 병의 초기와 진행된 분절기(segmentation stage)의 분류군이 달라질 수 있으며 관찰자 사이에 분류군이 일치하지 않는 경우가 많이 발생한다. Lateral pillar 분류법은 외측 대퇴골두의 침범 정도에 따라 A, B, B/C border, C 4군으로 나누며, 예후와 밀접한 관계를 가지고 있다(그림 17). 위 2개의 분류법은 분절기 중간에 질병을 분류하면 가장 정확도가 높다.

Catterall 등은 임상적 방사선적으로 골두 위험 징후(head-at-risk sign)에 대해서 보고하였으며 임상적 골두 위험 징후로는 비만, 지속적인 운동 범위의 제한, 외전 구축이며 방사선적인 골두 위험 징후로는 대퇴골두의 외측이전(lateralization of the femoral head), 외측 석회화(lateral calcification), 외측 아탈구(lateral subluxation), Gage 증후, 골간단부의 음영변화, 성장판의 수평화 등이 있다(그림 18).

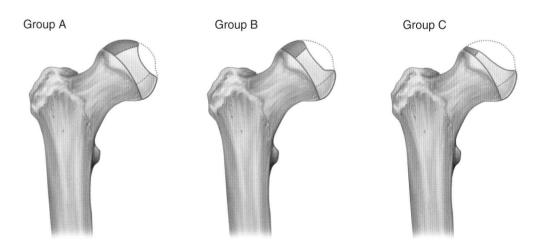

그림 17. Lateral pillar 분류법
A군은 대퇴골두의 외측 지주가 유지되고, B군은 대퇴골두 외측 지주의 높이가 50% 이상이고, C군은 대퇴골두 외측 지주의 높이가 50% 미만이다.

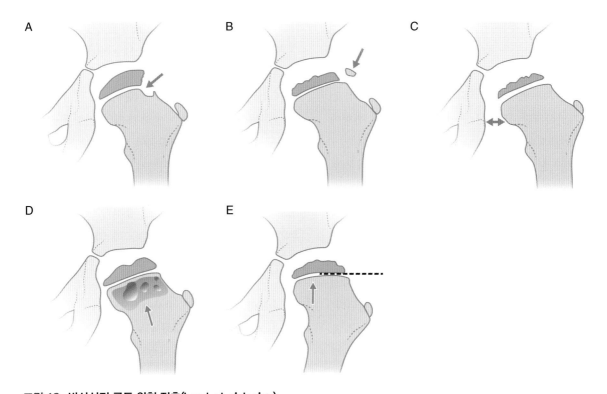

그림 18. 방사선적 골두 위험 징후(head-at-risk sign)
(A) Gage 증후, (B) 외측 석회화, (C) 외측 아탈구, (D) 골간단의 음영 변화, (E) 성장판의 수평화

(5) 소아에서의 치료

이미 보고된 치료 성적들을 종합하면, 약 50%의 환아들은 치료를 받지 않아도 양호한 결과를 얻을 수 있으며, 치료가 결과에 영향을 미치는 군이 35%, 그리고 치료에도 불구하고 결과가 불량한 군이 약 15% 정도이다. 따라서 각 치료법의 적응증을 잘 파악하여, 필요하다면 최적기에 적절한 수술적 치료를 하는 것이 바람직하다.

Legg-Calvé-Perthes 병 치료의 첫 번째 원칙은 관절 운동의 회복이며, 두 번째 원칙은 대퇴골두를 비구 내에 잘 유치하는 것이다. 이는 고관절 운동 범위를 회복하고 대퇴골두를 비구내에 유치하여 고관절에 비정상적인 외력이 미치는 것을 줄이며, 고관절 아탈구를 교정하여 골두와 비구의 변형을 방지하고, 근위 대퇴골의 성장 장애를 최소화하여 이차적인 골관절염의 발생을 예방하는 것이다.

① **비수술적 치료:** 정상 관절 운동이 회복된 환아에서 보조기를 이용하여 고관절을 외전된 상태로 유지하되 무릎과 발목은 자유롭게 움직일 수 있게 한다. 평균 치료 기간은 9개월에서 1년 정도이나 중증의 경우 전 기간에 걸쳐 보조기 착용이 필요하다. 보조기 치료의 단점으로는 치료 기간이 길고(12-18개월), 환아가 치료에 잘 따라주어야 한다는 것이다. 초기 연구에서 보조기를 이용한 치료의 결과가 긍정적으로 평가되었으나, 최근에는 부정적인 경향을 보이고 있다.

② **수술적 치료:** 6세 이전에 병이 시작된 경우 일반적으로 경하게 진행된다. 8세 이후에 병이 시작한 경우에는 경과가 나쁘다. 또한 병의 진행 경과가 짧을수록, 즉 대퇴골두의 괴사 정도가 작을

수록 양호하다. 수술이 꼭 필요한 경우는 임상적 및 방사선적으로 골두 위험 징후가 있는 경우, Catterall 분류 3, 4군, lateral pillar 분류 C군, 8세 이상에서는 B군에서도 수술적 치료를 해야 한다. 수술적 치료 방법은 크게 유치 수술법과 대퇴골두의 비구 내 유치가 불가능한 고관절에 대한 구제 수술로 대별된다.

• 대퇴골 내반 절골술(femoral varus osteotomy)
회전 교정을 첨가할 수 있으며, 대퇴골두를 비구 내에 안정되게 위치시킬 수 있고, 취약한 대퇴골두의 전외방 부위를 비구연 내측으로 유치시켜 변형을 예방할 수 있다는 장점이 있다. 단점은 영구적 내반고와 하지의 단축이 남을 수 있다(그림 19).

• 무명골 절골술(innominate osteotomy)
비구개(acetabular roof)의 방향을 재조정하여 대퇴골두를 유치하며, 대퇴골두의 전외측 부분을 덮어주고, 대퇴골두를 체중 부하 시에 비구개에 대하여 굴곡, 외전, 그리고 내회전 상태로 만들어준다. 또한 약간의 하지 단축을 교정하며, 이차 수술을 요하지 않는 장점이 있다. 관절면이 일치(joint congruency)된 초기 분절화기 또는 골경화기 환자 군이 수술의 좋은 적응 대상이다.

• 구제 수술
관절의 유치를 얻기 어려울 경우 구제 수술을 시행한다. 수술의 목적은 통증의 감소, 하지 부동의 교정, 관절 운동 증가, 외전력 회복 등 비교적 제

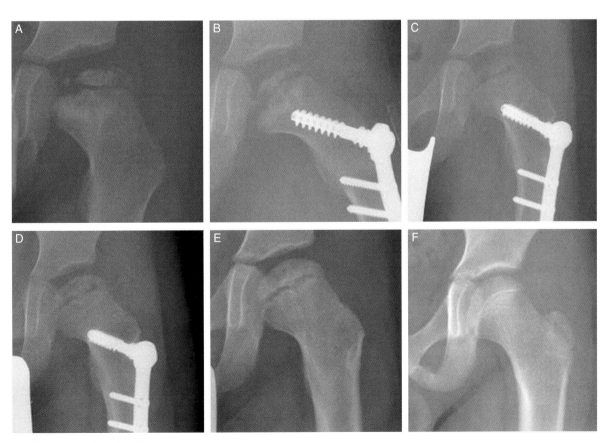

그림 19. 대퇴골 내반 절골술
(A) 5세 남아 좌측 고관절 LCP에 대하여 (B) 대퇴골 내반 절골술을 시행하였다. 수술 후 (C) 6개월, (D) 1년, (E) 2년 사진에서 대퇴골두의 모양이 점차적으로 회복되는 것을 볼 수 있으며, (F) 7년 후 사진에서는 거의 정상적으로 회복되었다.

한적이다. 구제 수술로는 Chiari 절골술, shelf 수술, 골연절제술(cheilectomy)이 있다. 골연절제술은 대퇴골두의 돌출로 인해 고관절에 통증과 외전의 제한이 있는 경우 유용하다. Chiari 절골술은 크고 편평해진 대퇴골두의 외측부를 덮어주는 장점이 있으나, 외전 시 대퇴-비구 외측부의 충돌을 감소시키지는 못하며 약한 외전 근력을 더 약화시킬 수 있다.

(6) 성인에서의 문제점

① **예후:** 증상이 나타난 후 20-40년 추시에서 70-90%의 환자는 통증 없이 양호한 관절 운동을 유지하나, 40년 이상의 추시에서는 50%에서 심각한 관절염으로 고관절 전치환술이 필요한 것으로 보고되고 있다. Legg-Calvé- Perthes 병을 앓았던 환자는 일반인과 비교하여 관절염 발생 빈도가 약 10배 이상 높다.

② **관절의 변형과 후유증:** 관절의 변형은 질병 자체의 경과에 의해서뿐만 아니라 비수술적 또는 수술적 치료에 의해서도 대퇴골 근위부 및 비구에 변형이 발생하게 되고 이에 따라 고관절의 이차적인 퇴행성 변화가 초래된다.

- 대퇴골두 변형

  대퇴골두의 변형은 대고(coxa magna), 버섯형 골두(mushroom-shaped), 편평 골두(flat head) 등이 있다. 대퇴골두의 변형에 따라 비구의 변형이 발생하여 관절의 조화를 이루는 경우도 있으나, 관절의 부조화가 있는 경우는 고관절의 운동 제한이 나타난다. 대퇴골두의 변형은 Stulberg의 분류법에 따라 1형은 정상 모형, 2형은 전후방과 측면 사진에서 원형선을 그어 2 mm 이내의 변형이 있는 경우, 3형은 원형선에서 2 mm 이상 벗어난 경우다. 4형은 체중 부하 부위에 1 cm 이상의 골두 편평화가 있는 경우이며 5형은 골두의 함몰이 있는 경우다. 1, 2형은 장기 추시에서 좋은 임상적 결과를 보여주나 3-5형은 50% 이상에서 50대경에 골관절염 소견이 나타나며 특히 5형은 30~40대에서 통증을 동반한 관절염을 일으킨다(표 1).

- 대전자 과성장

  대퇴골 근위부 성장판의 조기 폐쇄가 일어나 대퇴골 경부의 길이 성장은 제한되고 대전자부 성장은 지속되어 상대적인 대전자 과성장이 발생한다(그림 18D). 이로 인해 대전자부가 고관절 회전 중심에 가까워져 외전근의 지렛대 길이가 감소하여 고관절에 작용하는 압박력은 증가한다. 또 대전자와 비구 외연이 맞닿아 고관절의 외전이 제한되는데 특징적으로 고관절 신전위에서 외

표 1. Stulburg Classification

Class	Description	Radiologic aspect	Prognosis
I	Spherical congruency	Normal	Good
II	Spherical congruency; Loss of head shape < 2 mm	Spherical head with one or more of the following findings: coxa magna, short femoral neck, upper located great trochanter, obliquus acetabulum	Good
III	Aspherical congruency; Loss of head shape < 2 mm	Non-spherical head but not flat	Mild-to-moderate arthritis
IV	Aspherical congruency	Flat head and acetabulum	Poor: moderate arthritis
V	Aspherical incongruency	Flat head, normal neck and acetabulum	Bad: severe early arthritis

전 제한이 심한 반면 굴곡위에서는 제한이 없는 기어-스틱 징후(gear-stick sign)가 나타난다. 대전자 과성장으로 Trendelenburg 보행이 있는 경우에는 대전자를 절골하여 원위-외측으로 이동하여 고정한다. 이동하는 대전자 상단의 위치는 대퇴골두의 중심과 같거나 낮게 하며, 대퇴골두의 반지름의 2-2.5배 외측에 위치하도록 한다 (그림 20).

• 하지 부동

대퇴골두 골핵의 괴사로 성장판에 성장 장애가 초래되어 다양한 정도의 하지 단축을 가져오며, 대퇴골두의 붕괴, 편평화 그리고 내반 절골술에 의해서도 하지 단축이 발생한다. 하지 부동(leg length discrepancy)이 심한 경우 교정이 필요하다. 성장이 끝나지 않은 환아에서는 반대편 대퇴골 원위부에 골단고정술(epiphysiodesis)을 시행할 수 있고, 성인에서는 골연장술을 시행할 수 있다.

• 박리성 골연골염

약 2% 정도에서 속발하는 것으로 알려져 있다. 괴사 골편이 질환 치유 후에도 흡수 또는 유합되지 못하고 남아 있거나, 섬유연골로 채워진 골 결손부에 신생 골이 형성되고 이것이 자라면서 원래의 대퇴골두와 유합되지 못하여 발생한다는 두 가지 견해가 있다. 대부분은 증상이 없거나 자연 유합이 되므로 경과를 관찰하면 된다. 골편이 관절 내로 유리되어 증상을 나타내면 관절경을 이용한 제거술이 필요하다.

(7) 성인에서의 치료

① **대퇴골 및 비구 절골술:** 환자의 연령이 활동적이고 관절 간격이 어느 정도 유지되면 대퇴골과 비구 절골술을 시행하여 관절 재건술이 가능하다. 대퇴골두의 변형은 크게 전-외-하방 돌출 변형과 후-내-상방 돌출 변형으로 구별할 수 있다(그림 18E).

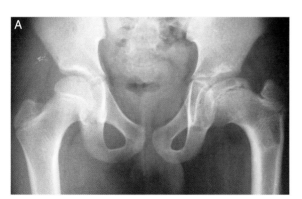

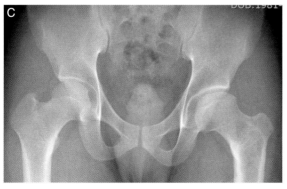

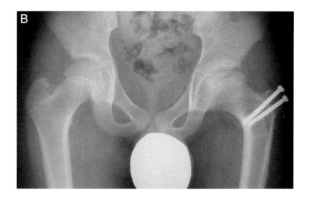

그림 20. (A) 좌측 고관절에 LCP 병으로 인한 휴유증으로 대전자 과성장이 발생하여, (B) 대전자 절골술 및 원위-외측 이동술을 시행하였다. (C) 수술 10년 후 사진에서 Stulberg II의 소견을 보이고 있다.

대퇴골의 외반 굴곡 절골술은 후-내방으로 돌출된 대퇴골두를 체중 부하 위치에 유치시킬 수 있으며, 내반 변형과 기능성 후염(retroversion) 변형을 동시에 교정할 수 있는 장점이 있다. 또한 전-외방으로 돌출된 부분을 비구의 전외측에서 멀어지게 함으로 굴곡 및 내회전 시 충돌에 의한 운동 제한을 해결할 수 있다. 대퇴골두와 비구의 변형이 심한 부조화에서 Chiari 비구 절골술은 변형된 대퇴골두의 외측부를 덮어주는 장점이 있지만 외전 시 충돌과 외전근 약화를 가져올 수 있다는 단점이 있다.

② **대퇴골성형술**: 대퇴골두의 변형으로 비구와 대퇴골 사이에 대퇴비구 충돌(femoroacetabular impingement)이 발생할 수 있다. 주로 cam 형 충돌이 발생하지만 결국은 pincer 형과 동반되어 발생하게 된다. 대퇴비구 충돌은 고관절에 통증과 운동 제한을 일으키며 조기 관절염을 발생시킬 수 있어 대퇴골두-경부 오프셋(femoral head-neck offset)을 만들어주는 수술적 치료가 필요할

수 있다(그림 20).

③ **고관절 전치환술**: 약 50%는 임상 증상이 시작된 40년 후에 골관절염이 발생하여 고관절 전치환술이 필요하게 된다고 알려져 있다. 진행된 골관절염에서는 고관절 전치환술이 가장 확실한 수술 치료법이다(그림 21).

3. 대퇴골두 골단분리증(Slipped capital femoral epiphysis)

1) 소아에서 대퇴골두 골단분리증

(1) 정의 및 역학

청소년기 특히 급속 성장기(growth spurt)에 대퇴골두 골단(capital femoral epiphysis)이 골단판을 통해 대퇴골 경부 골간단에서 분리되어 전위되는 질환이다. 엄밀한 의미에서는 대퇴골두가 원형인대와 연결된 채로 비구 내에 유치되어 있고 원위부위인 대퇴골 경부가 전위되는 것이므로 그릇된 용어라 말할 수도 있다. 대부분 경부가 상외방으로 전위되어 내반변형을 일으키나 드물게 외반변형이 일어나기도 한다.

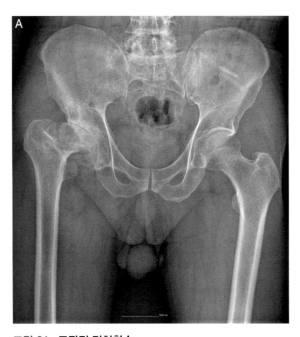
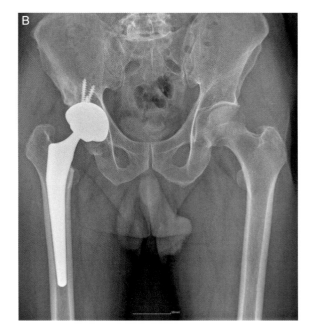

그림 21. 고관절 전치환술
(A) LCP 병 후유증으로 인하여 발생한 이차성 골관절염에 대하여, (B) 고관절 전치환술을 시행하였다.

소아 및 청소년 인구 10만 명당 2명 정도 발생하는 드문 질환으로 인종 간, 지역 간의 차이가 크다. 폴리네시안계, 흑인 등에 호발하나 백인, 말레이, 인도, 지중해 연안 주민에는 드물고, 평균 체중이 크고 비만인 인종에 호발하는 경향이 있다. 근래에 우리나라를 포함한 동양권에서도 발병률이 증가하여 유전적 요소보다는 비만, 식생활 등 후천적 요인이 더 중요하다는 점을 시사한다. 남자가 여자보다 좌측이 우측보다 호발하며, 일반적으로 약 25%(범위, 20-80%)에서 양측성으로 발병한다. 흔히 남아의 경우 10-16세, 여아의 경우 10-14세의 연령에서 호발하며 이 환아들의 70%에서 골격 성장의 지연을 보인다. 대부분의 환아가 비만 아이며 평균 체질량지수가 25-30 kg/m²로 85퍼센타일 이상이라는 보고도 있다.

(2) 원인

정확한 원인은 밝혀지지 않았으나 외상을 포함한 기계적 요인, 내분비 질환 및 생화학적 요인들이 독립적 또는 복합적으로 작용할 것으로 생각되고 있다. 기계적 요인으로는 비만, 대퇴골의 후염(retroversion), 그리고 골단판의 경사도 증가 등이 거론되고 있으며, 내분비 및 생화학적 요인들을 시사하는 증거로는 성장호르몬에 반응하는 키성장이 빠른 시기인 사춘기의 질환이라는 점이 있다. 이 시기에는 성장호르몬의 영향으로 골단판의 생리적 활성도가 증가하여 넓어지고 강도도 약해지며 골단판의 증식대(zone of hypertrophy)와 잠정 석회화대(zone of provisional calcification)의 연골 폭이 증가한다고 한다. 기타 갑상선기능저하증, 뇌하수체기능저하증, 성선기능저하증(hypogonadism), 부갑상선기능항진증, 구루병, 괴혈병 환아들에서도 호발한다.

(3) 병리 소견

해부학적 변화로는 대퇴골두 골단이 후방으로 전위되며 관상면에서는 일반적으로 내측으로 전위된다. 활액막염 소견을 보이며, 골단판이 넓어지고 불규칙해진다. 광학현미경 소견상 정상인에서는 골단판 폭의 15-30%를 차지하는 증식대가 80%로 넓어져 있고, 이 증식대에서 분리가 일어난다. 골단판의 전자현미경 소견상 연골 기질과 증식대가 정상인과 현저하게 차이가 있다.

(4) 임상 및 영상 소견

임상 소견으로는 고관절부, 서혜부, 대퇴부 및 슬관절의 통증과 파행이 있으며 특징적인 고관절의 운동 이상을 보인다. 즉 고관절을 굴곡하면 외전 및 외회전되고, 외전 및 외회전을 억제하면 굴곡이 제한된다. 또한 고관절의 내회전이 제한되어 있거나 외회전 구축을 보이며 보행 시 심한 외족지 보행을 한다.

대퇴골두가 후방으로 전위되기 때문에 고관절 전후방 촬영에서는 경도의 전위를 발견하지 못할 수도 있고 전위의 정도를 정확하게 평가하기 어렵다. 따라서 이 질환이 의심되면 근위 대퇴골에 대한 측면 촬영이 필요한데 만성, 안정성 전위에서는 개구리 다리 측면 영상을 촬영하고 급성, 불안정성 전위에서는 환자의 통증, 추가 전위의 위험성을 고려하여 경측면 영상(translateral view)을 촬영하는 것이 바람직하다. 전후방 사진에서 이 질환을 시사하는 소견으로는 골단판이 넓어지고 불규칙해지며, 골단의 높이가 감소하고 불규칙해지며 골간단이 round-off 되거나 가골이 형성되는 소견을 볼 수 있다. 양측으로 이환되는 경우가 많기 때문에 한쪽에서 발병하는 경우 자기공명영상을 촬영하게 반대측에 질환이 이환되어 있는지 확인하는 것이 좋다.

(5) 분류

Loder 등은 골단분리증을 안정성에 따라 분류하였는데, 안정성 분리증(stable slip)은 목발 없이 또는 목발을 짚고라도 환측에 체중 부하와 보행이 가능한 경우를 말하며, 불안정성 분리증(unstable slip)은 목발을 짚더라도 통증으로 인해 보행이 불가능한 경우를 말한다.

(6) 소아에서의 치료

치료의 목적은 추가 전위를 방지하고, 관절 자극 및 관절 운동 제한의 증상을 완화시키며 장기 추시에서 고관절의 퇴행성 변화를 방지하는 것이다.

안정성 분리증의 치료 방법은 1) 정복하지 않고 단일 나사못을 이용한 정중앙 고정(in situ stabilization with a single central screw), 2) 골단판유합술(epiphysiodesis), 3) 골단판을 통한 관혈적 정복 및 교정 절골술 후 내고정, 4) 양측 고 수상 석고 고정, 5) 정복하지 않고 여러 개의 핀으로 내고정, 6) 재정렬 절골술(realignment osteotomy) 등이 있다. 이 중 가장 보편적으로 사용하는 효과적이고 안전한 최초 치료 방법은 첫 번째 방법으로 나사못이 골단판에 걸치게 삽입하여 골단의 추가 전위를 물리적으로 막으면서 골단판의 조기 유합을 얻어서 안정화시킨다. 재정렬 절골술은 중등도 또는 고도로 전위된 분리증 환자 중 관절 운동 범위가 제한되고 관절 기능에 지장이 많은 경우에 시행하는데, 해부학적 위치에 따라 대퇴골두 하부 절골술, 대퇴골 경부 기저부 절골술 및 전자간 절골술로 분류한다. 대퇴골두 가까이에서 시행할수록 많은 교정력을 얻을 수 있으나 골괴사의 위험이 커진다.

삼차원 전산화단층촬영 등 영상의학의 발달로 변형을 정확하게 평가할 수 있으며 이에 따라 절골술의 방향과 정도를 결정하게 되는데 굴곡, 내회전을 주로 하고 외반은 조심스럽게 추가한다. 대퇴골두로 가는 혈행을 보존하는 수술적 탈구 기법을 이용하여 1) 정복 없이 나사못 고정, 2) 대퇴골 경부 기저부 또는 전자간 절골술, 3) 대퇴비구 충돌을 해결하기 위한 대퇴골 경부 골간단 골연골성형술(osteochondroplasty), 4) 대전자 이동술을 동시에 시행하는 '4 in 1' 술식이 시도되기도 한다.

불안정성 분리증의 치료에 대하여는 정복의 정도, 역할과 그 시기, 고정 방법, 감압 여부 등 여러 가지에 대하여 논란이 많다. Loder 등은 여러 문헌들을 검토한 후, 도수 정복과 긴급 관절 흡인을 통한 관절내 감압 후 단독 또는 두 개의 나사못으로 내고정한 뒤 6-8주간 목발을 이용하여 체중 부하를 금지할 것을 권고하였다. 하나의 나사못으로는 적절한 고정력 획득이 어려울 수 있는 반면, 두 개의 나사못 고정은 대퇴골두 골괴사증과 연골용해증(chondrolysis) 같은 중대한 합병증 발생의 위험성이 증가한다. 최근에는 불안정성, 중등도 이상의 전위가 있는 분리증에서 수술적 탈구기법을 통한 대퇴골두 하부 절골술 및 수술적 정복술이 시행할 수 있다. 이 기법으로 탈구 시키면 외측 지대동맥(lateral retinacular artery)이 보호되고 대퇴골두를 천공하여 혈행을 관찰할 수 있으며, 충분한 절골술을 시행하고 대퇴골두를 정복할 수 있어 효과적인 변형 교정이 가능하고 골괴사의 위험성을 줄일 수 있는 좋은 방법의 하나로 알려져 있다(그림 22, 23).

대퇴골두 골단분리증의 가장 중요한 합병증은 대퇴골두 골괴사와 연골용해증이다. 이들 합병증은 모두 수술하지 않은 경우에는 발생 빈도가 매우 낮다. 골괴사의 원인은 최초 손상, 과도하게 반복된 정복, 수술적 정복, 대퇴골 경부 절골술로 인한 혈류 공급 장애 등이 있으며 연골용해증의 원인으로는 핀에 의한 관절 연골 천공이 가장 많고, 기타 전자간 절골술, 수술적 정복, 대퇴골 경부 절골술 후에도 발생하는데 대부분 1년 이내에 발생한다.

2) 성인에서의 문제점

골단판이 안정화되면 초기 관절 자극 증상은 소실되지만 전위에 의한 관절 운동 제한, 대퇴비구 충돌 등은 전위가 교정되지 않는 한 지속된다. 그리고 골단판이 닫힐 때까지는 추가 전위의 위험이 상존한다. 골단판이 닫힌 뒤에도 잔존하는 전위 때문에 생긴 근위 대퇴골의 변형은 장기 추시에서 골관절염을 초래할 가능성이 있다. Aronson에 의하면 고관절 골관절염의 76%에서 선행 질환이 발견되었으며, 그 중 11%가 대퇴골두 골단분리증이었다고 한다. Boyer 등의 보고에 의하면 골괴사나 연골용해증 같은 합병증이 없으면 장기 예후는 비교적 양호하다고 한다. 그러나 Carney와 Weinstein에 의하면 치료하지 않은 31예를 41년간 추시한 결과 전위가 심한 경우에는 장기 예후가 불량하였다고 한다. 증상이 없어서 발견되지 않고 중년기 이후에 퇴행성 고관절염으로 진행하는 경우도 상당수 있을 것으로 추정되기도 한다. 전위는 대부분 비구의 성장이 끝난 뒤에 일어나기 때문에 비구의 근위 대퇴골 변형에 대한 적응성 변화는 없는 경우가 많다. 전위가 중등도 이하인 경우에는 관절면의 조화가 깨지지 않기 때문에 장기 예후에서 기능이 대체로 양호하나 전방 대퇴골두-경부 연결부의 돌출부(bump)로 인한 대퇴비구 충돌이 문제가 되는 경우가 있다. 전위가 심한 경우 관절면의 부조화를 초래하여 종국에는 퇴행성 변화가 야기된다. 중대한 합병증인 골괴사와 연골용해증이 발생한 경우에는 골관절염이 불가피하게 발생한다.

3) 성인에서의 치료

(1) 대퇴비구 충돌

Cam 형과 pincer 형의 충돌이 단독적 또는 복합적으로 일어날 수 있다. 수술적 탈구(surgical dislocation) 방법을 사용하여 충돌을 초래하는 돌출부를 제거하고(bumpectomy), 비구순에 파열이나 퇴행성 변화가 발생한 경우에는 그 부분을 봉합하는 수술을 시행할 수 있다. 최근 고관절경 술기의 발전으로 관절경을 이용한 대퇴비구 충돌의 치료기법이 도입되어 시술되고 있다(그림 22).

(2) 절골술

혈행 차단이 비교적 적은 원위부 절골술인 대퇴골 전자간 절골술이 교정력은 적으나 보다 안전하다. 비구의 후염으로 pincer 형 충돌이 있는 경우에는 비구 절골술을 동시에 시행할 수도 있다. 절골술 시행 시에는 추후에 골관절염이 속발되어 고관절 전치환술로 전환

해야 할 수도 있음을 염두에 두어야 한다. 대퇴스템을 삽입할 수 있으려면 근위 대퇴골에 가급적 중대한 변형을 만들지 말고, 근위-원위 골편간 기계적 축을 가능한 한 유지하도록 한다. 그리고 사용한 체내 삽입물은 제거한다. 중대한 변형이 불가피한 경우에는 근위 대퇴골 복원절골술 후 고관절 전치환술을 고려할 수도 있다(그림 23).

(3) 관절 유합술

젊은 나이에 골관절염이 속발하여 관절이 파괴되었거나, 또는 합병증인 골괴사나 연골용해증이 일측성으로 발생하였을 경우 고려할 수도 있으나, 최근에는 거의 사용하지 않는 방법이다.

(4) 고관절 전치환술

중년기 이후 골관절염이 속발되었거나, 젊은 나이에 골괴사나 연골용해증이 양측으로 발생하였을 경우 고려할 수 있다.

4. 감염

1) 소아에서의 감염

(1) 역학 및 병인

의료의 발전과 항생제의 개발로 화농성 관절염의 발생 빈도와 사망률은 감소하고 있으나, 감염의 진단과 치료가 지연될 경우 심각한 후유증을 남길 수 있다. 화농성 관절염 환자의 약 1/4이 고관절에서 발생하며 주로 2세 이하에서 발병한다.

감염 경로는 대부분 세균혈증(bacteremia)에 의해 활액막을 통해 이환되는 것으로 알려져 있으나, 관절내 근위 대퇴골 골간단의 골수염으로부터 이차적으로 전파되거나 관절 천자 또는 창상으로부터 직접적으로 감염될 수 있다. 근위 대퇴골은 골간단이 관절막 안에 위치하므로 신생아의 세균성 관절염은 60-100%에서 골수염을 동반하게 된다.

세균이 관절 내에서 증식하면, 활성화된 다핵 백혈

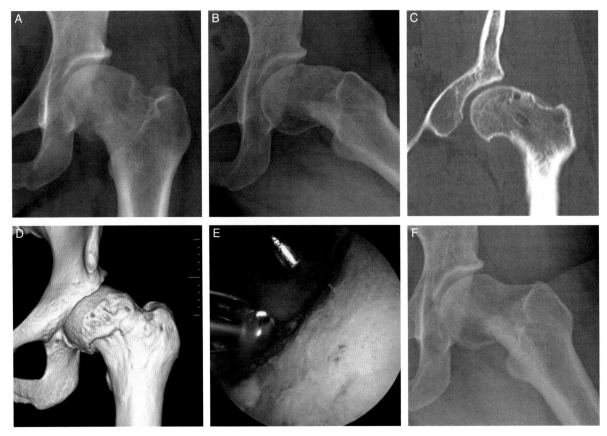

그림 22. 대퇴골두 골단분리증의 후유증으로 발생한 대퇴비구 충돌

37세 환자로 대퇴골두 골단분리증으로 경피적 나사못 고정 후 발생한 대퇴비구 충돌이 발생하였다. 전후면(A) 및 개구리 다리 측면 영상 (B), 전산화단층촬영 영상(C) 및 3차원 전산화단층촬영(D)에서 대퇴골 경부 전외측에 돌출부를 볼 수 있으며, 관절경을 이용하여 돌출부를 제거하는 모습(E)과 제거 후의 영상(F)이다.

구, 활액막 세포, 연골 세포 등에서 단백질 분해효소가 분비되어 교원질(collagen)과 단백다당(proteoglycan)을 분해함으로써 관절 연골 손상을 유발한다. 따라서 항생제로 세균을 죽이거나 증식을 억제할 수 있으나 관절 연골의 손상을 방지하기 위해서는 가능한 이른 시간에 관절 세척술 및 배농술이 필수적이다. 적절한 치료가 이루어지지 못한 경우에는 대퇴골두로의 혈행 차단에 의한 골괴사, 골단판 손상에 의한 성장 정지와 이차적인 변형, 관절막 이완에 의한 병적 탈구 등이 발생할 수 있다. 결핵성 관절염은 발생 빈도가 매우 낮고, 주로 10세 이하에서 발병한다. 전체 결핵의 1–3%는 근골격계에 발생하고, 그 중 15% 정도가 고관절에

발생한다. 혈류를 통해 골조직이나 활액막에 감염되나 어느 부위에서 감염이 시작되든지 인근 부위로 감염이 빠르게 진행된다. 관절 연골에선 외연에서부터 관절 연골의 중심으로 감염이 전파되므로 초기에는 하중을 받는 부위는 보존될 수 있어 조기에 진단한다면 만족할 만한 치료 결과를 얻을 수 있다.

(2) 진단

화농성 관절염의 예후를 결정하는 가장 중요한 인자는 조기 진단이다. 발열, 압통, 국소 열감, 관절 운동 제한 등의 감염 증상이 발생하나, 신생아에서는 급성 병색이 나타나지 않을 수 있다. 일반적으로 고관절

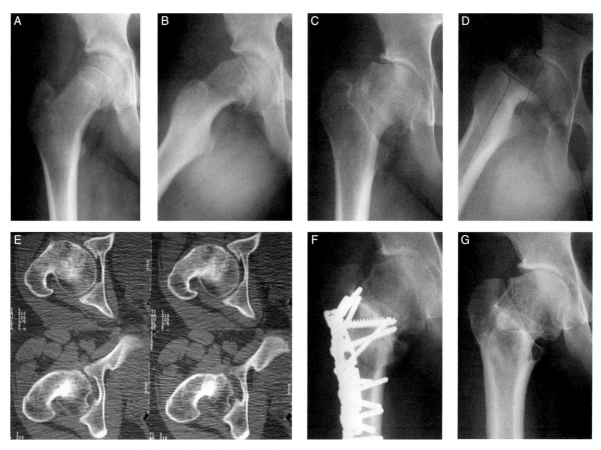

그림 23. 대퇴골두 골단분리증의 후유증에서 시행한 대퇴골 전자간 절골술
15세 대퇴골두 골단분리증 남자로 초기 방사선 전후면(A) 및 개구리 다리 측면(B) 영상과 비교하여 3년 경과 후 전후면(C) 및 개구리 다리 측면(D) 영상, 전산화단층촬영 횡단면상(E)에서 후염전을 동반한 골두에 심한 변형이 관찰된다. 대퇴골 전자간 절골술로 교정한 뒤(F), 절골부 유합 후 내고정물을 제거하였다(G).

을 굴곡, 외회전, 외전한 자세를 취하나, 하지의 가성마비(pseudopalsy) 소견을 보일 수 있고, 이미 항생제를 투여 받은 경우 감염의 증상이 변화되거나 약화되어 조기 진단이 어려워질 수 있다.

화농성 관절염이 의심되는 경우 혈액학적인 검사(혈중 백혈구수, 적혈구 침강속도, C 반응성 단백), 혈액배양, 단순 방사선 검사, 초음파 검사, 관절 천자, 필요에 따라 골주사, 자기공명영상 촬영 등을 시행할 수 있다. 관절 천자액에서 탁도 및 성상, 백혈구 수와 비율, 당도 등을 확인하고, 그람 염색과, 세균 배양을 시행한다. 관절 액의 백혈구 수가 50,000 /mm³ 이상이고, 다

핵 백혈구가 90% 이상인 경우 세균 배양 결과에 관계없이 감염된 것으로 간주할 수 있다. 신생아나 영·유아기에는 혈액학적 검사 소견이 뚜렷하지 않을 수 있으므로 주의를 요한다. 결핵성 관절염은 초기 증상이 미약하고 비특이적이어서 치료의 지연으로 후유증을 유발할 가능성이 높다. 초기에는 단순 방사선 사진에서 정상으로 나타날 수 있으므로 일과성 고관절 활액막염, Legg–Calvé–Perthes 병, 화농성 관절염 등과 감별을 요한다. 감염은 빠르게 대전자부와 비구로 파급되며, 골 파괴에 비해 신생 골형성은 적다.

(3) 소아에서의 치료

고관절의 화농성 감염은 관절 연골의 파괴, 골단판 손상, 대퇴골두 골괴사 등의 치명적 합병증 때문에 응급처치를 요하는 질환이다. 혈액 검사, 관절 천자, 혈액 배양 검사 후 즉각적인 관절 절개 및 배농술이 필요하며, 근위 대퇴골에 골수염이 동반된 경우에는 천공술을 병행한다. 황색 포도상 구균이 가장 흔한 병원균으로 알려져 있으나 세균성 관절염의 1/3에서는 균주가 확인되지 않을 수 있으므로, 흔하게 검출되는 포도상 구균, 연쇄상 구균, 그람음성 균주 등에 효과적인 항생제를 선택하여 4-6주간 투여한다. 수술 후에는 피부 견인술 또는 고 수상 석고 고정 고정술로 고관절의 안정성을 유지한다.

결핵성 관절염은 조기에 진단되어 활액막에만 국한된 경우 항결핵제를 투여하면서 보존적인 치료를 할 수 있으나 관절 연골이나 골조직을 침범한 경우 활액막 절제술 및 소파술, 감염이 광범위하게 진행된 경우에는 관절 유합술을 필요로 한다.

2) 성인에서의 문제점

화농성 관절염의 후유증은 관절 연골, 비구, 근위 대퇴골, 골단판 등의 손상 정도에 따라 관절 운동 제한, 하지 부동, 파행, 관절염 등으로 나타난다. 감염 당시 나이, 균주, 진단과 치료의 지연 정도 등이 후유증 발생의 관련 인자로 알려져 있으며, 성장기 후유증의 치료와 예후는 관절의 불안정성과 근위 대퇴골의 손상 정도에 따라 결정된다.

후유증이 경미하게 남은 경우 고관절은 거의 정상에 가깝거나 경미한 대고(coxa magna)만 남을 수 있다. 대퇴골두가 심하게 손상된 경우 소고(coxa breva)와 내반고(coxa vara)의 변형이 발생할 수 있으며, 비구는 이차적인 이형성증이 유발된다. 대퇴골두의 성장판이 손상되면, 대전자는 상대적으로 과성장되어 외전 근력의 감소, 외전 제한, 내전 구축 등으로 진행된다. 근위 대퇴골 골단판은 하지 성장의 약 18%와 대퇴골 성장의

30%를 담당하므로 영아기 화농성 관절염은 심각한 하지 길이 단축을 초래한다. 근위 대퇴골의 골수염이 심하게 동반된 경우에는 대퇴골 경부의 전염각의 변화, 각변형, 가성 관절 등을 유발한다. 대퇴골두와 경부가 완전히 소실되어 병적 탈구가 발생하면, 하지 단축은 더욱 심해지고, 이차적으로 비구는 이형성되며, 대퇴골 근위단은 근위부로 이동하여 골반부에서 가성 관절을 형성한다(그림 24A). 성장기의 수술적 치료는 대퇴골두가 비구 내에 유치되어 안정성을 얻을 수 있도록 비구와 근위 대퇴골에서 절골술을 시행할 수 있다. 결핵성 관절염도 세균성 관절염에서와 동일하게 발병 시 환자의 나이와 대퇴골두의 손상 정도에 따라 다양한 후유증이 남을 수 있다. 혈류의 증가로 인하여 대고가 발생할 수 있고, 반대로 혈행에 제한이 있는 경우에는 Legg-Calvé-Perthes 병과 유사한 변화 즉, 소고, 내반고 등이 발생할 수 있다. 대퇴골두의 성장판이 손상된 경우 하지 단축이 발생하며, 광범위한 손상이 있는 경우에는 병적 탈구가 발생할 수 있다(그림 24).

3) 성인에서의 치료

후유증의 정도에 따라 보존적 치료에서부터 관절을 보전할 수 있는 재건 수술까지 시행할 수 있지만, 진단과 치료가 지연되어 병적 탈구가 발생한 경우에는 치료가 매우 어렵다. 고관절의 변형에 의해 이차적인 관절염이 예상되는 경우, 발달성 고관절 이형성증에서와 같이 비구와 근위 대퇴골에서 절골술을 시행하여 이차적인 관절염을 지연시키는 치료를 할 수 있다.

절제 관절성형술(resection arthroplasty)은 감염의 조절, 통증 완화, 관절 운동 범위 개선의 장점이 있으나, 관절의 불안정성과 하지 단축으로 심각한 파행이 남는 단점이 있다.

관절 유합술은 통증이 없고 움직임이 없는 안정적인 관절을 만들 수 있어 과거에는 많이 시행되었다. 그러나 불유합률이 많게는 70%에 이를 정도로 높고 심한 하지 부동과 고관절의 운동 제한으로 인하여 요통, 슬

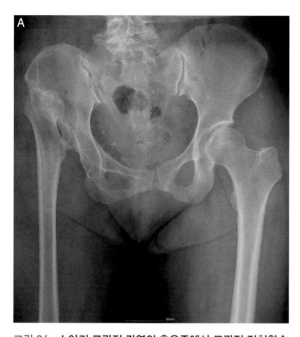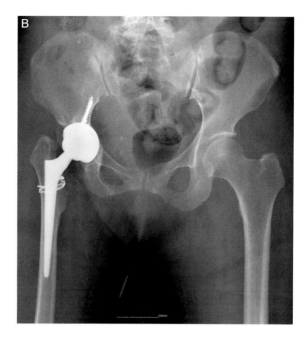

그림 24. 소아기 고관절 감염의 후유증에서 고관절 전치환술
(A) 유아기에 발생했던 고관절 감염의 휴유증으로 인하여 병적 탈구 및 이차성 골관절염이 발생하여, (B) 고관절 전치환술을 시행하였다.
(A) Initial, (B) Postop

관절의 통증, 비정상적인 보행 등으로 일상생활에 제한이 있으며, 좌식 생활이 많은 우리나라 실정에서는 맞지 않아 최근에는 거의 시술되고 있지 않다.

고관절 전치환술은 손상된 관절을 운동성과 안정성을 유지하면서 통증이 없는 관절로 만들 수 있고, 어느 정도의 하지 부동도 교정할 수 있는 치료 방법이다. 초기 감염에 대한 치료와 적절한 관절 재건술이 잘 되어 이차성 골관절염만 발생한 경우 비교적 우수한 결과를 얻을 수 있으나, 아탈구 및 탈구와 같은 심한 변형이 남은 경우 수술이 어렵고 합병증의 빈도가 높다.

감염으로 인하여 연부조직은 심하게 구축되어 있을 수 있고 배농동(draining sinus)과 수술 반흔으로 수술적 접근이 어려울 수 있다. 외전근의 주행 방향이 변화되거나 외전근력이 없을 수 있으며, 고관절 주위의 혈관과 신경은 정상적인 위치에서 벗어나 있어 수술 과정에서 손상을 줄 수 있다. 비구는 작고 얕게 이형성되어 작은 비구컵을 사용할 가능성 높으며, 대퇴골두도

작아져 있고 전방 전염각도 커져서 정상적인 해부학적 형태를 벗어나 있을 수 있다. 대퇴골 근위부의 골수강은 좁은 원통형이고, 전염각이 증가되어 있어 대퇴스템 삽입 시 주의를 요한다. 탈구 변형된 대퇴골 근위부가 상방으로 심하게 전위되어 골반부에서 가성 관절을 이루었을지라도 비구컵은 해부학적 비구 위치에 위치시켜야 좋은 결과를 얻을 수 있다(그림 24). 비구–비구컵 접촉이 60% 이상 되지 않는다면 구조적 골이식을 하여 안정성을 얻어야 한다. 심한 단축과 구축이 동반되어 있는 경우 하지 단축을 교정하기 어려울 수 있으며 무리한 하지 연장은 신경 및 혈관 손상을 유발할 수 있다. 이 경우 심한 발달성 고관절 이형성증에서 같이 대퇴골의 전자하부에서 골을 절제하고 긴 대퇴스템을 삽입하여야 한다.

고관절 전치환술 후에는 감염, 탈구, 이완, 마모, 골용해 등의 위험성이 다른 질환 군에 비해 상대적으로 높아서, 탈구율은 3–18%, 재치환율은 5–15%로 높게

보고되고 있다. 수술 후 감염의 재발은 드문 것으로 보고되어 있으나, 감염의 잔존이 의심되는 경우 수술 전에 관절 천자 및 배양 검사, 수술 시 동결 조직 검사 등을 통해 확인하여야 한다. 수술 전 2.5 cm 이상의 하지 부동, 강직성 고관절, 심한 비구의 이형성 및 대퇴골 저형성 등이 있는 경우 고관절 전치환술의 결과는 만족스럽지 못하다.

고관절의 결핵성 관절염에서 고관절 전치환술은 결핵이 완치된 후 시행하는 것이 원칙이나 어느 시점에서 고관절 전치환술을 시행해야 결핵의 재활성화

(reactivation)를 막을 수 있는지는 알려진 바가 없다. 또한 결핵성 관절염은 골수염이나 감염의 활성도를 혈액학적인 염증 검사와 수술 전 관절 천자로 확인하기도 힘들다. 하지만 박테리아와 달리 결핵균은 생체막(biofilm)을 형성하지 않기 때문에 세균성 관절염보다는 조기에 고관절 전치환술을 시행할 수 있고, 결핵이 재활성화 되더라도 인공 관절을 유지한 채 변연 절제술과 항결핵제 투여로 대부분 감염을 조절할 수 있다. 결핵성 관절염이 의심된다면 12개월 이상의 장기간의 항결핵제를 투여하는 것을 권고하고 있다.

참고문헌

1. 대한정형외과학회. 정형외과학. 제6판. 서울, 최신의 학사; 2006;279-284.

2. 박명식, 박종혁, 오상수, 황병연. 발달성 고관절 이형성증 환자에 발생된 고도의 탈구에 대한 전자하부 단 축절 골술을 통한 인공 고관절 치환술. 대한고관절학회 지; 2004;16:7.

3. 유명철, 조윤제, 이용욱, 조창현, 권형구. 진구성 고관절 탈구에서의 고관절 전치환술. 대한정형외과학회지. 1999;34(1):17-22.

4. 이중명, 조덕연, 박수현. 인공 고관절 전치환술 후 잠재성 결핵의 재활성화 -2례 보고-. 대한고관절학회지. 1994;6(1):107-114.

5. 장재석, 차영찬. 대퇴골두 골단분리증에 시행한 근위 대퇴 절골술. 대한소아정형외과학회 2009년도 춘계학술대회 구연, 분당 서울대학교병원. 2009; 6: 5.

6. 조윤제. 발달성 고관절 이형성증 및 고관절 탈구증의 자연 병력. 대한고관절학회지. 2001; 13(2): 191-197.

7. 최인호, 정진엽, 조태준, 유원준, 박문석. 이덕용 소아정형외과학 4판, 군자출판사; 2014. 427-445.

8. Amstutz HC, Su EP, Le Duff MJ. Surface Arthroplastyin young patients with hip arthritis secondary to childhood disorders. Orthop Clinics North Am. 2005;36(2):223-30.

9. Anda S, Terjesen T, Kvistad KA, Svenningsen S. Acetabular angles and femoral anteversion in dysplastic hips in adults: CT investigation. J Comput Assist Tomogr. 1991;5:115-120.

10. Babhulkar S, Pande S. Tuberculosis of the hip. Clin Orthop. Relat Res. 2002;398:93-99.

11. Bache CE, Clegg J, Herron M. Risk factors for developmental dysplasia of the hip: ultrasonographic findings in the neonatal period. J Pediatr Orthop B. 2002;11:212-218.

12. Byrd JWT, Jones KS. Arthroscopic management of femoroacetabular impingement. Instr Course Lect. 2009; 58:231-9.

13. Callaghan JJ, Rosenberg AG, Rubash HE. The adult hip. 2nd ed. Philadelphia: Lippincott Williams & Wilkins; 2007;440-441.

14. Carney BT, Weinstein SL Natural history of untreated chronic slipped capital femoral epiphysis. Clin Orthop Relat Res. 1996;322:43-7.

15. Choi IH, Yoo WJ, Cho TJ, Chung CY. Operative reconstruction for septic arthritis of the hip. Orthop Clin N Am. 2006;37:173-183.

16. Crawford AH, Mehlman CT, Slovek RW. The fate of untreated developmental dislocation of the hip:

longterm follow-up of eleven patients. J Pediatr Orthop. 1999;19:641-644.

17. Dobbs MB, Sheridan JJ, Gordon JE, et al. Septic arthritis of the hip in infancy: long-term follow-up. J Pediatr Orthop. 2003;23:162-168.

18. Gelfer P, Kennedy KA. Developmental dysplasia of the hip. J Pediatr Health Care. 2008;22:318-322.

19. Hallel T, Salvati EA. Septic arthritis of the hip in infancy: End result study. Clin Orthop Relat Res. 1978; 132: 115-128.

20. Haygood TM, Williamson SL. Radiographic findings of extremity tuberculosis in childhood: Back to the future? Scientific Exhibit. 1994;14:561-570.

21. Jasty M, Anderson MJ, Harris WH. Total hip replacement for developmental dysplasia of the hip. Clin Orthop Relat Res. 1995;311:40-5.

22. Kim YH, Seo HS, Kim JS. Outcomes after THA in patients with high dislocation after childhood sepsis. Clin Orthop Relat Res. 2009;467:2371-2378.

23. Kim YJ, Ganz R, Murphy AB, Buly RL, Milis MB. Hip joint-preserving surgery: Beyond the classic osteotomy. Instr Course Lect. 2006;55:145-58.

24. Leunig M, Casillas MM, Hamlet M, Hersche O, Notzli H, Slongo T, Ganz R. Slipped capital femoral epiphysis: Early mechnical damage to the acetabular cartilage by a prominent femoral metaphysis. ActaOrthop Scand. 2000;71:370-5.

25. Loder RT, Aronsson DD, Weinstein SL, Breur GJ, Ganz R, Leunig M. Slipped capital femoral epiphysis. Instr Course Lect. 2008;57:473-98.

26. Luhmann SJ, Bassett GS, Gordon JE, Schootman M, Schoenecker PL. Reduction of a dislocation of the hip due to developmental dysplasia. Implications for the need for future surgery. J Bone Joint Surg Am. 2003; 85:239-243.

27. Luhmann SJ, Schoenecker PL, Anderson AM, Bassett GS. The prognostic importance of the ossific nucleus in the treatment of congenital dysplasia of the hip. J Bone Joint Surg Am. 1998;80:1719-1727.

28. McAndrew MP, Weinstein SL. A long term followup of Legg Calvé Perthes Disease. J Bone Joint Surg. 1984; 66:860-9.

29. Nakamura S, Ninomiya S, Morimoto S, Moro T, Takatori Y. Combined intertrochanteric valgus and rotational acetabular osteotomy. Clin Orthop Relat Res. 2001;384:176-188.

30. Park YS, Moo YW, Lim SJ, Oh I, Lim JS. Prognostic factors influencing the functional outcome of total hip arthroplasty for hip infection sequelae. J Arthroplasty. 2005;20(5):608-613.

31. Patel H. Preventive health care, 2001 update: screening and management of developmental dysplasia of the hip in newborns. CMAJ. 2001;164:1669-1677.

32. Peters CL, Erickson JA. Treatment of femoroacetabular impingement with surgical dislocation and debridement in young adults. J Bone Joint Surg Am. 2006;88: 1735-41.

33. Rowe SM, Yoon TR, Jung ST, Lee GB, Lee J.J Osteochondritis Dissecans of femoral head in children. J Korean Hip Soc. 2001;13:352-8.

34. Roy RD. Arthroscopic findings of the hip in new onset hip pain in adolescents with Legg-Calvé-Perthes disease, J Pediatr Orthop B. 2005;14:151-5.

35. Santore RF. Pelvic femoral osteotomy in the treatment of hip disease in the young adults. Instr Course Lect. 2006; 55:131-141.

36. Segal LS, Boal DK, Borthwick L, Clark MW, Localio AR, Schwentker EP. Avascular necrosis after treatment of DDH: the protective influence of the ossific nucleus. J Pediatr Orthop. 1999;19:177-84.

37. Segal LS, Schneider DJ, Berlin JM, Bruno A, Davis BR, Jacobs CR: The contribution of the ossific nucleus to the structural stiffness of the capital femoral epiphysis: a porcine model for DDH. J Pediatr Orthop. 1999;19: 433-437.

38. Tuli SM. General principles of osteoarticular tubercu-losis. Clin Orthop Relat Res. 2002;398:11-19.

39. Turgeon TR, Phillips W, Kantor SR, Santore RF. The role

of acetabular and femoral osteotomies in reconstructive surgery of the hip: 2005 and beyond. Clin Orthop Relat Res. 2005;441:188-199.

40. Weinstein SL. The sequelae of pediatric hip disease. In Callaghan JJ, RosenbergAG, Rubach HE, ed.: The adult hip, 2nd ed. Philadelphia: Lippincott Williams & Wilkins; 2007;433-7.

41. Yoon TR, Rowe SM, Santosa SB, Jung ST, Seon JK. Immediate cementless Total hip arthroplasty for the treatment of active tuberculosis. J Arthroplasty. 2005; 20(7):923-926.

42. Ziebarth K, Zilkens C, Spencer S, Leunig M, Ganz R, Kim YJ. Capital realignment for moderate and severe SCFE using a modified Dunn procedure. Clin Orthop Relat Res. 2009;467:704-16.

CHAPTER

3

관절내 병변
Intraarticular Lesions

1. 대퇴비구 충돌

1) 정의

대퇴비구 충돌(femoroacetabular impingement, FAI)이란 발달과정이나 후천적인 원인에 의해 생긴 대퇴골(두-경부 연결부), 비구, 또는 양측의 해부학적 특정 형태로 인해 고관절 운동 시 대퇴골과 비구연(acetabular rim) 사이에 반복적인 충돌이 생겨 고관절 통증, 주위 연부조직인 비구순과 관절 연골의 손상이 발생하는 질환을 의미한다. 이에 비해 골의 구조적 이상은 없지만 매우 활동적인 환자에서 관절의 정상 운동 범위를 넘는 과격한 운동이나 체조를 하는 경우

발생하는 대퇴비구 충돌현상을 역동적 충돌(dynamic impingement)이라 한다. 대퇴비구 충돌이라는 용어는 1999년에 Ganz 등이 비구주위 절골술(periacetabular osteotomy) 후 고관절 전방에서 비구가 대퇴골두를 과도하게 피복하여 충돌이 발생하는 현상을 기술할 때 처음으로 사용하였다. 이후 2003년에 이들이 대퇴골과 비구에서의 해부학적인 특정 형태나 고관절에서의 정상 이상의 과도한 굴곡-회전 운동에 의한 반복적인 대퇴비구 충돌이 골관절염을 일으킬 수 있다고 발표하면서, 대퇴비구 충돌이 고관절 골관절염의 주요 원인으로 인식되기 시작하였다. 하지만, 대퇴비구 충돌과 관

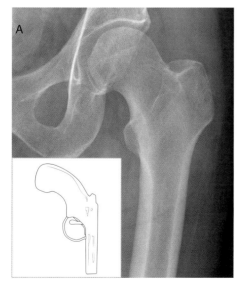

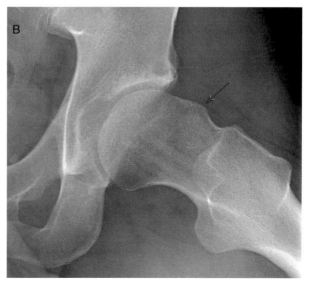

그림 1 대퇴골의 권총 손잡이형 변형(pistol-grip deformity)

(A) 대퇴골의 권총 손잡이 형태(pistol-grip morphology)와 (B) 대퇴골두-경부 연결부의 돌출부(화살표)

련된 고관절의 해부학적 형태의 원인에 대해서는 아직 충분히 밝혀지지 않았고, 통증이나 골관절염의 발생과 상관이 없는 경우도 많이 있기 때문에 임상적 의의에 대해서도 논란의 여지가 있다.

2) 분류

대퇴비구 충돌은 크게 세 가지 형태로 구분할 수 있다. 첫째는 cam 형 대퇴비구 충돌로, 이른바 권총 손잡이 형태(pistol-grip morphology)(그림 1A)나 대퇴골두-경부 연결부(femoral head-neck junction)의 돌출부(bump)(그림 1B)와 같이 대퇴골두의 모양이 구형이 아닌 것으로 인한 cam 효과 때문에 고관절 운동 시 대퇴골두의 튀어나온 부분과 비구연과의 충돌이 발생하게 되는 형태이다(그림 2B). 대퇴골두 골단분리증이나 Legg-Calvé-Perthes 병 등에 의해 후천적으로 대퇴골두의 모양이 변형된 경우도 있지만, 정확한 원인은 아직 밝

혀지지 않았다. 성장기에 대퇴골두 상방의 골단이 대퇴골 경부 전외측 연결부를 따라 비정상적으로 연장됨에 따라 cam 형태가 생기는 것으로 추정되기도 한다. Cam 형 대퇴비구 충돌에서는 고관절 운동 시 대퇴골의 돌출된 부분이 비구 내로 들어오면서 outside-in의 형태로 비구 연골 변연부에 전단력이 작용하여 초자연골의 부분 또는 전층 판분리(delamination)를 일으키게 된다. 또한, 지속적인 충돌에 의해 비구 연골-비구순 연결부(chondrolabral junction)에서 비구순의 파열이 발생하게 된다(그림 4A, 그림 5).

둘째는 pincer 형 대퇴비구 충돌로, 비구의 전체 과피복(global overcoverage) 및 국소 과피복(focal over-coverage)이 있는 경우, 또는 비구 후염(acetabular retroversion)에서 고관절 굴곡 시 비구연과 대퇴골 경부 사이에 충돌이 발생하는 형태이다(그림 2C, 그림 3). 퇴행성 및 류마티스 관절염에서와 같이 후천적인 비구

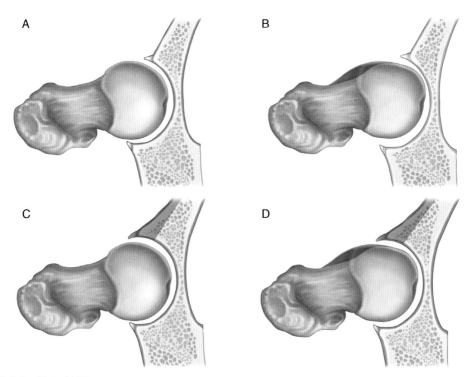

그림 2. 대퇴비구 충돌의 분류
(A) 정상 고관절, (B) 대퇴골두-경부 오프셋이 감소된 cam 형 대퇴비구 충돌, (C) 과도하게 돌출된 비구 전연부로 인해 비구의 전염이 감소된 pincer 형 대퇴비구 충돌, (D) 두 가지가 혼재하는 혼합형 대퇴비구 충돌

모양의 변화가 원인일 수도 있고 선천적으로 비구의 전염(anteversion)이 감소되어 있거나 후염인 경우에 발생할 수 있다. Cam 형 대퇴비구 충돌과는 달리 비구순이 비구연과 대퇴골 경부 사이의 반복적인 충돌에 의해 먼저 손상된다. 지속될 경우 충돌 부위 비구순의 퇴행성 변화가 생기거나 지렛대 효과에 의해 후방 비구

연골에 손상이 생기기도 한다(반충손상, contrecoup region)(그림 4B).

셋째는 혼합형(mixed type) 대퇴비구 충돌로, 대퇴골의 cam 형태와 비구의 과피복이 동시에 있어서 충돌이 발생하는 형태이다(그림 2D).

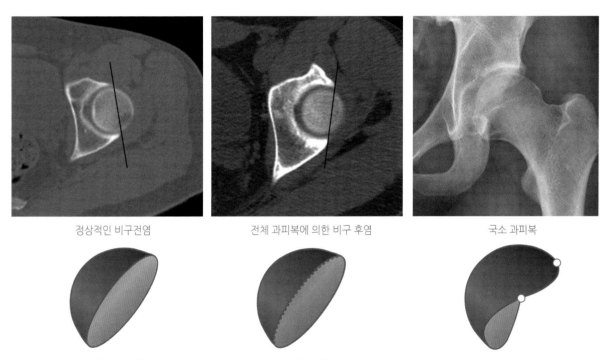

정상적인 비구전염   전체 과피복에 의한 비구 후염   국소 과피복

그림 3. 비구의 전체 과피복(global overcoverage) 및 국소 과피복(focal overcoverage)

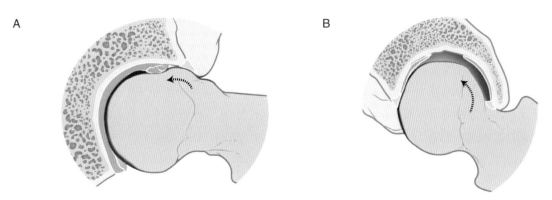

그림 4. 대퇴비구 충돌에서의 관절 손상
(A) cam 형 대퇴비구 충돌에서는 돌출된 대퇴골에 의해 비구 연골의 손상이 선행되는 반면, (B) pincer 형 대퇴비구 충돌에서는 비구순의 손상이 직접적으로 먼저 발생하게 되고, 지렛대 효과에 의해 후방 비구 연골의 손상이 생기기도 한다.

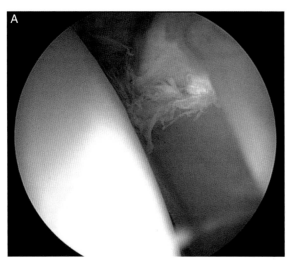
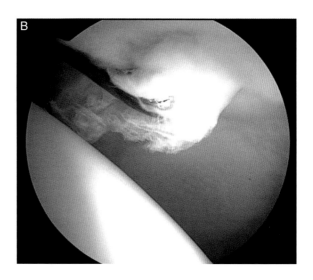

그림 5. 대퇴비구 충돌에서의 비구 연골 손상
(A) cam 형 대퇴비구 충돌에서 비구 연골–비구순 연결부에 흔히 관찰되는 비구 연골의 전층 판분리, (B) 탐침(probe)으로 확인했을때 비구 연골이 연골하골(subchondral bone)에서 완전히 떨어져 있음을 관찰할 수 있다.

3) 역학

최근 몇몇 연구에서 대퇴비구 충돌의 유병률에 대해 보고하고 있지만, 대퇴비구 충돌을 진단할 때 사용되는 지표들과 질환의 정의에 따라 다양하게 달라질 수 있기 때문에 아직까지 임상적으로 의미 있는 대퇴비구 충돌의 유병률은 잘 밝혀져 있지 않다. Ochoa 등은 고관절 통증을 주소로 내원한 155명의 환자들을 대상으로 방사선 사진상 대퇴비구 충돌과 연관된 소견이 관찰되는 경우를 조사하였다. 대퇴비구 충돌과 연관된 방사선적 소견으로는 herniation pit, 권총 손잡이 형태, crossover 징후, center–edge 각이 39°보다 큰 경우, 또는 알파각이 50°보다 큰 경우가 있으며 87%에서 1개 이상 소견이 관찰되었고, 81%에서 2개 이상 소견이 관찰되어 매우 높은 유병률을 보고한 바 있다. 그러나 이러한 방사선적 소견이 증상과 유의한 상관관계가 있는가에 대해서는 의문의 여지가 있다. 최근에는 증상이 없는 경우에 대퇴비구 충돌과 연관된 방사선적 소견을 보이는 빈도를 조사한 여러 연구들이 보고되고 있다. Reichenbach 등은 고관절 증상이 없는 244명의 군인들을 대상으로 한 연구에서 MRI상 대퇴골두–경부 연결

부에 대퇴비구 충돌 관련 형태가 24%에서 관찰되었다고 보고하였다. Hack 등은 고관절의 증상이 없는 200명의 자원자들을 대상으로 한 연구에서, 14%에서 적어도 한쪽 고관절에 cam 형 소견이 관찰되었는데 이중에서 남성이 79%, 여성이 21%라고 하였다. 성별로 구분하면, 전체 89명의 남성 중에서는 24.7%, 전체 여성 11명 중에서는 5.4%에서 cam 형 소견이 발견되어 남성에서 보다 높은 빈도를 보였다고 보고하였다. 반면 동양에서는 서구권에 비해 역학 연구가 상대적으로 드물다. 일부에서는 대퇴비구 충돌과 연관된 해부학적 형태의 빈도가 서양인에 비해 동양인에서 낮기 때문에 고관절 골관절염의 빈도에 차이가 있다고 주장하기도 하였으나, 동양인들을 대상으로 한 역학 연구들은 서양인들과 비교하여 낮은 빈도를 보이는 결과부터 유사한 빈도를 보이는 결과까지 보고되고 있어 일관성을 보이지 않는다. 최근 Ahn 등은 고관절의 증상이 없는 200명의 한국인 자원자를 대상으로 골반 전후면 사진, Sugioka view 및 45° Dunn view 에서의 cam 형 소견과 pincer 형 소견의 관찰 빈도를 조사하여 보고하였다. 이에 따르면 cam 형 소견의 경우 최소 1개 이상의 방

사선 사진에서 관찰되는 경우가 38%(남성 57%, 여성 26%), pincer 형 소견의 경우 최소 1개 이상의 방사선 사진에서 관찰되는 경우가 23%(남성 27%, 여성 21%)이었다고 한다. 이는 서양인들을 대상으로 시행된 역학 연구 결과들과 유사한 정도이기 때문에, 대퇴비구 충돌과 연관된 방사선 소견은 동서양에서 비교적 높은 빈도로 관찰되는 것을 알 수 있다.

한편, 고관절 통증이 있는 95명의 축구 선수들을 대상으로 조사한 후향적 연구에 따르면 남자 선수들 중에서는 68%(양측성 76.5%), 여자 선수들 중에서는 50%(양측성 90%)에서 대퇴비구 충돌 형태가 관찰되었다고 보고하였고, 증상이 없는 67명의 미식축구 선수들을 대상으로 한 전향적 연구에서도 50%에서 cam 형 형태가 관찰되었다고 보고하는 등, 대퇴비구 충돌 형태는 운동 선수들에서 일반인들에 비해 높은 빈도로 관찰되는 것으로 알려져 있다. 이와 같은 결과를 바탕으로 유년기부터 고관절에 지속적으로 높은 부하가 가해질 경우 대퇴비구 충돌을 유발할 수 있는 골성 변형이 생길 수 있다고 추정되고 있다.

4) 임상 소견

대퇴비구 충돌로 인한 증상은 주로 서서히 시작되는 서혜부 및 고관절 주위의 통증으로 나타난다. 고관절의 반복적인 굴곡과 회전이 필요한 운동이나 활동에 의해 통증이 시작되기도 하고, 초기에는 간헐적으로 발생하다가 휴식에 의해 자연적으로 호전되기도 한다. 오래 앉아 있다가 일어나거나 차에서 타고 내리는 동작에서 서혜부 통증이 유발되는 경우도 있다. 증상이 악화될 경우 계단을 오르거나 신발 및 양말을 신는 동작에서도 통증이 생기고, 우리나라와 같이 바닥에 앉는 생활 문화에서는 점차 바닥에 앉기가 어려워지는 불편함이 생길 수 있다. 비구순 파열이나 관절 연골 손상이 진행되면 장거리 보행 시 파행이 생길 수 있고 관절 운동은 굴곡과 내회전이 제한되는 경우가 많다. 대퇴비구 충돌로 인한 통증은 이 질환에만 특징적으로

나타나는 증상이 있는 것이 아니기 때문에 정확한 진단을 위해서는 면밀한 환자 병력 청취와 신체 검사에서 발견된 이상 소견과 영상 검사 소견을 종합하여 판단하는 것이 필수적이다.

5) 진단
(1) 신체 검사

앙와위에서 고관절을 90° 굴곡, 내전시킨 상태에서 내회전하여 서혜부에 동통을 유발하는 전방 충돌 검사(anterior impingement test)가 양성인 경우 대퇴비구 충돌을 의심할 수 있다(그림 6). 검사에서 음성 혹은 약양성을 보이는 경우에는 고관절을 120°로 고도 굴곡하여 다시 검사를 하면 양성을 보일 수도 있다. 그러나 전방 충돌 검사는 비구순 병변을 비롯하여 대부분의 고관절 질환에서 양성인 경우가 많아 민감하지만 비특이적인 검사이기 때문에 진단에 주의가 필요하다. 드물게 충돌이 고관절의 후하방에 존재할 수 있는데, 이 경우 고관절을 과신전한 상태에서 외회전시키는 후방 충돌 검사를 시행하고 둔부 통증이 유발되는지를 관찰한다.

그림 6. 전방 충돌 검사
고관절을 굴곡, 내전, 내회전시키면 통증이 발생한다.

(2) 단순 방사선 검사

대퇴비구 충돌과 연관된 대퇴골 소견은 권총 손잡이 형태(그림 1A)와 같이 골반 전후면 사진에서 관찰되는 경우도 있지만, cam 형태가 주로 대퇴골두-경부 연결부의 전면에 위치할 경우 전후면 사진에서는 정상으로 보일 수 있기 때문에 측면 방사선 사진에서 평가해야 한다. 측면 방사선 검사는 cross-table 측면 영상, 개구리 다리 측면 영상, 또는 Dunn 영상 검사를 시행한다.

① **대퇴골두의 구형(sphericity) 정도를 평가하는 방법:**

- 알파각
  대퇴골두 외연을 따라 그린 원의 중심에서 대퇴골 경부 축을 잇는 선과 cam 병변이 원 밖으로 돌출되기 시작하는 점에서 원의 중심을 잇는 선이 이루는 각을 측정한다. 정상 알파각에 대해서는 논란의 여지가 있지만 대부분 50° 이상인 경우 cam 형태가 있는 것으로 판단한다(그림 7).

- 대퇴골두-경부 오프셋 및 오프셋 비(offset ratio)
  대퇴골 경부 축과 평행한 선을 대퇴골두 전면과 경부 전면 연결부에 접하도록 그었을 때, 이 두 선 사이의 수직 거리를 대퇴골두-경부 오프셋이

라 정의하고, 대퇴골두-경부 오프셋을 대퇴골두 직경으로 나눈 값을 오프셋 비라 정의한다. 정상 수치는 오프셋 ≥9 mm, 오프셋 비 ≥0.17로 알려져 있다(그림 8).

② **비구 후염을 시사하는 소견:**

- Crossover 징후
  비구가 정상적으로 전염일 경우에는 비구 전벽 경계가 후벽 경계의 내측에 위치하지만, 후염일 경우에는 비구의 근위부에서 전벽 경계가 후벽 경계의 외측에 위치하게 된다(그림 9).

- 후벽 결손 징후(deficient posterior wall sign)
  비구가 정상적으로 전염일 경우에는 대퇴골두 중심이 비구 후벽 경계 상 또는 내측에 위치하지만, 후염일 경우에는 후벽 경계의 외측에 위치한다(그림 9).

- 좌골극 징후(ischial spine sign)
  비구의 후염이 있을 경우 동측 좌골극이 골반강 내로 돌출되어 있는 소견이 관찰되기도 한다(그림 10).

상기 소견은 고관절의 위치에 따라 달라지기 쉽기 때

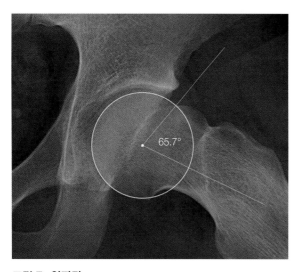

그림 7. 알파각
대퇴골두 외연을 따라 그린 원의 중심에서 대퇴골 경부 축을 잇는 선과 cam 병변이 원 밖으로 돌출되기 시작하는 점에서 원의 중심을 잇는 선이 이루는 각을 측정한다. 정상 알파각은 < 50°이다.

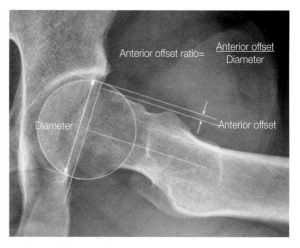

그림 8. 대퇴골두-경부 오프셋
대퇴골 경부 축과 평행한 선을 대퇴골두 전면과 경부 전면 연결부에 접하도록 그었을 때, 이 두 선 사이의 수직 거리를 대퇴골두-경부 오프셋이라 정의하고, 대퇴골두-경부 오프셋을 대퇴골두 직경으로 나눈 값을 오프셋 비라 정의한다.

문에 무엇보다 정확한 방사선 사진의 촬영이 중요하며 해석에 주의가 필요하다.

(3) 전산화단층촬영 및 자기공명영상

전산화단층촬영 사진의 3차원 재구성을 통해 cam 형 돌출부의 정확한 위치를 파악할 수 있고(그림 11), pincer 형 대퇴비구 충돌에서 비구의 후염 정도와 국소 과피 복의 위치를 파악할 수 있다(그림 12). 관절조영 전산화

단층촬영(CT arthrogram)을 시행할 경우 비구순 및 관절 연골 손상을 파악할 수 있고 자기공명영상에 비해 비용상 저렴하다는 장점이 있다. 자기공명영상은 단독으로 시행하기도 하지만, 관절조영 자기공명영상(MR arthrogram)을 시행할 경우 비구순 및 관절 연골 손상 등을 파악하기 쉽고, 대퇴골두-경부 경계 형태를 파악하는데 더 효과적이다(그림 13).

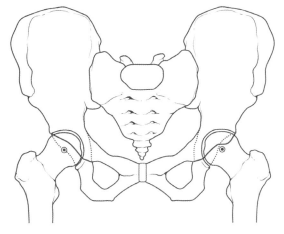

그림 9. Crossover 징후과 후벽 결손 징후
정상(비구 전염 상태) 비구인 우측에 비해, 좌측 고관절에서는 비구 후염을 시사하는 소견인 crossover 징후과 후벽 결손 징후가 관찰된다.

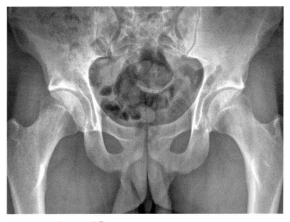

그림 10. 좌골극 징후
양측 고관절에 crossover 징후, 후벽 결손 징후, 좌골극 징후가 모두 관찰된다.

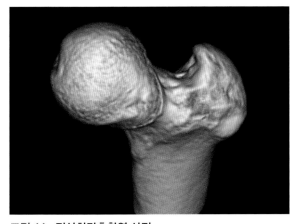

그림 11. 전산화단층촬영 사진
3차원 재구성을 통해 대퇴골두-경부 연결부의 cam 병변의 정확한 위치를 파악할 수 있다.

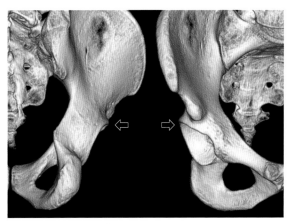

그림 12. 전산화단층촬영에서 비구 병변
비구가 정상적인 전염각을 갖게 되는 경우 후방에서는 비구 전벽이 관찰되지 않으나 국소 과피복이 있는 경우에는 후방에서도 국소적으로 비구 전벽을 관찰할 수 있다(화살표). 이러한 국소 과피복이 단순 방사선 사진에서 crossover 징후로 관찰된다.

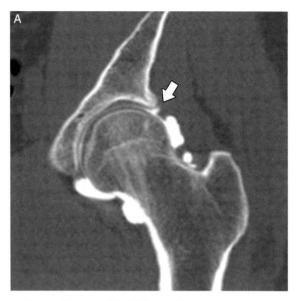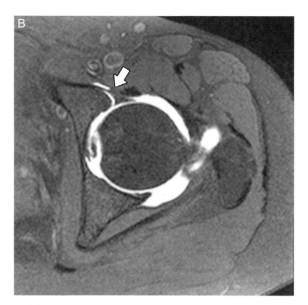

그림 13. 관절조영 전산화단층촬영(A)과 관절조영 자기공명영상 검사(B)
비구와 비구순 경계부위 사이에 조영제가 관찰되는 소견(화살표)으로 비구순 파열을 진단할 수 있다.

(4) 진단적 관절강내 마취제 주사

국소 마취제를 초음파 및 방사선투시기(fluoroscopy) 영상을 보면서 관절강내로 주사한 후 통증이 없어질 경우 통증의 원인이 관절강내 이상인 것으로 진단하는데 도움을 줄 수도 있다. 반복적인 관절강내 주사는 감염성 관절염을 일으킬 위험이 있기 때문에 주사는 최소한으로 시행해야 한다.

6) 치료
(1) 보존적 치료

초기 단계에는 운동을 제한하고 충돌을 유발하는 자세를 피하며, 비스테로이드성 소염제를 복용하는 등의 일반적인 보존적 치료를 시행한다. 대부분 충분한 기간의 보존적 치료로 증상이 호전되지만, 활동량이 많고 충돌을 유발하는 운동을 다시 시작하는 환자들, 특히 전문 활동가나 운동 선수들에서는 보존적 치료에도 증상이 호전되지 않거나 일시적인 호전 후에 통증이 재발하는 경우가 있다. 스트레칭과 운동 요법 등의 물리치료가 다양하게 시도되고 있으나 아직 대퇴비구

충돌에 효과가 입증된 치료법은 명확하지 않다. 대퇴비구 충돌 환자에 대한 보존적 치료의 임상 결과에 대한 논문은 비교적 드물다. Kekatpure 등은 83명을 대상으로 한 후향적 연구에서 최소 3개월 이상의 보존적 치료(생활습관 교정, 약물 요법 등)를 시행한 결과 평균 27.5개월 후 55%에서 수술적 치료 없이 증상이 호전되었다고 보고하였다. 한편, 최근 시행된 전향적 무작위 대조군 연구에 의하면 Griffin 등은 개인화된 보존적 치료를 시행받은 177명과 고관절경술을 시행받은 171명을 비교하였을 때, 1년 뒤 양군 모두에서 치료 전보다 호전된 임상 결과를 보였으나 호전된 정도가 고관절경술을 시행받은 환자군에서 유의하게 높았다고 보고한 바 있다.

(2) 수술적 치료

임상 증상 및 신체 검사상 대퇴비구 충돌이 의심되고 영상 검사에서 비구순 및 관절 연골의 손상이 명확하게 관찰되면서 상당 기간의 보존적 치료에도 통증이 호전되지 않는 경우 수술적 치료를 고려할 수 있

다. 대부분 대퇴골두-경부 연결부의 돌출부를 제거하거나 돌출된 비구연을 다듬어 주는 수술이 시행된다. 즉, 대퇴골성형술(femoroplasty) 또는 돌출부제거술(bumpectomy)로 대퇴골두-경부 오프셋을 개선시키고, 국소 과피복이 있는 부위의 비구성형술(acetabuloplasty)을 시행하여 충돌로 인한 비구순 및 관절 연골 손상이 일어나지 않는 상태에서 고관절의 운동 범위를 증가시켜 향후 골관절염의 진행을 늦추거나 예방할 수 있을 것으로 기대한다. 수술적 치료는 1) 수술적 탈구(surgical dislocation), 2) 전방 최소 관절절개술, 관절경술을 병행하는 경우와 병행하지 않는 경우(anterior mini-arthrotomy, with or without arthroscopic assistance) 3) 고관절경술 등 크게 3가지 방법으로 구분할 수 있다.

① **수술적 탈구**: Ganz 등에 의해 소개된 방법으로, 전자부 활주 절골술(trochanteric slide osteotomy)을 사용한 외측 Gibson 접근법을 통해 전방 관절절개술을 시행하게 된다. 수술 시야가 잘 확보되기 때문에 대퇴골에 대한 대퇴골성형술뿐만 아니라 비구성형술, 비구순 봉합술(labral repair), 비구 연골성형술(acetabular chondroplasty) 등의 비구 측 술기를 시행할 수 있다. 이 방법은 비구와 대퇴골두에 대해 거의 완전한 시야가 확보되

어 중심 구획(central compartment)과 변연 구획(peripheral compartment) 모두 접근이 용이하고 후방 비구순 및 고관절의 후방 병변에 대한 치료가 가능하다는 장점이 있다(그림 14). 하지만, 수술 과정이 침습적이고 회복 기간이 길며, 전자부 절골술 부위의 불유합이 생길 위험이 있다는 단점이 있다(그림 15).

② **전방 최소 관절절개술, 관절경술을 병행하는 경우와 병행하지 않는 경우**(anterior mini-arthrotomy, with or without arthroscopic assistance): 전방 최소 관절절개술만 단독으로 시행하는 경우에는 앙와위에서 Hueter 접근법을 사용하여 약 8 cm

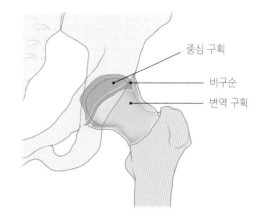

중심 구획

비구순

변연 구획

그림 14. 고관절내 구획의 모식도

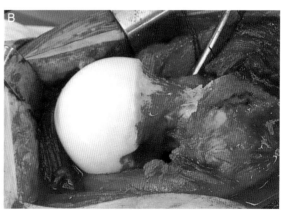

그림 15. 수술적 탈구를 이용한 대퇴골성형술
대퇴골두-경부 연결부에 관찰되는 cam 병변(A)에 대하여 대퇴골성형술을 시행하여 오프셋을 회복시켰다(B).

정도의 피부 절개를 통해 전방 관절절개술을 시행한다. 관절경술을 병행하는 경우에는 먼저 중심 구획에서 관절경적 방법으로 비구순 봉합술, 비구성형술, 비구 연골성형술 등의 수술을 시행한다. 이후 하지 견인을 풀고, 피부 절개를 통해 전방 최소 관절절개술을 시행하여 대퇴골성형술이나 비구성형술 등을 시행한다. 이 방법은 절골술 없이 변연 구획으로의 접근이 가능하여 수술적 탈구 방법에 비해 비교적 비침습적이고 회복 기간이 짧으며, 관절경술을 단독으로 시행했을 때보다 관절낭을 봉합하기 쉽다는 장점이 있다. 그러나 고관절의 후방 병변에 대한 접근이 제한적이고, 관절경술을 병행하지 않을 경우에는 중심 구획에 대한 치료가 어렵다.

③ **고관절경술:** 앙와위나 측와위에서 시행할 수 있다. 고관절을 견인하여 비구 연골성형술, 비구성형술, 비구순 봉합 등 중심 구획에 대한 치료를 시행하고, 견인을 해제한 후 변연구획에서 대퇴골성형술을 시행하게 된다(그림 16). 세 가지 수술적 치료 방법 중에서 고관절 주위 조직에 대한 손상이 적어 가장 비침습적이고 회복 기간이 빠르다는 장점이 있다. 또한 관절경은 관절내의 병변을 크게 확대하여 더 정확히 관찰할 수 있다. 하지만, 대퇴비구 충돌과 연관된 고관절 이상과 병변에 대한 효과적인 치료를 위해서는 숙련된 술기가 필요하고 고관절 후방에 대한 수술적 접근이 어렵다는 단점이 있다.

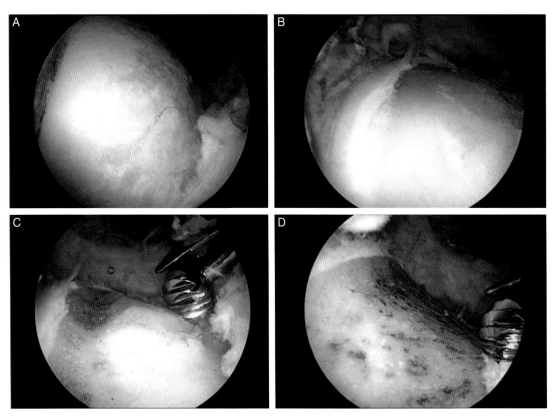

그림 16. 관절경을 이용한 대퇴골성형술
대퇴골두-경부 연결부 전방에 관찰되는 cam 병변을 확인한 후(A), 돌출부를 직접 노출시키고(B) 관절경적 절삭기로 대퇴골성형술을 시행하면(C) 오프셋이 개선된 것을 확인할 수 있다(D).

2. 비구순 병변

1) 정의 및 역할

비구순은 해부학적으로 비구연에 붙어 있는 섬유연골로 단면은 삼각형 모양이다. 비구의 전방에서 가장 넓고 상방에서 가장 두꺼우며, 후하방으로 갈수록 좁아진다. 비구순의 바깥쪽은 그 가장자리에 관절막이 부착하며 혈관 분포가 비교적 좋지만 관절면 쪽은 혈관 분포가 매우 적다(그림 17). 이러한 혈관 분포의 차이는 비구순 파열의 치료 방법과 예후에 영향을 미친다. 비구순은 비구내 대퇴골두의 안정성에 기여하며, 활액(synovial fluid)이 빠져나가는 것을 막아 윤활 기능과 관절 연골의 영양 공급을 촉진하고, 크지는 않지만 체중 부하를 분담하는 역학을 한다(그림 18). 특히, 비구 이

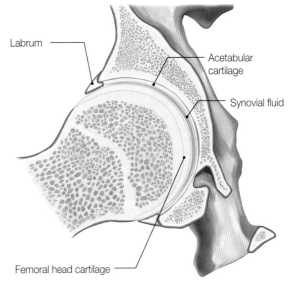

그림 18. **비구순의 기능**

비구순은 대퇴골두와 비구 사이의 중심구획을 차단하여 활액이 빠져나가는 것을 막아 대퇴골두 연골과 비구 연골 사이의 직접적인 접촉이 일어나지 않도록 윤활 기능을 한다.

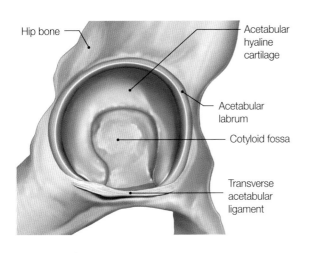

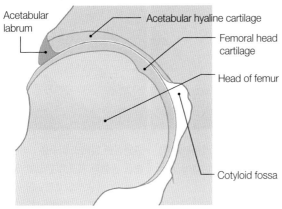

그림 17. **비구순의 해부학**

형성증이 있는 고관절의 비구순은 정상 고관절에 비해 체중 부하에 크게 관여한다. 비구순에는 신경 말단이 존재하여 비구순 병변은 고관절 통증의 원인이 될 수 있으며, 비구순의 기능 소실에 의한 관절 연골의 초기 퇴행성 변화가 초래될 수 있을 것으로 인식되고 있다.

비구순 병변은 고관절 질환의 병력이 없는 사체의 90% 이상에서 관찰될 정도로 흔한 것으로 알려져 있다. 평소 고관절 통증이 없었던 평균 79세 98명의 대퇴골 경부 골절로 양극성 반치환술을 시행 받는 환자의 고관절을 관찰한 결과 72명(73%) 환자에서 비구순 파열이 있음이 관찰되었다. 비교적 최근 대퇴비구 충돌 개념의 도입과 고관절경술의 발달과 함께 주목받는 병변으로 대두되었으나 그 자체의 임상적 의의가 정립되기 위해서는 아직 많은 연구가 필요한 실정이다.

2) 원인

비구순 파열의 발생 원인으로는 외상, 대퇴비구 충돌, 고관절 이완 및 과운동, 비구 이형성증 및 퇴행성

변화 등이 알려져 있다. 외상성의 경우 한순간의 어떤 동작에 의해서 발생할 수도 있지만 대부분은 반복적인 작은 외상의 축적된 결과이며 고관절의 회전과 연관된 운동의 결과이다. 원인과 관계없이 대부분의 파열은 전방부(전방 혹은 전상방)에 발생한다. Lage 등은 비구순 파열을 radial flap, radial-fibrillated, longitudinal peripheral, unstable 파열의 네 가지로 구분하기도 하였다(표 1). 단순 파열뿐만 아니라 다양한 부위에서 비구순주위 낭종(paralabral cyst)이 관찰될 수 있는데, 최근에는 이러한 낭종 또한 비구순 파열의 한 형태로 고관절 통증과 관련이 있다는 주장도 있다. 관절경 소견상 비구 연골-비구순 연결부(chondrolabral junction)에 관찰되는 비구 홈(labral sulcus)은 정상적으로 관찰될 수 있는 소견으로, 파열로 오진하지 않도록 주의해야 한다.

3) 임상 소견

증상은 대부분 장시간 활동 시 악화되는 서혜부 통증이며 간혹 둔부나 전자부 쪽에서 통증이 느껴질 수 있다. 점진적으로 통증이 진행하며 걸리는 느낌이나 탄발음과 같은 기계적 증상은 일정하지 않다. 통증은 정상적인 보행 시보다는 주로 고관절이 과굴곡, 내회전되는 자세에서 발생하는데 계단을 오르거나 내려가는 동작, 승용차에서 내릴 때, 앉아 있다 일어나는 동작 등 특정한 자세에서 순간적으로 발생하는 것으로 알려져 있다. 진찰상 전방 및 후방 충돌검사, 통나무 굴림검사(log rolling test) 또는 저항성 하지 직거상 검사 등이 양성일 수 있으나 비구순 파열에만 특징적인 신체검사는 없다.

4) 영상 소견

비구순 파열을 진단하기 위하여는 자기공명 관절조영술이나 전산화단층 관절조영술이 추천되며, 두 검사방법의 정확도가 85–96% 정도로 보고되고 있다. 하지만, 자기공명영상이나 초음파를 이용한 경우 진단의 정확성은 아직 떨어지는 것으로 보고되어 있다. 비구순 파열 진단 과정에 비구순 파열처럼 진단되는 정상적인 구조인 비구 홈(labral sulcus)과의 감별이 요구된다(그림 19). 비구 홈과 파열의 구분은 관절경을 통하여 확진 가능하나, 정상적인 비구 홈을 감별하는 노력이 필요하다.

표 1. Lage에 의한 비구순 파열의 분류

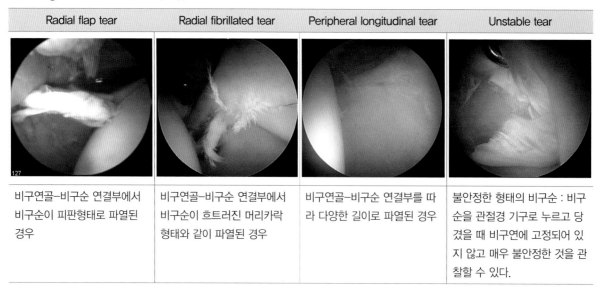

Radial flap tear	Radial fibrillated tear	Peripheral longitudinal tear	Unstable tear
비구연골-비구순 연결부에서 비구순이 피판형태로 파열된 경우	비구연골-비구순 연결부에서 비구순이 흐트러진 머리카락 형태와 같이 파열된 경우	비구연골-비구순 연결부를 따라 다양한 길이로 파열된 경우	불안정한 형태의 비구순 : 비구순을 관절경 기구로 누르고 당겼을 때 비구연에 고정되어 있지 않고 매우 불안정한 것을 관찰할 수 있다.

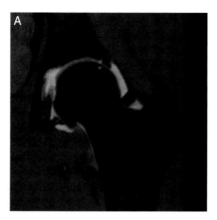
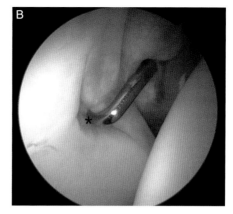

그림 19. 관절조영 자기공명영상 사진

(A)에서 파열처럼 보이는 소견(*)은 관절경 사진 소견(B)상에서 정상적인 비구 홈(labral sulcus, *)으로 판단되었다.

5) 치료

충분한 기간의 안정과 비스테로이드성 소염제, 물리치료 등의 비수술적 치료에도 불구하고 증상이 호전되지 않는 경우 수술적 치료의 적응이 된다. 관절 절개를 통한 수술도 가능하지만 최근에는 대부분 관절경을 이용한 수술이 많이 시행되고 있으며(그림 20), 특히, 젊은 환자에서는 비구순 절제술보다 봉합술이 시도되고 있다.

3. 원형인대 손상

원형인대는 횡비구인대(transverse acetabular ligament)와 비구 절흔에서 기시하여 대퇴골두와(fovea capitis femoris)에 기시하는 약 30-35 mm 크기의 관절내 인대이며 관절을 안정시키며 대퇴골두의 혈액공급에 기여하는 역할 이외에 통증과 고유수용감각 기능을 갖고 있다. 원형인대 손상은 고관절의 스포츠 손상 가운데 약 4-15%를 차지하며 비구순 파열, 연골 손상에 이어 세 번째 흔한 운동선수의 고관절 병변이다. 고관절의 굴곡, 내전, 외회전 시 원형인대는 긴장하며 육상이나 축구 같이 격렬한 운동 시 원형인대 손상이 일어나면 고관절의 미세불안정(microinstability)이 생겨 관절 연골이나 비구순의 손상이 초래될 수 있다(그림 20). 관절경 소견에 따라 완전, 불완전 및 퇴행성 파열로 나뉘며 완전 파열은 외상이나 수술의 기왕력이

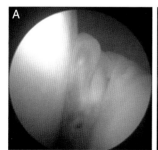
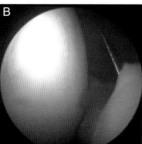
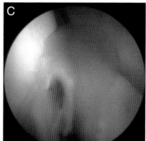
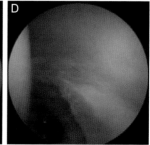

그림 20. 낭종을 동반한 비구순의 파열에 대한 관절경적 변연절제술

(A) 낭종을 동반한 비구순의 파열이 관찰된다. (B) 낭종에 탐침을 삽입 후 낭종액의 유출이 관찰된다. (C) 파열된 비구순과 낭종을 절제하였다. (D) 변연절제 후 사진으로 낭종과 파열된 비구순은 제거되었다.

있는 환자에서 관절내 연골이나 비구순의 병변이 동반되는 경우가 많다. 불완전 파열은 장기간 서혜부 또는 대퇴부 통증이 지속된 환자에서 방사선 검사보다는 관절경으로 진단되는 경우가 많고 퇴행성 파열은 골관절염 환자, 특히 비구 이형성증이나 LCP 병과 같이 방사선적 이상이 동반된 환자에서 흔하게 발견된다. 원형인대 손상은 고관절 전방 탈구나 굴곡, 내전, 외회전 또는 외전 외력이 가해지는 경우 발생하는 것으로 알려졌다. 소아에서는 견열 골절 형태로 원형인대 손상이 발생하기도 한다. 증상은 대개 모호하며 진단에 도움이 되는 신체 검사도 특이하지 않다.

진단은 자기공명영상 또는 전산화단층 관절조영술이 도움이 된다. 급성 손상은 인대의 연속성 소실, 불명확한 윤곽이나 T2 음영증가 등의 소견을 관찰할 수 있으며 부종이나 종창이 나타나기도 한다. 치료는 안정과 비스테로이드성 소염제, 물리치료 등의 보존적 치료에도 불구하고 통증이나 기계적 증상이 지속되는 경우에 관절경 수술을 시행한다. 완전 파열된 경우 변연절제만으로도 비교적 좋은 임상적 결과가 보고되었다 (그림 21).

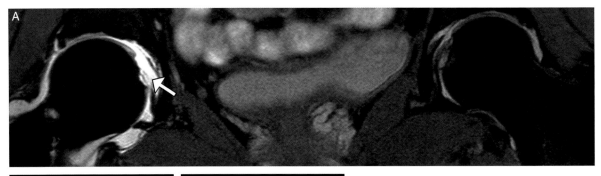

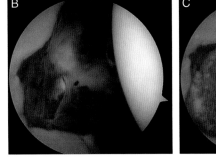
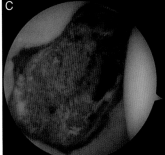

그림 21. 원형인대의 파열
(A) 자기공명 관절조영술상 우측 고관절의 원형인대 파열 소견이 관찰된다(화살표). (B) 관절경 소견상 비구와에 혈종이 관찰되고 (C) 변연절제술 후 원형인대의 완전 파열이 관찰된다.

참고문헌

1. 유명철, 조윤제, 김강일, 전성욱, 박경준. 비구 이형성증 환자의 관절경적 소견과 술 전 Labral Test의 유용성. 대한정형외과학회지. 2006;41(2):197−203.

2. 황득수, 양재훈, 남대철. 대퇴비구 충돌을 일으키는 골성 변형의 관절경적 치료−단기 추시 결과. 대한고관절학회지. 2007;19(2):112−120.

3. 황득수, 이광진, 권순태, 김경천, 이창환, 양재훈. 초기 일차성 골성 고관절염 환자에서 발생한 전방 대퇴비구 충돌의 방사선적 및 임상적 양상. 대한정형외과학회지. 2005;40(6):630−634.

4. Ahn T, Kim CH, Kim TH, Chang JS, Jeong MY, Aditya K, Yoon PW. What is the Prevalence of Radiographic Hip Findings Associated With Femoroacetabular Impingement in Asymptomatic Asian Volunteers? Clin Orthop Relat Res. 2016 Dec; 474(12):2655-2661. Epub 2016 Aug 9.

5. Beaule PE, O'Neill M, Rakhra K. Current concept reviews: Acetabular labral tears. J Bone Joint Surg Am. 2009;91:701-10.

6. Beck M, Kalhor M, Leunig M, Ganz R. Hip morphology influences the pattern of damage to the acetabular cartilage: Femoroacetabular impingement as a cause of early osteoarthritis of the hip. J Bone Joint Surg Br. 2005; 87:1012-1018.

7. Beck M, Kalhor M, Leunig M, Ganz R. Hip morphology influences the pattern of damage to the acetabular cartilage: femoroacetabular impingement as a cause of early osteoarthritis of the hip. J Bone Joint Surg Br. 2005;87:1012-8.

8. Byrd JW, Jones KS. Arthroscopic femoroplasty in the management of cam-type femoroacetabular impingement. Clin Orthop Relat Res. 2009467:739-46.

9. Byrd JW, Jones KS. Traumatic rupture of the ligamentum teres as a source of hip pain. Arthroscopy. 2004;20:385-91.

10. Byrd JWT, Jones K. Arthroscopic Femoroplasty in the Management of Cam-type Femoroacetabular Impingement. Clin Orthop Relat Res. 2009;467:739-746.

11. Cashin M, Uhthoff H, O'Neill, Beaule PE. Embriology of the acetabular labral-chondral complex. J Bone Joint Surg Br. 2008;90:1019-24.

12. Cerezal L, Kassarjian A, Canga A, et al. Anatomy, biomechanics, imaging, and management of ligament teres injuries. Radiographics. 2010;30:1637-51.

13. Clohisy JC, McClure JT. Treatment of anterior femoroacetabular impingement with combined hip arthroscopy and limited anterior decompression. Iowa Orthop J. 2005;25:164-171.

14. Cobb J, Logishetty K, Davda K, Iranpour F. Cams and pincer impingement are distinct, not mixed: the acetabular pathomorphology of femoroacetabular impingement. Clin Orthop Relat Res. 2010;468:2143-51.

15. Eijer H, Leunig, Mahomed MN, Ganz R. Cross-table lateral radiograph for screening of anterior femoral head-neck offset in patients with femoro-acetabular impingement. Hip Int. 2001;11:37-41.

16. Espinosa N, Rothenfluh DA, Beck M, Ganz R. Treatment of femoroacetabular impingement: preliminary results of labral refixation. J Bone Joint Surg Am. 2006;88:925-35.

17. Ganz R, Parvizi J, Beck M et al. Femoroacetabular impingement: A cause for steoarthritis of the hip. Clin Orthop Relat Res. 2003;417:112-120.

18. Ganz R, Parvizi J, Beck M, Leunig M, Nötzli H, Siebenrock KA. Femoroacetabular impingement: a cause for osteoarthritis of the hip. Clin Orthop Relat Res. 2003;417:112-20.

19. Gerhardt MB, Romero AA, Silvers HJ, Harris DJ, Watanabe D, Mandelbaum BR. The prevalence of radiographic hip abnormalities in elite soccer players. Am J Sports Med. 2012;40:584-8.

20. Giori NJ, Trousdale RT. Acetabular retroversion is associated with osteoarthritis of the hip. Clin Orthop Relat Res. 2003;417:263-269.

21. Gray AJ, Villar RN. The ligament teres of the hip: an arthroscopic classification of its pathology. Arthroscopy. 1997;13:575-8.

22. Griffin DR, Dickenson EJ, Wall PDH, Achana F, Donovan JL, Griffin J, Hobson R, Hutchinson CE, Jepson M, Parsons NR, Petrou S, Realpe A, Smith J, Foster NE; FASHIoN Study Group. Hip arthroscopy versus best conservative care for the treatment of femoroacetabular impingement syndrome (UK FASHIoN): a multicentre randomised controlled trial. Lancet. 2018 Jun 2;391(10136):2225-2235.

23. Guanche CA, Bare AA. Arthroscopic treatment of femoracetabular impingement. Arthroscopy. 2006;22: 95-106.

24. Hack K, Di Primio G, Rakhra K, BeauléPE. Prevalence of cam-type femoroacetabular impingement morphology in asymptomatic volunteers. J Bone Joint Surg Am. 2010;92:2436-44.

25. Harris WH. Etiology of osteoarthritis of the hip. Clin Orthop Relat Res. 1986;213:20-33.

26. Hunt D, Prather H, Harris Hayes M, Clohisy JC. Clinical outcomes analysis of conservative and surgical treatment of patients with clinical indications of prearthritic, intra-articular hip disorders. PM R. 2012;4:479-87.

27. Ito K, Leunig M, Ganz R. Histopathologic features of the acetabular labrum in femoroacetabular impingement. Clin Orthop Relat Res. 2004;429:262-271.

28. Kapron AL, Anderson AE, Aoki SK, et al. Radiographic prevalence of femoroacetabular impingement in collegiate football players: AAOS Exhibit Selection. J Bone Joint Surg Am. 2011;93:e111(1-10).

29. Kassarjian A, Belzille E. Femoroacetabular impinge-ment: presentation, diagnosis and management. Semn Musculo Radiol. 2008; 12: 136-45.

30. Kekatpure AL, Ahn T, Kim CH, Lee SJ, Yoon KS, Yoon PW. Clinical Outcomes of an Initial 3-month Trial of Conservative Treatment for Femoroacetabular Impingement. Indian J Orthop. 2017 Nov-Dec;51(6): 681-686.

31. Kelly BT, Weiland DE, Schenker ML, Philippon MJ. Arthroscopic labral repair in the hip: surgical technique and review of the literature. Arthroscopy. 2005;21:1496-504.

32. Khan M, Habib A, de Sa D, Larson CM, Kelly BT, Bhandari M, Ayeni OR, Bedi A. Arthroscopy Up to Date: Hip Femoroacetabular Impingement. Arthroscopy. 2016 Jan;32(1):177-89.

33. Laude F, Sariali E, Nogier A. Femoroacetabular Impingement Treatment Using Arthroscopy and Anterior Approach. Clin Orthop Relat Res. 2009;467:747–752.

34. Laude F, Sariali E, Nogier A. Femoroacetabular impingement treatment using arthroscopy and anterior approach. Clin Orthop Relat Res. 2009;467:747-52

35. Leunig M, Huff TW, Ganz R. Femoroacetabular impingement: Treatment of the acetabular side. Instr Course Lect. 2009;58:223-229.

36. McCarthy JC. e diagnosis and treatment of labral and chondral injuries. Instr Course Lect. 2004;53:573-7.

37. McCarty JC, Noble PC, Schuck MR, Wright J, Lee J. The role of labral lesions to development of early degenerative hip disease. Clin Orthop Relat Res.2001; 25-37.

38. Myers SR, Eijer H, Ganz R : Anterior femoroacetabular impingement after periacetabular osteotomy. Clin Orthop Relat Res. 1999;363:81-92.

39. Myers SR, Eijer H, Ganz R. Anterior femoroacetabular impingement after periacetabular osteotomy. Clin Orthop Relat Res. 1999;363:93-9.

40. Neumann M, Cui Q, Siebenrock KA, Beck M. Impingement-free Hip Motion The 'Normal' Angle Alpha after Osteochondroplasty. Clin Orthop Relat Res. 2009;467:699-703.

41. Notzli HP, Wyss TF, Stoeklin CH, et al. e contour of the femoral head-neck junction as a predictor for the risk of anterior impingement. J Bone Joint Surg Br. 2002;84: 556-60.

42. Ochoa LM, Dawson L, Patzkowski JC, Hsu JR. Radio-graphic prevalence of femoroacetabular impingement in a young population with hip complaints is high. Clin Orthop Relat Res. 2010;468:2710-4.

43. Peters CL, Erickson JA. e etiology and treatment of hippain in the young adult. J Bone Joint Surg Am. 2006; 88 Supp:20-26.

44. Reichenbach S, Jüni P, Werlen S, et al. Prevalence of

camtype deformity on hip magnetic resonance imaging in young males: a cross-sectional study. Arthritis Care Res (Hoboken). 2010;62:1319-27.

45. Sampatchalit S, Barosa D, Gentili A, Haghighi P, Trudell D, Resnick D. Degenerative changes in the ligamentum teres of the hip: cadaveric study with magnetic resonance arthrography, anatomical inspection, and histologic examination. J Comput Assist Tomogr. 2009;33:927-33.

46. Sankar WN, Matheney TH, Zaltz I. Femoroacetabular impingement: current concepts and controversies. Orthop Clin North Am. 2013 Oct;44(4):575-89.

47. Siebenrock KA, Kalbermatten DF, Ganz R. Eect of pelvic tilt on acetabular retroversion: A study of pelves from cadavers. Clin Orthop Relat Res. 2003;407:241-248.

48. Stulberg SD, Cordell LD, Harris WH, Ramsey PL, MacEwen GD. Unreconized childhood hip disease: A major cause of idiopathic osteoarthritis of the hip, in Amstututz HC (ed): e Hip: Proceddings of the ird Open Scienti-c Meeting of the Hip Society, St. Louis, MO, CV Mosby. 1975;212-228.

49. Tibor LM, Sekiya JK. Dierential diagnosis of pain around the hip joint. Arthroscopy. 2008;24:1407- 21.

50. Toomayan GA, Holman, WR, Major NM, Kozlowicz SM, Vail TP. Sensitivity of MR arthrography in the evaluation of acetabular labral tears. AJR Am J Roentgenol. 2006;186:449-53.

51. Wettstein M, Garofalo R, Borens O, Mouhsine E. Traumatic rupture of the ligament teres as a source of hip pain. Arthroscopy. 2005;21:382-35.

52. Yun HH, Shon WY, Yun JY. Treatment of Femoroacetabular Impingement with Surgical Dislo cation. Clinics in Orthopedic Surgery. 2009;1(3):146-154.

53. Kim KW, Baek JH, Ha YC. Prevalence and locations of acetabular labral sulcus in patients undergoing arthroplasty for hip fracture. Arthroscopy. 2012 Oct;28(10):1373-8038.

54. Ha YC, Choi JA, Lee YK, Kim JY, Koo KH, Lee GY, Kang HS. The diagnostic value of direct CT arthrography using MDCT in the evaluation of acetabular labral tear: with arthroscopic correlation. Skeletal Radiol. 2013 May;42(5):681-8.

4 골관절염
Osteoarthritis

1. 역학 및 위험인자

고관절 골관절염은 다른 부위의 관절염과 마찬가지로 연령이 증가할수록 이환율이 증가하며 남성과 여성의 발생률은 비슷하거나 남성에서 조금 높은 것으로 알려져 있다. 서양의 역학 연구 결과에 의하면 생애 전반에 걸친 발생 위험도는 25% 정도이며 60세 이상 성인 인구의 10% 정도가 이환된 것으로 보고되고 있고, 전체 성인 인구의 2-3% 정도가 고관절염으로 고통받는다고 한다. 흑인 및 아시아인의 빈도가 백인에 비해서는 상대적으로 낮은 것으로 알려져 있다.

고관절 골관절염의 위험인자로는 연령의 증가, 가족력, 당뇨, 고혈압, 비만, 관절면에 대한 반복적이고 과도한 부하, 무거운 물건을 자주 드는 직업, 운동선수, 외상으로 인한 관절 손상, 기존의 해부학적 변형 등이

있다. 골다공증과 흡연은 명확한 상관관계가 없는 것으로 알려져 있다. 여러 가지 원인 또는 이미 존재했던 고관절의 해부학적 변형은 관절 연골 및 연골하골에 과도한 부하를 주고 이로 인해 관절염이 발생하게 된다.

2. 분류 및 원인

일차성 또는 특발성 고관절 골관절염과 이차성 또는 속발성 고관절 골관절염으로 분류된다. 일차성 고관절 골관절염은 확실한 원인이 밝혀져 있지 않으며 생물학적 노화와 생활습관, 직업의 영향 등 환경적인 요인이 상호 작용하여 발생하는 것으로 보인다(그림 1).

고관절에서는 관절 연골과 연골하골(subchondral bone)에 체중 부하가 비정상적으로 집중되는 해부학적 변형으로 인해 퇴행성 변화가 주로 일어난다. 일반적

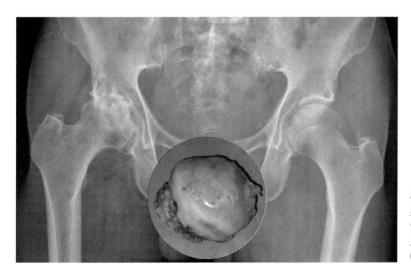

그림 1. 일차성 골관절염의 방사선 소견
좌측에 비해 우측 고관절에 관절 간격 감소, 연골하 낭종 및 연골하골경화 소견이 관찰되고, 고관절 전치환술 시 절제한 대퇴골두 사진에서 광범위한 연골의 마모가 관찰된다.

으로 60-80% 정도는 이전에 존재하던 고관절의 변형으로 인한 이차성 변화로 발생하는 것으로 알려져 있다. 이차성 고관절 골관절염은 외상으로 인한 관절 연골의 손상, 화농성 또는 결핵성 관절염, 고관절 이형성증, 선천성 또는 발달성 내반고, Legg-Calvé-Perthes병, 대퇴골두 골단분리증, 대퇴골두 골괴사, 파제트병 등의 선행질환으로 인한 관절 연골 손상 및 해부학적 변형을 통해 유발된다(그림 2).

3. 임상 소견

고관절 골관절염의 주 증상은 통증과 관절 강직이다. 통증의 원인은 활액막과 관절낭의 염증 및 신장, 연골하골의 미세골절 및 골수강내 압력 상승, 골극에 의한 미세 신경말단의 신전작용, 주변 인대와 근육의 경축 및 신전 등에 의한 것으로 알려져 있다. 통증은 일반적으로 전방 서혜부 통증으로 시작되며 후방 서혜부 및 요추부 또는 대퇴 전내측, 슬관절 전내측부까지 방사통으로 나타나기도 한다. 초기에는 간헐적인 통증

을 호소하고 활동이 끝나는 저녁 때 심해지는 양상을 보이며, 관절염이 심해짐에 따라 통증의 빈도는 증가하여 지속형으로 나타난다.

관절 강직은 초기 관절염에서 주로 오전에 나타나고 보통 30분 이내로 발현되며, 질환의 중증도가 심해짐에 따라 관절 강직도 심해지는 양상을 보인다. 병의 진행으로 고관절 주변 근육이 경축되어 굴곡, 내전, 내회전 변형이 동반될 경우 더 심한 관절 운동 제한과 파행이 나타날 수 있다.

4. 신체 검사 및 영상 소견

신체 검사에서 고관절 주위의 압통 및 종창, 고관절 운동 범위의 제한을 관찰할 수 있고, 관절 연골의 파괴 및 관절면의 불규칙성으로 인한 마찰음을 느낄 수도 있다. 기립한 자세나 보행 시 척추 및 골반의 적응자세나 파행이 보일 수 있다.

골관절염 진단에는 단순 방사선 사진이 가장 기본적이고 유용한 검사 방법이며, 초기 관절염에서는 정상

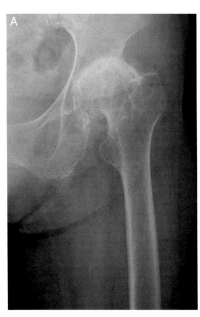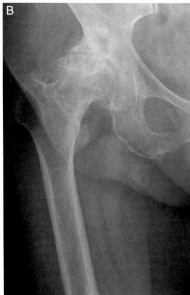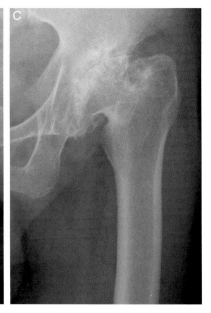

그림 2. 이차성 고관절 골관절염
(A) 세균성 관절염 후유증, (B) 고관절 이형성증, (C) LCP 병 후유증

소견을 보이나 관절 연골의 손상이 진행되면서 점진적으로 관절 간격의 감소와 연골하골의 경화 소견이 나타난다. 더욱 진행할 경우 관절면의 가장자리에 골극이 형성되고 연골하골낭종, 대퇴골 경부 및 간부의 골경화 등 골관절염에서 보일 수 있는 특징적인 소견이 모두 보이게 된다. 전후면 단순 방사선 사진에서 대퇴골두-경부 연결부의 외측이 편평해지는 권총 손잡이 형태를 관찰할 수도 있으며 이는 이차성 고관절 골관절염 발생의 소인이 되는 것으로 알려져 있다. 전후면 방사선 사진이 유용하긴 하지만 간혹 전후면에는 나타나지 않고 측면 및 사면 방사선 사진에 관절염 소견이 먼저 나타나기도 하므로 주의 깊은 관찰이 요구된다.

고관절 골관절염의 분류는 Kellgren과 Lawrence나 Croft 등의 분류가 흔히 사용된다. 이들 분류는 방사선 사진상 골극이나 연골하 낭종, 연골하골경화 소견, 관절 간격의 변화 등을 기준으로 나뉘게 된다. 특히 Kellgren은 고관절 골관절염을 4단계로 분류하였는데 1단계는 관절 간격 감소나 골극이 의심스러운 경우, 2단계는 관절 간격 감소나 골극이 명확한 경도의 관절염, 3단계는 상기 소견이 더 저명하고 골경화나 골 윤곽의 변화가 보이는 중등도의 관절염, 4단계는 더 진행한 중증의 관절염으로 분류하였다(그림 3).

대퇴골두에 대한 비구의 피복(coverage) 정도와 고관절의 일치(congruency) 정도를 판단하기 위해선 최대

외전-내회전 및 내전 전후방 방사선 사진을 촬영하고 이에 따라 대퇴골 및 비구 절골술을 계획할 수 있다. 대퇴골두에 대한 비구의 전방 피복 정도를 확인하기 위해선 기립 상태에서 환자의 환측 골반을 65° 외회전시킨 후 전방에서 후방으로 방사선을 조사하여 촬영하는 false profile 영상을 촬영한다.

개구리 다리 측면 영상, cross-table 측면 영상, 환측 고관절을 45° 굴곡, 20° 외전, 0° 회전시켜 촬영하는 modified Dunn 영상을 이용하여 각기 다른 정도의 대퇴 회전 상태에서 대퇴골두-경부 연결부의 이상 유무를 관찰할 수 있으며 cam 형의 대퇴비구 충돌의 원인이 되는 대퇴골 경부 전측방의 골성 돌출(bony prominence) 유무도 확인할 수 있다.

삼차원 전산화단층촬영으로는 대퇴골 근위부의 자세한 구조 및 대퇴골두에 대한 비구의 피복 정도를 확인하고 여러 가지 해부학적 이상을 삼차원적으로 정확히 관찰할 수 있다. 자기공명 관절조영술은 gadolinium 등의 조영제를 고관절 내에 주입한 후 자기공명영상을 얻는 검사 방법이며 고관절내 병변 중 비구순의 변형 및 파열 유무를 관찰하는 데 유용하다.

5. 치료

일차성 골관절염에서는 가능한 한 비수술적 치료를 먼저 시행한다. 반면에 이차성 골관절염에서는 통증과

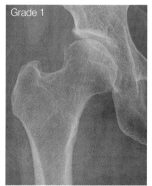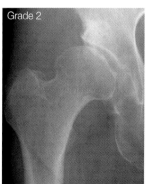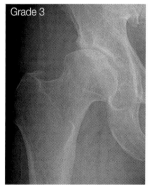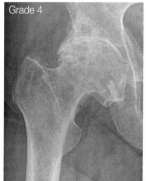

그림 3. Kellgren-Lawrence 분류

관절 파괴가 시작되면 질환의 진행이 빨라 비수술적 치료는 효과가 적다.

1) 비수술적 치료

증상이 발생하면 먼저 환자에게 안정을 취하게 하고, 고관절 골관절염이 류마티스 관절염 등 다른 관절염과는 다른 질환이며 심한 장애를 유발시키는 일은 드물다는 것을 교육한다. 또한 관절 운동을 심하게 제한하는 것보다 적정 범위 내에서 관절을 지속적으로 사용하는 것이 오히려 도움이 된다는 것을 이해시키는 것도 중요하다.

물리치료는 근력과 관절 운동 범위의 유지를 위해 꾸준히 시행하는 것이 좋으며 근육 경축이 심한 경우엔 견인치료를 같이 시행한다. 온열 치료, 수 치료(hydrotherapy) 등이 도움이 되고, 관절 부하를 줄이기 위한 체중 감소도 필요하다. 이환되지 않은 쪽으로의 지팡이 사용은 이환된 고관절의 부하를 30-60% 감소시켜 증상 완화에 도움을 주며, 신발 교정을 통해서 하지 부동 및 각 변형을 줄여주는 방법도 유용하다.

약물치료는 주로 비스테로이드 소염제가 사용된다. 통증과 강직 완화에 도움이 된다고 알려져 있으나 작용 시간은 길지 않다. 몇몇 연구에서는 관절강내 스테로이드주사가 일시적인 증상 완화에 도움이 되며, 경도의 골관절염에서는 90%까지 심한 골관절염에서는 9-20%까지 효과가 있다고 보고하였다. 또한 관절강내 스테로이드주사는 관절 외부의 원인에 의한 고관절 통증을 배제하는 데에도 유용하다. 관절강내 히알루론산주사는 고관절 골관절염 치료에 대해서는 현재까지 미국 FDA 승인을 받지 못한 상태이며, 몇몇 연구에서는 증상 감소 효과가 위약 효과보다 크지 않은 것으로 보고하고 있어 추천하지는 않는다.

2) 수술적 치료

수술적 치료는 고관절을 보존하는 방법과 재건하는 방법의 두 가지로 크게 나뉜다.

(1) 고관절을 보존하는 방법

골극 절제, 비구 골낭종 소파 및 골충진, 골반 절골술 또는 비구주위 절골술, 근위 대퇴골 절골술, 근육 유리술, 고관절경술 등이 있다. 골극 절제, 골낭종 소파 및 골충진, 근육 유리술 등은 예전에는 자주 사용되었으나 현재는 단독으로는 거의 사용되지 않고 다른 수술의 보조 술식으로 사용되고 있다. 고관절경술은 관절경을 이용하여 활액막제거술, 골성형술, 유리체가 있는 경우 유리체 제거술, 비구순 파열이 있는 경우 비구순 변연절제술 등을 시행하는 방법으로 초기 고관절 골관절염 및 이차성 골관절염에서 통증 완화와 운동 범위의 향상에 도움이 된다고 보고되고 있다.

골반 절골술은 골반의 구조적 이상 병변, 즉 어떤 원인에 의해 비구의 발육이 불완전하여 비구가 대퇴골두를 충분히 덮어주지 못하거나 또는 비구의 모양이 비정상적이어서 비구에 생역학적으로 비정상적인 하중이 가해질 경우에 고려될 수 있다. 즉, 병적인 비구의 위치를 바꾸어 체중 부하 면적을 넓히고, 건강한 관절 연골이 있는 부분으로 체중 부하를 할 수 있도록 교정해주는 것이다. 이로써 골반 병변으로 인한 이차성 골관절염을 예방하고 퇴행성 변화의 진행을 지연시켜 고관절 전치환술의 시기를 늦출 수 있다.

① **골반 절골술:** 골반 절골술은 다시 재건 절골술(reconstructive osteotomy)과 구제 절골술(salvage osteotomy) 두 가지로 나눌 수 있다. 재건 절골술은 비구의 방향을 바꾸어 피복이 덜 된 대퇴골두의 측방 및 전방의 피복을 증가시켜 관절 연골에 가해지는 단위 면적당 하중을 감소시키고, 비구의 경사도를 낮추어 관절 연골에 가해지는 전단력을 압박력으로 변화시켜주는 수술 방법으로 절골술 후 대퇴골두와 맞닿는 비구의 관절면이 정상적인 초자 연골로 덮히게 하는 방법이다. 반면에 구제 절골술은 심한 비구 이형성증이나 Legg-Calvé-Perthes 병의 후유증에서와 같이 대퇴골두와 비구에 변형이 많이 진행되어 관절면의 불일

치 정도가 심한 경우나, 골관절염이 진행되어 재
건 절골술을 시행해도 정상적인 관절 연골 간의
접촉을 얻을 수 없을 경우에 권장된다. 따라서 수
술 후 대퇴골두와 맞닿는 비구의 관절면이 정상
적인 초자 연골이 아닌 섬유연골로 덮이게 되는
것이다.

- 재건 절골술

재건 절골술의 적응증은 25세 이하, 증상이 경미
한 경우, 고관절의 운동 범위와 기능이 정상에 가
까운 경우, 가역적인 병리학적 변화가 있는 경우,
방사선적으로 대퇴골두-비구간 관절의 일치도가
좋으나 정렬에 문제가 있는 경우이다. Chiari 비구
절골술을 제외한 대부분의 비구 절골술이 재건 절
골술에 해당되며 원위 절골술(distant osteotomy),
중위 절골술(intermediate osteotomy), 근위 절골
술(near osteotomy)의 3가지로 나뉜다.

원위 절골술에는 Salter의 무명골 절골술(inno-
minate osteotomy), Sutherland의 이중 절골술
(double osteotomy), Steel의 삼중 절골술(triple
osteotomy) 등이 있다. 원위 절골술의 장점은 비
구에서 멀리 떨어진 부위에서 절골이 이루어지
기 때문에 대퇴골두나 비구 골편으로 가는 혈행
을 방해하지 않고 관절내로 절골이 일어나지 않
는 것이다. 그러나 비구로부터 멀리 떨어져 절골
을 시행하기 때문에 비구 골편이 커지고 근육과
인대가 많이 붙어있어 충분한 교정을 얻기가 힘
들며, 절골 부위의 골편 전위가 커서 골반에 심한
변형이 남는 단점이 있다. Salter의 무명골 절골술
은 주로 소아의 발달성 고관절 이형성증에서 많
이 시행하는 방법으로 대좌골 절흔과 전하장골극
을 연결하는 직선상에 절골을 가한다. 대퇴골두
전외측부의 피복을 좋게 해주는 술식이나 장골만
절골을 하여 대퇴골두 전외측부를 덮어주기 때문
에 비구의 후염전을 증가시키는 단점이 있다. 수
술의 성공을 위해선 대퇴골두가 진성 비구에 동

심성으로 위치하여야 하고, 고관절의 일치도 및
운동 범위가 좋아야 한다.

중위 절골술에는 Carlioz, Tönnis 절골술 등이 있
고 Ganz의 Bernese 절골술도 여기에 해당되며,
원위 절골술에 비해 큰 교정을 얻을 수 있는 장점
이 있다. Ganz의 Bernese 절골술은 1983년 Ganz
에 의해 처음 소개된 수술 방법으로 젊고 증상이
있으면서 고관절 일치도가 좋으며, 측면 CE 각
(lateral center-edge angle)이 20° 미만이고, 이차
성 골관절염 변화가 없거나 약하게 진행된 고관
절 이형성증 환자에서 시행했을 경우 결과가 좋
으며, 측면 CE 각이 20°에서 25° 사이이면서 젊
고, 고관절 일치도가 좋은 경우에도 적응증이 될
수 있다. 과거에는 수술 전 나이가 35세 이상이고
고관절 일치도가 나쁜 환자에서 시행했을 경우
엔 대부분 심한 통증이 남고 고관절 전치환술로
전환하는 것으로 보고되어 왔으나 최근에는 40
세 이상에서 단순 방사선 사진 및 자기공명 관절
조영술상 대퇴골두가 구형을 잘 유지하고 있고,
관절 일치도가 좋은 경우에는 고려해 볼 수 있
는 술식이다. 외전근을 박리할 필요가 없는 변형
된 Smith-Petersen 접근법이 주로 사용되며 절골
의 첫 단계는 좌골 전방부에서 시행하는 것으로
비구 하부 모서리 1 cm 하방에서 좌골극 방향으
로 15-20 mm 정도 절골하는 것이다. 두 번째 단
계는 고관절을 약간 굴곡, 내전시킨 상태에서 장
치골 융기(iliopectineal eminence)의 1-2 cm 내
측에서 치골 상지를 절골하는 것이다. 세 번째 단
계는 비구 상방 장골의 절골로 전상장골극 하부
경계 부위에서 횡으로 절골하여 장골 치골선의
1 cm 근위부까지 도달하는 것이다. 네 번째 단계
는 고관절을 약간 굴곡, 내전시키고 비구 후방 지주
(posterior column) 및 사변형 표면(quadrilateral
surface) 부위를 절골하는 것이다. 이후 비구 절
골편을 전외측으로 회전 및 전위시킨 다음 일시

적으로 K-강선으로 고정하고 방사선 촬영을 통해 적절한 교정이 확인되면 나사못으로 고정시키게 된다(그림 4). Ganz의 Bernese 절골술은 원위 절골술과 달리 환측 골반의 후방 지주를 보존할 수 있어 구조적으로 안정적이고 수술 후 환자의 관절 운동과 재활치료가 용이하다. 또한 관절낭에 의한 혈류 공급뿐만 아니라 비구 상방에서도 혈류 공급이 잘 유지되므로 비구 회전 절골술에서 우려되는 비구 상부 골편의 골괴사 가능성이 적은 것으로 알려져 있다. 그리고 하나의 절개선을 통해 전방과 외측에 충분한 교정을 얻을 수 있는 장점이 있고, 교정 후에도 진성 골반의 형태가 유지되기 때문에 젊은 여성 환자들의 임신 및 정상 분만도 가능하다. 합병증으로는 수술 기법이 어려워 관절내 절골, 후방 지주 골절, 과도하거나 불충분한 교정 등이 발생할 수 있고 좌골신경 또

는 대퇴신경 마비, 주요 혈관 손상, 비구 골편의 골괴사, 이소성 골형성 등이 발생할 수 있다. 또한 치골 및 좌골의 부정유합 및 불유합이 발생할 수도 있으며, 수술 후 전방 대퇴비구 충돌 발생이 보고된 경우도 있다. 소아마비 후유증 등 신경근 육성 장애가 있는 경우 수술 후 대퇴골두의 아탈구 가능성이 있으므로 주의해야 한다. 고관절 이형성증 환자에서 나이가 많은 경우, 수술 전 골관절염이 중등도 이상인 경우, 비구순의 병리학적 변화가 있는 경우, 관절의 일치도가 나쁜 경우, 수술 후 대퇴비구 충돌이 발생한 경우 등에는 수술 결과가 좋지 않다.

근위 절골술에는 Tagawa와 Ninomiya의 비구 회전 절골술, Wagner의 구형 절골술(Wagner spherical osteotomy), Eppright의 다이알 절골술(Eppright dial osteotomy), Nishio의 비구 전위 절

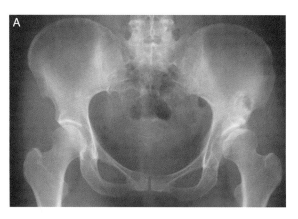
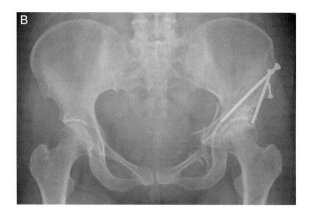
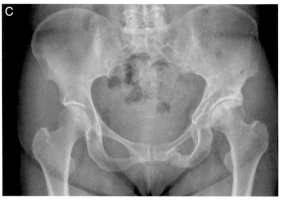

그림 4. 비구 이형성증에서 Bernese 비구 절골술
(A) 좌측 비구 이형성증이 있는 45세 여자 환자에서, (B) Bernese 비구 절골술을 시행하였으며, (C) 수술 후 8년째에 관절 간격이 유지되고 있다.

골술(transposition osteotomy) 등이 있고 비구의 가장 근위부를 반구형으로 절골술을 시행한다는 점에서 비슷한 술식들이다. 비구에 근접해서 절골술이 이루어지므로 비구 골편을 비교적 용이하게 충분히 전위시킬 수 있고, 골반에 심한 변형을 남기지 않는 것이 장점이다. 또한 반구형으로 절골하기 때문에 비구 골편의 회전 전위 후 골편 간의 접촉이 좋아 안정적으로 비구 골편 고정이 가능하고, 빠른 골유합을 얻을 수 있어 조기 재활이 가능하다. 그러나 비구 골편의 혈행이 관절막을 통해서만 이루어지므로 비구 절골편이 작은 경우 골괴사가 올 수 있고, 술자의 실수로 관절 내로 관통하여 절골함으로써 관절 연골에 손상을 줄 수 있으며, 좌골 및 대퇴신경 마비, 이소성 골형성, 연골 연화증 등의 합병증 위험이 있다. Ninomiya의 비구회전 절골술은 측와위에서 시행되며 하나의 피부 절개를 통하여 두 가지의 접근법을 이용하게 된다. 전방은 Watson-Jones 접근법으로, 후방은 후방 접근법으로 비구의 전후방을 노출시킨다. 비구의 상외측연으로부터 약 1.5 cm 떨어진 부위에서 절골을 시작하여 골반골의 내측벽은 손상시키지 않고 환형으로 절골을 시행한다. 이후 절골편을 전외측 및 하내측으로 전위시키고 비구 골편과 장골 사이의 간격에 장골능에서 채취한 골편을 삽입하고 비구골편, 이식골, 장골을 모두 관통하도록 K-강선이나 금속 나사로 고정한다.

• 구제 절골술
구제 절골술은 50세 이하이면서 증상이 중등도 이상인 경우, 청소년 및 젊은 성인에서 고관절의 부조화(incongruent joint)를 동반하고 있으면서 외측으로 아탈구되어 정복되지 않는 경우, 고관절에 비가역적인 병리학적 변화가 있는 경우, 고관절 운동이 제한되나 굴곡이 최소 60° 이상인 경우, 방사선 소견상 연골이 얇아져 있거나 관절 일

치도가 불량한 경우 등에 시행할 수 있다. 대표적인 구제 절골술은 1950년 Karl Chiari에 의해 개발된 Chiari 절골술로 일종의 관절낭 삽입 성형술(capsular interposition arthroplasty)이다. 수술 방법은 비구 상부의 전하장골극으로부터 좌골 절흔(sciatic notch) 하방까지 절골을 시행하고 절골면의 아래 부위를 내측으로 전위시켜 부족한 비구의 깊이를 깊게 만들고, 비정상적으로 외측에 위치했던 대퇴골두를 내측으로 전위시키는 것이다. 이때 절골면의 상부가 선반(shelf) 역할을 하게 되고 대퇴골두는 상부 절골면의 해면골 아래 위치하게 되는데 이 사이에 관절낭이 끼어 들어가게 되는 것이다. 대퇴골두와 절골면 사이에 삽입된 관절낭은 이후 섬유연골로 화생성 변환(metaplastic transformation)을 하게 된다. 수술 후 대퇴골두에 대한 비구의 피복과 고관절 일치도가 좋아지고, 고관절 중심이 신체 중심 방향으로 이동하여 생체 역학적으로 외전근의 효율성이 증가되면서 Trendelenburg 파행이 종종 사라지기도 한다. 또한 대퇴골두에 가해지는 압력을 감소시켜 고관절의 통증을 경감시키고 퇴행성 변화를 늦출 수 있다는 장점도 있다. 그 외에 대퇴골두와 비구의 일치도가 좋지 않은 경우에도 수술 후 비구의 수용 능력이 커지므로 거대 골두 또는 편평고(coxa plana)와 같은 변형 시에도 적용이 가능하며, 추후 고관절 전치환술로 전환할 시에도 양호한 골 지주를 제공하는 장점이 있다. 그러나 체중 부하를 받는 섬유연골이 초자연골에 비해 축성 부하를 견디는 기계적 특성이 떨어지고, 수술 후 골반의 용적이 감소하여 젊은 여성 환자에서 정상 분만이 어려워 질 수 있으며, 고관절이 내상방으로 전위되므로 경미한 하지 단축이 나타날 수 있다는 것이 단점이다.

② **근위 대퇴골 절골술:** 근위 대퇴골 절골술은 관상면에서 내반과 외반 절골술로 나눌 수 있고, 시상

205

면에서 굴곡 및 신전 절골술로, 축면에서 감염 또는 전염 회전 절골술로 나눌 수 있다. 또한 외전근의 기능을 호전시키기 위한 방법으로 대전자 외측 이전 절골술이 있다. 근위 대퇴골 절골술은 생역학적으로 고관절의 일치도를 증가시켜 관절 연골에 가해지는 부하를 줄이고 개방 쐐기형 또는 폐쇄 쐐기형 절골의 방법을 이용하여 하지 부동을 교정할 수 있다. 절골술을 시행하기 전에 방사선 검사를 통하여 고관절이 최대 적합성을 가질 수 있는 절골술의 방법 및 위치를 판단하고, 절골 각도, 쐐기형 절골의 여부 등을 결정하여야 한다. 또한 하지 전체의 기립 방사선 사진을 촬영하여 절골술 후에 발생할 수 있는 하지 역학적 축의 변화를 예측하고, 골 이식 여부와 절골 후 고정 방법 및 고정 기기를 신중하게 선택해야 한다. 또한 대부분의 질환에서 구조적 병변이 대퇴 근위부와 골반부에 동시에 나타나는 경우가 많은데 이 때 한쪽 부위만을 교정할 경우 오히려 관절염의 진행을 악화시킬 수 있으므로 수술 전 주의 깊은 평가를 통해 단독으로 시행할지 골반 절골술과 동시에 시행할지 결정해야 한다.

- 전자간 내반 절골술
  외반고(coxa valga), 비구 이형성증, 고관절 골관절염 등에서 주로 사용된다. 전자간 내반 절골술 단독 시행은 대퇴골두의 구형이 잘 유지되고 비구 이형성증이 없거나 약하게 있으면서 대퇴골 경간각이 135° 이상일 경우 시행되는데, 일반적으로는 골반 절골술과 동시에 시행하는 경우가 많다. 절골 후엔 하지의 역학적 축을 유지하기 위하여 원위부를 내측으로 10-15 mm 정도 전위시키는 것을 추천한다. 장점으로는 대퇴골두의 체중 부하 면적이 넓어지고, 외전근, 내전근, 장요근의 긴장을 줄여주며, 생역학적으로 외전근 지렛대 거리의 증가로 고관절에 가해지는 하중을 감소시키는 효과가 있다. 단점으로 폐쇄 쐐기형

절골술을 시행할 경우 하지 단축이 나타날 수 있고 이로 인한 Trendelenburg 파행이 발생하며, 대전자부 돌출이 증가할 수 있다. 하지 단축은 내측부 쐐기 절골술을 작게 하고 그 절골편을 외측편으로 이전하는 방법을 통해 최소화할 수도 있다.

- 전자간 외반 절골술
  고관절 회전 중심을 상부에서 내측으로 이전시켜 고관절 일치도를 증가시키고 대퇴골두의 체중 부하면을 넓힐 수 있다. 내반 절골술과는 달리 고관절 주변의 근육 긴장도를 줄여주진 못하므로 내전근과 장요근의 건절제술(tenotomy)을 시행하게 된다. 절골술 시 외반 각도가 150° 이상으로 커지면 외전근 지렛대 거리의 감소로 고관절에 가해지는 하중을 증가시킬 수 있으므로 주의가 필요하다. 외반 절골술과 신전 절골술을 동시에 적용하게 되면 대퇴골두를 후방으로 회전시키는 효과를 주어 전염각이 감소되므로 골두의 전방 피복을 증가시키고 굴곡 구축을 해결할 수도 있다.

- 대전자 외측 이전 절골술
  고관절 일치도가 좋은 경우에 시행할 수 있고, 내반 또는 외반 절골술을 시행한 고관절 골관절염 환자에서 대퇴골 경부가 심하게 짧은 경우나 심한 외반고로 인해 외전근의 지렛대 거리가 심하게 감소되어 있는 경우 도움이 된다. 대전자를 외측으로 이동시켜 외전근의 지렛대 거리를 증가시킴으로써 고관절에 가해지는 하중을 줄이고 외전근이 적은 힘으로 체중을 지탱해 줄 수 있도록 하는 술식이다.

(2) 고관절을 재건하는 방법

고관절을 재건하는 방법에는 고관절 유합술, 표면 치환술, 고관절 전치환술 등이 있다.

고관절 유합술은 관절치환술의 발달로 적용되는 경우가 드물어지고, 관심도가 크게 낮아졌지만 40세 이

하에서 매우 심한 외상 후 골관절염이 존재하고 요추와 반대측 고관절, 동측 슬관절의 기능이 정상인 환자에서는 시행이 고려될 수 있다. 활동성 감염은 절대적 금기 사항이며 감염치료가 완료되고 난 후 수술이 가능하다. 고관절 유합술은 요추와 반대측 고관절, 동측 슬관절에 스트레스를 증가시키므로 이곳의 심한 퇴행성 변화 역시 상대적 금기사항이다. 고관절 유합술 이후 15-25년 후 이러한 주변 관절에 퇴행성 변화와 통증이 발병하는 것으로 알려져 있고, 요추에 가장 많이 발생하고 동측 슬관절, 반대측 고관절 순의 빈도로 나타난다. 골이식과 해면골 나사(cancellous screw)를 이용하는 방법과 코브라 금속판을 이용하는 방법 등이 있으며 어떤 방법을 사용하던지 고정 자세가 가장 중요하다. 이상적인 고정 자세는 20-30° 굴곡, 0-5° 외전, 0-15° 외회전 자세이다.

표면 치환술은 일반적인 고관절 전치환술에서 사용하는 대퇴스템과는 다르게 대퇴골두에만 조작을 가하여 관절면을 치환하는 방법으로 대퇴골 근위부의 골조를 보존할 수 있고, 환자 본인의 해부학적 형태와 생체 역학을 유지할 수 있다는 것이 장점이다. 이상적인 환자 선택에는 아직 논란이 있지만 최근엔 60세 이하의 일차성 골관절염이나 외상 후 골관절염을 가진 남자 환자에서 주로 적용되고 있다. 또한 직업 특성상 쪼그리고 앉는 활동을 많이 하거나 여가 활동 중 달리기를 자주 하는 환자의 경우에는 좋은 대안이 될 수 있다. 여성에서는 수술 후 대퇴골 경부 골절의 빈도가 남성보다 높고, 대퇴골두가 작은 관계로 혈중 금속 이온의 수치가 높아지면서 금속 알레르기 반응이 일어날 가능성이 남성보다 상대적으로 높아서 적용되는 경우가 적다. 수술 후 대퇴골 경부 골절의 확률은 1% 정도로 보고되고 있고, 수술 전 골밀도 검사를 시행하여 골다공증이 있는 경우엔 시행하지 않는 것이 좋다.

고관절 전치환술시 삽입물은 대퇴스템과 비구컵으로 구분되며 디자인, 고정 방법, 관절면을 이루는 구성 성분 등에 따라 여러 가지 종류의 삽입물이 존재한다. 고관절 전치환술의 수명은 보통 10년 후 90%, 20년 후 80%가 유지되는 것으로 알려져 있으며 환자의 나이, 해부학적 상태, 골소실의 정도 등 다양한 변수를 고려하여 삽입물을 선택해야 한다.

참고문헌

1. Barros HJ, Camanho GL, Bernabé AC, Rodrigues MB, Leme LE. Femoral head-neck junction deformity is related to osteoarthritis of the hip. Clin Orthop Relat Res. 2010;468(7):1920-5.

2. Campbell JP, Jackson JP. Treatment of osteoarthritis of the hip by osteotomy. J Bone Joint Surg Br. 1956; 38(2): 468-74.

3. D'Souza SR, Sadiq S, New AM, Northmore-Ball MD. Proximal femoral osteotomy as the primary operation for young adults who have osteoarthrosis of the hip. J Bone Joint Surg Am. 1998;80(10):1428-38.

4. Dagenais S, Garbedian S, Wai EK. Systematic review of the prevalence of radiographic primary hip osteoarthritis. Clin Orthop Relat Res. 2009;467(3):623-37.

5. Deshmukh AJ, Panagopoulos G, Alizadeh A, Rodriguez JA, Klein DA. Intra-articular hip injection: does pain relief correlate with radiographic severity of osteoarthritis? Skeletal Radiol. 2011;40(11):1449-54.

6. Franklin J, Ingvarsson T, Englund M, Ingimarsson O, Robertsson O, Lohmander LS. Natural history of radiographic hip osteoarthritis: A retrospective cohort study with 11-28 years of followup. Arthritis Care Res(Hoboken). 2011;63(5):689-95.

7. Ganz R, Leunig M, Leunig-Ganz K, Harris WH. e etiology

of osteoarthritis of the hip: an integrated mechanical concept. Clin Orthop Relat Res. 2008; 466(2):264-72.

8. Gosvig KK, Jacobsen S, Sonne-Holm S, Palm H, Troelsen A. Prevalence of malformations of the hip joint and their relationship to sex, groin pain, and risk of osteoarthritis: a population-based survey. J Bone Joint Surg Am. 2010; 92(5):1162-9.

9. Helmick CG, Felson DT, Lawrence RC, Gabriel S, Hirsch R, Kwoh CK, Liang MH, Kremers HM, Mayes MD, Merkel PA, Pillemer SR, Reveille JD, Stone JH. Estimates of the prevalence of arthritis and other rheumatic conditions in the United States. Part I.Arthritis Rheum. 2008;58(1): 15-25.

10. Ito H1, Matsuno T, Minami A. Chiari pelvic osteotomy for advanced osteoarthritis in atients with hip dysplasia. J Bone Joint Surg Am. 2005; 87 Suppl1(Pt 2): 213-25.

11. Kim EC, Hwang DS, Kang C, Jeon YS, Lee GS. Recovery of limitation of motion in secondary osteoarthritis of the hip using arthroscopy. Hip Pelvis. 2013;25(2):121-126.

12. Klit J, Gosvig K, Jacobsen S, Sonne-Holm S, Troelsen A. The prevalence of predisposing deformity in osteoarthritic hip joints. Hip Int. 2011;21(5):537-41.

13. Lack W, Windhager R, Kutschera HP, Engel A. Chiari pelvic osteotomy for osteoarthritis secondary to hip dysplasia. Indications and long-term results. J Bone Joint Surg Br. 1991;73(2):229-34.

14. Langlais F, Roure JL, Maquet P. Valgus osteotomy in severe osteoarthritis of the hip. J Bone Joint Surg Br. 1979; 61(4):424-31.

15. Lawrence RC, Felson DT, Helmick CG, Arnold LM, Choi H, Deyo RA, Gabriel S, Hirsch R, Hochberg MC, Hunder GG, Jordan JM, Katz JN, Kremers HM, Wolfe F. Estimates of the prevalence of arthritis and other rheumatic conditions in the United States. Part II.Arthritis Rheum. 2008;58(1):26-35.

16. Morita S, Yamamoto H, Hasegawa S, Kawachi S, Shinomiya K. Long-term results of valgus-extension femoral osteotomy for advanced osteoarthritis of the hip. J Bone Joint Surg Br. 2000;82(6):824-9.

17. Murphy LB, Helmick CG, Schwartz TA, Renner JB, Tudor G, Koch GG, Dragomir AD, Kalsbeek WD, Luta G, Jordan JM. One in four people may develop symptomatic hip osteoarthritis in his or her lifetime. Osteoarthritis Cartilage. 2010;18(11):1372-9.

18. Siebenrock KA, Leunig M, Ganz R. Periacetabular osteotomy: the Bernese experience. Instr Course Lect. 2001;50:239-45.

19. Teratani T, Naito M, Kiyama T, Maeyama A. Periaceta-bular osteotomy in patients fty years of age or older: surgical technique. J Bone Joint Surg Am. 2011; 93 Suppl 1:309.

20. Werners R, Vincent B, Bulstrode C. Osteotomy for osteoarthritis of the hip. A survivorship analysis. J Bone Joint Surg Br. 1990;72(6):1010-3.

21. Yasunaga Y, Ochi M, Terayama H, Tanaka R, Yamasaki T, Ishii Y. Rotational acetabular osteotomy for advanced osteoarthritis secondary to dysplasia of the hip. Surgical technique. J Bone Joint Surg Am. 2007; 89 Suppl2(Pt 2):246-55.

22. Yoo MC, Cho YK, Chun YS, Lee JH. The effectiveness of Chiari pelvic osteotomy in Legg-Calvé-Perthes disease. The j of the kor hip society. 1999;11-1:185-196.

23. Harris EC, Coqqon D. Hip osteoarthritis and work. Best Pract Res Clin Rheumatol. 2015;29(3):462-82

CHAPTER

5 염증성 관절염
Inflammatory Arthritis

1. 류마티스 관절염(Rheumatoid arthritis)

1) 정의 및 역학

류마티스 관절염(rheumatoid arthritis)은 여러 관절을 동시에 침범하며 관절 활액막의 염증을 주된 특징으로 하는 전신성 자가 면역 질환으로 만성 경과를 거쳐 관절의 파괴, 변형 및 장애를 초래한다. 발생 빈도는 전 인구의 1-2% 정도로 알려져 있으며 지역별, 인종별로 차이가 있다. 여성이 남성보다 2.5배 정도 높은 발병률을 보이며 연령이 증가함에 따라 발병률이 증가하여 40-60대에서 가장 발병률이 높다. 발병 원인은 아직 밝혀져 있지 않으나 자가 면역 기전으로 인한 염증성 질환으로 이해되고 있다. 여러 관절의 만성적인 염증은 활액막에 있는 섬유모세포의 증식과 연골, 골 및 인대의 구조적인 변형을 야기한다. 조직병리학적으로는 활액막 세포의 증식과 염증으로 인해 활액막이 두꺼워지고, 이 중 일부가 인접하는 골과 연골로 침습하는 성질을 갖는 특징적인 판누스(pannus) 조직을 형성한다. 관절 외 병변은 여러 장기에 발생할 수 있으며 환자의 질병 이환율과 사망률에 영향을 준다. 류마티스 관절염 환자에서 고관절의 침범은 수부관절, 슬관절 등 다른 관절에 비하여 비교적 늦게 발생하며 고관절 침범 시 질병의 경과에 따라 통증, 강직 및 굴곡 구축 등의 변형을 일으킨다. 류마티스 관절염의 유병률은 전체 인구의 0.3-2.1% 정도이고 평균 유병률은 전 세계적으로 약 0.8% 정도로 알려져 있으며 지역과 인종에 따라 0.1-5%까지 다양하게 보고되고 있다. 우리나라의 경우 최근 자료에 따르면 전체 인구 중 1.4% 정도의 유병률이 보고되고 있다.

2) 원인 및 발병 기전

류마티스 관절염의 발병에 기여하는 직접적인 원인은 밝혀진 바 없으나 크게 유전적인 요인과 환경적인 요인이 복합적으로 작용하여 발생하는 것으로 생각되고 있다.

(1) 면역체계

류마티스 관절염이 자가 면역 질환이라는 직접적인 증거는 현재까지 없으나 다른 외부적인 원인이 밝혀지지 않았고 류마티스 인자(rheumatoid factor)라는 자가 항체가 환자의 혈액에서 검출되면서 자가 면역 질환으로 인식되기 시작했다. 이후 연구에서 류마티스 관절염의 활액막에 T세포의 침윤이 뚜렷함을 관찰하면서 T세포가 중요한 역할을 할 것으로 생각하게 되었다. 활액막에 침윤한 세포 중 B세포 또는 형질세포의 경우, 류마티스 인자와 같은 자가 항체 생산 이외의 역할에 대해서는 최근까지 알려지지 않았으나 B세포를 선택적으로 제거하는 단클론항체(anti-CD20 monoclonal antibody)가 류마티스 관절염 치료에 효과적인 사실이 알려지면서부터 항원 전달 세포로서의 B세포의 역할에 대해 새롭게 인식되었다. 또한 최근 류마티스 관절염 연관 사이토카인으로 종양 괴사 인자(TNF-α), 인터류킨-1b(IL-1b)와 인터류킨-6(IL-6) 외에도 인터류킨-23(IL-23), 인터류킨-17(IL-17), 인터페론-γ(IFN-γ)가 류마티스 관절염 발생에 중요한 역할을 하는 것으로 밝혀졌다.

(2) 성별

여성이 남성보다 2-3배 높은 유병률을 보이며 에스트로겐이나 프로게스테론과 같은 호르몬이 영향을 미치는 것으로 보인다. 에스트로겐은 B세포의 자멸사를 감소시키고 여성 호르몬은 T세포의 면역학적 균형에 영향을 주는 것으로 생각되고 있다. 그러나 호르몬이 질병의 발생에 미치는 영향은 아직 불분명하다. 임신이 발병 가능성을 높인다고 보고되고 있으며 류마티스 관절염을 가진 환자가 임신하였을 경우 유산이 잘 발생하고 분만 이후에는 전형적인 질환의 악화가 나타난다. 이는 태반에서 분비되는 TGF-β (transforming growth factor), IL-10(interleukin-10), AFP (alpha fetoprotein) 등이 관여하는 것으로 생각되고 있다.

(3) 유전

유전적인 요인을 분석한 쌍생아 연구에 의하면 일란성 쌍생아일 경우 15-30%에서 발병의 일치율을 보이며 이란성 쌍생아일 경우보다 일란성 쌍생아일 경우 발병률이 3.5배 정도 높다. 또한 가족 중 류마티스 관절염 환자가 있을 시 발병 확률은 1.5배 높아진다. 류마티스 관절염에 관여하는 유전자를 찾으려는 노력은 지금도 활발히 진행 중이며 그 중에서 대표적인 것이 면역 반응에 관여하는 유전자인 조직적합항원(human leukocyte antigen, HLA)이다. 이 유전자 중, HLA-DR4의 아형인 HLA-DRB10401, 0404, 0405의 대립 유전자 등을 가진 경우 류마티스 관절염의 발생 빈도가 높고 관절 손상이 심하고 관절 외 증상도 많이 나타나며 예후가 나쁜 것으로 알려져 있다.

(4) 감염

감염은 류마티스 관절염의 한 가지 원인으로 생각되고 있다. 감염의 증거가 없는 류마티스 관절염 환자의 관절내 활액막에서 세균 DNA와 펩티도글리칸(peptidoglycans)과 같이 세균과 관련된 물질이 검출된 바 있으며 이로 인하여 세균에 의해 생성된 물질들이 관절 내에서 사이토카인 체계를 활성화시켜 활액막염을 유발하는 것으로 보인다. 또한 감염원이 되는 미생물이 생산해 내는 초항원(superantigen)이 환자의 HLA-DR4와 작용하여 류마티스 관절염을 유발시킨다는 가설도 있다. 많은 연구에서 바이러스 감염과 질환의 발병에 대해 보고되고 있다. Epstein barr virus (EBV)는 B 림프구를 활성화시키고 류마티스 인자의 생성을 증가시키며 human parvovirus B19도 류마티스 관절염 발생에 관여하는 것으로 보고되고 있다. 그러나 류마티스 관절염 환자에서 EBV, parvovirus B19의 항체가 증가되어 있으나 발병 기전은 아직 명확하지 않으며 cytomegalovirus, retrovirus, mycoplasma 등에 대해서도 연구되고 있으나 아직까지 바이러스 감염이 질환을 유발시킨다는 명확한 증거는 없다. 최근에는 치주염과 류마티스 관절염의 연관성에 대한 연구가 발표되었으며 치주낭 porphyromonas gingivalis의 존재는 류마티스 관절염 자가 면역 항체와 밀접한 연관이 있는 것으로 보고되었다.

(5) 환경

다양한 환경이 류마티스 관절염 발병에 관여하는 것으로 보고되고 있으나 명확하지 않다. 최근 흡연이 가장 중요한 환경적 위험 요인으로 보고되고 있다. 흡연은 항CCP 항체(anti-cyclic citrullinated protein antibody) 양성의 류마티스 관절염을 증가시키며 흡연된 담배 연기가 호흡 기도 내에서 염증 반응과 면역 체계를 활성화시켜 영향을 미치는 것으로 생각되고 있다. 그러나 아직까지 흡연이 관절내 면역 체계의 활성화에 영향을 미치는지에 대한 충분한 증거는 없다. 이 외에도 규소나 대기오염에 노출될 경우 류마티스 관절염 발생 위험을 높이는 것으로 보고되고 있다.

3) 병리 소견

류마티스 관절염은 활액막의 염증에서 기인하기 때문에 활액막염은 류마티스 관절염의 가장 중심적인 병리소견이다. 정상적인 활액막은 1-2층의 얇은 활액막 세포로 덮여있다. 그러나 류마티스 관절염의 활액막은 현미경적 초기 변화에서 혈관 내경의 폐쇄, 미세 혈관망의 손상, 내피 세포의 팽창, 내피 세포 사이의 증가된 간격 등이 특징적으로 나타난다. 관절내에서 일어나는 염증 반응은 울혈, 부종, 섬유소원의 삼출물 및 소량의 표면 세포층의 증식으로 나타난다. 염증은 주로 림프구와 대식 세포로 이루어진 세포의 침윤으로 시작되며 이러한 현상은 질병의 이환 기간과 상관없이 활동성 류마티스 관절염 환자에서 나타난다. 염증 반응이 진행하면 부종이 생기고 융모가 증식하게 되며 인접 골과 연골로 침윤하는 활액막이 형성되는데 이를 판누스라 한다.

4) 임상 및 영상 소견

류마티스 관절염의 진단은 특징적인 임상 증상이나 한 가지의 특이 검사 소견에 바탕을 두는 것이 아니라 임상 증상과 신체 검사, 진단 검사 및 영상 검사의 결과를 종합하여 이루어진다. 류마티스 관절염은 관절의 파괴가 시작되면 이를 억제하기가 쉽지 않아 관절의 변형 및 파괴를 최소화하기 위해서는 조기 진단이 중요하다. 그러나 류마티스 관절염은 발병 이후 초기 단계가 수개월에서 1년 이내로 매우 짧아 조기 진단 및 치료에 어려움이 있다.

(1) 혈청 류마티스 인자

면역글로불린 IgG의 Fc 부분에 대한 특이도가 있는 자가 항체가 만들어지는 것이 류마티스 관절염에서 주요한 면역학적 이상이다. 약 75-85%의 환자에서 양성으로 나타나며 1987년 미국류마티스학회의 분류 기준 항목 7가지 중 하나이다. 일반적으로 시행되는 검사는 IgM 류마티스 인자이지만 IgG, IgA 류마티스 인자도

있다. IgM 류마티스 인자는 70%의 민감도와 80%의 특이도를 가지며 질병의 중증도와 상관 관계를 갖는다. 류마티스 관절염 질병 초기 6개월에 50% 정도에서 양성의 결과가 나타나며 질병 이환 2년이 지나면 85% 정도에서 양성으로 나타난다. 류마티스 인자 양성인 환자는 음성인 환자에 비해 골 미란(bone erosion)이나 관절 파괴 등 임상적인 변화가 심하며 류마티스 인자의 유무는 진단 및 예후 예측의 가치를 보인다. 그러나 류마티스 인자는 류마티스 관절염 이외에도 만성 감염, 악성 종양, 다양한 종류의 염증성 질환, 자가면역 질환 등에서 양성으로 나타날 수 있어 류마티스 관절염의 진단에 비특이적인 검사이다. 특히 정상인의 1-4% 정도에서 양성으로 나타나며 60세 이상이 되면 정상인의 10-25%에서 양성으로 나타날 수 있다.

(2) 항CCP 항체

류마티스 관절염 환자에서 항CCP 항체(anti-CCP) 검사는 80-90%의 민감도와 90%의 특이도를 가지며 특히 IgM 류마티스 인자가 양성일 경우 항CCP 항체 검사는 특이도가 95%로 높아진다. 또한 항CCP 항체는 류마티스 인자가 음성인 환자의 35% 정도에서 질병 초기에 양성 결과를 나타내어 류마티스 관절염의 조기 진단 및 치료에 도움을 준다. 항CCP 항체가 양성일 경우 관절의 골 미란, 관절의 변형, 장애 등과 같은 질환의 중증도와 상관 관계를 갖는 것으로 보고되고 있다.

(3) 활액 소견

류마티스 관절염을 가진 환자의 진단에 활액 검사가 도움이 될 수 있다. 류마티스 관절염에 특징적인 활액 소견은 없으나 세균성이나 결정성 관절염과의 구분에 유용하다. 또한 류마티스 관절염 환자는 관절내 세균 감염의 위험이 높아 활액 검사 시 그람 염색과 균 배양 검사를 시행하여 감염 여부를 확인하여야 한다. 활액 검사 시 백혈구 수치가 2,000 cells/mm³ 이상일 경우 염증성 관절염을 시사하고 백혈구 수치가 50,000 cells/mm³

이상일 경우 감염에 대한 치료를 시행해야 한다. 류마티스 관절염의 활액 검사 결과는 중성구가 우세한 결과를 보인다.

(4) 혈액 검사 소견

Antinuclear antibody (ANA)가 류마티스 관절염 환자의 20-30%에서 양성 반응을 보이며 관절외 증상 발현과 연관이 있다. 그 외에 검사로는 antiperinuclear factor (APF), antibody to filaggrin, calpastatin, component of the spliceosome 등이 있으며 전체 환자 중 25% 정도에서 normocytic normochromic anemia 소견이 나타날 수 있다. 적혈구 침강속도, C 반응성 단백이 증가할 수 있으며 수치가 높으면 질병의 정도가 심하고 예후가 좋지 않음을 알 수 있다. 드물게 비장 비대(splenomegaly)와 장기간의 이환에 따른 Felty 증후군으로 백혈구 감소증이나 혈소판 감소증이 나타날 수 있다. 질병의 경과 및 약제 투여 중 간효소 수치의 상승이 나타나면 methotrexate나 leflunomide와 같이 간을 통해 배출되는 약제의 사용에 제한을 두어야 하며 신장 기능 검사에 이상 소견이 있으면 비스테로이드성 소염제 등의 사용에 주의해야 한다.

(5) 영상 소견

방사선적으로는 관절 주위 골감소증, 관절 연골 소실, 골 미란 등이 나타나며 질병 초기 6-12개월에 변화가 시작된다. 자기공명영상 검사와 초음파 검사는 조기 관절 미란을 발견하는 데 유용하며 연부조직의 변화, 건 파열 등을 진단하는 데 도움이 된다. 질병의 이환 기간이 길어짐에 따라 관절의 아탈구나 관절의 변형이 진행되고 이는 골과 연골의 파괴뿐 아니라 인대와 건의 이완 및 파열에 의해 더욱 진행된다. 골주사 검사도 침범된 관절을 알아보는 데 도움을 줄 수 있다. 류마티스 관절염 환자에서 고관절의 침범 시, 초기에 대퇴골두와 비구의 관절 연골 침범으로 관절 간격이 좁아지거나 소실되고 약간의 골감소증을 보이

게 된다. 질병의 이환 기간이 길어지면 대퇴골두는 내측 및 상방으로 이동되어 결국 비구의 골반내 돌출이 발생할 수 있고 연골하골에 골 미란 및 골낭종이 발생하는데 비구보다는 대퇴골두에서 더 많이 관찰된다 (그림 1). 초기에는 골극이 관찰되지 않으나 말기에는 비구의 경화와 함께 작은 골극들을 볼 수 있다. 부신피질 호르몬을 과량 사용한 경우 류마티스 관절염과 함께 대퇴골두의 골괴사가 나타날 수 있다.

(6) 진단 기준

2010년에 류마티스 관절염의 진단에 대한 새로운 기준이 발표되었다. 기존의 진단 기준은 조기 류마티스 관절염 환자를 찾아내기에는 부족한 면이 있었으나, 새로운 진단 기준에서 이점을 보완하여 조기에 진단함으로써 관절의 파괴를 막는 데 의미가 있다. 새 진단 기준에 따르면, 적어도 한 관절이라도 다른 관절 질환으로 진단되지 않는 활액막염이 있으면서 다른 항목에서 요건을 갖추게 될 경우 류마티스 관절염으로 진단할 수 있다. 자세한 진단 기준은 (표 1)과 같다. 침범된 관절의 수와 부위에 따라 0점에서 5점까지 점수를 주는데, 대관절은 견관절, 주관절, 고관절, 슬관절 등이 해당되고, 소관절은 완관절과 수부 관절이 포함된다. 혈청학적 검사에서는 류마티스 인자와 항CCP 항

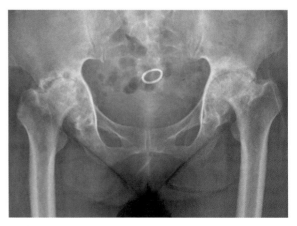

그림 1. 류마티스 관절염의 방사선 사진
양측 고관절의 관절 간격 소실과 대퇴골두 낭종이 관찰된다.

표 1. 미국 류마티스 학회/ 유럽 류마티스 학회 류마티스 관절염 진단 기준(2010년)

	점수
대상 환자(검사가 필요한 군)	
1) 최소한 1개 관절의 명확한 활액막염 소견(부종) 있는 경우	
2) 활액막염이 다른 질환으로 진단되지 않는 경우	
류마티스 관절염 진단 기준	
(점수 기준의 알고리즘: A–D 범주의 점수 합계: 10점에서 6점 이상인 경우 명확한 류마티스 관절염)	
A. 관절 포함 여부	
1 대관절	0
2–10 대관절	1
1–3 소관절(대관절 포함 여부와 관계없이)	2
4–10 소관절(대관절 포함 여부와 관계없이)	3
>10 관절(적어도 하나의 소관절 포함)	5
B. 혈청학적 검사(적어도 1개의 검사가 필요)	
RF (−) and ACPA (−)	0
RF (낮은 양성) 또는 ACPA (낮은 양성)(정상치의 3배 이하)	2
RF (높은 양성) 또는 ACPA (높은 양성)(정상치의 3배 이상)	3
C. 급성 반응 인자(적어도 1개의 검사가 필요)	
CRP (정상) 그리고 ESR (정상)	0
CRP (비정상) 또는 ESR (비정상)	1
D. 증상의 기간	
6주 미만	0
6주 이상	1

체의 유무에 따라 0점에서 3점, C 반응 단백(C-reactive protein, CRP)과 적혈구 침강속도 검사 결과에 따라 0점에서 1점, 증상의 기간에 따라 0점에서 1점을 주게 된다. 환자에 따라 위의 점수를 합산하여 6점 이상이면 류마티스 관절염으로 진단할 수 있고, 만약 6점 이하라도 추적 관찰이 필요한 것으로 분류하였다.

(7) 경과 및 예후

임상 경과 및 예후는 매우 다양하여 예측하기 어려운데, 10–12년 이후에는 단지 20% 이하의 환자에서만 관절 이상이 발견되지 않는다. 대부분 10년 이내에 50% 이상의 환자에서 관절의 침범으로 인한 일상 생활의 제한을 보인다. 고관절 침범은 발병 후 1년에 15%, 5년에 28% 정도로 나타나며 예후에 영향을 미치는 인자에는 질병의 심한 정도, 양성 혈청 반응, 낮은 사회 경제

적 계층, 교육 정도 등이 보고되고 있다. 류마티스 관절염 환자의 질병 활성도는 일반적으로 disease activity score (DAS) 28 점수를 기준으로 평가하며 압통 관절의 수, 부종 관절의 수, ESR, CRP, 일반적 건강상태(global health visual analogue scale, GHVAS)를 측정하여 계산할 수 있다. 우리나라 건강보험 기준 계산식은 (표 2)와 같으며 인터넷에 공개되어 있는 DAS28 계산 프로그램을 이용하여 쉽게 계산할 수 있다(그림 2). DAS28 점수 3.2 이하일 경우 질병 활성도 낮음, 3.2 이상 5.1 이하일 경우 중등도, 5.1 이상일 경우 높음으로 분류한다.

5) 비수술적 치료

류마티스 관절염 치료의 궁극적 목적은 염증을 조절하여 통증을 해소하고 관절의 손상을 예방하거나 늦

표 2. DAS28 계산식

	계산식
DAS28–ESR	0.56*√(tender joint count with 28 joint assessment) + 0.28*√(swollen joint count with 28 joint assessment) + 0.014*GHVAS + 0.70*ln (ESR)
DAS28–CRP	0.56*√(tender joint count with 28 joint assessment) + 0.28*√(swollen joint count with 28 joint assessment) + 0.014*GHVAS + 0.36*ln (CRP*10+1) + 0.96

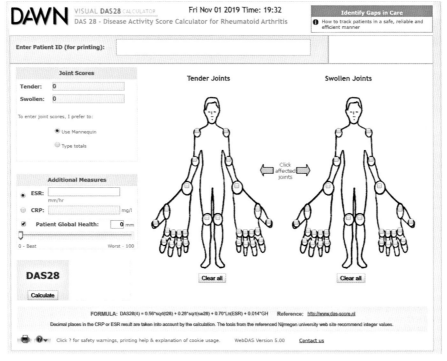

그림 2. DAS28 계산 프로그램
인터넷상에 공개되어 있는 전용 프로그램을 이용할 경우 쉽게 DAS28 값을 구할 수 있다.
http://www.4s–dawn.com/DAS28/

추어 관절의 기능을 유지하여 환자의 삶의 질을 향상시키는 데 있다. 류마티스 관절염의 진행 과정, 진행 속도 및 이환 정도는 환자마다 달라서 치료는 개별화되어야 하며 질환의 활성도를 정확히 판단하여 치료를 결정해야 한다. 류마티스 관절염은 증상 발현 후 대부분 2년 이내에 골 미란이 발생하며 일단 관절의 파괴가 진행하기 시작하면 이의 진행을 억제하기가 쉽지 않아 환자에 따른 적절한 조기 치료가 필요하다. 치료는 일

반적으로 통증의 감소, 염증의 보전적 치료와 수술적 치료로 나눌 수 있다.

(1) 물리치료 및 운동치료

류마티스 관절염 환자의 경우 대부분 여러 관절의 통증으로 인해 운동량이 줄고 이로 인해 신체의 근육이 위축되고 대사 기능도 악화될 수 있다. 따라서 환자의 상태에 맞는 적절한 관절 및 근력 운동을 유지해야 추

가적인 기능의 손상을 예방할 수 있다. 환자의 상태에 따라 보조기 치료가 도움이 될 수 있다.

(2) 약물요법

① **비스테로이드성 소염제:** 염증과 통증을 신속히 완화시키나 관절 손상을 억제하지는 못한다. 비스테로이드성 소염제는 cyclooxygenase (COX)를 억제하는 작용을 한다. COX은 COX-1과 COX-2로 나누어지는데 COX-1은 위점막 보호와 혈소판 응집, 신장 혈액 순환에 관여하고 COX-2는 염증 반응에 작용하며 프로스타글란딘(prostaglandin) 합성에 관여한다. 따라서 최근에는 COX-2를 선택적으로 억제하여 관절염 증상은 호전시키나 위장관, 신장 및 혈소판의 기능을 유지하는 COX-2 선택적 억제제가 많이 사용되고 있다.

② **당질코르티코이드:** 당질코르티코이드는 강한 항염증 작용을 지니고 있어 환자의 통증 완화와 관절의 기능 회복을 목적으로 사용되며 골 미란 진행의 억제에도 효과가 있다. 그러나 장기 복용으로 인한 부작용을 고려해야 한다. 당질코르티코이드는 항류마티스 약제의 효과가 나타나기 전까지 질환의 활성도를 조절하는 목적으로 사용하며, 치료 중 증상이 악화된 경우, 다른 약제로 조절이 되지 않을 경우에 사용할 수 있다. 관절강내 주사는 연골 손상을 유발할 수 있으므로 최소한 3-4개월 간격을 두고 시행한다.

③ **항류마티스 제제:** 항류마티스 제제는 류마티스 관절염의 진행 과정을 늦추거나 관해시키는 목적으로 사용하며 질환의 초기 3-6개월에 사용되는 표준화된 방법이다. 약제는 생물학적 DMARDs (disease modifying antirheumatic drugs)와 비생물학적 DMARDs로 나눌 수 있다. 비생물학적 DMARDs에는 sulfasalazine, minocycline 등이 있으며 최근 사용이 증가되고 있는 생물학적 DMARDs에는 etanercept, infliximab, adalimumab, rituximab, abatacept 등이 있다. 단일 약제로 질병의 관해를 얻기 어려우며 복합 제제의 사용이 더욱 효과가 있다. Methotrexate는 장기간의 사용 결과 효과가 입증되고 약물 독성에 대해 잘 알려진 약물로 DMARDs 치료의 기본이 되는 약제이며 다른 DMARDs 약제와 병용 투여 시 더욱 효과적이다. Methotrexate와 leflunomide는 간효소치를 증가시킬 수 있으며 methotrexate는 신장 기능에 이상이 있는 환자에서는 금기이다. Hydroxychloroquine은 증상의 호전에는 도움이 되나 골파괴를 억제하지는 못하고 sulfasalazine은 증상의 호전 및 관절 손상을 줄이는 효과가 있다. Azathioprine, cyclosporine, cyclophosphamide 등은 면역 억제제로서 증상 조절이 잘 되지 않는 환자에게 도움이 되나 다른 약제에 비해 비교적 독성이 높다. Etanercept, infliximab와 adalimumab 등은 종양괴사인자 억제제로 류마티스 관절염의 증상 호전 및 방사선적 관절 손상을 지연시키는 효과가 있고 일반적인 항류마티스 제제에 효과가 없는 경우 도움이 된다. Abatacept와 rituximab은 중등도 이상의 심한 류마티스 관절염 환자에게 효과적이다. 일반적으로 DMARDs 약제 사용 후 60% 이상의 환자에서 임상 증상 및 혈청학적 검사의 호전과 골 미란의 감소가 나타난다.

6) 수술적 치료

수술 시행 전후 적절한 내과적 치료가 시행되어야 한다. 최근 류마티스 관절염 발병 5년째 11%의 환자에서 수술적 치료가 필요하였다고 보고된 바 있다. 수술적 치료의 결정은 충분하고 정확한 방사선 검사와 신체 검사를 통해 이루어져야 하고 관절의 침범 및 손상 정도에 따라 적절한 방법을 선택하여야 한다. 수술적 치료의 목적은 통증을 완화하고 연골이나 관절 주위 연부조직의 파괴를 방지하며 관절 기능을 향상시켜 일상으로 복귀하도록 하는 데 있다.

류마티스 관절염 환자의 고관절 침범은 발병 5년 후 28% 정도로 보고되고 있으며 고관절의 침범이 있다하더라도 깊숙이 위치하고 많은 주변 조직에 둘러싸여 있기 때문에 증상의 발현은 초기에는 명확하지 않을 수 있다. 그러나 고관절 이환 시 연골이 파괴되기 시작하면 다른 관절보다 진행이 빠른 것으로 알려져 있다. 일반적으로 류마티스 관절염 환자는 골관절염에 비해 연령이 낮으나 골질은 불량하고 피부는 무르고 쉽게 손상되어 수술 후 상처 치유가 지연될 수 있고 감염이 발생할 위험이 높다. 마취 시에는 경추부 불안정이나 강직으로 인하여 기도 삽관에 어려움이 있을 수 있으며 스테로이드 등 약제 사용력에 대해 정보를 미리 알고 마취 시 참고하여야 한다. 질환의 병리 특성상 동반된 활액막염으로 인하여 수술 중 출혈이 많고 대부분 환자에서 만성 빈혈이 동반되어 있으므로 출혈에 대한 대비가 있어야 한다. 스테로이드의 사용으로 인한 쿠싱 증후군 등에 대한 수술 전 평가가 필요하며 수술 후 발생할 수 있는 부신피질 기능부전(adrenal insufficiency)에 대해 대비하여야 한다. 면역 억제제의 장기간 사용으로 상처 치유가 지연될 수 있으므로 수술 전후 적절한 약물의 조절이 필요하다. 비교적 짧은 반감기를 가진 ibuprofen, diclofenac 등은 수술 1-2일 전에 중단하고, 좀 더 긴 반감기를 가진 naproxen이나 piroxicam 등의 제제는 수술 3~6일 전에 중단하면 된다. 선택적 COX-2 억제제는 혈소판에 대한 영향이 없으므로 수술 중 과다 출혈을 예방하기 위해 굳이 중단할 필요는 없으나, 수술 후 지연성 출혈이 우려되는 큰 수술인 경우 비스테로이드성 소염제는 환자의 상황에 따라 7-14일 후 다시 시작할 수 있다. 수술 전에는 면역 억제를 최소화할 수 있도록 효과적이면서도 가능한 최소 용량만을 사용하도록 하고, 수술을 전후해서 적절한 조절이 필요하다. 수술 전 스테로이드제 투여 시에 관절경 수술로 십자인대를 봉합하는 것과 같은 중

등도 스트레스 수술에서는 hydrocortisone 50-75 mg을 수술 당일 사용하고, 이보다 더 복잡하거나 큰 수술에서는 하루 100-150 mg의 hydrocortisone을 수술 당일 사용한다. Methotrexate (MTX)는 과거 감염에 대한 우려로 수술 전후 사용 중단을 권유하였으나, 최근에는 수술 후 합병증과 무관하고 오히려 중단으로 인해 관절 통증과 부종, 경직으로 재활이 어려우므로, 수술 기간 동안에도 지속하는 것이 권장된다. 그러나, 고령, 신기능 저하, 조절되지 않는 당뇨, 알코올 중독, 간질환 혹은 폐질환, 매일 스테로이드 복용 환자에서는 수술 전과 수술 시행 주에는 MTX를 중단하는 것이 좋다. Leflunomide는 중등도 이상의 수술에서는 수술 1-2일 전에 사용을 중단하라는 권고와 긴 반감기를 고려하여 2주 전에 중단하라는 권고가 있다. 사용을 중단한 leflunomide는 수술 3일 정도 경과 후에 사용을 재개한다. Sulfasalazine, azathioprine, hydroxychloroquine는 수술 하루 전 중단하였다가 수술 3일 후부터 사용을 재개한다. 종양괴사인자 억제제는 약제의 반감기를 고려하여 etanercept (Enbrel®), infliximab (Remicade®)과 adalimumab (Humira®)은 중단하고, 수술 후 최소 2주 경과하여 상처가 깨끗이 회복된 후 재개해야 한다. Rituximab 또한 수술 전 후 2~3주 동안 사용 중단이 권장된다. 장기간의 침상 안정이나 스테로이드 사용으로 골다공증이 동반되어 있는 경우가 많으므로 수술 전 골밀도 검사와 이에 대한 처치가 필요하다.

수술적 치료에는 활액막절제술, 관절 유합술, 가관절 성형술, 고관절 전치환술 등이 있다.

(1) 활액막절제술

활액막절제술(synovectomy)은 약물에 잘 반응하지 않는 지속적인 단일 관절염(monoarthritis)에 효과적이다. 관혈적인 방법과 관절경을 이용한 방법이 있으며 단기간 동안 증상의 호전을 가져올 수 있다. 최근 약물 요법의 발달로 적응이 되는 경우는 많지 않다(그림 3).

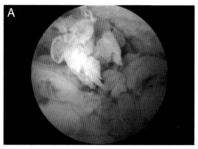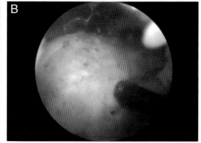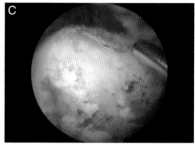

그림 3. 관절경을 이용한 활액막제거술
(A) 관절 내에 울혈, 부종이 동반된 활액막 증식이 관찰된다. (B) 활액막절제술을 시행하였으며, (C) 활액막절제 후 대퇴골두 관절면과 경부가 보인다.

(2) 관절 유합술

젊은 환자에서 한쪽 고관절 침범 시 고려될 수 있으나 류마티스 관절염은 양측을 침범하는 경우가 많아 잘 시행되지 않으며, 최근에는 고관절 전치환술 실패 후에 고려할 수 있는 치료 방법이다.

(3) 가관절 성형술

여러 관절의 이환으로 인해 수술 후 정상적인 보행이나 재활을 기대하기 어려운 환자에게 적응이 될 수 있으나 일반적으로 인공 관절 치환술 실패 시 적응이 된다.

(4) 고관절 전치환술

심하게 손상된 관절에 대해서는 고관절 전치환술을 시행할 수 있다. 비구나 대퇴골이 변형된 경우가 있으므로 수술 전 적절한 삽입물의 준비가 필요하다. 비구 측에서 골반내 비구 돌출이 10-20% 정도에서 발생하며(그림 4) 이러한 경우에는 골이식과 함께 무시멘트형 비구컵을 삽입하거나 비구 돌출이 심한 경우 비구 보강환을 사용하기도 한다. 대퇴골 경부의 전염각이 증가된 경우, 대퇴골 간부의 전만곡(anterior bowing)이 과도한 경우, 골수강이 작은 경우 등이 있을 수 있으므로 일반적 대퇴스템 외에 맞춤형(custom-made) 스템이나 조립형(modular) 스템이 필요할 수 있다.

① **비구 삽입물**: 비구부 수술 시 활액막은 완전히 제거되어야 한다. 비구부가 노출되면 소파기(curet)로 남아있는 연골이나 연부조직 및 낭종을 제거한 후 확공을 하고 골결손이 있으면 동종골이나 자가골을 이식할 수 있다. 이식골을 감입한 후에는 확공기를 가볍게 역회전하여 이식골 및 비구의 표면을 다듬어준다. 비구컵은 확공된 비구 직경보다 2 mm 정도 큰 것을 사용하여 비구컵 내재 안정성을 얻도록 하며 추가적으로 금속 나사못 고정을 하기도 한다. 골반내로 비구 돌출이 있는 경우 비구 입구가 좁아 대퇴골두의 탈구가 쉽지 않고 무리하게 조작하면 대퇴골의 골절이 발생할 수 있으므로 주의를 요한다. 이러한 경우 대퇴골 경부를 먼저 절골한 후 대퇴골두를 제거하는 것이 대퇴골 골절 예방에 도움이 될 수 있다. 비구 노출 후에도 비구 전방 또는 후방에 위치하는 견인기(retractor)에 무리한 힘이 가해지면 골절이 발생할 수 있으므로 주의해야 한다. 최근에는 삽입물의 발달로 무시멘트형 삽입물이 선호되며 특히 젊고 활동적인 환자의 경우 무시멘트 고정이 널리 사용된다. 시멘트를 이용한 고정은 많이 사용되지 않으나 비구의 골질이 불량하여 적절한 고정을 얻을 수 없거나 비구부 골이식 후 숙주골과의 접촉면이 적을 경우에는 비구 보강환이나 시멘트형 폴리에틸렌 컵을 사용할 수 있다.

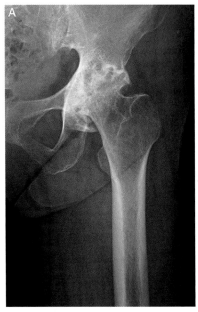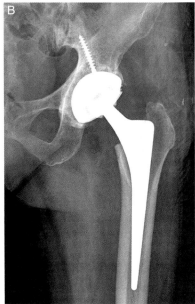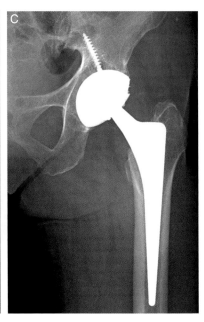

그림 4. 류마티스 관절염에서 고관절 전치환술
(A) 좌측 고관절의 류마티스 관절염으로 관절 간격이 소실되어 있다. (B) 비구부 골이식 후 무시멘트형 고관절 전치환술을 시행하였다.
(C) 이식골의 유합 및 비구컵 안정적인 고정이 관찰된다.

② **대퇴 삽입물:** 대퇴 피질골 두께가 감소되어 있고 골수강이 넓어져 있는 경우가 많아 대퇴스템이 외반이나 내반으로 삽입되기 쉬우므로 주의해야 한다. 또한 골밀도 감소로 인한 골절 발생에 유의해야 하며 특히 고관절의 탈구나 정복 시 대퇴골 간부 골절이 발생하기 쉬우므로 주의해야 한다. 대퇴부의 골절 예방을 위해서는 고관절의 탈구나 정복 시 종축 방향의 견인만 시행하며 회전력이나 지렛대 힘이 주어지지 않도록 해야 한다. 충분한 종축 견인 없이 탈구를 시킬 경우 대퇴골 간부의 나선형 골절이나 사선형 골절이 발생할 수 있다. 과거에는 시멘트형 대퇴 삽입물이 많이 사용되었으나 최근에는 수산화인회석(hydroxyapatite) 코팅 등의 표면처리, 티타늄 재질의 사용, 삽입물 디자인의 발달로 무시멘트형 대퇴스템의 우수한 결과들이 보고됨에 따라 무시멘트 고정이 선호되고 있다. 무시멘트형 대퇴스템을 사용할 경우 압

박 고정 시 과도한 충격으로 대퇴골의 골절이 발생할 수 있으므로 주의를 요한다. 골질이 매우 불량하거나 고령인 경우 무시멘트형 대퇴스템으로 안정 고정을 얻기 어려우면 시멘트형 대퇴스템을 사용하여 고정을 할 수 있다.

연소기 류마티스 관절염(juvenile rheumatoid arthritis) 환자인 경우 골의 크기가 작아 삽입물의 크기 선택에 문제가 발생할 수 있으며 대퇴골의 과도한 전염으로 인하여 수술 시 어려움이 있을 수 있다. 따라서 맞춤형이나 근위 조립형 대퇴스템의 준비가 필요할 수도 있다.

③ **예후:** 과거에는 류마티스 관절염 환자의 심한 골다공증으로 인해 고관절 전치환술 후 골내성장(bone ingrowth)이 불량하여 삽입물의 충분한 고정력을 얻기 어려웠으나 최근 삽입물의 발달과 재질의 변화로 류마티스 관절염 환자에서도 80-98%까지 우수한 대퇴 삽입물의 중기 추시 생존

율이 보고되고 있다. 특히 수산화인회석 코팅된 삽입물의 경우 조기에 충분한 골내성장이 일어나 안정된 고정을 얻었다는 결과들이 보고되고 있다. 그러나 류마티스 관절염 환자의 전체적인 기능적 결과는 타질환에 비해 우수하지 못하다. 이는 류마티스 관절염은 여러 관절을 동시에 침범하는 질환으로서 수술을 시행한 관절은 기능이 조기에 향상되나 나머지 관절의 기능이 불량하므로 전체적으로 보행 및 활동 면에서 균등한 향상이 어렵기 때문인 것으로 생각된다.

④ **기타:** 슬관절과 고관절 모두에서 관절치환술을 시행해야 할 경우, 강직된 고관절로 인해 슬관절 전치환술이 용이하지 않을 수 있고, 슬관절의 굴곡 구축은 고관절 전치환술 후 탈구의 빈도를 높일 수 있는 점을 고려해야한다. 슬관절과 고관절이 비슷한 정도로 손상되었을 경우 논란이 있으나 고관절의 관절치환술을 먼저 시행하는 것이 보통이고 가장 심하게 변형되고 증상이 심한 관절을 우선적으로 수술하는 것이 바람직하다.

2. 강직성 척추염(Ankylosing spondylitis)

1) 척추관절염(spondyloarthritis)의 개념

척추관절염의 개념은 1974년 강직성 척추염과 다른 임상적, 유전적 특징을 공유하는 여러 질환의 연관성을 강조하기 위해 첫 도입된 개념이다. 척추관절염은 질환의 원형인 강직성 척추염과 이와 임상적, 유전적 특징을 공유하는 건선 관절염, 반응성 관절염, 염증성 장질환 관련 관절염, 유년기 발병 척추관절염, 미분화 척추관절염등을 포함하는 만성 염증성 류마티스 질환이다. 최근에 발표된 국제 척추관절염 평가학회(Assessment of Spondyloarthritis International Society)의 정의에 의하면 척추관절염은 주요 증상이 척추 증상이냐 말초관절 증상이냐에 따라 크게 축형 척추관절염(axial spondyloarthritis)과 말초형 척추관절염(peripheral spondyloarthitis)으로 나뉜다. 축형 척추관절염 중에서 방사선적 천장관절염을 보이는 경우는 강직성 척추염, 보이지 않는 경우는 비방사선적 축형 척추관절염이라고 한다.

2) 정의 및 역학

강직성 척추염(ankylosing spondylitis)은 천장관절과 척추를 주로 침범하여 만성적 경과를 보이는 염증 질환으로 혈청 류마티스 인자가 없는 음성 혈청 반응 척추관절염 중 가장 흔한 형태이다. 척추염 및 천장관절염과 함께 비대칭적인 말초 관절염, 부착염(enthesitis), 그리고 관절외 증상으로 염증성 안질환 또는 피부 점막 병변의 동반 등을 특징으로 하는 질환군이다. 진행된 강직성 척추염의 경우에는 흉요추부의 전만각 소실과 관절의 굴곡 구축 등이 발생하여 보행과 일상 생활에 장애가 초래된다.

강직성 척추염은 주로 젊은 남자에서 호발하며 발병 원인으로는 조직적합항원 HLA-B27과 관계가 있는 것으로 보고되고 있다. HLA-B27의 빈도와 유병률은 지역과 인종에 따라 차이를 나타내며 북미 백인에서의 HLA-B27의 빈도는 7% 유병률은 0.2%이고, 유럽 백인의 HLA-B27의 빈도는 7-20%이고 유병률도 북미나 아시아, 아프리카보다 높다.

3) 원인 및 발병 기전

강직성 척추염은 HLA-B27 유전자와 관련이 있는 것으로 보고되고 있으며 환자의 80% 이상에서 HLA-B27이 양성이다. 발병 원인으로 HLA-B27의 유전자적 다형태(polymorphism), 감염, T세포 및 면역학적 원인 등에 대한 보고가 있으나 아직 확정된 것은 없다. 강직성 척추염 초기에는 관절면, 인대 및 연부조직과 골의 부착 부위에 염증이 발생하며 이 과정에서 종양괴사인자(TNF-α)가 중요한 역할을 하는 것으로 생각되고 있다. 병변조직에서 TNF-α가 높게 측정되며 질환이 진행함에 따라 TNF-β도 나타난다. 침범 관절 주위 활액막에서는 호중구, 대식세포, CD4+, CD8+

T세포 및 B세포가 발견되며 더 진행하면 주위 조직은 섬유성 연골로 대치되고 골화가 진행하여 관절의 유합이 일어날 수 있다.

4) 병리 소견

일반적인 병리 소견은 류마티스 관절염과 비슷하다. 그러나 강직성 척추염에서는 천장관절염과 척추염으로 인한 관절의 골성 유합이 발생할 수 있으며 류마티스 관절염의 경우 일차적인 병변 부위가 활액막이지만 강직성 척추염의 경우는 일차적인 병변 부위가 건의 부착부, 인대, 건막 및 섬유성 관절낭이라는 차이점이 있다.

5) 임상 및 영상 소견

(1) 임상 소견

강직성 척추염은 가장 중증의 척추 관절염 형태라할 수 있는데 강직성 척추염 환자 중 49%에서 척추 후굴 변형과 척추 강직이 일어나기 때문이다. 질병의 이환 초기에는 요추부의 조조 강직(morning stiffness)과 경미한 요추부의 통증이 나타난다. 질병의 진행에 따라 척추 운동 장애가 나타나며 흉부 확장 장애, 흉요추부의 전만각 소실, 고관절의 굴곡 구축 등이 발생하여 보행과 일상 생활에 장애가 초래될 수 있다. 또한 말초관절은 고관절과 견관절이 가장 흔히 침범되며 고관절의 관절염은 강직성 척추염 환자의 30–50% 정도에서 나타난다. 고관절의 침범이 발생하면 90% 이상의 환자에서 양측성으로 나타난다. 고관절 병변은 초기에는 경미한 운동 제한으로 나타나지만 이환 기간이 길어짐에 따라 관절의 섬유성 강직과 골성 강직이 나타나기도 한다.

강직성 척추염의 검사 소견으로 적혈구 침강속도가 증가할 수 있으나 류마티스 관절염의 결과와 달리 상승 정도가 높지 않으며 질환의 활동도와 관계가 없는 것으로 알려져 있다. 그 외에 C 반응 단백, alkaline phosphatase, creatine kinase와 면역글로블린 A가 증가될 수 있다. 강직성 척추염이 다른 류마티스성 질환과 동반되지 않으면 류마티스 인자나 항핵항체(ANA) 검사는 음성으로 나타난다. 강직성 척추염과 관련이 있는 것으로 알려진 HLA–B27은 상염색체 공우성(autosomal codominant)으로 유전되는 조직 항원으로서 환자의 88–96% 정도에서 양성으로 나타난다. HLA–B27 양성률은 지역과 인종에 따라 다양하게 나타나나 3–9% 정도로 보고되고 있다. HLA–B27이 양성인 경우 강직성 척추염 발병률은 0.3–25% 정도로 보고되고 있으며 이는 정상인의 발병률에 비해 10배 이상 높은 비율이다. HLA–B27 검사는 척추관절염이 의심되는 경우 흔하게 시행되지만 정상 인구 집단의 6%에서 양성이기 때문에 진단적으로 가치가 높은 것은 아니다. 그러나 HLA–B27 검사는 영상 검사에서 천장관절염이 확인되지 않는 축형 척추관절염 진단에 도움이 된다. HLA–B27이 음성이고 영상 검사에서 천장관절염이 없으면 척추관절염의 가능성은 떨어진다.

(2) 영상 소견

강직성 척추염은 방사선적으로 천장관절의 관절염과 주변 골의 침식 및 경화가 특징적으로 나타난다. 방사선 촬영에서 보이는 천장관절의 변화는 표 3과 같으며 양측성으로 2등급 이상이거나 편측성으로 3등급 이상이면 방사선적 천장관절염이 있는 것으로 정의한다. 질병의 이환 기간이 길어짐에 따라 섬유성 강직은 진행하여 골화가 나타나며 더욱 진행하면 완전한

표 3. 방사선적 천장관절염의 등급

등급 0: 정상 소견

등급 1: 병변이 의심되는 정도

등급 2: 천장관절 간격의 변화없이 국소 병변의 골 미란 혹은 골경화 소견

등급 3: 골 미란, 골경화, 관절 간격 확장 혹은 협소, 또는 부분 천장관절 유합 중에서 하나 이상의 소견을 갖는 중등도 이상의 천장관절염

등급 4: 천장관절 유합

골성 강직이 발생한다.

척추에서는 척추체의 사각화와 섬유륜의 골화가 진행하고 척추 후방 관절과 주위 인대의 골화와 골성 강직이 발생하여 척추의 골성 유합이 발생한다. 고관절 침범은 주로 대칭적으로 나타나며 균등한 관절 간격의 감소가 나타난다. 연골하골의 경화와 함께 관절 외측으로 골극이 나타날 수 있으며 이환 기간이 길어지면 고관절의 섬유성 및 골성 강직이 나타난다(그림 5).

천장관절이 포함되는 골반 자기공명영상은 방사선 촬영에서 천장관절염을 보이지 않는 환자에서 진단에 도움이 될 수 있다. MRI는 천장관절의 활동성 염증뿐만 아니라 활막염, 부착부염, 관절낭염 소견이나 지방 축적, 경화, 미란, 골성 강직 같은 구조적 병변에 대한 정보를 제공한다. 전산화단층촬영은 단순 방사선 검사보다 구조적 변화를 좀 더 민감하게 찾을 수 있으나 MRI에 비해 염증이나 지방축적 등의 관찰이 어렵다.

(3) 진단

과거 강직성 척추염은 Modified New York Criteria (1984)의 기준을 이용하여 진단하였으며 1) 3개월 이상

의 염증성 요통 2) 전후면과 측면에서의 요추 운동 제한 3) 흉곽 확장의 감소 4) 2-4등급 양측성 천장 관절염 5) 3-4등급 편측성 천장관절염의 항목으로 구성되어 있다. 이 중 3-4등급 편측성 천장관절염이 있는 경우나 2-4등급 양측성 천장관절염과 함께 임상 기준 중 하나가 있는 경우 강직성 척추염을 확진할 수 있다. 그러나 이 기준은 척추관절염의 다른 증상들을 제외했으며 방사선적 천장관절염이 보이지 않는 초기 질환을 배제한다는 한계가 있다.

이를 보완하기 위해 국제 척추관절염 평가학회 (Assessment of Spondyloarthritis International Society) 에서 2009년 제시한 강직성 척추염의 진단 기준은 척추관절염의 다양한 임상적 특징과 천장관절의 MRI 소견, HLA-B27 검사 결과를 기준에 포함시켜 초기 질환을 진단할 수 있게 하였다. 새 진단 기준에 따르면, 45세 이하에서 발생한 3개월 이상 지속되는 염증성 요통을 가진 환자 중에서 1) 방사선적으로 천장관절염이 관찰되면서 1개 이상의 척추관절염 특징을 가지는 경우, 혹은 2) HLA-B27 양성이면서 2개 이상의 다른 척추관절염 특징을 가지는 경우 강직성 척추염을 진단할 수

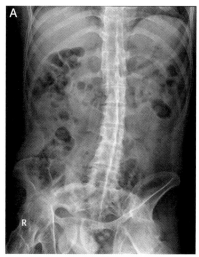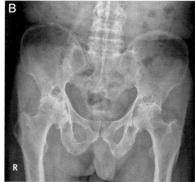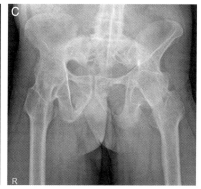

그림 5. 강직성 척추염의 방사선 소견
(A) 척추에서는 섬유륜의 골화가 진행하고 척추 후방 관절과 주위 인대의 골화와 골성 강직이 발생하며, (B) 고관절 침범은 주로 대칭적이며 균등한 관절 간격의 감소를 보인다. (C) 진행되면 고관절의 섬유성 및 골성 강직이 발생한다.

있다. 척추관절염 특징으로는 염증성 요통, 관절염, 부착부염, 포도막염, 손발가락염, 건선, 크론병, NSAIDs에 좋은 반응, 척추관절염의 가족력, HLA-B27 양성, CRP 증가가 있다. 방사선적 천장관절염은 1) MRI상에서 천장관절의 급성 염증 반응이 관찰되거나 2) 단순방사선 사진에서 명확한 천장관절염이 관찰되는 경우 진단할 수 있다.

6) 비수술적 치료

치료는 통증을 감소시키고 관절의 강직과 신체적 피로를 감소시켜 환자의 자세를 유지할 수 있게 하며 육체적, 정신적 및 사회적 기능을 유지시키는 데 목적이 있다.

(1) 비스테로이드성 소염제

비스테로이드성 소염제는 강직성 척추염 환자의 일차 치료 약제로서 대부분의 환자에서 단독 요법에도 임상적 호전을 보인다. 최근 비스테로이드성 소염제가 강직성 척추염의 방사선적 진행을 억제한다는 결과가 보고된 바 있다. 그러나 비스테로이드성 소염제에 반응이 없는 환자는 불량한 예후를 보일 가능성이 높다. 이는 통증 조절이 되지 않는 경우 운동과 물리적 치료의 시행이 어려우므로 관절 변형을 최소화하기 어렵기 때문이다.

(2) 당질코르티코이드

당질코르티코이드의 전신적 투여는 강직성 척추염 환자에게 유용하지 않은 것으로 알려져 있다. 그러나 증상이 있는 관절에 선택적인 관절강내 주사는 효과적이며 고관절이나 천장관절 내에 시행하는 당질코르티코이드의 주사는 관절염의 진행을 억제하지는 못하지만 증상 호전은 기대할 수 있다.

(3) 항류마티스 제제

강직성 척추염 환자에서도 사용될 수 있으며, 임상

적으로 효과가 입증된 약제는 sulfasalazine이다.

(4) 종양괴사인자 억제제

강직성 척추염 환자의 병변조직내에는 종양괴사인자의 발현이 증가되어 있다. 따라서 종양괴사인자의 생성을 억제하는 것이 질병의 진행을 막을 수 있다는 개념으로 사용되고 있으며 여러 연구 결과, 종양괴사인자 억제제(TNF-α inhibitor)의 투여가 강직성 척추염의 치료에 효과적인 것으로 보고되고 있다. 대표적인 약물로는 adalimumab, etanercept, golimumab, infliximab 등이 있다. 대부분 임상적 증상과 검사실 결과의 호전은 약물 투여 후 3개월 내에 관찰된다. 그러나 진행된 척추 관절의 변형이 있는 환자에서의 효과는 아직 명확하지 않다.

(5) 골다공증 치료제

강직성 척추염 환자의 경우, 젊은 연령에서도 골감소증 및 골다공증의 발생이 빈번한 것으로 알려져 있다. 골다공증의 치료제로는 골밀도를 증가시킬 뿐만 아니라 IL-1과 TNF-α의 작용을 억제하여 항염증 효과도 있다고 보고되고 있다

(6) 운동 요법

강직성 척추염 환자에서 운동 요법은 관절의 유연성을 유지하며 변형 방지를 위한 기본적 치료 방법이다. 주로 몸통, 목, 어깨, 허리 등을 최대한 뒤로 펴는 운동이나 회전시키는 운동이 시행되며 목 굴곡운동이나 흉근을 충분히 이용한 숨쉬기 등을 규칙적으로 시행하면 효과적이다.

7) 수술적 치료

강직성 척추염 환자의 고관절 침범은 30-50% 정도에서 발생하는 것으로 보고되고 있다. 고관절 침범이 발생하면 초기에는 통증성 운동 제한이 나타나고 질환이 진행함에 따라 관절의 완전 강직까지 나타난다. 강

직성 척추염의 진행으로 이환된 고관절 병변은 통증의 개선과 변형의 교정 및 관절 운동의 향상을 목적으로 수술적 치료를 시행할 수 있다. 수술 방법으로는 고관절 절제 관절성형술과 고관절 전치환술 등이 있다. 고관절 절제 관절성형술은 하지 부동이 발생하며, 활동 후 조기 피로감과 고관절이 불안정해지는 단점이 있어 고관절 전치환술이 개발된 이후에는 치료 목적으로는 사용되지 않는다. 최근에는 고관절 전치환술이 널리 사용되고 있으며 삽입물의 질적 향상으로 실패율이 낮고 환자의 대부분에서 통증 감소와 운동 범위가 증가하는 양호한 결과가 보고되고 있다. 강직성 척추염 환자에서 고관절 전치환술을 시행할 때는 일반적인 일차성 고관절 전치환술과 차이점을 고려해서 시행해야 한다.

(1) 환자 연령

강직성 척추염에서 고관절 전치환술을 시행하는 경우, 대부분 젊은 연령의 남자이므로 삽입된 인공 관절의 수명을 고려해야 한다. 대부분의 강직성 척추염 환자는 활동력이 떨어지고, 체중이 적으므로 삽입물에 주어지는 부하가 줄어들어 인공 관절의 장기 생존율이 양호할 것이라는 주장이 있는 반면 질병이 진행함에 따라 척추가 강직되어 앉거나 허리를 구부릴 때 고관절을 많이 움직이게 되므로 인공 관절에 주어지는 부하가 증가한다는 주장도 있다. 고관절 전치환술 시 환자의 젊은 연령을 고려하여 세라믹-세라믹, 금속-금속, 고도교차결합 폴리에틸렌 등과 같이 마모율이 적은 관절면 사용을 고려해야 한다.

(2) 골반 후방 경사

강직성 척추염 환자에서 척추가 강직되어 시상면 척추-골반 정렬이 후방 경사된 상태로 고정되는 경우, 고관절 전치환술 시 해부학적 위치에 비구컵을 고정하면 전방 불안정이 발생할 수 있어 비구컵 위치 설정에 주의를 요한다. 골반 후방 경사 시 컵의 전염각을 줄이는 것이 전방 불안정을 방지하는데 도움이 되나 저자마다 제시하는 기준 수치가 달라 논란의 여지가 있다 (그림 6).

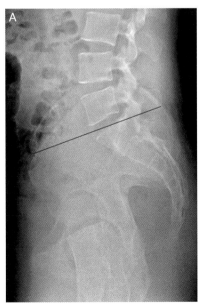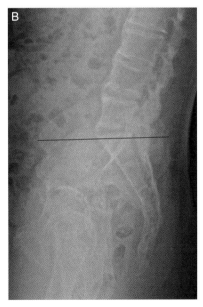

그림 6. 강직성 척추염 환자의 골반 후방 경사
(A) 정상 환자의 골반 (B) 강직성 척추염 환자의 골반 후방 경사가 관찰된다.

(3) 외전근 위축

강직성 척추염 환자에서 고관절 통증과 강직이 발생하면 이로 인한 외전근의 위축이 발생할 수 있다. 외전근의 위축 정도는 근전도 검사, cybex dyanometer, 전산화단층촬영, 자기공명영상 등으로 측정할 수 있다. 그러나 기계를 이용한 검사보다는 Amstutz와 Sakai의 방법이 널리 사용되며 이 검사법은 환자의 환측 다리를 위로 한 측와위에서 중력에 저항하며 하지를 외전할 때 외전근의 수축력을 직접 촉진하는 방법이다. 고관절의 골성 강직이 있는 경우에는 뚜렷한 외전근 수축이 촉진되는지 확인하고, 섬유성 강직이 있는 경우에는 고관절의 움직임이 있을 수 있으므로 근력의 정도를 측정한다. 외전근의 수축력이 강할수록 수술 후 보행이 양호한 것으로 보고되고 있다.

(4) 굴곡 구축

고관절의 침범은 양측성으로 진행되며 처음에는 통증과 운동 제한을 호소하나 후에는 굴곡 구축을 보이고 심하면 그 상태에서 완전 강직을 보여 관절이 굳어져 보행이 불가능하게 된다. 고관절 굴곡 구축은 고관절 전치환술로 교정이 가능하며 만약 양측 고관절에 굴곡 구축이 있는 경우 편측만 수술을 시행하면 수술을 시행하지 않은 쪽의 구축으로 인해 만족할 만한 자세를 얻을 수 없으므로 양측 고관절 전치환술의 시행을 고려해야 한다(그림 7). 고관절의 굴곡 구축을 교정한 후에도 부적절한 자세가 지속되면 척추 절골술 등의 추가적인 수술적 치료를 고려해야 한다.

(5) 마취 준비

흉부 확장 장애로 인한 호흡의 제한, 심혈관계 이환, 경추나 요추의 강직으로 인한 기도 확보의 어려움 등이 문제가 되므로 환자의 마취 및 회복에 주의가 필요하다. 경추부에 강직성 척추염이 이환되어 경부의 신전 제한이 있거나 하악 관절의 침범으로 개구 장애를 보일 경우에는 일반적인 기도내 삽관술의 시행이 어려울 수 있으므로 수술전에 미리 대비하여야 한다.

(6) 수술적 접근법

강직성 고관절은 장기간의 부동 상태로 인해 연부조직의 구축이 있고 섬유성 조직이 형성되어 있어 수술적 박리와 접근이 매우 어렵다. 따라서 수술 시간이 길어지고, 출혈이 많을 수 있으므로 일반적인 고관절 전

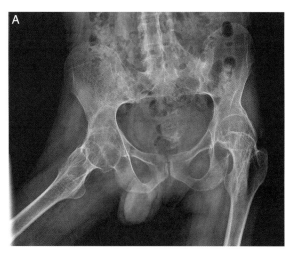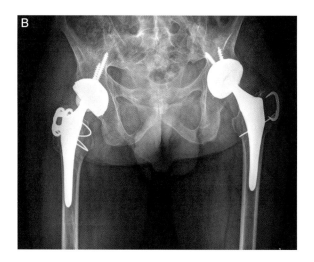

그림 7. 강직성 척추염에서 고관절 전치환술
(A) 강직성 척추염 환자에서 척추와 양측 천장관절은 완전 유합되었으며, 우측 고관절은 외전상태로, 좌측 고관절은 내전상태로 골성 강직되었다. (B) 일상 생활에 제한이 심하여 양측 고관절 전치환술을 시행하였다.

치환술에 비해 세심한 수술 전 계획이 필요하고 수술 후 관리에 있어서도 주의가 필요하다. 수술적 접근법은 후외측 접근법이 주로 사용되나 충분한 수술 시야 확보를 위해서는 대전자부 절골술을 통한 접근법을 이용하기도 한다.

(7) 골다공증

강직성 척추염 환자는 오랜 강직으로 인해 관절 운동 범위가 감소되어 있고 골의 약화가 동반되어 있다. 골 부착부염이 생기는 부위에서는 새로운 골이 형성되지만 다른 부위에서 골소실이 발생하여 골절의 위험성이 높아진다. 비구측에서는 골다공증에 의해 골반골이 약화되어 있어 고관절 전치환술 시 비구 확공을 무리하게 하면 비구 내측면의 골제거가 과도하게 될 수 있다. 따라서 조심스러운 확공이 필요하며 필요시 역회전 방향으로 확공을 시행할 수 있다. 또한 비구컵 삽입 시 압박 고정을 과도하게하면 비구부 골절이 발생할 수 있으므로 주의가 필요하다. 대퇴골은 피질골의 약화로 인해 골수강내 모양이 연통형(stovepipe appearance)으로 변형되어 무시멘트형 대퇴스템의 안정적 고정이 어렵고, 대퇴스템 압박 고정 시 골절이 발생할 수 있으므로 적절한 대퇴 삽입물의 선택과 스템 삽입 시 주의가 필요하다. 골질이 매우 불량하여 무시멘트형 대퇴스템으로 안정 고정을 얻기 어려우면 시멘트형 대퇴스템을 사용하여 고정을 할 수 있다. 고관절을 탈구시키거나 정복 과정에서 과도한 힘을 가하거나 회전력을 가하게 되면 대퇴골 간부 장나선형 골절이 발생할 수 있으므로 주의를 요한다. 골절의 방지를 위해 탈구 시 회전력이 가해지지 않도록 하며 종축 방향으로 충분히 견인한 후 탈구시켜 조작해야 한다.

(8) 이소성 골형성

고관절 전치환술 후 발생할 수 있는 합병증인 이소성 골형성(heterotopic ossification)은 강직성 척추염 환자의 경우 다른 질환 때문에 수술 받은 환자에 비해 자주 발생하는데 그 발생 빈도는 저자마다 다양하게 보고되고 있다. 과거에 고관절 수술을 받았거나, 수술 후 감염이 발생한 경우, 수술 전 완전 강직이 있었던 경우, 양측 고관절이 이환된 경우나 이전에 이소성 골형성이 발생하였던 경우 등에 발생 빈도가 증가한다. 강직성 척추염 환자에서 수술 후 발생하는 이소성 골화증은 정도가 심하여 Brooker 분류 III, IV의 형태로 나타나는 경우가 많다. 이소성 골형성의 예방을 위하여 indomethacin, diphosphate, penicillamine 등의 약물 치료와 저선량의 방사선 치료가 사용될 수 있다.

3. 미세 결정 유발 고관절병증

미세 결정 유발 관절병증은 미세한 결정이 관절 내에 침착하여 발생하는 관절병증으로서 통풍과 칼슘 피로인산 침착 질환(calcium pyrophosphate dehydrate deposition disease)이 대표적이다. 이러한 질환의 발견과 진단에 편광 현미경 및 전자 현미경, 에너지 분산 원소분석법과 방사선 회절법 등 발달된 진단 기술이 이용되었고, 단일 나트륨요산염(monosodium urate, MSU)과 칼슘피로인산(calcium pyrophosphate dihydrate, CPPD)이 주된 미세 결정으로 확인되었다. MSU에 의한 관절병증을 통풍(gout)이라 하며, 급성 CPPD 미세 결정 유발 관절병증(crystal-induced arthropathies of the hip joint)은 가성 통풍(pseudogout)이라고 하는데, 두 질환은 초기에는 매우 유사한 임상 증상이 관찰되어 구분이 어려울 수 있으나, 편광 현미경 소견상 MSU는 이중굴절 현상(birefringence)이 음성이나, CPPD는 이중굴절 현상이 양성으로 나타나는 특성을 이용하여 구별된다.

1) 통풍
(1) 원인 및 발병 기전

통풍은 퓨린(purine) 대사의 장애로 고요산혈증(hyperuricemia)이 나타나고, 관절내 또는 관절 주위 연부조직에 요산 나트륨(monosodium urate, MSU) 결정이 침착되어 관절통을 야기하는 염증성 관절병증이다.

고요산혈증과 통풍은 가족력이 있는 것으로 알려져 있는데, 이러한 배경에는 최근 밝혀진 SLC2A9, SLC22A12, ABCG2 유전자의 변이에 의한다는 보고가 있다.

정상적으로 체내의 요산은 xanthine 산화 효소(xanthine oxide)에 의해 퓨린 대사 과정의 최종 산물로서 생성되는데, 퓨린은 모든 세포에 DNA, RNA, ATP, ADP, AMP의 형태로 존재한다. 퓨린 대사에 역할을 하는 xanthine 탈수소 효소(xanthine dehydrogenase)는 간과 소장에 존재하므로, 결국 이곳에서 퓨린이 대사되는 과정에서 요산이 생성되게 된다. 결국 체내 요산의 생성은 퓨린을 함유하는 음식의 섭취와 퓨린의 체내 신생 속도에 영향을 받는다. 정상적으로는 체내에서 생성된 대부분의 요산은 소변으로 그리고 나머지 1/3은 타액, 위액, 췌장액 그리고 장분비를 통해 배설된다. 혈중에 용해된 요산은 통풍 발작을 일으키지 않고, 결정화된 형태의 요산염만 증상을 일으킨다. 따라서, 고요산혈증(>7.0 ml/dL)을 보이는 모든 환자가 통풍으로 진행하는 것은 아니고 약 20% 전후에서 통풍이 발생하는 것으로 보아 고요산혈증 이외에 다양한 인자가 영향을 줄 수 있다. 무증상 고요산혈증(asymptomatic hyperuircemia)을 나타내는 상황에서는 관찰만 시행하나, 요산 수치가 7.0 ml/dL을 초과하면 통풍성 관절염 또는 신장 결석의 위험도가 증가할 수 있는 것으로 알려져 있어 면밀한 관찰이 필요하다.

원발성 통풍과 속발성 통풍 그리고 특발성으로 구분할 수 있다. 원발성 통풍(primary gout)은 hypoxanthine guanine phosphoribosyl transferase (HGPRT) 효소 결핍과 같은 유전적 원인에 의한 것을 말하며, 속발성 통풍(secondary gout)은 진성 다혈구증(polycythemia vera), 겸상 적혈구성 빈혈(sickle cell anemia), 백혈병(leukemia), 그리고 다발성 골수종(multiple myeloma) 등 골수가 증식하는 질환에서 핵산의 파괴가 증가하여

혈중 요산치가 증가하거나, 신장의 기능 저하로 요산의 배설이 감소하는 경우를 말한다. 그 외의 경우를 원인이 불분명한 특발성(idiopathic)으로 분류한다.

(2) 임상 소견

급성 통풍의 호발 연령은 40대이며, 주로 성인 남자에게서 많이 발생하고, 여자에서는 폐경 후에 약 5% 정도에서 발생한다. 85-90%에서 한 개의 관절이 이환된다. 대부분 제1족지의 중족지 관절에서 시작되고, 이외에 족근 관절, 발뒤꿈치, 슬관절, 수근 관절 및 수지 등을 흔히 침범하는 것으로 되어 있으며, 고관절만 단독으로 발병하는 경우는 거의 없다.

통풍은 임상적으로 4단계로 구분할 수 있는데, 1) 무증상 고요산혈증, 2) 급성 통풍관절염, 3) 무증상의 간헐기 통풍, 4) 만성 결절성 통풍이다. 무증상 고요산혈증은 혈중 요산 농도가 높게 유지되어 있으나(> 7.0 mg/dL), 임상적인 관절염 증상이 나타나지 않는 상태로서 약 5% 환자에서 급성 통풍관절염으로 진행한다. 급성 통풍관절염은 발열, 심한 발작성 격통, 종창 등의 증세가 있으며, 백혈구증가증이 지속될 수 있기 때문에 급성 화농성 관절염과의 감별 진단이 중요하다. 급성 통풍 발작의 병인은 요산 결정이 관절액 내에서 결정체-단백 복합체(crystal-protein complex)를 만들기 때문이다. 이것이 보체 시스템(complement system)을 활성화시켜 중성구(neutrophil)에 의한 포식(phagocytization)을 활성화시킨다. 이로 인해 세포막용해(membranolysis)가 촉진되어 용해성 효소(lysosomal enzyme)의 세포내 방출이 증가하여 세포괴사가 발생하고 관절내 염증반응(inflammatory process)이 촉진되어 급성 통풍 발작이 발생하는 것으로 알려져 있다. 이러한 발작은 요산의 수치와는 관련성이 적다. 처음 발작 후에는 증세가 없는 발작간 기간(interictal period)이 있을 수 있으나 대부분 6개월에서 2년 이내에 재발한다. 이러한 기간을 간헐기 통풍이라고 하는데, 약 7%에서는 10년이 경과하여도 급성 발작이 일어나지 않

는다. 그러나, 급성 통풍의 재발이 계속되면서 점차로 증상이 없는 기간은 짧아지고, 나중에는 지속적인 통증이 있으며 관절 내에 요산 결정이 침착되어 관절이 파괴되면서 섬유성 강직이 발생하게 된다. 이렇게 발작 통증간 간격 없이 통증이 지속되는 상태가 되면 만성 결절성 통풍(chronic tophacious gout)이라 한다.

요산 결절(tophus)은 작은 관절에서 다양한 위치에서 발견할 수 있다. 통풍성 결절의 형성은 고요산 수치의 정도와 기간에 밀접한 관계가 있으며 신장질환과 이뇨제의 사용 등과도 관련이 있다. 진단에 있어 통풍성 관절염의 가족력, 반복적인 통증의 발작, 요산이 주성분인 요석에 의한 신장 장애, 혈중 요산의 고농도, 적당량의 콜치신(colchicine)에 대한 양호한 반응 등이 통풍을 강하게 의심하게 하는 소견이다. 확진은 관절 천자에서 얻은 윤활액이나 채취된 조직에서 다형핵백혈구(PMN)에 의해 탐식되어 있는 바늘 모양의 요산 결정(intracellular needle-shaped crystals)을 증명하면 된다. 이를 편광현미경(compensated polarizing microscope)으로 보면 강한 음성 이중굴절 현상(negative birefringence)을 보인다. 검사 시에는 각종 지방 결정과 다른 종류의 결정이 요산염 결정과 비슷하게 보일 수 있고, 윤활액을 뽑아서 바로 검사하지 않으며 시간이 경과하면서 결정이 녹아서 안 보일 수도 있다는 점을 주의해야 한다. 혈청 요산 농도는 급성 발병 당시 정상이거나 낮을 수 있다. 급성 감염성 관절염이나, 다른 미세 결정에 의한 관절병증, 재발성 류마티즘, 건선 관절염과 감별 진단을 요한다.

윤활액이나 조직을 채취하기 힘든 경우에는 2015년 ACR과 EULAR에서 공동으로 발표한 통풍 진단 분류 기준을 이용하여 통풍을 진단할 수 있다(표 4). 임상적 기준과 검사실 기준, 영상적 기준 등 3가지의 기준에서 점수를 합산하여 총 23점 중 8점 이상이면 통풍으로 진단할 수 있다. 임상적 기준에서 침범된 관절이나 윤활낭이 발목이나 발등이라면 1점, 제1중족족지관절(1st metatarsophalangeal joint)을 침범하였다면 2점, 통풍

의 특징적인 증상인 관절 위의 피부 발적, 침범 관절의 심한 압통, 보행 장애 중 1가지 증상만 나타나면 1점, 2가지가 나타나면 2점, 3가지 모두 나타나면 3점이다. 통풍 발작의 자연 경과, 즉 급성 발작과 14일 이내 완벽한 회복이 되는 발작이 한 번 있으면 1점, 재발성의 전형적인 통풍 발작이라면 2점이다. 통풍 결절의 임상적 증거가 존재한다면 4점이다. 검사실 기준에서 혈청 요산 농도가 6.0-7.9 mg/dL라면 2점, 8.0-9.9 mg/dL라면 3점, 10 mg/dL 이상이라면 4점이다. 하지만 혈청 요산 농도가 4.0 mg/dL 미만이라면 2점을 감점한다. 윤활액 검사를 하였는데 요산 결정이 발견되지 않았다면 2점이 감점된다. 영상적 기준에서 요산 축적의 영상적 증거, 즉 관절 초음파검사에서 통풍의 특징적인 관절 연골 위에 쌓여 있는 요산을 나타내는 이중 윤곽 징후(double contour sign)를 발견하거나 관절이나 관절 주위 윤활낭, 인대, 근육 등에 존재하는 통풍 결절을 찾아내거나 이중에너지 전산화단층촬영(dual energy computed tomography)에서 요산 축적의 증거가 있다면 4점, 방사선 사진에서 통풍과 관련된 관절 손상의 영상적 근거가 있으면 4점이다(표 4).

초기에는 연부조직의 종창만 있으며, 관절의 파괴는 발견되지 않는다. 이는 가성 통풍과는 달리 요산은 석회화를 형성하지 않으면서 관절과 골을 먼저 침식하는 경향이 있기 때문이다. 만성 결절성 통풍에서는 연부조직 종창과 함께 요산의 침식에 의해 골이 떨어져 나간 것 같은 천공 병변(punched-out lesion)을 보이게 되지만, 관절 간격은 비교적 유지된다. 그러나, 질환이 진행되면, 관절 간격은 소실되고, 골성 강직도 나타날 수 있다.

(3) 치료

무증상 고요산혈증이 있는 경우 약물 치료는 하지 않고, 기저 질환에 대한 병력을 확인한다.

급성 통풍성 관절염에서 통풍의 발작이 시작되면 신속하게 치료를 시행하는데, 흔히 사용되는 약물은 콜

표 4. 2015 ACR/EULAR 통풍 진단 분류 기준

	기준	분류	점수
임상	침범된 관절이나 윤활낭	발목이나 발등	1
		첫 번째 발허리발가락관절	2
	통풍의 특징적인 증상		
	1) 관절 위의 피부 발적	1가지 증상	1
	2) 침범 관절의 심한 압통	2가지 증상	2
	3) 보행 장애	3가지 증상	3
	통풍 발작의 자연 경과	일회성	1
	• 24시간 이내 급성 발작	재발성	2
	• 14일 이내 회복되는 발작		
	• 간헐기의 완전 회복된 증상		
	통풍 결절	존재	4
검사실	혈청 요산 농도(mg/dL)	< 4	−4
		6 to < 8	2
		8 to < 10	3
		≥ 10	4
	윤활액 검사	요산 결절 미발견	−2
영상	요산 축적의 영상적 증거; 관절 초음파 검사 또는 이중에너지 전산화단층촬영	존재	4
	요산 축적의 영상적 증거; 단순 방사선 검사 사진	존재	4
총합			23

※ 8점 이상이면 통풍으로 진단

치신, 비스테로이드성 소염제, 스테로이드 중에서 선택된다. 콜치신 주사는 골수의 기능을 저하시킬 수 있고, 하루에 4 mg 이상 정맥으로 투여하는 경우에 콜치신의 독성과 급사가 보고된 바 있으므로 사용에 주의를 요한다. 콜치신 경구 투여는 전통적인 방법이나, 소화관 부작용이 있을 수 있어 묽은 변이나 설사가 나타나면 중단해야 한다. 비스테로이드성 소염제는 다른 관절염에서 효과가 인정받아 통풍에서도 흔히 사용되며, 신장 기능 저하 시에는 스테로이드 사용이 안전하다. 관절이 큰 경우 20–40 mg의 트리암시놀론을 관절강 내로 주입하는 방법도 효과적이라고 알려져 있다. 그러나 관절강내로의 스테로이드 주사도 콜치신이나 비스테로이드성 소염제를 사용할 수 없는 환자에게만 적용하는 것이 좋다. 부신피질자극호르몬(ACTH)의 근육내 주사는 치료에 반응하지 않는 급성 다발성 통풍이나 콜치신이나 비스테로이드성 소염제를 사용할 수 없을 때 사용될 수 있다.

요산 생성에 관여하는 xanthine 산화 효소(xanthine oxidase)를 억제하여 요산 생성을 감소시키는 알로퓨리놀은 신부전이 있는 환자나 요산 결석이 있는 경우에 사용할 수 있는 효과적인 약물이다. 알로퓨리놀의 가장 심한 부작용으로 독성 표피 괴사 용해, 전신성 혈관염, 골수 억제, 육아종성 간염, 신부전 등이 있다는 점을 주의해야 한다. 최근 요산 생성 억제제로 개발된

febuxostat은 알로퓨리놀 과민 반응과 교차 반응이 없고, xanthine 산화 효소를 선택적으로 차단하여 효과가 강하고, 하루에 한번 80 mg만 복용하는 편리성이 있어, 알로퓨리놀을 사용할 수 없는 환자에게 안전하고 효과적인 약물로 사용될 수 있다.

요산 요배설제로 probenecid나 sulfinpyrazone이 개발되었으나, 신장 기능이 저하된 환자에서 사용할 수 없고, 요로결석과 같은 부작용이 발생하여 널리 사용되지 못했다. 이후 benzbromarone은 신기능 저하 환자에서 사용이 가능하나 치명적인 간독성이 발생할 수 있어, 주의를 요한다. Lesinurad는 요산의 선택적 재흡수 억제제로서 최근 미국 FDA에서 허가를 받아 사용되고 있다.

통증의 발작 사이(간헐기)와 만성 결절성 통풍의 치료는 혈청 요산 농도를 5.0 mg/dL 이하로 낮추어 반복적인 통풍 발병을 예방하고 결절 침착을 제거하는 것을 목적으로 한다. 콜치신, 요산요 배설제, 요산 생성 억제제 등이 사용되며 이는 체중조절, 저퓨린 식사, 수분 섭취 증량, 음주 제한, 이뇨제 사용 회피 등의 방법으로 고요산혈증이 교정되지 않는 경우에 실시한다.

만성 결절성 통풍 시기에는 골관절의 파괴를 막고 변형을 방지하기 위하여 통풍성 결절조직의 수술적 제거를 시행할 수도 있다. 그러나 일단 관절이 파괴되면 관절 고정술, 절제 관절성형술 등 관절의 안정화를 시도할 수 있으며, 심한 경우 관절치환술도 고려할 수 있다.

2) 가성 통풍

(1) 원인 및 발병 기전

관절 연골내 칼슘피로인산염(CPPD) 침착에 의한 석회증의 원인은 확실치 않다. 다만, 환자의 80% 이상이 60대 이상이고, 70% 이상의 경우 과거 관절 손상이 있었던 것을 보아 노화 현상에 의한 것으로 추측되고 있다. 노화에 따른 관절염에 있어 ATP 피로인산염가수분해효소와 5-뉴클레오티다제의 활성도가 증가되어 피로인산염의 생성이 증가, 유전 질환과 동반

된 세포막 단백질 변이, 그리고 연골세포 분화 과정의 변화와 염증과 산화 자극 등 복잡한 상호작용을 통해 석회 침착이 발생하는 것으로 알려져 있다. 피로인산염이 기질 소포(vesicle) 안이나 콜라겐 섬유 위에서 칼슘과 결합하여 미세 결정을 형성하거나, 결정핵의 생성을 억제하고 조절하는 연골 글루코스아미노글리칸(glucosaminoglycan)이 감소하여 결정 침착이 증가될 수 있다. 이처럼 관절강 안으로 칼슘 피로인산염 결정이 분비되면 중성구가 결정을 탐식하고 염증물질을 분비하게 되며 또한 다른 중성구의 화학 주성(chemotaxis)을 일으키는 당펩티드(glycopeptide)를 분비하여 더욱 염증이 악화된다. CPPD 관절병증의 급성 발작은 외상 또는 다른 대사성 질환, 즉 갑상선 저하증이나 부갑상선 항진증이 관련이 있으며, 히알루론산의 주사 등에 의해 유발될 수 있고, 심한 내과질환을 앓을 때나 수술 후(특히 부갑상선 절제술)에 혈청 칼슘 농도가 급격하게 떨어진 경우에도 발병할 수 있다.

(2) 임상 소견

증상의 유무와 관계없이 연골석회증(chondrocalcinosis)의 유병률만을 조사하였을 때 남성보다 여성에서 흔하며 연령이 증가할수록 증가하여 65-74세 사이에는 15%, 75-84세에서는 36%, 84세 이상에서는 절반 정도에서 관찰된다고 한다. 무증상, 급성, 아급성, 만성이거나, 또는 만성으로 침범된 관절에 겹쳐서 급성 활액막염을 일으키기도 한다. 심한 통증, 부종, 압통, 발적 등이 수 주일간 계속되기도 하며, 재발되기도 한다. 슬관절이 약 1/2에서 침범되며, 다른 호발 부위로 수부 및 수근 관절, 어깨, 발목, 팔꿈치, 척추 연골의 섬유윤 등과 함께 고관절과 고관절의 비구순, 치골 결합 등도 침범할 수 있다. 임상 양상이 서서히 진행하는 퇴행성 골관절염 등의 증세를 나타내기도 하며 이때는 진단이 더욱 어렵게 된다. 만약 방사선 사진상 관절 연골을 따라서 석회성 고음영 침착이 있으면(연골석회증) 진단적 확실성이 커진다(그림 8). 확진은 활액 또는 관절 조

직에서 전형적인 결정을 관찰하여야 한다(표 5). 급성 가성 통풍의 경우 활액은 염증 소견을 보이는데, 백혈구

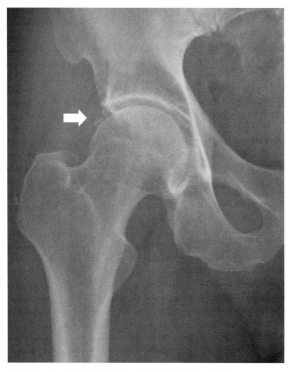

그림 8 우측 고관절 비구순에 발생한 연골석회증

수치는 수천 /mm³에서 100,000 /mm³까지 나타날 수 있고, 호중구가 주된 세포로 관찰된다. 편광 현미경 검사에서는 대개 세포외액과 중성구 안에 간상 또는 장사방형(rod and rhomboid shape)의 약한 양성 또는 음성의 이중굴절성(weak positive or no birefringent) 결정이 보인다. 대부분 감염의 가능성을 배제하기 위해 미생물 배양 검사를 필수적으로 해야 한다.

(3) 치료

증상이 없는 경우는 치료하지 않는다. 급성 발작을 치료하지 않으면 수일에서 수개월까지 증상이 지속될 수 있다. 대개 경구용 비스테로이드성 소염제를 사용하거나 관절 삼출액의 천자 및 스테로이드의 관절강내 주사로 반응을 잘하는 것으로 되어 있다. 심한 다발성 관절염 발작의 경우에는 대개 단기간의 경구용 스테로이드가 필요할 수도 있으며, 콜치신의 정맥내 주사는 고령의 환자에서 위험성이 있기 때문에 추천되지는 않으나 가성 통풍이 자주 재발되는 환자에서는 예방적으로 저용량의 콜치신을 매일 사용하는 것은 발병 횟

표 5. 가성 통풍의 진단 기준

진단 기준
I. 방사선 사진에서 특징적인 회절분말패턴(diffraction powder pattern)을 보일 때, 확진 목적으로 시행한 조직 검사나 활액 검사에서 칼슘피로인산염(calcium pyrophosphate dehydrate) 결정 확인
II. A. 편광 현미경 검사에서 약한 복굴절성을 보이는(혹은 복굴절성이 없는) 단사정계(monoclinic)나 삼사정계(triclinic)의 결정 확인
B. 방사선 검사에서 전형적인 석회화 존재: 섬유연골이나 관절 연골, 관절막에서 보이는 점상 혹은 선형의 석회화(특히 양쪽에 대칭적인 경우 진단적 확실성이 커짐)
III. A. 슬관절이나 다른 큰 관절의 급성 관절염
B. 슬관절, 고관절, 수근관절, 중수관절, 주관절, 견관절, 중수수지관절에서 급성 악화를 동반한 만성 관절염

진단 분류
A. 확진: 진단 기준 I이나 IIA를 만족하는 경우
B. 추정: 진단 기준 IIA나 IIB를 만족하는 경우
C. 의심: 진단 기준 IIIA나 IIIB를 만족하는 경우 칼슘 피로인산염 축적 질환을 의심해 볼 수 있음

수를 줄이는 데 도움이 된다고 알려져 있다. 불행하게
도 연골과 활액막에서 칼슘피로인산염 결정 침착을 완
전히 제거하는 수술적 치료는 없으나 고관절의 관절염
환자에 있어 연골석회증이 동반되어 증상이 심한 경
우 경구 치료 약제와 함께 수술적 치료로 관절내 변연
절제술과 세척술은 시도해 볼만한 치료 방법이다. 드
물게 고관절의 파괴가 심한 경우는 고관절 전치환술의
적응증이 되기도 한다.

4. 신경병성 고관절

1) 원인 및 발병 기전

신경병성 고관절(Charcot neuropathic hip joint or
Charcot hip joint)은 1868년 척수 매독 환자에서 Jean-
Martin Charcot에 의해 처음 기술되었으며, 통증 감각
이나 고유 감각(proprioception)이 상실되어 관절에 가
해지는 반복적인 외상으로 연골 및 골 손상이 초래되
는 진행성 관절병증이다. 대부분 한 관절을 침범하며
슬관절, 고관절, 주관절, 수근 관절, 족근 관절의 순
서로 빈번히 침범된다. 오늘날 하지의 신경병성 관절
의 가장 흔한 원인은 당뇨병이며, 그 외의 원인 질환으
로 척수 매독, 척수 공동증(syringomyelia), 선천성 무
통증, 이분 척추증(spina bifida), 척수염, 수막 척수류
(myelomeningocele) 같은 선천성 형성 부전증, 척수의
손상이나 종양, 진행성 근 위축증, 뇌졸중에 합병된 전
신 마비, 아밀로이드 신경병증(amyloid neuropathy),
알콜 중독에 따른 이차적인 말초신경병증, 비타민 결
핍증, 독성 신경염, 신장 이식후의 위축과 관절강내 스
테로이드 주사 등이 있다. 신경병성 관절증을 'D's'로
debri, destruction, dislocation과 no demineralization
으로 정리할 수 있다. 이렇게 비후와 흡수의 병리 소
견이 공존하는 것을 바탕으로 두 가지 이론으로 병인
을 설명하고 있다. 첫째는 심부 통각, 고유 감각, 신경
근육 반사 등이 소실되어, 이환된 관절이 인대 파열과
골절 등의 반복된 외상을 받기 쉬워 관절 연골과 주위

골조직이 파괴된다는 신경 외상 이론(neurotraumatic
theory)이다. 둘째는 비정상적인 자율신경계가 관절 내
의 혈류를 증가시켜 골흡수를 일으킨다는 신경혈관 이
론(neurovascular theory)이다. 그러나 신경병증을 가진
소수의 환자에서만 신경병성 관절이 발생하는 이유는
아직 확실하지 않다.

2) 임상 소견

이환된 관절은 종창과 심한 불안정을 나타내나 통증
이 없는 것이 특징이다. 골의 과성장과 활막 삼출액으
로 인해 관절 비후, 관절내 유리체 촉지, 관절 불안정,
아탈구, 마찰음 등이 관찰될 수 있다. 통증의 정도는
관절 침범 정도에 비해 덜하고 골극이나 골절로 인해
급작스러운 통증이 발생할 수 있다.

초기에는 진단이 어려우나, 정확한 병력 청취를 바탕
으로 방사선적 소견과 함께 자세한 신체 검사가 필수적
이다. 고관절에 종창, 불안정, 무통의 3가지 주요 증상
이 있을 때 일단 의심해야 한다. 방사선 소견은 초기에
는 관절 간격의 협소, 연골하골의 경화, 골극 형성, 관
절 삼출액 등의 골관절염의 소견을 보이고, 병이 진행
함에 따라 심한 골 파괴, 관절 가장자리 골의 이상 비
후, 심한 연골하골의 경화증, 골흡수, 골절, 거대 골극,
관절외 골편과 아탈구 등의 소견을 보인다. 또한 관절
은 불안정하며 인대의 과다 이완이나 관절강내 관절액
과다 축적 등이 나타난다. 신경병성 관절의 소견은 심
한 골관절염에서 관찰되는 소견과 유사하다. 관절내 연
골의 파괴와 소실, 관절 변연부의 골극 형성, 병의 진행
에 따른 관절 표면의 미란, 골절, 부골 형성, 관절내 유
리체 형성 등을 볼 수 있으며, 활액막에서 연골하골의
골편들이 관찰된다(그림 9). 무엇보다 중요한 것은 각 원
인 질환에 대한 진단이다. 신경병성 고관절과 감별해야
할 질환으로는 골수염, 골괴사, 진행된 골관절염, 피로
골절, CPPD 유발 관절염 등이 있다.

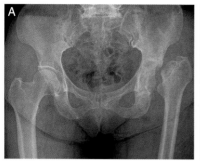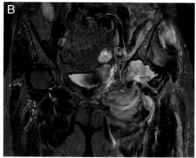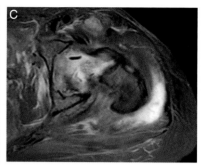

그림 9. 척수 매독환자에 있어 신경병성 고관절의 영상 검사
(A) 방사선 검사에서 좌측 대퇴골두와 비구의 심한 골흡수로 인한 아탈구 및 고관절 주변 연골하골의 경화 소견이 보인다.
(B), (C) T2 강조영상에서 대퇴골두와 골반골의 광범위한 골흡수 및 골파괴가 관찰된다.

3) 치료

신경병성 고관절 치료에 있어서도 가장 중요한 것은 각 원인 질환에 대한 확실한 진단에서 시작한다고 할 수 있다. 그 이유는 원인 질환의 치료가 신경병성 고관절의 진행을 완화시킬 수 있기 때문이다. 즉 척수 매독의 경우 항매독 치료를, 당뇨병에는 당뇨 치료를 병행하는 것이 중요하다. 그러나 원인 질환을 성공적으로 치료하여도 이미 이환된 고관절의 감각을 회복시키는 방법은 없으므로 보조기 등을 착용하여 외부 자극으로부터 보호하여 더 이상의 관절 파괴를 방지하는 관절의 안정화가 치료의 최선의 방법이며, 일반적으로 수술적 치료는 제한적으로 시행된다. 고관절 통증과 불안정성이 심하여 일상 생활에 지장이 많은 경우 비후된 활액막의 철저한 변연 절제, 신중한 골표면의 조작, 튼튼한 내고정과 수술 후의 적절한 보조기 등의 원칙에 따라 고관절 유합술을 시도해 볼 수 있다. 그러나 신경병성 관절병증은 골단부가 경화되어 있고 수술 후에도 외상에 대한 완충 능력이 부족하여 불유합을 대부분 초래하며, 실패율이 거의 100%에 육박하는 것으로 알려져 있다. 고관절 전치환술 또한 성공적인 치료가 일부에서 보고된 바가 있지만 대부분 지속적인 탈구와 조기 골용해와 해리 등 실패율이 높아 일반적으로는 금기로 간주되고 있다. 필요하다면 절제 관절성

형술이 신경병성 고관절에 있어 비교적 실행 가능한 수술적 치료로 고려될 수 있다.

5. 건선 고관절염

1) 원인 및 발병 기전

건선 관절염은 건선과 동반하여 발생하는 만성 염증성 관절염으로 건선 환자의 약 20%에서 발생한다. 관절염은 척추염과 말초 관절염이 주로 발생하고, 비대칭적인 침범이 특징적으로 고관절에도 이환될 수 있다. 고관절에 침범한 건선 관절염 환자는 평균 30대로 알려져 있으며, 전체 건선 환자의 7% 미만으로 알려져 있으며, 양측 고관절을 이환하는 비율은 약 60% 정도로 알려져 있다. 그러나 최근 전향적 코호트 연구에서 건선이 30세 이전에 발병한 경우 건선 고관절염이 발생할 빈도가 현저히 증가하였고, 건선 관절염은 약 20−30%에서 천장관절염 또는 척추염을 초래하는데 이 중 약 80%에서 고관절의 건선 관절염을 유발하는 것으로 나타나 중축 골격(axial skeleton)을 침범할수록 고관절을 침범할 위험도는 증가하는 것으로 파악되고 있다. 성별 간의 차이는 없고, 지염이나 원위지관절 침범 유무, 건선의 피부 병변이 나타난 후 관절 침범을 보였던 기간, methotrexate나 sulfasalazine 등의 치료 유무 등도 건선 고관절염의 발생 빈도는 관계가 없는 것으로 나타났다.

2) 임상 소견

주로 건선 환자에서 발생하여 피부 질환을 동반하는 경우가 많고, 천장관절염 또는 척추염을 초래하여 중축 골격의 침범이 동반될 수 있다. 혈청학적 검사상 2-10% 환자에서 류마티스 인자가 나타날 수 있고, 항 CCP 항체도 10%에서 관찰될 수 있다. HLA-B27은 축성 질환이 있는 환자의 50-70%에서 양성으로 나타나며, 말초 관절염만 있는 경우 20% 이하에서 양성 소견이 관찰된다. 방사선 소견은 골의 미란 및 증식성 변화에 의한 특징적 소견이 관찰되는데, 고관절의 경우 축성 또는 중심성으로 관절 간격이 감소되고 골극의 형성이 특징적으로 관찰될 수 있다. 또한 천장관절염, 척추증 등의 종축 골격의 침범 소견을 흔히 관찰할 수 있다. 진단은 2006년 건선 관절염의 분류가 제정되었으며, CASPAR 진단 기준은 민감도와 특이도가 매우 높아 조기 진단으로 유용하다(표 6).

3) 치료

건선 관절염의 치료제로 다양한 약제가 사용될 수 있는데, 척추와 말초 관절염이 있는 경우 비스테로이드성 소염제와 필요에 따라 스테로이드가 처방되며, methotrexate의 사용은 아직 연구가 부족하다. 다른 치료로 제시되는 sulfasalazine은 건선 관절염의 임상 증상은 호전시킬 수 있으나, 관절의 변형은 막지 못하고, cyclosporine과 leflunomide는 치료에 효과를 본다는 보고도 있다. 최근에는 항TNF 제제는 상당한 치료 효과를 보이며, IL-17 억제제인 secukinumab과 IL-12/23 p40 억제제인 ustekinumab, Janus kinase 3 억제제도 건선에 효과가 있어 건선 관절염 치료에 도입되고 있

다. 고관절의 관절 파괴가 심한 경우는 고관절 전치환술을 시행하게 된다. 전향적 코호트 연구 결과에 따르면 건선 환자 중에서 고관절이 침범되는 경우는 드물지만, 일단 건선 고관절염이 발생하면 5년 이내에 절반이 고관절 전치환술을 받게 된다고 한다. 따라서 젊은 연령층에서 발생한 건선 환자 또는 건선 천장관절염이나 척추염 진단을 받은 환자에서는 고관절 이환 여부를 주의 깊게 검진할 필요가 있다. 환자들이 건선 피부 질환 치료를 위해 장기간 스테로이드를 복용한 경우가 흔하기 때문에 고관절 전치환술을 시행할 때에는 수술 부위의 피부 상태를 확인해야 하며, 수술 후 감염의 위험성이 높기 때문에 수술 전 예방적 항생제의 사용에 대해서도 고려해야 한다.

표 6. 건선 관절염의 진단 기준(CASPAR)

		점수
1	건선의 증거*	
	현재 건선이 존재	2
	건선의 과거력	1
2	건선형 손발톱이상증	1
	오목증, 손발톱박리증, 손발톱밑 각화과다증	
3	류마티스 인자 음성	1
4	손발가락염(현재 혹은 과거력)	1
	하나의 손발가락 전체가 부어있음	
5	방사선적 증거	1
	손, 발의 단순 방사선 사진에서 관절 주위 신생 골형성	

위 기준을 충족하기 위해서는 염증성 관절 질환이 반드시 존재하고 위 항목에 근거한 점수의 합이 3점 이상이어야 한다.

* 현재 건선이 존재하면 2점, 건선의 과거력은 1점

참고문헌

1. 김인 등. 강직성 척추염에서 시행한 고관절 치환성형술. 대한고관절학회지. 1992;4(1):18-27.

2. 김태환 등. 강직성 척추염의 병인, 대한류마티스학회지. 2005;12(3):163-72.

3. 노영희. 류마티스 관절염에서 항CCP 항체의 임상적 의의. 대한내과학회지. 2006;71:593-9.

4. 대한류마티스학회. 류마티스학. 군자출판사; 2014

5. 대한정형외과학회. 정형외과학. 제6판. 최신의학사; 2006;248-252.

6. 박남규, 김우규, 신동혁. 두 지역사회에서 골관절염 및 류마티스 관절염의 유병률. 대한류마티스학회지. 2003; 10:151-7.

7. 박용범. 류마티스 관절염의 치료 동향과 지침. 대한내과학회지. 2009;76:18-24.

8. 배상철. 강직성 척추염의 임상적 분석. 대한류마티스학회지. 1994;1(1):13-8.

9. 석세일 등. 정형외과학. 6판. 대한정형외과학회, 2006.

10. 손성근, 민병현. 정형외과학. 6판, 232-248.

11. 송욱. 최근 조명된 류마티스 관절염의 병태생리. 대한내과학회지. 2009;76:1-6.

12. 원예연. 류마티스 관절염에서의 인공 고관절 치환술. 대한고관절학회지. 2005;17:107-14.

13. 유명철 등. 대한류마티스학회지, 강직성 척추염 환자에서 시행한 고관절 전치환 성형술. 1994;1(1):23-32.

14. 최일용. 류마티스 관절염에서의 인공 고관절 전치환 술. 대한고관절학회지, 1999;11:55-7.

15. 허민, 신동혁, 김태환. 강직성 척추염의 치료. 대한 류마티스학회지. 2006;13(1): 1-9.

16. Aletaha D, Smolen JS. Diagnosis and Management of Rheumatoid Arthritis: A Review. JAMA. 2018;320: 1360-72.

17. Bates TA, Renner JB, Jonas B.L. Pathologic fracture of the hip due to severe gouty arthritis. J Rheumatol. 2006;33(9):1889-90.

18. Becker MA, Schumacher HR, Espinoza LR, et al. The urate lowering efficacy and safety of febuxostat in the treatment of the hyperuricemia of gout: the CONFIRMS trial. Arthritis Res Ther 2010;12:R63

19. Callaghan JJ, Rosenberg AG, Rubash HE. The Adult Hip 2nd ed. Philadelphia: Lippincott Williams & Wilkins; 2007.

20. Canale ST . Campbell's Operative Orthopaedics. 10th ed. Philadelphia: Mosby; 2003.

21. Canale ST . Campbell's operative orthopedics, 10th ed. 2003.

22. Canale ST. Campbell's Operative Orthopaedics. 10th ed. Philadelphia: Mosby; 2003.

23. Chapman MW. Chapman's Orthopaedic Surgery. 3rd ed. Philadelphia: Lippincott Williams & Wilkins;2001.

24. Courtney P , Doherty M. Joint aspiration and injection and synovial fluid analysis. Best Pract Res Clin Rheumatol. 2009;23(2):161-92.

25. Dabov GD. Campbell's Operative Orthopaedics. 11th ed. 2008;988-992.

26. Daniel A, et al. 2010 Rheumatoid Arthritis Classification Criteria. Arthritis & Rheumatism. 2010;62:2569-2581.

27. Firestein GS, Budd RC, Harris Jr ED, et al. Kelly's Textbook of Rheumatology. 8th ed. Philadelphia: Saunders Elsevier;2009.

28. Goldman AB, DiCarlo EF . Pigmented villonodular synovitis. Diagnosis and differential diagnosis. Radiol Clin North Am. 1988;26(6):1327-47.

29. Hamilton LC, Biant LC, Temple LN, et al. Isolated pseudogout diagnosed on hip arthroscopy. J Bone Joint Surg Br. 2009;91(4):533-5.

30. Harhess JW, Crockarell JR. Campbell's Operative Orthopaedics. 11th ed. 220:369-372.

31. Javier RM, Sibilia J, Hauber M, et al. Destructive gouty arthritis of the hip. Rev Rhum Engl Ed. 1997;64(4):279-80.

32. Kasper Dl, Brauwald E, Fauci AS, et al. Harrison's Principles of Internal Medicine. 16th ed. New York:

Mcgraw-Hill;2005.5.

33. Kelvin TK. Epidemiology and burden of illness of rheumatoid arthritis. Phamacoeconomics. 2004;22:1-12.

34. Martinet P, Lebreton C, Heinzleff O, et al. Neuropathic arthropathy: a forgotten diagnosis? Two recent cases involving the hip. Rev Rhum Engl Ed. 1999;66(5):284-7.

35. McCarty DJ. Crystals and arthritis. Dis Month. 1994;6:255.

36. Michet CJ, Mason TG, Mazlumzadeh M Hip joint disease in psoriatic arthritis: risk factors and natural history. Ann Rheum Dis. 2005;64(7):1068-70.

37. Murphey MD, Rhee JH, Lewis RB, et al. Pigmented villonodular synovitis: radiologic-pathologic correlation. Radiographics. 2008;28(5):1493-518.

38. Neogi T, Jansen TL, Dalbeth N, et al. 2015 gout classification criteria: an American college of rheuma-tology/ European league against rheumatism collaborative initiative. Arthritis Rheumatol 2015;67:2557–2568.

39. Newberg AH, Newman JS. Imaging The Painful Hip. Clin Orthop. Relat Res. 2003;406:19-28.

40. Parhami N, Feng H. Gout in the hip joint. Arthritis Rheum. 1993;36(7):1026.

41. Primer. Rheumatic disease. 13th ed. 2008;114-141.

42. Rosenberg WW, Schreur BW, de Waal malefit MC, Veth RP , Slooff TJ. Impacted morsellized bone grafting and rheumatoid arthritis: an 8- to 18-year follow-up study of 36 hips. Acta Orthop scand. 2000;71:143146.

43. Schellekens G, Visser H, de Jong B. The diagnostic properties of rheumatoid arthritis antibodies recognizing a cyclic citrullinated peptide. Arthritis Rheum. 2000;43: 155-163.

44. Steinbach LS. Calcium pyrophosphate dihydrate and calcium hydroxyapatite crystal deposition disease: imaging perspectives. Radiol Clin N Am. 2004;42:185-205.

45. Taurog JD, Chhabra A, Colbert RA. Ankylosing Spondylitis and Axial Spondyloarthritis. N Engl J Med, 2016;375:1303.

46. Taylor W, Gladman D, Helliwell P, et al. Classification criteria for psoriatic arthritis. Development of new criteria from a large international study, Arthritis Rheum 2006;54:2665-73.

47. Wallace SL, Robinson H, Masi AT, et al. Preliminary criteria for the classification of acute arthritis of primary gout. Arthritis Rheum. 1977;20:895-900.

48. Wise CM. Crystal-Assoicated Arthritis in the Elderly. Rheum Dis Clin N Am. 2007;33:33-55.

CHAPTER

6 감염
Infections

고관절의 감염은 과거에 비해 정형외과 영역에서의 비중이 크게 줄어들었지만 여전히 드물지 않게 발생하고 있다. 낮은 빈도에 따른 경험 부족, 면역력 저하에 따른 비전형적인 증상과 치료에 대한 반응, 항생제에 대한 내성 증가 등이 진단과 치료에 어려움을 초래하고 있다. 세균의 감염은 모든 관절에서 발생할 수 있지만 체중 부하 관절에서 흔히 발생하며 고관절은 슬관절 다음으로 자주 이환되어 전체 화농성 관절염 중의 13%를 차지한다. 1990년대 보고에 의하면 감염성 고관절염으로 인한 성인 사망률이 13% 정도로 상당히 심각한 질환임을 알 수 있다.

1. 발생 기전

골단판이 열려 있는 소아기에는 골간단의 폐쇄형 동맥들이 혈류가 느리고 세균이 번식하기 좋은 구조를 가지고 있고 골간단의 감염이 골간단 혈관의 일부와 골단 혈관이 형성한 문합(vascular anastomosis)을 통해 관절내로 파급된다. 성인은 골단판이 폐쇄되어 있고 골간단과 골단판 사이의 혈관 문합 또한 닫혀져 있으므로 혈행성 감염에 대한 저항력이 소아에 비해 강하지만 여전히 고관절 감염을 일으키는 가장 흔한 경로이다. 균혈증을 초래하는 흔한 원인으로는 요로감염, 폐렴, 게실염, 심막염 그리고 피부감염 등이 있으며, 일반적으로 세균들이 혈류를 타고 활액막에 있는 동맥과 모세혈관을 통해 직접적으로 들어온다. 동맥 혈류뿐만 아니라 역행성 정맥 혈류를 통해 세균이 유입될 수 있다. 고관절로부터의 정상적인 정맥흐름은 방광, 직장, 전립선, 자궁 주위의 Batson plexus로 들어가는 것인데, Batson plexus은 판막이 없어 역행성 흐름이 가능하고, 이를 따라 세균이 고관절로 전파된다.

고관절의 외상, 진단 및 치료적 시술 등에 의해서도 세균이 직접 주입되어 감염이 발생할 수 있다. 인공 관절 치환술, 고관절 세침흡인 검사, 그리고 스테로이드 주사 등이 흔한 원인이며, 혈관 조영술 시 대퇴혈관 천자는 간혹 의도하지 않게 고관절 관절낭을 뚫게 되고 그로 인한 이차적인 의인성 감염을 일으킬 수 있다.

고관절에서 가까운 곳 또는 먼 곳에 있는 체내 감염이 직접 전파될 수도 있다. 후복막 그리고 복강내 농양은 장요근건을 통해 고관절로 전파될 수 있다. 또한 장대퇴인대와 치대퇴인대 사이는 관절낭이 가장 얇은 부분으로 세균이 침투하기 쉬운 부분이다. 장요 점액낭은 정상인의 약 15%에서 고관절과 직접적으로 소통하고 있어, 점액낭이나 그 주위의 농양(iliopsoas abscess)이 고관절내 감염으로 이어지기도 한다. 드물기는 하지만 욕창, 항문열상을 동반한 골반골절, 생식요로계의 손상, 스텐트 삽입으로 인한 요도손상, 장-고관절 누공이 있는 크론병, 그리고 파열한 게실염 등에서도 직접 전파가 일어날 수 있다.

2. 원인균

황색포도상 구균이 세균성 고관절염를 일으키는 가장 흔한 원인 원인균으로 40-75% 정도 차지하며,

연쇄구균이 다음으로 흔하다. 또한 젊고 활동적인 연령대에 있어서 세균성 관절염의 가장 흔한 원인은 임질균이라고 알려져 있으나 고관절에서의 감염은 드물다. 그람 음성균들의 감염이 증가하고 있어서 고관절 감염의 12% 정도까지 보고되어 있는데, 균주로는 *Pseudomonas* species, *Escherichia coli*, *Salmonella* species, *Klebsiella* species, *Enterobacter* species, 그리고 *Proteus species* 등이 있다. 이러한 그람 음성균들에 의한 감염일 경우 예후가 더 나쁜 것으로 알려져 있다. 다른 흔한 병인균으로는 *Haemophilus influenzae*, *Campy-lobacter* species, *Listeria* species 그리고 *Branhamella* species 등이 있으며, *Bacteroides fragilis* 와 *Bacteroides melaninogenicus* 같은 혐기성 세균은 배양기술의 발달과 더불어 면역력이 감소된 환자에서 발생률이 증가하고 있어 따로 분류되고 있으며, 혐기성 세균에 의한 감염은 모든 세균성 관절염의 5% 정도를 차지하는 것으로 알려져 있다.

결핵균(*Mycobacterium tuberculosis*) 감염은 드물지만, 최근 폐결핵의 증가와 더불어면역력이 감소된 환자군에서 발생률이 증가하고 있다. 그러나 비전형적인 결핵균 감염은 극히 드문 것으로 알려져 있다.

고관절의 진균 감염은 대부분 *Candida*에 의해 발생하지만, *Cryptococcus*와 *Coccidioides* 등도 발견된다. 매독균(*Treponema pallidum*) 또는 라임병(*Borrelia burgdorferi*) 같은 spirochetes 종들에 의해서도 감염성 고관절염이 발생할 수 있다. 매독균은 보통 3차 매독으로 인해 신경병성 관절병증(neuropathic arthropathy)을 초래하며 이로 인해 간접적으로 고관절의 파괴를 만들어 낸다. 바이러스는 세균성 고관절염과 비슷한 증상을 보이는 일과성 활액막염(transient synovitis)을 일으킬 수 있으며, 대부분의 경우에서는 수술적 치료를 요하지는 않는다.

3. 병태생리

활액막은 혈관이 풍부하고 투과성이 높은 결체조직으로 관절을 덮고 있다. 활액막이 투과성이 높은 것은 모세혈관 제한막(capillary-limiting membrane)이 없기 때문인데 이 모세혈관을 통해 혈장이 초여과(ultrafiltrate)되어 관절 활액이 생산된다. 관절 활액은 관절 연골에 영양분을 공급하고 관절 연골로부터 노폐물을 제거하는 역할을 한다. 관절 활액의 정상적인 생산 및 흐름이 방해 될 때는 관절과 연골의 파괴가 초래된다. 연골세포는 감염에 있어서 방어적인 역할을 하고 있으며, 그람 음성균들을 만났을 때 디펜신(defensin)이라는 단백질을 생산해낸다.

혈행성으로 도달한 세균은 활액막에 정착하고 관절에 침투하게 된다. 관절 내에서 세균이 빠르게 증식하기 시작하면 활액막에 염증세포가 침투하고, 면역 복합체가 형성되며 염증성 피브린성 삼출액(fibrinous exudate)이 생산된다. 피브린은 관절 연골에 부착하고, 영양분 교환을 방해하며, 또한 감염을 국소적으로 국한시킬 수 있다. 염증반응은 결과적으로 단백분해효소를 생산하게 되는데 효소로 인한 정상적인 영양분 및 노폐물 교환의 파괴는 관절 연골을 파괴시킨다. 노출된 연골하골은 골수염에 취약하게 되며 이는 특히 골괴사가 있거나 또는 진단이 지연된 경우에 나타나게 된다. 관절낭 역시 비슷하게 단백 분해 효소들에 의해 손상되어 연부조직 농양을 형성하게 된다. 감염의 결과로 드물게는 고관절이 아탈구되거나 탈구될 수도 있다. 관절내에 발생한 유착으로 인하여 결과적으로 주위 조직이 섬유화되고 골화되어 결국 고관절의 강직증을 초래하게 된다.

4. 유발 인자

국소적 또는 전신적인 많은 요소들이 고관절 감염을 유발할 수 있게 한다. 골관절염, 골괴사증, 혈우병, 혈청인자 음성 관절증(seronegative arthropathy), 이전의 외상, 겸상 적혈구 혈증, 관절강내 주사, 그리고 결정 유발 관절증(crystal induced arthritis) 등을 포함한 국소적인 관절 질환은 감염의 유발 인자로 작용할 수 있다. 혈우병과 외상은 손상된 혈관을 통해 쉽게 세균을 퍼지게 하는 혈관절증을 초래할 수 있다.

만성적인 전신 질환과 면역 결핍 및 저하는 임상적으로 고관절 감염의 발생률을 증가시킨다. 만성 질환으로는 당뇨, 알코올 중독, 간경화, 신부전, 악성 신생물, 전신 홍반성 루푸스, 류마티스 관절염, 영양결핍, 그리고 후천성 면역결핍증 등이 있다. 또한 스테로이드 치료, 항암 화학요법, 그리고 방사선 치료 등도 면역 저하의 원인으로 작용한다.

5. 진단

고관절 감염에 있어서 **빠른** 진단과 치료는 매우 중요하다. 이환율 및 사망률이 감염의 파급 정도와 관절의 파괴 정도에 의해 결정되기 때문이다. 진단은 임상 소견과 혈액검사 소견을 바탕으로 관절천자를 시행하여 균 도말 및 배양 검사로 가능하다. 급성기에 응급 배농을 요하는 경우에는 단순 방사선 사진 이외에 치료를 지연시킬 수 있는 다른 영상 검사들은 시행하는 데 있어 판단이 필요하다. 그러나 많게는 50%에 이르는 비전형적인 경과를 보이는 감염에서는 자기공명영상 검사 등이 필요할 수 있으며, 배농 후에도 발열이 지속되는 등 감염 조절이 미흡하다면 동반된 골수염이나 주위의 추가 농양 등의 확인을 위한 특수 영상 검사가 필요하겠다.

1) 임상 소견

환자에게는 최근 신체 다른 부위의 감염, 약물 중독, 알코올 중독, 또는 면역 저하를 일으키는 질병, 이전의 수술이나 침습적 시술 등 병력이 있을 수 있다. 전형적인 증상은 오한과 발열을 동반한 고관절의 심각한 급성 통증인데 임균 감염의 경우는 발열이 없는 것이 특징이다. 서혜부와 대퇴부 내측의 통증과 더불어 무릎의 방사통이나 연관통이 있을 수 있다. 통증으로 전혀 걷지 못하는 경우가 많으며 관절을 움직이면 통증이 악화되기 때문에 고관절의 용적이 넓어지는 굴곡, 외

전 및 외회전 자세를 취하게 되고 근경련이 동반될 수 있다. 고관절이 깊이 위치하기 때문에 둔부나 서혜부 등에 종창이나 발적, 압통은 미미한 것이 보통인데 이런 것이 있는 경우에는 근처의 연부조직 농양에서 감염이 파급되었을 가능성을 시사한다. 임균 감염의 경우 관련된 발적이 있을 수 있다.

통증이 급성으로 나타나지 않고, 잠행성으로 진행되면 진단은 늦어질 수 있고 이로 인해 이환률 및 사망률이 증가할 수 있다. 잠행성 경과를 보일 수 있는 경우는 1) 그람 음성균에 의한 감염, 2) 고령, 쇠약, 또는 면역 저하 등 감염에 대한 염증반응이 미약한 전신상태, 3) 결핵균이나 매우 드물지만 진균과 같은 비화농성 균에 의한 감염 등이 있으며, 4) 고관절 부근에서 관절내로 파급된 감염에서도 관절낭이 이미 열려 있어 관절 내압의 증가가 덜하기 때문에 통증이 미미할 수 있다. 또한 골괴사, 류마티스 관절염, 그리고 골관절염 등과 같이 이전의 고관절 병변으로 통증과 운동 제한이 있는 상태에서 감염이 발생할 경우 진단이 지연될 수 있다. 이러한 환자들에서는 갑작스러운 통증의 증가가 있는 경우, 감염의 가능성을 염두에 두어야 한다.

2) 영상 소견

기본적으로 필요한 것은 단순 방사선 사진으로 관절 간격의 좁아진 정도와 주위 골조직의 골수염의 동반 여부를 확인한다. 비전형적인 임상 양상으로 진단이 불분명하거나, 만성적일 경우에는 단순 방사선 사진 외의 다른 영상 검사로 관절내 삼출, 두꺼워진 연부조직, 관절 주위 농양, 또는 골수염 동반 여부 등을 확인할 필요가 있는데, 이러한 방법들에는 초음파, 자기공명영상, 전산화단층촬영 등이 있다.

(1) 단순 방사선 사진

단순 방사선 사진에서 길게는 2주까지 특별한 이상 소견이 관찰되지 않을 수 있는데, 연부조직 종창과 내측 관절 간격의 증가 등이 초기 소견일 수 있다. 내측

관절 간격은 관절내 삼출액이 있는 경우 증가할 수 있는데 화농성 관절염의 경우 퇴행성 질환이 없을 경우 건측과 비교해서 1 mm 또는 그 이상의 간격 증대를 보일 수 있다. 관절내 공기가 관찰되는 경우 그람음성 균에 의한 감염을 의심할 수 있다. 시간이 경과하면서 관절 연골이 소실되어 관절 간격이 좁아지고 연골하골의 침식과 흡수가 나타난다. 더 진행되면 대퇴골두와 비구골의 파괴가 뚜렷해지고, 심각한 경우에는 아탈구나 탈구가 관찰될 수 있다(그림 1).

결핵 및 진균 감염은 더 모호한 소견을 보인다. 이러한 비화농성 감염은 화농성 감염에 비해 초기 관절 연골의 파괴가 더디게 발생하며, 초기 소견상 단지 연부조직 종창만 보이며 관절 연골은 질병의 후반부까지 정상 소견을 보일 수 있기 때문이다. 비화농성 감염에 있어서도 질병의 후반기에는 농양 형성 및 골 파괴가 관찰된다.

(2) 초음파 검사

초음파 검사는 관절액을 탐지하는 데 매우 민감해서 1~2 ml 정도 되는 소량의 관절액도 비교적 정확히 발견할 수 있다. 고에코의 관절액과 두껍고 비후된 관절낭은 세균성 관절염을 시사하는 소견인데, 저에코의 관절액인 경우에는 상대적으로 세균성 관절염의 가능성이 떨어진다. 초음파 유도하에 관절 천자를 시도할 수 있는 것이 큰 장점 중 하나이다.

(3) 전산화단층촬영

초기에 농에 의한 관절낭의 팽창과 주위 연부조직의 종창을 관찰할 수 있으며, 조영증강을 통해 팽창된 관절막과 관절 근처에 형성된 농양 주머니를 확인할 수 있다(그림 2).

(4) 자기공명영상

연골 파괴 정도 및 인접 연부조직의 상태, 골 침범 정도 등을 가장 자세히 확인할 수 있는 방법이나 급성 감염 시 진단이 확실할 경우 꼭 필요한 검사는 아니다. 진단이 불확실하거나, 적절한 치료에도 호전이 안되는 경우 등에서는 유용한 정보를 얻을 수 있다(그림 3).

3) 혈액 검사

일반 혈액 검사상 혈색소는 대개 정상이나 경도의 빈혈 소견이 있을 수 있다. 백혈구는 많은 경우 수치와 다형핵구의 비율이 증가하는데, 수치의 증가 없이 다형핵구(polymorphonuclear leukocyte) 비율의 증가만

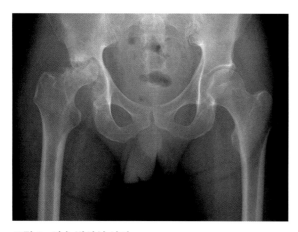

그림 1. 단순 방사선 사진
우측 고관절의 연골하골의 침식과 흡수가 진행되어 대퇴골두와 비구가 심하게 파괴되어 있다.

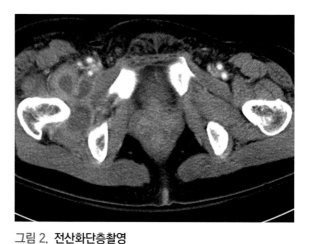

그림 2. 전산화단층촬영
우측 고관절의 관절막이 하부까지 팽창되어 있으며 주위 연부조직에 농양이 관찰된다.

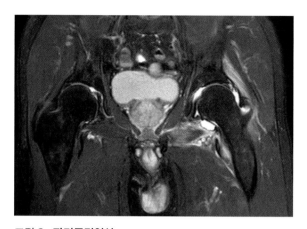

그림 3. 자기공명영상
좌측 고관절의 활액이 증가되어 관절낭이 팽창되어 있으며 주위 연부조직의 부종을 관찰할 수 있다.

있을 수 있다. 적혈구 침강계수(ESR)와 C 반응 단백 (CRP) 수치가 증가되는데 염증에 대한 비특이적인 지표이나 상대적으로 높은 민감도와 중등도의 특이도를

가지고 있고, 특히 CRP 수치는 치료 경과의 평가에 유용하다. 혈액 배양은 비임균 감염의 50%, 임균 감염의 20%에 양성을 나타내며, 요로생식계, 객담, 피부, 인후 등의 다양한 일차적 감염원에서의 배양도 세균 감별에 도움을 줄 수 있다.

4) 관절액 검사 및 배양

관절 흡인술은 세균성 고관절염의 진단에 있어서 단일 검사로는 가장 중요한 검사인데, 진단이 확실해지고 세균이 감별되면 적절한 항생제를 선택할 수 있기 때문이다. 관절액은 고관절에 18 gauge 이상의 척추 바늘 (spinal needle)을 삽입하여 흡인하는데 세 가지의 접근법이 주로 사용된다(그림 4).

방사선투시 혹은 초음파 유도 하에 보다 정확히 바늘을 삽입할 수 있는데, 정상적으로는 관절액이 거의 흡인되지 않는다. 흡인된 관절액의 양과 색깔, 점도 및

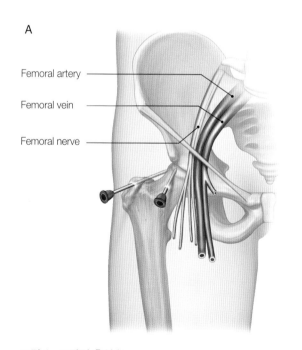

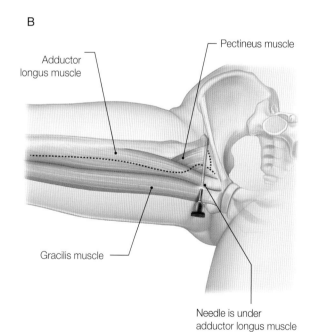

그림 4. 고관절 흡인술
(A) 외측 흡인술: 대전자 첨부 전하방에서 대퇴부에 45°로 바늘을 삽입하여 내측 및 근위부로 관절을 향하여 5–10 cm 진행한다. 전방 흡인술: 서혜인대에서 대퇴동맥을 촉진한 점에서 외측으로 2.5 cm, 하방으로 2.5 cm 되는 부위에서 45°로 바늘을 삽입한 다음 5–7.5 cm 내측 및 근위부로 진행한다. (B) 내측 흡인술: 환측 대퇴부를 굴곡 및 외전시킨 후 바늘을 장 내전근 하방에 위치시키고 대퇴동맥 하방으로 방사선투시기하에 대퇴골두 및 경부가 닿을 때까지 진행한다.

뮤신 덩어리(mucin clot) 생성 능력 정도를 확인하고 세포수 측정 및 단백, 당 및 젖산의 농도 측정을 위한 화학적 검사를 시행하며 미생물 도말 및 배양 검사를 시행한다. 정상적인 고관절에서 관절액은 1~2 ml 이하로 흡인되며, 깨끗하고, 볏짚 색깔을 띠며, 점도가 높고 견고한 뮤신 덩어리를 형성한다. 또한 전체 백혈구 수치는 0~200 /mm^3 정도로, 중성구는 10% 이하이다. 단백질은 2.5 g/dL 이하이고 당은 혈청 당과 동일한 수치를 보인다. 세균성 관절염 시 관절액은 보통 혼탁(turbid) 또는 육안상으로 고름 형태를 띄고, 점도는 감소하며 뮤신 덩어리 형성 또한 적다. 백혈구는 100~250,000 /mm^{3}까지 증가되고 90% 이상이 중성구이다. 단백질은 2.5 이상 8 g/dL까지 증가하며 당은 대략 90 mg/dL 이하로 떨어지고, 젖산은 혈장에 비해 증가한다. 그람 염색이 양성 소견을 보일 수 있으며, 비화농성 세균들은 약간 다른 소견을 보이는데, 염색 소견이 모호하다면 처음 배양 검사가 음성 일지라도 4~6주 정도 배양 검사 결과를 다시 확인해보아야 한다. 만약 임상적으로 세균성 관절염에 합당한 소견을 보이나, 배양이 음성이라면 활액막 조직생검을 시행하는 것이 좋다.

6. 치료

급성 세균성 관절염은 48시간 내에 비가역적 연골 손상이 발생하기 때문에 응급 질환으로 간주해야 한다. 항생제가 없던 시절은 환자의 2/3가 사망하였기 때문에 환자의 생존이 치료 목적이었으나, 오늘날에는 사망률이 훨씬 낮고, 치료 목표 또한 감염의 제거와 관절 기능의 보존으로 바뀌었으며, 이는 항생제, 관절 배액, 물리치료와 재활 그리고 재건 수술을 통해 가능해졌다.

관절 배액은 세균성 관절염의 치료에 있어서 주된 치료이다. 관절액의 배출은 염증성 삼출물의 제거와 관절내 압력 감소를 위해 꼭 필요하다. 감염된 염증성 관절액은 연골을 파괴시키는 많은 독소들과 단백분해효소를 포함하고 있다. 증가된 관절내 압력은 대퇴골두와 주위 구조물 사이의 혈액순환을 저하시키며, 골괴

사와 연부조직의 압괴(pressure necrosis)를 일으킬 뿐만 아니라 순환하는 항생제의 관절내 투과도 역시 감소시킨다. 반복되는 관절천자술, 관절경술, 또는 관절절개술들을 통해 관절 배액을 할 수 있다.

1) 급성 감염
(1) 항생제 치료
항생제는 관절액을 얻은 바로 직후부터 투여되어야 한다. 최초 항생제의 선택은 그람 염색결과에 따라 결정된다. 만약 *Streptococcus pneumonia*나 *Enterococcus species*와 같이 그람 양성균으로 쌍을 이루고 있으면 이는 penicillinase 저항성 penicillin (nafcillin) 또는 1세대 cephalosporine으로 치료를 시작한다. 반코마이신은 저항성을 가진 황색포도상 구균을 위해 남겨 놓는다. 만약 그람 양성의 연쇄상 구균(*Streptococcus*)인 경우 페니실린을 사용한다. 그람 음성 균일 경우 광범위 세팔로스포린(예: ceftriaxone)을 사용해야 하며, 배양 검사 결과를 기다리며 항생제 치료를 지연시키는 것은 현명하지 못한 일이다. 추후 배양 검사 및 항생제 감수성 결과가 나온다면, 특정 균주에 맞는 항생제로 바꾼다.

항생제 치료의 적정 기간은 일률적으로 정해져 있지 않다. 일반적으로 항생제는 비경구적으로 4주 이상 투여하는데, 관절내로 직접 투여하는 것은 화학적 활액막염(cheminal synovitis)을 유발하거나 연골세포에 독성을 보일 수 있어 권유되지 않는다. 광범위 절제술 후 항생제가 함유된 골시멘트 알을 삽입하는 방법은 국소적으로 항생제를 고농도로 유지할 수 있기 때문에 효과적인 방법으로 검증되어 있다.

보다 장기간의 항생제 투여가 필요한 경우가 있는데, 황색 포도상 구균, 그람 음성 균, 그리고 혐기성 세균에 의한 감염에서는 추가적으로 2주의 항생제 투여가 권장된다. 골수염이 동반된 경우 또한 6주 이상의 항생제 투여를 필요로 하며, 진균 감염일 경우 6~12주의 치료기간이 필요하다. 또한, 결핵균은 6~24개월 정도의 치료기간을 필요로 한다.

(2) 관절 배액

① **관절천자술:** 반복되는 관절천자술을 통한 배액과 세척으로 좋은 결과를 얻었다는 보고가 있기는 하나, 시술에 어려움이 있기 때문에 가장 좋은 배액 방법으로 추천되지는 않는다. 임질균과 같이 항생제 감수성이 좋은 세균이거나, 상대적으로 건강한 환자에서 조기 진단되어 2, 3회 반복만으로 충분할 것으로 판단되는 경우 시도할 수 있겠으며, 전신상태가 나빠 마취와 수술에 무리가 있는 경우에도 차선책이 될 수 있다.

② **관절경술:** 관절경을 통해 배액과 변연절제술을 시행한 후 폐쇄 배액관(closed drainage tube)을 삽입하는 것은 수술적 절개 배액만큼 효과적일 수 있는 것으로 평가되고 있다. Lee 등은 관절경을 이용하여 좋은 결과를 얻었다고 보고한 바 있으며, 화농성 고관절염이 의심되는 환자에서 응급 관절경 세척술을 이용하여 극적인 증상의 호전 및 염증의 완화를 얻었다고 보고하고 있다. 수술적 절개 배액보다 이환율이 낮고 빠른 재활을 가능하게 하는 장점이 있다(그림 5).

③ **절개 변연절제술:** 관절절개술(arthrotomy)은 배액과 변연절제술을 보다 확실하게 할 수 있고, 조직

생검 및 대퇴골두의 절제도 가능하여 현재 일반적인 치료법으로 받아들여지고 있다.

여러 가지 접근법을 통해 시행될 수 있는데 수술자의 성향이나 수술 후 재건과 피부 상태 등에 의해 결정된다. 후측방, 전측방 그리고 전방접근법 모두 절개 배액에 자주 사용되는 접근법이다. 후방으로 접근하는 경우에는 대퇴골두 골괴사 방지를 위해 내측 대퇴회선동맥이 다치지 않게 주의해야 한다.

관절낭은 절개와 절제 후 개방된 채로 놔두는 것이 좋으며, 수술 후 관절내 압력을 낮추는 역할을 한다. 상처는 개방해 둘 수도 있고 폐쇄 배액관을 삽입하고 봉합할 수도 있다. 수술 시 연부조직 농양이나 누관들은 모두 제거해야 한다.

2) 관절 파괴가 동반된 고관절 감염

이미 관절 연골이 심하게 소실된 경우에는 주위의 골조직의 감염과 감염 치료 후의 관절재건술을 동시에 고려하여야 한다. 가장 이상적인 것은 감염을 근절한 후 고관절 전치환술로 재건하는 것이나 항상 가능한 것은 아니고, 감염 치료 후 고관절 전치환술까지의 시간적 간격에 대하여도 술자마다 차이가 있다.

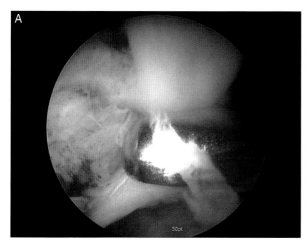
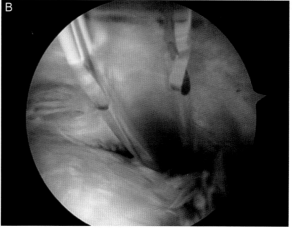

그림 5. 관절경을 이용한 변연절제술
(A) 관절경을 통해 변연절제술을 시행한 후, (B) 삽입구를 통해 배액관을 삽입하였다.

(1) 변연절제술

어떤 재건술을 택하든 배농과 더불어 변연절제술로 부골을 포함한 괴사조직을 철저히 제거하는 것이 무엇보다 중요하다. 관절의 형태학적 특성상 관절 밖으로 터져 나가 생긴 농주머니나 골조직내의 감염부위를 수술 시야에서 확인하기 어려운 경우가 많기 때문에 수술 전 자기공명영상 촬영을 시행하여 미리 병소의 위치를 확인하는 것이 필요하다. 이렇게 해도 불완전할 수 있어 반복적인 변연절제술이 필요할 수 있다. 따라서 수술 후 임상 증상, 배액의 성상 및 염증 지표들의 변화를 관심을 갖고 확인하여야 한다.

(2) 재건술

① **관절 유합술:** 과거 젊고 활동적인 환자에서 시행되었다. 그러나 관절 유합을 이루는 것이 쉽지 않고, 유합술이 감염 치유 성적을 높이는 것이 아니며, 관절치환술의 발달로 최근에는 젊은 사람에게도 시행되지 않고 있다.

② **절제 관절성형술:** 고령이나 다른 질병으로 면역력이 떨어져 있거나, 항생제 내성이 있는 독성이 강한 균에 의한 감염 혹은 골조직의 감염이 상당하여 충분한 절제가 필요한 경우 감염의 치료가 보다 확실하고 통증 완화에도 상당히 효과적인 방법으로 추후에 여건이 되면 고관절 전치환술로 전환이 가능하다(그림 6). 추가로 고관절 전치환술을 시행하지 못하더라도 고관절의 움직임이 유지되고 한쪽 지팡이나 목발을 사용한 보행이 가능한 경우가 많다.

고관절의 절제에도 불구하고 감염은 재발할 수 있는데, 특히 *E.coli*, *Pseudomonas*, *Proteus* 또는

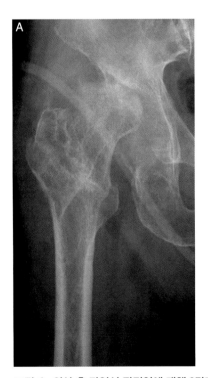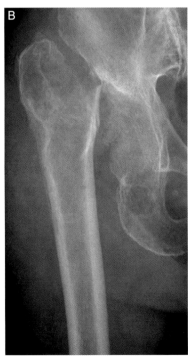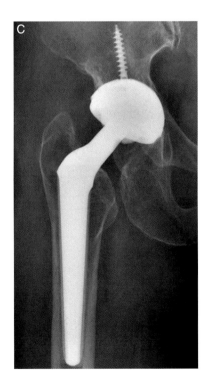

그림 6. 외상 후 감염성 관절염에 대해 2단계 고관절 전치환술
(A) 74세 여자환자로 외상 후 감염성 관절염으로 아탈구가 관찰된다. (B) 절제 관절성형술 후 (C) 2단계로 고관절 전치환술을 시행하였다.

연쇄상 구균 D에 의한 감염 때 그러하다. 감염이 지속될 경우 광범위 절제술(radical debridement)이 필요하며, 광범위 절제술에도 재발하는 경우에는 고관절 이단술, 외측 광근 판 개재(interposition of vastus lateralis muscle flap), 또는 의도적 방치(intentional neglect) 등을 시도할 수 있다. 그러나 관절 이단술은 상처 회복에 문제가 있을 수 있고, 심한 장애를 남기게 된다. 외측 광근 판 개재는 절제술 후 남은 사강을 혈류가 풍부한 근육으로 채워 감염 치유를 촉진시킨다. 의도적 방치는 감염의 근치를 포기하고 누공을 통해 농이 배출되는 상태에서 상처 관리만을 하는 것으로 누공을 통한 농의 배출은 멈춤과 재발 반복하고 장기적인 배출은 체액 단백 소실을 초래한다. 농이 멈춘 후 국소 발열이나 종창 등 다시 감염

의 활성 소견이 있음에도 누공이 다시 뚫리지 않는 경우에는 막힌 누공을 절개해 뚫어 주어야 한다. 전자부성형술(trochanteroplasty)은 절제 관절 성형술을 시행하고, 대전자부를 비구부에 위치시켜, 절제 후에 발생하는 고관절 불안정성을 막는 방법으로 보행이 가능한 환자에서 고려해 볼 수 있는 방법이다(그림 7).

③ **2단계 고관절 전치환술:** 유소년기에 화농성 고관절염을 앓고 재발 없이 지내다가 성인이 되어 고관절 전치환술을 시행하는 경우 감염의 재발은 드문 것으로 보고되어 있다. 그러나 감염을 치료 후 어느 정도의 시간 경과 후에 고관절 전치환술을 시행하여야 적절한지에 대해서는 다양한 견해가 있다. 감염 치료 후 경과 기간이 길수록 고관절 전치환술 후 감염 재발의 가능성이 낮아지겠

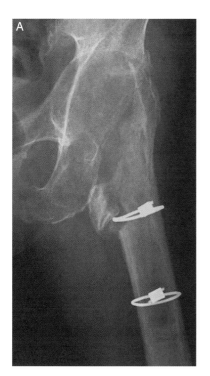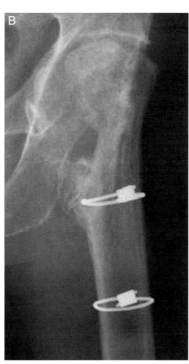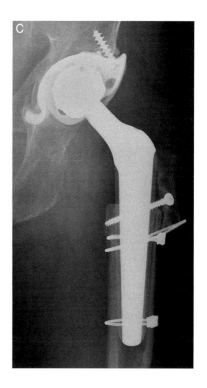

그림 7. 고관절의 감염에서 전자 성형술
(A) 65세 남자 환자로 고관절 치환술 후 감염성 고관절이 발생하여 전자 성형술을 시행하였다. (B) 4년 후 근위 대퇴골의 결손부에 골재형성이 관찰된다. (C) 2단계로 고관절 전치환술로 전환술을 시행하였다.

으나 환자의 불편이 크다는 문제가 있다. 일반적으로 최소 6주간의 항생제 투여 이후에나 고관절 전치환술을 시도하나 항생제에 대한 반응이 좋은 독성이 약한 균인 경우 더 조기에 시술한 보고도 있다. 관절 절제술 후 항생제가 함유된 골 시멘트 구슬이나 PROSTALAC (prosthesis with antibiotics loaded acryl cement)을 삽입할 수 있는데, PROSTALAC 사용은 비구−대퇴골간 간격을 유지시켜 고관절 전치환술이 용이하다는 장점이 있으며 수술 후 안정성도 더 좋았다는 보고도 있다(그림 8). 관절 파괴를 동반한 결핵균 감염의 경우 누공, 농양 등 국소의 감염 활성이 명백한 경우는 이러한 2단계 고관절 전치환술이 결핵

균의 활성화를 피하는 안전한 치료 방법으로 받아들여지고 있다.

④ **1단계 고관절 전치환술:** 관절이 이미 상당히 손상된 상태에서 항생제에 잘 반응하고, 독성이 약한 균주에 의한 감염이고 환자의 전신상태가 좋다면 세심한 변연절제술과 동시에 고관절 전치환술을 시도할 수 있겠다. 결핵균의 감염에 있어서도 일차 고관절 전치환술로 만족할 만한 결과가 보고된 바 있는데 장기간의 결핵약 복용과 병행되어야 한다. 이러한 경우 결핵약 복용은 수술 전 3개월, 수술 후 약 12개월 정도가 추천되고 있다(그림 9).

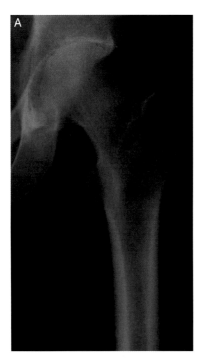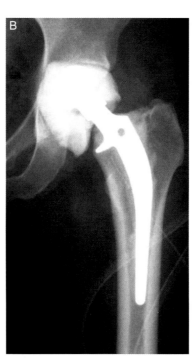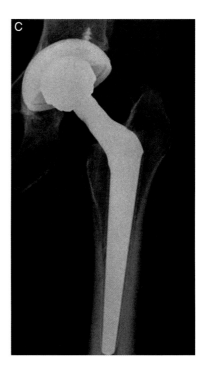

그림 8. 고관절의 감염에서 2단계 고관절 전치환술
(A) 신부전이 있는 48세 남자 환자로 좌측 고관절의 관절 간격이 좁아져 있다. (B) 고관절 감염에 대하여 대퇴골두 절제 및 변연절제술을 시행하였고 인공 관절 삽입물을 항생제 혼합 시멘트로 도포하여 PROSTALAC과 유사하게 비구 및 대퇴 삽입물에 항생제 혼합 시멘트를 도포한 형태로 삽입하였다. (C) 2단계로 고관절 전치환술을 시행하였으며, 6년 후 추시에서 감염은 재발하지 않았고 삽입물은 안정된 고정 상태를 보였다

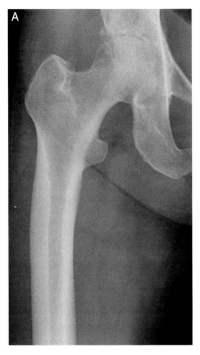 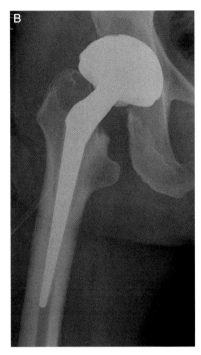 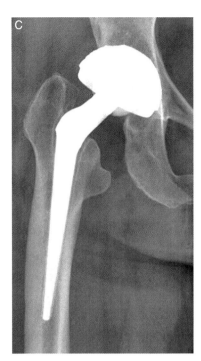

그림 9. 고관절의 감염에서 1단계 고관절 전치환술

(A) 50세 여자 환자로 우측 고관절에 결핵성 관절염이 발생하였다. (B) 1단계 고관절 전치환술을 시행하였으며, (C) 5년 추시에서 감염은 재발하지 않았고 삽입물은 안정된 고정 상태를 보였다.

참고문헌

1. Andreoli TE, Carpenter CJ, Plum F, et al., eds. Cecil's Essentials of Medicine. Philadelphia: WB Saunders; 1990.

2. Apple JS, Halvorsen RA, Chapman TM, et al. Klebsiella pneumoniae arthritis of the hip in a diabetic patient. South Med J. 1984; 77: 229-231.

3. Ash N, Salai M, Aphter S, et al. Primary psoas abscess due to methicillin-resistant Satphylococcus aureus concurrent with septic arthritis of the hip joint. South Med J. 1995; 88: 863-865.

4. Balderston RA, Hiller WD, Iannotti JP, et al. Treatment of the septic hip with total hip arthroplasty. Clin Orthop Relat Res. 1987; 221: 231-237.

5. Barker CS, Symmons DP, Scott DL, et al. Joint sepsis as a complication of sero-negative arthritis. Clin Rheumatol. 1985; 4: 51-54.

6. Betti D, Schul B, Schwering L. Diagonosis and treatment of joint infections in elderly patients. Acta Orthop Belg. 1998; 64: 131-135.

7. Bettin D, Dethloff M, Karbowski A. [Joint destruction and infection in advanced age]. Z Orthop Ihre Grenzgeb. 1994; 132: 472-475.

8. Bliznak J, Ramsey J. Emphysematous septic arthritis due to Escherichia coli. J Bone Joint Surg Am. 1976; 58: 138-9.

9. Bosch X, Ramon R, Font J, et al. Bilateral cryptococcosis of the hip: a case report. J Bone Joint Surg Am. 1994; 76: 1234-1238.

10. Cherney DL, Amstutz HC. Total hip replacement in the previously spetic hip. J Bone Joint Surg Am. 1983; 65: 1256-1265.

11. De Boek H, Noppen L, Desprechins B. Pyomyositis of

the adductor muscles mimicking an infection of the hip: diagnosis by magnetic resonance imaging: a case report. J Bone Joint Surg [Am]. 1994; 76: 747-750.

12. Diwanji SR, Cho SG, Seon JK, Yoon TR. Septic arthritis of hip after radiotherapy for carcinoma of cervix. Singapore Med J. 2008; 49(5): e1. 42-4.

13. Diwanji SR, Kong IK, Park YH, Cho SG, Song EK, and Yoon TR. Two-stage reconstruction of infected hip joints. J Arthroplasty. 2008; 23: 656-661.

14. Donell S, Williamson DM, Scott DL. Septic arthritis caused complicating hip osteoarthritis. Ann Rheum Dis. 1991; 50: 722-723.

15. Evrad J, Hourtoulle P, Roure JL, et al. [Hip arthrodesis for septic arthritis: critical study]. Rev Chir Orthop Reparatrice Appar Mot. 1985; 71: 87-93.

16. Evrad J, Soudrie B. Primary arthritis of the hip in adults. Int Orthop. 1993; 17: 367-374.

17. Fromm SE, Toohey JS. Septic arthritis of the hip in an adult following repeated femoral veinpuncture. Orthopedics. 1996; 19: 1047-1048.

18. Gomez-Rodriguez N, Ferreiro JL, Willisch A, et al. Osteoarticular infections caused by Streptococcus agalactiae: report of 4 cases. Enferm Infecc Microbiol Clin. 1995; 13: 99-103.

19. Habermann ET, Friedenthal RB. Septic arthritis associated with avascular necrosis of the femoral head. Clin Orthop Relat Res. 1978; 134: 325-331.

20. Hernigou P, Odent T, Manicom O, et al. [Total hip arthroplasty for the treatment of septic arthritis in adults with sickle-cell disease]. Rec Chir Orthop Reparatrice Appar Mot. 2004; 90: 557-560.

21. Hovelius L, Josefsson G. An alternative method for exchange operation of infected arthroplasty. Acta Orthop Scand. 1979; 50: 93-96.

22. Hsieh P-H, Shih C-H, Chang Y-H, et al. Two-stage revision hip arthroplasty for infection: comparison between the interium use of antibiotic-loaded cement beads and a spacer prosthesis. J Bone Joint Surg Am. 2004; 86: 1989-1997.

23. Katz LM, Lewis RJ, Borenstein DG. Sucessful joint arthroplasty following Proteus morganii(Morganella morganii) septic arthritis: a four-year study. Arthritis Rheum. 1987; 30: 583-585.

24. Kim SJ, Choi NH, Ko SH, et al. Arthroscopic treatment of septic arthritis of the hip. Clin Orthop Relat Res. 2003; 407: 211-214.

25. Kim YH, Oh SH, Kim JS. Total hip arthroplasty in adult patients who had childhood infection of the hip. J Bone Joint Surg Am. 2003; 85: 198-204.

26. Klein N, Moore T, Capen D, et al. Sepsis of the hip in paraplegic patients. J Bone Joint Surg Am. 1988; 70: 839-843.

27. Lam K, Bayer AS. Serious infections due to group G streptococci: report of 15 cases with in vitro-in vivo correlations. Am J Med. 1983; 75: 561-570.

28. Lee AH, Chin AE, Ramanujam T, et al. Gonococcal septic arthritis of the hip. J Rheumatol. 1991; 18: 1932-1933.

29. Meredith HC, Rittenberg GM. Pneumoarthropathy; an unusual radiographic sign of Gram-negative septic arthritis. Radiology. 1978; 128: 642.

30. Milgram JW, Rana NA. Resection arthroplasty for septic arthritis of the hip in ambulatory and nonambulatory adult patients. Clin Orthop Relat Res. 1991; 272: 181-191.

31. Nuovo MA, Sissons HA, Zuckerman JD. Case report 662. Bilateral avascular necrosis of femur, with supervening suppurative arthritis of right hip. Skeletal Radiol. 1991; 20: 217-221.

32. O'Rourke MR, Berman MT, Quartararo L. Septic arthritis; The adult hip. 2nd ed, Philadelphia, Lippincott Williams & Wilkins; 2007. 585-597.

33. Park KS, Yoon TR, Moon JY, Hu SQ. Trochanteroplasty for the Treatment of Uncontrolled Infected Total Hip Arthroplasty-A Case Report-J Korean Hip Soc. 2011; 23(3): 221-224.

34. Rampon S, Lopitaux R, Meloux J, et al. [Non-tuberculous infectious coxitis in adults.]. Rev Rhum Mal Osteoartic. 1981; 48(1): 77-81.

35. Resnik CS, Sawyer RW, Tisnado J. Septic arthritis of the

hip: a rare complication of angiography. Can Assoc Radiol J. 1987; 38: 299-301.

36. Steinberg ME, ed. The hip and its disorders. Philadelphia: WB Saunders; 1991.

37. Sweeney JP, Helms CA, Minagi H, et al. The widened teardrop distance: a plain film indicator of hip joint effusion in adults. AJR Am J Roentgenol. 1987; 149: 117-119.

38. Tronzo RG, ed. Surgery of the hip joint. New York: Sprunger-Verlag; 1987.

39. Tuli SM, Mukherjee SK. Excision arthroplasty for tuberculous and pyogenic arthritis of the hip. J Bone joint Surgery Br. 1978; 60: 224.

40. Uren RF, Howman-Giles R. The "cold hip" sign on bone scan: a retrosepctive review. Clin Nucl Med. 1991; 16: 553-556.

41. Varoga, D. Pufe T, Jarder J, et al. Production of endogenous antibiotics in articular cartilage. Arthritis Rhuem. 2004; 50: 3526-3534.

42. Villar RN. Arthroscopic debridement of the hip. J J Bone joint Surgery Br. 1991; 73-suppl II: 170-171.

43. Yoon TR, Rowe SM, Santosa SB, Jung ST, and Seon JK. Immediate cementless total hip arthroplasty for the treatment of active tuberculosis. J Arthroplasty. 2005; 20: 923-926.

44. Younger AS, Duncan CP, Masri BA, et al. The outcome of two-stage arthroplasty using a custom-made interval spacer to treat the infected hip. J Arthroplasty. 1997; 12: 615-623.

45. Zieger MM, Dorr U, Schulz RD. Ultrasonography of hip joint effusions. Skeletal Radiol. 1987; 16: 607-611.

CHAPTER

7 연부조직 질환 및 스포츠 손상
Soft Tissue Disorders and Sports Injury

고관절 부위의 골격에는 많은 근육이 기시 또는 부착하고 있으며 상당히 강한 인대들과 관절막이 존재하고 있어 이들 연부조직과 관련된 외상성 혹은 비 외상성 질환이 발생할 수 있다. 고관절 주위 연부조직 질환은 두꺼운 근육층으로 인해 병변 부위의 종창이나 압통을 확인하기 불가능한 경우가 많아 진단에 어려움이 있을 수 있다. 따라서 특징적인 증상이나 진찰 소견을 이해하는 것이 중요하고, 의심되는 질환에 따라 적절한 영상 검사법을 선택하여야 진단 및 감별 진단이 효과적으로 이루어질 수 있다.

1. 발음성 고관절

발음성 고관절(snapping hip)은 'coxa saltans' 또는 'dancer's hip'이라고 불리우며, 고관절의 특정한 움직임에서 튕겨짐(snapping)이 발생하는 질환으로 튕겨질 때 소리가 나는 경우뿐만 아니라 튕겨지는 것이 보이거나 만져지는 것은 물론 환자가 느끼는 증상을 모두 포함한다.

1) 원인 및 발병 기전

발생 원인에 따라 크게 외부형(external), 내부형(internal), 관절내형(intra-articular)으로 나뉘며, 이 중 외부형이 가장 흔하다. 외부형에서는 두꺼워진 장경대나 대둔근건이 대전자 위에서 고관절을 굴곡 시 전방으로, 신전 시 후방으로 주행하며 탄발이 발생한다 (그림 1). 특별한 원인 없이 발병할 수 있으나 내반고, 고

관절 전치환술, 돌출된 대전자, 또는 슬관절의 불안정성등과 관련되어 발생할 수 있고, 대둔근이 섬유화되어 유연성이 떨어지거나 팽팽해져 발생하기도 한다. 내부형은 장요근건(iliopsoas tendon)이나 장요근건 밑에 있는 점액낭이 장치골 융기(iliopectineal eminence) 위로 움직이며 발생한다. 장요근건은 고관절 굴곡 시 대퇴골두의 외측으로 이동했다가 신전하면 내측으로

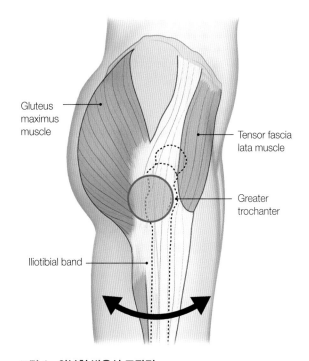

Gluteus maximus muscle

Tensor fascia lata muscle

Greater trochanter

Iliotibial band

그림 1. 외부형 발음성 고관절
두꺼워진 장경대나 대둔근건이 대전자 위에서 고관절을 굴곡 시 전방으로, 신전 시 후방으로 주행하며 발생한다.

미끄러지면서 탄발을 유발한다(그림 2). 관절내형은 활액막 골연골종, 관절내 유리체, 비구순 파열, 관절내 골편이나 습관성 고관절 아탈구(habitual subluxation) 등에서 발생할 수 있다.

2) 임상 소견

외부형 발음성 고관절은 보행 시 장경대 후연이나 대둔근건 전연이 대전자부 위를 지나면서 발생하는 튕겨짐이 주된 증상으로 종종 환자들은 자주 고관절이 빠진다고 표현하기도 한다(pseudosubluxation). 주로 젊고 활동적인 사람에서 흔히 발생하고, 탄발음이 들릴 수도 있으나 보이거나 촉진만 되는 경우도 흔하다. 심한 경우 대전자 부위의 통증과 허벅지 외측으로 방사통이 동반될 수 있고 이환된 대전자 부위로 누웠을 때 통증이 악화된다. 튕겨짐은 고관절을 내전 및 내회전한 상태에서 심해지고 대전자부에 압통이 있을 수 있다. 장경대의 긴장으로 인해 Ober 검사가 양성일 수 있다. 대둔근이 섬유화 등으로 팽팽해져 발생하는 경우

는 고관절을 굴곡하면 외전되어 내전이 제한되기 때문에 이환된 다리를 꼬고 앉기 어려운 경우도 있으며, 하지 직거상에 제한이 있을 수 있다. 보행 시, 특히 계단을 오르는 경우나 달리기할 때 고관절이 굴곡되면서 외전되기 때문에 양측이 이환된 경우에는 다리를 벌린 자세가 되고 다리를 모으면 쪼그리고 앉지 못하고, 의자에 앉을 때 다리가 벌어져 모을 수 없는 경우도 있다.

내부형에서는 구부렸다 펼 때 동반되는 전방 서혜부의 통증과 간헐적으로 걸리는 느낌, 탄발음, 거대 관절음이나 서혜부의 종물 등을 호소하며, 발레 댄서나 달리기 선수 등 과도한 운동을 하는 사람에서 주로 발생한다. 장요근은 허리를 구부릴 때도 작용하기 때문에 장요근건염은 허리 통증을 동반할 수 있다. 장요근건 부위의 압통이 있을 수 있고, 능동적인 고관절 굴곡 시 저항을 주면 통증이 유발될 수 있다. 또한 고관절의 굴곡, 외전, 외회전 상태에서 능동적으로 신전, 내전, 내회전시켰을 때 탄발이 유발되어 소리가 들리거나 촉지될 수 있다.

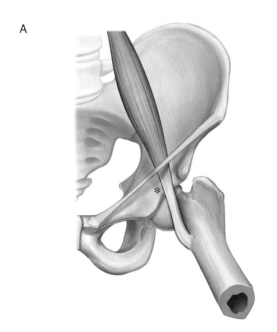
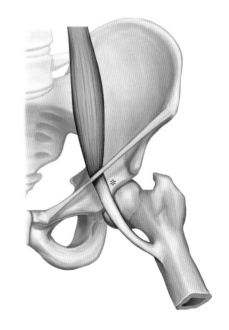

그림 2. 내부형 발음성 고관절
장요근건은 고관절 굴곡 시(A) 대퇴골두의 외측으로 이동했다가 신전하면(B) 내측으로 미끄러지면서 대퇴골두나 장치골 융기(＊)를 지나 탄발을 유발한다.

3) 영상 소견

임상 소견만으로 진단에 어려움이 없기 때문에 단순 방사선 검사로 대전자나 치골 또는 고관절에 탄발음을 유발할만한 이상 소견이 없음을 확인하는 것으로 충분하다. 진단이 모호하거나 수술적 치료 전에 확인을 위해서는 초음파 검사나 자기공명영상이 유용한데, 해당 건이나 점액낭이 두꺼워진 소견 등을 관찰할 수 있고, 역동적 초음파(dynamic sonography)로 장경대나 장요근건이 튕겨지는 것을 확인할 수 있다. 자기공명영상에서 장요근 점액낭의 크기와 관절과의 연결성을 확인할 수 있으며, T2 강조영상에서 비후한 장경대와 대둔근건 주위에 염증 및 체액 저류(fluid collection)로 인해 고신호 강도를 관찰할 수도 있다. 관절 내부형의 경우에는 자기공명영상촬영이 필요한 경우가 많으며 해당 질병에 합당한 소견을 관찰할 수 있다.

4) 치료

관절의 탄발음을 듣거나 느끼는 경우는 흔하나 수술이 필요할 정도의 통증이나 장애가 있는 경우는 드물며, 대부분의 환자에게 병의 원인을 인지시키고 탄발을 유발하는 동작을 피하면 증상이 개선된다. 그러나 일부 환자에서 보존적 치료에도 불구하고 지속적인 통증, 기능제한과 장거리 보행 시 증상 악화가 있을 경우 수술적 치료를 시행할 수 있다.

외부형 탄발음은 대개 통증이 없기 때문에 수술이 필요한 경우는 드물고, 통증이 있는 경우에도 활동을 조절하고 비스테로이드성 소염제 투여, 물리치료, 국소 스테로이드 주사 등으로 대부분 호전된다. 수술적 치료는 비후한 장경대를 Z 또는 N 성형술로 길이를 연장하거나 장경대 후방부를 전방으로 이동시키는 방법이 이용되는데(그림 3), 최근에는 관절경 수술이 시도되고 있다. 수술 경과는 탄발음의 소실과 통증 해소로 만족할 만하다고 알려졌다(그림 4).

내부형 탄발음의 치료는 보존적 치료를 우선적으로 시도한 후, 증상 개선이 없는 경우 장요근건의 계단식 연장술(step-cut lengthening)이나 장요근 점액낭 절제술을 시행할 수 있으며, 최근에는 관절경적 수술이 시도되고 있다. 수술적 결과는 양호하며, 관절내형 탄발음은 관절내 원인 병변에 따라 적절한 치료 방법을 선택하여야 한다.

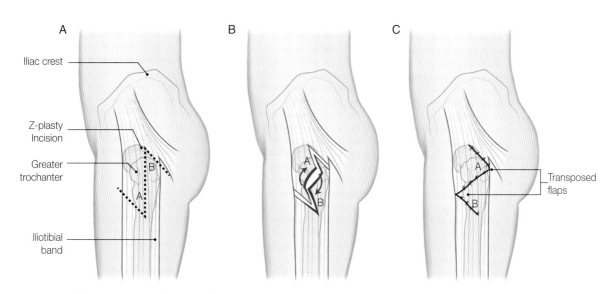

그림 3. 외부형 발음성 고관절에 대한 Z-성형술
(A) Z-성형술을 위한 위치와 디자인, (B) 장경대 절개 후 연장술, (C) 장경대를 다시 봉합하는 과정

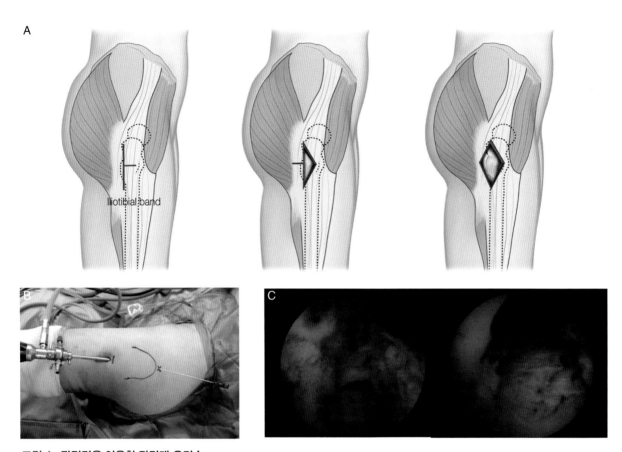

그림 4. 관절경을 이용한 장경대 유리술
(A) 장경대를 유리하는 모식도이다. (B) 관절경의 삽입구 위치와 수술하는 과정을 보여주고 있으며, (C) 관절경으로 장경대가 유리된 것을 관찰할 수 있다.

2. 대전자부 통증 증후군

대전자부 주위 또는 둔부의 만성적 통증과 압통이 있는 질환을 일컬어 대전자부 통증 증후군(greater trochanteric pain syndrome, GTPS)이라 하고, 50−80세 성인에서 호발한다.

1) 원인 및 발병 기전

고관절 주위 다양한 점액낭이 존재하는데 이러한 윤활 점액낭들은 고관절 움직임 시 발생하는 마찰을 줄여 주는 역할을 담당한다. 이 중 대둔건하 점액낭(subgluteus maximus bursa)은 4개의 bursa로 구분되는데, 대전자부 점액낭(greater trochanteric bursa)에 염증이 발생한 것을 대전자부 점액낭염(greater trochanteric bursitis)이라 한다. 조직학적으로 점액낭 내에 염증성 변화가 없는 경우도 종종 있어 최근에는 점액낭염이라는 용어 대신 대전자부 통증 증후군이라는 명칭을 사용하는 추세이다. 대전자부 점액낭염의 또 다른 원인으로는 고관절의 생역학적 불균형으로 인하여 중둔근 및 소둔근에 반복적인 미세 외상이 생긴 경우나, 건, 근육, 연부조직의 퇴행성 변화 또는 손상에 의한 건염(tendinitis) 등을 예로 들 수 있다. 척추 또는 고관절내 병변과 감별이 필요하며, 퇴행성 슬관절염, 비만, 척추 질환과 관련이 있다고 알려져 있다. 증상은 환측으로 누울 때, 장시간 서 있거나 일어설 때나 계단을 오를 때 통증이 유발된다. 대퇴 외측부로 무릎까지 방사통을 동반하는 경우도 있다.

2) 임상 소견

신체 검사상 대전자 상후방면(facet)과 후방 압통이 특징적이고(그림 5), Trendelenburg 검사 양성 소견을 보이기도 한다. 수동적 고관절 운동은 모두 정상이나 능동적으로 고관절을 90° 굴곡하고 외회전 시 대퇴골 전자부 측면에서 통증을 호소하고, 저항을 준 상태에서 외전 시 50−70% 환자에서 통증을 호소하기도 한다.

3) 진단

압통점 부위의 초음파로 둔건의 비후, 음영 소실, 비균등 또는 석회 병변 등이 관찰되며 도플러상 혈관 조직의 증가 소견이 보이기도 한다. 자기공명영상은 건 부착부위의 부종과 비후, 건의 윤곽 소실이 관찰되며, 손상에 의한 파열을 감별하는데 도움이 된다. 부분 또는 전층 건 파열은 견관절의 회전근개 파열과 유사하게 건위축과 건내 결손이 관찰되며 중둔건 전방부에서 가장 호발한다.

4) 치료

대부분 보존적 치료에 잘 반응하며 비스테로이드성 소염제, 체중 감량, 물리치료, 자세 교정 등을 통해 통증을 경감시킬 수 있다. 그 외 국소 스테로이드나 마취제 주사는 통증을 줄이고 감별 진단에도 도움이 된다. 보존적 치료에도 반응하지 않는 통증이 지속될 경우 내시경적 또는 관혈적 변연절제술, 점액낭 절제술 또는 장경대 연장술 등이 필요할 수 있다.

3. 고관절 주위 건염

건병증(tendinopathy)은 과사용으로 인한 건 자체 콜라겐의 퇴행성 변화에 의해 발생하는 것으로, 일반적으로 건의 미세손상이 있을 때 휴식을 취하여 건이 치유되는 시간을 주지 않고 반복적인 과사용 손상이 지속되었을 때 발생하는 전형적인 만성 염증을 일컫는다.

병인은 아직까지 명확하게 밝혀지지는 않았지만 여러 원인들이 이론화되고 있다. 건에 최대 장력이 적용될 때 발생하는 허혈과 건의 이완 시 발생하는 산화 자유 라디칼, 과도한 건세포의 자멸사, 항산화 효소인 peroxiredoxin 5의 증가 등은 건의 손상을 야기시켜 결국 건병증이 발생할 수 있다. 고관절 주위 여러 건에

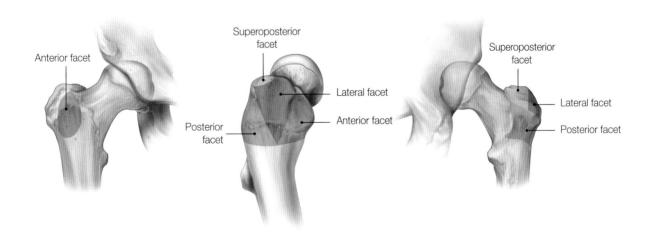

그림 5. 대전자부 4개면(facet)
전면, 후면, 측면, 상후면과 측면으로 구성된다. 중둔근(gluteus medius)은 상후면과 측면에 부착하고 소둔근(gluteus minimus)은 전면에 부착한다.

발생하는 건병증을 진단하는 데 해당 건의 압통을 유발하는 것이 도움이 된다.

1) 내전근 건병증

내전근 건병증(adductor tendinopathy)은 만성적인 서혜부나 대퇴 내측의 통증과 압통을 일으키는 질환으로 반복적인 내전근의 염좌 및 손상이 누적되어 만성적인 건내 퇴행성 변화를 초래한다고 알려져 있다. 서혜부 통증은 요추 또는 치골 결합부, 천장관절, 스포츠 탈장, 복직근 손상과 감별이 필요하며 진단은 특징적인 증상 및 신체 검사, 영상 검사가 중요하다. 증상은 만성적인 서혜부 통증 및 고관절의 내전 시 국소화된 압통과 내전력의 약화가 특징적이며, 고관절의 연성 강직이 발생해 Patrick 검사에서 양성으로 나타날 수도 있다. 단순 방사선 사진상 이상소견이 없어 견열 손상과 이소성 석회화를 배제할 수 있으며, 자기공명영상은 T2 강조영상에서 고신호 강도를 보이며, 건 부착부의 부종과 비후를 확인할 수 있다(그림 6).

대부분 휴식, 물리치료 등의 보존적 치료에 잘 반응하며, 스트레칭 및 점진적인 코어 운동 치료로 증상을

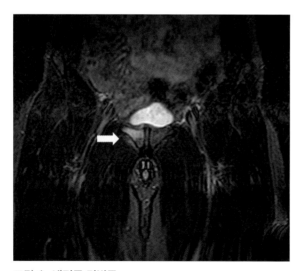

그림 6. 내전근 건병증
자기공명영상의 T2 강조 관상면에서 우측 치골의 골수내 신호 증가 및 내전근의 치골 기시부 신호 증가가 관찰된다.

경감시킬 수 있다. 그 외 비스테로이트성 소염제, 국소 마취제 또는 스테로이드 주사는 통증을 줄이고 감별 진단에도 도움이 된다. 보존적 치료에 반응이 없는 경우에는 수술적 절제술 및 봉합술이 필요할 수 있다.

2) 장요근 건병증

장요근 건병증(Iliopsoas tendinopathy)은 고관절 전방 통증 및 서혜부 통증을 유발하는 질환으로 척추 또는 고관절내 병변과 감별이 필요하며 젊은 여성에서 유병률이 높다. 고관절의 반복적인 굴곡 및 외회전에 의한 스트레스로 건 부착부의 미세손상의 축적에 의해 발병한다고 알려져 있으며 고관절 전치환술 후 전방 돌출된 비구컵에 의해서도 발생한다고 보고되고 있다. 자동차나 침대에서 내려오는 동작이나 계단을 내려올 때 통증이 유발되며 Ludloff 검사 양성이 특이적이다. 간혹 고관절 운동 시 퉁겨짐이 발생하는 내부형 발음성 고관절과 동반되기도 한다. 진단은 소결절 부위를 직접적으로 촉진하기 어렵기 때문에 자기공명영상이 표준진단법으로 알려져 있다. 자기공명영상은 건내 퇴행성 변화 및 부종, 국소 비후가 관찰되며 T2 강조영상에서 고신호 강도를 보인다. 대부분 보존적 치료에 잘 반응하며 비스테로이드성 소염제, 물리치료를 통해 통증을 경감시킬 수 있으며, 진단 및 치료적 국소 스테로이드나 마취제 주사를 시행할 수 있다. 보존적 치료에 반응하지 않는 경우 장요근건 유리술을 시행할 수 있으며, 고관절 전치환술 시행 상태에서는 관절경적으로 장요근건 절제술을 시행하여 증상을 완화시키는 치료가 시도되고 있고(그림 7), 비구컵의 전방 돌출이 과도한 경우에는 비구컵 전염을 교정하여 비구컵 재치환술을 시행할 수 있다.

3) 근위 슬근 건병증

근위 슬근 건병증(proximal hamstring tendinopathy)은 대부분 장거리 달리기 선수, 허들 선수 및 방향전환을 주로 하는 운동선수 등에게 주로 발생하며 운동능

력 감소를 동반한다. 반복적인 고관절 굴곡운동은 근위 슬근 기시부에 높은 압박력 및 장력이 작용하여 건의 미세손상이 축적되어 건병증으로 이행하며, 슬근 파열까지 진행할 수도 있다. 증상은 달리는 동안, 또는 오래 앉아있을 때 좌골결절 부위의 국소 압통과 점진적인 운동능력 감소가 나타나며, 심한 경우 반막양건 및 좌골신경 사이의 섬유화로 인해 대퇴 후방까지 방사통이 나타날 수 있다. 또한 Bent-knee stretch 검사 양성 소견이 특징적이다(그림 7). 진단은 국소 압통점 부위의 초음파로 근위 슬근 부위 비후 및 음영 소실, 부종을 확인 할 수 있으며, 자기공명영상에서는 좌골결절 주위의 건 및 건 주위 부종 소견이 특징적으로 나타난다.

보존적 치료로는 휴식, 비스테로이드성 소염제, 물리치료가 있으며, 6개월 이상 편심성 슬근 강화운동을 시도해볼 수 있다. 6개월 이상의 보존적 치료에 반응하지 않는 경우 좌골신경에 유의하여 반막양건 절제술 등이 필요할 수 있다.

4. 고관절 주위 점액낭염

1) 점액낭염

(1) 원인 및 발병 기전

골, 근육, 건 및 인대 사이에서 움직임에 따른 마찰을 감소시키는 기능을 하는 점액낭은 활막 주머니로 고관절 주위에 약 18개가 존재하는데 이 중 일부는 고관절과 연결되어 있다. 관절과 연결된 점액낭은 활막 관절에 생기는 염증성 질환, 즉 류마티스 관절염, 통풍이나 감염 등이 모두 발생할 수 있다. 감염성 점액낭염(bursitis)은 고관절 자체 감염과의 감별 외에도 고관절과 연결 여부를 확인하는 것이 중요하다.

(2) 임상 소견

흔히 문제가 되는 것은 둔부하 점액낭, 전자부 점액낭, 좌둔 점액낭과 장요 점액낭 등이다. 둔부하 점액낭은 일반적으로 크고, 다엽성(multilobular)이며, 해부학적으로 대둔근과 전자부 및 단외회전근 사이에 위치한다. 대전자와 대둔근, 중둔근, 소둔근과의 사이에 각각 1개씩의 전자부 점액낭이 있는데(그림 8), 이 중 대둔근

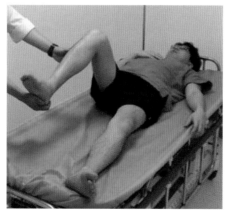

그림 7. Bent-knee stretch 검사

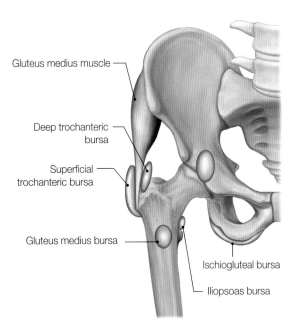

그림 8. 고관절 주위 점액낭

과의 사이에 있는 점액낭이 가장 크고 임상적으로 자주 문제가 되며, 전자부 골결핵이 이차적으로 파급되거나 골결핵 없이 일차적으로 결핵성 감염이 발생할 수 있다. 좌둔 점액낭은 인체내 항상 존재하는 것은 아니며, 좌골 조면과 대둔근 사이에 존재한다. 만성적 점액낭염은 장시간 앉아서 일하는 환자에서 주로 발생하며, 재단사 혹은 직공 둔부(weaver's bottom)라 불린다. 장요 점액낭은 고관절 주위에서 가장 큰 점액낭으로 항상 존재하며, 고관절낭 전방에 위치하고, 장요근과 고관절 막 사이에 있는데 15% 정도에서 고관절과 연결되어 있다. 둘러싸고 있는 근육이 수축하거나, 환부가 압박될 때 악화되는 통증이 점액낭염의 주된 증상이며 감염성의 경우 발열을 동반하는 경우가 많다. 둔부하 점액낭염, 전자부 점액낭염 및 좌둔 점액낭염의 경우 대퇴 후면으로 방사통이 발생할 수 있고, 장요 점액낭염은 슬관절에 연관통이 있을 수 있다. 통증은 덮고 있는 근육이 긴장되는 자세에서 심해진다. 환부에 종창과 열감 및 압통이 있을 수 있으며 종물이 촉지될 수 있다.

(3) 영상 소견

단순 방사선 검사는 대부분 음성이다. 초음파 검사가 간편하고 방사선 노출이 없어 유용하게 사용되지만, 골과 주위 연부조직의 관계를 명확히 알 수 없는 제한점은 있다. 악성 종양과의 감별이나 감염성인 경우 고관절과의 연결 여부를 확인하기 위해서는 자기공명영상이 필요한데 T1 강조영상에서는 저신호 강도와 T2 강조영상에서는 고신호 강도를 보이는 액체가 찬 낭종 소견을 관찰할 수도 있다.

(4) 치료

감염성 점액낭염의 경우 반복적인 천자나 절개를 통해 배농을 하고 적절한 항생제를 투여한다. 만성적 감염인 경우 점액낭을 절제하기도 한다. 비감염성 점액낭염은 대부분 비스테로이드성 소염제와 물리 치료 등의 보존적 치료에 잘 반응하는데, 국소적 스테로이드 주사도 효과적으로 사용된다. 만성적으로 두꺼워진 낭벽에 의한 배김 증상이 지속되는 경우, 특히 좌둔 점액낭에서, 절제술의 적응이 된다.

5. 고관절 주위 석회화 건염

중장년에서 주로 발생하며 대전자의 외전근 부착 부위에 가장 호발하고, 그 외에도 대퇴 직근, 외측 광근, 이상근, 장요근, 대내전근이나 대퇴이두근의 건에도 발생될 수 있다.

1) 원인 및 발병 기전

정확하게 밝혀지지 않았으나 유전적 요인, 당뇨, 갑상선 질환, 결핵 등과 연관성이 있다. 발생 기전은 건부착 부위의 반복적 운동, 만성적 과부하, 국소 허혈에 의한 연골 변성과 석회 침착 등으로 알려졌으며 석회 침착물의 분해가 심한 통증을 유발한다고 알려져 있다. 조직학적으로 관절 주위 조직 및 건내 칼슘 인산염(calcium phosphate) 침착이 특징적이다.

2) 임상 소견

전형적인 증상은 갑작스럽게 발생하여 서서히 소실되는 통증이다. 급성기에는 심한 통증 및 국소적인 압통과 더불어 미열이 동반될 수 있고, 만성적인 경우 간헐적인 통증과 압통이 있을 수 있다. 외전근에 발생할 경우 요추 추간판 탈출증과 유사한 대퇴 외측의 통증이 나타날 수 있다. 감별해야 할 질환으로는 비구 부골(os acetabuli), 견열 골절, 화골성 근염과 악성 종양(피질골에 인접한 골막 연골종, 연골 육종, 활막 육종), 감염 등이 있다.

3) 영상 소견

단순 방사선 사진상 비정형적 형태의 석회화 병변을 확인할 수 있으며(그림 9A), 건 주위 피질골 미란(erosion) 또는 낭종 병변(cystic lesion)이 관찰되기도 한다. 일반적으로 임상 소견과 단순 방사선 사진만으로 진단이 충분하나 석회화가 미미하거나 악성 종양과 감별을 요하는 경우 등에는 전산화단층촬영이나 자기공명영상이 필요할 수 있다(그림 9B). 초음파 검사에서는 건의 비후와 난원형의 고반향 음영이 관찰되고, 칼라 도플러 검사상 혈류 증가가 나타날 수 있다.

4) 치료

이환된 건에 부담이 가는 활동을 줄이고 비스테로이드성 소염제 투약, 체외충격파 치료(electrical shock wave therapy)를 시행하거나 빠른 통증 완화를 위해 굵은 주사침으로 병소를 천자하여 치약같은 석회질을 흡입해낼 수 있고 이때 부신피질 호르몬 제제와 국소 마취제를 혼합하여 주사하기도 한다. 또 석회질을 흡입해 내지 않고 단순히 석회화 부위를 여러 군데 천자해주는 것만으로도 충분하고 빠른 통증 완화 효과가 있는 것으로 알려져 있다. 수술적 제거가 필요한 경우는 매우 드문데, 급성 병변이 주사 요법으로 호전되지 않는 등 보존적 치료에 반응이 없거나 악성 종양과 감별이 필요한 경우나, 잔존하는 석회화 종물에 의한 자극성 증상이 지속 혹은 반복되는 만성 병변인 경우이며 최근에는 관절경이 이용되기도 한다.

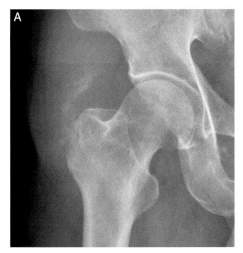 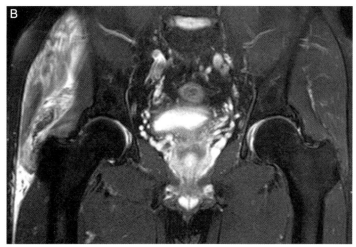

그림 9. 고관절 주위 석회화 건염의 영상 검사
(A) 단순 방사선 사진 상 우측 대퇴골 대전자 외측에 비정형적 형태의 석회화 병변이 관찰된다. (B) 자기공명영상에서 외전근과 주위로 광범위한 부종과 염증 소견을 보인다.

6. 치골염

치골염(osteitis pubis)은 가속운동이 빈번한 운동선수에서 호발하며 치골 결합부의 통증을 주로 호소하는데, 대부분 특별한 치료없이 저절로 좋아지는 질환(self-limited disease)이다. 여자보다 남자에서 5배 정도 흔하게 발생한다.

1) 원인 및 발병 기전

운동과 관련한 내전근의 반복적 수축, 과격한 골반운동 또는 치골 결합부의 불안정성 등이 거론되고 있다. 치골 결합부에 대한 반복적 자극이 주요 발병 기전으로 알려졌지만 급격한 외전 또는 회전에 의한 단발성 외상이나 천장관절 이상 등이 치골염 발생에 관련한다고 알려져 있다.

2) 임상 소견

점진적인 일측 또는 양측 서혜부 통증과 하복부나 내전근쪽으로의 방사통으로 운동, 특히 가속운동 시 악화되는 통증이 특징적이다. 진찰상 치골 결합부 압통이 가장 중요하며, 저항 상태에서 내전 또는 수동적 외전으로 서혜부 통증이 유발되며 내회전 제한이 있을수 있다. 감별해야 할 질환으로는 서혜부와 치골 결합부에 통증을 일으키는 치골 골수염, 내전근 염좌, 치골의 스트레스 골절이나 장요 점액낭염 등이 있다.

3) 영상 소견

초기에는 단순 방사선 사진상 이상 소견을 보이지 않으나 시간이 경과하면 치골 결합부 간격의 변화나 낭종 등이 관찰될 수 있으며, 한 다리를 들고 전후면 사진(flamingo view)을 찍으면 착지한 다리쪽이 2 mm 이상 높을때 불안정성(pubic instability)을 진단한다. 운동선수에서는 증상 없이 단순 방사선 사진상 치골 결합부에 경화나 골음영 감소가 관찰되기도 한다(그림 10). 편측 또는 양측에 지연성 동위원소 섭취 증가를 보이는 골주사 소견이 진단에 도움이 되는데 증상 발생 수개월 이후에 나타나기도 한다. 자기공명영상에서는 2 cm 이상 골수 부종이 있는 경우 진단적 의미가 있다.

4) 치료

비수술적 치료 방법은 운동을 제한하고 물리치료와

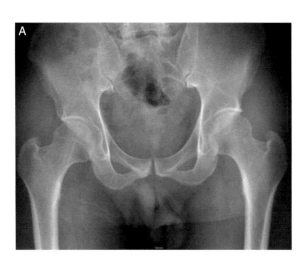
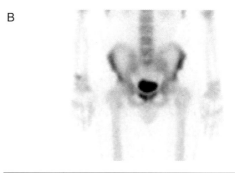
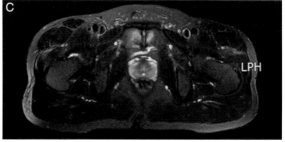

그림 10. 치골염의 영상 검사
(A) 단순 방사선 사진상 치골 결합부에 경화가 관찰된다. (B) 골주사 검사에서 동위원소 섭취가 증가되어 있다. (C) 자기공명영상에서는 양측 치골 결합부 주위에 골수 부종이 관찰된다.

더불어 비스테로이드성 소염제 투여나 스테로이드 국소 주사 등이 있다. 결과는 매우 양호하여 90-95% 환자에서 완치되며 남자 환자의 25%에서 재발할 수도 있지만 대개 1년 이내 증상이 없어진다. 6개월 이상 보존적 치료에도 불구하고 지속되는 통증이 있는 경우 골소파술을 시행할 수 있고, 치골 결합부 불안정성에 대해서는 금속판 고정과 골이식에 의한 치골 이개의 관절 유합술을 시행할 수 있다. 과거에는 치골 절제술이 시행되기도 하였으나 이는 천장관절염을 합병할 수 있기 때문에 현재는 사용되지 않는다.

7. 장골 치밀화 골염

장골 치밀화 골염(osteitis condensans ilii)은 1926년 Sicard 등에 의해 처음 기술되었으며 발병 원인은 아직 밝혀지지 않았으나 생역학적 장력이 장골측 천장관절 연골에 영향을 미쳐 조기 천장관절염이 발생하는 것으로 이해되고 있다. 30대 이전의 젊은 여성에 호발하며 임신 후 주로 발생한다. 하부 요통 또는 둔부 통증이 주 증상이며 신체 검사는 FABER 검사와 천장관절의 국소적 압통이 도움이 된다. 단순 방사선 사진상 장골측에 국한된 골경화 소견이 특징적이며(그림 11), 양측성

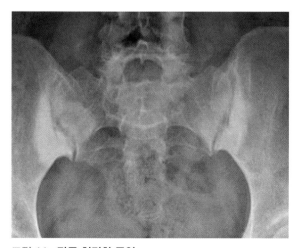

그림 11. 장골 치밀화 골염
단순 방사선 사진상 양측 천장관절의 장골측에 국한된 골경화가 관찰된다.

이 흔하다. 임신 3기나 출산 이후 증상이 발생하는 경우가 흔하고 다음 임신에 증상이 재발하는 경우도 있다. 혈액 및 면역학적 검사는 정상 소견이 흔하고 강직성 척추염과 달리 천장관절이 보존되어 골 파괴, 침식 또는 관절 간격의 감소 소견은 관찰되지 않는다. 골주사 검사는 감별 진단에 도움이 되며 전산화단층촬영으로 장골측 골경화를 확인할 수 있다. 치료는 비스테로이드성 소염제, 물리치료 또는 국소 스테로이드 주사 등 보존적 치료로 대부분 증상이 호전되며 통증이 지속되는 경우 경화된 골을 절제하는 방법도 있다.

8. 이상근 증후군

이상근 증후군(piriformis syndrome)은 둔부 통증과 하지 방사통을 특징적인 증상으로 하는 질환이며 척추 밖에서 일어나는 좌골신경의 포착 증후군(nerve entrapment syndrome)으로 골반 출구 증후군(pelvic outlet syndrome)이라 불리기도 한다. 하지의 감각이상 및 방사통으로 인해 요추의 추간판 탈출증과 감별이 필요하며, 하지 방사통에 대한 표준적 진단과 치료에도 증상 호전이 되지 않은 환자 가운데 이상근 증후군 환자가 가장 많다는 보고도 있다. 이상근은 2, 3, 4 천추와 천장관절의 전면부 및 천결절 인대(sacrotuberous ligament) 골반면에서 기시하여 대좌골 절흔(greater sciatic notch)을 통과하여 원형의 근건형태로 대전자의 상연에 부착한다. 5 요추신경, 1, 2 천추신경의 지배를 받으며, 외회전근 가운데 유일하게 해부학적으로 좌골신경 후방으로 신경과 매우 밀접하게 주행하고 근육 자체의 해부학적 변형이 많아 좌골신경을 압박할 수 있다. 발병 기전에 따라 이상근 자체의 원인, 즉 외상에 의한 이상근 근막손상이나 염증과 유착에 의해 발생하는 원발성 이상근 증후군(primary piriformis syndrome)과 이상근 이외의 원인, 즉 주위 종양, 자궁내막증, 고관절 전치환술이나 골반골 부정 유합 등에 기인하는 속발성 이상근 증후군(secondary piriformis syndrome)으로 나눌 수 있다. 주된 증상은 둔부 통증

과 하지 방사통으로 각각 이상근의 근건막과 좌골신경의 압박에 기인하며 장기간의 반복적 자극이나 작업에 의해서도 발생할 수 있다. 이상근 증후군은 척추 질환의 신경증상과는 다르게 오래 앉아 있을 때 하지 방사통이 악화된다.

1947년 Robinson이 처음으로 이상근 증후군을 명명하였는데 다음과 같은 특징적인 임상 양상을 보고하였다. 1) 둔부나 천장관절 부위의 외상력이 있고, 2) 보행 시 악화되는 천장관절, 대좌골 절흔 또는 이상근 주위의 통증 및 하지방사통, 3) 물건을 들거나 허리를 굽힐 때 악화되는 증상, 4) 증세가 악화될 때 촉지되는 심한 압통이 발생하는 이상근 주위의 종물, 5) Lasegue 검사 양성 소견, 6) 장기간 이환에 따른 둔부의 위축 소견이다.

진찰 소견으로는 둔부의 대좌골 절흔 부분의 압통, 고관절 내전 및 내회전 시에 증가하는 통증, 하지 직거상 검사상 제한된 소견 등이 관찰될 수 있다. 이환된 다리를 신전 및 내회전시킬 때 좌골신경통이 유발되는 Freiberg 징후 및 고관절을 굴곡한 상태에서 저항 상태로 능동적 외전 시 통증이 유발되고 외전력 약화를 관찰하는 Pace 징후 등의 소견이 나타나며 환자를 앙와위로 눕혔을 때 이환된 하지가 외회전되어 있는 비대칭적인 모습을 보이는 이상근 징후를 관찰할 수 있다. 단순 방사선 사진상 이상 소견은 없으며, 전산화단층촬영 및 자기공명영상에서 이상근의 비대칭성 비대를 보이기도 한다. 근전도 검사상 비골신경을 자극하여 마미 활동전위(cauda equina action potential)의 변화를 관찰할 수 있으나 확진할 수 있는 방법은 없기 때문에 임상적 소견을 근거로 영상 및 근전도 검사를 통해 요추 추간판 탈출증, 천장관절 이상, 대전자부 점액낭염 등의 다른 질환을 감별해 나가는 배타적 진단(exclusive diagnosis)을 하는 것이 필요하다.

물리치료, 비스테로이드성 소염제의 투여 등으로 치료하며 국소 마취제나 스테로이드 제재를 국소적으로 주사할 수도 있다. 최근에는 보툴리눔 독소(Botulinum toxin)의 이상근 내 주사가 통증 감소의 효과가 있다는 보고도 있다. 수술적 요법으로는 이상근의 유리술 또는 절제술, 섬유대와 혈관의 제거 또는 신경박리술(neurolysis) 등이 있다.

9. 좌골대퇴 충돌증후군

좌골대퇴 충돌증후군(ischiofemoral impingement syndrome)은 좌골 조면(ischial tuberosity)과 대퇴골 소전자의 간격이 좁아지면서 대퇴방형근(quadratus femoris)이 압박을 받아 발생하는 질환이다(그림 12). 선천성으로 간격이 좁거나 비구의 골반내 돌출(coxa profunda), 외반고(coxa valga), 근위 대퇴골 절골술에 의한 외반고, Legg-Calvé-Perthes 병, 감소된 오프셋 대퇴스템을 사용한 고관절 전치환술, 소전자를 침범한 대퇴골 근위부 골절 또는 골관절염 환자 등에서도 발생할 수 있다.

증상은 고관절의 신전, 내전 및 외회전 시 대퇴부 내측, 둔부 또는 서혜부 통증이 유발되며 하지 방사통이 동반될 수도 있다. 골반의 형태에 기인하여 중년 여자에게 흔하다고 알려져 있고 1/3 환자에서는 양측성으로 발생한다.

신체 검사상 좌골 조면과 대퇴골 소전자 사이에서 국소적인 압통이 있거나 보폭을 크게하여 걸을 때 통증이 유발되기도 하고(long-stride walking test), 검사자가 환측 고관절을 수동적으로 신전, 내전, 외회전 했을 때 자극 증상이 생길 수 있다. 방사선 사진상 좌골 조면과 소전자의 간격이 정상은 23±8 mm 정도이지만 좌골대퇴 충돌증후군 환자에서는 13±5 mm로 감소되어 있다고 보고되었다. 자기공명영상에서 대퇴방형근의 부종, 위축 또는 지방 침윤 등이 관찰되며 소전자에 부착하는 장요근 또는 좌골 조면에 기시하는 슬근에 영향을 미쳐 근육 주위 점액낭염이 발생할 수 있다. 손상에 의한 대퇴방형근의 파열은 대부분 근건 이행부에서 음영 변화가 관찰되지만 좌골대퇴 충돌증후군은 근육의 전반적인 음영 변화가 관찰된다. 그 외 내부형 발음성 고관절, 좌골신경통, 만성 슬근 손상 또는 내전근 건염 등과 감별이 필요하다.

치료 방법은 아직 정립되어 있지 않지만 비스테로이드성 소염제, 물리치료 등의 보존적 치료 이외 전산화 단층촬영 유도 스테로이드 주사가 유용하며 지속적인 통증 시 내시경적 또는 관혈적 대퇴방형근 감압술 또는 소전자 절제술이 시행될 수 있다.

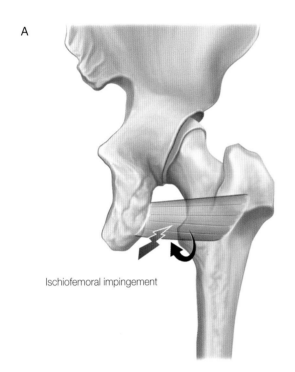

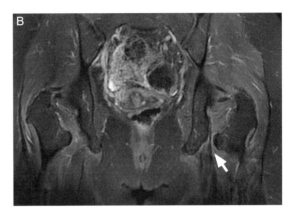

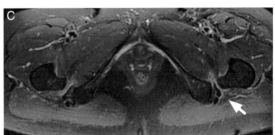

그림 12. 좌골대퇴 충돌증후군

(A) 좌골 조면과 대퇴골 소전자 사이에 있는 대퇴방형근이 압박을 받는 모식도이다(화살표). 자기공명영상의 관상면(B)과 축상면(C)에서 좌측 좌골 조면과 소전자의 간격이 감소되어 있고 부종이 관찰된다(화살표).

참고문헌

1. Sharma P, Maffulli N. Tendon injury and tendinopathy: healing and repair. J. Bone Joint Surg. Am. 2005; 87(1): 187-202.

2. Bestwick CS, Maffulli N. Reactive oxygen species and tendon problems: review and hypothesis. Sports Med Arthroscopy Rev. 2000; 8: 6-16.

3. Wang MX, Wei A, Yuan J, Clippe A, Bernard A, Knoops B, Murrell GA. Antioxidant enzyme peroxiredoxin 5 is upregulated in degenerative human tendon. Biochem Biophys Res Commun. 2001; 284: 667-73.

4. Wilson JJ, Furukawa M. Evaluation of the patient with hip pain. Am Fam Physician. 2014; 89(1): 27-34.

5. Minnich JM, Hanks JB, Muschaweck U, Brunt LM, Diduch DR. Sports hernia: diagnosis and treatment highlighting a minimal repair surgical. 2011; 39(6): 1341-9.

6. Grimaldi A, Mellor R, Hodges P, Bennell K, Wajswelner H, Vicenzino B. Gluteal tendinopathy: a review of mechanisms, assessment and management. Sports Medicine. 2015; 45(8): 1107-19.

7. Goom TS, Malliaras P, Reiman MP, Purdam CR. Proximal Hamstring Tendinopathy: Clinical Aspects of Assessment and Management. J Orthop Sports Phys Ther. 2016; 46(6): 483-93.

8. De Smet AA, Blankenbaker DG, Alsheik NH, Lindstrom MJ. MRI appearance of the proximal hamstring tendons in patients with and without symptomatic proximal hamstring tendinopathy. AJR Am J Roentgenol. 2012; 198(2): 418-22.

9. Lempainen L, Sarimo J, Mattila K, Vaittinen S, Orava S. Proximal hamstring tendinopathy: results of surgical management and histopathologic findings. Am J Sports Med. 2009; 37(4): 727-34.

10. Khan K, Cook J. The painful nonruptured tendon: clinical aspects. Clin Sports Med. 2003; 22(4): 711-25.

11. Orchard JW, Cook JL, Halpin N. Stress-shielding as a cause of insertional tendinopathy: the operative technique of limited adductor tenotomy supports this theory. J Sci Med Sport. 2004; 7(4): 424-8.

12. Mens J, Inklaar H, Koes BW, Stam HJ. A new view on adduction-related groin pain. Clin J Sport Med. 2006; 16: 15–19.

13. Martens MA, Hansen L, Mulier JC. Adductor tendinitis and musculus rectus abdominis tendopathy. Am J Sports Med. 1987; 15: 353–6.

14. Robinson P, Barron DA, Parsons W, Grainger AJ, Schilders EM, O'Connor PJ. Adductor-related groin pain in athletes: correlation of MR imaging with clinical findings. Skeletal Radiol. 2004; 33: 451–7.

15. Topol GA, Reeves KD. Regenerative injection of elite athletes with career-altering chronic groin pain who fail conservative treatment: a consecutive case series. Am J Phys Med Rehabil. 2008; 87: 890–902.

16. Schilders E, Bismil Q, Robinson P, O'Connor PJ, Gibbon WW, Talbot JC. Adductor-related groin pain in competitive athletes. Role of adductor enthesis, magnetic resonance imaging, and entheseal pubic cleft injections. J Bone Joint Surg Am. 2007; 89: 2173–8.

17. Johnston CA, Lindsay DM, Wiley JP. Treatment of iliopsoas syndrome with a hip rotation strengthening program: a retrospective case series. J Orthop Sports Phys Ther. 1999; 29: 218–24.

18. Bui KL, Llaslan H, Recht M et al. Iliopsoas injury: an MR study of patterns and prevalence correlated with clinical findings. Skeletal Radiol. 2008; 37: 245-9.

19. Dora C, Houweling M, Koch P, Sierra RJ. Iliopsoas impingement after total hip replacement: the results of non-operative management, tenotomy or acetabular revision. J Bone Joint Surg Br. 2007; 89: 1031-5.

20. Ilizaliturri Jr VM, Camacho-Galindo J. Endoscopic treatment of snapping hips, iliotibial band, and iliopsoas tendon. Sports Med Arthrosc. 2010; 18(2): 120–7.

21. Carlson C. The natural history and management of hamstring injuries. Curr Rev Musculoskelet Med. 2008;

1(2): 120–3.

22. Ahmad CS, Redler LH, Ciccotti MG, Maffulli N, Longo UG, Bradley J. Evaluation and management of hamstring injuries. Am J Sports Med. 2013; 41(12): 2933–47.

23. Brukner P. Hamstring injuries: prevention and treatment – an update. Br J Sports Med. 2015; 49(19): 1241–4.

24. Askling CM, Koulouris G, Saartok T, Werner S, Best TM. Total proximal hamstring ruptures: clinical and MRI aspects including guidelines for postoperative rehabilitation. Knee Surg Sports Traumatol Arthrosc. 2013; 21(3): 515–33.

25. Lempainen L, Banke IJ, Johansson K, Brucker PU, Sarimo J, Orava S, et al. Clinical principles in the management of hamstring injuries. Knee Surg Sports Traumatol Arthrosc. 2015; 23(8): 2449–56.

26. van Dyk N, Bahr R, Whiteley R, Tol JL, Kumar BD, Hamilton B, et al. Hamstring and quadriceps isokinetic strength deficits are weak risk factors for hamstring strain injuries: a 4-year cohort study. Am J Sports Med. 2016; 44(7): 95–1789.

27. Barnett AJ, Negus JJ, Barton T, Wood DG. Reattachment of the proximal hamstring origin: outcome in patients with partial and complete tears. Knee Surg Sports Traumatol Arthrosc.2015; (7): 2130–5.

28. Birmingham P, Muller M, Wickiewicz T, Cavanaugh J, Rodeo S, Warren R. Functional outcome after repair of proximal hamstring avulsions. J Bone Joint Surg Am. 2011; 93(19): 1819–26.

29. Wangensteen A, Tol JL, Witvrouw E, Van Linschoten R, Almusa E, Hamilton B, et al. Hamstring reinjuries occur at the same location and early after return to sport: a descriptive study of MRI-confirmed reinjuries. Am J Sports Med. 2016; 44(8): 2112–21.

30. Bourne MN, Opar DA, Williams MD, Al Najjar A, Shield AJ. Muscle activation patterns in the Nordic hamstring exercise: impact of prior strain injury. Scand J Med Sci Sports. 2016; 26(6): 666–74.

31. Bourne MN, Williams MD, Opar DA, Al Najjar A, Kerr GK, Shield AJ. Impact of exercise selection on hamstring muscle activation. Br J Sports Med. 2017; 51(13): 1021–8.

32. Kweon SH, Kim CG, Yoo BM, Cho HH, Choi YC. The Korean Journal of Sports Medicine 2016;34(2):176-180.

CHAPTER

8 양성 종양 및 종양성 병변
Benign Tumors and Tumor-like Lesions

고관절 부위는 두꺼운 근육층에 덮여 있어 종물 (mass)의 촉지가 어렵고, 골반 골의 형태적 특성 및 장내 공기나 분변 또 혈관내 석회 음영 등으로 단순 방사선 사진상 병소의 확인이 어려워서 진단이 늦어지는 경우가 자주 있다. 치료에 있어서는 수술적 치료의 필요성과 방법을 결정할 때 체중 부하를 받는 부위여서 병적 골절이 발생할 수 있음을 항상 염두에 두어야 한다.

고관절 주변부에서 골의 양성 종양 및 종양성 병변 (tumor-like lesion)은 반수 이상이 근위 대퇴골에 발생하고 이어서 장골, 천골, 치골, 좌골 순으로 보고되어 있다. 종양성 병변을 제외한 골의 양성 종양 중에는 유골 골종(osteoid osteoma)과 골연골종(osteochondroma)

이 가장 흔한데 이들이 전체의 50% 이상을 차지하고 있으며(표 1), 대부분 근위 대퇴골에서 발견된다. 한편, 근위 대퇴골에 발생하는 대표적인 종양성 병변은 섬유성 이형성증, 고립성 골낭종, 동맥류성 골낭종 등이 있다. 랑게르한스 세포 조직구증은 호산구 육아종 (eosinophilic granuloma)이라고도 하며, 장골에서는 고립성 혹은 동맥류성 골낭종보다 더 흔하다.

Kransdorf의 연구에 따르면, 연부조직의 양성 종양 및 종양성 병변의 50%가 고관절, 서혜부, 둔부에서 발생하였는데, 전체적으로 지방종이 가장 흔했다(표 2). 연령대에 따라서는 26세 이상의 성인에서는 지방종이, 16세에서 25세까지는 신경섬유종(neurofibroma),

표 1. 고관절 주위 양성 골 종양의 빈도

양성 골 종양 (N=923)	%
유골 골종(osteoid osteoma)	33
골연골종(osteochondroma)	22
거대세포종(giant cell tumor)	19
연골모세포종(chondroblastoma)	7
골모세포종(osteoblastoma)	6
연골종(chondroma)	5
연골유점액섬유종(chondromyxoid fibroma)	2
혈관종(hemangioma)	2
기타	4

Unni(1996) and Campanacci(1999)

표 2. 고관절 주위 양성 연부조직 종양의 빈도

양성 연부조직 종양 (N=935)	%
지방종(lipoma)	18
양성 섬유성 조직구종(benign fibrous histiocytoma)	9
신경섬유종(neurofibroma)	9
점액종(myxoma)	9
결절/증식성 근막염(nodular/proliferative fasciitis)	9
심부 섬유종증(deep fibromatosis)	8
혈관주위세포종(hemangiopericytoma)	6
신경집종(schwannoma)	6
혈관종(hemangioma)	5
기타	21

Kransdorf(1995a, b)

섬유종증(fibromatosis)과 양성 섬유조직구종(benign fibrous histiocytoma)이, 15세 이하에서는 지방모세포종(lipoblastoma), 영아기 섬유성 과오종(fibrous hamartoma of infancy), 결절 근막염(nodular fasciitis) 등이 흔했다.

고관절 주위 일부 골 종양은 특정 부위에서 호발하는 것으로 알려져 있는데, 한 예로 유골 골종과 단순 골낭종은 대퇴골 경부에서 흔히 발견된다. 성장 중인 골격에서 대부분의 원발성 신생물은 양성이든 악성이든 혈관이 풍부한 골간단에서 발생하는 경우가 많고 상대적으로 골단에서 발생하는 경우는 드물다. 소아에서 대퇴골두 골단에 발생된 병변은 연골모세포종이나 농양을 의심할 수 있다. 성인에서 관절하 병변이 발견되었을 때 감별해야 할 진단으로는, 골내 결절종(intraosseous ganglion), 거대세포종(giant cell tumor) 등이 있다. 고관절의 연골성 병변은 비구의 삼방사 연골(triradiate cartilage) 부위에서 자주 발견되나, 연골모세포종은 골단(apophysis) 위치에 있는 장골능에서도 발견되기도 한다. 반면 골반, 고관절, 서혜부에 발생하는 대부분의 연부조직 종양은 호발 부위가 특별히 알려져 있지 않으나, 결절종은 상대적으로 고관절 전방에서 흔히 발견되고 좌골신경과 같은 신경 주행을 따라 발생된 병변은 신경성 종양일 가능성이 높다.

양성 골 종양의 예후는 대체로 양호하나 다양한 임상적 경과와 생물학적 특성을 보인다. Enneking은 생물학적인 특성에 따라 양성 골 종양의 병기를 나누었다. 악성 종양의 병기는 로마숫자(stage I, II, III)로 표현하는 반면 양성 골 종양의 병기는 아라비아 숫자(stage 1, 2, 3)로 표현한다(표 3).

1. 유골 골종

유골 골종(osteoid osteoma)은 양성 골형성 종양으로 골반과 고관절 주위에 발생하는 양성 골 종양 중 가장 흔한 것 중 하나이다. 대퇴골 근위부가 가장 호발하는 부위이고 골반에 발생하는 경우는 드물다. 여성보다

표 3. Enneking system for staging benign musculoskeletal tumors

Benign
1. Latent – low biological activity; well marginated; often incidental findings (i.e., nonossifying fibroma)
2. Active – symptomatic; limited bone destruction; may present with pathological fracture(i.e., aneurysmal bone cyst)
3. Aggressive – aggressive; bone destruction/soft tissue extension; do not respect natural barriers (i.e., giant cell tumor)

남성에서 3배 정도 호발하고 10대에서 주로 발병한다. 주 증상은 통증과 파행인데, 고관절 부위뿐만 아니라 슬관절 부위 통증을 더 심하게 호소하기도 하므로 진단 시 주의를 요한다. 점차 심해지며 밤에 악화되는 통증은 유골 골종의 특징이며, 아스피린이나 다른 비스테로이드성 소염제로 통증이 잘 완화되는 것도 특징적이다. 관절내 위치하는 대퇴골 경부의 피질골 병변은 주위에 반응성 활액막염과 이에 따른 관절액 삼출때문에 관절병증으로 혼동되기도 한다.

단순 방사선 사진에서 방사선 투과성 혹은 무기질화된 핵(nidus)을 둘러싸는 경화성 변화가 특징적인 소견이나 핵이 뚜렷하지 않은 경우도 많다(그림 1A). 골주사는 병변의 위치 파악에 유용하고 주변 골조직의 염증성 반응보다 중심부의 핵이 더 높은 섭취를 보이는 '이중 음영 징후(double density sign)'를 나타낸다. 전산화단층촬영은 핵의 존재와 위치 및 크기를 명확히 파악할 수 있어 진단 및 치료에 있어 자기공명영상보다 유용하다.

자기공명영상에서는 전형적으로 광범위한 골수 부종과 주위 염증성 반응을 보이는데(그림 1B, C), 이 때문에 핵이 불분명하게 보일 수 있고, 감염이나 외상, 종양 등 다른 병변과 감별이 힘들 수도 있다. 핵은 섬유혈관성 조직과 무기질화의 양에 따라 다양한 신호 강도로 나타나는데 비무기질화 핵은 전형적으로 균일한 조영

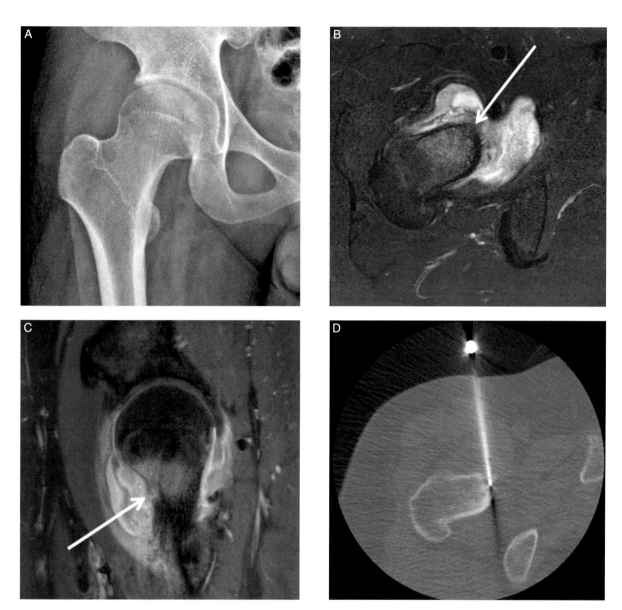

그림 1. 유골 골종

(A) 21세 환자의 단순 방사선 사진: 우측 대퇴골 경부의 내측에 방사선 투과성 음영을 보이는 병변이 관찰된다. (B), (C) 자기공명영상 사진: 인접한 대퇴골 경부의 골수 부종과 주위 염증성 반응, 비후된 피질골 속에 중등도 신호 강도를 보이는 핵이 있다. (D) 전산화단층촬영: 전산화단층촬영 유도하에 경피적 고주파 가열절제술을 시행하였다.

증강을 보이는 반면, 무기질화 핵은 고리 모양의 조영 증강 징후를 보인다.

유골 골종은 조직학적으로 골모세포종과 유사한 점이 많아 감별 진단이 필요한데, 유골 골종은 크기가 1 cm를 잘 넘지 못하는 반면 골모세포종은 대부분 2 cm가

넘는다. 또 골모세포종은 주위 골의 경화상이 뚜렷하지 않고 국소 통증이 경미하며 아스피린에 의한 진통 효과가 없어 유골 골종과 감별할 수 있다.

핵의 완전한 절제가 치료 방법으로 불완전한 절제는 국소 재발을 일으킨다. 병변내 절제(intralesional resection)보다는 일괄 절제(en bloc resection)가 권장되며, 절제 부위가 큰 경우 골이식과 더불어 병적 골절 예방 목적의 내고정이 필요할 수 있다. 근래에는 핵을 전산화단층촬영 유도하에 경피적으로 고주파 가열절제 (radiofrequency thermoablation)(그림 1D)하거나 천공기로 파괴하는 방법을 이용하기도 하는데, 특히 소아나 수술적 접근이 어려운 관절내 병변에서는 최소 침습적이라 유용하다. 또한 관절내 피질골 병변은 관절경을 통해 절제할 수도 있다. 대체적으로 발생 위치에 관계없이 소파술과 골이식을 시행하여 좋은 결과를 얻을 수 있고, 재발률은 10% 미만이다. 소아에서는 자연 소실되는 경우도 있어 증상이 심하지 않으면 일정 기간 관찰할 수도 있다.

2. 골연골종

외골종(exostosis)이라고도 하며 골 종양 중 가장 빈도가 높은 양성 종양 중 하나이다. 고관절 주변부에 발생 하는 골 종양 중에는 유골 골종에 이어 두 번째에 위치하지만, 골연골종(osteochondroma) 중에서 근위 대퇴골에 발생하는 경우는 약 9%이다. 진성 종양이라기 보다는 발생 과정의 기형으로 생각되고 많은 경우 환자의 골성장과 평행하게 커지며 환자의 골성장이 끝날 때와 거의 동시에 더 이상 커지지 않는다. 처음으로 발견되는 연령은 대개 10–25세 사이이며, 남녀 간에는 큰 차이가 없다. 병변은 주로 관절 주변부에 위치하고, 전형적으로 침범한 골의 골간단부를 포함한다. 대부분 급성장기에 발견되며 종양을 촉지하거나 혹은 외상 등으로 시행한 방사선 검사에서 우연히 알게 되는 경우도 많을 정도로 증상은 대개 경미하다. 골연골종의 90% 정도는 단발성 병변이지만, 나머지 10%는 다발성 병변을 보이고 이는 보통 유전성 다발성 골연골종(hereditary multiple exostosis)이나 상염색체 우성을 보이는 가족성 다발성 골연골종(familial multiple osteochondromatosis)과 연관이 있다. 골연골종은 보통 양성의 경과를 보이는데 단발성 골연골종의 1% 이내에서만 연골육종(chondrosarcoma)으로 악성 변화를 보인다. 악성 변화는 유전성 다발성 골연골종이나 가족성 다발성 골연골종에서 약 5% 정도로 더 흔하다. 악성 변화를 의심해야 하는 소견들이 있는데, 사춘기 이후 성장이 멈춘 다음 병변이 커지거나 어린 환자에서 급작스러운 성장을 보일 때, 병변 주변으로 통증이 심해질 때 악성 변화를 의심해야 한다.

형태에 따라 유경성(stalked)과 무경성(sessile, broad based)의 두 가지로 나눌 수 있다. 골연골종은 2개의 구성 요소로 되어 있는데 그 중 하나는 방사선 사진에서 골단부 피질골에 주위 관절에서 멀어지는 방향으로 돌출되면서 정상 골의 골수강과 피질골에 각각 연결되어 있는 골 돌출물(bony protrusion)(그림 2A)이다. 또 다른 하나는 골 돌출물 위에 이를 덮고 있는 연골모(cartilage cap)인데, 보통은 단순 방사선 사진에서 보이지 않지만 가끔 연골모 내에 점상 석회화를 관찰할 수 있다. 연골모는 보통 수 밀리미터 두께이며 성장이 끝난 환자에서는 연골모의 두께가 얇아지거나 없을 수도 있다. 골연골종의 진단은 단순 방사선 사진만으로도 이뤄지는 경우가 대부분이지만, 증상을 유발하는 병변에 대해서는 자기공명영상이 유용한 정보를 제공할 수 있다. 정확한 연골모의 두께를 알 수 있고, 주변 구조물과 병변의 해부학적 관계를 알 수 있다(그림 2B, C). 또한, 모든 영상 검사에서 골연골종 병변의 가장 중요한 특징은 골수강과 피질골이 원발골로부터 연속성을 유지하고 있는 것인데 자기공명영상에서 가장 잘 관찰할 수 있다. 연골모는 T1에서 저신호 강도로, T2에서는 고신호 강도로 보인다. 때로는 병변 주변 조직과의 마찰력 때문에 점액낭을 형성하는 경우도 있는데 이 역시 자기공명영상으로 쉽게 확인할 수 있다. 영상 검사상 악성을 의심해야 하는 경우는 연골모 부위의 석회화가 불규칙적인 방사선 투과성을 보이면서 심해진 경우, 그리고 종괴의 명확한 경계가 소실되거나, 골조직의 흡수, 점상(stippled) 혹은 과립상(granular)의 석회화, 연골모의 두께 증가(≥2 cm) 등이 있을 때이다.

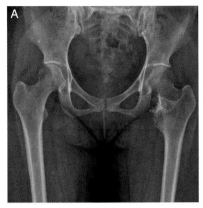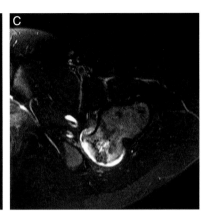

그림 2. 골연골종
(A) 단순 방사선 사진: 좌측 소전자부에 경화성 경계를 가진 6.2 cm 크기의 골 돌출물이 관찰된다. (B), (C) 자기공명영상(T2 관상면, T2 축상면): 병변의 골수강과 피질골이 원발골로부터 연속성을 유지하고 있고, 고신호 강도를 보이는 연골모가 확인되고, 주변 조직 부종과 함께 병변과 좌골 결절 사이 공간에 점액낭염이 있다.

치료는 통증과 압통, 주위 관절 운동의 제한, 신경 및 혈관의 압박 증상, 종양의 병적 골절 혹은 악성화의 소견이 있을 때 절제 수술의 적응증이 된다. 수술은 종양 기시부에서 종양을 덮고 있는 연골모까지 절제하는 것이고, 연골모를 완전히 제거하여야 재발을 막을 수 있다. 수술 후 재발률은 약 2% 정도로 보고되고, 자연적으로 골연골종이 소멸된 경우도 보고된 바 있다.

1) 다발성 골연골종증

대부분 다발성 외골종으로 나타나지만, 성장 장애나 골간단부의 비정상적인 확장이나 기형으로 나타날 수 있다. 근위 대퇴골에 발생하면 대퇴골두와 경부가 넓어지는 변형을 일으킨다(그림 3A). 다발성 골연골종증(multiple osteochondromatosis)은 고립성 골연골종의 10% 정도이며 남자에서 더 많다. 고립성 골연골종과 비슷한 나이에 발견되며 환자의 가족에 대한 검사가 조기 발견에 도움이 된다. 유전학적으로 상염색체 성우성 유전을 하는데 부모 중 한 명이 다발성 골연골종증 환자일 때 자녀가 환자일 확률은 약 50%이다. 약 절반 이상의 환자에서 부모로부터 유전되는데 대부분 아버지로부터 유전된다. 유전성 다발성 골연골종증의 경우에는 비구 이형성증(그림 3A), 외반고, 고관절 아탈구 등이 드물지 않게 나타나므로 잠재적인 위험성을 갖고 있는 환자에 대해 고관절 방사선 사진을 통한 철저한 추시 관찰이 필요하다. 수술은 통증이 동반된 종괴, 관절 운동 장애, 변형의 치료나 방지가 필요한 경우나 건, 신경, 혈관 등의 충돌 증후군이 동반되었을 때 시행한다.

3. 고립성 골낭종

대체로 진성 신생물(true neoplasm)은 아닌 것으로 생각되며 발생 원인이 확실히 밝혀지진 않았지만, 골수강의 정맥혈 배출이 차단되어 골수강내 압력이 증가된다는 연구가 있다. 고립성 골낭종(solitary bone cyst)은 대부분 20세 이하에서 발생하고, 남자에서 여자보다 2배 이상 많이 발생한다. 성인에서는 방사선 검사상 우연히 발견되는 경우가 많으며 전체의 약 25−30%가 발생하는 대퇴골 근위부는 상완골 근위부(60%)에 이어 두 번째 호발 부위이다(그림 4A). 골반 병변은 드물고 발생 시에는 보통 장골에서 발견된다. 대부분 골절이 발생할 때까지는 무증상이지만, 어느 정도 성장하면 둔통을 느끼거나 국소 압통 및 종창의 증상이 나타날 수 있다.

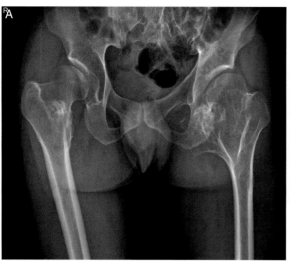
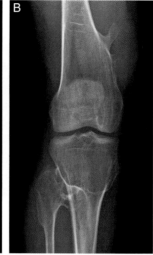
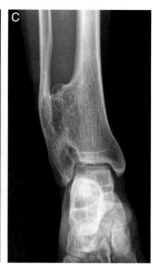

그림 3. 유전성 다발성 골연골종
(A) 단순 방사선 사진에서 양측 근위 대퇴골 내측에 골 돌출물이 관찰되고, 골두와 경부가 넓어지는 이형성 변화(dysplastic change)를 보인다. 같은 환자에서 슬관절 주위(B)와 원위 경비골간 관절(C)에도 다발성 골연골종을 관찰할 수 있다.

단순 방사선 사진에서는 단발성으로 얇은 경화성 테두리를 갖는 경계가 명확한 골용해성 병변이 중심부에 나타난다. 병변 자체가 특징적으로 단백질 성분을 많이 갖고 있기 때문에 전산화단층촬영과 자기공명영상(T2 강조영상)에서는 각각 물보다 더 고밀도와 고신호강도를 보이고 전형적으로 액체성을 띤다(그림 4C). 감별진단으로는 동맥류성 골낭종, 섬유성 이형성증, 골모세포종 및 골육종 등이 있다. 특히, 대퇴골은 체중 부하로 인해 변형과 병적 골절 발생의 위험이 있고 골절로 대퇴골두 골괴사나 내반고(coxa vara) 등이 초래될 수 있다. 따라서 증상을 동반한 큰 병변인 경우에는 환자의 연령에 관계없이 조기에 완전 소파술 및 골이식이 필요한 경우도 있다. 최근에는 소파술 대신 스테로이드를 종양내(intralesional) 주입하는 치료도 선호되고 있으며 약 80%에서 좋은 결과를 보인다. 골낭종을 통과하는 병적골절이 이미 발생한 경우에는 상지에서는 대부분 석고 고정 등의 보존적 요법으로 치료하고, 하지에서는 대퇴골 전자하부와 같이 체중 부하가 많이 되는 부분은 골이식과 추가적인 내고정술이 필요할 수

도 있다. 적절한 치료 후에는 예후가 양호한 편이지만, 골단판에 근접해 있을수록, 환자의 연령이 낮을수록, 병변 주위의 피질골이 얇고 부풀어 오르는(ballooning) 등의 경우에 재발률이 높다. 여러 저자들이 대체로 10세 이후에 재발률의 감소를 보고하며 골 성장이 끝나면 단순 골낭종도 안정화 되는 것으로 알려져 있다.

4. 동맥류성 골낭종

동맥류성 골낭종(aneurysmal bone cyst)은 종양이 아닌 뼈의 일차성 병변으로 혈액이 채워진 다엽성 낭종(multilobulated cyst)으로 특징 지워지는 양성의 팽창성 골 병변이다. 고관절 주위에는 비교적 드물어 모든 동맥류성 골낭종의 7% 가량만이 대퇴골 근위부에서, 6%가 장골에서, 2%가 천골, 치골, 좌골에서 발생한다. 병변의 80%가 5세에서 15세 사이에 발견되고 여성에서 조금 더 호발한다. 대다수가 원발성 병변이다. 동맥류성 골낭종 소견이 다른 선행 병변인 거대세포종, 연골모세포종, 연골유점액 섬유종(chondromyxoid fibroma), 섬유성 이형성증, 모세혈관확장성 골육종

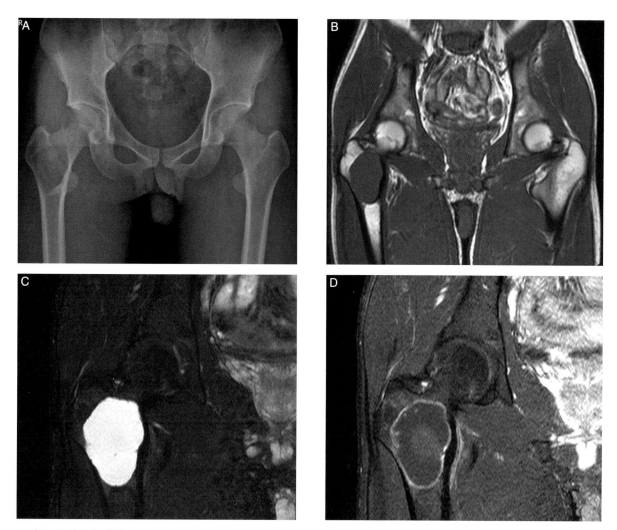

그림 4. 고립성 골낭종
(A) 단순 방사선 사진: 근위 대퇴골 골간단부 중심부에 얇은 경화성 테두리를 가진 골용해성 병변. (B), (C), (D) 자기공명영상(T1, T2, T1 조영 증강): T1에서 중간, T2에서 고신호 강도를 보이며 몇 개의 격벽이 형성되어 있고, 낭종을 둘러싼 얇은 벽은 조영이 증강되어 있다.

(telangiectatic osteosarcoma) 등에서 같이 발견되기도 하는데 이럴 경우 이차성 병변이라고 부른다.

환부의 국소 통증과 종창이 주된 증상이며, 간혹 병적 골절이 초기 증상으로 나타날 수가 있다. 초기 병변에서 단순 방사선 사진은 뚜렷하게 팽창하고 있는 골용해성 병변을 보이는데 이를 'blown out 현상'이라고 한다(그림 5A).

자기공명영상은 전산화단층촬영보다 액체−액체층 (fluid−fluid level)을 발견하는 데 더 민감하다. 이는 낭

종 공간 내의 혈액 성분의 침강(sedimentation) 효과 때문이다(그림 5B, C, D). 원발성 병변에서는 조영제 사용 시 병변 외연과 격막(septum)의 조영 증강이 뚜렷한 반면, 이차성 병변에서는 선행 병변의 특징과 병변의 범위에 따라 조영 증강 양상이 다양하게 나타날 수 있다. 모세혈관확장성 골육종이 영상 및 병리조직 소견상 동맥류성 골낭종과 혼동될 수 있다는 것은 꼭 염두에 두어야 한다.

치료에 있어서 가장 성공적인 방법은 병변을 가능한 완전히 수술적으로 제거하고 필요할 경우 골이식을 시

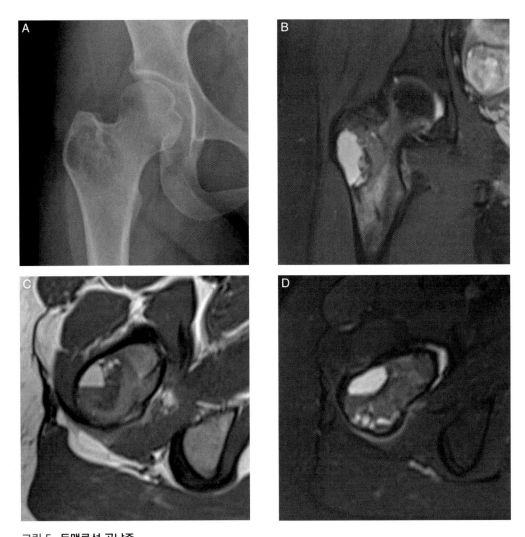

그림 5. 동맥류성 골낭종
(A) 단순 방사선 사진: 우측 근위 대퇴골 내에 커다란 다방성 병변이 여러 격벽(septation)으로 나뉘어져 있다. (B), (C), (D) 자기공명영상(T2): 다발성 액체-액체층을 보이는 팽창성 병변이 관찰된다.

행하는 것이다. 최근에는 골 대체제(bone substitute)를 사용하기도 하며, 자가 혹은 동종 골이식을 하지 않는 대신 병적 골절 방지 및 골유합을 도모하기 위해 기계적 내고정술을 병행해야 된다는 의견이 제시되고 있으나, 아직 논란이 있다. 보통 소파술 후 약 25%에서 병변이 남아있다고 알려져 있어 가능하면 광범위 절제가 원칙이나, 불가능하면 완전 소파술 후 추가적으로 고속 연마술(high-speed burring) 혹은 페놀, 알코올 등을 이용한 화학적 소파술이 추천된다. 수술 후 재발의

가능성을 염두에 두고 추시 관찰을 하는 것이 중요하다. 소파술 후 재발률은 10-20% 정도로 알려져 있다.

5. 연골모세포종

연골모세포종(chondroblastoma)은 장관골의 끝부분에 발생하는 특이한 양성 골 종양으로, Codman 종양이라고도 칭하며, 거대세포와 연골 기질(chondroid matrix)을 생성하는 드문 양성 종양이다. 연골모세포종은 대퇴골 원위부, 상완골 근위부, 경골 근위부에 호발

하고 대퇴골 근위부에는 약 11% 정도 발생한다. 주로 10−25세 사이에 호발하는 것으로 알려져 있으며, 남성에서 2~3배가량 더 호발한다. 주로 골단이나 골단 주위에 호발하는데 대퇴골두나 골단, 대전자에서 높은 발생률을 보이고 드물게는 삼방사 연골이 있는 비구에서 발생하기도 한다. 드물게 공격적인 경과를 보이고 양성 종양이지만 폐전이를 일으키기도 하는 등 원격전이도 한다는 보고가 있다. 다발성 발병은 매우 드물다.

장기간의 국소 통증이 주된 증상이고 이로 인한 인접 관절의 운동 장애 등의 관절 증상으로 종창과 파행 등 이 나타난다. 단순 방사선 사진상 경계가 뚜렷한 골용해성 병변인데, 경화성 테두리를 동반할 수 있다 (그림 6A). 무기질화가 흔히 동반되지만, 뚜렷하지 않은 경우가 종종 있어 전산화단층촬영이 도움이 될 수 있으며 팽창성 병변일 경우 이차성 동맥류성 골낭종의 가능성이 높아진다. 자기공명영상의 T2 강조영상에서는 전형적으로 중간 혹은 고신호 강도가 다양하게 나타나는데, 이는 혈철소 양, 석회화 정도, 연골모세포

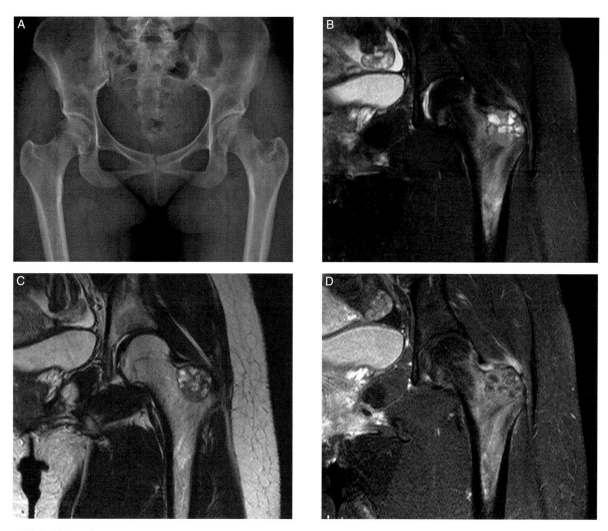

그림 6. 연골모세포종
(A) 단순 방사선 사진: 경계가 좋은 골용해성 병변에 경화성 테두리가 관찰된다. (B), (C) 자기공명영상(T2): 다양한 중간 혹은 고신호 강도를 보인다. (D) 조영증강 T1 영상: 반응성 염증 반응으로 인한 주위 골수 부종과 관절 삼출이 관찰된다.

의 밀도 등의 차이와 더불어 이차성 동맥류성 골낭종이 동반된 경우의 내재된 액체-액체층 때문이다. 반응성 염증이 흔히 동반되어 그로 인해 주위의 골수 부종과 관절 삼출이 관찰된다(그림 6B, C, D).

연골모세포종과 감별 진단하여야 하는 종양은 거대세포종, 연골유점액 섬유종 및 골육종이다. 그 가운데 거대세포종과 연골모세포종은 모두 장관골의 끝에 발생하지만, 그 호발 시기가 연골모세포종은 골단판이 닫히기 전인 10대에, 거대세포종은 20-30대이다. 방사선 검사에서는 연골모세포종은 경화성 테두리로 인해 거대세포종보다 주변 골과 경계가 더 분명하다. 조직학적으로는 단핵세포에 커피콩 모양의 특징적인 핵이 있고, 거대세포종에서는 볼 수 없는 유연골 기질과 석회화가 있다. 특히 석회화가 각각의 세포를 싸고 있는 chicken wire appearance가 관찰된다.

기본적인 치료는 완전 소파술 후 골이식이다. 소파술 후 재발률은 약 25%로 보고되고 있으며, 재발을 줄이기 위해 페놀 처리(phenolization)를 하거나 액화질소를 이용한 냉동요법이 이용되기도 하지만 주위의 골단이나 관절 연골이 노출되었을 때에는 이러한 추가 처치를 사용할 수 없다. 대퇴골두 골단에 발생한 경우 접근법으로는 1) 대퇴골 경부의 전방에 창을 내는 방법, 2) 외측 피질골로부터 터널을 내는 방법, 3) 조심스럽게 대퇴골두를 비구로부터 탈구시킨 후 중심와(fovea centralis)로부터 접근하는 방법 등을 고려할 수 있다. 관절 내로의 파급 혹은 활액막으로의 착상(implantation)에 유의하여야 한다. 수술 후 수술 부위와 흉부에 대해 적어도 6개월 간격으로 3년간, 이후 1년 단위로 방사선 검사를 하여 재발 및 전이 여부를 관찰하여야 한다. 악성 변화는 매우 드물지만 주로 방사선 치료를 한 경우에 생길 수 있다.

6. 거대세포종

거대세포종(giant cell tumor)은 일명 파골세포종(osteoclastoma)이라 하며 골 종양의 5%를 차지한다.

장관골에서는 대부분 골단선이 폐쇄된 이후 골단부에 발생한다. 국소적으로 공격적인 성향을 갖는 종양으로서 주로 20대에 호발하고, 80%가 20-50세 사이에 발병하며 고관절이나 근위 대퇴골에는 드물다. 골반과 고관절 주위에 발생하는 양성 골 종양 중 19%를 차지한다(표 1). 천골에 발생하는 모든 양성 종양 중 57%를 차지할 정도로 천골에 호발하는 경향을 보인다.

대부분의 경우 통증, 국소 종창과 압통을 호소하고 병적 골절이 발생하지 않는 한 심한 통증은 드물다. 전형적인 병변은 단순 방사선 사진상 경계가 좋은 골용해성 및 팽창성의 지도 모양의 골파괴 소견을 보인다(그림 7A). 15% 정도에서는, 경계가 뚜렷하지 않은 침습적인 양상을 보이며 피질골을 뚫고 주위 연부조직으로 파급되기도 한다. 자기공명영상은 골내 병변의 범위와 연부조직으로의 침범 정도를 아는 데 도움이 된다. 보통 T1 강조 영상에서 저신호를(그림 7B) T2 강조 영상에서 고신호를 보이는데 병변은 불균일하고 다양한 신호 강도를 보이며 종종 이차성 동맥류성 골낭종 형성에 의한 액체-액체층이 나타날 수 있다. T2 강조 영상에서 저신호 혹은 중간신호 강도를 보이는 부위는 교원질 침착, 세포 과밀, 이전의 출혈에 의한 혈철소(hemosiderin) 침착이 있을 가능성이 크다(그림 7C). 종양 주위 부종은 골절이 없는 경우에는 드물다. 종양의 고형 부분과 주변의 낭종성 병변은 불균일한 조영 증강을 보인다.

양성 종양으로 분류되기는 하지만 상당히 공격적이어서 단순 소파술 후 골이식을 할 경우 약 50-60%에서 재발한다고 알려져 왔다. 특히, 천골의 병변은 치료가 어려워서 심각한 합병증과 재발의 빈도가 높다. 최근 자기공명영상의 발달로 병변에 대한 정확한 평가가 가능해지고 수술 방법이 발달하면서 재발률이 5-15% 정도로 감소되었다. 동맥 색전술 단독 혹은 다른 치료와의 병용 치료가 의미 있다는 보고가 있으며, 광범위 소파술과 함께 페놀 처리, 액화 질소 냉동요법, 전기 소작, 골 시멘트 충진술 등을 추가 시행함으로써 재발률을

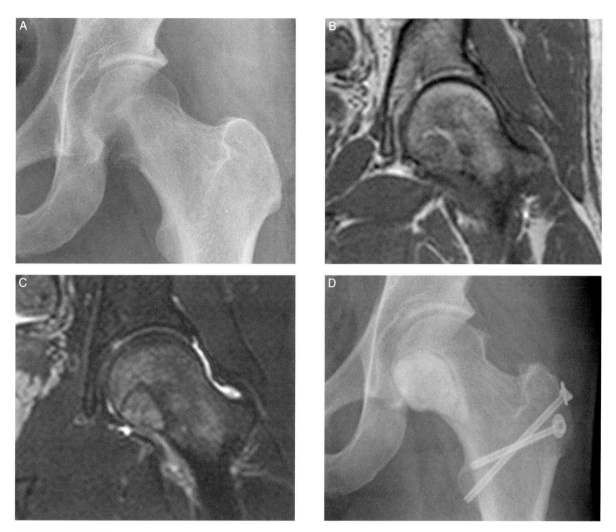

그림 7. 거대 세포종

(A) 단순 방사선 사진: 좌측 대퇴골두와 경부에 경계가 좋은 지도모양의 골용해성 병변, (B), (C) 자기공명영상(T1, T2): T1에서 저신호 강도, T2에서는 고신호 강도를 보이는데, 병변은 비균질한 신호강도를 보이며, 중간 혹은 저신호 강도는 병변내 출혈, 혈철소 침착이 관찰된다. (D) 단순 방사선 사진: 소파술 및 전기소작술 후 골시멘트 충진술을 시행하였다.

줄일 수 있는 것으로 알려져 있다(그림 7D). 그러나 병소가 크거나, 병적 골절이 합병되었거나, 재발한 경우에는 변연부 절제나 광범위 절제 후 동종 골이식이나 종양 치환물(tumor prosthesis)로 재건을 시도할 수 있다. 거대세포종은 폐전이를 일으킬 수 있는 종양이므로 치료 후 원발 병소의 상태와 함께 폐전이 유무를 추시하여야 한다.

7. 섬유성 이형성증

섬유성 이형성증(fibrous dysplasia)은 골화의 결손으로 인하여 섬유성 증식이 일어나고 골수강내에 침상(spicules)의 미성숙골(woven bone)이 보이는 질환으로, 일반적으로 골의 발육이상으로 생각한다. 골반과 고관절 주위에 비교적 흔히 이환되는 질환으로 단발성(monostotic)과 다발성(polyostotic)의 두 가지 형태로 나타날 수 있으며 다발성 질환은 통증이나 병적 골절이 동반되거나, 내분비적 문제를 동반하는 McCune-Albright 증후군이 병발할 수 있다. 단발성이 다발성보다 6배 정도 흔하고, 단발성 질환은 우연히 발견되는 경우가 자주 있는데 10대에 좀 더 호발한다. 약 18%에서 대퇴골을 침범하고 그 중에서도 대퇴골 근위부가 가장 호발하는 부위로, 비정상적인 골의 재형성으로 내반 변형이 나타나기도 하는데, 이를 '양치기 지팡이 (shepherd's crook) 변형'이라고 한다. 이러한 내반고는 주로 어린 연령군에서 발견되고 병적 골절이 흔히 동반된다. 동맥류성 골낭종, 병적 골절, 악성 변성 등이 합병증으로 나타날 수 있는데, 골육종, 섬유육종, 악성 섬유성 조직구종 등으로의 악성 변성은 1% 이내로 발생한다.

단순 방사선 사진에서는 골수강내 경계가 명확한 팽창성 병변으로 다양한 두께의 경화성 테두리를 갖고 종종 골내막 부채살 변형(endosteal scalloping)이 동반된다(그림 8A). 병변 실질은 흔히 간유리 모양(ground glass appearance)이라 표현되는데 방사선 투과성으로부터 경화성까지 다양한 범위로 보인다. 병변은 특징적으로 골간단부와 골간부를 침범한다. 자기공명영상에서 종양 실질은 T1 강조영상에서는 근육과 비교해서 저신호 혹은 중간신호 강도로, T2 강조영상에서는 세포 밀도와 섬유성 및 무기질 성분의 비율에 따라 다양한 신호 강도를 보인다(그림 8B).

치료의 목적은 변형의 진행과 골절을 방지하는 데 있다. 소파술 후 재발의 가능성이 높으므로 완전 소파 후 골이식을 시행하되 해면골보다는 피질골 지주(cortical strut bone) 이식이 유리할 수 있고 동종 골이식도 유용하다. 더불어 강한 내고정물을 추가하여 좋은 예후들이 보고되고 있는데(그림 8C) 비록 내고정물이 근본적인 질병 경과를 바꾸진 못하더라도 병변으로 인해 구조적으로 취약해진 골에 역학적인 버팀목이 될 수 있다. 대퇴골 간부에서는 골이식과 골수강내 금속정을 병용할 수 있다.

8. 활액막 연골종증

원발성 활액막 연골종증(synovial chondromatosis)은 흔하지 않은 질환으로 관절 내의 활액막, 관절 외의 건막이나 점액낭의 점막에 발생하는 경계가 잘 지어지는 유리질 연골 종양을 칭한다. 전체 양성 종양성 병변의

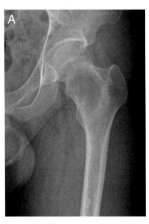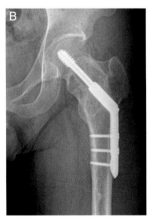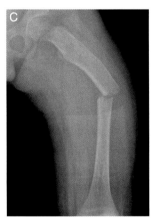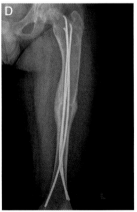

그림 8. 섬유성 이형성증
(A) 단순 방사선 사진: 좌측 근위 대퇴골을 광범위하게 침범하여 간유리 모양으로 다양한 두께의 경화성 테두리를 갖는 팽창성 병변이 관찰된다. (B) 광범위 소파술 후 자가골 및 동종골을 이식하고 내고정을 하였다. (C) 단순 방사선 사진: 좌측 대퇴골을 광범위하게 침범하여 간유리 모양으로 다양한 두께의 경화성 테두리를 갖는 팽창성 병변이 관찰되며, 대퇴골 간부의 병적 골절이 관찰된다. (D) 골수강내 고정술 후 골절 부위의 골유합이 관찰된다.

약 17.3%를 차지한다. 20–40대 사이 연령대와 남자에서 호발하고 사춘기 이전에는 드문 것으로 알려져 있다. 고관절은 슬관절 다음으로 두 번째 호발하는 부위이다. 이환된 환자는 보통 관절 뻣뻣함과 다양한 통증을 호소한다.

단순 방사선 사진에서는 병변의 범위와 시기에 따라 다양한 양상을 보인다. 관절 내 다수의 무기질화 결절이 특징적인 소견인데 작은 반점 형태로부터 커다랗고 짙은 석회화까지 다양하게 나타나며 골화는 드물다. 이들 결절은 주된 결절 병변이 있다고 하더라도 대체로 비슷한 크기를 보인다. 종물에 의해 이차적인 골미란(bony erosion)이 발생하는데 상대적으로 관절강이 탄탄한 고관절에서 더 흔하다(그림 9A). 관절 간격이 증가된 소견을 보이기도 한다. 자기공명영상에서는 T1 및 T2 강조영상 모두에서 석회화된 연골성 결절들이 저신호 혹은 중간신호 강도로 나타난다(그림 9B). 가돌리늄 주사 시 결절은 가장자리에 조영 증강을 보인다.

조직학적으로 병기를 셋으로 나누는데 1기는 유리체 없이 활액막내 활동적 병변이 있는 경우, 2기는 활액막내 활동적 병변과 더불어 유리체가 있는 이행성(transitional) 시기, 3기는 많은 유리체가 있으나 활액막내 활동적 병변이 없는 경우다.

치료는 병기에 따라 달라지는데 3기 병변은 유리체만 제거하는 것으로 충분하나(그림 9C), 1, 2기 병변에는 활액막절제술(synovectomy)로 활동적 병변을 같이 제거하여야 재발을 막을 수 있다. 고관절의 특성상 활액막절제술을 완전히 시행하기 힘들고, 대퇴골두 골괴사가 합병될 수 있다는 제한점이 있다. 최근에는 유리체 제거나 활액막절제에 있어 관절경의 이용이 늘어나고 있다(그림 9D).

9. 건활액막 거대세포종

건활액막 거대세포종(tenosynovial giant cell tumor)은 이전에 색소 융모결절성 활액막염(pigmented villonodular synovitis)이라는 용어가 사용되었다. 건활액막 거대세포종은 관절 활액막이나 건막 활액막에 융모성 결절을 형성하며, 골과 관절 그리고 주위의 연부조직을 국소적으로 파괴하지만 원격 전이는 일으키지 않는 종양성 증식(neoplastic type of proliferation) 질환으로 정의할 수 있다.

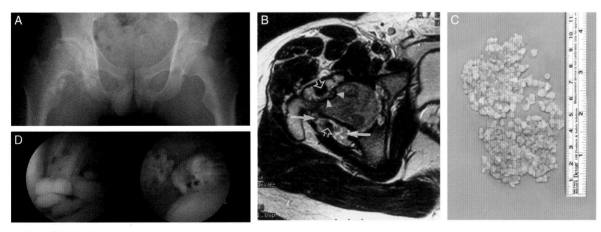

그림 9. 활액막 연골종증
(A) 31세 환자의 단순 방사선 사진: 우측 대퇴골두 내측과 경부 주위의 무기질화 결절이 보이고 광범위한 골 미란이 동반되어 있으며 관절 간격, 특히 내측 간격이 증가되어 있다. (B) 자기공명영상(T2 축상 영상): 대퇴골 경부 주변의 광범위한 골 미란(화살촉), 관절 내 유리체(긴 화살), 활액막성 비후(열린 화살) 등이 관찰된다. (C) 제거된 유리체. (D) 관절경을 이용해 유리체 제거나 활액막절제술을 시행한다.

병인은 아직 밝혀져 있지 않으며, 원인 모를 자극에 대한 염증성 질환과 지속적인 외상이나 반복적인 출혈, 혈관절증(hemarthrosis)에 대한 반응성 과정으로 집락-촉진 인자(colony-stimulating factor)의 과발현으로 건활 막 거대세포(tenosynovial giant cell)의 종양성 증식이 초래되어 발생하는 것으로 보고 있다.

국소형(localized) 또는 미만형(diffuse type)으로 분류하며, 고관절에서는 대부분 미만형으로 발생한다. 미만형은 이완된 관절의 전체 활액막을 침범하는 형태로 여러 관절을 침범하는 경우는 드물고 대부분 한 개의 관절을 침범한다. 고관절은 슬관절 다음으로 호발하는 부위이며 성별 간의 차이는 없는 것으로 알려져 있고, 대개 20-30대에 호발한다.

병력 청취에 있어 외상력이나, 감염 또는 염증성 관절염을 배제할 수 있어야 하며, 임상 증상으로 고관절부 만성적인 부종이나 불편감에서부터 통증성 관절 운동 제한과 파행을 보이며, 종창이나 국소 열감을 보이기도 하며 가끔 종괴가 촉지될 수도 있다.

관절천자 시 특징적으로 혈철소(hemosiderin) 염색된 갈색의 관절액 소견을 보이며, 관절액 검사에서는 세포수나 당, 단백질 수치와 면역 글로불린 수치도 대부분 정상 소견을 보인다.

고관절의 단순 방사선 사진에서 정상 소견을 보이는 경우가 있어 진단하기 쉽지 않을 수 있다. 질환이 진행된 상태에서는 관절과 골을 침범한 경우 경화성 경계가 분명한 다발성 연골하 낭성 음영(subchondral cyst-like lucency)이나 피질근접 미란(juxtacortical erosion)이 관찰되며, 관절 간격의 감소가 있으나 질환이 진행될 때까지 비교적 유지되는 경우가 많다. 방사선 사진 소견으로 감별해야 하는 질환으로는 결핵성 관절염, 혈우병성 관절염, 활액막 연골종증과 류마티스 관절염 등이 있다. 전산화단층촬영이나 자기공명영상은 질환의 침범 양상을 가장 잘 확인할 수 있는 방법이며 특히, 자기공명영상은 연부조직 종괴의 양상을 가장 잘 보여준다. 혈철소에 의해 T1, T2 영상 모두에서 저신호 강도의 부위와 함께 지방조직에 의해 T1 영상에서 고신호 강도의 부위를 가진 불균질 영상을 보이는 연부조직 종물이 특징이라고 할 수 있다(그림 10).

조직학적 소견으로는 활액막세포의 증식으로 융모 형태를 보이며 세포들은 종종 혈철소 염색이 된다. 거대 세포종과 유사한 조직학적 소견을 가지며, 조직구세포, 포말세포, 거대세포, 염증세포 및 섬유조직 등의 다양한 분포를 보이며, 세포 분열 양상이 흔히 관찰된다. 치료는 활액막절제술, 관절 유합술, 방사선 요법, 관절치환술 등의 방법이 있다. 국소형의 경우 절제술도 시도할 수 있고, 예후도 양호하며 재발도 거의 없는 것으로 알려져 있다. 그러나, 고관절에서는 대부분 미만형의 형태로 발생하기 때문에 전체 활액막절제술이 치료 원칙이며, 수술 술기상 완전 절제에 어려움이 있어 재발의 가능성이 상대적으로 높다. 일반적으로 미만형에서 재발률은 16-48%까지 보고되고 있다. 최근 고관절경을 이용한 치료가 시도되고 있고, 수술 후 10년간의 장기 추시에서 좋은 결과가 보고되기도 하였다. 관절경적 치료는 최소 침습적이기 때문에 건활액막 거대세포종으로 인해 이미 이차적인 관절 손상이 있는 환자에게 효과적이다. 관절경적 방법으로도 충분한 활액막절제술이 가능하고, 개방성 수술에 비해 변연 구획(peripheral compartment)으로의 접근이 용이하다는 장점이 있다. 고관절에서 관절 연골의 파괴와 골 미란이 심한 경우 고관절 전치환술을 고려할 수 있다. 최근에 활액막절제술과 함께 무시멘트형 고관절 전치환술을 시행하고 9년 추시까지 좋은 결과를 보였다는 보고도 있다. 최근 보고에 의하면 광범위하게 침범하여 근치적절제술이 불가능한 미만형에서는 방사선 동위원소를 관절내로 주사하여 치료하는 근접치료(brachytherapy)가 시도되기도 한다. 하지만 해부학적 위치상 생식 기관과 근접해 있어 그 이용이 제한적이다.

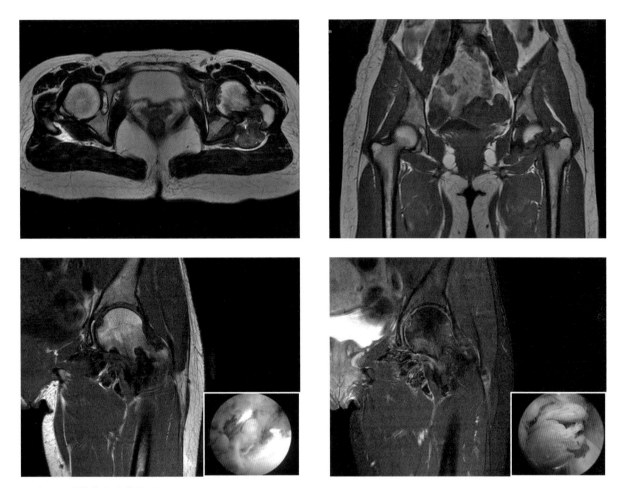

그림 10. 건활액막 거대세포종

자기공명영상과 관절경 소견에서 대퇴골두의 미란과 활액막성 비후 소견을 관찰할 수 있다.

참고문헌

1. 대한정형외과학회. 정형외과학. 제7판. 최신의학사; 2013.

2. Abdelwahab IF, Miller -TT, Hermann G, et al. Transarticular invasion of joints by bone tumors: hypothesis. Skeletal Radiol. 1991; 20: 279-283.

3. Anderson MW, Thomas TH, Dussault RG, et al. Compartment anatomy: relevance to staging and biopsy of musculoskeletal tumours. Am J Roentgenol. 1999; 173: 1663-1671.

4. Aoki J, Endo K, Watanabe H, et al. FDG-PET for evaluating musculoskeletal tumors: a review. J Orthop Sci. 2003; 8: 435-441.

5. Baur A, Huber A, Arbogast S, et al. Diffusion weighted imaging of tumor recurrencies and posttherapeutical soft tissue changes in humans. Eur Radiol. 2001; 11: 828-833.

6. Beuckeleer LH, de Schepper AM, Ramon F. Magnetic resonance imaging of pelvic bone tumors. J Belge Radiol. 1996; 79: 11-30.

7. Bone tumors - Tutorial for Residents UMDNJNJMS, Dept. of Pathology last modified, 2004.

8. Bontumor.org - The web's most comprehensive source for bone tumor information; http: //www. bonetumor. org/tumors/pages/page71.html.

9. Campanacci M. Bone and soft tissue tumours: clinical features, imaging, pathology and treatment, 2nd ed. Springer, Vienna New York, 1999.

10. Canale ST, Beaty JH. Campbell's Operative Orthopaedics, 12th edition, Mosby, 2013.

11. Cantwell CP, Scanlon T, Dudeney S, O'Byrne J, Eustace S. CT guided radiofrequency ablation of intraarticular osteoid osteoma of the hip. Ir J Med Sci. 2005; Jul-Sep; 174(3): 97-9.

12. Cardona S, Schwarzbach M, Hinz U, et al. Evaluation of F18-deoxyglucose positron emission tomography (FDG-PET) to assess the nature of neurogenic tumours. Eur J Surg Oncol. 2003; 29: 536-541.

13. Davies AM, Vanel D. Follow-up of musculoskeletal tumors. 1. Local recurrence. Eur Radiol. 1998; 8: 791- 799.

14. Davies M, Cassar-Pullicino VN, Davies AM, McCall IW, Tyrell PNM. The diagnostic accuracy of MRI in osteoid osteoma. Skeletal Radiol. 2002; 31: 559-569.

15. Derchi LE, Balconi G, de Flaviis L, et al. Sonographic appearances of hemangiomas of skeletal muscle. J Ultrasound Med. 1989; 8: 263-267.

16. El-Fiky TA, Chow W, Li YH, To M.: Hereditary multiple exostoses of the hip. J of Orthopaedic Surgery Volume 17, Number 2. 2009.

17. Enneking WF, Spanier SS, Goodman MA. : A system for the surgical staging of musculoskeletal sarcoma. Clin Orthop. 153: 106-120, 1980.

18. Genant JW, Vandevenne JE, Bergman AG, et al. Interventional musculoskeletal procedures performed by using MR imaging guidance with a vertically open MR unit: assessment of techniques and applicability Radiology. 2002; 223: 127-136.

19. Greenspan A. Orthopedic Imaging: A Practical Approach, 4th edition, Lippincott Williams & Wilkins; 2004.

20. Kataria H, Sharma N, Kanojia RK. One-stage osteotomy and fixation using a long proximal femoral nail and fibular graft to correct a severe shepherd's crook deformity in a patient with fibrous dysplasia: a case report. J Orthop Surg (Hong Kong). 2009; 17(2): 245-7.

21. Kramer J, Recht M, Deely DM, et al. MRI appearance of idiopathic synovial osteochondromatosis. J Comput Assist Tomogr. 1993; 17: 772-776.

22. Kransdorf MJ. Benign soft-tissue tumors in a large referral population: distribution of diagnoses by age, sex, and location. Am J Roentgenol. 1995; 164: 395- 402.

23. Levine E, Huntrakoon M, Wetzel LH. Malignant nerve-sheath neoplasms in neurofibromatosis: distinction from benign tumors by using imaging techniques. AJR Am J Roentgenol. 1987; Nov; 149(5): 1059-64.

24. Lin PP, Guzel VB, Moura MF, et al. Long-term follow-up of patients with giant cell tumour of the sacrum treated

with selective embolisation. Cancer. 2002; 95: 1317-1325.

25. Mahnken AH, Nolte-Ernsting CC, Wildberger JE, et al. Aneurysmal bone cyst: value of MR imaging and conventional radiography. Eur Radiol. 2003; 13: 1118-1124.

26. Mitty HA, Hermann G, Abdelwahab IF, et al. Role of angiography in limb-tumor surgery. Radiographics. 1991; 11: 1029-1044.

27. Murphey MD, McRae GA, Fanburg-Smith JC, et al. Imaging of soft-tissue myxoma with emphasis on CT and MR and comparison of radiologic and pathologic findings. Radiology. 2002; 225: 215-224.

28. Peh WC, Shek TW, Davies AM, et al. Osteochondroma and secondary synovial osteochondromatosis. Skeletal Radiol. 1999; 28: 169-174.

29. Petersilge CA. From the RSNA refresher courses. Radiological Society of North America. Chronic adult hip pain: MR arthrography of the hip. Radiographics. 2000; 20: S43-S52.

30. Ramappa AJ, Lee FY, Tang P, et al. Chondroblastoma of bone. J Bone Joint Surg Am. 2000; 82: 1140-1145.

31. Saifuddin A, Twin P, Emanuel R, et al. An audit of MRI for bone and soft tissue tumours performed at referral centres. Clin Radiol. 2000; 55: 537-541.

32. Smeets HGW, Lamers RJS, Sastrowijoto SH. Tumoral calcinosis. AJR. 1996; 167: 818-819.

33. T.S. Kim, J.H. Kim, B.G. Lee, S.M. Kim. Osteoid Osteoma Around the Hip Joint. J. of Korean Bone & Joint Tumor Soc. 2005; 11.

34. Unni KK. Dahlin's bone tumors: general aspects and data on 11,087 cases, 5th ed. Lippincott-Raven, Philadelphia; 1996.

35. Van Rijswijk CSP, Geirnaerdt MJA, Hogendoorn PCW, et al. Soft-tissue tumors: value of static and dynamic gadopentetate dimeglumine enhanced MR imaging in prediction of malignancy. Radiology. 2004; 233: 493-502.

36. Verstraete KL, Lang P. Benign and soft tissue tumours: the role of contrast agents for MR imaging. Eur Radiol. 2000; 34: 229-246.

37. Wang XL, de Schepper AM, Vanhoenacker F, et al. Nodular fasciitis: correlation of MRI findings and histopathology. Skeletal Radiol. 2002; 31: 155-161.

38. Wittkop B, Davies AM, Mangham DC. Primary synovial chondromatosis and synovial chondrosarcoma: a pictorial review. Eur Radiol. 2002; 12: 2112-2119.

39. Wurtz LD, Peabody TD, Simon MA. Delay in the diagnosis and treatment of primary bone sarcoma of the pelvis. J Bone Joint Surg Am. 1999; 81: 317-325.

40. Yoon PW, Yoo JJ, Koo KH, Yoon KS, Kim HJ. Joint space widening in synovial chondromatosis of the hip. J Bone Joint Surg Am. 2011; 93: 303-310.

41. Youssef BA, Haddad MC, Zahrani A, et al. Osteoid osteoma and osteoblastoma: MRI appearances and the significance of ring enhancement. Eur Radiol. 1996; 6: 291-296.

CHAPTER

9 악성 종양 및 전이성 종양
Malignant Tumors and Metastatic Cancers

고관절은 일차적인 골 종양 및 전이성 골 종양이 호발하는 부위이다. 고관절 부위는 체중을 부하하는 부위이므로 하중을 견디지 못하고 병적 골절이 빈발하는 부위이기도 하다. 병변에 따라 통증이 없이 우연히 발견되거나 병적 골절이 발생한 후에 발견되는 경우도 있으며, 서혜부 통증, 둔부 통증 및 슬관절 주위로 연관통이 발생하기도 한다. 고관절 주위의 악성 종양 치료의 첫 번째 목표는 생명을 보존하는 것이며, 다음으로 하지를 보존하고 기능을 회복시키는 것이다. 사지에 발생한 악성 종양의 치료로 1970년대까지 절단술이 널리 시행되어져 왔으나, 사지 구제술이 점차로 개선되어 우수한 생존율 및 기능의 회복에 좋은 결과를 보여 최근에는 근골격계 종양의 치료로 대부분 사지 구제술이 시행되고 있으며 이는 정형외과학, 생역학, 생체 공학 및 방사선 영상 등과 항암화학요법, 방사선 치료의 발전 등에 기인한 것이다.

1. 진단

1) 병력 및 신체 검사

가장 주된 증상은 통증이나 인지할 수 있는 종괴이다. 환자가 이러한 종괴를 발견하였을 때 외상과의 관련 여부도 살펴보아야 하며, 우연히 발견되는 경우도 많기 때문에 주변 환경과의 연관성을 판단하여야 한다. 진찰이나 방사선 검사상 확인되는 병변 이외에도 병력 청취가 중요하다. 과거력 및 신체 검사 시에 이상소견이 언제부터 존재하였는지, 외상의 과거력이 있는지,

언제부터 통증이 시작되었으며, 서혜부 통증의 경우 체중 부하와 관련이 있는지, 종괴가 촉지되는 경우 종괴의 크기가 커지는지, 경도는 딱딱한지 부드러운지, 촉감은 어떠한지, 성장 속도가 빠른지 느린지 정확히 판단하여 기술하는 것이 중요하다. 또한 환자의 전신증상이 동반되는 경우도 있으며, 유잉 육종인 경우 발열, 발한 및 적혈구 침강속도의 증가 등의 전신적인 소견이 함께 동반된다. 또한 환자의 과거력 상 타부위의 악성 종양 병력 유무를 파악하는 것이 악성 종양의 골 전이를 판정하는데 도움이 된다. 만약 환자의 병변이 전이성 골 종양으로 의심되는 경우, 일차적인 종양의 위치를 아는 것이 중요하며, 신장 세포암이나 갑상선암과 같이 과다혈관성 종양인 경우 수술적 제거 전에 색전술을 시행하여 수술 시 발생하는 출혈을 줄일 수 있다. 과거에 육종으로 방사선 치료를 시행하였던 환자에게서 방사선 조사 부위에 통증이 생기거나 방사선적으로 골의 변화가 발생하는 경우 초기 병변 후 10년이나 20년이 경과 하였더라도 방사선에 의한 이차성 육종이 발생할 가능성을 염두에 두어야 한다.

2) 영상 검사

고관절 주위의 종양을 검사하는 영상 검사로 단순 방사선 검사, 전산화단층촬영, 자기공명영상 검사, technetium (Tc)^{99m} 골주사, 초음파, 혈관조영술, 양전자방출단층촬영(positron emission tomography, PET) 등이 사용된다.

(1) 단순 방사선 검사

단순 방사선 검사를 통해 골의 병변을 확인할 수 있으며, 연부조직의 병변도 어느 정도 발견할 수 있다. 각각의 종양은 특정 호발 부위 및 연령이 존재하여 진단에 도움이 된다. Enneking은 감별 진단에 도움이 되는 기준을 사용하였는데, 종양의 위치, 종양이 골에 미치는 영향(악성인 경우 크기가 크고, 파괴적이며, 불규칙한 경계를 보유하는지 여부), 종양에 대한 골의 반응(경화를 보이는지, 침투성, moth eaten 등의 방사선 소견), 종양의 공격성을 판단할 수 있는 골막의 반응인 골막 상승(periosteal elevation), Codman 삼각, onion peel appearance, 햇살 반응(sunburst reaction) 등이 감별 진단에 도움이 된다고 하였다.

(2) 초음파 검사

초음파 검사는 종물의 깊이, 밀도나 경도, 크기 등을 아는 데 매우 유용하다. 초음파는 비침습적이고, 상대적으로 비용이 덜 들어 널리 사용되고 있다. 또한 안전하고, 방사선에 노출이 없으며, 생검을 할 때 실시간으로 영상을 보면서 시행할 수 있는 장점도 있다. 그러나 깊은 위치의 종물을 검사하거나 특히 골조직 근처에 존재하는 병변의 검사 시에는 오류가 발생할 수 있으며, 전산화단층촬영이나 자기공명영상과 비교하면 해부학적인 정확성에 차이를 보인다. 초음파 검사는 항암화학요법이나 방사선 치료 등의 비수술적인 치료에 종양이 반응하는 정도를 그 크기 등을 측정하여 판단할 수 있으며, 이러한 정보는 치료의 방침을 결정하는데 도움이 되기도 한다. 칼라 도플러 초음파를 이용하면 근골격계 종양에서의 혈류의 상태나 변화를 알 수 있다.

(3) 골주사 검사

전신 technetium (Tc)^{99m} 골주사는 여러 부위의 골 병변 및 skip lesion을 판단하는데 도움이 된다. 전신적으로 골격계의 이상을 일찍 감별해 낼 수 있으며, 임상적으로 증상이 나타나기 전에 병을 발견할 수 있는 장점이 있다.

(4) 혈관조영술

혈관조영술(angiography)은 현재는 자주 사용되는 검사법은 아니지만, 종양이나 그 주변 구조물의 혈액 공급이나 구조물을 살펴보는데 유용한 검사법이며, 해부학적인 구조 외에도 국소 효과, 동맥혈 공급이나 정맥혈 배액 등의 상태를 살펴볼 수 있다. 이러한 요건들은 수술을 계획하거나 중재술을 시행할 때에 도움이 되며, 자기공명영상이나 자기공명 혈관조영술 등을 통해서 더 많은 정보를 얻을 수 있다. 일부에서는 혈관조영술의 양상에 따라 진단에 도움이 되기도 하는데, 예를 들면 혈관주위세포종(hemangiopericytoma)의 경우 매우 독특한 과다혈관성(hypervascular) 양상을 나타낸다. 혈관 중재술을 시행하여 과다혈관의 연부조직 종괴 또는 골의 전이암 수술 전에 수술 전 색전술을 이용하여 수술 시 과다한 출혈을 방지하는데 사용하고 있다.

(5) 전산화단층촬영

전산화단층촬영은 단순 방사선 사진 후에 시행할 수 있는 영상 검사 중 골조직이나 형태, 골의 재형성, 골막 반응을 살펴볼 수 있는 가장 좋은 검사법으로, 피질골의 파괴, 골절, 연부조직의 골형성 및 칼슘 침착의 확인 등에 사용한다. 연부조직 종양을 검사하는 데에는 어느 정도 한계점이 있지만 연부조직에 석회화가 발생한 경우나 주위 피질골의 미묘한 미란, 골막 반응 등을 관찰하는 데에는 유용하다. 전산화단층촬영은 복부와 같은 지방이 풍부한 부위에서의 연부조직 종양을 감별해내는 데에도 유용한 검사법이다. 지방과 비지방조직과의 경계를 비교적 정확하게 알아낼 수 있는 장점이 있고, 자기공명영상이 금기인 환자에서도 좋은 검사법이다. 또한 폐전이에 민감한 검사법으로 폐전이를 감별하는 데 유용하여 병기를 결정하는 데 중요한 역할을 한다. 또한 정맥내 조영술을 이용하는 경우 연부조직 종양의 혈관분포를 측정하고 주변 조직과의 경계를 분명히 하는데 도움이 된다. 전산화단층촬영 유도 침생검은 척추 주위나 골반부와 같이 심부에 위치한 복잡한 구조물에 병변이 있을 때 유용하게 사용될 수 있다.

(6) 자기공명영상

자기공명영상은 연부조직 육종의 진단에 가장 유용한 검사 방법이다. 자기공명영상은 종양의 국소적인 골 병변, 연부조직 병변 또는 골수강내 침범, skip lesion의 확인에 도움을 준다. 최근 더 발전된 기술로 인해 더 좋은 영상을 얻을 수 있고 이로 인해서 수술 전 계획이 더 정확해지고, 더 안전하게 사지 구제술을 시행할 수 있으며, 예측 가능한 술식을 시행할 수 있게 되었다. 자기공명영상은 전산화단층촬영과 비교할 때 더 나은 해상도와 다방면의 영상을 얻을 수 있으며, 더 나은 연부조직의 해상도와 방사선의 영향이 없다는 것이 장점이다. 그러나 골에 침범된 병변이나 무기질화, 석회화가 진행되는 병변에서는 전산화단층촬영이 아직도 좋은 해상력을 보인다. 축상 T1 강조 영상에서는 수술 전 계획을 위해 가장 정확한 영상을 얻을 수 있으나, T2 강조 영상에서는 주변부의 부종 때문에 종양의 크기가 과대 측정되는 경우가 발생한다. 대부분의 연부조직 종양은 T1 강조 영상에서는 저신호 또는 중간신호 강도를 나타내며, T2 강조 영상에서는 고신호 강도를 보여 진단적인 특이도는 높지 않은 편이다. 혈종, 지방종, 저등급 지방육종, 혈관종, 출혈이 동반된 종양 등은 T1 강조 영상에서 고신호 강도를 보이기도 한다. Gadopentetate dimeglumine이나 다른 gadolinium chelate 등은 자기공명영상의 조영제로 유용하게 사용되는데, 종양과 주변 부종을 감별하는 데 도움이 된다. 고식적인 자기공명영상의 단점을 보완하기 위해 DCE (dynamic contrast enhancement)-자기공명영상이 사용되기 시작하였는데, 수용성의 paramagnetic 조영제를 주입하여, 혈관의 관류와 확산을 측정할 수 있어, 생존하는 종양, 수술 후/회복기의 조직 또는 비활성화된 조직을 감별하는데 유용하다. 따라서, 생검 시에 종양 중에서 가장 공격적인 부분을 확인하거나 항암화학요법의 효과를 판정할 때, 염증성 가성종양으로부터 재발을 감별할 때 많이

사용된다. 향후에는 항암화학요법을 위한 치료목적으로 사용하는 것에 대한 연구가 진행 중이다. 그러나 DCE-자기공명영상을 시행하는데 있어서 노력이나 시간을 많이 필요로 하며, 환자가 찍는 시간도 많이 걸리고, 여러 가지 기술적인 면이 많이 필요하다는 단점이 있다.

(7) 양전자방출단층촬영

지난 10년간 양전자방출단층촬영(PET)의 활용이 비약적으로 증가, 발전되었다. 이로 인해 조직의 대사를 측정할 수 있게 되어 림프종이나 악성 흑색종의 분화나 병기를 확인할 수 있게 되었고, 재발성, 전이성 결장암을 일찍 발견할 수 있게 되었으며, 비소세포성 폐암의 병기 결정이나 고립성 폐결절의 감별을 할 수 있게 되었다. 양전자방출단층촬영은 양성과 악성 종양의 감별, 종양 병기의 결정, 생검을 위한 위치 결정, 항암화학요법의 결과 평가, 종양 재발의 발견 등에 중요하게 사용되고 있다. 생체 내에서 양전자를 방출하는 방사성 물질(주로 FDG)을 이용하여 조직의 활성도 등을 측정하게 된다. 이 과정에서 주요 관심 부위의 standardized uptake value (SUV)의 최대치와 평균을 측정하게 된다. 증가된 에너지 필요 양을 추정하면 일반적인 근육이나 정상 연부조직, 다른 기관들에 비해 고등급 연부조직 육종에 많은 양의 FDG가 축적된다. 일부 연구자들은 FDG 축적의 양이 종양의 세포질(cellularity)이나 분화도와 관련성이 있다고 생각하기도 한다. PET이 양성 종양과 악성 종양을 감별하는데 도움이 되기는 하지만 저등급 육종이나 공격성을 가진 양성 종양인 경우 감별하기가 힘들다. SUV 값이 1.6 이상인 경우는 고등급, 1이하는 양성, 그 사이는 양성이나 저등급 악성 종양으로 분류한다. 골 종양인 경우도 이와 유사하다. 그러나 지방육종과 desmoids, 거대세포종, 신경초종, 사르코이드증 등과는 평균 SUV 값에 유의한 차이가 없다. 하지만 이러한 단점에도 불구하고 FDG-PET은 저등급 병변과 고등급 병변을 구별하는데 유용하게 사용된다. 양전자방출단층촬영은 비용, 다양한 위양성과 위음성으로 인

해 흉부 전산화단층촬영과 비교하면 폐전이를 찾아내는데 조금 미진한 부분이 있으나 연부조직 육종의 진단, 관찰, 치료에 유용하게 사용된다.

3) 조직 생검

환자가 내원했을 때 처음부터 종양의 크기와 위치, 성상 등을 정확히 기술하는 것이 중요하며 피하 지방층에 위치한 종양도 그 크기가 커지는 경우 적절하게 평가하고 검사하는 것이 중요하다. 우선적으로 정확하게 환자의 병력과 신체 검사를 시행한 후에 영상 검사를 시행하게 된다. 단순 방사선 검사로 골 종양과 연부조직 종양의 감별이 가능하고, 석회화나 골화, 주변 골조직으로의 영향과 이물질 등을 관찰할 수 있다. 자기공명영상으로 종양이 양성인지 또는 악성인지 정확히 감별하기는 쉽지 않지만, 해부학적 경계, 주위 신경혈관과의 관계, 종양의 신호 특징을 알 수 있어서 감별 진단이나 적절한 생검을 위한 계획을 세우는데 도움이 된다. 부적절한 생검을 하는 경우 주위 조직의 오염이 발생하고 이로 인해 사지 구제술이 어려워지는 경우가 발생할 수 있어 항상 주의하여야 한다. Non-oncologic biopsy가 시행되는 경우 국소 재발, 광범위한 방사선 치료, 좋지 않은 결과로 이어질 수 있기 때문에 근골격계 종양 치료의 경험이 풍부한 의사가 시행하는 것이 치명적인 오류를 줄일 수 있다. 생검 시의 통로는 추후 육종의 최종적인 수술 시에 모두 일괄 절제(en bloc resection)로 한번에 제거되어야 한다. 육종은 대부분 중심에서부터 방사형으로 성장하기 때문에 중심 부분은 성숙되어 있으며, 때때로 괴사되기도 하며, 종양의 변연부에는 미성숙한 부분이 있어 가능하면 중심부가 아닌 변연부에서 조직을 채취하는 것이 정확한 진단을 할 수 있다. 생검을 시행하는 경우 지켜야 할 사항이 있는데, 생검 통로의 오염을 최소화하기 위하여 종 절개를 가해야 하며, 가능한 한 종양에 최단 거리로 접근하여야 한다. 또한 여러 근육이나 근육과 근육 사이로 접근해서는 안 되며, 단일 근육을 통해 근육내 접근법을 시

행하여야 한다. 생검 후에는 철저한 지혈을 시행하여 혈종이 생기거나 출혈로 인해 주위 조직이 오염되지 않도록 주의하여야 하며, 골 생검을 시행하는 경우 골절을 방지하기 위해 원형으로 창을 낸 후 조직을 채취하여야 하고, 조직 채취 후 출혈을 방지하기 위해, 골시멘트 등으로 완전하게 출혈을 방지하여야 한다. 절개 생검(incisional biopsy)은 근골격계 연부조직 종양 조직 채취 방법의 표준 검사법이다. 종양 외부에 직접적인 절개를 가한 후에 단일 구획이나 근육을 통해 직접 접근하며, 조직 채취 후에 수술 후 출혈 방지에 의한 오염을 방지하기 위해 철저한 지혈이 필수적이다. 생검 방법 중 가장 정확한 방법이며 동결 절편(frozen section) 검사를 함께 시행하면 100% 가까운 정확도를 얻을 수 있다. 침 생검(needle biopsy)이나 투관침 생검(trochar biopsy)에 비해 연부조직을 오염시키는 범위가 증가한다는 단점도 있어 최종 수술 시에는 생검 통로를 함께 제거해야 한다. 또한 경피적으로 시행하는 생검에 비해 비용이 많이 발생하여 경피적으로 생검을 시행하는 경우도 많다.

세침 흡인 생검(fine needle aspiration biopsy, FNA)은 경피적으로 종양에 바늘을 삽입하여 조직을 얻으며, 외래에서도 시행할 수 있는 장점이 있다. 일반적으로 널리 사용되는 술식으로, 술기가 간편하며, 최소 침습의 술식이고, 국소마취로도 시행할 수 있으며, 주위 조직의 오염을 최소화할 수 있어 합병증이나 질환율을 줄일 수 있고 상대적으로 경제적이다. 그러나, 절개 생검법에 비해 진단적 정확성이 떨어지고 숙련된 외과의, 병리의가 필요하다는 단점이 있으며, 골 생검에는 어려움이 있다. 숙련된 병리학자의 경우 양성과 악성의 감별은 84%에서 95%의 정확성을 보이며 등급이나 조직학적 분류의 경우는 더 낮은 정확성을 보인다. 최근의 보고에 의하면 질환을 판단하는 데에는 88%, 정확한 진단은 64%, 등급 결정은 78%, 조직학적 아분류는 90%의 정확성을 나타낸다. 세침 흡인 생검은 연부조직 종양의 재발을 평가하는데 유용하며, 재발과 주위 조직의 염증

성 변화를 감별하는데도 유용하게 사용된다. 중심부 침생검(core needle biopsy)은 투관침 생검(trochar biopsy)으로 불리우기도 하며, 크기가 큰 구멍의 바늘로 시행한다. Tru-Cut® needle을 이용할 경우 가장 많은 조직을 얻을 수 있으며, 세침 흡인 생검에 비해 진단의 정확도를 높일 수 있다(그림 1). 일부에서는 절개 생검의 정확도에 근접한 결과를 보인다고 보고하기도 한다. 장점으로는 세침 흡인 생검과 유사하여 술기가 간편하며, 최소 침습의 술식이고, 주위 조직의 오염을 최소화할 수 있어 합병증이나 질환율을 줄일 수 있고 수술실 이외의 장소에서 행해질 경우 상대적으로 경제적이다. 절개 생검에 비해 상대적으로 조직의 양이 적다는 단점이 있어 많은 경험이 필요하다.

방사선 유도 생검은 연부조직 육종의 경우 많은 수의 종양들이 심부에 위치해 있고, 촉진하기 어려워 경피적 침 생검을 시행에 있어 어려움이 많은 경우에 시행하게 된다. 종양의 정확한 위치를 찾는데 어려움이 많으며 종양의 주위에 신경 및 혈관이 위치하는 경우 원하지 않는 합병증이 발생할 수도 있는데, 이러한 경우 안전을 도모하고 진단적 정확성을 높이기 위해서 전산화단층촬영 유도 생검을 시행할 수 있으며, 이런 경우 골반 내에 위치한 악성 종양의 경우 진단의 정확성이 81%에서 90%로 상승한다는 보고가 있다. 초음파 유도 생검 또한 정확하고 안전한 방법이며 악성과 양성을 감별

하는 정확성이 98%로 높은 정확성을 보고하고 있다. 자기공명영상을 이용하는 방법도 일부에서 시도하고 있으나 비용적인 측면에서 경제적인 부담이 상승하여 잘 사용되고 있지 않다. 절제 생검의 경우 변연절제술 또는 일차 광범위 절제술의 방법이 있다. 종양을 진단하기 위하여 절제를 시행하는 것은 부적절한 치료 및 오염을 초래할 수 있으나 일부의 경우에서는 사용될 수도 있으며, 경험 있는 술자에 의해 시행되는 것이 안전하고, 변연절제술의 경우 종양의 반응층에서 절제하게 된다. 자기공명영상에서 지방종으로 진단된 경우, 손가락이나 발가락의 종양인 경우, 또는 피하 지방층에 존재하는 작은 종양 등에서 시행할 수 있으며, 추후 육종으로 진단될 경우에 대비하여 수술을 시행하여야 한다. 일차 광범위 절제술은 종양 주위에서 일정한 간격을 유지하면서 정상 조직에 절개를 가하여 종양을 절제하는 방법으로 절제연이 정상 조직이어야 한다. 이러한 방법은 육종의 최종 수술적 치료 시 시행하는 방법과 같은 방법으로, 육종이 강력히 의심되는 경우, 정상 조직을 절제하여도 기능적으로 큰 문제가 발생하지 않는 경우, 생검 시행 후 생검 통로의 오염으로 인해 최종 수술 시 사지 구제술이 불가능해질 것이 예상되는 경우에 시행할 수 있으며, 육종의 치료에 많은 경험이 있는 술자에 의해 매우 선택적으로 시행되어야 한다. 고관절 주위의 생검은 전방 대퇴신경과 혈관, 후방으로는 좌골신경을

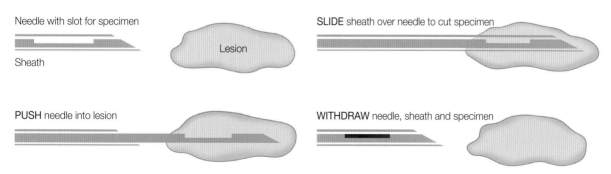

그림 1. Tru-Cut® needle biopsy를 시행하는 모식도
slot이 있는 침을 sheath와 함께 조직 내로 삽입한다. 조직 속에서 sheath를 제거하여 slot 내로 조직이 함입되게 한다. 다시 sheath를 삽입하여 조직이 sheath와 침의 slot 사이에서 절제되도록 하여 조직을 취한다.

오염시키지 않게 주의하여야 하며, 관절내 공간을 침범하지 않도록 주의하여야 한다.

2. 병기

근골격계의 악성 종양은 Enneking의 분류, AJCC (American Joint Committee on Cancer) 분류를 주로 사용하며, 종양의 조직학적 등급, 종양의 국소 침범 범위, 타 부위로의 전이 등을 이용하여 분류하게 된다. 병기를 분류하면 원격 전이의 발생을 어느 정도 예측할 수 있으나 국소 재발을 예측하기는 어렵다. 국소 재발을 결정짓는 인자로는 부적절한 외과적 경계, 수술 전 화학요법을 시행하여도 종양세포의 괴사가 90% 이하인 경우, 국소 재발의 기왕력이 있었던 환자 등이다.

Enneking의 분류에서는 종양의 병리조직학적인 결과가 악성 종양에서 저등급인 경우 stage I, 고등급인 경우 stage II로 분류하며, 전이가 발생한 경우는 원발 종양의 등급에 상관없이 stage III로 분류한다. 종양이 골 또는 원발 구획에 국한된 경우 stage A 병변으로 분류하며, 원래 발생한 구획을 넘어 주변 구획을 침범한 경우 stage B로 분류한다. 근위 대퇴골에 발생한 골육종이 연부조직으로 침범되어 있는 소견이 관찰되면 stage IIB의 병변으로 분류할 수 있다(표 1). AJCC 분류는 현재 연부조직 육종에서 가장 널리 사용하며 조직학적 악성도, 종양의 크기, 림프절 전이 여부, 원격전이 여부를 기준으로 결정된다(표 2).

표 1. 악성 근골격계 종양의 Enneking 분류

병기	등급	위치	전이
IA	저등급	구획내(intracompartmental)	없음
IB	저등급	구획외(extracompartmental)	없음
IIA	고등급	구획내(intracompartmental)	없음
IIB	고등급	구획외(extracompartmental)	없음
III	등급과 무관	구획과 무관	국소 혹은 원위부 전이

표 2. 악성 연부조직 종양의 AJCC (American Joint Committee on Cancer) 분류(7th edition)

병기	조직학적 악성도	크기	림프절 전이	원격전이
IA	G1	T1a	N0	M0
	G1	T1b	N0	M0
IB	G1	T2a	N0	M0
	G1	T2b	N0	M0
IIA	G2, G3	T1a	N0	M0
	G2, G3	T1b	N0	M0
IIB	G2	T2a	N0	M0
	G2	T2b	N0	M0
III	G3	T2a, T2b	N0	M0
	Any G	Any T	N1	M0
IV	Any G	Any T	Any N	M1

3. 치료

1970년대 이후로 항암화학요법이나 방사선 치료 등 보조요법의 의미 있는 발전이 있었다. 골육종의 경우 항암화학요법이 발달하기 이전에는 5년 생존율이 15%에서 20% 정도, 유잉 육종인 경우 절단이나 방사선 치료와 관계없이 5%에서 10% 정도의 생존율을 보고하였다. 수술적 요법을 시행하는 경우 원발암을 제거하여도 종양의 전이 병소를 파괴하기 위해 화학요법이 필요하며, 추가적으로 신보조 화학요법(neoad-juvant chemotherapy)을 시행하여 수술 전에 종양의 크기를 감소시켜 사지 구제술을 가능하게 할 수 있다. 보조 화학요법(adjuvant chemotherapy)은 골육종이나 고등급 연골육종과 같은 고등급 악성 방추형 세포 육종에 주로 사용되며, 유잉 육종, 원시 신경외배엽종(primitive neuroectodermal tumor), 횡문근육종(rhabdomyosarcoma), 비호지킨 림프종(non-Hodgkin's lymphoma) 등과 같은 소세포 육종들인 경우 다약제 화학요법과 고용량 방사선 치료가 유용하게 사용되고 있다. 악성 종양의 수술적인 방법으로는 기본적으로 광범위 절제술을 시행하는 것이며, 절제술 후 절단을 시행하는 방법과 사지 구제술을 시행하는 방법으로 나뉘어 질 수 있다. 앞서 기술한 바와 같이 1970년대 까지는 주로 절단술을 시행하여 왔으나 이러한 방법이 도입된 이후에 사지 구제술이 더욱 용이해지고, 그 치료 결과도 상당히 양호하여 최근에는 대부분 절단술보다는 사지 구제술이 시행되고 있으며, 대부분의 환자들이 개선된 수술적 절제 및 재건술을 시행 받고 수술 후 기능을 유지하면서 60%에서 70%로 5년 생존율이 향상되었다. 그러나 중요한 신경이나 혈관의 침범이 심각하게 있는 경우, 국소 재발이 예상되고 광범위 절제연을 얻기 어려운 경우에는 사지 구제술을 시행하지 않는 것이 좋다. 또한 종양 주위에 병적 골절이 발생하여 골절 주변의 혈종이 주위로 파급되어 충분한 절제연을 얻지 못하는 경우, 광범위 절제술 후 결손 부위가 발생하여 연부조직으로 충분하게 재건하기 어려운 경우에도 사지

구제술을 시행하여서는 안되며, 부적절한 생검 통로로 인해 주변 조직이 종양세포로 오염이 된 경우 사지 구제술을 시행하기가 어려워진다. 대퇴골 근위부의 재건을 위한 수술적 치료 방법으로 전자간 또는 전자하부를 침범하고 병적 골절 또는 병적 골절의 위험성이 높은 경우에는 병소의 제거 및 시멘트 충진과 함께 골수강내 고정 또는 금속판 내고정의 방법이 사용되고 있다 (그림 2, 3). 그러나 금속판 내고정은 평균 35% 정도의 유합률과 47%의 국소 재발률, 12-23%의 내고정 실패 등이 보고되고 있으며, 골수강내 고정의 경우 수술과정에서 의인성 전이가 발생할 위험성도 존재한다. 대퇴골 근위부 종양에 대한 광범위 절제 후, 재건술을 이용한 사지 구제술은 양호한 기능적, 종양학적인 결과를 보이고 있다. 재건술의 종류로 골연골 동종골(osteochondral allograft), 동종골 삽입물 복합체(allograft prosthesis composites)와 종양 대치물 삽입술(tumor prosthesis)이 사용되고 있다. 골연골 동종골은 생물학적인 재건술이지만 의도와 달리 관절의 불안정성, 연골용해에 의한 관절염의 발생, 골절, 감염, 불유합 등의 합병증이 발생하며 특히 처음 3개월간 많이 발생하는 것으로 보고하고 있다. 동종골 삽입물 복합체의 경우 골 손실을 회복할 수 있고 외전근의 생물학적인 부착을 할 수 있으며 상대적으로 외전근 기능을 개선할 수 있어 기능적인 측면에서 좋은 결과를 보인다. 그러나 10%의 불유합, 5-10%의 감염, 삽입물 주위 골절 등의 합병증이 보고되고 있으며 대전자와 장요근을 보존할 수 있는 젊은 원발성 골 종양 환자들에서 제한적으로 좋은 결과를 기대할 수 있다. 종양 대치물 삽입술은 동종골 삽입물 복합체보다 낮은 불유합과 삽입물 주위 골절률을 보이며 기능적 측면에서도 수술 후 즉시 안정성을 얻을 수 있고, 조기 활동 및 체중 부하가 가능하고 수술 후의 항암 화학요법에 지장을 주지 않는다는 점에서 현재 가장 널리 사용되는 사지 구제술이다(그림 4). 일반적인 고관절 전치환술을 시행할 때와는 달리 근위 대퇴골의 절제 범위가 커서 연부조직의 긴장도를 유지시키

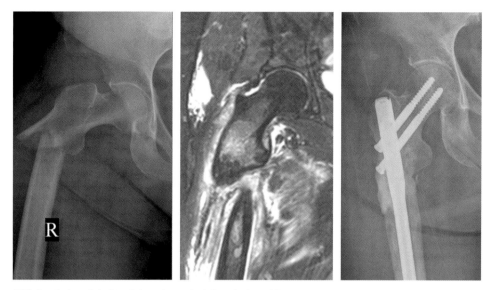

그림 2. 대퇴골 전자하부 병적 골절로 골수강내 금속정 고정술 및 시멘트 충진술을 시행하였다.

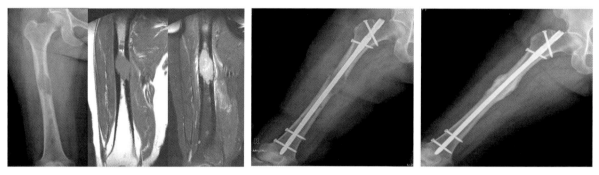

그림 3. 대퇴골 간부의 임박골절로 골수강내 금속정 고정술을 시행하였고, 항암화학요법 후 골의 재형성 및 골유합이 이루어졌다.

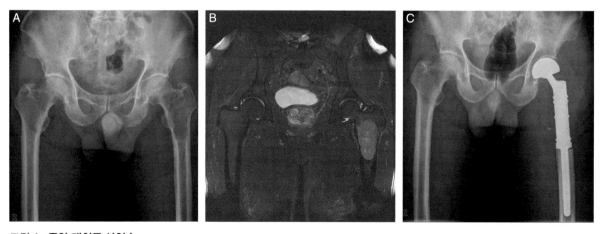

그림 4. 종양 대치물 삽입술
(A), (B) 신장 세포암이 좌측 근위 대퇴골에 전이되어 있다. (C) 대퇴골 근위부를 광범위 절제하고 조절형 종양 대치물을 이용하여 재건술을 시행하였다.

는 것이 중요하며, 종양에 의해 정상 해부학적인 구조가 변형될 수 있기 때문에 수술 시 각별한 주의가 필요하다. 이러한 재건술을 시행할 때 하지의 길이를 유지하고 연부조직의 긴장도를 유지하는 것이 중요하며, 수술 전 자기공명영상으로 확인되는 대퇴골 병변의 원위부에서 최소한 3-4 cm 이상 안전한 간격을 유지하여 대퇴골을 절골하여 수술하는 것이 국소 재발을 방지하여야 한다. 절골할 때에는 진동 톱(oscillating saw)이나 Gigli 톱을 이용하고, 절골한 원위부의 대퇴골의 조직을 동결 절편으로 검사하여 종양 세포가 존재하는지 확인하여야 한다. 대퇴골 근위부를 제거하는 경우 장요근, 중둔근, 대둔근, 단회외근 등 주변의 근육, 관절낭을 재건된 부위에 부착하여야 하며, 기구에 따라서 비흡수성 튜브나 나사 등을 이용하여 원위치에 견고하게 부착시킨다. 골반에 침범하거나 고관절에 침범한 종양인 경우에는 종양이 침범한 부위에 따라 골반의 절제술이 필요하며 Enneking, Duncan의 분류에 의해 장골만 절제하는 type 1, 비구를 포함하여 비구 주위부를 절제하는 type 2, 치골 및 좌골을 절제하는 type 3의 방법으로 분류할 수 있으며, type 1인 경우에는 수술 후 발생한 골 결손에 대해 재건술이 필요하지 않으며, type 2는 관절 유합술, 동종 골이식술 및 관절치환술 등의 재건술이 필요할 수 있고, type 3인 경우에는 탈장 등을 방지하기 위하여 marlex mesh 등을 이용한 골반저의 재건이 필요할 수 있다(그림 5, 6). 종양이 광범위하게 침범된 경우에는 내부 반골반 절제술(internal hemipelvectomy)이 필요하다. 반골반 절제술의 경우 골반의 절반을 제거하게 되고 대퇴골두를 제거하기도 한다. 골의 제거 후에 동종골이나 금속대치물로 재건술을 시행하는 경우도 있으나 재건술을 시행하지 않는 경우도 양호한 결과를 보이고 있으며, 이러한 경우 점진적으로 수술 부위에 섬유성 가관절이 형성되며, 점차적으로 하지의 길이는 10 cm 정도 단축되고 불안정성이 발생하지만 시간이 경과하면 전체중 부하도 가능해지며, 일반적으로 지팡이 같은 보조기구를 사용하게 된다. 비구 주위에 병변이 있

는 경우 말 안장 모양의 관절을 사용하는 안장형 삽입물(saddle prosthesis)을 제한된 경우에 사용하기도 하며, 삽입물의 근위 이동 등의 합병증이 발생하기도 한다(그림 7). 이외에도 골반 부위의 고관절 관절이단술(disarticulation)(그림 8), 반골반 절제술 또는 고관절 유합술 등이 사용할 수 있는 수술 방법이다.

4. 고관절부 악성 종양

1) 골육종

골육종(osteosarcoma)은 골에 생기는 가장 흔한 악성 종양이다. 조직학적 다양성 때문에 가장 많은 병변을 보이는 조직에 따라 연골상형(chondroid), 섬유종형(fibromatoid), 유골형(osteoid)의 아분류로 나뉜다. 가장 호발하는 연령은 10대 후반과 성인 초기이다. 골육종은 일반적으로 다양한 기간에 걸친 통증과 종괴가 촉지되는 것으로 발견된다. 골용해성의 병변이 골간단에 발생하며 침투성 양상을 보이는 경우 의심할 수 있다. 방사선 학적으로 골이 형성되는 특성을 나타날 때는 피질골을 뚫고 연부조직으로 돌출된다. 이러한 경우 골막의 융기 현상이 나타나게 되어 Codman 삼각이 관찰된다. 종양이 빠른 성장을 보이는 경우에는 침상골(bony spicule)이 골에 수직 방향으로 성장하여 연부조직으로 침범하게 된다. 대부분의 경우 골육종은 stage IIB인 경우가 많다. 그러나 고등급 골육종은 10-20% 정도는 발견 시에 타 부위에 원격 전이가 있다. 현재의 항암화학요법이 사용되기 전에는 골육종의 5년 생존율이 15-20% 정도였으나, 근골격계 종양을 치료하는 기관에서는 최근에는 50% 이상의 장기 생존율을 보고하고 있으며, 초기 발견 시에 원격 전이가 없는 경우에는 장기 생존율을 75%로 보고하고 있다. 골육종은 주로 슬관절 주위에 많이 발생하며, 그 다음으로는 골반과 근위 대퇴골 부위에서 호발한다. 전통적으로 골육종은 골의 중심부에서 발생하나, 일부에서는 골표면에서 발생하여 골막성 또는 방골성 골육종으로 발병하기도 한다. 이러한 경우 일반적인 골육종보다는 덜 공격적인 성향을 나타

293

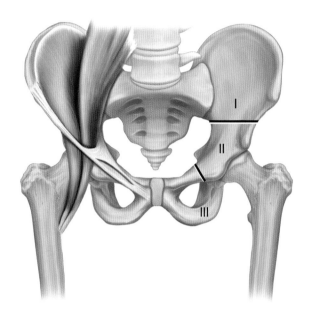

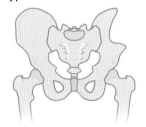

Type 1 resection: ilium

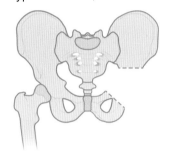

Type 2 resection: periacetabulum

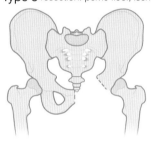

Type 3 resection: pelvic floor, ischium, pubic rami

그림 5. Enneking, Duncan의 분류에 의한 골반 절제술의 종류

장골만 절제하는 type 1, 비구를 포함하여 비구 주위부를 절제하는 type 2, 치골 및 좌골을 절제하는 type 3의 방법으로 분류한다.

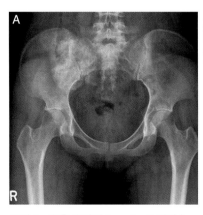
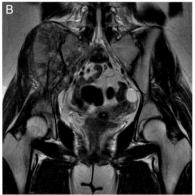
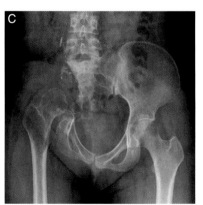

그림 6. 우측 골반의 type I + II 제거술

(A), (B) 우측 천추과 장골에 골육종이 발생하였다. (C) 항암화학요법 후 우측 골반의 type I,II 제거술을 시행하였다.

294

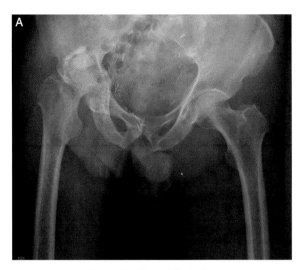
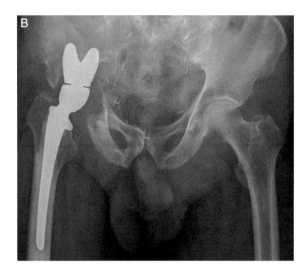

그림 7. 안장형 인공대치물을 이용한 재건술

(A) 전립선암에 의한 우측 비구부에 골 전이가 관찰된다. (B) 장골 및 비구의 골절제술 후 안장형 인공대치물(saddle prosthesis)을 이용하여 재건술을 시행하였다.

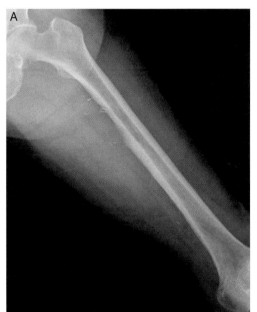
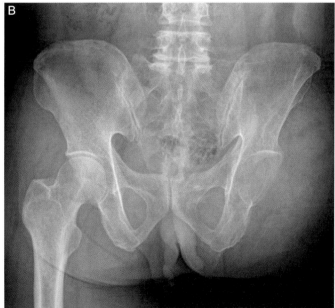

그림 8. 고관절 이단술

(A) 좌측 대퇴부의 Undifferentiated pleomorphic sarcoma로 수차례 광범위 절제술 후 반복적인 국소재발이 발생하여, (B) 좌측 고관절 관절이단술을 시행하였다.

낸다. 골육종은 이차적으로 발병하기도 하며, Paget 병, 방사선 조사 등에 의하여 속발하며, 방사선 조사 후 발병하는 경우 약 15년 후에 발생하기도 한다. 수술 전 방사선 검사, 전산화단층촬영 및 자기공명영상으로 종양의 경계 및 연부조직 침범 정도를 확인하며, 조직 생검을 통해 확진을 한 후 신보조(neoadjuvant) 화학요법을 시행한다. 수술 직전에 자기공명영상을 시행하여 신보조 화학요법 후 종양의 경계를 확인하여 수술 범위를 결정하고 종양의 광범위 절제를 시행한다. 광범위 절제술 후 조립형 인공대치물(modular endoprosthesis), 골관절 동종골(osteochondral allograft), 동종골 삽입물 복합체(allograft prosthesis composite) 등을 이용하여 재건술을 시행한다.

2) 연골육종

연골육종(chondrosarcoma)은 연골세포의 증식이 존재하는 것으로 특징 지워진다. 골육종과는 달리 연골육종은 덜 공격적이며, 천천히 성장한다. 국소 재발은 흔히 발생하지만 원격 전이는 흔하지 않으며, 원격 전이가 발생하는 경우 말기에 나타나게 된다. 연골육종은 일차성인 경우도 있으나 이차성으로 발생하게 되는 경우가 많은데, 내연골종이나 골연골종이 악성변화를 일으켜서 연골육종으로 변화하는 경우가 있다. 연골육종은 주로 성인이나 장년, 노년층에 호발하며 근위 대퇴골, 장골, 비구 주위에 주로 발생한다. 통증이 수반되기도 하며 환자가 이미 병변을 보유하고 있는 경우 통증이 악성변화의 징후가 되기도 한다. 방사선적으로 골수강내의 파괴 및 석회화가 관찰된다. 골연골종의 악성화는 연골모의 두께가 2 cm 이상인 경우, 골격의 성숙 후에도 연골모의 두께가 증가하는 경우 의심할 수 있으며, 내연골종의 이차 변화는 병변의 크기가 증가하거나, 석화화의 양상이 변화할 때, 골막 반응, endosteal scalloping이 나타난 후에 주로 발생하게 된다. 고등급 연골육종의 주된 치료는 병변의 광범위 절제술이며, 일반적으로 항암화학요법이나 방사선치료에는 잘 반응하지 않아 시행하지 않는다. 연골육종에서 병변내 절제술을 시행하는 경우 국소 재발이 흔하기 때문에 절제술을 시행할 때 주의해야 한다. 저등급 연골육종인 경우 치료 방법에 대해 논란이 있는데, 병변내 절제술을 시행하고 국소 재발을 감소시킬 수 있는 추가적인 방법을 사용하여 관절을 보존하여 낮은 재발률을 보고하기도 하지만, 저등급 연골육종이더라도 추후 국소 재발이나 원격 전이의 위험성 때문에 광범위 절제술을 권유하기도 한다.

3) 유잉 육종

유잉 육종(Ewing sarcoma)의 정확한 원인은 불분명하지만 일차적인 세포의 종류는 신경외배엽 세포나 미분화 중배엽 세포가 원인이라고 추측하고 있다. 특징적인 병리조직 소견으로 작은 원형세포가 특징적으로 관찰되며, 기질이 많지 않다. 근위 대퇴골과 장골이 유잉 육종이 가장 많이 발생하는 부위이며, 호발 연령은 10대이다. 유잉 육종은 다른 근골격계 종양과 달리 전신적인 증상이 나타날 수 있으며, 발열, 오한, 백혈구 및 적혈 구 침강속도의 증가, 빈혈 등이 발생할 수 있다. 방사선적으로 침투성의 골용해 병변이 나타나며, 경계가 불분명하고, 피질골 팽대가 관찰되기도 한다. 피질골 바깥으로 종양이 확장되어 골막 반응이 더 분명해질 수 있으며, 이러한 현상은 특징적으로 얇은 판모양을 형성하여 단순 방사선에서 양파껍질 모양(onion peel, onion skin)의 병변이 관찰되기도 한다. 전신적인 증상 때문에 골수염으로 오진할 수 있어 반드시 감별해야 하며 주위 연부조직에 거대한 종괴를 흔히 만들기도 한다. 과거에는 골 종양 중에서 치명적인 질병이었으나, 새로운 항암화학약제가 개발되고 방사선 치료가 발전하여 장기 생존율이 상당히 높아졌다. 유잉 육종은 방사선 치료와 항암화학요법에 상당히 민감하며, 이러한 이유로 외과적인 절제술의 역할이 많이 줄어들었으나, 일반적으로 항암화학요법 후에 광범위 절제술을 시행하는 것이 추천된다. 고관절 주위의 유잉 육종은 광범위 절제술을 시행한 후에 재건술을 시행하면 좋은 결과를 얻을 수 있으며, 골반에 발생하는 경우 발생한 부위에 따라 내부 반골반 절제술(internal hemipelvectomy), 골반 반절제술(hemipelvectomy) 등이 수술적 치료의 방법이 된다.

4) 골수종

골수종(myeloma)은 골에 생기는 흔한 일차적인 악성 종양이다. 단일 병변인 경우 형질세포종(plasmacytoma)으로 불리기도 하며 여러 군데에 발병한 경우 다발성 골수종(multiple myeloma)이라 부른다. 일반적으로 50세 이상에서 발생하며, 40세 이하에서는 드문 질환이다. 증상은 몇 개월간 점차로 증가하며 지속되는 통증, 피곤함, 무력증, 체중감소 등이 나타난다. 병적 골절로 인해 발견되는 경우가 많으며, 연부조직의 종괴가 만져 지기도 한다. 혈액 검사에서 적혈구 침강속도가 증가하며, 과칼슘 혈증이 발생한다. 50%에서는 소변에서 Bence-Jones 단백이 관찰되며, 혈장과 소변 단백의 면역전기영동법(immunoelectrophoresis)이 진단에 중요한 역할 을 한다. 척추, 늑골에 이어 골반이 세 번째로 호발하는 부위이며, 근위 대퇴골은 다섯 번째로 호발하는 부위이다. 방사선적으로 용해성의 병변이 관찰되며 병변 주위의 골경화성 경계는 거의 나타나지 않으나, 경계가 뚜렷한 punched out lesion이 관찰된다. 병리조직학적 소견으로 uniformly packed cell이 관찰되며, 과립성 호염기성 세포질과 비중심성의 핵을 보유한 형질세포가 많이 관찰된다. 예후는 불량하여 진단 후 2년 내에 대부분 사망한다. 단일 병변이거나 체중을 부하하지 않는 골의 병적 골절의 위험이 있는 경우 방사선 치료를 시행하며, 다발성 골수종인 경우 항암화학요법을 시행한다. 정형외과적인 치료가 필요한 경우는 골절이 발생하거나 체중 부하 골의 골절의 위험이 있는 경우이며, 환자의 생존율에는 별다른 영향을 미치지 못한다.

5) 전이성 종양

골격계는 악성 종양의 원격 전이가 흔한 부위이다. 유방암, 폐암, 전립선암 등이 골로 전이되는 가장 흔한 암이며, 신장 세포종, 갑상선암, 림프종, 흑색종 등도 흔하게 골로 전이된다. 하지만 3-4% 정도는 원발암을 찾지 못하는 경우도 있으며, 근골격계의 통증을 흔히 수반하기 때문에 정형외과 의사에게 처음 진료를 받는 경우도 있다. 우선 타 부위에 원발암이 있는지 찾아내는 것이 중요하며, 신체 검사 및 혈액 검사, 영상 검사 등을 통해 환자가 현재 보유하는 원발암과 전이암에 대해 충분하게 평가하여야 한다. 조직 생검은 원발암을 확진하는데 필요하며, 생검 원칙을 철저하게 준수하여 주위 조직의 오염이나 골절을 유발하지 않도록 유의하여야 한다. 확진 후 환자의 상태나 병변의 종류에 따라 치료 방침을 정하며, 비수술적인 치료로는 방사선 치료, 항암화학요법, 내분비 요법, 비스포스포네이트를 이용한 치료법 등이 있다. 방사선 치료는 암이 많이 진행되어 통증이나 병적 골절의 위험성이 높을 때, 수술적인 치료가 불가능할 때 사용되며 수술 후에 사용되기도 한다. 수술 후 방사선 치료는 추가적인 수술을 방지하는 역할을 하기도 하며 수술 후 2주 후에 총 3,000-3,500 cGy의 방사선을 조사한다. 내분비 치료는 유방암과 전립선암의 경우에 사용되며, 비포스포네이트는 골흡수를 감소시키는 효과를 이용하여 치료하게 된다. 수술적인 치료는 임박 골절(impending fracture), 병적 골절이나 심한 통증이 있을 때 시행하게 된다. 고관절 주위는 체중 부하를 하며 힘이 많이 전달되는 부분이기 때문에 병적 골절이 빈발하는 부위이며, 병적 골절을 예측하는 점수 체계를 이용하여 적절한 치료를 시행할 수 있다(표 3). 비구의 전이성 종양에서는 피질골의 파괴 정도에 따른 적절한 재건술의 분류가 유용하게 사용된다(표 4). 수술적 치료의 방법은 골 전이 부위를 제거한 후 골시멘트로 충진하고 골절을 예방하기 위해 금속판이나 골수강내 금속정을 이용하여 고정하는 방법이 있으며, 광범위 절제술 후 조절형 인공대치물, 동종골 삽입물 복합체 등을 이용하여 재건술을 시행하는 방법이 있다. 수술 후 방사선 치료를 시행하면 국소 치료의 효과를 높일 수 있다. 골 전이의 예후는 폐암의 골 전이인 경우 1년 생존율이 20% 정도의 불량한 결과를 예측할 수 있으며, 유방암이나 전립선암의 경우 1년 생존율이 80% 정도의 좋은 결과를 기대할 수 있다. 원발암을 알 수 없는 경우 평균 11개월의 기대 여명을 예측할 수 있다.

표 3. 병적골절의 예측을 위한 Mirel 점수 체계

기준	1점	2점	3점
부위	상지	하지	전자부 주위
크기	골 너비의 1/3 이하	골 너비의 1/3–2/3	골 너비의 2/3 이상
유형	골형성형(blastic)	혼재형(mixed)	골용해형(lytic)
통증	경도	중등도	고도

* <7: 임박하지 않음, 8: 경계, >9: 임박

표 4. 비구의 전이성 종양에 대한 Harrington 분류

분류	비구 손상	수술법
I	외측 피질골 및 상방, 내측벽의 결손 없음	Trabecular metal™ 등을 이용한 비구의 고정 골소파술 및 시멘트 삽입
II	내측벽의 결손	돌출비구컵을 이용한 고정
III	외측 피질골 및 상방벽의 결손	시멘트와 Steinman 핀, 유관형 나사 및 돌출방지 케이지 이용
IV	외측 피질골 및 상방, 내측벽의 결손	내부 반골반 절제술, 안장형 인공대치물을 이용한 재건술

참고문헌

1. 이한구. 골관절 종양학. 서울, 최신의학사. 1996.

2. Aboulafia AJ, Buch R, Mathew J, Li W, Malawer MM. Reconstruction using the saddle prosthesis following excision of primary and metastatic periacetabular tumors. Clin Orthop Relat Res. 1995; 314: 203-213.

3. Bacci G, Ferrari S, Longhi A, et al. Neoadjuvant chemotherapy for high grade osteosarcoma of the extremities: long-term results for patients treated according to the Rizzoli IOR/OS-3b protocol. J Chemother. 2001; 13: 93-99.

4. Bacci G, Toni A, Avella M, et al. Long-term results in 144 localized Ewing's sarcoma patients treated with combined therapy. Cancer. 1989; 63: 1477-1486.

5. Bredella MA, Caputo GR, Steinbach LS. Value of FDG positron emission tomography in conjunction with MR imaging for evaluating therapy response in patients with musculoskeletal sarcomas. AJR Am J Roentgenol. 2002; 179: 1145-1150.

6. Campanacci M. Bone and soft tissue tumors. 2nd Ed., Springer-Verlag; 1999.

7. Deyrup AT, Montag AG, Inwards CY, et al. Sarcomas arising in Paget disease of bone; A clinicopathologic analysis of 70 cases. Arch Pathol Lab Med. 2007; 131: 942-946.

8. DiCaprio MR, Friedlaender GE. Malignant bone tumors: limb sparing versus amputation. J Am Acad Orthop Surg. 2003; 11: 25-37.

9. Dupuy DE, Rosenberg AE, Punyaratabandhu T, et al. Accuracy of CT-guide needle biopsy of musculoskeletal neoplasms. AJR Am J Roentgenol. 1998; 171: 759-762.

10. Eckardt JJ, Eilber FR, Dorey FJ, et al. The UCLA experience in limb salvage surgery for malignant tumors. Orthopedics. 1985; 8: 612-621.

11. Enneking WF, Spanier SS, Goodman MA. Current concepts review: the surgical staging of musculoskeletal sarcoma. J Bone Joint Surg Am. 1980; 62: 1027-1030.

12. Feldman F, van Heertum R, Manos C. 18FDG PET scanning of benign and malignant musculoskeletal lesions. Skeletal Radiol. 2003; 32: 201-208.

13. Ferguson WS, Goorin AM. Current treatment of osteosarcoma. Cancer Invest. 2001; 19: 292-315.

14. Gebhardt MC, Goorin A, Traina J, et al. Long-term results of limb salvage and amputation in extremity osteosarcoma. In: Yamamuro T, ed. New Developments for Limb Salvage in Musculoskeletal Tumors. New York: Springer. 1989; 99-109.

15. Gelderblom H, Hogendoorn PCW, Dijkstra SD, et al. The clinical approach towards chondrosarcoma. The Oncologist 2008; 13: 320-329.

16. Glasser DB, Lane JM, Huvos AG, et al. Survival, prognosis, and therapeutic response in osteogenic sarcoma: the Memorial Hospital experience. Cancer. 1992 ; 69: 698-708.

17. Harrington KD. Impending pathologic fractures from metastatic malignancy: evaluation and management. Instr Course Lect. 1986; 35: 357-381.

18. Hau A, Kim I, Kattapuram S, et al. Accuracy of CT-guided biopsies in 359 patients with musculoskeletal lesions. Skeletal Radiol. 2002; 31(6): 349-353.

19. Jeon DG. Pathfinder of bone tumor. An integrated approach encompassing radiologic diagnosis, treatment, and outcome. Seoul, Pacific books; 2012.

20. Lee FY, Mankin HJ, Fondren G, et al. Chondrosarcoma of bone: an assessment of outcome. J Bone Joint Surg Am. 1999; 81: 326-338.

21. Leeson MC, Lippitt SB. Thermal aspects of the use of polymethylmethacrylate in large metaphyseal defects in bone: a clinical review and laboratory study. Clin Orthop Relat Res. 1993; 239-245.

22. Malawer MM, Chou LB. Prosthetic survival and clinical results with use of large-segment replacements in the treatment of high-grade bone sarcomas. J Bone Joint Surg Am. 1955; 77: 1154-1165.

23. Mankin HJ, Gebhardt MC, Jennings LC, et al. Long-term results of allograft replacement in the management of bone tumors. Clin Orthop Relat Res. 1996; 86-97.

24. Meyers PA, Heller G, Healey J, et al. Chemotherapy for nonmetastatic osteogenic sarcoma: the Memorial Sloan-Kettering experience. J Clin Oncol. 1992; 10: 5-15.

25. Mirels H. Metastatic disease in long bones. A proposed scoring system for diagnosing impending pathologic fractures. Clin Orthop Relat Res. 1989; 249: 256-264

26. Nesbit ME Jr, Gehan EA, Burgert EO Jr, et al. Multimodal therapy for the management of primary, nonmetastatic Ewing's sarcoma of bone: a long-term follow-up of the First Intergroup study. J Clin Oncol. 1990; 8: 1664-1674.

27. Pritchard DJ. Indications for surgical treatment of localized Ewing's sarcoma of bone. Clin Orthop Relat Res. 1980; 39-43.

28. Rosen G, Marcove RC, Huvos AG et al. Primary osteogenic sarcoma: eight-year experience with adjuvant chemotherapy. J Cancer Res Clin Oncol. 1983; 106: 55-67.

29. Rougraff BT, Simon MA, Kneisl JS, et al. Limb salvage compared with amputation for osteosarcoma of the distal end of the femur: a long-term oncological, functional, and quality-of-life study. J Bone Joint Surg Am. 1994; 76: 649-656.

30. Safran MR, Kody MH, Namba RS, et al. 151 endoprosthetic reconstructions for patients with primary tumors involving bone. Contemp Orthop. 1994; 29: 15-25.

31. Schwartz HS. Orthopaedic knowledge update. Musculoskeletal tumors 2. Rosemont, AAOS; 2007.

32. Scully SP, Ghert MA, Zurakowski D, et al. Pathologic fracture in osteosarcoma : prognostic importance and treatment implications. J Bone Joint Surg Am. 2002; 84: 49-57.

33. Scully SP, Temple HT, O'Keefe RJ, et al. The surgical treatment of patients with osteosarcoma who sustain a pathologic fracture. Clin Orthop Relat Res. 1996; 227-232.

34. Simon MA, Springfield D. Surgery for bone and soft tissue tumors, 1st Ed., Philadelphia, Lippincott-Raven; 1997.

35. Simon MA. Limb-salvage for osteosarcoma. In: Yammuro T, ed. New Developments for Limb Salvage in Musculoskeletal Tumors. New York; Springer; 1989. 71-72.

36. Skrzynski MC, Biermann JS, Montag A, et al. Diagnostic accuracy and charge-savings of outpatient core needle biopsy compared with open biopsy of musculoskeletal tumors. J Bone Joint Surg Am. 1996; 78: 644-649.

37. Vernon CB, Eary JF, Rubin BP, et al. FDG PET imaging guided reevaluation of histopathologic response in a patient with high-grade sarcoma. Skeletal Radiol. 2003; 32: 139-142.

38. Welker JA, Henshaw RM, Jelinek J, et al. The percutaneous needle biopsy is safe and recommended in the diagnosis of musculoskeletal masses. Cancer. 2000; 89: 2677-2686.

39. Wilkins RM, Pritchard DJ, Burgert EO Jr, et al. Ewing's sarcoma of bone: experience with 140 patients. Cancer. 1986; 58: 2551-2555.

40. Zeegen EN, Aponte-Tinao LA, Hornicek FJ, Gebhardt MC, Mankin HJ. Survivorship analysis of 141 modular metallic endoprostheses at early followup. Clin Orthop Relat Res. 2004; 239-250.

CHAPTER

10 기타 질환
Other Disorders

1. 일과성 고관절 골다공증

1959년 Curtiss와 Kincaid가 임신 3분기 때 고관절에 발생한 일과성 탈무기화(transitory demineralization) 현상에 대한 증례를 보고한 후, 유사한 임상적 특성과 일과성 골음영 감소의 공통적인 영상 소견을 보이는 질환들이 일과성 탈무기화, 이동성 국소적 골다공증(regional migratory osteoporosis), algodystrophy of the hip, 반사성 교감신경 이영양증(reflex sympathetic dystrophy) 등의 다양한 명칭으로 보고되어 왔는데, 1968년에 Lequesne는 처음으로 일과성 고관절 골다공증(transient osteoporosis of the hip)이란 용어를 사용하였다. 이후 자기공명영상이 도입되면서 1988년 Wilson 등은 주된 소견이 골수내 수분 양의 증가인데 근거하여 일과성 골수 부종 증후군(transient marrow edema syndrome)이란 명칭을 제안하였고, 이후 현재는 주로 골수 부종 증후군(bone marrow edema syndrome)이라 칭해지고 있다.

1) 역학

최초 보고는 임신 말기의 여성에서 발생한 예들이었으나, 중년 남성에서 호발하는 것으로 알려져 있고, 발생 빈도에 따른 남녀 성비는 대략 3:1 정도로 보고되고 있다. 대개 한 번에 한쪽 고관절에서만 일측성으로 발생하지만, 대략 41%에서 동일 관절이나 반대측 고관절, 또는 다른 관절에서 재발하는 것으로 알려져 있고, 한 환자에서 고관절 이외의 다른 관절들로 옮겨가며 순차

적으로 발생하는 경우에는 문헌상 이동성 국소적 골다공증이라는 용어로 보고되고 있다. 양측 고관절에서 동시에 발병하는 경우는 매우 드물고 임신부에서 발생한 예들이 보고되어 있다.

2) 임상 소견

대개 특별한 외상의 병력 없이 갑작스럽게 나타나는 둔한 서혜부, 둔부 및 허벅지 앞쪽의 통증을 호소한다. 보행 시 통증으로 인한 파행이 나타나고, 체중 부하 시 통증이 악화되며 안정을 취하면 호전되는 양상을 보인다. Schapira 등은 임상 경과를 다음과 같이 3단계로 구분하여 기술하였는데 첫 단계는 통증이 시작되어 빠르게 악화되면서 기능상 장애가 나타나는 시기로 대략 1개월 정도 지속되다가 두 번째 단계에서는 강도의 변화 없이 증상이 1-2개월 정도 일정하게 유지되는데, 이 시기 동안에 단순 방사선 사진상 골감소증이 관찰된다. 마지막 단계에서는 대개 4개월에 걸쳐 점차 증상이 호전되면서 방사선 검사상 골밀도가 회복된다고 하였다.

3) 발생 원인

아직까지 명확한 원인은 밝혀지지 않은 상태로 여러 가지 가설이 제시된 바 있다. 처음으로 임신부에서 발생한 일과성 고관절 골다공증에 대해 기술한 Curtiss와 Kincaid는 태아의 머리가 산모의 폐쇄신경을 간헐적으로 압박하여 이 질환이 발생할 것이라고 추정하였지만, 개를 이용하여 폐쇄신경을 압박하거나 신경 절단술을

시행한 실험 결과 어떠한 경우에도 골감소 현상을 관찰할 수 없었다고 하였다. 또한 환자들을 대상으로 근육신경전도 검사를 시행한 연구에서도 이상 소견은 관찰할 수 없었다. 일과성 고관절 골다공증에서 나타나는 골감소증은 하지 전체가 아니라 이환된 고관절 부위에만 국한되며, 통증이 있지만 어느 정도는 체중 부하를 하는 것에 비하여 그 정도가 심하고, 목발 보행으로 체중 부하를 상당히 제한함에도 골밀도가 점차 회복된다는 점 등을 고려할 때 단순히 불용성 골다공증(disuse osteoporosis)에 의한 것이라 할 수 없다. Lequesne는 일과성 고관절 골다공증이 비외상성으로 발생하는 Sudek 씨 골위축이나 반사성 교감신경 이영양증의 한 형태라고 하였다. 실제로 임상 증상이나 방사선 검사 및 골주사 검사상 두 질환이 유사한 특징을 가지고 있지만, 반사성 교감신경 이영양증 환자에서와는 달리 일과성 고관절 골다공증 환자에서는 피부에 발적이나 위축 등의 이상 소견이 관찰되지 않고 영구적인 장애 없이 회복되며 예후가 좋다. 이외에 일부 저자들은 일시적인 허혈이나 바이러스 감염 등을 원인으로 제시하기도 하였다. 최근에는 대퇴골두 연골하골절(subchondral fracture of the femoral head)을 일과성 고관절 골다공증의 원인으로 설명하는 문헌들이 보고되고 있다. Noorda 등은 일과성 고관절 골다공증 환자의 대퇴골두 생검 소견상 골소주에 신생 골형성이 관찰되고, 미세 골절이 일과성 고관절 골다공증을 일으키는 초기 병태생리 과정에 관여할 것이라고 하였다. Kim 등은 대퇴골두 연골하골절과 일과성 고관절 골다공증의 차이는 자기공명영상상상 관찰되는 연골하골절선의 유무인데, 일과성 고관절 골다공증에 대해 보고한 기존의 문헌 중에 자기공명영상 소견을 제시한 23개 문헌들을 다시 고찰한 결과 12개의 문헌에서 자기공명영상상 연골하골절선을 관찰할 수 있었다고 하면서 일과성 고관절 골다공증은 연골하골의 손상 정도가 보다 경미한 대퇴골두 연골하골절로 이해해야 한다고 제안하였다. Miyanishi 등은 일과성 고관절 골다공증 환자에서 대퇴골두 연골하골절 소견이 자

기공명영상과 전산화단층촬영 검사 모두에서 관찰되는 증례를 보고하였다. 저자들은 일과성 고관절 골다공증에서 골밀도가 약해짐에 따라 연골하골절이 발생했을 수도 있고, 반대로 연골하골절이 먼저 생겨서 자기공명영상상 골수 부종 소견을 보이고 방사선 사진상 불용성 골위축에 의해 골감소 소견이 보일 수 있어, 두 질환 사이의 연관성 및 전후 관계를 밝히기 위해서는 추가적인 연구가 필요하다고 하였다.

일과성 고관절 골다공증의 위험인자로는 임신, 알코올 섭취, 스테로이드 사용, 흡연, 갑상선기능저하증, 저인산혈증, 골형성 부전증, 혈중 테스토스테론 저하, 혈중 비타민 D 저하 등이 제시된 바 있다.

4) 검사 소견
(1) 혈액 검사

대부분의 혈액 검사 소견은 정상으로 이 질환에 특징적인 것은 없다. 하지만 전이성 암, 다발성 골수종, 백혈병, 다발성 골수염이나 결핵 등과 같은 다른 질환과의 감별을 위해 시행되기도 한다. 이환된 대퇴골두에서 채취한 검체를 측정한 결과 특정 골교체 표지자들(alkaine phosphatase, osteocalcin, procollagen type I N-terminal propeptide, C-terminal cross-linking telo-peptide)이 혈청 수치에 비해 증가되어 있다고 보고한 저자들도 있지만, 이러한 골교체 표지자들을 실제 환자의 혈청에서 측정하면 정상 수치에 비해 다르지 않다.

(2) 단순 방사선 검사

증상 초기에는 단순 방사선 사진에서 별다른 이상 소견이 보이지 않다가 대개 통증이 시작되고 약 3-6주 후부터 관절 주변, 특히 대퇴골두와 경부의 음영이 감소된 소견이 관찰된다(그림 1).

이러한 골 음영의 감소는 대퇴골두의 연골하골까지 진행되기도 하는데, 심한 경우에는 대퇴골두 전체의 골소주가 소실되어 비어 있는 것과 같이 보이는 소위 대퇴골두의 'phantom appearance' 소견이 관찰되기도 한

다. 드물게 비구, 전자, 장골, 좌골 및 치골지에서도 골음영이 감소되는 경우도 있다. 이러한 골 음영 감소 소견은 증상이 호전된 뒤에도 수 주간 지속되는 경우도 있지만, 대부분 저절로 호전된다. 약 6–8개월에 걸쳐 방사선 사진상 골 음영이 점차 회복되는데, 완전히 정상화되는 데 2년 정도 걸리기도 한다(그림 2). 일반적으로 관절 간격은 유지된다고 알려져 있다.

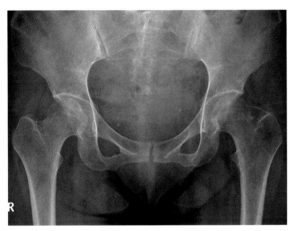

그림 1. 일과성 고관절 골다공증 환자의 단순 방사선 사진
우측에 비해 좌측 대퇴골두의 방사선 음영이 감소된 것을 관찰할 수 있다.

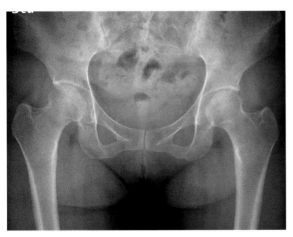

그림 2. 일과성 고관절 골다공증 진단 3개월 경과 후 시행한 단순 방사선 사진
그림 1 사진과 비교하여 감소된 방사선 음영이 회복된 것을 확인할 수 있다.

(3) 골주사 검사

Tc^{99m}–MDP를 이용한 골주사 검사는 단순 방사선 사진보다 앞서 조기에 이상 소견을 보이기 때문에 조기 진단에 도움이 될 수 있다. 일반적으로 증상이 생기고 나서 며칠 뒤부터 대퇴골두와 경부에 걸쳐 미만성으로 강한 흡수 증가 소견을 보이는데, 임상 증상과 방사선 사진상 이상 소견이 호전됨에 따라 점차 흡수 증가 소견이 감소하다가 정상화 된다(그림 3).

(4) 전산화단층촬영

전산화단층촬영은 일과성 고관절 골다공증 진단에 대해 낮은 민감도를 갖고 있지만, 단순 방사선 사진상 이상 소견이 발견되지 않는 조기에 탈무기질화를 관찰할 수 있는 경우가 있다. 또한 자기공명영상 검사를 할 수 없는 환자에서 유용한 검사 방법이라고 할 수 있다. Horiuchi 등은 전산화단층촬영 소견상 피질골의 침범이 없는 'spotty defect' 소견이 다른 질환과의 감별점이 된다고 하였다.

(5) 자기공명영상

1988년에 Bloem이 처음으로 일과성 고관절 골다공증

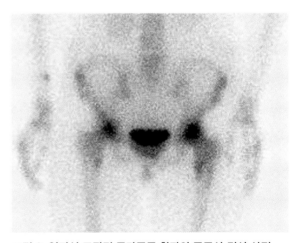

그림 3. 일과성 고관절 골다공증 환자의 골주사 검사 사진
좌측 대퇴골두에 미만성으로 강한 흡수 증가 소견을 관찰할 수 있고, 우측 대퇴골두에도 범위는 작지만 미만성의 흡수 증가 소견을 관찰할 수 있다.

의 특징적인 자기공명영상 소견을 보고한 이후 자기공명영상은 일과성 고관절 골다공증의 진단에 있어 최선의 검사 방법으로 사용되어 왔다. 특징적인 소견으로는 대퇴골두에서 전자간 부위까지 경계가 불명확하고 광범위하게 T1 강조 영상에서 저신호 강도, T2 강조 영상에서 고신호 강도 소견을 보이는 전형적인 골수 부종 소견이 나타난다. 많은 경우에 관절 삼출액이 증가된 소견이 동시에 관찰되기도 한다(그림 4). 자기공명영상상에 나타나는 이러한 이상 소견은 증상이 발생하고 48시간 이내에 발견되며, 대략 6-8개월 이내에 정상화된다고 알려져 있다(그림 5).

(6) 골밀도 검사

일과성 고관절 골다공증은 대개 중년 남성에서 호발하며 대부분 증상이 호전됨에 따라 골밀도 정상화되기 때문에 이환된 대퇴골두 및 경부에서 나타나는 일시적인 골감소증이 전신적인 골다공증으로 인한 것이라고 보기는 힘들다. 하지만 일과성 고관절 골다공증의 임상 경과에 따른 실제 골밀도의 변화를 정량적으로 분석한 문헌은 많지 않은데, Nimii 등은 한쪽 고관절에 발생한 일과성 고관절 골다공증 환자 3명을 대상으로 비체중 부하 외에 아무런 치료를 하지 않고 연속적으로 골밀도 검사를 시행하였다. 그 결과 증상 발현 후 2개월째 이환된 대퇴골 경부의 골밀도가 최저치를 보였고, 연령을 보정한 대조군과 비교했을 때 평균 13%의 감소 소견을 보였으며, 모든 경우에 저절로 호전되었다고 보고하였다. 이들이 검토한 약 300예의 일과성 고관절 골다공증 증례 중 3예에서 증상 발생 후 평균 8.3주(5-12주)째 병적 골절이 발생하였고, 골 소실률이 가장 높고 골밀도가 최저일 때가 병적 골절이 발생할 위험이 가장 높기 때문에 비체중 부하 치료를 시행하는 것이 바람직하다고 하였다.

5) 감별 진단

감별해야 할 질환으로 염증성 관절병증, 결핵이나 다른 세균성 관절염, 원발성 또는 전이성 암, 다발성 골수종, 건활액막 거대세포종, 활액막 연골종증, 대퇴골 경부 피로 골절, 반사성 교감신경 이영양증이나 대퇴골두

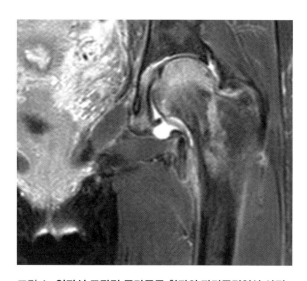

그림 4. 일과성 고관절 골다공증 환자의 자기공명영상 사진
T2 강조 영상에서 양측 대퇴골두와 경부에 미만성으로 고신호 강도 소견을 관찰할 수 있고, 관절 삼출액이 증가된 소견도 관찰된다.

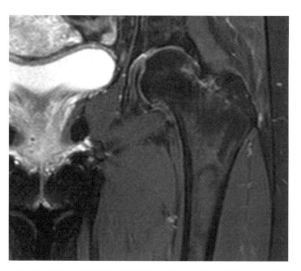

그림 5. 일과성 고관절 골다공증 진단 후 3개월 경과 후 시행한 자기공명영상 사진
골수 부종이 소실되고, 관절 삼출액도 정상으로 회복된 것을 확인할 수 있다.

골괴사 등이 있다. 이들 질환의 초기 임상 소견이나 방사선 검사 소견이 일과성 고관절 골다공증과 유사하기 때문에 감별 진단을 위해서는 경우에 따라 혈액 검사, 세균 검사 및 조직 검사를 시행할 필요가 있다. 대부분 저절로 호전되는 일과성 고관절 골다공증과는 달리 연속적인 추시 검사에서 임상 증상이 악화되고 방사선 소견상 관절 간격 감소, 관절내 석회화 소견, 관절 파괴, 미란성 골 병변이나 대퇴골두 함몰 소견 등의 이상이 관찰되면 다른 질환을 고려해야 한다. 이동성 국소적 골다공증은 국소적으로 심한 골다공증을 동반한 체중 부하 관절 부위의 순차적인 다발성 관절통을 특징으로 하는 질환으로 환자의 역학적 특징이나 임상 소견 및 경과가 일과성 고관절 골다공증과 동일하다. 첫 증상이 발생하고 나서 불특정한 시간 간격을 두고 다른 관절 또는 같은 관절로 이동하게 되는데, 대부분 인접한 관절로 이동하는 경우가 많다. 이동성 국소적 골다공증과 일과성 고관절 골다공증을 구분 짓는 특징은 이환된 관절이 이동한다는 점이다.

대퇴골두 연골하골절 또한 감별해야 할 질환으로 고려해야 하지만, 앞서 언급한 바와 같이 두 질환을 같은 계열의 질환으로 분류하여야 한다는 주장도 있고, 두 질환 사이의 연관성에 대하여는 아직 논란이 있다.

6) 치료 및 예후

일과성 고관절 골다공증은 원인은 불명이나 저절로 호전되는 특징을 갖고 있기 때문에, 증상에 맞게 치료 방침을 정해야 한다. 최근 일반적으로 받아들여지고 있는 치료 원칙은 비체중 또는 부분 체중 부하를 하면서 통증의 정도에 따라 필요한 경우 소염진통제를 복용하는 것이다. 이 외에도 당류 부신피질 호르몬, 비스포스포네이트, 칼시토닌 및 부갑상선 호르몬 제제를 치료에 사용한 예들이 보고되기도 하였다. Carmona-Ortells 등은 일과성 고관절 골다공증 환자를 deflazacort로 치료한 결과 2-4주 사이에 증상이 완전히 소실되었다고 보고하였고, Montagna 등은 증상 발생 후 2개월

째 aminobisphosphonate인 neridronate를 근주하였을 때 2개월 후(증상 발생 후 4개월)에 증상이 완전히 소실되었다고 보고하였다. 한편, 칼시토닌을 치료에 사용한 경우에는 6-9주 이내에 증상이 호전되었다고 하는 등 약물을 사용한 치료 결과들이 보고되고 있지만, 대부분의 일과성 고관절 골다공증 환자들이 아무런 치료 없이도 수개월 이내에 저절로 호전되는 경우가 많기 때문에, 약물요법이 치료에 도움이 되었다고 단정하기는 힘들 것이다.

2. 대퇴골두 연골하 스트레스 골절

연골하 스트레스 골절(subchondral stress fracture)은 자기공명영상이 사용되면서 확인된 질환으로 여러 관절의 연골하골에서 발생할 수 있는데 대퇴골두에서 발생한 보고가 가장 많다. 비교적 드문 질환이나 최근 진단적 개념이 정립되어 진단의 빈도가 점차 증가하고 있다. 다른 곳과 마찬가지로 정상 골에서 반복적인 과부하로 발생하는 피로 골절(fatigue fracture)과 골다공증이나 기타 원인으로 뼈의 강도가 약해져 있는 상태에서 발생하는 부전 골절(insufficiency fracture)이 모두 발생한다. 임상 소견과 영상 소견이 대퇴골두 골괴사와 비슷하여 과거 골괴사로 자주 오진되었던 것으로 확인되나 최근 그 개념이 정립됨에 따라 드물지 않게 진단되고 있다.

역사적으로는 1971년에 Freeman 등이 사체에서 얻어진 대퇴골두의 조직 검사를 하는 중에 연골하골에서 관찰되는 피로 골절 양상의 소견을 처음으로 보고한 이후 몇몇 저자들에 의해 유사한 소견이 보고되었다. Vande Berg 등은 신장이식을 시행 받은 후 관절 증상을 보이는 환자들의 T1 강조 자기공명영상에서, 대퇴골두 골괴사에서 보이는 비가역적인 저신호 강도 띠와는 달리 골단 부위에 일시적으로 관찰되었다가 추시 검사에서 소실되는 병변을 보고하면서 이러한 병변이 부전 골절의 소견일 것이라고 추정하였다. 대퇴골두 연골하 부전 골절은 1996년에 Bangil 등이 처음으로 임상 증상 및 단순

방사선 검사 소견과 골주사 검사 소견을 기술하고, 특징적인 자기공명영상 소견에 대해 보고한 이후 점차 많은 증례들이 문헌상에 보고되고 있다. 1997년에 Visuri는 10명의 군인에서 발생한 대퇴골두의 스트레스성 골병변에 대해 기술하였는데, 낮은 해상도의 자기공명영상 사진으로 인하여 연골하골절선을 발견할 수 없었을 것으로 판단된다. 하지만, 이는 대퇴골두 연골하골의 스트레스 골절이 젊고 건강한 사람에게서 피로 골절(fatigue fracture)의 형태로도 발생할 수 있다는 것을 시사하는 보고라고 할 수 있다. 피로 골절 형태의 대퇴골두 연골하골절은 부전 골절양상의 연골하 스트레스 골절에 비해 드물게 발생하는 것으로 알려져 있다.

1) 역학

(1) 대퇴골두 연골하 부전 골절

대퇴골두 연골하 부전 골절(subchondral insufficiency fracture of the femoral head)은 별다른 기저 질환이 없는 55세 이상, 비교적 고령의 환자에서 골다공증이나 골연화증과 같은 원인에 의해 골밀도가 감소되어 있는 상태에서 주로 여성에 발생하는 것으로 알려져 있다. 초기 문헌에서는 체질량 지수가 높은 과체중 환자에서 발생 위험이 높은 것으로 보고되었지만, 최근에는 별다른 상관이 없는 것으로 받아들여지고 있다. Yamamoto 등은 20대 젊은 연령에 발생한 대퇴골두 연골하 부전 골절 증례를 보고하기도 하였다. 이 외에 신장 이식이나 간 이식을 시행받은 환자들, 류마티스 관절염이나 전신성홍반성낭창 환자들처럼 스테로이드를 복용한 병력이 있는 경우에도 발생할 수 있다. 대개 일측성으로 발생하지만 드물게 양측성으로 발생하는 경우도 보고되어 있다. 비교적 드문 질환이기 때문에 발생 빈도 및 다른 역학적 특징을 알기 힘들지만, Yamamoto 등은 골관절염 및 대퇴골두 골괴사로 진단 받고 고관절 전치환술을 시행 받은 7,286명의 환자들에서 얻어진 7,718개 대퇴골두의 조직학적 소견을 후향적으로 분석하여, 6.5% (7,718예 중 501예)에서 연골하 부전 골절이 발견되었는

데, 남녀의 비율은 1:1.56으로 여자에서 더 호발하였고 평균 연령은 68세(20–93세)였다. 양측성으로 발생한 경우는 2.7% (501예 중 14예)였고, 수술 전 진단이 골관절염이었던 군에서는 6.3%, 골괴사였던 군에서는 11.1%에서 부전 골절이 발견되었다고 보고하였다.

(2) 대퇴골두 연골하 피로 골절

대퇴골두 연골하 피로 골절(subchondral fatigue fracture of the femoral head)은 군 입대 후 신병 훈련 또는 태권도 훈련 도중 발생한 고관절 통증을 호소하는 군인들에서 처음으로 진단된 이후, 주로 기저 질환이 없이 정상적인 골밀도를 가지고 있는 20대 남자에서 반복적으로 과도한 부하가 가해진 후에 발생한 증례들이 보고되었다. 하지만 30–40대의 건강한 성인에서도 특별한 활동의 증가나 외상없이 대퇴골두 연골하 피로 골절이 발생할 수 있다. 주로 일측성으로 발생하지만, 드물게 양측성으로 발생하기도 한다.

2) 임상 소견

대퇴골두 연골하 부전 골절의 경우에는, 대부분 특별한 외상의 병력이나 일상 생활에서 과도한 활동의 증가 없이 갑작스럽게 서혜부 및 고관절 부위의 통증을 호소하는 경우가 많다. 통증은 체중 부하 시 악화되고 점차 심해지지만, 안정 시 호전되는 양상을 보인다. 반면에 대퇴골두 연골하 피로 골절의 경우에는 군 입대 후 평소 안 하던 훈련에 노출되는 신병에서와 같이 갑작스럽게 고관절 부위에 과도한 부하가 가해지는 활동을 하거나 반복적인 운동을 한 후에 고관절 부위의 통증을 호소하는 경우가 많다. 하지만 특별한 활동의 증가나 외상없이 통증이 발생하여 진단을 받게 되는 경우도 있다.

3) 검사 소견

(1) 단순 방사선 검사

증상이 발생하고 난 직후에는 단순 방사선 사진상 골음영의 감소나 연골하 부위의 골경화 소견 이외에 특별

한 이상이 관찰되지 않을 수 있다. 하지만, 대퇴골두 골괴사에서 연골하골절이 발생했을 때 보이는 것과 같은 'crescent sign'이 관찰되기도 하고(그림 6), 처음부터 대퇴골두의 함몰 소견이 관찰되기도 한다(그림 7). 대체로 관절 간격은 유지되지만, 부전 골절의 상당수에서는 시간이 경과되면서 점차 관절 간격이 좁아지는 소견이 관찰되기도 하며, 처음부터 관절 간격 감소를 보이는 경우도 있다(그림 8).

(2) 골주사 검사

Tc^{99m}−MDP를 이용한 골주사 검사에서 모든 경우에 대퇴골두에 강한 흡수 증가 소견이 관찰된다(그림 9). 단순 방사선 사진에 이상이 관찰되기 이전에 이상 소견을 보이기 때문에 조기 진단에 도움이 될 수 있다.

(3) 전산화단층촬영

전산화단층촬영은 대퇴골두 연골하골절의 진단 목적으로 사용하는 일반적인 방법은 아니지만, Iwasaki 등이 자기공명영상 검사에서 저신호 강도의 띠로 나타나는 부분이 전산화단층촬영에서도 경화성 띠로 나타났음을 보고하며 전산화단층촬영도 대퇴골두 연골하골절 진단에 도움이 될 수 있음을 시사하였다. 과거와 달리 해상도가 높아지고 축상면뿐만 아니라 관상면 및 시상면 영상을 모두 구현하는 다면 재구성 전산화단층촬영의 경우 골절선의 발견에 있어 자기공명영상에 비해 우수하기 때문에 진단 특히 다른 질병과의 감별진단에 유용할 수 있다(그림 10).

(4) 자기공명영상

대퇴골두와 경부에 T1 강조 영상에서 부분적 또는 광범위하게 경계가 불명확한 저신호 강도 소견을 보인다. 이들은 T2 강조 영상 또는 지방 억제(fatsuppressed) 영상에서 고신호 강도로 전환되어 전형적인 골수 부종 소견으로 관찰된다. 또한 연골하골판 부위에 평행하게 주행하면서 T1 강조 영상에서는 저신호 강도, 다른 강조 영상에서는 다양한 신호 강도로 나타나는 이상 신호

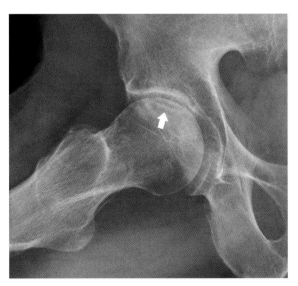

그림 6. 대퇴골두 연골하 스트레스 골절 환자의 단순 방사선 사진
개구리 다리 측면 방사선 촬영상에서 골절선이 보인다(화살표).

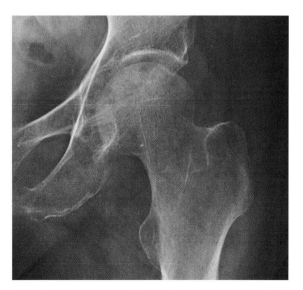

그림 7. 대퇴골두 연골하 스트레스 골절 환자의 단순 방사선 사진
전외측에 대퇴골두 붕괴 소견이 관찰되고, 대퇴골 경부 및 전자간 부위에 골 음영이 감소된 것을 관찰할 수 있다.

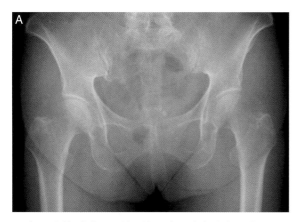
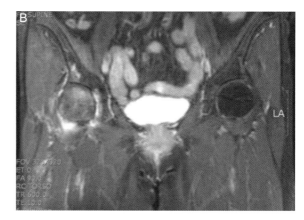

그림 8. 우측 대퇴골두 연골하 부전 골절의 영상 소견
(A) 단순 방사선 사진상 우측 고관절에 관절 간격의 감소가 관찰된다. (B) 자기공명영상 사진상 골수 부종과 골절선이 관찰된다.

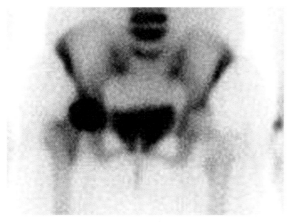

그림 9. 대퇴골두 연골하 스트레스 골절 환자의 골주사 검사 사진
우측 대퇴골두에 강한 흡수 증가 소견이 관찰된다.

강도선(연골하골절선, MR crescent sign)을 관찰할 수 있는데, 대부분 대퇴골두의 전상방에서 관찰되지만 일부에서는 상후방에서 관찰되기도 한다(그림 11). 이러한 골수 부종 양상과 연골하골절 소견은 대퇴골두 골괴사에서도 관찰되기 때문에 스트레스 골절과의 감별을 요한다.

대퇴골두 골괴사에서는, 대퇴골두에 괴사가 발생하면서 우선 괴사 부위의 외연을 따라 재생 과정이 진행

되어 이른바 반응 영역(reactive zone)이 형성된다. 이는 괴사 부위쪽의 혈관이 풍부한 육아조직과 그 바깥쪽의 신생 골형성 부위로 이루어지며, 자기공명영상상 T1 강조 영상에서는 저신호 강도의 띠로 나타나고, T2 강조 영상에서는 고신호 강도의 띠와 저신호 강도의 띠로 형성되는 이중선 징후(double line sign)를 관찰할 수 있다. 이와 같은 괴사부 외연의 이상 신호 강도 띠는 골괴사에서 가장 먼저 나타나는 자기공명영상 소견이다. 골괴사에서 발생하는 연골하골절은 재생 과정이 어느 정도 진행한 후 괴사부의 내부에 발생하기 때문에, 자기공명영상상 연골하골절선 바깥쪽으로 반응 영역인 이상 신호 강도 띠가 존재하며, 골수 부종 소견도 괴사부 바깥쪽에서만 관찰된다. 그러나 대퇴골두 연골하 스트레스 골절에서는 대퇴골두 골괴사에서 보이는 이상 신호 강도의 띠, 즉 괴사골 주변의 반응 영역이 관찰되지 않으며, 골수 부종 양상이 골절선 인접 부위까지 나타난다는 점이 두 질환의 감별점으로 의미가 있다(그림 11).

(5) 조직학적 소견

Yamamoto 등에 의하면 연골하 부전 골절이 있는 대퇴골두를 육안으로 검사했을 때 연골하골절 부위의 관절 연골이 얇아져 있거나 부분적으로 들려있는 소견이

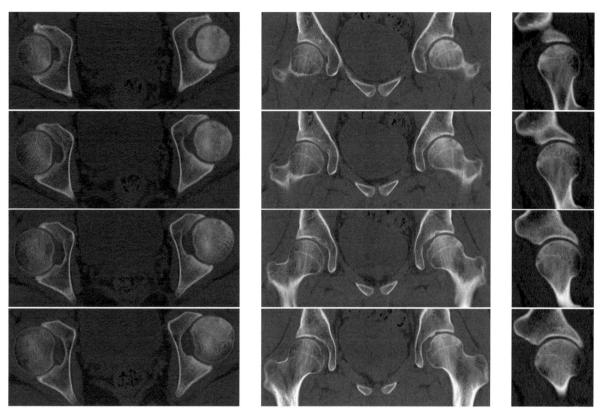

그림 10. 대퇴골두 연골하 스트레스 골절 환자의 전산화단층촬영 영상
일반적으로 축상면 보다 재구성한 관상면이나 시상면에서 골절선이 더 명확히 관찰된다.

관찰되었다. 중간 관상 절단면에서는 가골과 육아조직 등으로 구성되어 흰색과 회색을 띠면서 연골하골판과 평행하게 주행하는 선형의 병변이 관찰되었는데, 그 주변에는 활성화된 파골세포에 의해 부분적으로 골흡수가 일어나거나 혈관성 육아조직으로 대체된 조직이 관찰되었지만 괴사의 증거는 발견되지 않았다. 또한, 대퇴골두의 다른 부분에서는 골감소를 시사하는 소견인 연결이 끊어진 골소주가 관찰되었다. 조직에 대한 단순 방사선 사진에서 관찰되는 부분적인 골경화 소견은 미세현미경적으로 미세 가골에 해당하였다. 한편, 대퇴골두 연골하 피로 골절에서는 심한 대퇴골두 함몰이 있는 환자를 자가 장골을 이용한 지주 골이식의 수술적 방법으로 치료하는 과정에서 얻어진 연골하골 부의의 조직검사 소견상 골괴사의 소견이 관찰되지 않았다.

4) 감별 진단

고관절 부위의 급성 통증을 보이면서 자기공명영상상 골수 부종 양상을 보이는 다른 질환들과의 감별이 필요하다. 감별해야 할 질환으로는 염증성 관절병증, 결핵이나 다른 세균성 관절염, 원발성 또는 전이성 암, 다발성 골수종, 건활액막 거대세포종, 활액막 연골종증, 반사성 교감신경 이영양증, 고관절 일과성 골다공증, 또는 대퇴골두 골괴사 등이 있다.

5) 치료 및 예후

대퇴골두 연골하 스트레스 골절로 진단받을 당시에 방사선 사진상 대퇴골두 함몰 소견이 없는 경우에는 부전 골절이나 피로 골절 모두에서 일단 비체중 부하의 보존적 치료를 시행하는 것이 일반적이다. 보존적 치료

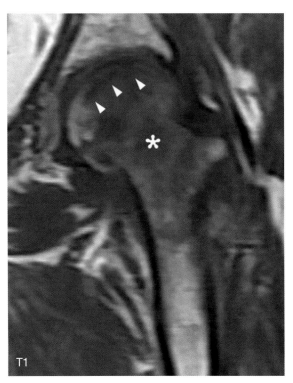
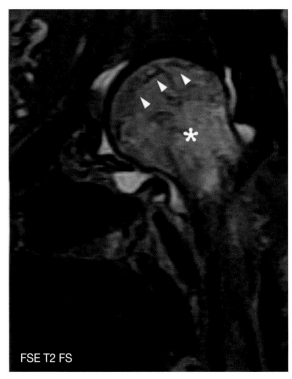

그림 11. 대퇴골두 연골하 스트레스 골절 환자의 자기공명영상 사진
특징적인 골수 부종 소견(asterisk)과 연골하골절선(arrow heads)이 관찰된다.
FSE: Fast spin echo, FS: Fat suppression.

는 목발이나 보행기를 사용한 비체중 부하로 시작하여 점차 환측의 체중 부하를 허용하게 하는데, 치료 시작부터 증상이 호전되기까지의 기간은 수개월에서 1년 이상까지 문헌상 다양하게 보고되고 있다.

한편, 처음부터 대퇴골두의 함몰 소견이 관찰되거나 보존적 치료 중에 대퇴골두 함몰이 발생하는 경우에는 골절의 양상이 부전 골절인지 피로 골절인지에 따라 치료 방법이 달라진다. 부전 골절은 골질이 좋지 않은 환자에서 주로 발생하기 때문에 피로 골절에 비해 대퇴골두의 함몰이 더 심하게 나타나는 경향을 보이는데, 몇몇 저자들은 대퇴골두 연골하 부전 골절이 이른바 급속 파괴형 고관절증(rapidly destructive coxopathy)을 유발한다고 보고하기도 하였다. 이처럼 문헌상에는 부전 골절 양상의 대퇴골두 연골하 스트레스 골절에서 보존적 치료에도 불구하고 대부분 대퇴골두의 함몰이 진행되고

증상이 악화되어 결국 양극성 반치환술이나 고관절 전치환술로 치료한 증례들이 보고되어 왔다. 몇몇 저자들은 대퇴골두 연골하 부전 골절의 임상 경과가 1) 낮은 골밀도, 2) 과체중, 3) 고령, 4) 광범위한 연골하골절을 보일수록 예후가 불량하다고 하였고, 기타 예후 인자로 초기 치료 방법, 기저 질환이나 이전에 방사선 치료 및 스테로이드 치료를 받은 병력이 있는 경우 등을 제시하기도 하였다. 하지만, 기존의 문헌들은 대부분 증례 보고이거나, 적은 수의 환자를 대상으로 하였고, 대퇴골두 골괴사로 오진하여 고관절 치환술을 받았던 증례들을 대상으로 한 후향적 연구의 결과들이기 때문에 대퇴골두 연골하 부전 골절의 임상 경과, 치료 방법 및 예후에 대해서는 아직 논란의 여지가 많다. 최근에 Yoon 등은 고령에서 발생한 대퇴골두 연골하 부전 골절 31예의 임상 경과를 분석한 결과 48.4%에서 고관절 전치환

술을 시행받아 예후가 비교적 불량함을 보고하였다. 보존적 치료로 호전된 군과 비교했을 때, 고관절 전치환술을 시행받은 군에서 관절 간격 감소 소견과 대퇴골두 함몰이 진행한 비율이 유의하게 높았다. 또한, 저자들은 관절 간격의 감소가 부전 골절에 대한 보존적 치료 실패의 유의한 위험인자라고 보고 하였다.

피로 골절 양상의 대퇴골두 연골하 스트레스 골절에서도 대퇴골두의 함몰 소견이 관찰되는 것으로 문헌상 보고되고 있다. 하지만, 부전 골절과는 달리 대퇴골두의 함몰이 있다고 하더라도 예후가 비교적 양호하여 함몰이 진행되는 경우는 드물고, 골절에 의한 통증도 대부분 점차 호전되어 일상 생활이나 가벼운 운동을 하는 데 지장이 없을 정도라고 알려져 있다(그림 12). 또한 대퇴골두 함몰의 정도가 심하거나 조기에 발견되는 경우에는 압박 골이식술(impaction bone graft)을 시행하여 함몰된 대퇴골두를 복원시키는 수술적 치료를 시도해 볼 수도 있다(그림 13).

3. 유착성 고관절낭염

견관절의 유착성 관절낭염(adhesive capsulitis of the hip) 또는 동결 견(frozen shoulder)은 비교적 흔하게 관찰되는 질환으로 임상 경과 및 예후 등이 잘 알려져 있다. 이에 반해 유착성 고관절낭염은 1963년에 Caroit 등이 관절낭염(capsulitis)의 형태로 문헌상에 처음으로 유사한 증례를 보고한 이후, 'adhesive capsulitis of the hip', 'capsular constriction of the hip', 'frozen hip' 등의 명칭으로 드물게 보고되고 있으며 아직까지 널리 알려져 있지 않고 있다. 하지만, 몇몇 저자들은 호발 연령과 임상 증상 및 경과 등이 견관절 유착성 관절낭염의 경우와 유사한 이 질환이 실제 임상에서는 문헌상 보고되고 있는 것보다 발생 빈도가 높기 때문에 정확한 진단과 적절한 치료가 필요하다고 하였다. 실제로 고관절에서는 어느 정도 운동 범위의 제한이 기능상 큰 문제가 되지 않기 때문에 견관절에 비해 유착성 고관절낭염이 진단되는 경우가 더 드물 수 있다.

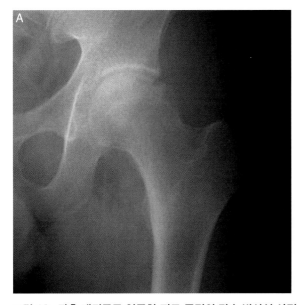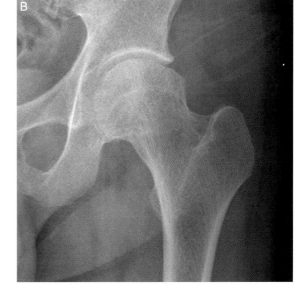

그림 12. 좌측 대퇴골두 연골하 피로 골절의 단순 방사선 사진
(A) 최초 사진상 경도의 대퇴골두 함몰이 관찰된다. (B) 보존적 치료 11년 후 사진상 추가적인 함몰은 관찰되지 않는다.

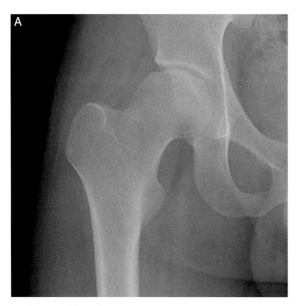
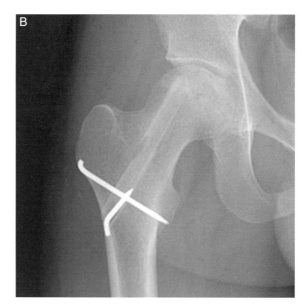

그림 13. 우측 대퇴골두 연골하 피로 골절의 단순 방사선 사진
(A) 최초 사진상 대퇴골두의 함몰이 관찰된다. (B) 자가 해면골 및 동종 비골을 압박 이식하여 함몰 부위를 복원하였다.

1) 역학 및 원인

1981년에 Lequesne 등은 유착성 고관절낭염을 발생 원인에 따라 다음과 같이 두 가지 경우로 분류하였는데, 1) 일차성 또는 특발성 유착성 고관절낭염은 고관절의 특별한 원인 질환 없이 발생하는 경우로 당뇨나 phenobarbital 치료를 장기간 받은 환자, 또는 갑상선기능저하증 환자에서 발생하기도 한다. 2) 이차성 유착성 고관절낭염은 고관절 내의 원인 질환에 의해 이차적으로 유발되는 경우로, 알려진 질환으로는 활액막 연골종증이 가장 흔하고, 그 외에 유골 골증, 내측 또는 후방 골관절염, 비구순의 병변이나 원형인대의 병변이 보고되고 있다.

대부분 특별한 외상없이 증상이 생기지만 갑작스러운 활동의 증가나 경미한 외상 후에 발생하는 경우도 있다. 발생 빈도는 여자에서 약간 더 호발 하는 것으로 알려져 있고, 주로 한쪽 관절에서만 생기지만 드물게 양쪽 관절을 침범하기도 하며, 발생 연령은 문헌상 19세에서 77세까지 다양하게 보고되고 있지만, 특발성인 경우에는 대부분이 30대에서 50대 사이의 중년층에서

호발하여 동결견의 경우와 유사한 특성을 가지고 있다.

2) 임상 소견

통증을 동반하며 점차 진행하는 고관절의 운동 범위 제한이 가장 주된 증상으로 수동적인 움직임과 능동적인 운동에서 모두 제한을 보이고, 특히 회전 운동 범위의 제한이 뚜렷하다. 특발성의 경우 대부분 똑바로 걷거나 뛰는 데는 아무런 문제가 없으나, 걷다가 갑자기 방향을 바꿀 때 통증을 호소하는 경우가 흔하고, 'figure-of-four' 자세를 취할 때 환측 무릎이 반대쪽 무릎 높이까지 내려오지 않게 되어, 환자들은 흔히 양반다리를 할 수 없다거나 바닥에 앉을 수 없다고 호소하는 경우가 많다.

3) 검사 소견
(1) 단순 방사선 검사

고관절의 운동 범위 제한을 유발하는 골절, 심한 골관절염이나 대퇴골두 골괴사 등의 이상 소견이 있을 경우에는 이 질환을 배제할 수 있다. 특발성 유착성 고관

절낭염인 경우에는 특별한 이상 소견을 관찰할 수 없지만, 활액막 연골종증에 의한 이차성 유착성 고관절낭염인 경우에는 특징적인 다발성 석회화 음영, 미란성 골병변, 관절 주변 골 음영의 감소 등의 이상 소견을 관찰할 수 있다.

(2) 관절조영술

Lequesne 등은 정상 고관절강의 용적은 평균 15 ml (12−18 ml)로, 관절조영술에서 환측의 관절강의 용적이 12 ml 미만인 경우에 관절낭 협착을 진단할 수 있다 하였다. 반면에 Byrd 등은 관절조영술로 유착성 고관절낭염을 진단하기 위해서는 관절강 용적이 5 ml 미만인 경우에만 가능하고, 만약 5 ml와 12 ml 사이인 경우에는 반대쪽 고관절과 비교하여 용적의 차이가 적어도 25%인 경우에 유착성 고관절낭염을 의심할 수 있다고 하였다. 하지만, Chard 등은 동결 견에서도 관절강 용적의 감소를 보이지 않는 경우가 많고 용적 감소가 진단에 필수적이지 않듯이, 유착성 고관절낭염에서 관절강 용적의 감소를 보이지 않는 증례를 보고하면서, 관절조영술의 소견이 진단에 반드시 필요하지는 않다고 하였다.

(3) 자기공명영상

자기공명영상은 단순 방사선 사진에서 미처 발견하지 못한 고관절의 뼈의 이상이나 연골 병변, 비구순이나 원형인대의 병변 등을 예민하게 검사할 수 있다. 활액막 연골종증에 의한 이차성 유착성 고관절낭염인 경우에는 다발성 유리체 소견 등을 발견할 수 있다. 진단의 민감도를 높이기 위해 자기공명 관절조영술을 시행하기도 한다. Joo 등은 자기공명 관절조영술에서 유착성 고관절낭염 환자의 경우 후상방 관절막의 두께가 전하방보다 유의하게 증가되어 있다고 하였다.

(4) 고관절경술

위에서 언급한 검사 방법으로도 진단이 어렵고, 오랜 기간 동안의 보존적 치료에도 증상이 호전되지 않는 경우에는 진단 및 치료 목적으로 고관절경술(hip arthroscopy)을 시행할 수 있다. Byrd 등은 capsular recess나 비구와에서 섬유소성(fibrinous), 출혈성 조직을 발견하면 유착성 고관절낭염을 확진할 수 있다고 하였다 (그림 14).

4) 감별 진단

고관절의 운동 범위 제한을 유발하는 염증성 질환이나 결핵성 고관절염은 혈액 검사나 단순 방사선 사진으로 감별할 수 있다. 이 외에 고관절의 심한 통증과 강직을 유발하는 반사성 교감신경 이영양증은 단순 방사선 사진상 대퇴골두 부위의 심한 골감소 소견이 관찰되거나, 환측 하지의 피부색 변화나 온도 변화 등의 전형적인 신경영양성(neurotrophic) 변화가 나타나는 것으로 구분할 수 있다. 하지만, 이 밖에도 통증 및 관절 운동 제한이 나타나는 질환은 매우 다양하기 때문에 증상만으로는 정확한 감별이 어렵다. 따라서 유착성 고관절낭염은 동결 견과 마찬가지로 다른 원인 질환을 모두 감별하고도 특별한 원인을 찾지 못하는 경우에 내리는 잠

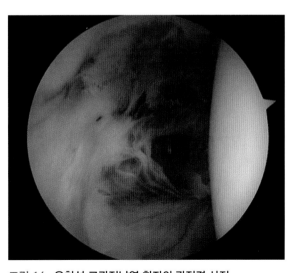

그림 14. 유착성 고관절낭염 환자의 관절경 사진
비구와에서 정상적으로 관찰되는 섬유탄성 지방체(fibroelastic fat pad)가 아닌 섬유소성, 출혈성 조직 소견이 보인다.

정 진단이라고 생각하는 것이 바람직할 것이다.

5) 치료 및 예후

특발성 유착성 고관절낭염은 대개 보존적 치료에 호전되는 경우가 많다. 보존적 치료로는 운동 제한, 진통소염제의 복용 및 물리치료를 예로 들 수 있고, 관절강내 스테로이드 주사도 고려할 수 있다. 동결 견에서와 마찬가지로 무엇보다 중요한 것은 관절 운동 범위의 회복이다. 운동이 심한 통증을 유발하는 초기에는 일정 기간 휴식을 취하는 것이 바람직하지만, 이러한 시기가 지나면 심한 통증을 유발하지 않는 범위에서 스트레칭과 같은 자가 운동 치료 방법을 통한 수동적 관절 운동을 시행하는 것이 좋다. 이러한 수동적 관절 운동은 따뜻한 물찜질과 병행하면 더 효과적이다. 이렇게 보존적 치료를 시행하는 경우 짧게는 5개월에서 길게는 24개월 사이에 증상이 호전된다고 알려져 있다.

이차성 유착성 고관절낭염은 원인 질환을 치료하기 위해 유리체 제거 및 활액막절제술 등의 수술적 치료가 필요하다.

보존적 치료에 호전되지 않는 특발성 유착성 고관절낭염은 관절경 수술이 유용하게 사용될 수 있는데, Byrd 등은 처음 증상이 발생한 후 평균 12개월, 보존적 치료를 시행한 후 평균 7.4개월 째 고관절경술을 시행하였는데, 모든 경우에서 수술 전에 전신 마취하에 유착을 풀어주기 위한 도수 조작을 하여 관절 운동 범위의 회복을 얻었다고 하였다. 한편, Luukkainen 등은 보존적 치료에 반응하지 않는 특발성 유착성 고관절낭염 환자를 대상으로, 마취하에 도수 조작을 시행하고 생리식염수를 주입하여 관절강내 압력을 높이는 방법으로 관절낭을 팽창시켜 성공적인 치료를 시행한 결과를 보고하기도 하였다.

4. Herniation Pit

대퇴골 경부에서 발견되는 원형 혹은 타원형의 방사선 투과성 지역으로 1982년 Pitt에 의해 herniation pit라 명명되었다. 통상적으로 대퇴골 경부 전방의 상부 외측 사분면에 위치하는데, 그 전방의 관절막이 장대퇴(iliofemoral)인대와 윤대(zona orbicularis)가 합쳐져서 두껍기 때문에 이 관절막과 그 앞의 근육들에 의한 압박에 의해 발생되는 것으로 해석되어 왔다. 초기에는 인구의 약 5% 정도에서 관찰되는 것으로 보고되었으나 인지도가 높아지고 전산화단층촬영이나 자기공명영상이 도입되면서 그 빈도는 훨씬 높은 것으로 판단된다.

단순 방사선 사진에서 대퇴골 경부 상부 외측에 5-15 mm 크기의 원형 혹은 타원형의 방사선 투과성 영역으로 관찰되며, 얇은 경화성 선의 외연을 갖는다. 발생 후 점차 크기가 커지는 경우도 있는데 다수의 lobulation이 있을 수 있고 내측에 격막이 있기도 한다(그림 15).

전산화단층촬영 영상에서도 피질골 아래쪽으로 경화성 경계를 보이는 골용해성(osteolytic) 영역으로 관찰되며, 덮고 있는 피질골에 외부와 연결 구멍이 존재하기도 한다. 자기공명영상의 T1 강조 영상에서 저신호 강도의 영역으로 보이며, T2 강조 영상에서는 저신호 강도의 얇은 경계를 가진 고신호 강도의 영역으로 관찰되는데, 중앙의 조직이 섬유화 되면 전반적으로 저신호 강도로 관찰된다. Pit의 주변에서 골수 부종 소견이 관찰되었다는 보고도 있다. 골주사 검사에서는 해당부위에 흡수 증가를 보이거나, 정상이었다는 상반된 보고가 있는데 최초 발생 시에는 흡수 증가가 있다가 시간이 경과하면서 점차 감소하여 정상화되기 때문이다(그림 15, 16).

대부분 무증상이며 우연히 발견되는 경우가 많고, 정상 변이로 여겨지기 때문에 특별한 치료를 필요로 하지 않는다. 고관절이나 그 주변의 통증을 호소하는 환자에 대한 진료 과정에서 우연히 발견된 herniation pit에 대해 유골 골종(osteoid osteoma), 골내 결절종(intraosseous ganglion), 암의 골 전이, 만성 농양으로 오인하는 경우가 있어 감별 진단에 주의를 요한다. 최근에는 대퇴비구 충돌에 의한 발생 가능성이 제기 되고 있는데, Leunig 등은 대퇴비구 충돌과 herniation pit의 연관성을 보고하며 herniation pit는 정상 변이가 아닌 대퇴비구 충돌에 의한 기계적 충돌의 결과일 수 있으니 고관절 통증 환자에서 herniation pit가 관찰될 때 대퇴비구 충돌의 가능성을 염두에 두어야 한다고 하였다. 그러나 대부분의 경우 증상이 없기 때문에 이런 주장에 얼마나 의미를 부여할 수 있을지 의문이라 하겠다.

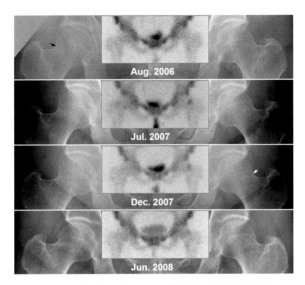

그림 15. Herniation pit의 단순 방사선 사진 및 골주사

43세 여자로 유방암으로 진단된 후 정기적으로 골주사 검사를 시행하였다. (A) 첫 번째 골주사상 정상이라 우측 대퇴골 경부 전방의 상부 외측 사분면에 원형의 경화성 경계를 갖는 영역(검은 화살표)이 관찰된다. (B) 1년 후 골주사 검사상 좌측 대퇴골두-경부에 흡수 증가가 관찰되고 단순 방사선 사진상 해당 부위에 경화성 경계를 갖는 원형의 영역이 관찰된다. (C) 6개월 후 좌측 herniation pit의 크기가 증가하였고 내부에 격자가 관찰된다. (D) 6개월 후 골주사 소견상 흡수 증가가 약간 감소되어 있다.

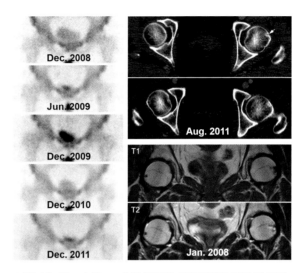

그림 16. Herniation pit의 골주사, 전산화단층촬영 및 자기공명영상

골주사상 시간이 경과하면서 흡수 증가가 감소되어 정상화되고 있다. 전산화단층촬영상 좌측 herniation pit에 외부와 연결 구멍이 관찰된다(화살표). 자기공명영상상 T2 강조 영상상 좌측 herniation pit 내부가 고신호 강도인데 발생한지 오래된 우측 내부는 저신호 강도이다.

참고문헌

1. Asadipooya K, Graves L, Greene LW. Transient osteoporosis of the hip: review of the literature. Osteoporos Int. 2017; 28(6): 1805-1816.

2. Banas MP, Kaplan FS, Fallon MD, Haddad JG. Regional migratory osteoporosis. A case report and review of the literature. Clin Orthop Relat Res; 1990. 303-9.

3. Bangil M, Soubrier M, Dubost JJ et al. Subchondral insufficiency fracture of the femoral head. Rev Rhum Engl Ed. 1996; 63: 859-861.

4. Bloem JL. Transient osteoporosis of the hip: MR imaging. Radiology. 1988; 167: 753-5.

5. Byrd JW, Jones KS. Adhesive capsulitis of the hip. Arthroscopy. 2006; 22: 89-94.

6. Carmona-Ortells L, Carvajal-Mendez I, Garcia-Vadillo JA, Alvaro-Gracia JM, Gonzalez-Alvaro I. Transient osteoporosis of the hip: successful response to deflazacort. Clin Exp Rheumatol. 1995; 13: 653-5.

7. Caroit M, Djian A, Hubault A, Normandin C, De Seze S. 2 Cases of retractile capsulitis of the hip. Rev Rhum Mal Osteoartic. 1963; 30: 784-9.

8. Chard MD, Jenner JR. The frozen hip: an underdiagnosed condition. BMJ. 1988; 297: 596-7.

9. Curtiss PH, Kincaid WE. Transitory demineralization of the hip in pregnancy. A report of three cases. J Bone Joint Surg Am. 1959; 41: 1327-33.

10. Freeman MA, Day WH, Swanson SA. Fatigue fracture in the subchondral bone of the human cadaver femoral head. Med Biol Eng. 1971; 9: 619-29.

11. Gao Z-H, Yin J-Q, Ma L, Wang J, Meng Q-F. Clinical imaging characteristic of herniation pits of the femoral neck. Orthop Surg 2009;1(3):189-195.

12. Horiuchi K, Shiraga N, Fujita N, Yamagishi M, Yabe H. Regional migratory osteoporosis: a case report. J Orthop Sci. 2004; 9: 178-81.

13. Iwasaki K, Yamamoto T, Motomura G, Karasuyama K, Sonoda K, Kubo Y, Nakashima Y. Computed tomography findings of subchondral insufficiency fractures of the femoral head. J Orthop. 2018; 15(1): 173-176.

14. Iwasaki K, Yamamoto T, Nakashima Y et al. Subchondral insufficiency fracture of the femoral head after liver transplantation. Skeletal Radiol. 2009; 38: 925-928.

15. Joo YD, Sobti AS, Oh KJ. Measurement of Capsular Thickness in Magnetic Resonance Arthrography in Idiopathic Adhesive Capsulitis of Hip. Hip Pelvis. 2014; 26(3): 178-84.

16. Kavanagh L, Byrne C, Kavanagh E, Eustace S. Symptomatic synovial herniation pit-MRI appearances pre and post treatment. BJR Case Rep. 2017; 3(2): 20160103.

17. Kim HJ, Yoo JJ, Kwak HS, Jeong HJ, Kim MN, Seo W. Adhesive capsulitis of the hip. J Orthop Surg 2017;25 (3):1-5.

18. Korompilias AV, Karantanas AH, Lykissas MG, Beris AE. Bone marrow edema syndrome. Skeletal Radiol. 2009; 38: 425-36.

19. La Montagna G, Malesci D, Tirri R, Valentini G. Successful neridronate therapy in transient osteoporosis of the hip. Clin Rheumatol. 2005; 24: 67-9.

20. Lee YK, Yoo JJ, Koo KH, Yoon KS, Min BW, Kim HJ. Collapsed subchondral fatigue fracture of the femoral head. Orthop Clin North Am. 2009. 40: 259-65.

21. Lequesne M, Becker J, Bard M, Witvoet J, Postel M. Capsular constriction of the hip: arthrographic and clinical considerations. Skeletal Radiol. 1981; 6: 1-10.

22. Lequesne M. Transient osteoporosis of the hip. A nontraumatic variety of Sudeck's atrophy. Ann Rheum Dis. 1968; 27: 463-71.

23. Leunig M, Beck M, Kalhor M, Kim YJ, Werlen S, Ganz R. Fibrocystic changes at anterosuperior femoral neck: prevalence in hips with femoroacetabular impingement. Radiology 2005; 236: 237-46.

24. Luukkainen R, Sipola E, Varjo P. Successful treatment of frozen hip with manipulation and pressure dilatation. Open

Rheumatol. J. 2008; 2: 31-2.

25. Miyanishi K HT, Kaminomachi S, Maeda H, Watanabe H, Torisu T. Contrast-enhanced MR imaging of subchondral insufficiency fracture of the femoral head: a preliminary comparison with that of osteonecrosis of the femoral head. Arch Orthop Trauma Surg. 2009; 129: 583-589.

26. Miyanishi K, Kaminomachi S, Hara T et al. A subchondral fracture in transient osteoporosis of the hip. Skeletal Radiol. 2007; 36: 677-80.

27. Mont MA, Lindsey JM, Hungerford DS. Adhesive capsulitis of the hip. Orthopedics. 1999; 22: 343-5.

28. Niimi R HM, Sudo A, Uchida A. Rapidly destructive coxopathy after subchondral insu_ciency fracture of the femoral head. Arch Orthop Trauma Surg. 2005; 125: 410-413.

29. Niimi R, Sudo A, Hasegawa M, Fukuda A, Uchida A. Changes in bone mineral density in transient osteoporosis of the hip. J Bone Joint Surg Br. 2006; 88: 1438-40.

30. Noorda RJ, van der Aa JP, Wuisman PI, David EF, Lips PT, van der Valk P. Transient osteoporosis and osteogenesis imperfecta. A case report. Clin Orthop Relat Res; 1997. 249-55.

31. Pitt MJ, Graham AR, Shipman JH, Birkby W. Herniation pit of the femoral neck. AJR Am J Roentgenol 1982; 138: 1115–21.

32. Schapira D, Braun Moscovici Y, Gutierrez G, Nahir AM. Severe transient osteoporosis of the hip during pregnancy.

Successful treatment with intravenous biphosphonates. Clin Exp Rheumatol. 2003; 21: 107-10.

33. Schapira D. Transient osteoporosis of the hip. Semin Arthritis Rheum. 1992; 22: 98-105.

34. Vande Berg BC, Malghem J, Go_n EJ, Duprez TP, Maldague BE. Transient epiphyseal lesions in renal transplant recipients: presumed insufficiency stress fractures. Radiology. 1994; 191: 403-7.

35. Visuri T Stress osteopathy of the femoral head. 10 military recruits followed for 5-11 years. Acta Orthop Scand. 1997; 68: 138-41.

36. Wilson AJ, Murphy WA, Hardy DC, Totty WG. Trnasient osteonecrosis: Transient bone marrow edema? Radiology 1988;167:757-760.

37. Yamamoto T, Iwamoto Y, Schneider R, Bullough PG. Histopathological prevalence of subchondral insufficiency fracture of the femoral head. Ann Rheum Dis. 2008; 67: 150-153.

38. Yamamoto T, Nakashima Y, Shuto T, Jingushi S, Iwamoto Y. Subchondral insufficiency fracture of the femoral head in younger adults. Skeletal Radiol. 2007; 36Suppl 1: s38-S42.

39. Yamamoto T. Subchondral insufficiency fractures of the femoral head. Clin Orthop Relat Res. 2012;4:173-80.

40. Yoon PW, Kwak HS, Yoo JJ, Yoon KS, Kim HJ. Subchondral Insufficiency Fracture of the Femoral Head in Elderly People. J Korean Med Sci. 2014;29(4):593-8.

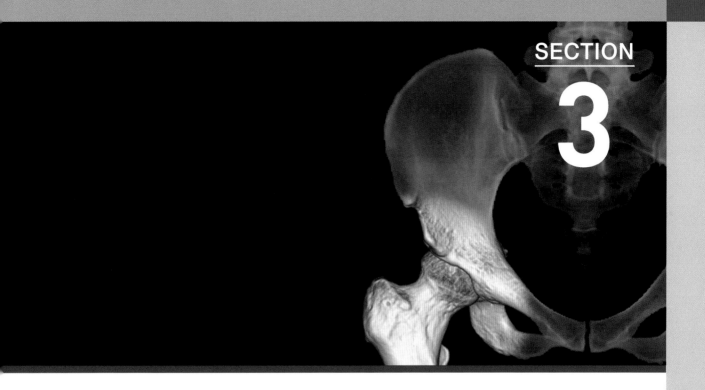

수술적 방법
Surgical Methods

1

고관절경술
Arthroscopy

고관절에 있어 관절경의 개념은 1931년 Burman에 의해 사체 관절을 이용해 처음으로 보고된 이래 1939년 Takagi가 처음으로 임상적 적용에 대한 보고를 하였으나 1970년대까지는 이들 술식이 임상적으로 유용하게 이용되지는 못하였다. 1977년 Gross가 발달성 고관절 이형성증, Legg−Calvé−Perthes disease, 대퇴골두 골단분리증 등의 소아 환자에서 관절경을 이용하여 임상에 적용하기 시작하였으며, 1980년대 이후 관절경을 이용한 고관절 질환의 진단, 치료 및 술기 등에 대해 Johnson, Watanabe, Eriksson 등이 산발적으로 보고를 하였다. 그러나, 이 기간 중 슬관절 및 견관절 질환의 관절경적 치료가 상당히 발전된 것에 비해 고관절 분야에 대한 접근은 미미하였다. 1990년대 이후로 Glick, Sampson, Villar, Byrd 등에 의해 점차 새로운 접근 방법이나 고관절경의 해부학적인 이해 그리고 여기에 맞는 다양한 고관절경 기구가 보급되면서 과거에 설명되지 않았던 고관절 통증에 대한 많은 진단적 접근이 이루어지고 있다. 고관절경술(hip arthroscopy)은 최소한의 침습성으로 입원기간 단축, 효율성, 재수술의 접근이 용이하다는 장점 외에 대퇴비구 충돌 등의 새로운 개념의 병변이 소개되면서 최근 급속히 발전하게 되었다. 또한 고관절 질환의 병태생리학에 대한 이해가 증가하면서 새로운 병리 질환에 대한 이해와 연구가 진행되고 있다.

고관절은 체내에서 가장 깊숙이 위치한 볼−소켓형 관절로, 그 해부학적인 특징과 고관절 주변의 튼튼한 연부조직 그리고 고관절 주위로 많은 신경 혈관계가 분포되어 있어 다른 관절에 비해 관절경을 통한 접근이 힘들지만, 비구순 파열이나 고관절내 유리체 등에서 관혈적 수술 방법에 비해 장점이 많아 점차 관절경 술식이 보급 발전되고 있다. 고관절경술은 앙와위와 외측 측와위 접근이 가능하나 최근에는 앙와위 자세가 선호되고 있다. 적절한 자세와 삽입구의 위치가 안전하고 성공적인 고관절경술의 기초이다(그림 1).

1. 기본 술식

1) 수술 전 영상 검사

모든 고관절 증상에서 수술 전 고관절의 기본 방사선 검사는 필수적이다. 방사선 검사는 장골능 꼭대기에서 소전자 아래까지 양쪽 고관절을 포함하는 pelvis AP view, frog−leg view, modified Dunn view, false profile view, cross−table lateral view를 포함해야 한다. 여기서 골반 전후면 사진은 주로 비구부 변형, 즉 비구 국소 후방 염전(retroversion), 비구내측 돌출(coxa protrussio) 등을 확인하고, frog−leg view는 대퇴골두 및 경부의 전외측 돌출(bump) 등의 변형, false profile view는 비구 전방 이형성을 확인하며(anterior center−edge angle), cross−table lateral view는 대퇴골 경부의 전방 돌출 등의 변형을 확인하는 데 도움을 준다. 골반 전후면 사진에서 꼬리뼈의 끝은 치골 결합으로부터 골반 경사를 없애기 위해 1−2 cm 정도 떨어져야 정확한 골반의 구조를 파악할 수 있다. 그리고 고관절 주위내 연부조직 등의 병변을 진단하기 위해 자기공명 영상 촬영이 필요하지만, 대퇴비구 충돌의 원인인 골변형을 파악하기 위해 3차원 전산화단층촬영이 대부분 시행되고 있다(그림 2). 추가로 고관절내 비구순 파열의 정도나 분류가 필요할 경우 전산화단층촬영 관절조영술(CT arthrography) 혹은 자기공명 관절조영술(MR arthrography) 등을 시행할 수도 있다.

2) 수술 전 고려사항

수술 전 신체 검사 중 관절 운동 범위를 측정하여 운동 제한 및 구축의 유무를 알아보는 것이 중요하다. 만

일 구축이 있다면, 고관절의 안전한 견인을 위해 매우 주의해야 하며, 특정 위치에서 견인이 불가능할 수도 있다. 방사선적 검사상 비구내 심한 골극이나 기타 고관절 주위 변형 등으로 관절내로 관절경을 삽입하는 데 장애를 주는 경우도 있다. 또한 환자의 비만 정도도 고려해야 하며, 강직성 고관절인 경우는 관절의 견인이 불가능한 경우도 있다.

3) 적응증 및 금기증

고관절의 관절경에 대한 적응증과 치료에 대한 결과는 저자에 따라 다양하게 보고되고 있으나, 일반적인

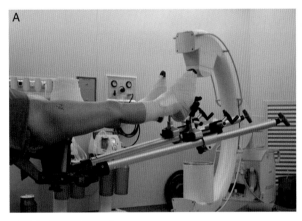
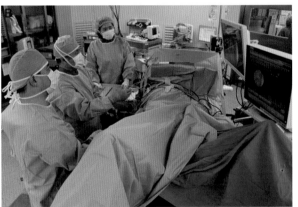

그림 1. 앙와위 접근법
(A) 견인 장치를 사용하여 견인한 모습과 (B) 고관절경술을 시행하는 모습

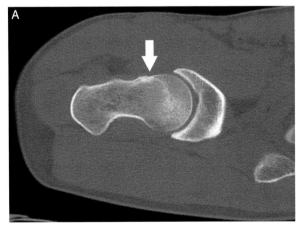
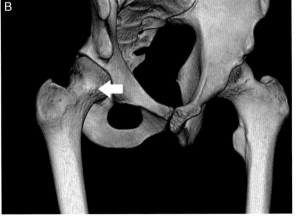

그림 2. 수술 전 전산화단층촬영
(A) 전산화단층 촬영 축상면 사진과, (B) 3차원 전산화단층촬영 사진에서 대퇴골 경부의 전외측 부위에 cam 병변(화살표)이 관찰된다.

적응증으로는 증상이 있는 비구순 파열의 진단과 치료, 대퇴비구 충돌, 유리체 제거, 경도의 골관절염, 연골 손상, 활액막 병변, 화농성 관절염, 양성 종양, 원인을 알 수 없는 고관절 통증 등이 있다. 또한, 최근에는 외상으로 인한 고관절 관절내 병변에 있어서도 관절경을 이용한 치료가 적용되고 있다. 통증은 있으나 관절 파괴의 증거가 명확하지 않은 골 변형성 염증질환에서 관절 연골 상태의 검사나 관절 주위 변연절제술 (debridement) 및 활액막절제술(synovectomy)을 시행하는 데 사용할 수도 있다. 최근 관절경의 이용 범위가 고관절에서 주위 골반에 발생하는 여러 병변 및 질환 등을 진단하고 치료하기 위해 확대되고 있다. 예를 들면 발음성 고관절(snapping hip), 장요근 건염(iliopsoas tendinitis), 고관절 외전근 파열(hip abductor muscle tear), 석회화 건염(calcific tendinitis), 이상근 증후군, 좌골대퇴 충돌 증후군(ischiofemoral impingement syndrome) 등이다. 금기증에는 1) 고관절을 견인할 수 없는 심한 강직증 혹은 관절 섬유화증 환자, 2) 연부조직 혹은 수술 부위 창상에 문제가 있는 경우, 3) 심한 비만 환자, 4) 고관절에 퇴행성 병변이 심하게 진행된 경우가 해당된다.

4) 수술 방법
(1) 도구

고관절경술에 필요한 기본적인 준비 도구로서 1) 방사선투시기(fluoroscopy), 2) 견인 장치, 3) 고관절경술을 위해 특별하게 고안된 기구 등이 있다. 일반적으로 견인 장치로는 골절 테이블(fracture table)이 이용되나 최근에는 고관절경술을 위해 고안된 견인 테이블이 사용되기도 한다. 특별히 고관절에 이용되는 관절경 기구로는 1) 다른 부위 관절경보다 길이가 길면서 유도 강선(guide wire)을 통해 통과가 가능한 유관(cannulated) obturator나 투관침(trocar)이 있어야 하고, 2) 15-18 gauge 6-inch 긴 척추 바늘, 3) 볼록한 대퇴골두 주위에 접근이 가능한 extra-long curved

shaver 및 grasper, 4) extra-long hand instruments, 5) 길고 강한 강도를 가진 배관(cannula), 6) 고유량 펌프 (high flow mechanical pump) 시스템 등이 필요하다 (그림 3).

(2) 견인

견인(traction)은 관절경을 관절내로 삽입하여 고관절내 구조를 관찰하고 병변을 치료하기 위해 필수적이다. 그러나 비구에서 대퇴골두를 충분히 견인하기 위해 필요한 힘에는 개인차가 많다. Eriksson 등은 환자를 마취시킨 상태에서 고관절을 충분히 견인하기 위해 필요한 힘이 300-500 N까지 차이가 다양하게 나타난다고 보고하였다. 마취는 전신 마취, 경막외 마취 및 척추 마취가 사용될 수 있지만, 견인력이 최소화되도록 하지 근육의 충분한 이완이 요구된다. 최근에는 마취 기술의 향상으로 대부분 110-440 N 사이의 견인력으로 성공적인 고관절경술을 시행할 수 있다.

고관절경술에서 하지를 견인하기 위해서는 회음부에 설치한 기둥(post)을 사용한 역견인(counter-traction)이 필요하다. 단, 기둥에 의해 회음부가 압박되어 드물게 회음부 신경(pudendal nerve)의 마비를 일으킬 수 있다. 이러한 합병증을 막기 위해서는 회음부 기둥에 패딩을 두껍게 하는 것이 중요하며, 회음부 기둥을

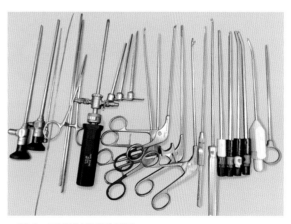

그림 3. 고관절 관절경 기구

가능한 환측 대퇴부 내측 및 하부측에 위치시켜 회음부에 분포하는 신경에 최소한의 압박을 주면서 적절한 견인을 유지시키는 것이 중요하다(그림 4). 또한 견인 시 발뒤꿈치는 두껍게 패딩이 된 부츠로 보호하여 압박 손상을 예방하도록 한다. 수술 중에는 발을 자유롭게 내회전 및 외회전 시켜야 대퇴골두 및 관절면을 원활하게 관찰할 수 있다. 견인 중 족관절의 견인이 과도한 경우에는 수술 후 족관절 주위 통증이 동반될 수 있으므로 수술 전 환자의 족관절 인대 손상 여부 등을 확인할 필요가 있다(그림 5).

고관절에서 대퇴골두의 상대적인 견인 정도를 결정하기 위해 방사선투시기(fluoroscopy)로 촬영한 전후 방사선 사진을 이용한다. 하지를 견인하면 고관절내 음압(negative pressure) 경사가 더 커지게 되어, 고관절

을 견인하는 데 필요한 힘이 더 증가될 수 있다. 방사선투시기로 보면서 대퇴골 대전자 상부에서 비구에 평행하게 18 gauge, 6-inch 척추 바늘을 삽입하여 천자하면 고관절내 음압 경사가 소실된다(그림 6). 견인은 수술 중 기구의 조작이 용이하도록 최소 8-10 mm 정도가 되어야 한다. 이를 수술 중에 정확히 측정하기는 힘들기 때문에, 일반적으로 방사선투시기 상에서 관절경 두께(약 5 mm)보다 약 2배 정도 넓이로 대략적인 측정을 한다. 견인에 의한 합병증을 줄이기 위해 최대 2시간 이상의 지속적인 견인은 피해야 한다.

(3) 환자의 자세

고관절경술을 시행하기 위한 환자의 자세는 측와위와 앙와위가 있다. 측와위 방법은 골성 지표(bony

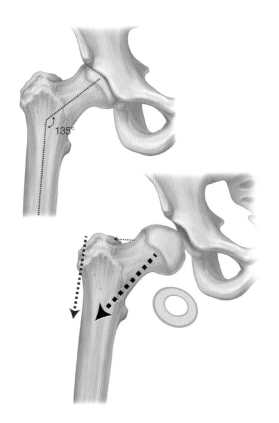
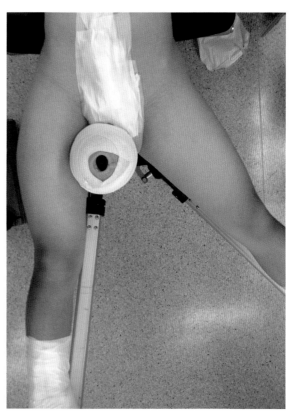

그림 4. 고관절 견인을 위한 역견인력(counter-traction force)
원위부 및 외측 방향으로 가해지는 원리 및 두꺼운 회음부 기둥 위치 모습

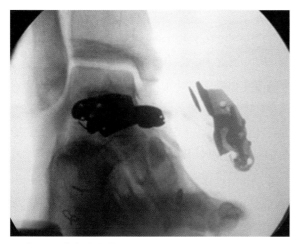

그림 5. 고관절 견인 시 족부 부츠 내 족관절의 방사선투시 사진

landmark)로 이용되는 대퇴골 전자부 주변에 대한 접근이 용이하고, 고관절 내 대부분의 위치로의 접근이 용이하다는 점에서 사용되었으나 현재는 일부 선호자들에서만 이용되고 있다. 반면, 앙와위 방법은 대부분의 술자에 의해 선호되고 있다. 앙와위에서의 고관절경술의 장점으로는 1) 측와위 방법에 비해 자세 잡는 것이 쉽고, 2) 짧은 시간에 시행될 수 있으며, 3) 고관절 주위 골절에 사용되는 골절 테이블을 사용하므로 술자가 자세에 익숙하다는 점 등이 있다. 고관절은 신전, 25° 외전 및 중립의 회전위로 고정하며, 이때 고관절의 과도한 굴곡(10-20° 정도 굴곡이 적당함)은

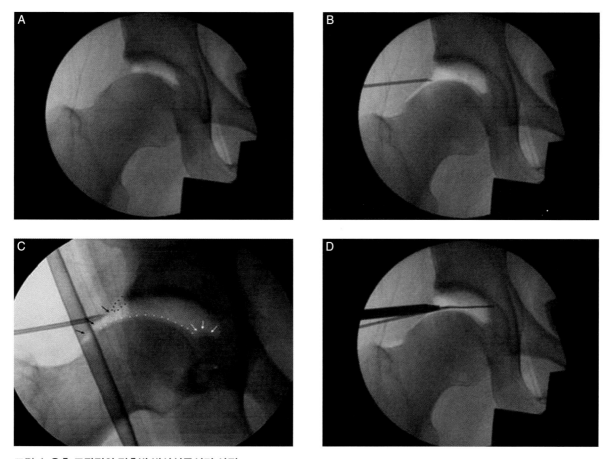

그림 6. 우측 고관절의 전후방 방사선투시기 사진
(A) 하지 견인으로 인해 발생한 고관절낭 내의 음압에 의한 진공 밀봉 음영(vacuum seal shadow), (B) 바늘 삽입과 소침(stylus)의 제거 이후 진공 밀봉(vacuum seal)의 소실, (C) 공기 관절조영(air arthrogram)에서 외측 비구순 실루엣을 확인함, (D) 유관 obturator를 끼운 배관이 유도 강선(guide wire)을 통해서 관절내 들어간 사진

좌골신경의 손상을 초래할 수 있으므로 피해야 한다. 술자와 수술 보조자, 수술실 간호사는 수술 시행하는 측에 위치하고 관절경 모니터와 방사선투시기의 영상 모니터는 반대측에 위치시킨다. 수술실 간호사가 사용하는 Mayo 테이블(Mayo stand)은 수술을 시행하는 측에 위치시키고 고관절경술에 필요한 기구를 준비한다. 방사선투시기는 소독된 포로 무균 상태를 유지한 후, 양 다리 사이에 위치시킨다(그림 7). 고관절 간격이 약 8–10 mm 정도까지 벌어지도록 방사선투시기로 확인

하면서 견인을 시행하는데, 견인 시간은 마취 간호사가 측정하여 2시간 이상의 연속적인 견인을 피하기 위해 규칙적으로 시간을 확인하도록 한다.

Byrd에 의해 소개되어 최근 대부분의 술자들에 의해 사용되는 방법은 앙와위에서 시행되며 삽입구(portal)로 전방(anterior), 전측방(anterolateral), 그리고 후측방(posterolateral) 삽입구를 사용한다. 먼저 방사선투시기로 확인하면서 18 gauge, 6-inch 척추 바늘을 대퇴골 대전자부 근위부 바로 위에서 전외측방 삽입구 위

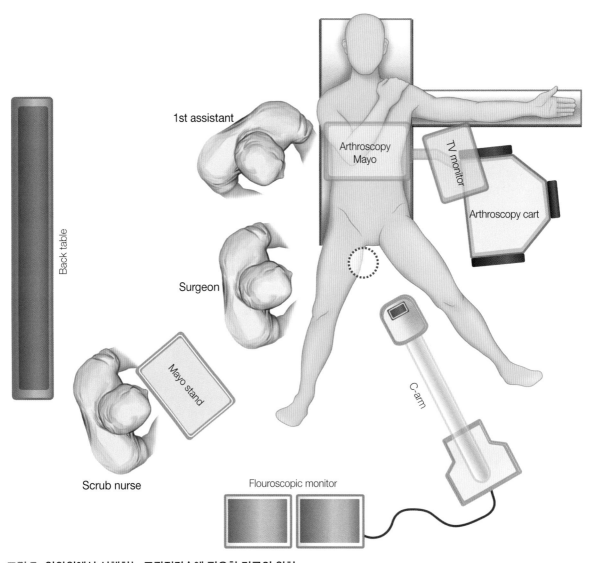

그림 7. 앙와위에서 시행하는 고관절경술에 필요한 기구의 위치

치를 통해 고관절 내로 삽입하고 생리식염수 20-30 cc를 주입한 후 다시 역류되어 나오는 것을 확인한다. 전측방 삽입구는 직접 눈으로 보지 않고 만드는 삽입구이기 때문에 고관절 내로 접근할 때 주의가 필요하다. 삽입구를 만드는 과정에서 주로 초보자들이 만들기 쉬운 의인성 손상(iatrogenic injury)으로는 대퇴골두 연골의 scuffing(바늘 끝에 의한 연골의 손상) 및 비구순 천공(perforation)등이 있다. 바늘이나 관절경 기구를 잘못 삽입하여 건강한 비구순 내로 통과하게 되면, 비구순 손상을 일으킬 뿐만 아니라, 대부분의 비구순 병변이 이 부위에 존재하기 때문에 실제 병변과 혼동될 수 있다. 따라서 비구순에 손상을 주지 않기 위해서는 시술자의 감각(feeling)이 중요하다. 척추 바늘이 관절낭을 통과하고 비구순에 접근이 안 될 경우 바늘이 부드럽게 통과하는데, 만일 비구순 통과 시에는 딱딱한 느낌과 함께 진행에 저항을 느낀다. 그리고 최대한 바늘을 대퇴골두에 밀착시켜 관절내로 삽입하는데, 통과 후 유도 강선을 척추 바늘 내로 통과하여 관절내로 삽입하였을 때 강선이 비구와(acetabular fossa) 쪽으로 휘어져 들어간다. 그러나 비구순 통과 시에는 강선 끝이 비구 상방에 남는다. 유도 강선을 척추 바늘에 삽입한 후 바늘을 제거하고 남아있는 유도 강선을 통해 obturator나 투관침(trocar)을 통과시켜 삽입구를 확공한 후 관절경을 삽입하여 관절내 병변을 확인한다. 다음으로 대전자부의 상부 끝에서 전방으로 향하는 선과 골반의 전상극에서 직선으로 하방으로 향하는 선을 그어 만나는 위치에 전방 삽입구를 시행한다. 이때 촉지에 의해 대퇴동맥을 확인한 후 표시하여 이들 혈관과 신경의 손상을 피한다. 간혹 병변의 위치에 따라 대전자부의 후측방 삽입구를 이용하며, 이때는 테이블의 높이를 높이고 좌골신경 손상에 주의해야 한다. 3개의 삽입구를 만든 후 관절경을 각각의 삽입구로 이동시켜 관절내 중심 구획(central compartment) 내의 구조물을 확인한다. 여기서 중요한 것은 관절경이 삽입된 관절낭 주위로 충분한 관절낭절개술(capsulotomy)을 시행하여

관절경이나 수술 기구의 관절내 이동을 편하게 해야 한다는 것이다. 이러한 광범위 관절낭절개술은 관절경 기구의 접근을 용이하게 하고 종물이나 유리체 제거를 쉽게 한다. 관절낭절개술은 관절경 나이프를 이용하여 삽입구를 연결시키는 중심 구획으로부터 시행되거나, 관절낭외 방식을 이용하여 시행된다.

첫 번째 삽입구로 사용되는 전측방 삽입구로 접근 시 발생할 수 있는 비구순 손상 문제점을 피하기 위해 첫 번째 블라인드(blind) 삽입구를 후측방 삽입구로 관절내 접근을 한 후 관절경하에 전측방 삽입구를 만들 수 있다. 이 방법의 장점은 후측방 삽입구 만들 때 만일 비구순이 손상되어도 임상적으로 통증과 비교적 무관하며 실제 바늘 접근 시 통과하는 근육층이 얇아 비교적 쉽게 관절내로 접근할 수 있다. 또한 이 방법에 의해 관절경으로 직접 보면서 전측방 삽입구를 어렵지 않게 만들 수 있으며 이 부위의 비구순 손상 부위를 정확히 확인할 수도 있다(그림 8). 관절경의 투시경의 각도는 주로 70°를 이용한다. 30° 관절경은 비구 중심, 대퇴골두 및 비구와의 상부를 관찰하는 데 유용하며, 70° 관절경은 관절의 변연, 비구순 및 비구와의 하부를 관찰하는 데 유용하다. 지나게 높은 수압은 생리식염수 유출(extravasation)의 원인이 되므로 적절한 수압의 유지가 중요하다. 수술이 끝난 후 관절내를 깨끗이 세척하고, 견인을 제거하고, 삽입구 부위는 나일론으로 봉합한 후 무균 상태로 소독한다.

① **전방 삽입구**: 전방 삽입구는 전자부 근위부 경계에서 횡으로 그은 선과 전상장골극(anterior superior iliac spine)에서 대퇴골에 평행하게 종으로 그은 선의 교차점에 있으며 보통 전상장골극에서 원위부로 평균 6.3 cm에 위치한다. 전방 관절낭을 통과하기 전에 봉공근과 대퇴직근을 통과해야 하며, 일반적으로 외측 대퇴피부신경은 전방 삽입구 부위에서 3개 이상의 가지로 나뉘므로, 삽입구는 이러한 가지 신경들 사이에 만들어야 한다. 흔히 이 삽입구를 통해 외측 대퇴피부신

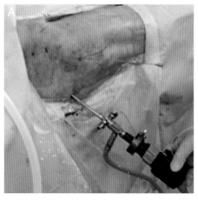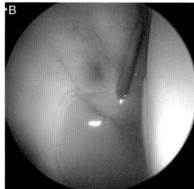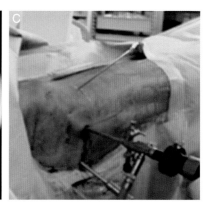

그림 8. 고관절경 삽입구를 만드는 방법

(A) 첫 번째 삽입구를 후측방에 만든 후, (B) 관절경 하에 전측방 삽입구를 만들면 비구순의 손상 위험을 줄일 수 있다. (C) 3개의 일반적인 삽입구의 위치 모습이며 전측방 삽입구에 관절경을 위치하고 있다.

경 손상이 일어나므로 최근에는 변형된 전방 삽입구를 통해 신경 손상도 줄이고 나사못(anchor)을 이용한 비구순 봉합을 위한 삽입각을 유지하기 위해 삽입구를 외측 하방으로 변경하여 사용되고 있다. 외측 대퇴회선동맥(lateral femoral circumflex artery)의 가지들이 보통 전방 삽입구의 하부로 대략 3.7 cm에 위치하고 있으나, 전방 삽입구로 인해 과도한 출혈이 생긴 합병증은 보고된 바 없다. 전방 삽입구를 통해 잘 관찰되는 구조물로는 대퇴골 경부의 전방부, 외측 비구순, 상방 지대 주름, 횡비구인대의 전방부 및 원형인대(그림 9) 등이 있다.

② **전측방 삽입구:** 전측방 삽입구는 중둔근을 뚫고 관절낭의 외측을 관통하여 전측방 삽입구를 뚫을 때 상둔부신경(superior gluteal nerve)의 손상을 주의해야 한다. 전측방 삽입구는 비구 중심부에서 하부를 걸쳐 비구의 외측 모서리의 관찰이 용이하며, 유리체가 잘 이동하는 부위를 포함해서 비구 주변 관절의 후방에서 중후방부의 관찰도 용이하다(그림 10). 보통 앙와위에서 처음에 정확하고 쉽게 만들 수 있는 삽입구이나 수술 중 대퇴골두 연골의 scuffing (바늘 끝에 의한 연골의 손상)

및 비구순 천공(perforation)과 같은 의인성 손상이 발생하지 않도록 주의가 필요하다.

③ **후측방 삽입구:** 대부분의 관절내 병변이 전방에 존재하는 경우가 많기 때문에 후측방 삽입구를 이용하는 경우가 드문데, 보통 때는 주로 생리식염수의 유출(outflow) 배관으로 이용된다(그림 11). 삽입구는 중둔근과 소둔근을 뚫고 관절낭의 후방 변연부에서 외측 관절낭을 통과하여 이상근의 상부와 전방부로 지나간다. 외측 관절낭 부위에서 좌골신경이 위치하므로, 후측방 삽입구를 만들 때는 우선 테이블의 높이를 상승시키고, 교체 막대(switching stick)나 무딘 obturator로 조심스럽게 삽입하여, 좌골신경의 손상을 주의해야 한다. 3개의 삽입구를 통해 고관절의 체계적인 관찰과 관절경적 치료가 가능하며, 관절경 나이프(arthroscopic knife)를 이용하여 삽입구 주변의 관절낭을 절개하여 관절내의 술식을 용이하게 할 수 있다. Byrd는 각각의 삽입구를 통해 잘 관찰되는 구조물을 기술하였는데, 전방 벽과 전방 비구순은 전측방 삽입구에서, 후방 벽과 후방 비구순은 후측방 삽입구에서, 외측 비구순과 관절낭은 전방 삽입구에서 각각 잘 관찰된다. 비구와

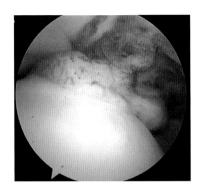

그림 9. 전방 삽입구를 통해 본 원형인
대(ligamentum teres) 사진

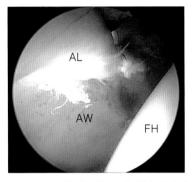

그림 10. 전측방 삽입구에서 본 관절경
사진

AL: anterior labrum, FH: femoral head,
AW: anterior wall.

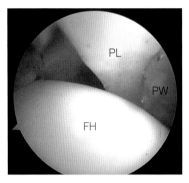

그림 11. 후측방 삽입구에서 본 관절경
사진

PL: posterior labrum, FH: femoral head,
PW: posterior wall.

(acetabular fossa)와 원형인대는 3개의 삽입구에
서 모두 관찰되며, 각각의 방향에서 다르게 관찰
된다.

이밖에 여러 저자들에 의해 다양한 수술 방법이
소개되고 있는데 다리 위치나 삽입구에 약간의
차이가 있다. 현재 통계적으로 보면 앙와위 위치
로 수술을 선호하는 경우가 약 80%로 보고되고
있다. 그리고 대부분 삽입구는 어느 한 저자의 방
법으로 설명되지 않으며 술자의 편의대로 대퇴골
전자부와 전상장골극을 지표(landmark)로 하여
주위로 필요한 삽입구를 만들 수 있는 것으로 되
어 있다(그림 12).

④ 견인을 시행하지 않은 고관절경술: 대부분 많은
저자들은 견인장치를 사용하는 것을 고관절경
술의 표준 수술 방법으로 추천하지만, 최근 들
어 견인장치 없이 수술하는 방법에 대하여 보고
되고 있다. 물론 고관절의 체중 부하면의 관절연
골, 비구와, 원형인대의 관찰은 견인장치를 사용
해야 더 잘 관찰할 수 있지만, 고관절의 변연 부
위는 하지를 견인하지 않아도 관찰이 가능하다.
Dorfmann과 Boyer는 고관절을 관절경술을 고
려하여 해부학적으로 구분할 때 비구순에 의해

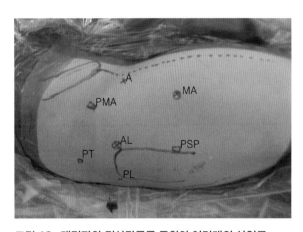

그림 12. 대전자와 전상장골극 주위의 여러개의 삽입구

A: anterior portal, MA: midanterior portal, AL: anterolateral
portal, PMA: proximal midanterior portal, PL: posterolateral
portal, PT: proximal trochanter portal, PSP: peritrochanteric
portal.

두 개의 구획으로 나뉜다고 하였다. 하나는 중심
구획(central compartment)이고 또 하나는 변연
구획(peripheral compartment)이다. 중심 구획
은 월상 연골(lunate cartilage), 비구와(acetabular
fossa), 원형인대(ligamentum teres), 대퇴골두
의 부하를 받는 관절면으로 구성되고 이들 구조
물은 하지 견인 상태에서 잘 관찰할 수 있다. 변
연 구획은 대퇴골두의 비체중 부하 연골, 대퇴

329

골 경부의 내측, 전측, 외측 활액막 주름(medial, anterior, lateral synovial fold), zona orbicularis 등을 포함한 관절낭 등으로 구성되며, 이들은 하지 견인 없이 관찰할 수 있다(그림 13). 견인을 하지 않고 변연 구획을 관찰할 때는 고관절을 약 40-50° 정도 굴곡시키면 전방 장대퇴인대(iliofemoral ligament)가 이완되어 전방 관절낭의 공간이 확대되어 이 부위를 통해 관절경을 삽입할 수 있다(그림 14).

변연 구획의 수술 방법은 여러 저자들이 다양한 방법의 수기를 소개하였는데, 대부분 하지 견인 상태에서 중심 구획에 대한 수술을 완료한 후 관절경으로 직접 관찰하면서 하지 견인을 풀면서 변연 구획으로 접근하는 방법을 사용한다. 하지 견인을 서서히 풀면서 고관절을 굴곡시키면서 30° 관절경의 방향을 대퇴골 경부 쪽으로 이동하면서 변연 구획으로 이동한다. 주로 전방 삽입구 내에 삽입한 관절경을 이동시킨다. 관절내로 깊이 삽입한 관절경을 서서히 변연 구획 쪽으로 이동시키고 주위 구조물을 확인하면서 방향을 전방 대퇴골 경부 쪽으로 바꿀 때, 갑자기 이동하게 되면 관절낭 밖으로 관절경이 빠져 다시 삽입하기 곤란한 경우가 생길 수 있으므로 주의가 필요하다. 중심 구획에 대한 수술을 할 때 미리 충분하게 관절낭절개술을 시행한 상태에서 관절경을 움직이므로 다양한 시야를 확보할 수 있으

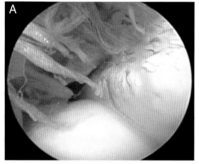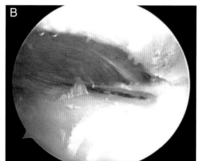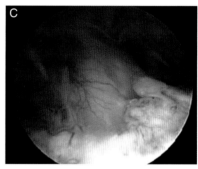

그림 13. 변연 구획의 정상 관절경 소견
(A) 대퇴골두의 비체중 부하 연골 및 비구순, (B) 대퇴골 경부의 내측 및 전측 활막 주름, (C) zona orbicularis를 포함한 관절낭 등으로 구성되며, 이들은 하지 견인 없이 관찰할 수 있다.

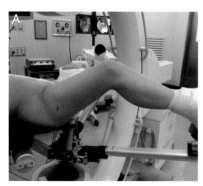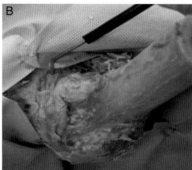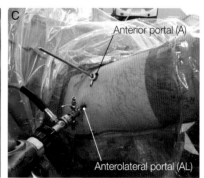

그림 14. 견인을 시행하지 않은 고관절경술 방법
(A) 하지 견인 없이 고관절을 40-50° 굴곡, (B) 사체에서 고관절 굴곡은 전방 고관절 관절낭과 장대퇴인대를 이완, (C) 하지 견인을 하지 않는 상태에서 고관절 삽입구의 모습

나 불충분할 경우에는 관절낭절개술을 추가적으로 연장 확대할 수 있다. 한편, 처음부터 변연 구획의 병변을 치료하기 위해서는 하지 견인을 하지 않고 삽입구를 만들기도 한다. 삽입구의 위치는 중심 구획에서의 고관절경술을 고려하여 통상적인 방법으로 피부에 표시한다. 하지 견인 없이 고관절을 중립위 상태에서 40-50° 정도 굴곡시키면 전방 관절낭의 공간을 어느 정도 확보할 수 있다. 방사선투시기를 보면서 전측방 삽입구로부터 척추 바늘을 대퇴골 경부 앞쪽에서 내측 하방으로 전진시켜 전방 관절낭을 통과할 수 있도록 한다(그림 15). 바늘이 관절 내에 잘 들어갔는지 확인하는 방법은 다음과 같다. 첫째, stylet을 제거한 후 관절액이 흘러나오는 것이 관찰되는 경우가 있고, 둘째, 주사기로 30-40 mL 정도의 생리 식염수를 주입하였을 때 마지막에 저항이 느껴지고 방사선투시기상에 관절간격이 늘어나는 것이 관찰되기도 한다. 셋째, 바늘을 통해 유도 강선을 전진시키면 관절낭 내측에서 저항을 느낄 수 있고 방사선투시기로 더 이상 전진되지 않는 것을 확인할 수 있다. 넷째, 중심 구획에서 먼저 고관절경술을 시행한 후 견인을 해제하고 변연 구획

에 도달하는 경우에는 먼저 주입되어 있던 생리 식염수가 바늘을 통해 역류하는 것을 관찰할 수도 있다. 마지막으로 비어 있는 주사기에 공기를 주입하여 공기 관절조영으로 관절낭이 팽창되는 것을 관찰하는 방법인데, 공기 중 오염으로 인한 위험이 있어 잘 권장되지 않는다. 관절 연골 손상의 위험이 적기 때문에, 직경 5.0 mm 이상의 배관을 사용하여 생리 식염수의 관류가 잘 될 수 있도록 한다. 변연 구획에서는 주로 30° 관절경을 사용하면 보다 넓은 시야를 확보할 수 있다. 추가적으로 전측방 삽입구에서부터 근위부나 원위부로 5 cm 정도 떨어진 위치에 부삽입구(ancillary portal)를 만들어 사용할 수 있고, 전방 삽입구를 통해 생리 식염수의 유입이나 유출구를 확보할 수 있다.

변연 구획에서 시행하는 대부분의 수술은 대퇴비구 충돌에서 대퇴골두-경부 연결부(femoral head-neck junction)의 골성 융기부를 제거하는 과정(bumpectomy)이므로 미리 만들어 놓은 전방 및 전측방 삽입구를 통해 수술을 시행할 수 있다. 그러나 활액막 골연골종(synovial chondromatosis)과 같은 질환에서 골연골 유리체(osteochondral

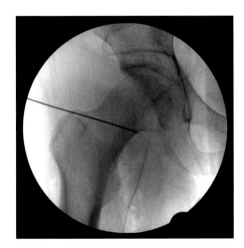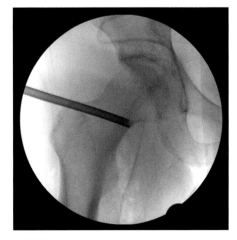

그림 15. 하지 견인 없이 변연 구획 도달을 위한 삽입구를 만들 때의 방사선투시기 사진

loose body)가 관절낭 내측에 모여있는 경우에는 전방 혹은 전측방 삽입구를 통해 유리체의 제거가 불가능한 경우가 많다. 이 경우 최근에는 내측 삽입구를 만들어 사용하여 직접 내측 관절낭에 모여 있는 이물질을 제거하기도 한다.

2. 임상 적용

1) 비구순 파열

고관절 통증이 있는 비구순 파열은 고관절경술의 가장 흔한 수술 적응증 중의 하나이다. Fitzgerald는 비구순의 파열이 반드시 외상과 관련되어 발생되는 것은 아니며 통증의 양상은 다양하게 나타날 수 있고, 탄발음을 동반할 수도 있다고 하였다. Leunig 등은 자기공명 관절조영술(magnetic resonance arthrography)과 고관절경 소견과의 비교 연구에서 비구순의 파열의 위치는 12시 방향에서 가장 많았고, 전체 비구순의 약 25% 정도를 침범하고 있다고 보고하였다(그림 16).

비구순 파열의 원인으로는 크게 대퇴비구 충돌, 외상, 비구 이형성증, 선천적 관절 이완(congenital joint laxity) 등이 알려져 있는데, 이 중에서 대퇴비구 충돌에 의한 비구순 파열이 가장 흔한 원인으로 보고되고 있다.

비구순 파열에 대한 치료 방법으로는 변연절제술(debridement), 부분절제술(partial labrectomy) 또는 봉합술(repair)을 시행할 수 있다. 최근 연구 결과들에 의하면 파열된 비구순에 대하여 변연절제술 및 부분절제술을 시행하는 것보다 봉합술을 시행한 환자들에서의 임상 결과가 더 우수하고, 수술 후 발생할 수 있는 유착(adhesion), 활액막염(synovitis) 등의 합병증이 적은 것으로 보고되고 있다(그림 17). 한편, 봉합이 불가능한 상태의 비구순 파열에 대해서는 비구순 재건술(labral reconstruction)을 시행하여 좋은 임상 결과를 보였다는 문헌들이 보고되고 있다. 비구순 재건술의 적응증은 젊고 활동적인 사람에서 관절염 진행이 경미한 경우에 비구순의 결손이 있거나 봉합이 불가능한 경우에 시행할 수 있다. 이용 가능한 구조물로는 자가이식재로 대퇴근막장근(tensor facia lata)이나 대퇴직근의 reflected head 등을 사용할 수 있다(그림 18). 아직까지 장기 추시 결과는 없지만 단기 추시에서는 양호한 결과들이 보고되고 있다.

2) 활액막 병변

고관절이 견인된 상태에서는 비구와의 활액막을 관찰할 수 있지만, 내측, 전방 및 외측 관절낭의 활액막은 일부만이 관찰된다. 관절낭측 활액막 부위는 하지의

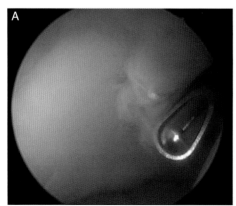
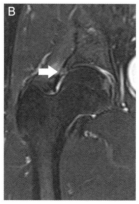

그림 16. (A) 관절경 및 (B) MRI상 비구 전외측에서의 퇴행성 비구순 파열 소견 (화살표)

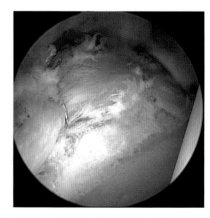

그림 17. 비구순 파열이 있는 젊은 운동선수에서 관절경을 통한 비구순 봉합술을 시행한 사진

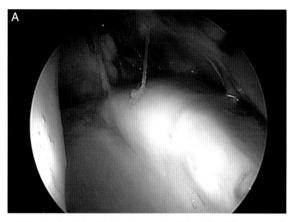
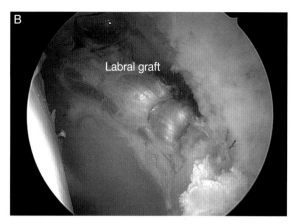

그림 18. 대퇴비구 충돌 및 비구순 파열 진단 하에 비구순 절제술 시행 받은 29세 환자의 고관절경 사진
(A) 비구순 유착 및 위축 소견과 (B) 비구순 재건 후 사진이다.

견인 없이 변연 구획에서 더 잘 관찰할 수 있다. 활액막 연골종증(synovial chondromatosis)은 관절경을 통해 비침습적으로 활액막 제거 및 골연골 유리체를 제거할 수 있고 비교적 빠른 재활과 회복을 기대할 수 있는 좋은 적응증이 된다. 이 밖에 만성 활액막염, 건활액막 거대세포종(tenosynovial giant cell tumor, 舊 색소성 융모결절성 활액막염) 등의 치료에 이용될 수 있다(그림 19).

3) 관절내 유리체

관절내 유리체(loose body)는 퇴행성 변화 또는 외상에 의한 비구나 대퇴골두의 골절편으로 발생하는 경우가 많으며, 이 자체가 퇴행성 변화를 악화시킬 수 있기 때문에 유리체의 제거는 고관절경술의 좋은 적응증이 된다(그림 20).

4) 골관절염

관절경을 통해 연골의 퇴행성 변화의 위치 및 정도를 정확히 알 수 있고, 다른 병변을 배제할 수 있어 특히 초기 골관절염에 대한 치료에 이용될 수 있다. 고관절 치환술을 고려하지 않을 정도의 초기 골관절염이 있는 젊은 환자에서 활동 제한, 물리 치료 및 약물 치료 등

의 보존적 치료로 통증의 호전이 없는 경우에 고관절경술을 고려할 수 있다. 관절경적 세척술(lavage)이나 변연절제술, 활액막절제술, 골극제거술 및 유리체의 제거로 증상 호전을 기대할 수 있다고 알려져 있다. 비구 변연부에 광범위한 골극이 있을 경우 고관절경 기구의 삽입이 어려울 수 있다. 부분적으로 연골이 손상된 관절면에 대해서는 미세천공술(microfracture)을 시행할 수 있다. 이 경우 섬유연골의 성숙이 이루어지는 약 10주간 체중 부하를 제한해야 한다.

5) 감염성 관절염

관절경을 사용한 세척 및 변연절제술은 비침습적이고 수술 후 빠른 회복을 기대할 수 있기 때문에 감염성 관절염에서 유용한 치료 방법으로 활용되고 있다. 대표적으로 슬관절의 감염성 관절염에 대한 관절경적 치료는 여러 문헌들에서 유용성이 입증되어 표준적인 치료 방법으로 사용된다. 고관절의 감염성 관절염에 대한 관절경적 치료는 아직 대상 환자 수가 많지 않은 연구가 대부분이지만, 역시 성공적인 임상 결과들이 보고되고 있다. 고관절경술을 시행할 때 중심 구획과 변연 구획으로의 접근 순서는 술자의 선호도에 따라 결정되지만, 생리 식염수로 관절낭을 팽창시킨 상태에서

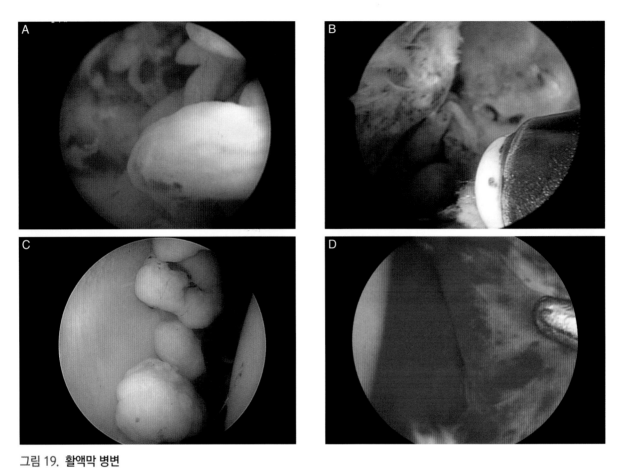

그림 19. 활액막 병변
(A) 건활액막 거대세포종(tenosynovial giant cell tumor), (B) 류마티스 관절염, (C) 활액막 연골종증, (D) 만성 활액막염의 관절경 사진

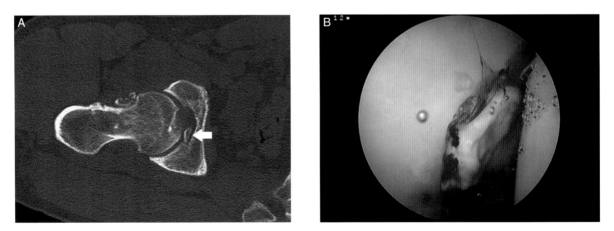

그림 20. 관절내 유리체
(A) 외상력이 있는 환자의 전산화단층촬영상에 비구와에 골절편(fracture fragment)이 관찰되고, (B) 관절경에서 확인할 수 있다.

좋은 시야를 확보하여 효과적으로 배농, 활막절제술과 변연절제술을 시행하고, 다량의 생리 식염수로 관절외 유출을 최소화하면서 세척을 하기 위해서는 변연 구획에서부터 고관절경술을 시작하는 것이 유리하다. 수술 중에 얻어진 검체에 대해서는 세균 배양 검사를 시행하는데, 진균이나 결핵 감염에서는 조직학적 소견이 매우 중요하기 때문에 항상 조직학적 검사를 같이 시행하는 것이 권장된다. 변연 구획에서의 치료를 완료한 후에는 하지를 견인하고 중심 구획으로 접근한다. 중심 구획에서는 관절 연골 상태를 확인하고 기록한 후, 관절내 유리체나 육아조직 등을 제거하고, 비구와의 비후된 활막에 대한 활막절제술 및 변연절제술을 시행한다. 이후 다시 하지 견인을 풀고 변연 구획으로 접근하여 5.5 mm 배관을 통해 수술 후 배농을 유지할 수 있는 배액관(drain)을 관절낭 안쪽에 거치시킨 후 수술을 종료한다.

6) 원형인대 손상

최근 Byrd의 연구 결과에 의하면 원형인대의 파열은 운동선수들에서 3번째로 많은 고관절 통증의 원인으로 보고되고 있다. 원형인대 파열의 증상은 서혜부 통증, 탄발이 생길 수 있고, 파행이 있거나 다리 잠김(locking) 혹은 풀림(giving way) 등을 호소하며, 통증에 의한 고관절 운동 제한을 보이기도 한다. 그러나 임상적으로 파열을 진단하는 특별한 방법은 없으며 대부분 고관절경술 중에 동반된 손상으로 원형인대 파열이 4–15%에서 관찰된다고 보고되고 있다. 관절경상 파열은 부분 파열(partial tear), 완전 파열(complete tear), 퇴행성 파열(degenerative tear) 등으로 구별되며, 파열된 부위에 대한 변연절제술 또는 고주파 기구(radiofrequency device)를 사용한 열수축술(thermal shrinkage)을 시행할 수 있다(그림 21).

7) 외상 후 관절내 병변

고관절 골절, 탈구 등의 외상 후 원형인대 손상, 골절편 유리체, 연골 손상, 비구순 파열 및 파열 후 관절내 감입 또는 유착 등이 발생할 수 있다. 외상 후 지속적인 고관절 통증이 있는 환자에서의 고관절경술은 정확한 진단 및 치료에 도움이 될 수 있다(그림 22).

8) 대퇴비구 충돌

대퇴비구 충돌(femoroacetabular impingement)은 관절내 비구순 파열 및 연골 손상을 일으켜 골관절염을 초래할 수도 있다는 가설 하에 수술적 치료의 필요

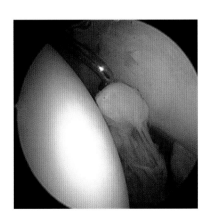

그림 21. 관절경상 파열된 원형인대 소견

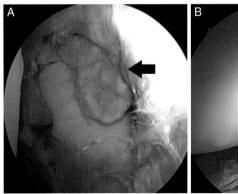
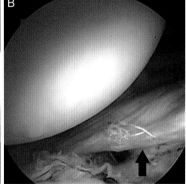

그림 22. 고관절 골절 및 탈구 후 지속적인 고관절 통증을 호소하는 24세 환자에서 시행한 고관절경 소견

(A), (B) 비구연(acetabular rim)과 함께 견열된 비구순이 관절내로 함입되어 있는 소견이다.

성이 대두되었다. 대퇴비구 충돌에 의해 골관절염이 생길 수 있는 기계적인 원인으로는 비구와 대퇴골두 사이의 불일치(incongruency)로 인해 관절 연골에 부분적으로 과도한 접촉 부하(contact stress)가 발생하기 때문인 것으로 보고되었으나, 최근 연구 결과에서는 대퇴비구 충돌을 일으키는 고관절의 형태학적인 변형이 점진적인 퇴행성 변화를 야기하고 골관절염을 발생시킨다고 하였다.

Ganz 등은 600명의 사체 연구에서 조기 골관절염의 발생 원인으로 대퇴비구 충돌의 개념을 처음으로 제시하였는데, 고관절 운동을 제한시키고 충돌이 발생하는 부위를 제거함으로써 증상을 호전시키고 골관절염의 진행을 예방할 수 있다고 기술하였다. 또한 최초로 19예의 대퇴비구 충돌 환자들을 대상으로 수술 중 고관절을 탈구시켜 관찰한 결과 모든 환자에서 비구순 및 연골 손상이 관찰되는 것을 확인하였고, 충돌을 일으키는 부분을 수술적으로 제거하여 중장기 추시에서 만족스러운 치료결과를 보고하였다.

최근에는 대퇴비구 충돌에 대한 관절경적 수술 방법이 도입되어 점차 증가 추세에 있다. 대퇴비구 충돌에 대한 고관절경술의 목적은 관절경적인 방법으로 대퇴골성형술(femoroplasty) 및 비구성형술(acetabuloplasty)을 시행하여 충돌을 야기시키는 골성 병변을 제거하고 비구순 파열 및 연골 손상을 치료하여 골관절염의 발생을 늦추거나 예방하는 것이다(그림 23, 24). 관절경적 치료는 수술적 탈구(surgical dislocation)를 사용한 방법에 비해 여러 가지 장점이 있다고 보고되고 있다. 비침습적인 수술이기 때문에 합병증이 적고 수술 후 재활기간이 짧으며 일상 생활로의 복귀가 빠르다. 현재까지 대퇴비구 충돌에 대한 관절경적 치료는 단기 및 중기 추시 연구들에서 매우 우수한 임상 결과를 보여주고 있다. 스포츠 손상과 관련하여 운동선수들에서 발생한 대퇴비구 충돌을 관절경적으로 치료했을 때는 약 70-86% 정도에서 다시 운동에 복귀할 수 있는 것으로 보고되고 있다.

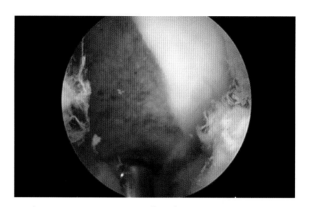

그림 23. 5.5 mm 골 연마기(burr)를 이용한 관절경적 대퇴골성형술(femoroplasty), 대퇴골두-경부 연결부(femoral head-neck junction)의 골 융기부절제술(bumpectomy)을 시행한 관절경 소견

9) 관절외 충돌증후군

최근까지 고관절 충돌은 대퇴골과 비구연 사이에 발생하는 것에 초점을 두고 있었으나, 관절외 구조의 충돌 발생에 대한 인식이 증가되고 있다. 관절외 충돌로는 좌골대퇴 충돌(ischiofemoral impingment), 전하장골극하 충돌(subspinal impingement)(그림 25), 치골대퇴 충돌(pubofemoral impingement) 등이 보고되고 있다.

10) 대전자부 주위 병변

대전자부 통증 증후군(greater trochanteric pain syndrome, GTPS)은 보통 비수술적 방법으로 치료 하지만 충분한 기간의 치료에도 증상이 지속되거나 악화될 경우 수술을 고려해 볼 수 있다. 최근 관절경 술기 및 기구의 발달로 대전자부 주위 공간에 대한 관절경적 접근이 가능하게 되었으며 이를 통해 점액낭염, 발음성 고관절(snapping hip), 외전근 파열(abductor tear)에 대한 치료가 시행되고 있다(그림 26).

3. 재활

고관절경술 후 재활 치료 프로그램은 수술 중 관절경상 관찰된 비구순 파열 및 연골 손상 정도, 비구순 봉합 및 골성형술 정도 등의 치료 방법에 따라 부분 체중

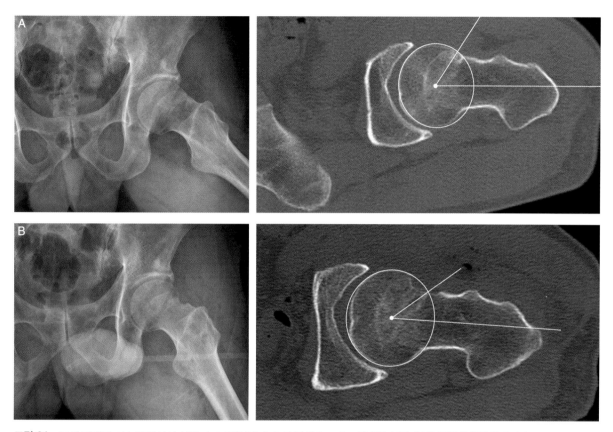

그림 24. 21세 태권도 선수의 방사선 사진. 수술 전(A)과 수술 후(B)의 frog-leg 방사선 사진과 전산화단층촬영 사진이다. 알파 각이 수술 후 정상 범위 내로 회복되었다(정상: 55° 미만).

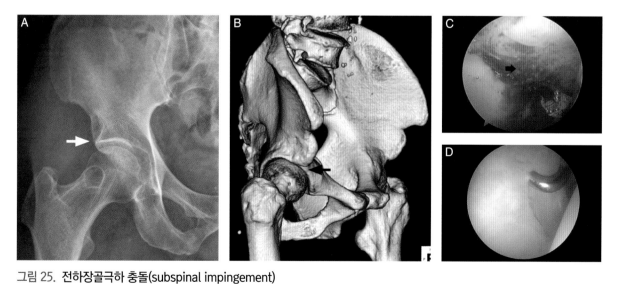

그림 25. 전하장골극하 충돌(subspinal impingement)
(A) 방사선 사진에서 관찰되는 전하장골극의 돌출 소견, (B) 3차원 전산화단층촬영의 전외측면 사진, (C) 관절경상 전하장골극 하부 비구순의 염증성 비후 및 파열 소견

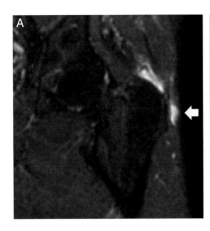
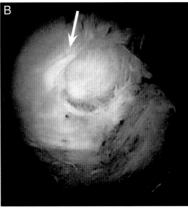

그림 26. 대전자부 통증 증후군(GTPS)
(A) T2 자기공명영상에서 외전근 부착 부위인 대전자 주위에 고신호 강도 소견과 (B) 외전근 부착부 파열의 관절경 소견(화살표)

부하 보행 및 관절 운동 범위 제한 등을 결정한다. 일반적인 대퇴비구 충돌에 대한 고관절경술 후 재활 치료의 목적은 점진적인 체중 부하 보행 과정을 통해 정상적인 보행을 할 수 있게 하고 관절 운동 범위의 회복과 근력운동을 통해 고관절을 기능적으로 안정시키는 데 있다. 재활 과정은 수술 후 한 달 정도는 관절의 안정화와 비구순 봉합상태 유지 및 골성형술을 시행한 부위의 보호를 위해 부분 체중 부하를 권장하고, 고관절 진자 운동을 통해 관절 운동 범위를 유지 한다. 이후 한 달 정도 완전 체중 부하 및 스트레칭을 통해 정상 보행 및 기능적 관절 운동 범위를 확보한다. 이후 점진적인 근력 강화 운동을 시행하여 수술 후 3-6개월 후 선택적으로 스포츠 활동으로 복귀할 수 있게 한다.

4. 합병증

고관절경술은 비교적 안전한 수술 방법으로 지금까지 문헌에서 보고되고 있는 수술 합병증은 0.5-6.4% 정도이고 대부분 일시적인 것으로 알려져 있다. 가장 흔하게 발생하는 합병증은 주로 하지 견인과 관련된 손상으로, 회음부 신경, 대퇴신경, 좌골신경 등의 신경 진탕(neuropraxia)이 발생할 수 있다. 또한 과도한 힘으로 장시간 견인할 경우 회음부에 위치한 포스트에 눌려 해당 부위의 피부손상이 발생할 수도 있고, 이미 발

목이나 무릎에 불안정성을 동반한 손상이 있는 경우에는 증상이 악화될 수 있어 주의가 필요하다. 정확한 기준은 없지만 하지 견인은 50 lbs 미만의 힘으로 시행하고, 연속적으로 견인하는 것보다는 술기에 맞춰 견인을 풀었다가 재견인하는 방법을 사용하며 총 시간은 2시간을 넘지 않도록 권장되고 있다. 견인 시간을 최소화하기 위해서는 피부 소독 전에 방사선투시기로 적절한 견인이 이루어지는지를 확인하고 다시 해제한 후, 실제로 관절경 삽입구를 만들기 위해 방사선투시기를 볼 때 견인을 시작하는 것이 좋다. 또한 수술 전에 미리 중심 구획과 변연 구획에서 시행할 술기들에 대해 계획하고 필요한 기구들을 꼼꼼히 준비하도록 한다. 수술 중 관류에 사용하는 생리 식염수가 중간에 멈추게 되면 다시 관절강내 압력을 유지하고 시야를 확보하기 위해 추가적인 시간이 소요되기 때문에 부족하지 않도록 미리 준비한다. 관절경 삽입구를 만드는 과정에서 생길 수 있는 신경 손상으로는, 전방 삽입구를 만드는 과정에서 외측 대퇴피부신경 손상이 발생할 수 있고, 후방 삽입구를 만드는 과정에서 지나치게 후방으로 바늘이나 기구가 삽입될 경우 드물지만 좌골신경 손상이 발생할 수 있어 주의가 필요하다. 하지 견인이 충분히 이루어지지 않은 상태에서는 관절경 도구에 의해 관절 연골이 긁히거나 패이는 의인성 손상이 발생

할 수 있다. 특히 전측방 삽입구를 만드는 과정에서 발생할 수 있기 때문에 주의해야 하고, 추가적인 삽입구를 만들 때는 직접 관절경으로 확인하면서 관절 연골 손상이 발생하지 않도록 한다. 관절경 펌프 압력이 지나치게 높거나 생리 식염수의 유출이 원활하지 않을 때, 장요근으로 통하는 전방 관절낭절개를 초기에 과도하게 시행할 경우 생리 식염수가 골반내 공간으로 새어나가 복부 구획 증후군(abdominal compartment syndrome)이 발생할 수도 있다(그림 27). 매우 드물지만 발생할 경우 치명적일 수 있기 때문에 수술 중 적절한 수압과 생리 식염수의 유출이 유지될 수 있도록 철저한 모니터링이 필요하다. 또 다른 합병증으로는 대퇴 골두 골괴사, 수술 후 고관절 탈구, 대퇴골 경부 골절, 관절경 기구 파손 등의 증례들이 드물지만 문헌상 보고되고 있다.

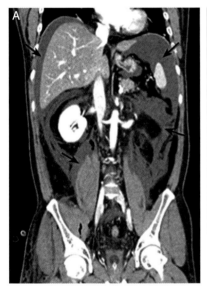 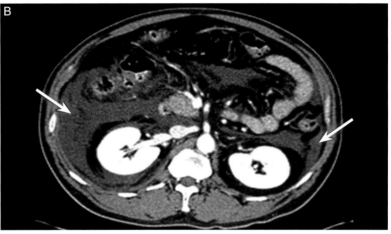

그림 27. 관절 세척액의 복강내로의 유출
(A), (B) 관절경 후 관절 세척액이 복강내 유출된 전산화단층촬영 소견으로 저음영의 체액이 복강 장기 내에 고여 있다.

참고문헌

1. 황득수: 정상 고관절의 관절경적 소견. 대한 고관절 학회지. 2006;18:323-6.

2. 황득수: Operative Hip Arthroscopy-Indication and Technique. 대한 정형외과 스포츠의학회지. 2006;5:30-40.

3. 황득수, 강찬, 차수민, 김정훈: 고관절 비구순의 관절경적 절제술 후 시행한 이차 고관절 관절경 수술-예비 보고-. 대한 정형외과 학회지. 2009;44:480-5.

4. 황득수, 김경천, 안성환: 고관절 활액막 연골종증에 대한 관절경적 치료. 대한 고관절 학회지. 2004;16:447-52.

5. 황득수, 김영모: 고관절의 퇴행성 골관절염시 관절경의 임상적 적용. 대한 정형외과 학회지. 2003;38:700-4.

6. 황득수, 김영모, 김경천, 안성환: 고관절 비구순 파열의 관절경적 치료-2~7년 추시 결과-. 대한 고관절 학회지. 2004;16:31-40.

7. 황득수, 권순태, 이원석, 김원중: 비구순 파열-진단 및 치료-. 대한 정형외과 학회지. 2000;35:1-8.

8. 황득수, 남대철, 양재훈 강태환: 대퇴 비구 충돌 진단에서 양측 고관절 단순 전후방 방사선 사진의 유용성. 대한 고관절 학회지. 2007;19:105-11.

9. 황득수, 이광진, 권순태, 김경천, 이창환, 양재훈: 초기 일차성 골성 고관절염 환자에서 발생한 전방 대퇴비구 충돌의 방사선학적 및 임상적 양상. 대한 정형외과 학회지. 2005;40:630-4.

10. 황득수, 이원석, 김영모, 남대철, 강찬: 연령과 연관된 성인 고관절 비구순의 형태 병리학적 연구. 대한 정형외과 학회지. 2003;38:355-60.

11. 황득수, 이창환, 남대철, 김경태: 성인의 화농성 고관절염에서 관절경적 치료-증례 보고-. 대한 정형외과 학회지. 2008;43:506-9.

12. 황득수, 이창환, 이충희: 대퇴비구 충돌에 의해 발생한 조기 퇴행성 고관절염 환자에서의 관절경적 소견. 대한 고관절 학회지. 2005;17: 164-9.

13. 황득수, 이창환, 이충희: 대퇴비구 충돌을 일으키는 골성 변형의 관절경적 치료-단기 추시 결과-. 대한 정형외과 학회지. 2006;41:778-4.

14. 황득수, 이창환, 송호섭: 초기 대퇴골두 무혈성 괴사에서 수술적 치료시 고관절 관절경의 유용성. 대한 고관절 학회지. 2005;17:170-6.

15. 강찬, 황득수, 차수민: 좌골신경의 주막 낭종에 의한 이차성 이상근 증후군의 관절경적 치료-증례 보고-. 대한 고관절 학회지. 2008;20:326-9.

16. 강찬, 황득수, 전유선, 한순철, 이기수, 강동훈: 대퇴 비구 충돌 환자의 관절경적 치료 : 5-7년 추시 결과. 대한 고관절 학회지. 2012;24:237-44.

17. 김필성, 황득수, 강찬, 이정범, 이우용, 한순철: 젊은 태권도 선수에서 대퇴비구 충돌의 관절경적 치료. 대한정형외과학회지. 2011;46:303-11.

18. 이정범, 황득수, 강찬, 연규웅: 대퇴 비구 충돌의 관절경적 치료: 2-5년 추시 결과. 대한 정형외과 학회지. 2010;45:188-97.

19. 전유선, 황득수, 강찬, 황정모, 이기수: 대퇴 비구 충돌과 동반된 비구순 파열의 관절경적 비구순 봉합술 – 초기 2-5년 추시 결과 –. 대한 고관절 학회지. 2013;25(2):115-20.

20. Olufemi RA, Bruce AL, Volker M, Marc RS: Current state-of-the-art of hip arthroscopy. Knee Surg Sports Traumatol Arthrosc. 2014;22:711-3.

21. M. Beck, M. Kalhor, M. Leunig, R. Ganz.: Femoro-acetabular impingment as a cause of early osteoarthritis of the hip. J Bone Joint Surg [Br]. 2005;87-B:1012-18.

22. Alterberg AR: Acetabular labrum tears. A cause of hip pain and degenerative arthritis. South Med J, 1977;70: 174-5.

23. Barlett CS, DiFelice GS, Buly RL, Quinn TJ, Green DS and Helfet DL: Cardiac arrest as a result of intraabdominal extrabasation of fluid during arthroscopic removal of a loose body from the hip joint of a patient with an acetabular fracture. J Orthop Trauma, 1998;May;12(4):294-9.

24. Burman M: Arthroscopy or the direct visualization of joints. J Bone Joint Surg. 1931;13:669-94.

25. Byrd JW and Jones KS: Prospective analysis of hip arthroscopy with 2-year follow up. Arthroscopy,2000; 16(6):578-87.

26. Byrd JWT, Pappas JN, Pedley MJ: Hip arthroscopy: An

anatomic study of portal placement and relationship to the extra-articular structures. Arthroscopy, 1995;11: 418-23.

27. Byrd JWT, Jones KS: Hip arthroscopy in athletes. Clin Sports Med, 2001;20:749-62.

28. Byrd JWT: The supine position, in Byrd JWT (ed): Operative Hip Arthroscopy. New York, Thieme, pp 1998;123-1380.

29. Conn KS and Villar RN: labrum lesions from the viewpoint of arthroscopic hip surgery. Orthopade, 1998;27(10): 699-703.

30. Czerny C, Hofmann S, Neuhold A, Tschauner C, Engel A, Recht MP and Kramer J: Lesions of the acetabular labrum. Accuracy of MR imaging and MR arthrography in detection and staging. Radiology,1996;200:225-30.

31. Czerny C, Kramer J, Meuhold A, Urban M, Tschauner C and Hofmann S: Magnetic resonance imanging and magnetic resonance arthrography of the acetabular labrum: comparison with surgical findings. Rofo Fortschr Geb Rontgenstr Neuen Bildgeb Verfahr, 2001;Aug; 173(8):702-7.

32. Dienst M, Goedde S, Seil R, et al: Hip arthroscopy without traction: In vivo anatomy of the peripheral hip joint cavity. Arthroscopy 2001;17:924-31.

33. Dienst M, Seil R, Godde S, Georg T and Kohn D: Arthroscopy for diagnosis and therapy of early osteoar-thritis of the hip. Orthop, 1999;28-9:812-8.

34. Dorfmann H and Boyer T: Arthroscopy of the hip: 12 years of experience. Arthroscopy 1999;15:67-72.

35. Dorfmann H and Boyer T: Hip arthroscopy utilizing the supine position. Arthroscopy 1996;12:264-7.

36. Eriksson E, Arvidsson I and Arvidsson H: Diagnostic and operative arthroscopy of the hip. Orthopedics 1986;9:169-76.

37. Farjo L, Glick J and Sampson T: Hip arthroscopy for acetabular labral tears. Arthroscopy, 1999;15:132-7.

38. Fergurson SJ, Bryant JT, Ganz R and Ito K: The influence of the acetabular labrum on the hip cartilage consolidation: A prorelastic finite element model. J Biomech, 2000;33-8:953-60.

39. Fitzgerald Jr RH: Acetabular labrum tears: Diagnosis and treatment. Clin Orthop 1995;311:60-8.

40. Ganz R, Parvizi J, Beck M, et al: Femoroacetabular impingement: A cause for early osteoarthritis of the hip. Clin Orthop, 2003;417:112-20.

41. Glick JM: Hip Arthroscopy. In McGinty J (ed). Operative Arthroscopy. New York, Raven Press 1991; 634-76.

42. Glick JM, Sampson TG, Gordon BB et al: Hip arthroscopy by the lateral approach. Arthroscopy 1986;3: 4-12.

43. Harris JD, McCormick FM, Abrams GD, et al: Compli-cations and reoperations during and after hip arthroscopy: a systematic review of 92 studies and more than 6,000 patients. Arthroscopy. 2013;29:589-95.

44. Hines SL, Philippon MJ, Kuppersmith D, et al: Early results of labral repair. Arthroscopy 2007;23:e9-e10.

45. Ito K, Minka IIMA, Leuing M, et al: Femoroactabualr impingement and the cam effect : A MRI-based quantitative anatomical study of the femoral head-neck offset. J Bone Joint Surg(Br), 2001;83-B:171-6.

46. Keene GS and Villar RN: Arthroscopic anatomy of the hip. An in vivo study. Arthroscopy, 1994;10:392-9.

47. Kim KC, Hwang DS, Lee CH, Kwon ST: Influence of femoroacetabular impingement on results of hip arthroscopy in patients with early osteoarthritis. Clin Orthop Relat Res,2007;456:128-32.

48. Kuklo TR, Mackenzie WG, Keeler KA: Hip arthroscopy in Legg-Calvé-Perthes' disease. Arthroscopy, 1999;15: 88-92.

49. Lage LA, Patel JV and Villar RN: The acetabular labral tear. An arthroscopic classification. Arthroscopy, 1996;12-3:269-72.

50. Leunig M, Werlin S, Ungerbock A , Ito K and Ganz R: Evaluation of the acetabular labrum by MR arthrography. J Bone Joint Surg, 1997;79-B:230-4.

51. MacDonald SJ, Klause K and Ganz R: The acetabular rim syndrome. Seminar Arthroplast, 1997;8:82-7.

52. Margheritini F and Villar RN: The efficacy of arthroscopy in the treatment of hip osteoarthritis. Chir Organi Mov, Jul-Sep; 1999;84(3):257-61.

53. McCarthy J, Day B and Busconi B: Hip arthroscopy:

Applications and technique. J Am Acad Orthop Surg. 1995;3:115-22.

54. McCarthy JC, Noble PC, Schuck MR, Wright J and Lee J: The role of lesion to development of early degenerative hip disease. Clin Orthop, 2001;393:25-37.

55. Okada Y, Awaya G and Ikeda T: Arthroscopic surgery for synovial chondromatosis of the hip. J Bone Joint Surg, 1989;71-B:198-9.

56. Oleary JA, Berend K and Vail TP: The relationship between diagnosis and outcome in arthroscopy of the hip. Arthroscopy, 2001;17(2):181-8. Papavasiliou AV, Bardakos NV: Complications of arthroscopic surgery of the hip. Bone Joint Res. 2012;1:131-44.

57. Petersilege CA, Haque MA, Petersilge WJ, Lewin JS, Lieberman JM and Buly R: Acetabular labral tears. Evaluation with MR arthrography. Radiology, 1996;200:231-5.

58. Petersen W, Petersen F, Tillman B: Structure and vascularization of the acetabular labrum with regard to the pathogenesis and healing of labral lesions. Arch Orthop Trauma Surg, 2003;123:282-8.

59. Philippon MJ, Briggs KK, Yen YM, Kuppersmith DA: Outcomes following hip arthroscopy for femoroacetabular impingement with associated chondrolabral dysfunction. J Bone Joint Surg, 2009;91-B:16-23.

60. Ruch DS and Satterfield W: The use of arthroscopy to document accurate position of core decompression of the hip. Arthroscopy 1998;14(6):617-9.

61. Sampson TG: Complications of hip arthroscopy. Clin Sports Med 2001;20:831-6.

62. Santori N and Villar RN: Acetabular labral tears. Result of arthroscopic partial limbectomy. Arthroscopy, 2000;16(1):11-5.

63. Seldes RM, Tan V, Hunt J, Katz M, Winiarsky R and Fitzgerald RH Jr: Anatomy, histologic features and vascularity of the adult acetabular labrum. Clin Orthop, Jan; 2001;232-40.

64. Shindle MK, Renawat AS, Kelly BT: Diagnosis and management o traumatic and atraumatic hip instability in the athletic patient. Clin Sports Med, 2006;25:309-26.

65. Simpson JM, Field RE, Villar RN: Arthroscopic reconstruction of the ligamentum teres. Arthroscopy. 2011;27(3):436-41.

66. Stiris MG: Magnetic resonance arthrography of the hip joint in patients with suspected rupture of labrum. Tidsskr Nor Laegeforen, 2001;Feb; 1121(6):698-700.

67. Takagi K: The arthroscope:the second report. J Jpn Orthop Assoc. 1939;14:441-66.

68. Tan V, Seldes RM, Katz MA, Freehand AM, Klimliewicz JJ and Fitzgerald RH Jr: Contribution of acetabular labrum to articulating surface area and femoral head coverage in adult hip joint: Anatomic study in cadaver. Am J Orthop, 2001;30-11:809-12.

69. Villar RN: Arthroscopic debridement of the hip. J Bone Joint Surg, 1991;73-B Suppl II:170-1.

70. Voos JE, Rudzki JR, Shindle MC, et al: Arthroscopic anatomy and surgical techniques for peritrochanteric sapce disorders in the hip. Arthroscopy, 2007;23:1246.e1-5.

71. Watanabe M, Takeda S, Ikeuchi H: Atlas of Arthroscopy, 2nd ed. Tokyo:Igaku-shoin, 1970.

72. Olufemi RA, Hussain A, Darren DS, Marc JP: The hip labrum reconstruction: indications and outcomes—a systematic review, Knee Sug Sports Traumatol Arthrosc. 2014;22:737-43.

73. Luke SG, Joseph JE, Bruce AL, Rafael JS: A comprehensive five-phase rehabilitation programme after hip arthroscopy for femoroacetabular impingement. Knee Sug Sports Traumatol Arthrosc. 2014;22:848-59.

74. William J. Robertson, Bryan T. Kelly.: The Safe Zone for Hip Arthroscopy: A Cadaveric Assessment of Central, Peripheral, and Lateral Compartment Portal Placement. The Journal of Arthroscopic and Related Surgery. 2008;24;1019-26.

75. Lee JW, Hwang DS, Kang C, Hwang JM, Chung HJ: Arthroscopic Repair of Acetabular Labral Tears Associated with Femoroacetabular Impingement: 7–10 Years of Long-Term Follow-up Results. Clin Orthop Surg. 2019;11(1):28-35.

2 절골술
Osteotomy

1. 골반 절골술

골반 절골술이란 어떤 원인에 의해서든지 비구의 발육이 불완전하여 비구가 대퇴골두를 충분히 덮어주지 못하거나 혹은 비구의 모양이 비정상적이어서 비구에 생역학적으로 비정상적인 하중이 주어질 경우 이로 인하여 발생할 수 있는 이차성 골관절염을 예방 혹은 지연시키기 위해 골반에 시행하는 절골술이다.

골반 절골술의 적응증이 되는 대표적인 질환은 비구 이형성증이며 이외에 Legg-Calvé-Perthes (LCP) 병, 골단 이형성증, 신경근육성 질환, 화농성 관절염 후유증 등에서도 시행될 수 있다. 특히, 비구 이형성증은 골반 절골술의 가장 흔한 적응증으로, 적절한 시기에 치료를 받지 못하게 되면 50세경에 25-50%의 환자들이 이차성 골관절염을 앓는 것으로 보고되고 있다. 비구 이형성증에서 이차성 골관절염이 발생하는 기전은 다음과 같이 설명될 수 있다. 비구 이형성증으로 인하여 대퇴골두의 측방 및 전방의 골 피복(bone coverage) 정도가 줄어들거나 비구의 경사도가 높으면, 대퇴골두가 전외측으로 이동하려는 경향이 발생하고 이를 보상하기 위해 비구순은 대부분 비대해진다. 비대해진 비구순에 만성적인 전단력이 지속되면 비구순의 파열로 관절 연골에 대한 비구순의 보호 작용이 소실되어 이는 곧 이차성 골관절염의 일차적 원인 인자로 작용하게 된다. 따라서 젊은 연령의 환자에게서 비구 이형성증으로 인한 비정상적인 하중 부하를 교정하기 위해서 골반골 절골술을 시행함으로써 이차성 골관절염으로

의 진행을 예방할 수 있다. 비구 이형성증의 진단을 위해서 고관절의 전후면 영상, 기립 전후면 영상, 그리고 false profile 영상을 촬영해야 하며, 전후면 영상에서는 외측 center edge (CE) 각, 비구 지수(acetabular index), 비구 천장 경사각(acetabular roof obliquity), 비구-대퇴골두 지수(acetabular-head index), 대퇴골두 돌출 지수(femoral head extrusion index) 등을 측정하여 비구 상부의 정도와 비구의 경사도 및 형태를 평가할 수 있다(그림 1A, B).

또한 비구 이형성증은 대부분 전방의 대퇴골두 피복이 결여된 경우가 많으므로 전방의 피복 정도를 반드시 확인해야 하며 false profile 영상을 촬영하여 전방 CE 각을 측정함으로써 전방 비구의 피복 정도를 알 수 있다(그림 2).

최근에는 3차원 전산화단층촬영으로 비구 이형성증의 정도를 진단하기도 한다. 전산화단층촬영 시 한 가지 유념해야 할 것은 비구 이형성증 환자에서는 대퇴골 경부의 전염각이 증가되어 있는 경우가 많고 증가된 대퇴골 경부 전염각이 대퇴골두의 피복을 더욱 나쁘게 하므로 슬관절까지 촬영하여 대퇴골 경부의 전염각을 같이 측정하면 비구 절골편의 회전 정도를 결정하는 데 도움이 된다는 점이다. 수술을 결정함에 있어서 수술 후 관절면의 일치성 혹은 조화(congruency)를 예측하는 것이 매우 중요한데, 수술 후 관절면의 조화를 예측하기 위해서는 외전 15° 전후면 영상, 외전 30° 전후면 영상을 촬영하여 수술 후 대퇴골두와 비구와의

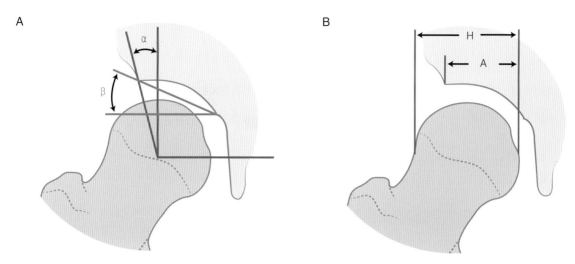

그림 1. 비구 이형성증 진단을 위한 방사선 측정 방법
(A) 외측 CE 각(α)와 비구 천장 경사각(β), (B) 비구—대퇴골두 지수: A/H × 100

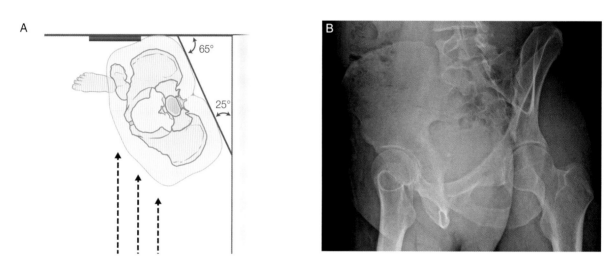

그림 2. False profile 영상
(A) 전방 CE 각을 측정하기 위한 자세의 모식도, (B) False profile 영상으로 대퇴골두가 전상방으로 전위되어 있다.

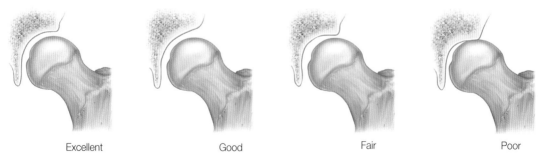

Excellent   Good   Fair   Poor

그림 3. 외전 전후면 방사선 사진에서 외측 관절면의 협소화를 보이면 재정렬 절골술의 좋은 적응증이 아니며 구제 절골술을 고려해야 한다.

상관관계 및 일치성을 확인하고 재정렬 혹은 재형성 절골술(realignment or reconstructive osteotomy)을 할 것인지 구제(salvage) 절골술을 할 것인지를 결정해야 한다(그림 3).

비구 이형성증에서의 증상의 시작은 대부분 비구순 파열로 시작되며 주로 서혜부 통증이나 C-sign을 보이고 이러한 증상이 있을 경우 자기공명 관절조영술(MR arthrography)을 시행하여 비구순 파열이 확인되면 비구 이형성증으로 인한 골관절염이 시작되는 것을 예상할 수 있다. 그러나 비구 이형성증에서도 약 40%에서 cam 병변이 동반되는 것으로 보고되어 있어서 특히 경계성 비구 이형성증(borderline acetabular dysplasia)에서는 비구순 파열이 비구 이형성증에 의한 것인지 아니면 대퇴비구 충돌에 의한 것인지 세밀한 감별이 필요하다. 골반 절골술은 재형성 혹은 재정렬(reconstructive or realignment) 절골술과 구제(salvage) 절골술로 구분될 수 있다. 재형성 절골술은 비구의 방향을 바꾸어 줌으로써 덜 덮인 대퇴골두의 측방 및 전방의 피복을 좋게 하여 관절 연골에 가해지는 단위 면적당 분압을 감소시키고 비구 경사도를 낮추어 줌으로써 연골에 가해지는 전단력을 압박력으로 변화시켜 주는 수술 방법이다. 이 수술은 대개 관절의 일치성(congruency)이 좋은 경우에 적응이 되며, Chiari 절골술을 제외한 대부분의 골반 절골술이 여기에 속한다. 구제 절골술은 심한 비구 이형성증이나 LCP 병 후유증에서와 같이 대퇴골두와 비구에 변형이 심하여 관절면의 불일치(incongruency)가 있을 경우나 골관절염이 진행되어 재형성 절골술을 시행하여도 건강한 관절 연골 간의 접촉을 얻을 수 없을 경우에 권장되며 Chiari 절골술이 이에 해당한다. 경우에 따라서는 심한 비구 이형성증이나 LCP 병 후유증에서와 같이 대퇴골두와 비구의 변형이 심하고 관절면의 불일치가 존재하는 경우에도 재형성 절골술을 시도하는 경우가 있는데, 이 경우 근위 대퇴골 절골술도 같이 시행하여 반드시 관절면의 일치를 얻어야 좋은 경과를 얻을 수 있

다. 재형성 골반 절골술은 절골 부위가 비구 중심에서 떨어진 정도에 따라 원위, 중위, 근위 절골술로 세분화될 수 있는데 첫째, 원위 절골술로는 Salter 절골술과 Surtherland의 이중 절골술, Steel, Lecoeur 등의 삼중 절골술(triple osteotomy)이 이에 해당된다(그림 4). 비구에서 멀리 떨어진 부위에서 절골이 이루어지기 때문에 대퇴골두나 비구 골편으로 가는 혈행을 방해하지 않고 관절 내로 절골이 일어나지 않는다는 장점이 있으나 비구로부터 멀리 떨어질수록 비구 골편이 커지고 근육과 인대가 많이 붙어있어서 골편을 회전시키기가 어렵고 충분한 교정을 쉽게 얻을 수 없으며 절골 부위의 골편 전위가 심하여 골반에 심한 변형이 남는다는 단점이 있다. 둘째, 중위 절골술(intermediate osteotomy)로는 Carlioz, Hopf, Tönnis 절골술 등이 있으며 Ganz에 의해 시도된 Bernese 절골술도 여기에 속한다. 이들 절골술은 원위 절골술에 비하여 교정력은 크나 절골 부위에 큰 골결손을 남길 수 있다는 단점이 있다. 셋째, 근위 절골술(near osteotomy)로는 Wagner의 구형 절골술(spherical ostetomy), Eppright의 dial osteotomy, Tagawa와 Ninomiya의 비구 전위 절골술(rotational osteotomy of acetabulum, ROA), 이와 비슷한 형태의 Nishio의 비구 전위 절골술 등이 이에 속하며 모두 다 비구를 중심으로 반구형의 절골술을 한다는 점에서 비슷한 개념의 절골술이다(그림 4).

이들 절골술의 장점은 비구에 근접하여 절골술이 이루어지므로 비구 골편을 비교적 용이하게, 충분히 전위시킬 수 있고, 골반에 심한 변형을 남기지 않으며 특히 진성 비구(true pelvis)의 변형이 거의 없어서 정상 분만이 가능하다는 많은 장점이 있다. 또한 반구형의 절골이므로 비구 골편의 전위 후 비구 골편이 장골에 매우 안정되게 안착되고 후방 지주(posterior column)가 보존됨으로써 조기에 재활 운동이 가능하다. 하지만 비구 골편의 혈행이 관절막을 통해서만 이루어지므로 비구 골편 상부에 골괴사가 발생할 가능성이 있다는 것과 절골이 관절 내를 관통할 수 있다는 것이 단점

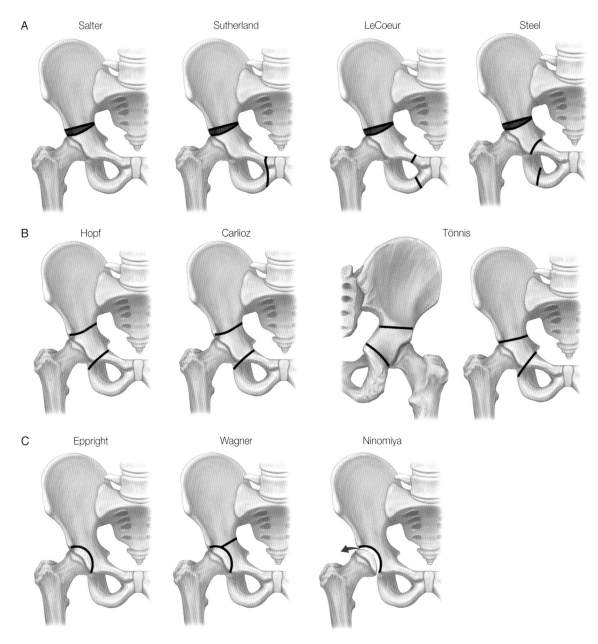

그림 4. 절골 부위에 따른 재형성 골반 절골술의 분류
(A) 원위 절골술, (B) 중위 절골술, (C) 근위 절골술

으로 알려져 있다. 이렇게 다양한 종류의 절골술들이 보고되어 있으나 현재 보편화되어 많이 시술되는 술식은 재형성 절골술로서는 Bernese 절골술, 비구 회전 절골술 및 이와 비슷한 비구 전위 절골술이며 구제 절골술로서는 Chiari 절골술이 대표적이므로 이에 대해서 자세히 기술하고자 한다.

1) 재형성 절골술

재형성 절골술(reconstructive osteotomy)의 적응증은 술식 간에 별로 차이가 없으며 증상이 있으면서 퇴행성 변화가 심하지 않은 비구 이형성증을 가진 젊은 연령층이 좋은 적응증이다. 비구가 완전히 성숙되어 삼방사 연골(triradiate cartilage)의 골화가 이루어진 12-15세 이후부터 수술이 가능하며 대개 골다공증이 심하지 않은 50대까지가 좋은 적응증이다. 그 이상의 연령에서도 골밀도, 활동력, 전신 상태에 따라 시행할 수는 있으나 수술 후 합병증 및 위험성 등에 있어서 고관절 전치환술 후의 결과와 비교하여 신중하게 결정해야 한다. 비적응증으로는 대퇴골두가 이차 비구(secondary acetabulum)와 접촉하는 고도의 아탈구나 완전 탈구, 말기(Tönnis 3기)의 골관절염, 대퇴골두의 변형이 심하여 외전 전후면 방사선 사진 영상에서 외측 관절 간격이 좁아지고 관절면의 불일치를 보여 재형성 수술 후 대퇴골두와 비구의 일치도가 나빠질 가능성이 있는 경우이다.

(1) 비구 회전 절골술

비구 회전 절골술(rotational acetabular osteotomy, RAO) 이 술식은 1968년 Tagawa와 Ninomiya가 처음으로 시도한 술식으로 5 cm의 반경을 가지는 만곡 절골기(curved osteotomy)(그림 5)를 이용하여 비구 외연에 근접하여 절골술을 시행하는 방법이다. 관절 가장 가까이에서 환형의 절골술이 행해지므로 비구 골편의 회전이 쉽고 골반의 변형이 거의 없이 많은 교정을 얻을 수 있으며 골편 간의 접촉이 좋아서 매우 안정된 비구 골편 고정을 얻을 수 있는 동시에 해면골에 의한 빠른 골유합을 얻을 수 있는 많은 장점이 있다. 또한 이형성증이 심하여 관절 중심이 외측으로 전위된 경우 비구 골편 하방의 일부와 이에 접촉하는 장골의 일부를 제거함으로써 관절 중심을 내측으로 이동이 가능하다. 그러나 절골술 시 관절 연골에 손상을 줄 수 있으며 절골된 비구 절편이 관절낭을 통해서만 혈액 공급을 받게

되어 비구 골편 상부에 골괴사가 발생할 가능성 있다는 단점이 있다.

① **수술 방법:** 수술은 측와위에서 시행되며 하나의 피부 절개를 통하여 두 가지의 접근법을 이용하는 술식이다. 먼저 장골능의 가장 상부 지점에서 하방 2 cm 지점, 전상장골극과 대퇴골의 대전자부 사이의 중간지점, 그리고 대전자부의 하방 5 cm 지점을 연결하는 만곡형의 피부 절개를 가하고 피부와 피하조직을 근막으로부터 박리하여 대퇴 전자부 후방까지 노출시킨다. 그리고 전방은 장대퇴 접근법, 후방은 후방 접근법으로 비구의 전후방을 노출시킨다. 중둔근과 소둔근을 골막하 박리를 통하여 장골로부터 유리시킨다. 그리고 비구의 상외측연으로부터 1.5 cm 떨어진 지점에 만곡 절골기로(그림 5) 절골을 시작하여 비구연과 평행하게 전방에서 후방으로 절골술을 시행하며 방사선투시기 하에 절골기의 각도와 방향을 결정한다. 비구 내측에서의 절골은 비구의 내측 벽의 중간 지점을 통과하며 골반의 내측 피질골을 포함하지 않는다. 비구 내측 벽의 관통을 막기 위하여 절골술 중 비구 전내측을 통하여 골반 내에 술자의 인지를 삽입하여 촉지함으로써 비구 내측 벽의 관통을 막을 수 있다. 절골이 끝나면 비구골편을 전외측으로 회전시키는데, 심한 비구

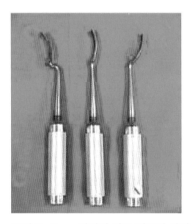

그림 5. 5 cm 반경의 만곡 절골기 사진

347

이형성증의 경우 내측 벽이 두꺼워 대퇴골두가 외측으로 밀릴 수 있으며 이럴 경우 비구 골편의 내측부 및 골반측의 골을 일부 제거함으로써 관절 중심을 내측으로 전위시킬 수 있다(그림 6). 또한 심한 비구 이형성증에는 비구 골편의 외측방 전위가 쉽지 않을 수가 있는데, 이 경우 하방의 관절낭을 절개함으로써 전위를 용이하게 할 수 있다. 비구 골편을 전외측 및 하내측으로 전위시키면 비구 골편과 장골 사이에 간격이 생기게 되며 여기에 장골능에서 채취한 골편을 끼워 넣고 비구 골편과 이식골, 그리고 장골을 관통하게 K-강선이나 금속 나사로 고정한다.

② **수술 후 처치:** 과거에는 수술 후 1-2주간 침상 안정하고 수술 후 3주부터 목발 보행으로 비체중 부하를 시작, 수술 후 3개월에 전체중 부하를 허용하였으나 최근에는 수술 후 1-2일에 통증이 줄어들면 휠체어를 타거나 비체중 부하 목발 보행을 시작하고 수술 후 3-5주에 부분 체중 부하를 시작, 수술 후 4-6개월에 전체중 부하를 허용한다.

③ **합병증:** 절골기의 관절내 관통으로 인하여 골관

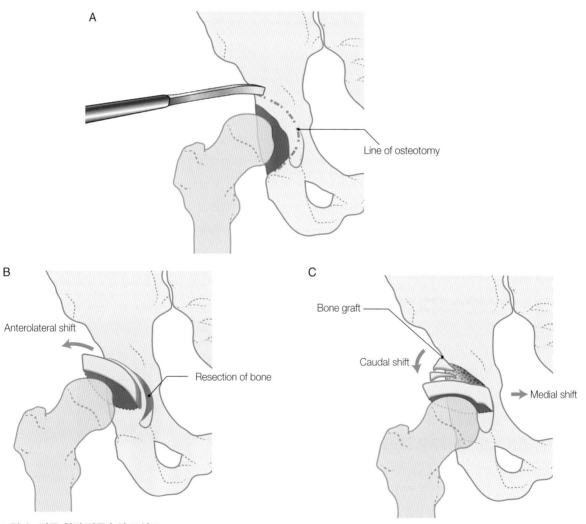

그림 6. **비구 회전 절골술의 모식도**
(A) 수술 전 계획된 절골선, (B) 절제된 골편을 전외측 이동으로 이동시키고, (C) 관절 중심을 하방 및 내측 이동시킨 후 골이식을 한다.

절염이 조기에 진행할 수 있으므로 절골기의 관절내 관통을 피하는 것이 중요하며 그 외에 매우 드물게 비구 상부 골편의 골괴사가 보고되고 있고 좌골신경 및 대퇴신경 마비, 이소성 골형성, 연골연화증 등도 보고되고 있다.

④ **수술 결과:** 보고마다 적응증과 술기가 조금씩 달라서 일괄적으로 얘기하기는 어려우나 중장기 추시에서 약 80-95%의 생존율을 보이고 있으며, 국내에서도 Kang 등이 우수한 결과를 보고하고 있다. Yasunaga 등에 의하면 20년 추시 연구에서 82%에서는 골관절염 진행이 없었고 고관절 전치환술로 전환한 것을 실패로 하였을 때 94%의 높은 생존율을 보고하고 있으며 골관절염이 진행되기 전에 절골술을 시행하면 골관절염이 진행한 후에 절골술을 시행하는 것 보다 골관절염의 진행율이 훨씬 낮으며 또한 훨씬 높은 생존율을 보이는 것으로 보고하고 있다(그림 7).

(2) 비구주위 회전 절골술

비구주위 회전 절골술(periacetabular rotational osteotomy, PARO)은 위에서 기술된 비구 회전 절골술과 비슷한 개념의 비구 절골술로서 1956년 Nishio에 의하여 일본 정형외과학회에서 처음으로 보고되었고 Hasegawa의 술기와 비슷하며 비구 회전 절골술과는 약간의 차이가 있다.

① **수술 방법:** 수술은 측와위에서 modified Ollier 혹은 bikini 혹은 직선 피부절개를 이용한 경전자 접근법을 통하여 이루어지는데(그림 8), 장근막(tensor facsia) 및 장경인대(iliotibial band)를 Y 혹은 V 형태로 절개하고 대전자부와 중둔근을 노출시킨 후 전방으로는 장근막 근육과 중둔근 사이로, 후방으로는 후외측 접근법과 동일하게 접근하여 중둔근 및 소둔근, 이상근을 관절막으로부터 분리시킨다. 이후 관절막과 분리된 근육 사이로 oscillating saw나 Gigli saw를 이용하여 대전자 절골술을 시행하고 이상근, 중둔근 및 소둔근

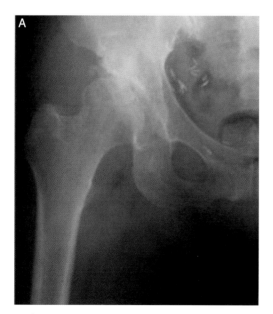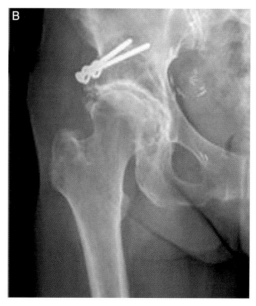

그림 7. (A) 45세 여자 환자로 고관절에 비구 이형성증에 의한 진행된 골관절염을 보이고 있다. (B) 우측 고관절에 비구 회전 절골술을 시행한 후 20년 추시 방사선 사진

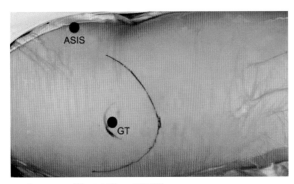

그림 8. Modified Ollier 접근법
ASIS, ansterior superior iliac spine; GT, greater trochanter

을 관절막으로부터 완전히 박리하여 대전자 골편과 함께 비구연으로부터 약 3 cm 정도 상부로 끌어당겨 관절 부위를 노출시키고 근육을 retractor로 고정한다.

후방으로는 단외회전근(short external rotator)을 관절막으로부터 박리하고 대좌골 절흔(greater sciatic notch)에 작은 Hohmann retractor를 걸고 좌골과 비구연이 만나는 부위 하방으로도 작은 Hohmann retractor를 넣어 비구 후벽을 노출시킨다. 그리고 비구연을 촉지하고 비구연으로부터 약 1 cm 정도 떨어진 곳에 비구연과 평행하게 절골선을 그린 후 절골선을 따라 비구 내벽을 포함

하여 만곡 절골기로 완전한 반구형으로 장골 및 좌골에 절골을 시행한다(그림 9).

이후 골막 박리기(periosteal elevator)를 이용하여 대퇴직근과 전방의 관절막 사이를 박리하여 손가락을 넣어 치골과 비구 전벽의 연결 부위를 촉지한 후 치골 근위부의 전상방에 둥글게 돌출된 장치골융기(iliopectineal eminence)를 촉지하고 만곡 절골기를 이용하여 비육안적으로 장치골융기 부위나 바로 내측에 절골을 시행한다. 절골이 완전히 끝난 후 골갈고리(bone hook)로 비구 골편을 전방 및 외측, 후방으로 대퇴골 상부 및 전방 피복이 충분히 얻어질 수 있을 때까지 회전시킨다. 이때 절골이 완전하지 않으면 비구 골편의 회전을 얻기 어렵다. 비구 골편을 회전시킨 후 일시적으로 K-강선으로 비구 골편을 장골에 고정한 후 고관절 전후면 방사선 사진을 촬영하고 충분한 교정각이 얻어졌는지 확인한 후 2.5~3 mm 피질골 나사 2~3개로 비구 골편을 장골에 고정한다. 관절 내에 cam 병변이 있으면 비구주위 회전 절골술 후 대퇴비구 충돌(femoroacetabular impingement)이 발생할 위험성을 줄이기 위해 개방성 돌출부 제거술(bumpectomy)을 동시에 시행해줄 수도 있다. 이후 유관 나사나 장력

A

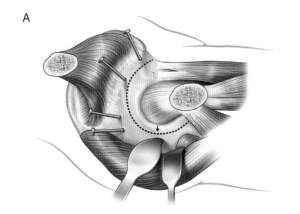

B

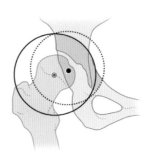
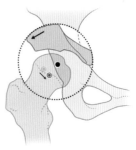

그림 9. (A) 경전자 접근법을 이용하여 고관절 주위를 노출시킨 후 비구연으로부터 약 1 cm 정도 간격을 두고 절골선을 그린다. (B) 전후면상에서 절골은 비구 내측벽을 포함하여 반구형으로 절골한다.

대강선을 이용하여 대전자를 제자리에 고정한 후 장근막 및 장경인대를 봉합하고 피부를 봉합한다.

비구 회전 절골술과의 차이점은 비구 회전 절골술은 약간 타원형의 절골술인데 반해 비구주위 회전 절골술은 완전 반구형의 절골로서 비구 내벽을 포함하여 절골이 이루어지고 절골된 비구 골편을 외측보다는 주로 전방으로 회전시킨다는 개념이다(그림 10). 비구 골편이 반구형이므로 회전 후에 비구 골편과 장골 사이의 골 접촉이 좋아 대부분의 경우 골이식이 필요 없고 매우 안정되며 (그림 11) 좀 더 외측으로 많이 융기된 비구 후벽이 상부로 이동됨으로써 대퇴골두의 피복이 용이하고 특히 비구 후방의 건강한 관절 연골이 체중 부하가 이루어지는 상부로 이동되므로 퇴행성 변화가 적은 새로운 연골로서 체중 부하 부위를 덮어줄 수 있다는 큰 장점이 있다.

② **수술 후 처치:** 절골 부위가 매우 안정되므로 빠른

재활이 가능하다는 장점이 있다. 수술 후 1일에 통증이 어느 정도 줄어들면 목발 보행을 시작하고 수술 후 8주에 방사선 사진에서 골유합이 관찰되면 전 체중 부하를 허용한다.

③ **합병증:** 절골기의 관절 내벽의 관통, 좌골신경 및 대퇴신경 마비, 이소성 골형성, 연골연화증 등이 보고되고 있다. 최근 수술 후 하치골지 골절이 자발적으로 발생하였다는 보고도 있다. 비구 골편의 골괴사에 대한 우려가 있으나 비구 골편 하부에 충분한 연부조직이 붙어있고 비구 하방의 폐쇄동맥이 잘 보존되어 있어서 이 폐쇄동맥을 통하여 비구 골편에 혈액 공급이 되므로 골괴사가 발생 가능성이 거의 없다.

④ **수술 결과:** 비구주위 회전 절골술의 임상 결과에 대한 보고는 많지 않으나 Hasegawa의 보고에 따르면 고관절 전치환술로의 전환을 실패로 하였을 때 20년 생존율이 94%로 매우 우수하다. 수술의 적응증을 세심하게 적용하고 적절한 술기로 시행

A

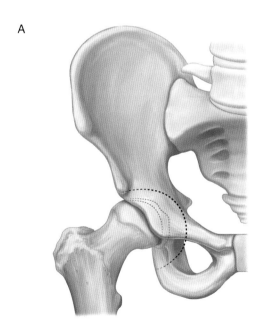

B

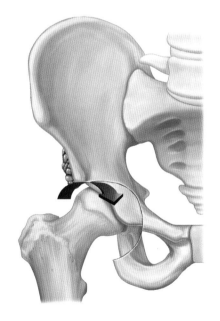

그림 10. 비구주위 절골술의 모식도
(A) 수술 전 계획된 절골술, (B) 절제된 골편의 전방회전

한다면 좋은 결과를 얻을 수 있는 술식이다(그림 12).

(3) 비구주위 절골술

비구주위 절골술(periacetabular osteotomy, PAO)은 1983년에 Ganz에 의해 소개된 술식으로 일명 Bernese 절골술로도 불린다. 한 개의 절개선을 통해서도 전방과 외측의 충분한 교정을 얻을 수 있고, 모든 면에서 교정이 가능하며, 관절낭에 의한 혈류 공급뿐만 아니

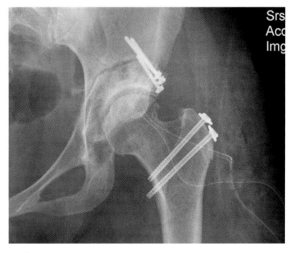

그림 11. 비구주위 회전 절골술 직후 촬영한 방사선 사진으로 비구 골편과 장골 사이의 양호한 접촉을 보이고 있다.

라 비구 상방에서도 혈류 공급이 유지되므로 비구 회전 절골술에서 우려되는 비구 상부 골편의 골괴사의 가능성이 거의 없는 것으로 알려져 있다. 그리고 원위 절골술 및 다른 중위 절골술과는 달리 편측 골반의 후주를 보존할 수 있어서 구조적으로 안정하기 때문에 최소한의 내고정으로 절골편을 유지할 수 있으며, 수술 후 환자의 관절 운동과 재활 치료를 용이하게 할 수 있다. 또한 비구 회전 절골술과 같이 진성 골반(true pelvis)의 형태가 유지되므로 젊은 여성 환자에게 있어서 정상 분만을 기대할 수 있는 등의 많은 장점을 가지는 수술이다. 그러나 비구 회전 절골술과 같은 근위 절골술과 비교해서 볼 때, 비구 골편과 골반골 사이의 접촉이 좋지 않고 간격이 생길 수 있어서 치골 절골 부위에 불유합이 발생할 수 있고 후방 지주에 골절이 발생할 수도 있으며 비구 골편의 회전이 좀 더 어렵고 교정각이 클 경우 골반의 변형이 좀 더 커질 수 있다는 점이 단점일 수 있다.

① **수술 방법:** 장서혜 접근법, 직접 전방 접근법, 이중 접근법(combined anteriorposterior), 변형 Smith-Petersen 접근법 등이 사용되고 있는데, Ganz 그룹에서는 외전근을 박리할 필요가 없는 변형 Smith-Petersen 접근법을 주로 사용하고 있다.

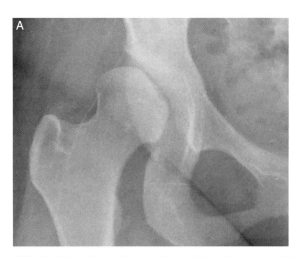
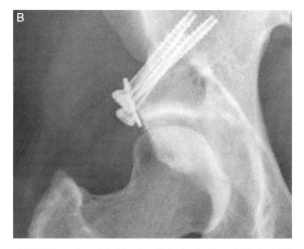

그림 12. (A) 24세 여자 환자의 우측 고관절 방사선 사진으로 심한 비구 이형성증을 보이고 있다. (B) 비구 회전 절골술 후 16년 추시 방사선 사진으로 절골 후 비구 후벽이 상부로 이동되면서 대퇴골두를 충분히 잘 덮어 준 양상을 보이고 있다.

변형 Smith-Petersen 접근법을 사용할 경우 전상
장골극을 봉공근과 서혜인대를 부착시킨 채로 절
골함으로써 외측 대퇴피부신경을 보존할 수 있
다. 고관절을 45°로 굴곡시켜 근육의 긴장을 감소
시킨 상태에서 절골된 골편과 장골근을 같이 내
측으로 이동시키고 대퇴직근의 indirect head를
절단하고 direct head는 기시부에서 분리한 뒤 장
관절낭근(iliocapularis)과 함께 내측으로 전위시
키면 장치골 융기(iliopectineal eminence)를 노
출시킬 수 있다. 그리고 앞쪽으로는 관절낭과 장
요건, 뒷쪽으로는 관절낭과 외폐쇄근 사이의 간
격을 확보하여 좌골로 도달할 수 있다. 그리고
비구 상부 절골을 위하여 절골이 이루어질 부위
만 외전근을 장골로부터 좌골 절흔 방향으로 박
리한다. 내측으로는 좌골극의 기저부에 위치하
는 사변형 표면으로부터 골막을 들어 올리면 폐
쇄동맥 및 외장골 신경혈관 다발을 보호하면서
후방 지주의 절골 공간을 확보할 수 있다. 절골
은 다섯 단계로 시행될 수 있는데, 첫 단계는 약
30° 각도를 가진 특수 절골기(그림 13)를 비구 하방
의 관절낭과 장요건, 외폐쇄근 사이로 삽입하여
좌골을 부분 절골하는데, infracotyloid groove에
서 시작하여 약 15-25 mm의 깊이로 절골을 시

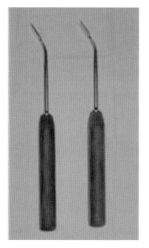

그림 13. 30°의 각을 가진 Ganz 절골기

행한다. 이 단계에서는 좌골신경 손상을 조심해
야하며 방사선투시기를 사용할 수 있다. 두 번
째 단계는 고관절을 약간 굴곡, 내전시킨 상태에
서 장치골 융기의 내측에서 중심 쪽으로 약간 기
울여서 비스듬하게 치골을 절골한다. 세 번째 단
계는 chevron 모양의 상비구 절골로서 고관절을
약간 굴곡, 내전시킨 상태에서 톱으로 전상장골
극 하부 경계 부위에서 횡절골을 시행, 장치골선
(iliopectineal line) 1 cm 근위부까지 절골한다. 이
후 후방 절골은 chisel을 이용하여 110-120°의 각
도로 좌골극을 향하여 하방으로 절골하며 하방
경계부와 대좌골 절흔 사이에 1 cm의 골 두께를
유지하도록 한다(그림 14A, B). 이때 비구로의 관절
내 절골이나 후반 지주의 골절이 되지 않도록 세
심한 주의를 기울여야 한다. 이후 5 mm Schanz
나사를 전하장골극에 상비구 절골선과 평행하게
삽입하여 비구 골편의 전위를 쉽게 한다. Schanz
나사를 원위로 견인하여 상 비구 절골 부위에 간
격을 열고 laminar spreader를 후방 절골선에 삽
입하여 벌림으로써 후방 절골로부터 좌골극 쪽으
로 골절이 진행되게 한다. 네 번째 단계는 비구
후방 절골로서 Schanz 나사와 laminar spreader의
긴장을 유지하면서 특수 chisel을 사용하여 장치
골선 아래 4 cm에서 사변형 표면을 향해서 30° 각
도로 절골을 시행한다. 다섯 번째 단계는 이러한
긴장을 유지하면서 시행한 네 번째 단계로써 부
분적으로 절골된 좌골이 조절된 골절(controlled
fracture)을 일으키는 것이다. 최종적으로 비구 골
편을 전위시킨 다음 K-강선으로 일시적으로 골
편을 고정한 다음 방사선 촬영을 하여 적절한 교
정이 이루어 졌다고 판단되면 3.5 mm 나사로 골
편을 고정한다(그림 15). 이 과정에서 비구순 파열
이나 연골 손상 등 관절내 병변이 있을 경우 관
절낭을 조금 절개하여 병변을 제거하거나 적절한
처치를 해 줄 수 있다. 교정 후 고관절의 운동 각

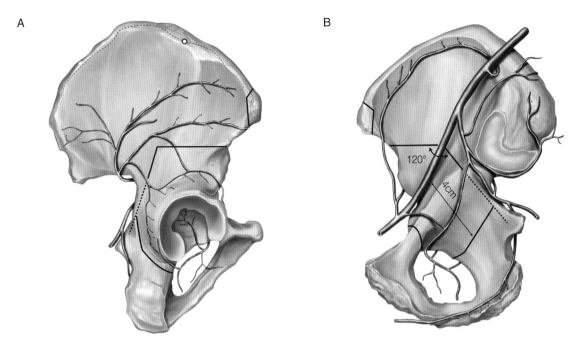

그림 14. Bernese 비구주위 절골술의 절골선과 동맥 주행
(A) 골반골 외측 비구가 보이는 면에서의 절골선, (B) 골반골 내측에서의 절골

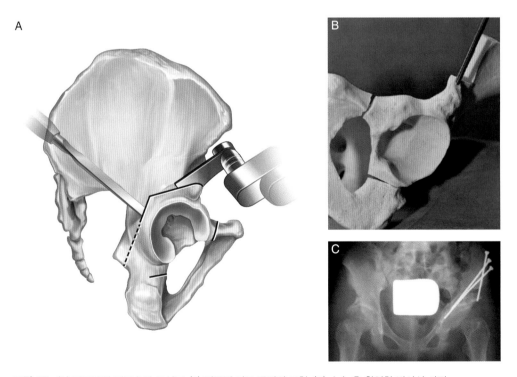

그림 15. (A) 비구주위 절골술의 모식도, (B) 절골된 비구 골편의 모형, (C) 수술 후 촬영한 방사선 사진

도를 측정해 보는 것이 매우 중요한데, 전방 충돌이 일어나지 않으면서 충분한 운동성을 얻도록 해야 하며 전방충돌의 원인이 대퇴골두-경부의 오프셋 부족으로 인한 것이면 두-경부 연결부의 골을 제거하여 오프셋을 늘여주고 전방 비구연의 골극 등이 원인이면 골극을 절제함으로써 충돌을 예방할 수 있다.

최근 Naito 등은 약 10 cm 정도의 절개로 Smith-Petersen 접근법을 이용하여 골반 내로 접근하여 비구주위에 곡선형의 절골을 하여 비구 골편을 회전시키는 만곡 비구주위 절골술(curved periacetbular osteotomy, CPO)을 개발하여 사용하고 양호한 결과를 보고하고 있으며 이와 같이 Ganz의 비구주위 절골술을 변형한 다양한 절골술들이 고안되어 사용되고 있다.

② **수술 후 처치:** 수술 후 48시간 동안은 통증 감소를 위해 침상 안정하고 이후 목발 보행을 시작하며 수술 후 8주 동안 5-10 kg의 체중 부하를 허용한다. 그리고 수술 후 6주 동안 재부착된 봉공근과 대퇴직근을 보호하기 위해 능동적 고관절 운동을 금지하여야 한다. 8주 이후 임상적 및 방사선 검사에서 전체중 부하가 충분할 만큼 골치유가 되었다고 판단되면 전체중 부하 및 근육 강화 운동을 시작한다.

③ **합병증:** 수술 기법에 따른 합병증으로는 관절내 절골, 후방 지주 골절, 과다한 교정 혹은 불충분한 교정 좌골 혹은 대퇴신경 마비, 주요 혈관 손상, 비구 골편의 무혈성괴사, 반사성 교감신경 이형성증, 이소골 형성 등이 있다. 치골의 지연 유합 혹은 불유합이 발생할 수도 있는데, 이는 증상이 별로 없는 심각하지 않은 합병증으로 간주되고 있다. 최근 Ganz 그룹에서 수술 후 발생한 전방 대퇴비구 충돌을 5예 발표한 바 있으며 이의 원인이 대퇴골 경부의 오프셋 부족이면 대퇴골 경부 전방의 골을 절제하는 절제 골성형술

(resection osteoplasty)을 시행하여 오프셋을 증가시켜주고 비구연의 돌출이나 골극이 원인이면 이를 제거하여 주는 것이 바람직하다고 하였다.

④ **수술 결과:** Ganz 그룹에서 보고한 바에 의하면 75예를 분석한 결과에서 평균 11.3년 추시에서 82%에서 고관절을 유지할 수 있었고, 73%에서 양호 및 우수한 결과를 보였다고 하였다. 최근 Clohishy 등이 문헌 고찰 후 보고한 바에 따르면 수술 전 중등도 이상으로 진행된 골관절염이 임상적 실패의 주된 원인이며 관절 치환술로 전환되는 실패율은 0-17% 정도이고 중증 합병증은 6-37%라고 보고하였다. Millis 등은 18년 생존율은 75%이고 30년 생존율은 1/3이라고 보고하고 있다.

2) 구제 절골술

(1) Chiari 절골술

Chiari 절골술은 1950년 오스트리아의 Karl Chiari에 의해 개발된 골반 절골술의 하나로, 1955년 문헌에 처음 소개되었다. 일종의 관절낭 성형술(capsular arthroplasty)로 비구 상부의 횡절골된 장골 아래로 관절낭이 들어가 대퇴골두의 골 피복이 증가하며, 장골의 절골면과 대퇴골두 사이에 관절낭이 끼이게 됨으로써 관절낭의 상부가 섬유연골로의 화생성변화(chondrometaplasia)를 하게 된다. 이 술식의 장점은 대퇴골두의 상부에 골 피복이 증가되는 것은 물론이고 생역학적으로는 대퇴골두가 내측으로 전이되므로 체중 지렛대(body weight moment arm)가 감소하여 외전근의 효율성이 증가되고 대퇴골두에 가해지는 압력이 감소되는 효과가 있어 고관절의 통증을 경감시키고 퇴행성 변화를 늦출 수 있다는 점이다(그림 16).

이외에도 대퇴골두와 비구의 조화가 좋지 않은 관절에서도 새로 형성된 비구의 수용 능력이 커져서 편평고(coxa plana)나 대고(coxa magna)와 같이 변형된 대퇴골두도 좋은 적응증이 될 수 있다는 점, 그리고 추후

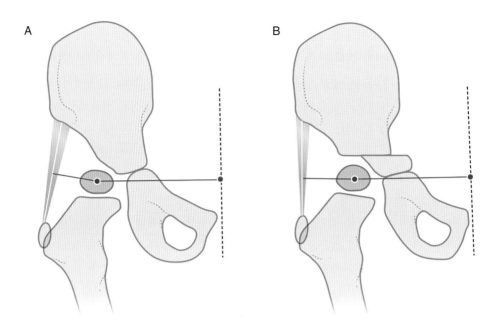

그림 16. (A) Chiari 절골 전의 체중 지렛대와 외전근 지렛대, (B) 절골 후 원위 골편이 내측으로 전위되어 체중 지렛대가 단축된 모양

인공관절 등의 재건 수술 시에도 양호한 골량을 제공한다는 많은 장점이 있다. 그러나 단점으로는 비구순이 체중 부하 부위에 남게 되어 지속적인 스트레스를 피할 수 없으며, 섬유연골이 초자연골에 비하여 축성 부하를 견디는 기계적 특성이 낮다는데 있다. 또 다른 단점으로는 수술 후 골반이 좁아지므로 정상 분만이 어려워질 수도 있으며 고관절이 내상방으로 전위되므로 다리 길이가 경미하게나마 짧아질 수가 있다는 점이다. 이러한 보강술식은 몇 년간 상당한 통증 감소 효과를 볼 수 있기 때문에 구제 수술이라고도 하며 대퇴골두의 변형이 있거나 대퇴골두와 비구가 조화되지 않는 관절에 시행하는 것이 바람직하고 관절 외에서 시행되는 수술로 그 수기가 어려우므로 수술 수기에 따라 결과에 많은 영향을 미친다. 수술이 가능한 연령군은 4-6세 이후부터 성인까지로 특별히 연령 제한은 없다. 그러나 40-45세 이전에 수술을 시행한 경우에 더 결과가 양호한 것으로 알려져 있다. 수술의 전제 조건으로는 적어도 운동 범위상 90° 이상의 굴곡이 가능하

고, 굴곡 구축이 심하지 않아야 하며, 진성 비구의 외연이 너무 높지 않아야 한다. 이러한 전제 조건을 갖춘 환자에게서 수술을 시행하는 것이 성공률을 높일 수 있다. 대부분의 비구 이형성증 환자에서 관찰되는 파행은 주로 Trendelenburg 보행인데 Chiari 절골술 후에도 대부분 지속되는 것이 보통이다. Delp 등은 생역학적인 분석을 통하여 절골선이 10° 이상의 경사각을 보일 때, 특히 외전근의 길이 감소와 함께 근력이 약화되므로 주의를 요한다고 하였다.

① **적응증:** 주로 적용되는 적응증으로는 청소년 및 젊은 성인에서 관절의 부조화를 동반하고 있으면서 외측으로 아탈구되어 정복되지 않는 경우, 퇴행성 변화가 동반되어 통증이 나타나는 비구 부전, LCP 병 이후 발생한 대고(coxa magna)와 같이 정상적으로 복원되기 힘든 부조화된 관절로 고관절 전치환술을 시행하기에 나이가 어린 경우 및 근력 약화나 근 경축에 의한 마비성 탈구에 의한 경우가 가능하다.

② **수술 방법:** 수술은 방사선이 투과되는 수술대에서 앙와위에서 시행되며 Salter 무명 절골술에서와 같이 전외측 접근법으로 장골의 내외측을 좌골 절흔이 보일 수 있도록 골막하 박리를 통하여 충분히 노출시킨다. 봉공근과 대퇴직근의 indirect head 및 direct head를 기시부에서 떼어내고 관절낭을 노출시키는데, 이때 관절낭이 손상되지 않도록 주의한다. 장요근이 긴장되어 있을 경우 장요근건에 두 개 정도의 횡 절개를 가하여 늘일 수 있다. 절골의 이상적인 위치는 관절낭과 대퇴직근의 indirect head 사이이며 먼저 방사선투시기 하에서 K-강선이나 Steinmann 핀을 비구 상부 가장자리에서 상내측으로 약 10-15°의 각도로 삽입하여 유도핀으로 이용할 수 있다. 절골선은 비구 전방으로는 전하장골극 하방, 후방으로는 좌골 절흔 하방에 이르는 비구상연을 따라 둥근 모양이어야 하며 드릴로 여러 개의 구멍을 뚫어 표시를 한다. 그리고 방사선투시기 하에서 1/2 혹은 3/8 인치 절골기로 절골선을 따라 절골한다. 이때 매우 날카로운 절골기를 사용하여야 장골의 내벽 골절을 예방할 수 있다. 절골은 전방부터 시작하여 후방으로 진행하며 후방의 마지막 1-2 cm의 장골은 Gigli 톱으로 절골한다. 절골기를 사용하지 않고 Gigli 톱을 사용하여 장골 모두를 절단하는 방법도 있으며 장골 내벽의 골절을 예방할 수 있다는 장점이 있다.

절골이 끝나면 넓은 절골기로 절골면을 약간 벌리고 laminar spreader로 더욱 간격을 넓힌다. 이때 장골 골편은 완전히 절골되어 움직일 수 있어야 한다. 이후 고관절을 넓게 외전하고 대퇴골두를 관절낭이 장골의 상측 골편의 하방 절골 표면에 덮여 완전히 보이지 않을 때까지 내측으로 밀어 넣는다(그림 17). 이때 Chandler 견인기 등을 좌골 절흔에 위치시켜서 골편의 후방 전위나 좌골 신경 손상을 막는 것이 중요하다. 골편의 내측 전

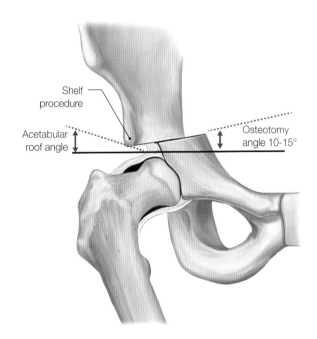

그림 17. Chiari 절골술의 모식도

위 정도가 50%일 때 약 1.5 cm 가량의 대퇴골두 피복을 얻을 수 있으며 과도한 전위로 인하여 골편이 완전히 분리되는 것은 바람직하지 않으므로 피해야 한다. 골두의 피복이 부족한 경우 shelf 술식을 병용할 수 있다. 전위가 충분히 이루어지면 한 개 내지 두 개의 나사형 Steinmann 핀을 장골의 외벽에서 시작하여 비스듬하게 하내방으로 삽입하여 장골의 골편을 고정하며 이때 핀의 관절 내 관통을 피해야한다. 이러한 술식이 끝나면 연부조직들을 봉합한다.

접근법에 있어서 경전자 접근법을 이용하면 관절낭을 잘 볼 수 있고 수술 시야를 충분히 확보할 수 있어서 수술이 용이하며 필요한 경우 관절내 변형이나 병변을 교정해줄 수 있으며 대전자부를 원위로 전위시킬 수도 있어서 수술 후 많은 환자에서 파행의 소실을 볼 수 있다.

③ 수술 시 고려해야 할 점

• 절골 위치

이상적인 절골 위치는 관절낭과 대퇴직근의 간접 두 사이의 관절낭 부착부 직상부이며 대개 비구 상연으로부터 1 cm 이내에서 시행하는 것이 좋 으며 5 mm 정도가 좋은 것으로 되어 있다. 너무 낮으면 비구 상부 연골하골의 관절내 골절을 만 들 수 있고 대퇴골두와 장골 사이에 관절낭을 수 용하여 새로운 관절간격을 만들 공간이 없으며 너무 높으면 대퇴골두를 충분히 덮어줄 수 없고 적절한 roof 각을 얻기 어렵다(그림 17). 절골 부위 가 너무 높으면 대퇴골두를 충분히 덮기 위해서 100% 이상 내전위를 시키거나 근위 골편과 관절 낭 사이에 부가적인 골이식을 해야할 수도 있다.

• 절골 각도

10−15° 내상방으로 향하는 것이 좋으며 만약 15−20° 이상이 되면 절골선이 천장관절을 침범 할 수도 있고 하지 단축이 발생할 수도 있으며 수 술 후 파행이 커질 수 있다. 절골 각도가 낮으면 내전위가 어렵고 적절한 roof 각을 얻기 어렵다 (그림 17).

• 절골선

절골선은 측면에서 보았을 때 상방 비구연을 따 라 주행하는 돔 형태가 되어야 전, 후방의 대퇴골 두 피복도 좋아질 수 있다(그림 18). 절골선이 직선 이면 원위골편이 후방으로 전위되어 좌골신경의 손상과 고관절의 굴곡 변형을 유발할 수 있으므 로 주의해야 한다.

• 내측 전위

대개 50% 이상의 내측 전위가 바람직하며 100% 이상의 전위는 불안정성과 불유합을 유발할 수 있다.

④ 합병증: 좌골신경 혹은 비골신경 마비, 관절 강 직, 불유합 등이 발생할 수 있다.

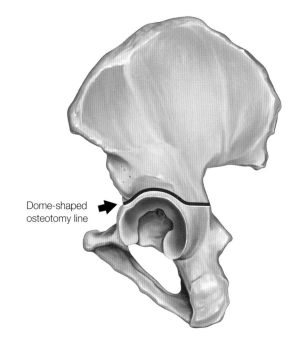

그림 18. 측면에서 보았을 때 dome 형태의 절골선의 모식도

⑤ 수술 후 처치: 수술 후 대개 고수상 석고 고정은 필 요치 않으며 통증이 사라지는 대로 빠른 시간 내 에 조력 능동적 및 부드러운 수동적(gentle passive) 관절 운동을 시작하며 수술 후 2−3일에 비체중 부하 목발 보행을 시작하며 방사선 사진상 골유합 이 보일 때까지 6−8주간 목발 보행을 유지한다. 수술 후 4개월에 나사형 핀을 제거한다.

⑥ 수술 결과: 1974년 Chiari 보고에 의하면 200명의 환자에서 약 2/3에서 양호 또는 우수한 결과를 얻었고 나머지 1/3에서도 증상의 호전을 보였다. 최근까지의 임상적 결과를 보면 전반적으로 임 상적 결과가 양호하며 20년 이상 추시 결과 60− 91% 의 생존율이 보고되고 있고, Kotz 등은 66명 80예의 환자를 평균 32년 추시 결과에서 60%에 서 고관절 전치환술로 전환하지 않았다고 보고한 바 있다(그림 19).

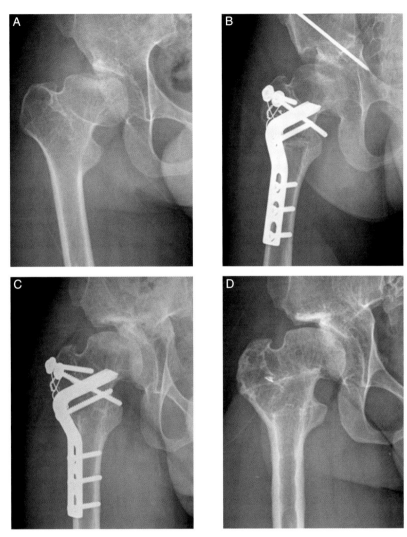

그림 19. (A) 다발성 골단 이형성증(multiple epiphyseal dyplasia)으로 골관절염이 진행한 소견, (B) Chiari 절골술 및 대퇴골 근위부 외반 및 감염 절골술 시행 후 촬영한 방사선 사진, (C) 수술 후 1년 추시 방사선 사진으로 대퇴골두의 연골하 낭종이 치유되고 있는 모양, (D) 수술 후 15년 추시 방사선 사진

2. 근위 대퇴골 절골술

근위 대퇴골의 절골술은 대퇴골두의 위치를 바꾸어 비구와의 일치도를 높이거나 접촉 면적을 증가시켜 고관절의 퇴행성 변화를 막거나 늦추기 위해 시행되는 수술로 최근 고관절 전치환술의 발전으로 그 시행이 급격히 줄어들었으나, 아직도 젊고 활동적인 환자들에서 선택적으로 시행할 경우 증상 완화를 통해 고관절 전치환술을 늦출 수 있는 효과적인 방법으로 인정되고 있다.

주된 대상은 발달성 고관절 탈구, LCP 병, 대퇴골두 골단분리증 등 소아기 질환에 따른 변형된 고관절과 대퇴골두의 골괴사나 외상 등으로 대퇴골두의 체중부하 관절면에 손상이 발생한 경우로, 이들에서 초래되는 이차적 골관절염은 일단 통증과 골관절염이 시작되면 매우 빠르게 진행하며 비수술적인 방법은 대부분 실패하게 되는 특징이 있다. Millis 등은 거의 정상에 가까운 관절로의 회복을 목표로 이차적 퇴행성 변화가 생기기 전에 시행하는 경우를 재건 절골술, 어느 정도 퇴행성 변화가 있는 경우에 증상을 호전시키고 고관절 전치환술을 늦추기 위하여 시행하는 구제 절골술로 구분하기도 하였으나, 현실적으로는 거의 대부분이 구제 절골술이다. 관절치환술에 비하여 세심한 수술 전 평가 및 계획이 요구되고 술기 또한 쉽지 않으며 수술 후 재활기간이 길다. 또한 결과의 일관성이 떨어지고, 대퇴골 근위부에 남는 변형으로 추후 고관절 전치환술로의 전환 시 술기상 어려움이 초래될 수 있다는 제한점이 있다. 이러한 제한점에도 불구하고 젊고 활동적인 환자나 고관절 전치환술을 시행하기 곤란한 환자에서 세심하게 시행하는 경우 충분한 가치가 있다.

1) 생역학적 효과

고관절의 이차성 골관절염과 그 증상은 고관절의 역학적 이상 및 접촉 관절면적의 감소에 따른 것으로, 절골술로 기대하는 효과는 관절에 작용하는 힘의 크기 자체를 감소시키거나 접촉 관절 면적을 넓혀 단위 관절 면적당 작용하는 응력을 감소시키는 것이다. 이론적으로 관절에 부하되는 힘은 주변 근육의 모멘트 거리의 증가, 관절막의 이완, 긴장된 근육의 이완, 대퇴골두에 작용하는 힘의 다른 부분으로의 이동 등을 통해 감소시킬 수 있다. 실제로 절골술 후에 근육의 휴지기 길이 감소, 혈류 공급의 변화, 골내압의 감소, 근육의 경축 감소 등을 관찰할 수 있다. 관절의 접촉 면적을 증가시키는 것은 관절 자체에 부하되는 힘의 변화 없이도 단위 관절면에 작용하는 응력을 감소시킬 수 있다. Bombelli 등은 절골술 후 골관절염의 자연 치유를 하였으며 관절증이 정상 골/연골의 재형성 장애에 의해서 발생한다고 가정할 때 절골술에 의하여 골/연골의 재형성이 조금 더 이로운 방향으로 일어날 수 있을 것이라고도 생각할 수 있다. 이러한 개념의 임상적

인 증거로 절골술 후 방사선적으로 연골하골의 결손부 복구, 연골하 골낭종의 충전, 비구 및 대퇴골의 주된 해면골 소주의 정상화, 비교적 균등한 연골하골의 재형성 등의 변화를 관찰할 수 있다.

2) 대퇴골두의 혈액공급

근위 대퇴골의 절골술 시 가장 주의해야 할 점은 수술로 인한 대퇴골두 골괴사를 방지하는 것이며 이에 대퇴골두의 혈류 공급에 대한 이해는 수술의 성패를 좌우하는 가장 중요한 요소라 할 수 있다. 대퇴골두는 대부분 내측 대퇴회선동맥에 의해서 혈류 공급을 받으며 내측 골단 동맥, 골간단 동맥, 외측 대퇴회선동맥에 의해서 일부 공급을 받게 되지만 내측 대퇴회선동맥의 분지인 상부 망상 동맥 단독으로도 대퇴골두 전체에 혈류 공급을 할 수 있는 구조로 되어 있다. 따라서 절골술을 실시하는 경우 내측 대퇴회선동맥을 보존하는 것은 수술의 성패를 결정하는 가장 중요한 요소이며 이에 내측 대퇴회선동맥의 주행 경로에 대한 지식은 절골술을 시행하는데 필수적인 요소라 할 수 있다. Gautier 등에 의하면 내측 대퇴회선동맥은 심부 대퇴동맥 또는 이보다 근위부의 대퇴동맥에서 기시하여 5개의 분지-표재 분지, 상행 분지, 비구 분지, 하행 분지, 심부 분지를 내게 되며 이중 비구 분지는 내측 골단 동맥을, 심부 분지는 외측 골단 동맥을 형성하여 대퇴골두에 혈류를 공급하며 전술한 바와 같이 이중 심부 분지가 대퇴골두의 대부분의 혈액 공급을 담당한다. 내측 대퇴회선동맥의 심부 분지는 치골근과 장요근 사이로 주행하여 후방에서는 대퇴 방형근과 아래 쌍자근 사이에서 관찰할 수 있다. 종종 경부의 하방에서 하부망상 동맥을 형성하여 대퇴골 경부의 후하방으로 진행하여 대퇴골 경부에 혈류를 공급하기도 한다. 대퇴 방형근의 근위 경계에서 일정하게 전자부 분지를 낸다. 심부 분지의 주된 가지는 외폐쇄근의 후방, 단외회전근군의 공통건의 전방으로 통과하며 공통건 부착부의 두부, 이상근 부착부의 미부에서 관절낭을 통과

하여 2-4개의 말단 분지를 내게 된다. 이들 분지는 대퇴골 경부의 후상방의 활액막의 심부로 지나가며 골-연골 경계부의 2-4 mm 외측에서 골 내부로 들어가게 된다(그림 20). 이러한 내측 대퇴회선동맥은 후방에서 다른 동맥들과 문합을 형성하게 되는데 모두 관절 외에서 형성을 하며 이중 가장 중요한 문합은 이상근의 후방으로 지나가는 하둔동맥과의 문합이다. 문합부에서 하둔동맥은 내측 대퇴회선동맥의 심부 가지만큼 큰 경우도 있으며 내측 대퇴회선동맥의 손상 시 대퇴골두의 혈관 공급을 보상할 수 있는 구조물로 생각된다. 이전에 흔히 기술되었던 전방에서의 외측 대퇴회선동맥의 상행 분지와의 문합은 1세 이전에는 관찰되지만 이후로는 점차 소멸되어 성인에서는 관찰되지 않는다. 절골술 시 회선동맥의 손상 원인은 수술 과정 중의 직접 손상이 대부분으로 수술적 접근 및 견인기의 잘못된 위치로 인하여 발생할 수 있으며 특히 전방 회전 절골술의 경우 동맥의 견인으로 혈관의 장력이 증가하여

이로 인한 동맥 폐쇄가 원인이 되므로 회전 정도에 각별한 주의가 필요하다. 수술 중 내측 대퇴회선동맥의 박동을 촉지하거나 절골부에서의 출혈 여부를 관찰하여 내측 대퇴회선동맥의 손상 여부를 알아볼 수 있으며 수술 전에 혈관조영술을 시행하여 내측 대퇴회선동맥의 위치를 파악하는 것도 유용한 방법이라 할 수 있다.

3) 소아기 질환의 후유 변형에 대한 절골술과 대퇴골두 골괴사에 대한 절골술의 비교

소아기 질환의 후유 변형에 대한 절골술은 대부분 역학적 원인에 대한 교정 및 접촉 관절면의 증가를 모두 고려해야 한다. 그러나 대퇴골두 골괴사에 대한 절골술은 괴사가 역학적 원인 없이 발생하는 경우가 대부분이므로 정상적인 접촉 관절면의 증가가 주된 목표가 되며 병변의 크기 및 위치가 수술의 종류를 결정하는 가장 중요한 요소이다. 따라서 소아기 질환 후유 변형에 대해서는 회전 절골술을 시행하는 경우는 거의 없으며 내반/외반 절골술에 필요하면 굴곡/신전을 추가하는 술식을 사용하는 것이 대부분이다. 반면에 대퇴골두 골괴사에서는 정상적인 접촉 관절면을 극대화시킬 수 있는 회전 절골술이 이상적인 방법이다. 그러나 회전 절골술은 내반/외반 절골술에 비하여 수술 결과가 일정하지 않고 기술적으로 어려워 내반/외반 절골술로 충분한 효과를 기대할 수 있다면 회전 절골술을 실시할 이유는 없다. 대퇴골두 골괴사의 병변의 크기 및 위치에 따라 다르겠지만 전후면 방사선 사진상 비교적 작은 내측의 병변으로 외측의 정상 관절면이 20° 이상일 때는 내반 절골술만으로도 좋은 결과를 얻을 수 있다고 한다. 환자의 선택에서도 소아기 질환의 후유 변형에서는 환자의 연령이 가장 중요한 요소임에 비해 대퇴골두 골괴사에서는 이에 더하여 환자의 전신 상태에 대한 고려도 중요하다. Ficat II, III기의 젊고 동기 부여가 충분한 특발성 골괴사 환자에서 예후가 좋았다고 하며 지속적인 스테로이드 치료나 화학 요법을 받고 있는 환자는 질환의 발생 원인이 지속되고 있으

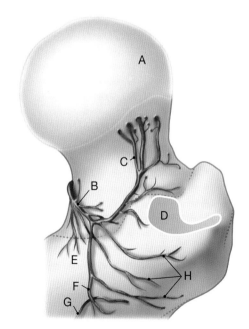

그림 20. 내측 대퇴회선동맥의 심부 분지의 주행
A. 대퇴골두 B. 내측 대퇴회선동맥의 심부 분지 C. 내측 대퇴회선동맥의 말단 활액막하 분지 D. 중둔근의 삽입 부위 E. 소전자부와 영양 혈관 F. 전자부 분지 G. 첫 번째 천공 동맥 H. 전자부 분지

므로 결과가 불량할 것으로 예상할 수 있다. 하지만 고용량의 스테로이드 치료를 중단한 환자에서에서는 양호한 결과가 보고되고 있다.

4) 근위 대퇴골 절골술의 종류

(1) 내반 및 외반 절골술

Aronson은 고관절의 골관절염 환자의 76%가 골관절염을 유발하는 소아기 질환을 가지고 있었는데 43%는 발달성 고관절 탈구, 22%는 LCP 병, 11%는 대퇴골두 골단분리증이었고 대부분 50세 이전에 고관절 전치환술을 받았다고 보고하였다. 50세가 되면 비구 이형성증의 43-50%, LCP 병의 53%, 대퇴골두 골단분리증의 20%에서 골관절염 소견이 관찰되었다고 한다. 이들 선행 질환에서 골관절염의 진행 및 증상 발현 연령은 성장 종료 당시의 변형의 정도와 비례한다고 한다. 따라서 원인 질환이 있는 경우 생역학적인 힘, 연골의 부하, 하지 부동 등을 가능한 모두 교정할 수 있는 적절한 방향의 근위 대퇴골 절골술을 고려해야 한다. 근위 대퇴골의 관상면에서의 절골술은 크게 내반 절골술과 외반 절골술로 나눌 수 있는데 추가적으로 회전, 길이, 시상면 상에서의 이상도 교정할 수 있다.

① **환자의 선택 및 수술 시기의 결정:** 환자의 연령, 생리적 연령, 직업, 활동의 정도, 생활 습관, 기능 회복의 기대 정도, 관절의 운동 범위, 하지 부동, 동측 슬관절과 척추의 이상 등에 대해 평가해야 한다. 이 중 연령은 가장 중요한 요소로 어릴수록 성공률이 높다. 비만하거나 심한 육체 노동에 종사하는 환자는 적절하지 않으며 수술 전 운동 범위가 넓을수록 수술의 결과가 양호하다. 관절이 손상되는 역학적 원인이 확실해야 하며 일반적으로 방사선 사진에서 퇴행성 소견이 없거나 약간 있는 정도의 관절에서 절골술로 좋은 효과를 기대할 수 있다. 또 동기 부여가 되고, 수술의 결과에 대하여 현실적인 기대를 가지고 있는 환자에서 좋은 결과를 기대할 수 있다. 절골술의 절

대적 금기증은 심한 관절 구축(굴곡 60° 이하), 심한 골감소증, 염증성 관절염, 활동성 감염 및 체질량지수가 30 kg/m² 이상인 경우 등이다. 상대적인 금기증은 중등도의 관절 구축(굴곡 60-90°), 중등도의 퇴행성 변화, 신경병성 관절 및 체질량지수가 27-30 kg/m²인 경우 등이다.

② **수술 전 평가:** 절골술에 대한 환자의 목표와 기대가 어느 정도인지, 생활 습관과 직업을 파악하는 것이 중요하며, 전체적인 건강 및 비만도에 대한 평가도 필요하다. 진찰을 통해 모든 방향의 관절 운동 범위와 통증을 유발하는 범위를 파악한다. 환자가 쉬거나 서있을 때 가장 편하게 느끼는 자세를 평가하고 이를 방사선 소견과 비교한다. 대퇴골 내반 절골술을 고려하는 경우에는 외전 시에 통증이 없어야 하며 외반 절골술을 고려하는 경우에는 내전 시에 환자가 편안하게 느껴야 한다. 보행을 평가하고, 외전근력과 하지 길이를 측정하고 척추, 동측 슬관절, 반대편 고관절의 평가를 통하여 통증의 원인이 다른 곳에 있는 것이 아닌지도 확인하여야 한다. 방사선적 평가는 기본적으로 앙와위 및 체중 부하 시의 골반의 전후면 영상과 고관절의 전후면 영상 및 개구리 다리 측면 방사선을 촬영한다. False profile 영상에서 대퇴골두의 전방 피복 정도를 평가하고, 고관절의 내반 및 외반 상태에서의 전후면 방사선 사진에서 내반/외반 절골술 후의 관절 간격을 예측한다. 고관절을 내전 및 굴곡 한 상태에서의 방사선 사진은 외반-신전 절골술 후의 관절 상태를 평가하는 데 쓰인다. 내반/외반 절골술 후에는 전체적인 하지 정렬의 변화가 생기므로 선 상태에서 하지 전장을 촬영하는 하지 전장 방사선 사진(teleradiogram)이 필요하다. 수술 전 계획은 수술 자체만큼 중요하다. 수술 전에 고려해야 할 사항으로 절골의 위치, 전위 각도, 골편 제거의 정도, 하지 길이의 교정, 원위 골편의 전위의 정도,

기계적 축의 변화, 고정 방법, 골이식 및 향후 고관절 전치환술 시 수술의 용이성 등이다. 이러한 고려를 바탕으로 작성한 그림이나 영상은 수술장에서 확인할 수 있도록 준비해야 한다.

③ **내반 절골술(varus intertrochanteric osteotomy)**: Pauwels에 의하여 최초로 고안된 절골술로 외전근과 고관절 중심 사이의 거리, 즉 모멘트 거리를 길게 하여 외전근 힘의 효율을 증가시키는 방법이다. Pauwels 이외에 Müller, Nishio 등의 방법들이 소개되어 있으며 이들은 모두 생역학적으로 관절압을 감소시키고 주위 근육의 작용을 감소시키면서 체중 부하 관절면을 넓히는 효과가 있다. 내반 절골술이 단독으로 사용되는 경우는 고관절 이형성증에서 대퇴골두가 구형(spherical)이고 비구 형성 부전이 없거나 미약한 경우(CE 각 15°−20°), 외측 과부하의 증거가 있는 경우 및 경간각이 135° 이상인 경우 등으로 한정된다. 대퇴골두 골괴사에서는 대퇴골두의 외측 관절면이 20° 이상 정상인 경우 사용할 수 있다(그림 21). 만족스러운 결과를 얻기 위해서는 수술 전 최소한 15°의 외전이 가능해야 한다. Pauwels에 의해 제안된 방법은 근위 절골면을 대전자의 원위부에서 대퇴골의 장축에 수직으로 하고 이에 대해 원하는 내전의 각도만큼 원위 절골면을 만드는 방법으로 회전을 교정하기 어렵고 고정각 금속판을 이용한 고정이 어려운 단점이 있었다. 이에 Müller는 원위 절골면은 대퇴골의 장축에 수직으로 하고 이에 대해 원하는 각도의 근위 절골면 만드는 개량된 방법을 제시하였다. 이러한 절골술은 대전자 부위를 상외측으로 이동시키고 원위 골편을 내측 전위시켜 관절의 일치도가 회복되며 동시에 외전근, 내전근, 장요근의 상대적인 이완으로 고관절에 대한 근육의 긴장도를 감소시키면서 체중 부하 관절면을 넓힐 수 있는 장점이 있다. 또한 외전근력의 방향을 좀 더 비구 쪽으로 바꾸어 고관

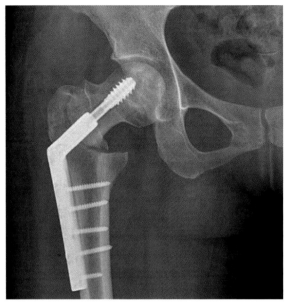

그림 21. 대퇴골두 골괴사에서 시행한 경전자간 만곡 내반 절골술 후 촬영한 방사선 사진으로 외측의 살아있는 연골하골이 내측 체중 부하 부위로 이동되어 함몰을 막아준다.

절에 미치는 힘의 총합을 더욱 더 비구 내로 향하도록 하여 관절 내의 체중 부하 면적을 증가시킬 수 있다. 그러나 수술 후 하지 길이가 짧아지기 때문에 Müller는 내측 쐐기골을 적게 절제하고 이를 외측에 이전시켜 하지 단축을 줄일 수 있는 개량된 방법을 제시하였다(그림 22).

내반 절골술 시 원위 골편을 10−15 mm 정도 내측 전위하여 하지의 기계적 축(mechanical axis)이 슬관절의 중심을 지나도록 해야 한다. 이렇게 함으로써 동측 슬관절과 대퇴골두의 중심이 일치되어 하지의 역학적 축이 유지되고 내전근이 상대적으로 이완된다. 하지만 지나친 내측 전위는 금기인데 이는 향후 고관절 전치환술 시의 대퇴 스템의 삽입이 어려워지기 때문이다. 내반 절골술의 부작용으로는 하지 단축, Trendelenburg 보행, 대전자 점액낭염 등이 있다. 수술 전 하지 부동이 없던 경우 하지 단축은 가장 중요한 단점이며 특히 골편이 모두 제거되는 경우에는 더욱 그

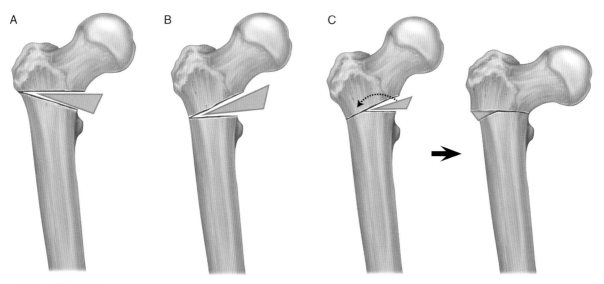

그림 22. 내반 절골술

(A) Pauwels의 방법으로 근위 절골술은 대전자의 원위부를 가로지른다. 이러한 형태의 절골술은 회전 교정과 쐐기 금속판의 사용을 더 어렵게 만든다. (B) Müller의 원형 방법은 소전자부의 바로 위 부분의 골간부를 가로지르는 넓은 쐐기 제거 절골술이다. (C) 이후 Müller의 방법은 작은 쐐기 절골술을 시행하여 외측으로 전환한다.

러하다. 외측 개방 절골술은 하지 단축의 정도는 감소하나 골유합에 더 많은 시간이 소요되므로 개방성 쐐기 절골술 시에는 90° 칼날 금속판과 골편간 압박을 이용한 견고한 내고정술이 필수적이다. 내반 절골술 후 Trendelenburg 보행은 비교적 흔하며 30%에서는 영구적으로 남는다. 이를 방지하기 위하여 대전자를 외측, 원위부로 이동시켜 외전근의 기능을 향상시키는 술식을 동시에 실시하는 것을 고려할 수 있다. 또 대전자가 대퇴골두의 관절면보다 상부에 위치하여 내반 절골술만 시행할 경우 대전자가 골반골에 충돌을 일으킬 가능성이 있는 경우에도 내반 절골술과 대전자의 외하방 전위술을 동시에 시행할 수 있다. 내반 절골술로 인하여 대전자가 외측으로 돌출되는 경우 대전자 및 금속판으로 인한 점액낭염이 발생할 수 있으며 외전근의 기능에 지속적인 장애가 있을 수 있다. 이런 경우에는 골유합 후 90° 칼날 금속판을 제거한 뒤 이차적으로

대전자를 하방으로 이동시키는 것을 고려할 수 있다. Nishio와 Sugioka에 의해 소개된 원형 경전자간 만곡 내반 절골술(transtrochanteric curved varusosteotomy)은 적절한 내반각을 얻으면서도 대퇴골두의 회전 중심을 변화시키지 않아 대전자의 돌출이나 외전근의 약화 및 하지 단축을 초래하지 않는 술식으로 수술 후 하지 부동과 대전자의 상대적 상방 이동이 적으며 절골면이 넓고 해면골이 풍부해 골유합에 이로운 장점이 있다 (그림 21, 23). 수술 직후 절골술 내측 부위의 골두께가 감소되지만 몇 년 후 내측 전자 부위에 골재형성이 일어나 다시 두꺼워진다. Sakano 등은 젊은 대퇴골두 골괴사 환자에서 원형 경전자간 내반 절골술을 사용하여 2년 경과 관찰 후 만족할 만한 결과를 얻었다고 보고하였으며 Yasunaga 등은 45세 이상의 고관절 이형성증을 가진 성인 환자에서 원형 경전자간 내반 절골술을 시행하여 비구 절골술을 시술한 환자와 대등한 결과를 보고

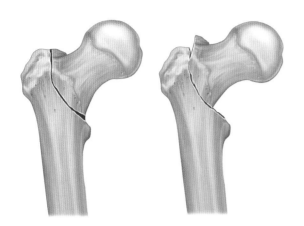

그림 23. Nishio와 Sugioka에 의한 회전 내반 절골술

하여 보다 안전한 술식으로서 고관절 이형성 환자에게 사용할 수 있다고 하였다.

④ **외반 절골술**(valgus intertrochanteric osteotomy): 1935년 Pauwels에 의하여 대퇴골 경부 불유합의 치료 방법으로 소개된 이후로 대퇴골 경부의 불유합에 가장 많이 사용되어 왔지만, 하지 단축의 교정(3 cm까지 교정이 가능), LCP 병 및 대퇴골두 골단분리증의 성인기 합병증, 초기 골관절염의 치료 등에도 이용될 수 있다(그림 24). 외

반 절골술의 종류에는 Pauwels의 이차원적 외반 절골술, Bombelli의 삼차원적 외반-신전 절골술, Itoman의 삼차원적 외반-굴곡 절골술 등이 있다. 외반 절골술의 원리는 고관절의 회전 중심을 내측으로 전위시켜 대퇴골두의 관절 일치도를 증가시키고 체중 부하 부위를 증가시키는 것으로 내측 골극이 있는 진행된 골관절염이나 대퇴골두가 외측으로 밀려나와 있으면서 고관절 내전 시 관절의 일치도가 개선되는 경우 적용할 수 있다. 대퇴골두의 내하측에 형성된 골극(capital drop osteophyte)은 외반 절골술을 통하여 체중 부하 위치로 이동되며 비구의 골극과 관절면을 형성하여 관절면을 넓힐 수 있다. 장요근으로 인한 고관절의 하중이 감소하고 관절의 접촉이 내측 골극으로 이동하여 통증이 감소하는 효과도 있다. Bombelli는 Pauwels의 외반 절골술에 신전을 추가하여 대퇴골두의 전방 피복을 증가시키면서 고정된 굴곡 구축을 교정할 수 있는 외반-신전 절골술을 보고하였다. Itoman은 대퇴골두 내측의 골극이 주로 후하방에 넓게 위치하므로 이를 체중 부하면에 효과적으로 이용할 수 있는 외반-

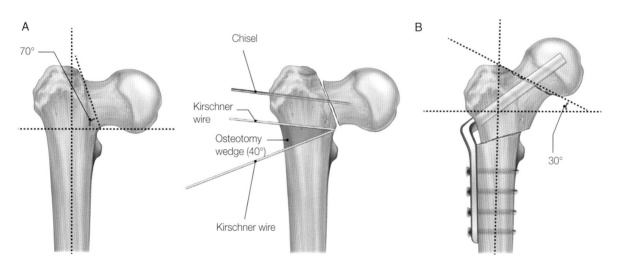

그림 24. **외반 절골술**
(A) 내반 변형 각도, (B) K-강선을 이용한 절골 방법, (C) 칼날 금속판을 이용한 고정술

굴곡 절골술을 주장하였다.

외반 절골술은 하지 연장 효과가 있으므로 하지가 짧을 경우에는 하지 부동을 해결하는 효과가 있지만 하지 부동이 없는 경우 쐐기 절제(wedge resection)를 실시하여 하지의 연장을 예방하여야 한다. 또한 외반 각도가 150° 이상 너무 커지는 경우에는 외전근 지렛대의 길이가 짧아져 보행 시 외전근의 과도한 부하로 인해 고관절의 압력 상승을 초래할 수 있으며, 이를 피하기 위해 대전자 전위술을 동시에 시행하여 대전자를 더 외측으로 이동시킬 수 있다. 대퇴골두 골괴사에서의 외반 절골술은 Scher와 Jakim 등이 발표한 외반-굴곡 절골술을 골이식과 함께 병행하는 것으로 골두 전상부의 Ficat III기의 병변에서 후방 관절면의 20% 이하가 침범된 경우에 시행할 수 있다.

- 대퇴골 경부 골절의 불유합에서 실시하는 외반 절골술
폐쇄성 쐐기 절골술을 30-60°로 시행하여 전자간 부위를 120° 칼날 금속판을 이용하여 고정하는 술식이며, 절골술로 수직의 골절선이 수평으로 바뀌어 불유합 부위에 압박력이 가해져 유합을 촉진한다. 수술 당시 대퇴골두 골괴사가 존재하더라도 많은 경우에 좋은 결과를 보인다고 보고하고 있다. 1989년 Marti 등은 대퇴골 경부 골절 불유합 50예에서 전자간 절골술을 시행하여 43예에서 평균 3.6개월에 골유합을 얻었다고 보고하였다.

- 외반-신전 절골술
외반 절골술과 신전 절골술을 동시에 시행하면 관상면 및 시상면으로 교정이 가능한데, 비구 형성 부전이 있어 대퇴골두의 외측뿐만 아니라 전방 피복이 부족한 경우, 굴곡 구축이 있는 경우, 대퇴골의 전염각이 증가되어 있는 경우 유용한 방법으로 고관절 운동 범위를 기능적으로 회복시켜 통증을 감소시키며 충돌을 없앨 수 있는 효과

가 있다. Maistrelli 등은 평균 11.9년 외반 절골술의 추시 결과 67%에서 양호 또는 우수한 결과를 보였으며 40세 이하인 경우, 일측성으로 발생한 경우, 수술 전 관절 운동 범위가 양호한 경우, 이차적 원인으로 발생한 경우에 좋은 결과를 보였다고 보고하였다. 특히 굴곡이 제한된 환자에서 결과가 불량하여 60° 이상의 굴곡이 불가능한 경우를 외반-신전 절골술의 상대적 금기증으로 제시하였다.

- 외반-굴곡 절골술
1992년 Itoman 등은 미리 계산된 외반과 굴곡의 정도에 따라 전외방에 쐐기 기저부를 만든 후 절골부를 130° 칼날 금속판을 이용하여 고정하는 절골술을 보고하였는데 기본 원리는 진행된 골관절염에서 골극이 대퇴골두의 내측과 후방에 많이 생기기 때문에 이 부분이 체중 부하면으로 올라올 수 있도록 외반 굴곡 절골술을 시행하는 것이다. 이는 주로 비구 이형성증 환자에서 이차성 골관절염이 대퇴골두 상외측에 온 경우, 심한 변형을 가진 대퇴골두의 내측에 골극이 많이 생긴 경우 적용할 수 있는데 수동 운동 범위가 30° 이상의 굴곡과 15° 이상의 내전이 가능한 60세 이하의 환자가 대상이 된다.

(2) 경전자 회전 절골술

내반/외반 절골술은 대퇴골 경간각을 변경함에 있어서 고관절의 역학 및 하지의 역학적 축의 변화로 인하여 교정 정도에 제한이 있는 방법으로 정상적인 관절면이 광범위하게 파괴된 대퇴골두 골괴사에서는 적용하기 힘든 경우가 많다. 이에 반하여 회전 절골술은 역학적 축의 변화 없이 대퇴골두를 대퇴골 경부축을 중심으로 90° 이상 회전시켜 전면, 후면의 정상 관절면을 체중 부하 부위로 옮길 수 있는 장점이 있다. 성공적인 회전 절골술은 Sugioka에 의해서 최초로 보고되었다. 그는 1978년 건강한 후면의 관절면을 전방으로 이동시

키는 전방 회전 절골술(anterior rotational osteotomy)의 수술 결과를 보고하였는데 3–16년 관찰에서 78%에서 좋은 결과를 얻을 수 있었다고 보고하였다. 그러나 괴사가 큰 경우에는 후방부까지 광범위하게 침범되어 이러한 수술을 적용하기 곤란한데 1997년 Atsumi 등은 건강한 전면의 관절면을 후방으로 이동시키는 후방 회전 절골술(posterior rotational osteotomy)을 보고하여 좋은 결과를 보고하고 있다.

① **수술 전 평가:** 수술 전 평가에서 가장 중요한 것은 괴사의 위치와 크기를 확인하는 것으로 단순 방사선 사진에서 괴사 부위가 명확하지 않은 경우가 있고 관찰자에 따라 오차가 많은 문제점이 있어 최근에는 자기공명영상을 이용한 평가가 중요시되고 있다. 전후면 사진은 앙와위에서 고관절 외전 상태에서 여러 각도로 굴곡하면서 촬영한다. 이렇게 괴사 부위와 및 정상 부위에 대한 평가를 하고 이러한 자료를 토대로 회전 및 내전의 정도를 결정한다.

② **전방 회전 절골술:** 대퇴골두 골괴사의 대부분의 경우는 전상방의 관절면을 침범하며 후방부는 비교적 건강하게 유지된다. 따라서 대퇴골두를 전방으로 회전시키면 괴사부를 체중 부하 부위에서 원위로 이동시키고 후방의 건강한 관절면을 체중 부하 부위로 위치할 수 있게 된다(그림 25). Sugioka가 제안하였던 적응증은 고관절 개구리 다리 측면 방사선 촬영상에서 1/3 이상의 대퇴골두가 정상적인 경우였으며 수술 후 고관절 전후면 사진에서 대퇴골두의 정상적인 부위가 체중 부하 부위로 많이 갈수록 성공적이었고 최소한 36% 이상은 정상 연골로 덮여야 한다고 하였다. 금기증은 고관절 외측면상 후방 관절면의 1/3이상이 손상된 경우, 대퇴골두나 비구에 골관절염이 진행된 경우, 불량한 전신 상태 등이다. Ha 등의 연구에 의하면 stage III 이상 진행된 경우, 병변이 큰 경우, 40세 이상, 체질량지수가 25 kg/m² 이상인 경우 전방 회전 절골술의 성공률이 낮아진다고 하였다. 수술은 고관절의 외측 접근법(modified Olliers approach 또는 triradiate approach)을 이용

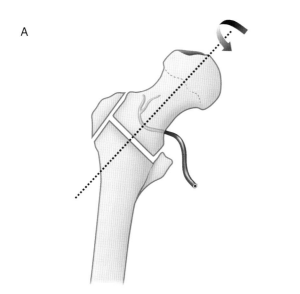

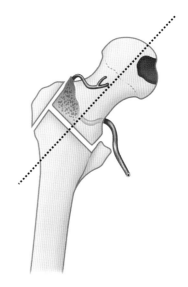

그림 25. Sugioka에 의해 제안된 골두 전방 회전 절골술
전방 회전(A) 전에 비해 회전 후(B) 내측 대퇴회선동맥이 신연된다.

하여 접근한다. 외회전근을 부착부에서 절단 후 대퇴 사두근을 절단하는데 이 근육 밑에 내측 대퇴회선동맥을 싸고 있는 지방조직이 있으므로 지방조직은 손상을 주지 않도록 주의해야 한다. 마지막으로 내측 대퇴회선동맥과 관절낭 사이에 있는 외폐쇄근을 절단한다. 대전자 절골술 후 고관절낭을 노출하고 비구순의 하부 경계를 따라 고관절낭을 절개한다. 소전자의 상부에 횡절골을 하고 대퇴골두와 경부의 장축에 수직이 되도록 대전자와 소전자를 연결하는 절골을 한다. 이때 10° 내지 20° 정도 내전이 되도록 절골한 후 근위 절골편을 전방으로 90° 회전시켜 절골 부위를 고정한다. Sugioka 등은 고정을 위해 3-4개의 해면골 나사를 사용하였으나 견고한 고정을 위하여는 120°의 압박 고나사를 이용하여 고정하는 것이 좋다. 대전자를 원위치에 정복하고 강선을 이용하여 고정한다. 대퇴골두로의 혈류 공급을 확인하기 위하여 수술 후 3-6주에 골스캔을 실시한다. 수술 시 주의할 점은 앞서 언급했듯이 내측 대퇴회선동맥의 혈류를 보존하는 것으로 내측 대퇴회선동맥의 지나친 신연을 방지하기 위하여 회전의 정도를 60-100°로 제한하여야 한다. 또한 의도적인 내전이 되도록 하는데 이는 내전으로 병변을 더 내측으로 위치시킴으로써 체중 부하부위에 더 많은 정상 부위가 위치할 수 있게 하는 효과가 있기 때문이다. Dean 등은 전방 회전 절골술 후 외전이 증가된 경우 결과가 불량함을 보고하여 내전의 중요성을 제시하였다.

수술 후 대부분의 저자들은 3개월에서 1년 동안 제한된 체중 부하만을 허용한다. 절골부의 고정 기법의 향상으로 긴 시간 동안의 침상 안정은 더 이상 필요 없게 되었다. 수술 후 부작용은 46%까지 발생하는 것으로 보고되며 가장 흔한 부작용은 골유합과 관련된 것으로 지연 유합 및 내전의 증가가 가장 흔한데 고정 방법을 나사못에서 금

속판 또는 칼날 금속판으로 변경한 후 많이 감소하였다.

전방 회전 절골술의 결과는 동양과 서양이 큰 차이를 보인다. Sugioka는 295명의 환자를 대상으로 2년에서 16년 추시 결과상 78%의 성공률을 보고하였으며 Inao 등은 14명 중 11명(79%)에서 10년 이상 관절을 유지할 수 있었다고 발표하였다. 그러나 Tooke 등은 18명 중 10명이 51개월에 실패하였다고 보고하였으며 Dean 등은 5년 추시에서 17%(18명 중 3명)에서만 만족스러운 결과를 얻을 수 있다고 하였다. 이렇게 서양에서의 결과가 좋지 않은 이유로 환자 선택, 수술 술기, 수술 후 재활의 문제 등이 거론되고 있다. 또한 서양에서의 보고에 의하면 수술 후 새로운 체중 부하부의 조기 함몰이 관찰되었으며 이것이 동양에서의 결과보다 불량한 결과를 초래하는 원인으로 지목되었다. 이러한 현상의 원인으로 인종의 차이에 따른 관절낭의 유연성의 차이로 인한 전방 회전의 허용역의 차이, 원형인대의 뒤틀림, 절골술에 의한 골내 영양동맥의 일시적인 폐쇄, 내측 대퇴회선동맥의 신연으로 인한 혈류 공급의 저하, 관절 연골 성분의 차이 등이 거론되고 있으나 아직 객관적으로 밝혀진 것은 없다.

③ **후방 회전 절골술:** 대부분의 골괴사의 주된 병변이 전상방에 위치하지만 후방부의 침범도 흔하여 전방 회전 절골술의 이상적인 적응증인 체중 부하부로 36% 이상의 건강한 관절면을 옮길 수 있는 경우는 많지 않다. 이렇게 후방으로의 비교적 광범위한 침범이 있으면서 전방의 병변은 비교적 적은 경우 Atsumi 등이 제안한 후방 회전 절골술이 유용한 방법이 될 수 있다. 후방 회전 절골술은 내측 대퇴회선동맥의 후방 분지가 내측/전방으로 이동하여 혈관의 긴장을 완화할 수 있어 비교적 많은 후방 회전(60-180°)을 할 수 있다는 장점이 있다(그림 26). 또한 괴사부가 후방으로 이동

하고 정상 관절면이 체중 부하부로 옮겨져 굴곡 시에도 괴사부위가 비구 밖에 위치하는데, 이는 전방 회전 절골술에 비하여 큰 장점이 된다.

후방 회전 절골술의 적응증은 괴사가 광범위하여 수술적 치료가 필요한 환자에서 후방 관절면의 1/3 이하만이 정상이라 전방 회전 절골술이 곤란한 경우이다. 특히 젊은 환자에서는 전방, 후방 관절면의 1/3 이하만이 건강한 경우에도 130° 이상의 회전이 가능하여 시행할 수 있다.

후방 회전 절골술의 결과는 매우 고무적이다. Atsumi 등은 전방 회전 절골술을 실시할 수 없는 큰 후방 병변을 가진 46예를 대상으로 실시한 후방 회전 절골술의 5년 추시 결과상 78%에서 함몰을 예방할 수 있었고 임상적으로 70%에서 탁월하거나 좋은 결과를 얻었는데, 150° 이상의 회전을 가한 경우 실패율이 높았다고 보고하였다. 전방 및 후방 회전 절골술을 같이 실시한 논문에서도 후방 회전 절골술이 전방 회전 절골술에 비하여 결과가 더 좋았다고 보고하였다. 불량한 결과의 원인으로는 Sugioka 절골술과 마찬가지로 정상 연골 부분의 체중 부하 부위로의 불충분한 이

동, 과도한 회전(150° 이상), 수술 시 대퇴골두 혈류 손상, 지나치게 빠른 과도한 운동 또는 체중 부하 등이 제시되었다.

(3) 절골술의 문제점

절골술은 다른 치료 방법과 비교하여 몇 가지 단점을 가지고 있다. 골유합을 위하여 비교적 오랜 기간의 안정 및 재활이 필요하며, 하지 부동 또는 파행이 발생하는 경우가 비교적 흔하고, 기술적으로 어렵다. 또한 부작용의 빈도도 높으며, 대퇴골 근위부의 해부학적 변형을 초래하여 추후 고관절 전치환술을 어렵게 만들 수 있다. 특히 고관절 전치환술로의 전환 시 내고정물의 제거, 대퇴스템 삽입 준비 중 치밀한 경화성 골을 제거하는 어려움, 대퇴골 천공 및 대퇴골의 골절, 대퇴 삽입물 고정의 어려움 등이 보고되고 있다. 하지만 Benke 등은 대퇴골 근위부 절골술 후 고관절 전치환술을 시행한 105예에서 수술 시 이러한 문제점이 있기는 하지만 모두 해결할 수 있는 문제로 고관절 전치환술의 결과는 양호하다고 보고하였다. 절골술이 수술을 어렵게 하고 수술 시간을 길게 한다는 문제점은 있으나 수술의 임상적 결과 자체는 큰 차이가 없는 것으로 알려져 있다.

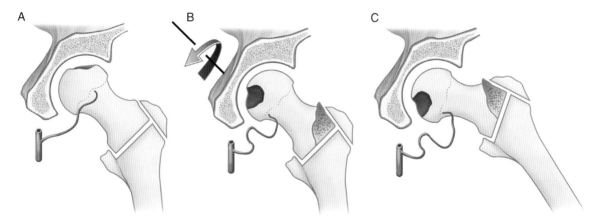

그림 26. Atsumi에 의해 제안된 골두 후방 회전 절골술의 모식도
전방 회전에 따라 내측 대퇴회선동맥의 장력이 감소함을 알 수 있다. (A) 대퇴골두와 경부의 중심축에 수직한 방향으로 절골술(화살표)을 시행한다. (B) 후방 회전 이후에 괴사 부위는 후내측 비체중 부하부로 이전하였다. 내측 대퇴회선동맥의 후방 분지(화살표)는 안쪽으로 이동하여 신전되지 않는다. (C) 대퇴골두의 손상되지 않은 앞쪽 부위는 비구의 체중 부하부로 이전한다. 관절의 일치도는 특히 고관절을 굴곡한 상태에서 잘 나타난다.

참고문헌

1. 강창수, 손승원, 김상유. 비구 이형승증에서 회전성 비구 절골술의 치험. 대한정형외과학회지. 1986;21:791-798.

2. 김희중, 김종원. 비구 절골술. 대한고관절학회지. 2004;16:254-259.

3. 민병우, 배기철, 강철형, 송광순, 손승원. 비구이형성 증에 시행한 회전 비구절골술; 5-18년 추시결과. 대한 정형외과학회지. 2005;40:717-722.

4. 박윤수. Chiari 골반 절골술. 대한고관절학회지. 2001;13:214-216.

5. 유명철, 조윤제, 김강일, 전성욱, 박경준. 비구이형성 증 환자의 관절경적 소견과 술전 비구순 검사의 유용 성. 대한정형외과학회지. 2006;41:197-203.

6. 조윤제, 김만호. 골반절골술. 대한고관절학회지. 2006;18:344-354.

7. 장재석, 권기대, 손현철. 고관절 이형성증에 대한 이중 접근법을 이용한 Berness 비구주위 절골술. 대한정형 외과학회지. 2002;37:226-232.

8. Anwar MM, Sugano N, Matsui M et al. Dome osteotomy of the pelvis for osteoarthrosis secondary to hip dysplasia. Bone Joint Surg Br. 1993;75:222-227.

9. Aronson J. osteoarthritis of the young adult hip: etiology and treatment. Instr Course Lect. 1986;35:119-128.

10. Biedermann R, Donnan L, Gabriel A, Wachter R, Krismer M, Behensky H. Complications and patients satisfaction after periacetabular pelvic osteotomy. Int Orthop. 2008;32:611-617.

11. Chiari K. Ergebnisse mit dre Beckenosteotomie alspfannendachplastik. Z. Orthop. 1955;87:14-26.

12. Chiari K. Medial displacement osteotomy of the pelvis. Clin Orthop Relat Res. 1974;98:55-71.

13. Cooperman DR, Wallensten R and Stulberg SD. Postreduction avascular necrosis in congenital dislocation of the hip. J Bone Joint Surg Am. 1980;62:247-258.

14. Cooperman DR, Wallensten R, Stulberg SD. Acetabular dysplasia in the adult. Clin Orthop Relat Res. 1983; 175:79-85.

15. Dorrell JH, Catterall A. The torn acetabular labrum. Bone Joint Surg Br. 1986;68:400-403.

16. Graham S, Westin GW, Dawson E, Oppenheim WL. The Chiari osteotomy. Clin Orthop Relat Res. 1986; 208:249-258.

17. Harris WH. Etiology of osteoarthritis of the hip. Clin Orthop Relat Res. 1986;213:20-33.

18. Hasegawa Y, Iwase T, Kitamura S, Yamauchi K, Sakano S, Iwata H. Eccentric rotational acetabular osteotomy for acetabular dysplasia: follow-up of one hundreds and thirty-two hips of five to ten years. J Bone Joint Surg Am. 2002;84:404-410.

19. Yukiharu Hasegawa Surgical Techniques of Eccentric Rotational Acetabular Osteotomy Hussel JG, Rodriguez JA, Ganz R. Technical complications of the Bernese periacetabular osteotomy. Clin Orthop Relat Res. 1999;363:81-92.

20. Kim KI, Cho YJ, Ramteke AA, Yoo MC. Peri-acetabular rotational osteotomy with concomitant hip arthroscopy for treatment of hip dysplasia. Bone Joint Surg Br.2011;93(6):732-7.

21. Kawamura B, Hosono S, Yokogushi K. Dome osteotomy of the pelvis. In Tachdjian, M. O.(ed): Congenital dislocation of the hip, New York, Churchill-Livingstone; 1982;609-623.

22. Klaue K, Durnin CW and Ganz R. The acetabular rim syndrome. A clinical presentation of dysplasia of the hip. Bone Joint Surg Br. 1991;73:423-429.

23. Ko JY, Wang CJ, Lin CFJ, Shih CH. Periacetabular osteotomy through a modified Ollier transtrochantric approach for treatment of painful dysplasitc hip. J Bone Joint Surg Am. 2002;84:1594-1604.

24. Kotz R, Chiari C, Hofstaetter JG, Lunzer A, Peloschek P. Long-term experience with Chiari's osteotomy. Clin Orthop Relat Res. 2009;467:2215-2220.

25. Matsuno T, Ichoka Y, Kaneda K. Modified Chiari pelvic ostetomy. a long term follow-up study. J Bone Joint Surg

Am. 1992;74:470-478.

26. Millis MB, Murphy SB, Poss R. Osteotomies about the hip for the prevention and treatment of osteoarthrosis. J Bone Joint Surg Am. 1995;77:626- 647.

27. Min BW, Kang CS, Lee KJ, Bae KC, Cho CH, Choi JH, Sohn HJ, Sin HK. Clinical Orthop Surg. 2018; 10(3): 299-306.

28. Myers SR, Eijer H, Ganz R. Anterior femoroacetabular impingement after periacetabular osteotomy. Clin Orthop Relat Res. 1999;363:93-99.

29. Nakamura S, Ninomiya S, Takatori Y, Moritomo S, Umeyama T. Long-term outcome of rotational acetabular osteotomy: 145 hips followed for 10-23 years. Acta Orthop Scand. 1998;69:259-265.

30. Nakata K, Masuhara K, Sugano N, e t a l. Dome (modified Chiari) pelvic osteotomy. Clin Orthop Relat Res. 2001;389: 102-112.

31. Ninomiya S, Tagawa H. Rotational acetabular osteotomy for the dysplasitc hip. J Bone Joint Surg Am. 1984;66: 430-436.

CHAPTER

3 관절 유합술 및 절제 관절성형술
Arthrodesis and Resection Arthroplasty

1. 고관절 유합술

고관절 유합술(arthrodesis)은 수술적인 방법으로 고관절을 고정함으로써 통증을 없애고 환자를 기능적인 일상으로 복귀시키고자 시행되는 수술이다. 문헌상으로는 1886년 프랑스의 Lagrange에 의해 고관절의 탈구와 관절염을 앓고 있던 16세의 여자에게 처음 시도되었다. 비록 이 시도는 실패하여 가관절을 형성하는데 그쳤지만, 그의 방법은 이후 반세기 이상 여러 변형을 거쳐 결핵이나, 화농성 고관절염을 포함한 다양한 고관절 질환을 치료하기 위해 시행되었다. 고관절 유합술은 Albee에 의해 1908년에 미국으로 전파되면서 수많은 술자들에 의해 가장 골 접촉면을 늘리며 안정성을 얻을 수 있는 방식으로 변화되었는데, 1953년 Charnley에 의한 중앙 탈구 및 압박 고정을 거쳐 1966년 도입된 Schneider의 코브라 금속판을 사용한 방법에 이르기까지 많은 변화가 있었다.

고관절 유합술은 1930년대 가동성 관절을 만들 수 있는 고관절의 컵성형술(cup arthroplasty of hip)이 개발되기 전까지는 심한 고관절 질환을 치료하기 위한 가장 대표적인 방법이었지만, 컵성형술 및 뒤를 이은 고관절 전치환술의 도입 이후 점차 선호도가 감소되었다. 그러나 고관절 전치환술도 10-15년 추시에서 골용해나 해리 등의 문제가 발생하였고, 이를 극복하기 위한 가장 최근의 재료 및 기술적인 발전을 모두 고려한다고 하더라도 대부분의 활동적인 젊은 환자들에게 30-40년 동안 장기적으로 성공적인 결과를 유지할 것

인가에 대한 과학적인 증거가 부족하다. 따라서 통증이 심한 고관절 질환이 있는 젊은 환자들을 대상으로 좀 더 전통적이고 대안적인 치료 방법으로서 관절 유합술을 재조명하려는 시도가 있다. 고관절 전치환술과 비교하면 관절 유합술은 관절 운동의 측면에서 기능적 결과가 뒤쳐지고, 수술의 난이도가 높고 큰 절개가 필요하며, 장기간의 고정과 재활 과정이 필요하다는 등의 단점은 있지만, 적절한 환자에 대해 잘 시행된다면 임상적으로 치료가 힘든 고관절 질환이 있는 환자에서 장기간 통증이 없고 비교적 기능적인 고관절을 제공할 수 있다는 장점이 있다.

1) 적응증

염증성 관절염이 아닌, 통증이 심한 일측 고관절만의 말기 골관절염이 있는 30-40세 미만의 젊고 활동적인 환자들이 고관절 유합술을 고려해 볼 수 있는 일반적인 대상이다. 만일 고관절의 심한 파괴나 골결손이 있으며, 고관절 주위 근육(특히 외전근)에 신경학적인 이상이 있다면 더욱 더 유합술을 고려해볼 수 있다. 환자는 심리적으로 안정되어 있어야 하며 수술 및 회복 기간을 마친 후에 곧바로 이전의 직업 및 노동으로 돌아가고자 하는 의지가 있어야 한다.

적절한 환자의 선택에 있어 환자의 수술 후 현실에 대한 이해는 매우 중요하다. 의료진은 수술 전에 환자가 비현실적인 기대를 갖지 않도록 수술 후의 일반적인 활동 정도에 대해 자세히 설명해 주어야 한다. 수술

후에는 일반적으로 하지가 약간 짧아지며, 보행 시 통증은 없지만 보행 속도가 조금 늦고 파행을 하게 된다. 보행 시의 산소 소비 효율성은 정상 고관절을 가진 사람에 비해 약 53 % 가량으로 감소되는 것으로 알려져 있다. 대부분 수술 후 노동이나 운동으로 복귀할 수 있으나 전반적인 활동도는 관절염이 없는 다른 사람들에 비해 약간 감소된다. 좁은 좌석에 앉기는 불편하지만 운전이 가능하며, 정상적인 생활이나 출산이 가능하다. 반대로 고관절 유합술을 고려할 대상이 되지 않는 상황은 류마티스 관절염 등과 같이 여러 관절이 이환되는 염증성 관절염, 활동성 화농성 감염이 있거나, 인접 관절(척추, 동측 슬관절 또는 반대측 고관절)에 관절 운동 제한 또는 골관절염 소견이 있는 경우이다. 다만, 이들 관절에 방사선적인 이상이 없거나, 관절 운동 제한이 동반되지 않는 통증만 있는 경우는 수술 후 증상의 개선을 기대할 수도 있으므로 수술의 부적응증은 아니다. 이들 인접 관절이 고관절 유합술에서 중요한 관심의 대상이 되는 이유는 임상적으로도 여러 가지 문제가 자주 발견되는 점도 있지만, 일측 고관절이 고정된 환자의 부족한 고관절의 움직임을 입각기에 골반의 횡방향 및 시상면 회전과, 반대편 고관절의 운동 증가, 동측 슬관절의 굴곡 증가로 보상한다는 보행분석 결과가 뒷받침해주기 때문이기도 하다. 이 외에 외상으로 인해 동측 슬관절의 내반 혹은 외반 불안정성이 있는 경우도 고관절 유합술의 대표적인 금기증이다. 상대적인 금기증으로는 전신 상태가 나쁜 상황이나 고령, 심한 비만 등이 있다.

2) 수술 방법
(1) 하지 위치

고관절 유합술 시 하지의 위치는 일상 생활을 수행하는 데에 있어 인접 관절의 적응에 중요한 역할을 하며, 에너지의 소비나 환자의 만족도, 그리고 장기적으로 고정된 고관절의 생존에 심대한 영향을 미친다. 가장 많이 권장되는 관절의 고정 각도는 20–30°의 굴곡,

0–7°의 내전, 5–10°의 외회전이다. 하지 길이의 단축은 신발 굽을 올리는 것만으로는 쉽게 보상이 되지 않으므로 최소화해야 하며, 하지의 내회전은 걸을 때 반대편 발과 걸릴 수 있고, 쉽게 신발을 신을 수 없기 때문에 피해야 한다. 하지의 내전과 외전에 대해서는 다소 상반된 주장이 있다. 관상면에서의 3° 변화는 1 cm의 하지 길이 변화를 가져올 수 있는 것으로 알려져, 전통적으로 단축된 하지를 고정시킬 때 의도적으로 약간 고관절을 외전시켜 기능적인 하지 길이를 보전해야 한다는 보고도 있었다. 그러나 이 경우 동측 슬관절의 내반 변형이 심해지고, 고관절이 내전된 경우보다 척추와 반대편 고관절, 동측 슬관절에 더 심한 통증과 방사선적 변화를 일으킨다는 연구가 있어 대부분의 저자들이 하지를 외전시키지 않는 것에 동의하고 있다. 다만, 골성장이 끝나지 않은 소아에서는 관절 유합술 이후 고관절이 점차적으로 내반 변형되는 경향이 있어 이를 보상하기 위해 관절 고정 시 1–2° 가량 외반시키는 것이 좋다는 연구도 다수 있다.

고정될 고관절의 위치를 수술 중에 결정하는 방법은 대단히 어렵다. 일반적으로, 양 하지를 모두 노출시킨 상태에서 수술을 진행하며 앙와위일 때가 측와위보다 더 쉽게 위치를 선정할 수 있는 것으로 알려져 있다. 우선 환자 동체의 측면과 비교하여 고관절의 굴곡을 결정하고, 반대편 하지의 회전 정도와 비교하여 회전을 결정한다. 이 두 가지의 결정은 비교적 용이하지만, 반드시 반대편 하지를 완전히 굴곡시켜 요추의 전만 정도를 확인하면서 위치를 결정해야 한다. 이들 두 가지 위치와는 달리 수술 시에 하지의 외전 정도를 결정하는 것은 쉽지 않다. 우선 앙와위에서 방사선 투과성 테이블을 사용하여 골반 전체를 포함한 하지의 위치를 확인할 수 있도록 하여야 한다. 긴 금속성 각도기를 사용하여 방사선투시하에서 양측 장골능 혹은 전상장골극을 잇는 선을 기준으로 하여, 이 선과 대퇴골두와 과간 절흔을 잇는 대퇴골의 기계적 축이 이루는 각도를 확인하여 결정한다.

(2) 고정 방법

고관절 유합술의 술기는 여러 가지가 알려져 있으나, 수술 시 어떠한 것을 사용하든지 각 방법은 공통적인 목적을 가지고 있다. 그 목적은 골 접촉을 최대화하고, 압박력을 주면서 강한 고정을 하여 최단 시간 내에 확실한 골유합을 얻을 수 있어야 한다는 것이다. 또한 수술 후 석고 고정을 피해야 하며 하지 부동을 최소화하고, 슬관절의 기능을 보존하면서 고정된 고관절이 적절한 자세를 유지할 수 있어야 하고, 추후 발생할 수 있는 고관절 전치환술로의 전환이 용이하도록 고관절의 외전근을 잘 유지할 수 있어야 한다. 전통적으로 고정 여부와 관계없이 골이식을 사용하는 방법이 소개되었으나(그림 1), 견고한 고정을 얻을 수 없어 장기간의 석고 고정해야 하는 단점이 있으므로 많이 사용되지 않는다. 전술한 목적을 달성하기 위해 많이 사용하는 방법은 크게 코브라 금속판 고정, 전방 금속판 고정, 압박 고나사 고정 및 외고정 등으로 나눌 수 있다.

① **코브라 금속판 고정**: 1966년 Schneider에 의해 고안된 방법으로 코브라 금속판을 사용한 강력한 고정을 얻을 수 있어 수술 후 석고 고정이 필

요하지 않다는 장점이 있는 반면, 외전근 혹은 대전자를 떼었다가 재부착시켜야 하고, 필요시 Chiari 절골술 등의 골반 절골술을 같이 해야 하는 단점이 있다. 환자를 앙와위로 눕히고 경전자 접근법으로 고관절에 접근한 후 내측 대퇴회선동맥을 손상시키지 않도록 조심해서 대전자를 절골한 후 관절낭을 절개한다. 이후 고관절을 전방으로 탈구시키고 비구와 대퇴골두에서 확공기를 사용하여 연골을 제거한 후 최대한 고관절을 내측으로 이동시킨 상태에서 비구와 대퇴골두를 접촉시킨다. 이때 비구가 깊지 않거나 고관절이 아탈구된 상태라면 Chiari 절골술과 유사한 형태의 비구 절골을 시행한다. 고정에 필요한 준비가 끝나면 전술한 방법으로 하지의 위치를 정하고, 코브라 금속판을 사용하여 비구와 대퇴골을 고정한다. 이때 금속판을 압박 고정하면서 하지가 약간 외전될 수 있는 것을 감안하여 금속판의 고정 전 하지는 약 10-15° 내전된 위치에서 시작한다. 모든 고정을 마친 후 접근을 위해 절골하였던 대전자는 나사를 사용하여 코브라 금속판에 다시 부

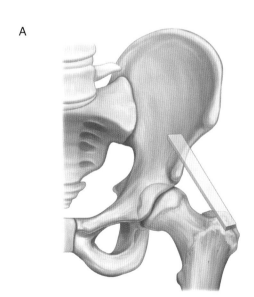
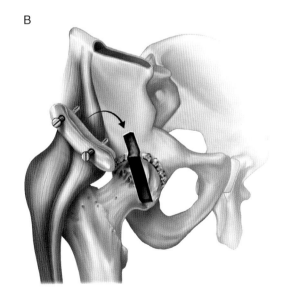

그림 1. 골이식을 사용한 유합술
(A) 피질골판을 사용한 관절 외고정법. (B) 근유경 골이식법

착시킨다(그림 2). 수술 후 환자는 통증이 개선되는 대로 목발 등을 사용한 전족부 접촉 체중 부하(toe-touch weight bearing) 보행을 6주간 시행한다. 이 때 유합이 진행된다고 판단되면 이후 6주 동안 점차 체중 부하를 늘린다. 대부분 수술 후 4-5개월에 유합이 이루어지며 환자가 이환 전의 업무로 완전히 복귀하는 것은 수술 후 6-12개월 정도에 가능하다.

② **전방 금속판 고정:** 1997년 Matta에 의해 소개된 이 방법은 골반 및 대퇴골의 전방에서 하나의 긴 금속판을 사용하여 하지를 고정시키는 방법으로, 강한 고정을 얻을 수 있으면서도 외전근을 보존할 수 있어 추후 고관절 전치환술로의 전환이 용이하다는 장점이 있다.

양 다리를 모두 노출시킨 상태에서 환자를 앙와위로 눕히고 광범위 Smith-Petersen 접근법(extended Smith-Petersen approach)을 사용하

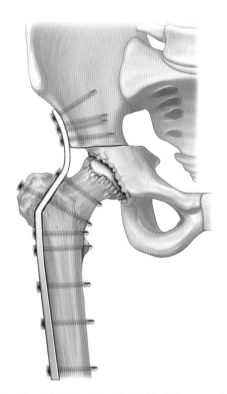

그림 2. 코브라 금속판을 사용한 고관절 유합술의 모식도

여 고관절에 접근한다. 봉공근과 대퇴직근 두 개의 기시부를 모두 절제 후 전방 관절낭을 절제하고 대퇴를 견인한 상태에서 관절 연골을 제거한다. 관절을 접촉 시킨 후 하지의 위치를 확인하여 위치가 정확하다면 대퇴의 외측에서 대퇴골두의 상방으로 하나의 긴 6.5 mm 해면골 나사를 삽입하여 압박한다. 이후 장골, 골반 전방부(pelvic brim), 대퇴골두 및 근위 대퇴골의 전방에 긴 동적 압박 금속판(dynamic compression plate)을 모양에 맞도록 구부린 후 고정한다. 고정은 장골측을 먼저 시행하며, 금속판의 압박 시 하지가 지나치게 굴곡되지 않도록 주의해야 한다. 만일 접촉이 완전치 않다면 장골능으로부터 자가 골이식을 시행할 수 있다(그림 3). 만일 정복이 유지가 되지 않는 탈구나, 심한 골결손이 있는 경우, 환자의 협조가 잘 되지 않는 경우 등 유합이 어려운 예에서는 두 개의 금속판을 전방과 후방에 사용할 수도 있다. 수술 후 환자는 약 10주 동안 부분체중 부하를 시행하며 수술 후 12주가 경과하여 골유합이 확인되면 전체중 부하를 허용한다.

③ **역동적 고 나사 고정:** Pagnano와 Cabanela에 의해 소개된 이 방법은 비교적 친숙한 기구와 접근법을 사용하며 외전근을 보존하면서도 전술한 수술 방법의 목적을 모두 만족시킬 수 있다는 장점이 있다. 환자를 앙와위로 눕히고 Watson-Jones 접근법으로 고관절에 도달하며 전방 관절낭을 모두 절제한 후 관절을 전방으로 탈구하여 관절 연골 및 연부조직을 모두 제거하고 관절을 다시 접촉시킨다. 이후 하지의 위치를 확인하고 대퇴골의 측면으로 접근하여 150° 정도의 경간각을 갖는 역동적 고 나사(dynamic hip screw)를 사용하여 대전자 하부에서 대퇴골 경부 및 골두의 중심을 거쳐 강한 비구 상방의 장골에 이르는 고정을 시행한다. 필요에 따라 역동적 고 나사의 래그 나사(lag screw) 상부에 2-3개의 해면골 나사를

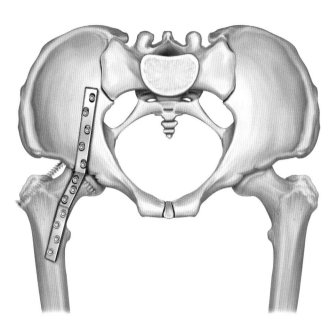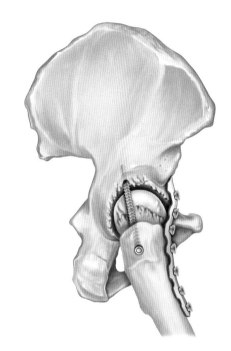

그림 3. 전방 금속판을 사용한 관절 유합술의 모식도

추가 고정한다(그림 4). 수술 후에는 약 8-10주간 전족부 접촉 체중 부하를 시행하고, 이후 유합이 진행된다고 판단되면 보조기 혹은 간략한 석고 고정 후 4-6주 동안 점차 체중 부하를 늘린다. 수술 후 6개월 정도에 유합을 기대할 수 있으며 환자가 이환 전의 업무로 완전히 복귀하는 것은 수술 후 12개월 정도에 가능하다. 수술 시 사용한 역동적 고 나사 및 해면골 나사는 최소한 18개월 이 경과한 후 제거하는 것이 골재형성을 돕고 추 후 고관절 전치환술로의 전환 시 유리할 수 있다.

④ **외고정:** 외고정기를 사용하는 방법은 근위 대퇴 골의 형태를 변화시키지 않아 추후 관절치환술 로의 전환 시에 문제를 일으키지 않고, 착용 중 조정이 가능하므로 하지를 정확한 위치로 고정 시킬 수 있으며, 동시에 외고정기를 착용하여 골유합을 기다리는 중에도 환자의 보행이 가능 하다는 등의 여러 가지 장점이 있다. Tavares와 Frankovitch에 의해 소개된 방법은 장골능의 둔

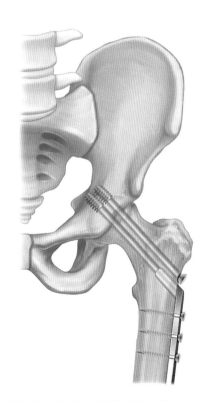

그림 4. 역동적 고 나사를 사용한 관절 유합술의 모식도

근결절(gluteal tubercle)과 전하장골극을 골반측 고정점으로 사용하여 대퇴골을 외고정기로 고정하는 방법으로 상황에 따라 1-2개 정도의 해면골 나사를 병행하여 사용할 수 있다(그림 5). 다만 주의해야 할 것은 외고정기를 사용하여 고관절을 고정시키는 경우 시간이 지남에 따라 하지가 약간 내전될 수 있으므로 처음 위치를 선정할 때 이를 고려해야 한다는 점이다.

3) 임상 결과

고관절 유합술 후의 장기적인 추시 결과에 대한 연구는 그리 많지 않다. Sponseller 등과 Callaghan 등의 연구를 포함한 대부분의 장기 추시에서는 약 70% 가량의 환자가 수술에 만족하고 있으며 대부분이 농업 등의 심한 육체노동을 포함한 업무에 종사하고 있었다. 60% 가량의 환자가 주변관절의 통증을 가지고 있었으며 요통이 55-100%로 가장 많았고, 그 다음이 동측 혹은 반대측의 슬관절 통증으로 45-68%가 호소하였다. 반대측의 고관절 통증은 가장 빈도가 적어 25-63%에서 호

소하였다. 이들 통증은 대부분 심각하지는 않으며 수술 후 약 20년 가량이 경과한 후에 나타났다.

4) 합병증

고관절 유합술 후 발생할 수 있는 조기 합병증은 출혈, 감염, 신경 손상, 혈전증, 하지의 위치 변화, 대퇴골 골절, 불유합 및 부정유합 등이 있다. 이 중 감염은 약 4-8% 정도이고, 유합된 고관절 원위부의 대퇴골 골절은 1.3-18%로 다양하게 보고되어 있다. 불유합은 강한 내고정기기의 도입 이후 현저히 감소하여 현재는 5-15% 정도이고, 부정유합이나 잘못된 하지 위치는 17%에서 발생할 수 있다. 장기적인 합병증은 주로 전술한 주변 관절의 통증과 관련된 것이 대부분이다. 이러한 주변 관절의 통증은 고관절 유합술에 대한 적응 및 보상과 관련된 것으로 피할 수 없는 것으로 생각되지만, 2 cm 이상의 단축이 있거나, 고정된 하지의 외전이 요통과 관련이 있다는 연구 등으로 미루어 고정 시의 하지 위치와도 어느 정도는 연관이 있는 것으로 생각된다.

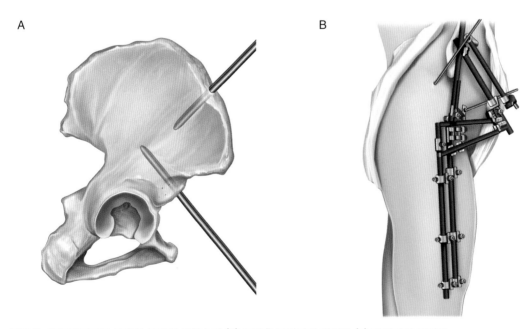

A B

그림 5. 외고정기기를 사용한 고관절 유합술의 (A) 골반측 고정핀의 위치와 (B) 전체적인 모식도

5) 고관절 전치환 수술로의 전환

고관절 유합술 이후에 고관절 전치환술로 전환하는 경우는 요천추 관절, 슬관절, 반대편 고관절의 통증이 심한 경우에 고려해 볼 수 있으나, 기술적으로 어려움이 많다. S. Jain 등의 연구에 의하면 문헌 고찰 결과, 유합술 이후 고관절 전치환술로 전환을 시행한 적응증은 심한 요통으로 인한 경우가 131예, 동측 고관절 또는 슬관절의 통증으로 인한 경우가 67예, 건측 고관절 또는 슬관절 통증으로 인한 경우가 18예, 이상 위치(malposition)로 인한 경우가 44예, 골절 8예, 가관절증(pseudoarthrosis)이 3예인 것으로 보고하였다. 여러 가지 수술 방법들이 가능하지만, 경전자부 절골술(transtrochanteric osteotomy)을 통한 외측 접근법이 가장 많이 사용되는 것으로 알려져 있다. 수술 후 합병증은 11.1%에서 54%까지 다양하게 보고되며, 인공관절의 해리(loosening), 탈구, 감염, 신경 마비(nerve palsy), 이소성 골화, 혈전증, 이상 위치 등이 알려져 있다. 고관절 전치환술 이후 재치환술을 시행하는 경우는 심부 감염, 해리, 그리고 탈구가 원인인 경우가 많았다. 활동성 감염의 증거가 있는 경우를 제외하고는 수술의 절대적 금기는 없으나, 수술 후 오히려 파행이 증가하고, 탈구를 포함한 다양한 합병증이 다른 질환에 의한 고관절 전치환술보다 월등히 많을 수 있으므로 신중한 환자의 선택이 필요하다. 이를 위해 술자는 반드시 수술 전 환자의 외전근(abductor muscle)의 상태, 고관절 회전 중심(hip rotation center), 비구 바닥(acetabular bed), 골질(bone quality) 등을 확인해야 하며, 환자에게 수술 이후 발생 가능한 문제점에 대해 미리 충분히 설명해야 할 것이다.

2. 절제 관절성형술

고관절의 절제 관절성형술은 대퇴골두와 경부의 일부를 제거함으로써 고관절의 질환을 치료하는 가장 오래된 치료법 중의 하나이다. 이 수술의 목적은 통증을 없애고, 기능을 개선하며, 감염이 있는 경우 감염을 없애기 위함이다. 1800년대 초-중반에 Schmalz와 White, Barton 등에 의해 각각 결핵성 고관절염과 강직성 고관절을 치료하기 위해 시행된 것이 보고되었으나, 1923년에 Girdlestone이 진행된 결핵성 관절염과 고관절의 화농성 관절염에서 대퇴골두, 경부, 비구 외측단 일부를 절제하여 치료한 예를 보고하면서 비로소 절제 관절성형술이 하나의 치료법으로 확립되었으며, 이후 'Girdlestone 술식'으로 불리는 계기가 되었다. 1950년에 Taylor는 93예의 절제 관절성형술을 보고하면서 90%에서 좋은 결과를 보였다고 하였고, 이 술식이 신뢰성 있게 고관절의 통증을 감소시키며 변형을 교정하고, 고관절의 관절 운동을 회복시킬 수 있다고 하였다. 그러나 절제 관절성형술 후에 생길 수 있는 관절의 불안정성이 많은 우려를 불러 일으켰으며 그것을 극복하기 위한 다양한 변형이 뒤따랐지만 어느 것도 Taylor의 보고보다 개선된 결과를 보이지는 못했다. 또한 1950년대 말 고관절 전치환술의 성공적인 개발과 뒤이은 발전에 따라 여러 질환에 대해 일차적인 치료의 목적으로 시행되는 절제 관절성형술은 거의 사라졌으며, 현재는 감염된 고관절 치환술의 치료나 여러 원인으로 인해 근위 대퇴골에 재건이 불가능할 정도로 심한 골결손을 남긴 상태에서 제한적으로 사용되고 있다.

1) 적응증

20세기 초까지만 해도 많은 고관절 질환이 절제 관절 성형술의 대상이 되어, 이 수술을 통해 효과적으로 통증을 줄이고, 감염을 조절하였으며, 비교적 만족스러운 기능을 회복할 수 있었다(표 1). 그러나 고관절 전치환술의 성공적인 확산에 따라 절제 관절성형술의 임상 적응은 점차로 감소되어, 현재는 여러 방법으로도 해결되지 않는 고관절의 감염이나, 다른 전신적 이유로 인해 고관절의 재건이 가능하지 않은 경우, 감염된 인공관절의 치료 과정의 일부, 고관절의 골결손을 보이는 경우나 진행성의 신경병성 관절염 등에 시행된다. 이 수술의 금기에 대한 명확한 언급은 없으나, 심

표 1. 절제 관절성형술의 고전적인 임상 적응증

최종 치료로서의 절제 관절성형술
화농성 고관절염 및 근위 대퇴골의 골수염
강직성 척추염의 고관절 침범
골관절염
류마티스 관절염
대퇴골 경부 골절 불유합
내고정으로 치료 시 발생한 감염
심한 비구 돌출
심한 강직성 질환
고관절 주위의 종양
신경병성 고관절증
단계적 치료의 일부로서의 절제 관절성형술
감염된 고관절 치환술
심한 골손실

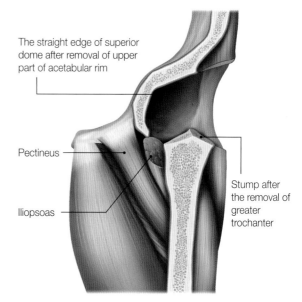

The straight edge of superior dome after removal of upper part of acetabular rim

Pectineus

Iliopsoas

Stump after the removal of greater trochanter

그림 6. 전형적인 Girdlestone 절제 관절성형술의 모식도

한 비만이 있는 경우는 수술 자체도 힘들지만 수술 후 재활이 어려워져서 시행이 어렵고 너무 심한 골결손이 있는 환자는 수술 후 심한 불안정성이 발생할 수 있어 시행을 꺼린다.

2) 수술 방법

(1) 최종 치료로서의 절제 관절성형술

만일 절제 관절성형술을 추후 고관절 전치환술을 고려하지 않는 최종 치료로 시술한다면 고전적인 Girdlestone의 방법 및 몇 가지 변형 방법을 고려해야 한다. Girdlestone은 측와위에서 하나의 긴 절개를 통해 대전자부에 도달하여 대전자의 상방에서 둔근을 통해 장골의 외면에 이르는 깊은 절개를 넣어 둔근을 분리하여 상방으로 견인하여 고관절에 접근하였다. 이후 고관절을 탈구하고 전자간선의 높이에서 근위 대퇴골을 절제하고 동시에 비구의 상외측연을 절제하여 충돌을 예방하였다(그림 6). 이때 비구 내를 포함한 고관절 주위의 모든 연골, 연부조직 및 병적인 조직을 제거하였다. 이후 여러 해에 걸쳐 많은 저자들에 의해 술식의 변형이 이루어졌다. 우선 수술 후 고관절의 안정성

을 주고 기능을 보존하기 위해 둔근을 분리하는 대신 건강한 외전근을 보존하려는 변형이 있었다. 절골선의 높이에 대해서는 이견이 있으며, 일부에서는 원래의 술식보다 절골선이 근위부에 있어 경부를 많이 남기는 것이 더 좋은 기능을 보였다고 하였으나, 절골부위와 기능 간에 관련이 없다는 보고도 있다. 근위 대퇴골을 제거한 후 비구 외연을 제거하는 것은 비구의 외연이 이루는 각을 근위 대퇴골의 전자간선과 평행하게 하여 비구와 남아있는 근위 대퇴골간의 충돌을 막으려는 시도로 좋은 결과를 보고하였다. 그러나 추후에 고관절 전치환술로의 전환이 필요한 경우 안정적인 비구 삽입물의 고정을 방해할 수 있으므로, 가능한 시행하지 않는 것이 좋다는 지적이 있다. 모든 절제를 마친 후 봉합을 하기 전에 장요근에 의한 하지의 지속적인 내전, 굴곡 및 외회전을 막기 위해 소전자의 절골, 혹은 전방 이동을 추가할 수 있으며, 절골부의 안정성을 얻기 위해 근위 대퇴골의 외반 절골술을 시행할 수 있다. 외반 절골은 대개 골반의 좌골 조면의 원위단 정도 높이에서 시행하며 20-30° 가량 외반시킨 후 금속판을 사용하여 고정한다. 이 조작으로 관절의 안정성 및 가동성

을 증가시킬 수 있으며 하지 부동이 있는 경우 약 5 cm 까지의 길이 교정 효과가 있으나 이것이 수술 후의 파행을 개선시키지는 못하는 것으로 알려져 있다(그림 7).

(2) 단계적 수술로서의 절제 관절성형술

추후 고관절 전치환술로 전환할 계획이 있거나, 단계적 수술의 일부로서의 절제 관절성형술은 전술한 최종 치료와는 조금 다른 의미를 갖는다. 우선 안정적인 고관절 전치환술을 위해 비구 및 근위 대퇴골의 구조적 변화를 줄여야 하고, 가능한 외전근을 포함한 주변 근육을 많이 남겨야 한다. 따라서 전통적인 Girdlestone 의 접근법과는 달리 외전근에 절개를 넣지 않고, 대퇴골 경부의 절제 시 가능한 많은 골을 남기면서, 비구의 외연 또한 보존하여 추후 재건 시 비구컵 및 대퇴스템의 안정된 고정을 얻을 수 있도록 해야 한다. 또한 소전자 절제 및 외반 절골술 또한 추후의 재건 시 문제를 일으킬 수 있으므로 가능한 시행하지 않아야 한다.

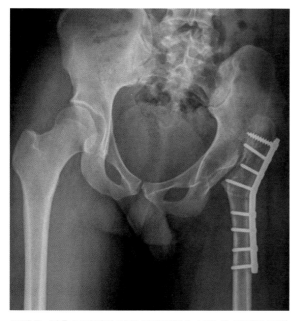

그림 7. 좌측 고관절의 절제 관절성형술 시행 후 관절의 안정성을 위해 추가적으로 시행된 근위 대퇴골의 외반 절골술

(3) 재활

수술의 목적을 달성하기 위해서는 하지 길이의 단축을 줄이면서 고관절 내에 섬유성 조직이 증식되어 개재(interposition)된 안정적 가관절이 형성되어야 한다. 수술 후의 재활도 이 목적이 달성될 수 있도록 진행되어야 한다. 전통적으로 수술 후에는 하지를 약간 내회전 혹은 중립 회전시킨 자세에서 10-30 파운드의 하중으로 6주 가량 골견인을 시행하며 수술 후 3주부터 고관절과 슬관절의 관절 운동을 시작한다. 견인에 대하여는 저자들에 따라 수술 후 그 필요성 여부로부터 기간, 방법에 이르기까지 많은 이견이 있다. 고관절 전치환술이 계획되어 있지 않다면 수술 후 6-8개월이 경과해야 비로소 전체중 부하가 허용되며 그 사이에는 보조기를 착용하고 목발을 사용한 보행을 권장한다. 2.5-5 cm 정도의 하지 단축은 이 수술의 자연스러운 결과이며, 견인을 오래 하거나 보조기를 장기간 사용한다고 수술 후 단축이 큰 차이를 보이는 것은 아니라는 대규모 연구 결과가 있다. 대부분의 환자들이 지팡이나 목발 등의 보행 보조 수단이 필요하고 결국은 외전근 보행을 포함한 파행을 하므로 안정적인 보행을 위한 재활 및 훈련은 필수적이다.

3) 임상 결과

고관절 절제 관절성형술은 그것이 최종적인 치료이든, 단계적 수술의 일부이든 상관없이 수술의 목적은 같다. 그러나 최종적인 치료로서 시행된 절제 관절성형술의 결과는 단계적인 수술의 과정, 특히 감염된 고관절 전치환술의 재치환을 위해 시행한 수술의 결과와는 확실히 다르며 대부분 그보다 결과가 우수하다. 최종적인 치료로 시행된 절제 관절성형술은, 모든 환자들이 하지의 단축과 파행을 보이고 두 개의 목발을 모두 사용함으로 해서 에너지나 산소 소비가 정상인의 240%에 달해 쉽게 피로를 느낀다는 연구는 있지만, 주관적인 지표를 사용한 연구에서는 모두 70-90%에 이르는 높은 환자 만족도를 보였다. 그러나 감염된 고관절 치환술 치료의 중간 단계로 시행된 수술은 감염의 제거 측면에서는 우수하지만 평균 62.5%에서만 의미 있는 통증의 감소를 보인다(표 2).

4) 합병증

고관절의 절제 관절성형술은 수술의 원인이 되는 질환으로 인해 환자의 전신 상태가 떨어진 상태에서 긴 절개와 많은 출혈이 예상되는 큰 수술로 전신적인 합병증이 발생할 가능성이 많다. 예상되는 합병증으로는 출혈, 수술로 인한 감염, 색전증 등이 있다. 이 중 감염의 재발 혹은 잔류는 10-20%에서 발생하는 것으로 보고되나 균의 종류, 환자의 면역 기능, 수술 시의 변연절 제술 정도 등에 따라 변할 수 있어 해석에 주의를 요한다. 만일 절제 관절성형술 후 감염이 재발되고 어떠한 치료로도 조절되지 않는다면 다시 한번 변연절제술을 하면서 남아 있는 결손부위를 외측 광근 피판술 (vastus lateralis flap) 등을 시행하여 메우는 방법이 소개되어 있다. 이 외에 국소적인 합병증으로 신경 손상과 대퇴골의 골절, 남아있는 대퇴골과 비구의 충돌에 의한 통증 등이 발생할 수 있다.

5) 고관절 전치환 수술로의 전환

절제 관절 성형술 이후에 고관절 전치환 수술로 전환을 고려할 때에는 인공 관절 수술과 관련된 합병증이 발생하지 않도록 사전에 충분한 검사를 시행해야 하며, 합병증 발생에 대하여 환자 및 보호자에게 미리 설명하는 것이 중요하다. 약해진 근육 등의 문제로 심한 파행이나 지속적인 탈구가 발생할 수 있으며, 지속적으로 감염이 재발할 수 있고, 만약 경전자부 절골술을 시행한 경우 절골부 불유합이 발생할 수 있다. 이외에 혈종, 이소성 골화, 신경 손상 등 고관절 전치환술과 관련된 합병증이 발생할 확률이 다소 높으므로 고관절 전치환술을 고려할 시에는 보다 세밀한 주의를 요한다.

표 2. 절제 관절성형술의 임상적인 결과

저자	환자 수	목적	기능 분석	통증감소 (%)	감염 조절 (%)	만족도 (%)
Ballard	46	감염*	81% 보조기 사용 보행	81.5	96	72
Bourne	33	최종**	21% 제한 없이 보행 가능	91	97	79
Clegg	30	감염	평균 Harris 고관절 점수는 60점	90	80	
Grauer	48	감염	보행은 약간만 호전	35	94	
Haw and Grey	40	최종		72	100	77
Herzog	64	감염	평균 보행 가능 거리가 690 m	90.6	> 90	
Kantor	41	감염	최소한 보행 가능 및 보행불가는 83%	7	33	60
Marchetti	104	감염	감염된 THA 치료는 45%가 나쁜 결과	73	87	72
Murray	32	최종	31명이 보행 가능	94		
Parr	38	최종	38 비보행자 중 32명이 보행 가능	80	83	
Taylor	93	최종	93명 중 83명이 양호 이상			

* 감염으로 인해 시행한 단계적 수술로서의 절제 관절성형술 / ** 최종적인 치료로서 시행한 절제 관절성형술

참고문헌

1. Ahlback SO, Lindahl O. Hip arthrodesis: The connection between function and position. Acta Orthop Scand. 1966;37:77-87.

2. Ballard WT, Lowry DA, Brand RA. Resection arthroplasty of the hip. J Arthroplasty. 1995;10:772-9.

3. Beaule PE, Matta JM, Mast JW. Hip arthrodesis: Current indications and techniques. J Am Acad Orthop Surg. 2002;10:240-58.

4. Bourne RB, Hunter GA, Rorabeck CH, McNab JJ. A six-year follow-up of infected total hip replacements managed by Girdlestone's arthroplasty. J Bone Joint Surg Br. 1984;66:340-3.

5. Callaghan JJ, Brand RA, Pedersen DR. Hip arthrodesis: A long term follow-up. J Bone Joint Surg Am. 1985; 67:1328-35.

6. Callaghan JJ. Arthrodesis. In: Callaghan JJ, Rosenberg AG, Rubash HE ed. The adult hip. 2nd edition. Philadelphia, Lippincott Williams and Wilkins; 2007; 762-772.

7. Charlton WP, Hozack WJ, Teloken MA, Rao R, Bissett GA. Complications associated with reimplantation after girdlestone arthroplasty. CORR. 2003;407:119-26.

8. Clegg J. The results of the pseudarthrosis after removal of an infected total hip prosthesis. J Bone Joint Surg Br. 1977;59:298-301.

9. Eftekhar NS. Resection pseudarthrosis and disarticulation. In: Eftekhar NS ed. Total hip arthroplasty. 1st ed. St Louis, Mosby; 1993;1309-39.

10. Fulkerson JP. Arthrodesis for disabling hip pain in children and adolescent. Clin Orthop Relat Res. 1977; 128:296-302.

11. Girdlestone GR. Arthrodesis and other operations for tuberculosis of the hip. In: Milford H ed. The Robert Jones birthday volume. London, Oxford University Press. 1928.

12. Girdlestone GR. Acute pyogenic arthritis of the hip: an operation giving free access and effective drainage. 1943. Clin Orthop Relat Res. 2008;466:258-63.

13. Gore DR, Murray MP, Sepic SB, et al. Walking patterns of men with unilateral surgical hip fusion. J Bone Joint Surg Am. 1975;57:759-67.

14. Grauer JD, Amstutz HC, O'Carroll PF, Dorey FJ. Resection arthroplasty of the hip. J Bone Joint Surg Am. 1989;71:669-78.

15. Haw CS and Gray DH. Excision arthroplasty of the hip, J Bone Joint Surg Am. 1976;58:44-7.

16. Herzog T, Link W, Engel S, Beck H. Resection arthroplasty: middle-and long-term results. Arch Orthop Trauma Surg. 1989;108:279-81.

17. Iobst CA, Stanitski CL. Hip arthrodesis: Revisited. J Pediatr Orthop. 2001;21:130-4.

18. Jain S, Giannoudis PV. Arthrodesis of the hip and conversion to total hip arthroplasty: A systematic review. J Arthroplasty. 2013;28:1596-1602.

19. Kantor GS, Osterkamp JA, Dorr JD, et al. Resection arthroplasty following infected total hip replacement arthroplasty. J Arthroplasty. 1986;1:83-9.

20. Lindahl O. Determination of hip adduction, especially in arthrodesis. Acta Orthop Scand. 1965;36:280-93.

21. Marchetti PG, Toni A, Baldini, et al. Clinical evaluation of 104 hip resection arthroplasties after removal of a total hip prosthesis. J Arthroplasty. 1987;2:37-41.

22. Matta JM, Siebenrock KA, Gautier E, Mehne D, Ganz R. Hip fusion through an anterior approach with the use of a ventral plate. Clin Orthop Relat Res. 1997;337: 129-39.

23. Mowery CA, Houkom JA, Roach JW, et al. A simple method of hip arthrodesis. J Pediatr Orthop. 1986;6: 7-10.

24. Murray WR, Lucas DB, Inman VT. Femoral head and neck resection. J Bone Joint Surg Am. 1964;46:1184-97.

25. Parr P, Croft C, Enneking WF. Resection of the head and neck of the femur with or without angulation osteotomy. J Bone Joint Surg Am. 1971;53:935-44.

26. Pickering RM. Arthrodesis of ankle, knee and hip. In: Canale ST ed. Campbell's operative orthopaedics. 10th ed. St. Louis, Mosby. 2003;155-198.

27. Price CT, Lowell WW. Thompson arthrodesis of the hip in children. J Bone Joint Surg Am. 1980;62:1118-23.

28. Sharma H, De Leeuw J, Rowley DI. Girdlestone resection arthroplasty following failed surgical procedures. Int Orthop. 2005;39:92-5.

29. Stover MD, Beaule PE, Matta JM, Mast JW. Hip arthrodesis: A procedure for the new millennium? Clin Orthop Relat Res. 2004;418:126-33.

30. Strathy GM, Fitzgerald RH. Total hip arthroplasty in the ankylosed hip: a ten year follow-up. J Bone Joint Surg Am. 1988;70:963-6.

31. Tavares JO, Frankovitch KF. Hip arthrodesis using the AO modular external fixator. J Pediatr Orthop. 1998; 18:651-6.

32. Taylor RG. Pseudarthrosis of the hip joint. J Bone Joint Surg Br. 1950;32:161-5.

33. Weinstein SL, Garbuz DS, Duncan CP. Hip Arthrodesis. In: Lieberman JR, Berry DJ ed. Advanced Reconstruction: hip. 1st ed. Rosemont, American Academy of Orthopaedic Surgeons. 2005: 495-501.

4

고관절 치환술: 개요
Hip Arthroplasty: Overviews

1. 역사적 배경

외상 및 다양한 질환에 의한 고관절의 손상은 통증과 운동 제한으로 인한 파행, 더 나아가서는 보행이 불가능할 수 있기 때문에 손상된 관절을 재건하기 위한 노력이 수 세기 동안 이어져 왔다. 특히 고관절 수술은 마취의 기술이나 무균적 수술 방법이 소개되기 전에는 성공률이 매우 낮아 심한 외상이나 감염의 경우에 제한적으로 시행되는 최후의 수술 방법으로 생각되었다. 1865년 Lister에 의해 감염을 줄이기 위한 수술법이 소개된 후로 1964년 Charnley경에 의해 소개된 무균 폐쇄식 수술실(clean air-operating enclosure) 개념의 도입까지 다양한 무균적 수술법들이 개발 적용되어 수술에 따른 감염률을 상당히 낮출 수 있게 되었다.

고관절 치환술 발전 과정의 초기에는 여러 가지 수술 방법들이 시도되었다. 안정적인 관절 가동성을 만들기 위하여 1826년 펜실베니아의 John Rhea Barton은 강직성 고관절 환자에서 절골 관절성형술(osteotomy arthroplasty)의 방법으로 대전자와 소전자사이의 대퇴골 절골술을 시행하였는데, 고관절의 골절 및 감염의 후유증으로 내전 및 내회전, 굴곡 상태에서 강직되어 있는 고관절에 가동성 관절을 만드는 것이었다. 환자는 수술 후 약 6년간 고관절의 가동성을 가질 수 있었고 10년 후 결핵으로 사망하기 전까지 수술 전보다 나은 삶을 영위할 수 있었다. 1835년 Bouvier에 의해 선천적인 고관절 탈구에서 첫번째 전자하부 절골술이 시행되었으며, 절골 관절성형술은 주로 선천적인 고관절

탈구 환자에서의 시술을 통해 발전하였다. 1840년 뉴욕의 Carnochan이 하악골 경부를 절제한 후 목재 블록(wood block)을 이용한 개재 관절성형술(interposition arthroplasty)을 시행하였고 이후로 고관절에서는 강직성 관절에서 절골술 후 수술의 성공률을 높이기 위해 여러가지 다양한 물질을 삽입하려는 시도가 있어왔다. 1883년 Ollier는 관절 주위의 연부조직을 삽입하였고, 1902년 Murphy는 근육판 및 지방으로 덮인 근막 또는 근막 자체를 삽입물로 사용하였다. 1918년 볼티모어의 William S.Baer는 돼지 방광의 점막하층을 사용하였는데 이는 베어의 막(Baer's membrane)이라 하여 짧은 기간이지만 널리 사용되었고, 이탈리아 Bologna의 Putti 및 Memphis의 Campbell, Boston의 MacAusland는 삽입물로 대퇴근막을 이용하였다. 1913년 Loewe는 피부조직을 삽입물로 사용했고, 1955년에는 핀란드의 Kalle Kallio가 전층의 피부를 이용한 개재 관절성형술을 시행하였다.

관절 변연절제술은 고관절의 골극이나 칼슘 침전물의 제거 및 불규칙한 연골면을 다듬어내는 술식으로, 점차 관절면을 매끄럽게 만드는 방향으로 발전되었으며, 실제로 망가진 관절의 재표면화 또는 관절면을 대신할 삽입물(근육, 지방, 돼지 방광, 금속 등)들을 찾고자 하는 수많은 시도가 이루어졌다. 이런 시도의 비교적 성공적인 결과물로 Smith-Petersen 등에 의한 컵 관절성형술(cup arthroplasty)이 개발되었고, 이어서 고관절 치환술이 등장하였다. 고관절 치환술은 영국의

Charnley경에 의하여 현대적인 개념이 정립된 후 눈부시게 발전하여 왔다(그림 1).

2. 고관절 치환술

손상된 고관절을 대체하기 위한 노력으로 고관절 치환술의 발전과 함께 다양한 방법들이 고안되어 왔다. 대퇴골두를 대체하여 주는 컵 관절성형술(cup arthroplasty), 아크릴을 사용한 짧은 대퇴스템(short stem prosthesis), 금속을 이용한 긴 대퇴스템(metallic long stem prosthesis), 표면 치환술(resurfacing arthroplasty), 비구부와 대퇴부를 모두 교체하여 주는 고관절 전치환술(total hip arthroplasty) 등이 시도되어 지금까지 발전하여 왔다.

1) 고관절 삽입물의 발전

(1) 컵 관절성형술(mold cup arthroplasty)

1923년 Smith-Petersen이 대퇴골두를 재형성하는 데 유리를 사용하면서 고관절 치환술의 급격한 발전이 시작되었다(그림 2). 하지만 유리는 생체 적합성은 확인되었으나 강도에 있어 보행의 하중을 견딜 수 없어 실패하였고 그 이후에 Viskaloid, Pyrex Glass, Bakelite 등이 시도되었으며, 1938년에는 치과 의사의 제안으로 생체 반응이 없는 최초의 합금인 Vitallium (cobalt-chromium alloy)이 사용되어 내구성을 높이고 이물 반응을 줄일 수 있었다. Smith-Petersen이 죽은 후 그의 보조자였던 Aufranc이 Vitallium을 사용한 1,000예에서 82%가 양호하거나 만족스러운 결과를 얻을 수 있었다고 보고하였으나 통증 경감 정도가 기대에 미치지 못하였고, 관절 운동 범위도 상당히 제한되어서 고관절의 여러 가지 병변에 적용시키기 부족한 점이 많았다.

(2) 짧은 대퇴스템 삽입물(short stem prosthesis)

1948년에 파리의 Judet 형제는 짧은 대퇴스템의 아크릴 고관절 삽입물(acrylic hip prosthesis)로 치환한 300예의 결과를 보고하였으나 마찰계수의 문제뿐만 아니라 삽입물의 파손, 이완, 골절 등의 문제로 여러 차례 재수술을 필요로 했다. 이는 결국 나일론이나 다른 합성물로의 대체를 촉진시켰으며 결과적으로 인

그림 1. Sir John Charnley (1911-1982)

그림 2. Marius Nygaard Smith-Petersen (1886-1953)

체 반응이 적은 플라스틱을 비롯한 삽입물 재료의 개발과 발전에 큰 공헌을 하였다. 1951년 Peterson은 나사못을 통해 대퇴골 간부에 고정되는 스테인리스강으로 만들어진 짧은 대퇴스템의 삽입물을 고안하였고, Thompson과 Lincoln, Nebraska는 'light bulb'라고 일컬어지는 짧은 대퇴스템 삽입물을 사용하였다. 근래에는 대퇴 부품의 디자인 발달로 짧은 대퇴스템을 가진 고관절 치환술이 다시 사용되고 있다.

(3) 긴 대퇴스템 금속 삽입물(metallic long stem prosthesis)

1943년 Bohlman과 Moore는 대퇴골 근위부에서 발생한 거대세포종을 절제한 후 스테인리스강으로 만든 삽입물로 치환하였는데 이것이 긴 대퇴스템 금속 삽입물 사용의 시작이었다. 이 삽입물은 12인치의 길이로 남아있는 대퇴골 간부에 고정되었으며 결국 환자가 심장병으로 사망하기 전까지 약 13개월을 고통없이 걷게 해주었다. 1950년대에는 약 50종류 이상의 다른 형태의 삽입물이 개발되었는데, 어떤 것은 스템이 짧고 어떤 것은 스템이 길었다. 하지만 곧 긴 대퇴스템 삽입물이 보다 안정적이며 금속이 비금속에 비해 내구성이 뛰어난 것이 확인되면서 두 형태적 특성을 가진 삽입물이 인기를 끌었다. 그 중 하나는 1950년에 뉴욕의 Thompson에 의해 제작된 것이며, 다른 하나는 1952년 소개된, 대퇴스템 상부에 구멍이 있고 자가 잠김(self-locking)이라 불리는 Moore 삽입물(Moore's prosthesis)이다.

(4) 표면 치환술

이중컵 치환술(double-cup arthroplasty)로 알려진 표면 치환술(surface replacement arthroplasty)은 1950년대 초 John Charnley에 의해 처음 소개되었다. 그는 테플론(Teflon)을 사용하여 컵은 반구 모양으로 비구 모양에 맞게 고안되어 개조된 대퇴골두를 덮을 수 있었으나 초기의 실패로 Charnley는 이 술기를 곧 포기하였다. 1970년대 후반부터 Gerard, Paltinieri, Trentani,

Furuya, Freeman, Capello, Amstutz, Wagner 등이 개선된 형태의 삽입물과 변형된 술기로 금속 대퇴컵과 플라스틱 비구컵의 조합을 사용하고 시멘트로 고정하였는데 비구부의 심각한 마모, 삽입물의 해리, 대퇴골두 골괴사 및 경부 골절 등으로 인하여 실패율이 높아 소개된 지 얼마 안 되어 사용이 점차 감소하였다. 그러나 금속-금속 관절면을 사용하고 관절면의 공차를 개선한 Birmingham 표면 치환물은 McMinn 등의 일부 그룹에서 꾸준히 연구되어 사용되어 왔다. 금속-금속 관절면의 낮은 마찰계수로 인한 적은 마모와, 큰 대퇴골두로 인한 안정성 및 큰 관절 운동 범위, 삽입물의 실패 시 재치환술의 용이함 등의 장점으로 활동이 많은 젊은 환자에 유용한 것으로 인식되면서 회사마다 개선된 형태의 표면 치환술 삽입물을 보급하고 있다. 그러나 최근에 금속-금속 관절면의 문제점으로 사용량이 감소하는 추세이다.

(5) 고관절 전치환술

1890년대 베를린의 Themistocle Glück은 인간의 몸은 커다란 이물질도 허용할 수 있음을 입증하였고 이를 기반으로 상아로 만든 비구부와 대퇴부로 구성된 인공 고관절을 고안하였다. 고정을 위해 채움(filler)의 개념으로 합성수지와 석재 또는 석고의 복합체를 이용한 시멘트를 사용하였는데 근대적 고관절 전치환술의 시작이라 평가되고 있다. 이후 1938년이 되어서야 런던의 Philip Wiles가 스테인리스강으로 만들어진 비구와 대퇴 삽입물을 심한 류마티스 관절염을 갖고 있던 6명의 환자에게 사용하였는데 비구 삽입물은 나사를 이용하고, 대퇴 삽입물은 스템과 연결된 측면 금속판(side plate)을 이용하여 고정하였다(그림 3). 1950년 그의 보고에 의하면 임상 결과가 양호하지 않았지만 이것이 현재와 같은 개념의 고관절 전치환술의 시작이라고 인정되고 있다. 인공 고관절은 영국의 John Charnley에 의해 획기적인 발전을 이루게 되는데 가장 중요한 업적은 저마찰 관절치환술(low-friction arthroplasty)의 도

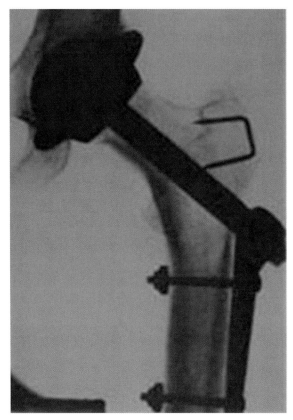

그림 3. PhilipWiles (1899-1967)에 의해 처음으로 시술된 기구

입이었다. 이전의 다른 개발자들은 정상 대퇴골두 및 비구의 크기 및 형상과 비슷한 인공물로 대체하려 하였으나 회전 마찰력을 줄이기 위해 22.25 mm의 대퇴골두를 사용하였고, 매끄러운 관절 표면을 제공하기 위하여 발전된 폴리에틸렌을 이용하였으며, 삽입물의 고정을 위해 시멘트를 사용하였는데 이것이 성공적인 현대 인공관절의 개념이 도입된 '고관절 전치환술'의 효시이다.

2) 삽입물의 고정 방법

폴리에틸렌 컵과 대퇴 삽입물을 골조직에 안정되게 고정하기 위해 고민하던 Charnley경은 우연한 기회에 치과에서 사용하던 시멘트(polymethyl methacrylate, PMMA)를 도입하게 되는데 초기에는 골절제나 확공

이 잘못되더라도 골시멘트로 채울 수 있다고 생각했다. 하지만 불행히도 이런 시도가 삽입된 치환물의 해리를 증가시키게 되었고 이로 인하여 그 후 수술 방법 및 골시멘트 삽입 기술의 중요성이 대두되었다. Robin Ling은 골수강의 주의 깊은 준비와 시멘트 삽입 시 압력의 중요성을 강조했으며, 표면이 매끈한 테이퍼형(polished tapered) 대퇴 삽입물은 현재에도 좋은 결과들이 보고되고 있다. Jo Miller는 골수강의 처리 개념을 확장 발전시켰고 낮은 점도의 시멘트를 소개하였으며, William Harris는 개선된 골시멘트 고정 기술을 대중화시켰다. 그러나 고관절 전치환술에 있어 기술적인 진보에도 불구하고 무균성 해리가 지속적으로 문제가 되었는데 그 원인이 골시멘트로 오인되어 시멘트병(cement disease)이라 불리면서 무시멘트 고정이 다시 주목을 받게 된다. 무시멘트 고정을 위해 표면을 울퉁불퉁하게 만들거나 나사 형태로 만드는 등 여러 가지 시도가 있었지만 임상적으로 성공적이라 평가될 수 있는 첫 번째 방법은 금속 표면에 많은 미세한 공간을 만들어 이곳에 뼈가 자라 들어가도록 하는 것으로 작은 금속 알갱이나 가는 금속선을 삽입물 표면에 몇 개층으로 결합시키는 미세 다공성 코팅(micro-porous coating) 방법이다. 이런 다공성 삽입물에 뼈가 자라 들어가 고정되는 방법은 치과 분야에서 오래 전부터 연구가 되어 왔다. 1909년 Greenfield는 인공 잇몸 근(artificial tooth root)과 같은 금속 주형을 소개하였는데 시간이 지남에 따라 뼈가 주형의 안쪽과 주변 그리고 주형을 통과하는 방향으로 자라 결국에는 나중에 제자리에 안전하게 생착됨을 보고한 바 있다. 이후 수산화인회석(hydroxyapatite) 코팅이 단독 혹은 미세 다공성 코팅에 추가되어 이용되고 있으며, 골 친화성이 좋은 티타늄 합금이 삽입물 재료로 사용되면서 그 표면을 작은 세라믹 알갱이로 때리거나(corundum blasted, bone ongrowth 위한 방법) 삽입물 표면으로 골내성장(bone ingrowth)을 유도하기 위하여 작은 티타늄 알갱이를 붙여서 150-400 ㎛ 크기의 작은 구멍(pore)을 만

드는 방법으로 구슬 코팅(bead-coating), 플라즈마 분무(plasma spray) 방법과 확산 결합(diffusion bonding) 방법들이 사용되게 되었다.

3) 삽입물의 디자인

무시멘트형 비구 삽입물이 도입되면서 금속컵은 외부는 골과 결합하고 내부는 폴리에틸렌 라이너와 결합하는 이중 구조를 가지게 되었다. 비구 삽입물은 후면 마모(backside wear)를 줄이기 위해 양면이 분리되지 않는 형태(monoblock type)와 분리가 되는 조립 형태(modular type)가 있으며, 주로 분리가 되는 후자가 많이 사용되어 왔다. 후자의 장점으로는 폴리에틸렌 라이너가 마모되면 삽입물만을 교환할 수 있을 것으로 기대하였으나 금속컵이 잘 고정되어 있는 상태에서 골용해 부위에 골이식을 하고 폴리에틸렌 라이너만을 교환하는 경우는 그리 많지는 않다. 라이너의 가장자리 한쪽이 더 튀어나온(elevated rim) 삽입물도 개발되었는데, 관절의 안정성 확보에 도움이 된다는 장점이 있으나 삽입된 대퇴스템의 경부와의 충돌로 인하여 라이너의 변형 및 마모가 발생하기 때문에 많이 사용되지는 않는다. 세라믹 관절면이나 금속 관절면을 사용하는 경우에도 관절면을 비구에 고정된 금속컵에 결합시키는 방법이 주로 이용되고 있다. 금속컵의 고정은 반구형 혹은 마름모 원통형에 나사못으로 고정하거나, 중심으로부터 방사형으로 여러 개의 선형 홈을 만들어 컵을 오므린 상태에서 삽입한 후 펴지게 하여 압박력을 얻으려는 디자인이 있었으나 현재는 단순한 반구 형태가 대세이다.

대퇴 삽입물의 경우 과거 일체형에서 조립 형태로 바뀐 것이 가장 성공적인 변화이다. 대퇴골두를 따로 경부에 결합시킬 수 있게 되면서 하지 길이 조절이 가능해 졌으며, 최근에는 오프셋과 염전까지도 조절할 수 있도록 경부와 대퇴스템이 분리 결합되는 디자인도 상품화되어 있다. 무시멘트형 대퇴 삽입물의 경우 코발트-크롬 합금 삽입물 전체에 표면 처리하고 대퇴골 간

부에 대퇴스템을 압박 고정(press fitting)하여 초기 안정성을 확보하고 골성장을 유도하는 형태가 개발되었다. 그러나 이 대퇴스템은 근위 대퇴골의 응력 차단(stress shielding)이 초래되는 문제점이 대두되면서 근위 고정형(proximal fitting) 디자인이 유행하게 된다. 근위 고정형 스템은 근위부만 표면처리가 되어 있고 초기 안정성 확보를 위해서 원위부를 굵게 하여 골간부 내에 압박고정 되도록 하거나, 원위부는 가늘게 하고 근위부를 두껍게 하여 골간단부를 거의 채우는(fill & fit) 고정을 한다. 후자의 성공적인 결과는 최근 관심을 끌고 있는 간부가 없이 골간단만 채우는 짧은 삽입물의 개발 배경이 된다. 티타늄 합금이 사용된 이후에는 삽입물을 쐐기 형태로 만들어 골수강내 고정하는 쐐기-압박형 대퇴스템도 많이 사용되고 있다.

디자인 변화는 아니지만 관절면도 과거의 폴리에틸렌의 마모 문제를 해결하기 위하여 강화된 폴리에틸렌(highly cross-linked polyethylene, vitamin E reinforced polyethylene)과 금속-금속 관절면 및 세라믹-세라믹 관절면이 개발되어 사용되면서 마모에 대한 많은 문제들이 해결되었고 추가적인 개발이 계속 진행되고 있다.

대퇴골두의 직경도 Charnley에 의해 22 mm가 도입된 이후 26, 28, 32 mm 등의 크기도 사용되었는데, 마모에 강한 새로운 관절면이 도입되면서 관절의 안정성을 증가시키기 위해 점차 큰 직경의 대퇴골두 사용이 늘어가고 있다. 36 mm 이상의 큰 직경의 대퇴골두를 사용하면 관절 운동 범위의 증가와 함께 충돌(impingement)이나 탈구를 줄일 수 있기 때문에 기능적인 면과 고관절 안정성 등 활동성 면에서 우수한 결과를 기대할 수 있다. 그러나 큰 직경의 대퇴골두를 사용할 경우 작은 대퇴골두에 비해 마찰력(friction torque)이 증가되고, 증가된 마찰력이 대퇴골두와 대퇴스템의 연결부위(trunnion)에 전달되어 대퇴골두와 대퇴스템 연결부에 미세운동(micromotion)이 발생할 가능성이 증가하여 trunnion의 마모가 증가될 수 있기 때문에 대퇴골두의 크기 및 골절면의 선택에 주의가 필

요하다. 32 mm에서 36 mm로 대퇴골두의 크기가 증가할 경우 관절의 안정성은 10% 증가하고 40 mm에서 48 mm로 대퇴골두의 크기가 증가할 경우 관절면의 안정성은 4.7% 증가하는 상태로 일정 크기 이상의 대퇴골두 크기 증가는 관절면의 안정성에 큰 영향을 주지 않고 오히려 보행 시에 trunnion에 최고응력(peak stress)을 증가시켜 부식(corrosion) 등의 가능성이 있어 40 mm 이상의 대퇴골두 사용에는 주의가 필요하다.

참고문헌

1. 이중명. 인공 고관절 성형술의 역사. 대한고관절학회지. 2009;21(2):87-93.

2. Aufranc OE. Constructive hip surgery with the vitallium mold; a report on 1,000 cases of arthroplasty of the hip over a fifteen-year period. J Bone Joint Surg Am. 1957;39(2): 237-248.

3. Barger WL. Robotic surgery and current development with the ROBODOC system. In: Stiehl JB, Konermann WH, Haaker RG. Navigations and Robotics in Total Joint and Spinal.Springer Verlag; 2003.

4. Bartz RL, Noble PC, KadakiaNR and TullosHS: The effect of femoral component head size on posterior dislocation of the artificial hip joint. J. bone and Joint Surg., 2000;82-A(9):1300-1307.

5. Berry DJ, Berger RA, Callaghan JJ, et al. Minimally invasive total hip arthroplasry. J Bone Joint Surg Am. 2003;85:2235-2246.

6. Chandler DR, GlousmanR, Hull D, McGuire PJ, Kim IS and Clarke IC: Sarmento A. Prosthetic hip range of motion and impingement. The effects of head and neck geometry. Clin.Orthop., 1982;166:284-291.

7. Charnley JA, Cupic Z: The nine and ten year result of low friction arthroplasty of the hip. ClinOrthopRelat Res. 1973;95:9-25.

8. Charnley JA. Clean-air operating enclosure.Br J Surg. 1964;51:202-205.

9. Crowninshield RD, Maloney WJ, Wentz DH, Humphrey SM, Blanchard CR. Biomechanics of large femoral heads: what they do and don't do. ClinOrthopRelat Res. 2004;429:102-107.

10. Gluck T. Die invaginations method der osteoundarthroplastik. BerlKlinWochenschr. 1890;28: 732-736, 752-757.

11. Harlan C. Amstutz. Hip arthroplasty. 1sted, New York, Churchill Livingstone Inc. 1991;1-14.

12. Harris WH. The first 50 years of total hip arthroplasty: lessons learned. The first 50 years of total hip arthroplasty: lessons learned. ClinOrthopRelat Res. 2009;67(1):28-31.

13. Hoffa A. Luxationscongenitales de la hanche. Rev Orthope. 1890;24-41.

14. Lavernia CJ, Iacobelli DA and Villa JM, et al. Trunnion-head stress in THA: Are bigb head trouble? J Arthroplasty, 2015;30:1085-88.

15. McMinn D, Treacy R, Lin K, Pynsent P. Metal on metal surface replacement of the hip. Experience of the McMinn prosthesis.ClinOrthopRelat Res. 1996;329(Suppl):589-598.

16. Nas S. Eftekhar MD. Total hip arthroplasty. 1st ed, st.Louis, MOSBY-Year Book Inc. 1993;3-14.

17. Park H, Moreau PF. Cases of the excision of carious joints, Glasgow: Brash and Reed; 1806.

18. Rymond G. Tronzo. Surgery of the Hip Joint, 2nd ed.New York: Springer-Verlag New York Inc. 1984; 1-15.

19. Wilson JC. Extra-articular fusion of tuberculous hip joint. CalifWest Med. 1927;27:774-776.

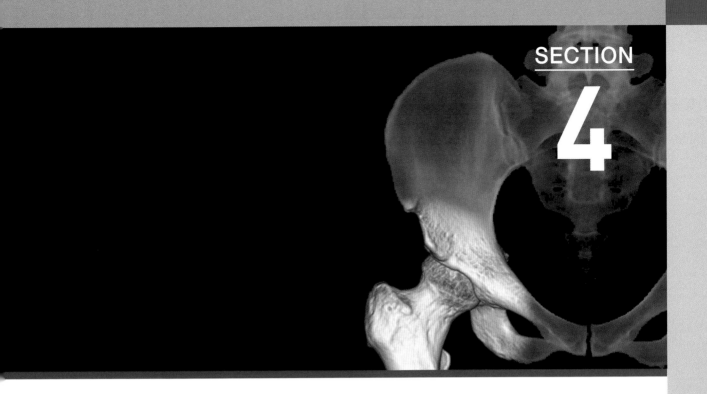

고관절 치환술: 기초과학
Hip Arthroplasty: Basic Science

1

인공 관절의 생역학
Biomechanics in Artificial Joint

1. 고관절 치환술의 생역학

고관절 치환술의 생역학은 골절 수술 시 부분적인 지지와 골유합을 위해 이용되는 나사못, 금속판, 금속정 등에서와는 매우 다르다. 고관절 치환술에 사용되는 삽입물은 적어도 체중의 3–5배에 해당하는 반복적인 부하를 수십 년간 견뎌내야 하고, 일시적인 부하는 체중의 10–12배까지 견뎌낼 수 있어야 한다. 고관절 치환술의 실패의 주된 원인은 크게 감염, 탈구, 해리 등이 있으며, 이 중 삽입물 해리는 장기 추시에 가장 중요한 문제점으로 삽입물의 재질 및 디자인, 수술 기법 등에서 많은 연구와 개선이 이루어져 왔다. 술자의 입장에서도 이러한 합병증을 감소시키기 위해서는 고관절 치환술에 대한 생역학의 기본 지식을 이해하고 적절한 술기를 시행하여 수술 중이나 수술 후에 발생할 수 있는 문제에 대처하여야 한다. 고관절은 비구와 대퇴골 근위부로 이루어져 있으며, 신체에서 가장 크고 안정된 볼–소켓형 관절로 견관절에 이어 두 번째로 운동 범위가 큰 관절면이면서도, 체중 부하와 전달의 기능을 하며, 구조적으로 골성 안정성을 확보하고 있어 고관절은 인체의 관절 중 관절의 운동 범위보다는 관절의 안정성이 더 중요하다.

고관절은 구형의 대퇴골두와 컵 모양의 비구가 맞닿아 있고, 다른 관절에 비해 골성 구조물에 의해 안정성을 유지하며 추가로 관절막과 주위 근육 및 인대에 의해 안정성이 보강된다. 표면의 관절 연골은 하중 전달에 중요한 기능을 담당하며, 비구와 대퇴골두의 관절면은 동심성이 일치하는 것으로 알려져 있지만, 실제로는 체중이 부하되지 않거나, 체중 부하가 적은 상태에서는 비구와 대퇴골두의 관절면 사이의 구면 형성 불일치성(Spherical incongruity)이 나타난다. 이러한 비체중 부하 시의 관절의 불일치성 때문에, 관절에 일정 범위의 부하가 가해지는 경우 관절 운동 각도 및 위치에 따라 체중이 부하되는 특별한 영역이 존재하게 되며, 영역의 크기나 위치가 관절의 상대적인 위치에 따라 변하여 적절한 하중의 분배와 움직이는 관절에 긍정적인 생역학적인 요인으로 작용하는 것으로 알려져 있다. 고관절은 수동 및 능동적 관절 운동 범위 내에서 체중의 3–5배에 이르는 하중을 견디며, 일생 동안 반복되는 수많은 작은 외상에도 인구의 약 65%에서 70년 이상 기능적인 관절 역할을 수행한다.

고관절은 대표적인 1종 지렛대에 해당한다. 한쪽 다리의 무게를 체중의 1/6로 가정하면 한쪽 다리로 지면에 서 있는 경우 고관절은 나머지 부분의 해당하는 체중(W)의 5/6을 지탱하여야 한다. 이 때 외전근(abductor muscle)의 힘에 의하여 고관절을 중심으로 힘의 균형을 이루게 된다. 지렛대의 원리를 적용하면, 외전근의 힘(F)과 외전근의 moment arm 길이(A)의 곱은 체중(5/6 W)과 체중의 moment arm (B)의 곱과 평형을 이루게 된다(그림 1).

F(외전근의 힘)$\times A$(외전근의 moment arm)

$=\dfrac{5}{6}W\times B$(체중의 moment arm)

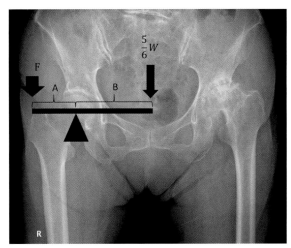

그림 1. 고관절은 1종 지렛대에 해당하며 지렛대의 원리에 따라, 평형을 이룰 경우에는 외전근의 힘과 외전근의 moment arm 길이의 곱과 체중과 체중의 moment arm 길이의 곱이 같다.

일반적으로 고관절에서 체중의 moment arm (B)은 외전근의 moment arm (A)의 3배 정도의 길이를 갖게 되므로, 한쪽 다리로 섰을 때 외전근에 걸리는 힘(F)은 아래와 같다.

$$F(외전근의 힘)=\frac{5}{6}W\times\frac{B}{A}=\frac{5}{6}W\times\frac{3A}{A}=\frac{15}{6}W=2.5W$$

또한, 받침점인 고관절에는 양측 지렛대에 걸리는 힘의 합이 걸리게 되므로 아래와 같다.

고관절에 걸리는 힘 = 체중 + 외전근의 힘

$$=\frac{5}{6}W+\frac{15}{6}W=\frac{20}{6}W=3.3W$$

즉, 한쪽 다리로 지탱하고 서 있을 경우 고관절에는 체중의 3.3배에 해당하는 힘을 받게 되는 것으로 60 kg인 성인의 경우 200 kg·중이 될 것이다. 따라서 보행의 입각기에 한발로 섰을 때 대퇴골두에서 가해지는 하중은 외전근에 의해 발생하는 힘과 체중에 의해 발생하는 힘의 합계와 같게 되며, 이는 이론적으로 최소한 체중의 3배에 달하게 된다. 걷거나 뛸 때는 같은 방향으로 골반을 기울이기 위해서 더 큰 힘이 필요하다. 누워서 하지 직거상을 할 경우 대퇴골두에 가해지는 부하도 이와 비슷하여 체중의 1.5–2배가 되며 달리거

나 점핑하는 동작에서 고관절에 가해지는 힘은 체중의 10배에 달할 수 있다.

한편 위의 계산식을 잘 살펴보면 고관절에 가해지는 힘은 균형을 잡기 위해 필요한 외전근의 작용힘과 체중에 의한 힘도 중요하지만 외전근과 체중 중심 사이의 고관절의 위치에 따라 크게 영향을 받게 된다. 외전근이 작용하는 지렛대의 길이와 체중이 가해지는 지렛대의 길이의 비가 1:3이 아니라 만약 1:2.5라고 가정할 경우, (즉, 고관절 중심이 내측으로 이동할 경우) 한쪽 다리로 섰을 때 외전근에 필요한 힘(F')은 아래와 같다.

$$F(외전근의 힘)=\frac{5}{6}W\times\frac{B}{A}=\frac{5}{6}W\times\frac{2.5A}{A}=\frac{25}{12}W$$

또한, 받침점인 고관절에는 양측 지렛대에 걸리는 힘의 합이 걸리게 되므로 아래와 같다.

고관절에 걸리는 힘 = 체중 + 외전근의 힘

$$=\frac{5}{6}W+\frac{25}{12}W=\frac{35}{12}W=2.9W$$

즉, 한쪽 다리로 지탱하고 서 있을 경우 고관절에는 체중의 3.3배보다 적은 약 2.9배에 해당하는 힘을 받게 되어 60 kg인 성인에서는 174 kg·중의 힘이 고관절에 가해질 것이다.

반대로 관절염으로 외전근의 지렛대 길이가 짧아진 경우, 대퇴골두의 전체 또는 일부가 소실된 경우, 대퇴골 경부의 단축이 있는 경우, 대전자부가 후방에 위치하거나 외회전 변형이 있는 경우, 고관절의 발달장애가 있는 경우 등에서와 같이 외전근이 작용하는 지렛대 길이가 짧아지면 고관절에 가해지는 부하가 증가한다. 고관절에서 대퇴골두와 비구에 가해지는 힘은 활동종류에 따라 크기와 방향이 다르다. 중력의 인체 중심은 고관절 중심보다 후방에 존재하기 때문에 관절에 가해지는 힘은 관상면뿐만 아니라 시상면에서도 작용한다. 즉, 대퇴골두에 가해지는 힘의 방향은 대부분 관상면에서는 압박력이 내반 변형을 일으키려는 방향으로 작용하고, 시상면에서는 전방에서 후방으로, 회전 변형을 일으키려는 방향으로 작용한다. 시상면에서 작

용하는 이러한 방향의 힘은 의자에서 일어날 때와 계단을 오르거나 언덕을 오를 때 더욱 커진다. 보행주기 동안에 고관절 삽입물에 가해지는 힘은 인공 관절의 시상면에서 앞쪽으로 15–25° 기울어진 각도로 관상면에서는 15–27° 인공 관절의 대퇴골두에 저항하는 방향으로 작용한다. 계단을 오르거나 다리를 펴고 들어 올린 자세 동안에 하중(load)은 대퇴골두의 훨씬 앞 쪽에 위치한 지점에서 작용한다. 따라서 이러한 힘은 대퇴스템의 후방 편향과 후굴의 원인이 된다(그림 2).

2. 고관절 중심과 지렛대 거리

고관절 치환술에서 Charnley 개념은 대퇴골두를 좀 더 내측에 위치하도록 하여 체중이 가해지는 지렛대 길이를 짧게 하고, 절골된 대전자부를 좀 더 외측으로 이동시켜 재부착함으로써 외전근이 작용하는 지렛대의 길이를 길게 하여 체중에 의한 모멘트는 감소시키고, 평형을 이루기 위해 필요한 외전근의 힘을 감소시

키는 것이다(그림 3). 외전근이 작용하는 지렛대 길이는 관절염에 의해서 짧아질 수 있고 대퇴골두의 전체 또는 부분을 잃어버리거나 대퇴골 경부가 짧아짐으로써 더 짧아질 수 있다. 또한 대전자부가 후방에 위치하거나 외회전 변형이 있을 경우, 그리고 고관절의 발달장애가 있는 환자에서 짧아질 수 있다. 이 경우 Charnley는 짧은 외전근 지렛대의 길이를 증가시키기 위해 대전자부를 절골하여 절골된 대전자부를 좀 더 외측부에 재부착할 것을 추천하였다. 이를 통해 두 개의 지렛대 길이의 비를 약 1:1까지 감소시킬 수 있으며(그림 3), 이론적으로 고관절에 가해지는 부하를 30%까지 감소시킬 수 있다. 한편 대퇴스템의 오프셋 디자인에 따라 외전근이 작용하는 지렛대 길이를 증가시킬 수도 있다. 외전근은 외상이나 수술, 감염, 마비성 질환, 대전자부 불유합 등으로 인해 약화될 수 있으며 이로 인해 고관절이 불안정해지며, 탈구가 발생할 수도 있고, 장기적으로는 삽입물의 해리가 발생하게 된다. 오늘날 고

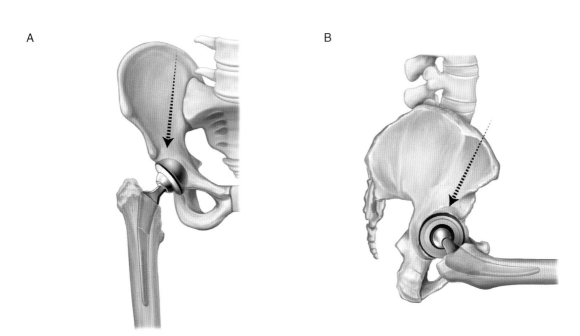

A   B

그림 2. 대퇴스템에 가해지는 힘의 방향
관상면에서 작용하는 힘(A)은 대퇴스템을 내측으로 구부리려고 하고, 특히 고관절을 굴곡하거나 의자에서 일어나려고 하였을 때 시상면에서 작용하는 힘(B)은 대퇴스템을 후방으로 구부리려 한다. 이 두개의 힘이 합쳐져 대퇴스템을 회전시키려고 한다.

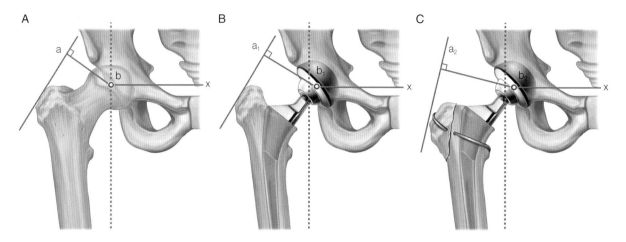

그림 3. 고관절 치환술에 적용되는 지렛대 거리
(A) 몸무게에 의한 모멘트는 외전근에 의한 모멘트와 평형을 이루어야 한다. 이형성증이 있는 고관절에서는 정상 고관절보다 a–b 지렛대 거리가 상대적으로 줄어든다. (B) 비구컵의 내측화는 지렛대 거리 b_1–x를 단축시키고, 긴 오프셋 스템의 사용은 지렛대 거리 a_1–b_1를 연장한다. (C) 절골된 대전자를 대퇴골의 외측 및 원위부에 재부착시킴으로써 지렛대 거리 a_2–b_2를 더 연장시키고 외전근을 강화시킨다.

관절 전치환술은 관절면의 물성이 개선되고, 마모율이 감소하여, 특별한 경우를 제외하고는 대전자부의 절골술 없이 시행되므로 외전근이 작용하는 지렛대 길이를 변화시키지는 않지만 대퇴골두를 내측화하여 얻어지는 이점에 대해서 이해하여야 한다. 그러나 지나치게 고관절 중심을 내측으로 이동할 경우 대퇴스템이 비구부에 충돌이 발생하여 탈구가 발생할 수도 있으므로 비구의 연골하골을 보존하면서도 비구 삽입물이 골성 비구에 의해 충분히 덮힐 정도만큼 비구를 깊게 한다. 또한 고관절 전치환술에서는 외전근이 작용하는 지렛대 길이를 늘이기 위해 수평 오프셋이 증가된 대퇴스템도 사용할 수가 있다. 즉 삽입물 디자인 및 관절면의 개선과 수술 술기의 개발은 이러한 생역학적인 측면에서 비구의 연골하골을 보존하면서도 대전자부 재부착과 관련된 문제들을 피하기 위해 발달되었다. 성공적인 관절치환술을 위해서는 대퇴골두 중심을 정상 해부학적 위치로 복원하는 것이 중요하다. 대퇴골두의 위치는 대퇴골두의 수직 높이, 내측 또는 수평 거리, 그리고 대퇴골 경부의 전염각 3가지에 의해서 결정된다 (그림 4). 수직 높이는 대퇴골두 중심에서부터 고정된 지

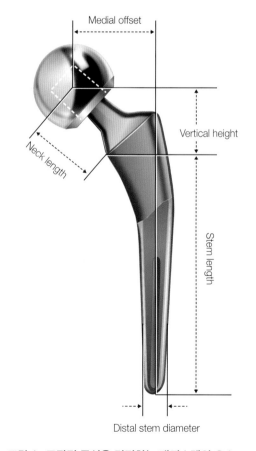

그림 4. 고관절 중심을 결정하는 대퇴스템의 요소

점, 예를 들어 소전자 부위나 대퇴스템의 어깨까지의 거리로 정의하여 정상 관절과 인공 관절 삽입 시의 상태를 비교한다. 내측 거리는 수평 거리라고도 하며 대퇴골두의 중심에서 대퇴스템의 축까지의 수직 거리로 정의한다. 내측 거리가 짧을 경우, 외전근이 작용하는 지렛대 길이가 짧아져 결국 고관절 관절면에 작용하는 힘이 증가하고, 마모가 증가할 수 있고, 비구컵과 대퇴스템 사이에 충돌이 발생하여 탈구의 위험성이 증가한다. 반대로 오프셋이 과도하게 클 경우, 외전근이 작용하는 지렛대 길이가 길어지면서 대퇴스템에 내반 변형 방향으로 가해지는 힘이 증가하여, 대퇴스템과 대퇴골 사이의 응력이 집중되어 결국 대퇴스템의 골절이나 해리를 유발하게 된다. 대개의 대퇴스템은 135°의 고정된 경간각을 가지고 있는데, 그 각도가 작을 경우에는 오프셋이 커지는 효과가 있지만, 경간각이 과도하게 작을 경우 오프셋이 과도하게 클 경우와 비슷하게 대퇴스템에 내반 변형 방향으로 가해지는 힘이 증가하여 대퇴스템의 파손의 위험이 있다. 어떠한 대퇴골두를 사용하느냐, 그리고 대퇴스템이 대퇴골의 장축에 대해 어떻게 위치하느냐에 따라서 이 내측 거리를 변화시키는 효과가 나타난다. 짧은 대퇴골두를 사용하거나, 대퇴스템이 외반 위치로 삽입될 경우에는 내측 오프셋이 감소하는 효과가 나타나며, 반대로 긴 대퇴골두를 사용하거나 대퇴스템이 내반 위치로 삽입될 경우에는 내측 거리가 길어지는 효과가 나타난다(표 1).

외전근이 작용하는 지렛대 길이를 증가시키고 탈구

표 1. 대퇴스템의 삽입 위치에 따른 고관절에 가해지는 힘

	외반 삽입	내반 삽입
내측거리	감소	증가
외전근 지렛대 길이	감소	증가
고관절 관절면에 가해지는 힘	증가	감소
대퇴스템에 가해지는 굴곡력 (bending force)	감소	증가
관절의 안정성	감소	증가

의 위험성을 막기 위해서는 내측 거리가 크고 경간각이 작은 대퇴스템을 선택하고 긴 대퇴골두를 사용하며 대퇴스템을 내반 위치로 삽입하는 것을 고려해 볼 수 있다. 하지만 동시에 다리 길이의 연장이나 내반 위치로 삽입된 대퇴스템으로 인해 내반 변형 방향으로 가해지는 힘으로 인한 대퇴스템 골절이나 해리를 염두에 두어야 한다. 과거에 대퇴스템의 파손은 주로 스테인리스 삽입물을 사용한 비만 환자에서 발생하였으며, 이는 대개 삽입물의 피로 골절이 원인이었다. 하지만 최근에 개발되어 사용되는 대퇴스템은 더 큰 단면적과 강한 물성의 금속을 사용하여 그 위험성을 크게 낮추었다. 대퇴골 경부의 전염각은 관상면에 대해 대퇴골 경부가 앞쪽 혹은 뒤쪽으로 회전되어 있는 정도이다. 정상 전염각을 얻도록 하는 것은 고관절의 안정성과 관련하여 매우 중요하다. 보통 대퇴골 경부는 정상적으로 약 15° 정도 전염각을 보이는데, 고관절에서 전염각이 작을 경우 내측 거리가 증가하는 효과가 나타나지만, 후방 탈구의 위험성이 증가한다. 반대로 전염각이 너무 클 경우 후방 탈구의 위험성은 작아지지만, 내측 거리가 감소하는 효과가 나타나며 오히려 전방 탈구의 위험성이 증가한다. 전방이 아닌 후방으로 염전되어 있는 경우에는 후방 탈구의 위험성이 있다. 최근에는 복합 전염각(combined anteversion)이라는 개념이 등장하여 대퇴스템의 전염각뿐만 아니라 비구컵의 전염각 크기와 방향 또한 고관절 전치환술의 안정성에 중요한 것으로 보고되고 있다. 한편 시상면에서는 대퇴골두에 가해지는 힘의 방향은 전방에서 후방으로 작용하므로, 경간각을 거쳐 대퇴스템의 중심축에는 회전 변형을 일으키려는 방향으로 작용하게 된다. 대퇴스템에 가해지는 이러한 염전 모멘트(torsional moment)는 계단을 오를 때 극대화 되며, 전염각의 크기에 밀접한 영향을 받는다. 따라서 삽입된 대퇴스템은 수술 초기 대퇴골 안에서 강한 회전력을 견딜 수 있어야 하며, 회전 안정성을 가질 수 있도록 설계되어야 한다. 즉 시멘트형 대퇴스템이든 무시멘트형 대퇴스템이든 대퇴골

내에서 회전 안정성을 가질 수 있게 디자인되어야 하고 삽입되어야 한다. 대퇴스템의 회전 안전성은 근위부와 원위부의 디자인의 변화로 증가할 수 있다. 특히 무시멘트형 대퇴스템의 경우 골단부를 채우기 위해 대퇴축 근위부의 폭을 증가시켜 회전 안정성을 증가시킬 수 있으며 원위부의 디자인 역시 둥근 절단면보다는 직사각형의 절단면이 대퇴스템의 회전 안정성에 기여할 수 있다. 장축의 세로 홈과 골간부 골내막에 접촉하는 다공성 표면처리 또한 회전 안정성을 증가시킬 수 있는 방법이다.

3. 대퇴스템을 통한 대퇴골로의 부하 전달

대퇴골로의 적당한 부하 전달은 골조직을 유지하는 데 필요한 생리적인 자극을 제공하여 불용성 골다공증을 예방할 수 있어서 바람직하다. 고관절 치환술 후 하중의 전달이 변화하여 골재형성이 발생하고 삽입물의 안정성에 영향을 미쳐 장기적으로는 해리 또는 삽입물 주위 골절이 발생 할 수 있으므로 이를 이해하는 것이 중요하다. 고관절 치환술 후 삽입물과 골표면 사이에 적절한 하중이 전달되는 것이 적절한 골량을 유지하기 위해 중요한데, 이때 전달되는 하중의 위치와 크기는 대퇴스템의 재료, 삽입물의 기하학적인 구조 및 크기, 고정 방법과 범위 그리고 대퇴골두의 오프셋에 따라 달라진다. 대퇴스템이 골에 고정되었을 때 높은 하중이 삽입물 골표면 사이에 발생하는데, 주로 근위 내측 부위와 원위 외측 부위에 압력이 가해진다. 하중은 좀 더 경직된 구조물(stiffer structure)을 통해 전달되며 접촉이 일어나는 부위보다 근위부는 하중으로부터 응력 전달이 완화되어 응력 차단(stress shielding) 현상이 발생할 수 있다. 임상적으로 받아들일 만한 응력 차단 정도가 어느 정도인지는 가늠하기 어렵지만, 추시 기간이 길어질수록 응력 차단 현상이 뚜렷하게 관찰되는 것으로 알려져 있다. 하지만 다행히도 2년 정도 지나면 골흡수가 골재형성과 균형을 이루어 진행이 어느 정도 완화되는 것으로 보인다. 금속으로 만들어진 대퇴

스템은 필연적으로 골조직보다 탄성계수가 크기 때문에 대퇴스템을 통해 가해지는 하중은 증가하고, 대퇴골의 근위 1/3에 걸리는 하중은 감소하게 된다. 대퇴스템 재료의 탄성계수를 감소시키면 대퇴스템에 걸리는 부하를 감소시킬 수 있고 대신 근위 1/3 부위의 골조직으로 부하를 전달하게 된다. 금속 중에도 티타늄 합금의 경우에는 코발트-크롬합금에 비해 탄성계수가 낮기 때문에 응력 차단 현상이 적은 것으로 알려져 있다. 또한 대퇴골 간부에 시멘트나 다공성 코팅을 이용하여 고정하는 긴 삽입물을 사용하면 대퇴골 근위 1/3 부위에 부하를 감소시킨다. 대퇴골에 대한 이러한 응력 차단 현상을 줄이기 위해서는 가능하면 대퇴스템의 탄성계수를 낮추어 대퇴스템에 걸리는 부하를 감소시키고 대퇴골 근위 1/3 부위의 부하를 증가시켜 주위 골조직으로 부하를 전달하도록 해야 한다. 만약 대퇴스템에 칼라(collar)가 있을 경우, 하중이 이 칼라를 통해 대퇴골 경부의 피질골로 전달되도록 할 수 있다. 특히 시멘트를 이용하여 고정하는 대퇴스템의 경우 근위부 골 시멘트로의 하중을 줄이는 효과가 있다. 하지만 무시멘트형 대퇴스템의 경우에는 칼라가 있을 경우 대퇴스템의 완전한 삽입을 방해할 수 있으며 이로 인해 삽입물의 해리를 유발할 수 있어 아직 논란의 여지가 있다. 대퇴스템의 휘어짐에 대한 저항성(bending stiffness)은 직경의 4제곱에 비례하므로 대퇴스템의 직경이 조금만 증가해도 휘어짐에 대한 저항성(flexural rigidity)은 매우 크게 증가한다. 따라서 같은 재질로 만들어진 대퇴스템이더라도 단면적이 증가하게 되면 덜 탄력적이게 되므로 응력 차단 현상은 심해진다. 무시멘트형 대퇴스템은 삽입물의 직경이나 다공성 코팅의 범위에 따라 시멘트형 대퇴스템보다 더 생리학적인 골의 장력을 유발하며 Engh 등은 무시멘트형 고관절 치환술 후에 응력 차단에 의한 중등도 혹은 심한 근위부의 골흡수를 보인 대부분의 대퇴골은 대퇴스템의 직경이 13.5 mm 이상이었다고 보고하였고 직경이 작은 광범위 다공성 코팅의 대퇴스템에서는 심한 응력 차단이 발생하

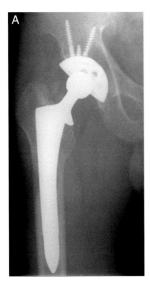
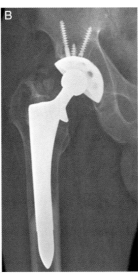

그림 5. 부하에 대한 골 반응
(A) 광범위 다공성 코팅 대퇴스템의 수술 후 사진 (B) 10년 후 대퇴골 근위부에서 피질골과 해면골은 응력 차단에 의해서 골밀도가 감소되었다.

지는 않았으며 협부(isthmus)에 대해서 압박 고정을 하고 방사선 사진에서 골성장의 소견이 보일때 더 뚜렷한 응력 차단이 관찰되었다(그림 5). 광범위 다공성 코팅된 대퇴스템이 골피질과 만나는 부위에 국소적인 골비대가 관찰되기도 하는데, 이는 다공성 코팅이 대퇴스템의 근위부에 국한되어 있는 경우에는 적게 나타나는 반면, 대퇴스템 전장이 코팅된 경우 흔하게 관찰되는 현상이다. 대퇴스템의 기하학적인 모양도 뼈의 스트레스 전달에 영향을 미친다. 무시멘트형 대퇴스템의 경우 삽입물과 골표면 사이의 접촉이 국소적으로 이루어지고 해당 접촉 부위는 높은 응력이 가해지게 된다. 일반적으로 원위부가 점차 가늘어지는 형태를 가진 형태(tapered)의 대퇴스템이 대퇴골 간부를 채우는 형태의 단면이 원형인 대퇴스템에 비해 응력 차단 현상이 적은 것으로 알려져 있다. 원위부로 갈수록 좁아지는 대퇴스템을 대퇴골에 삽입할 경우에는 수직 압박력이 대퇴골의 원주 방향으로 작용하는 힘(환형응력, hoop stress)으로 변환되어 작용하게 되며 수술 중이나 수술

이후에라도 과도한 환형응력이 발생할 경우 대퇴골 근위부에 골절이 발생하게 되므로 주의하여야 한다.

4. 비구 삽입물을 통한 비구로의 부하 전달

비구 삽입물의 경우 폴리에틸렌 비구컵을 시멘트를 이용하여 고정하는 경우, 최대 부하가 골반골에 작용하게 된다. 하지만 시멘트형 금속 비구컵을 이용하는 경우에는 골반골의 부하를 완화시키며, 분포를 더욱 고르게 할 수 있다. 연골하골이 제거된 경우나 얇은 두께의 폴리에틸렌을 시멘트를 이용하여 고정하는 경우에는 해면골에 가해지는 부하가 증가하게 된다. 하지만 5 mm 이상 두께의 폴리에틸렌 비구컵을 사용하는 경우에는 금속 비구컵을 이용하였을 경우와 비슷한 정도로 감소한다. 따라서 비구의 연골하골을 보존하면서 시멘트형 금속 비구컵을 이용하거나 두꺼운 폴리에틸렌 비구 부품을 사용하면 비구부 해면골의 최대 부하를 감소시킬 수 있다. 하지만 시멘트형 금속 비구컵은 단기 추시에서 만족할 만한 결과를 보였으나, 장기 추시에서는 오히려 나쁜 결과를 보여 최근에는 잘 이용하지 않는다. 시멘트를 사용하지 않고 비구 삽입물을 비구에 고정하는 경우에는, 고정을 위해 금속 삽입물을 이용하게 된다. 이론적으로 응력 집중을 방지하고 골내성장(bone ingrowth)이 가능한 표면적을 최대화하기 위해, 금속 비구 삽입물이 비구 연골하골과 넓은 면적으로 밀착되어야 하며, 둘러싸고 있는 비구로부터 전달받는 응력의 방향에 따라 초기 안정성을 얻을 수 있다. 즉, 비구 삽입물의 경우 반구형의 비구에 박히게 되므로 삽입물을 감싸는 비구 주변 부위 골의 탄성에 의해 힘이 발생한다. 비구주위 골은 비구 삽입물 테두리에 수직으로 탄성이 작용하게 되어 컵에 초기 안정성을 부여한다. 비구 삽입물 테두리보다 안쪽에 작용하는 탄성은 비구 삽입물을 바깥으로 밀어내는 힘을 발생시키므로 컵의 안정성을 떨어뜨린다(그림 6). 따라서 비구 삽입물을 삽입하기 전, 비구를 정확한 위치에 적당한 모양과 크기로 준비하여야만 충분한 접촉 면적

을 얻을 수 있으며, 비구를 얼마나 정확하게 준비하였는지, 준비된 공간에 적당한 삽입물의 모양과 크기를 사용하였는지에 따라 비구 부품을 비구 안에 안정되게 고정할 수 있다. 만약 비구 삽입물이 준비된 공간보다 작다면 뼈의 탄성력이 비구 삽입물의 주변부에 작용하지 않고 비구 삽입물의 중심부로 작용하여 이로 인해 비구 삽입물이 불안정하게 된다(그림 6). 반대로 비구 삽입물이 준비된 공간보다 크다면 불완전한 삽입으로 극간 간극(polar gap)이 생길 수 있으며(그림 7), 너무 클 경우에는 수술 중 비구컵 삽입 시 스트레스가 주변부로 과도하게 전달되어 비구 주변 부위의 골절이 발생할 수 있다. Rie 등은 다양한 반구형 혹은 비반구형 삽입물 기하학을 이용해 비구에서 긴장도의 분포와 삽입물에 대해 실험하였다. 꼭대기는 반구형이고 주변부로 갈수록 용적이 점진적으로 커지는 비반구형 컵이 비구보다 크기가 큰 반구형 컵을 사용할 때만큼의 비구 변형의 증가가 없이 주변부 긴장도와 삽입물의 안정성을 최대화 시킨다고 결론 내렸다. Kim 등은 사체 연구에

서 테두리 직경이 주변부 직경보다 약간 더 큰 비구컵이 극과 적도 접촉에서 가장 좋은 결과를 보여줌을 발견했다.

5. 고관절 치환술 후 지팡이의 효과

생체 분석 연구에 의하면 수술 받은 반대측에 지팡이를 짚는 것이 고관절에 가해지는 힘을 효과적으로 줄일 수 있다. 지팡이와 고관절의 외전근이 만들어내는 힘의 모멘트는 체중이 만들어내는 모멘트와 크기는 같지만 방향이 반대이므로, 지렛대의 원리를 적용하면 아래와 같은 등식이 성립한다(그림 8).

외전근의 힘 × *외전근의* momentarm (A)
+ *지팡이에 걸리는힘*(F') × *지팡이의* momentarm
(B+C) = 5/6W × *체중의* momentarm (B)

결국 지팡이를 사용함으로 인해 체중 감소 효과를 얻을 뿐만 아니라 외전근에 필요한 힘도 감소시켜 고

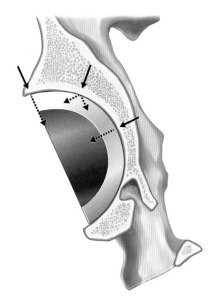

그림 6. 테두리 내측으로 향하는 긴장도로 인한 컵의 불안정성
비구컵의 극에서 비구컵을 밀어내는 방향으로 작용하는 비구골의 탄성 합력이 적도부에서 비구컵 내측 방향으로 작용하는 비구골의 탄성 합보다 클 경우 비구컵이 불안정하게 된다.

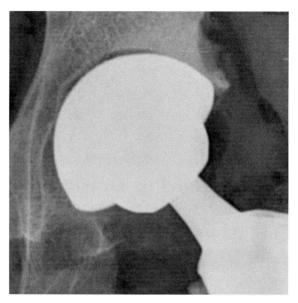

그림 7. 비구컵의 불완전한 삽입
확공된 비구보다 큰 반구상의 비구컵이 삽입되었고, 수술 후 사진에서 극간 간극이 남았다.

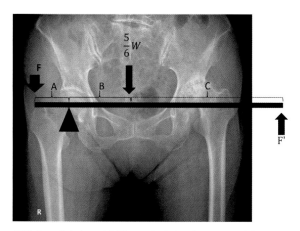

그림 8. 지팡이를 사용함으로써 외전근에 필요한 힘(F)을 감소시킬 수 있을 뿐만 아니라 고관절에 작용하는 힘(joint reaction force)을 감소시킬 수 있다.

관절의 접촉면에 발생하는 힘은 크게 감소하게 된다. 2차원 정적 분석에 의하면 지팡이에 체중의 15%를 실었을 경우 관절 작용력(joint reaction force)이 약 50%로 감소한다. 수술 전 지팡이를 짚었던 환자와 짚지 않았던 환자를 대상으로 운동 역동학을 이용하여 시행한 3차원 분석에서는 지팡이를 짚고 걸었던 환자의 관절에 작용하는 힘이 지팡이를 짚지 않았던 환자의 약 65% 정도로 감소되었다. 지팡이에 가해지는 최대 부하는 체중의 11-17% 정도였다. 1개월 내 고관절 치환술을 시행한 환자의 생역학 연구에서는 목발을 이용한 환자에 있어서 고관절의 접촉력은 체중의 2.6배 내지 2.8배 정도로 측정되었다.

6. 관절 중심의 이동과 인공 관절에 작용하는 힘

수술적 치료로 인한 것이든, 질병으로 인한 것이든 관절의 해부학적 변화는 고관절의 관절면과 관절에 작용하는 힘에 변화를 일으켜 고관절의 생역학에 영향을 준다. 즉, 고관절 치환술 후 고관절의 회전 중심의 이동은 삽입물에 작용하는 힘에 영향을 준다. 임상적으로 비구 이형성증과 재치환술처럼 비구 위쪽의 기저골

이 빈약할 때, 비구골의 충분한 지지를 얻기 위해서는 비구 삽입물의 위치를 약간 상방으로 위치하도록 할 수도 있다. 하지만 대부분의 연구들은 고관절의 중심이 비해부학적으로 위치할 경우 시간이 경과하면서 삽입물의 해리가 증가함을 보여주고 있다. Mergmann 등은 양측 고관절 치환술을 받은 환자를 대상으로 한 연구에서 새로 형성된 관절의 중심이 더 외측, 그리고 더 원위부로 이동한 경우에 반대측에 비해 관절에 더 큰 힘이 작용한다고 하였다. 이는 새로 형성된 고관절 중심이 더 외측, 원위부로 이동한 경우 외전근이 작용하는 지렛대 거리의 비율이 감소하기 때문이다. 환자가 보행에 적응하지 못하는 한, 반대측 골반부가 처지는 것을 막기 위해 근력을 증가시켜야 하며, 이는 관절의 작용하는 압박력을 증가시킨다. 고관절 중심의 해부학적 변화는 근육의 힘과 모멘트 유발 수용력(moment-generating capacity)에 영향을 준다. 외전근의 기계적 능력은 대퇴골 경부와 간부 사이의 각도(경간각, neck-shaft angle)와 경부의 길이, 관절 중심의 위치 등의 영향을 받게 된다. 대퇴골 경부와 간부 사이 각도가 감소하게 되는 경우 외전근의 moment arm은 증가하게 되고(외전근의 length-tension 효과) 관절의 접촉면에 작용하는 힘은 감소되고, 대퇴골두가 비구에 깊이 위치하기 때문에 관절의 일치 정도가 증가하여 관절의 안정성이 증가한다. 대전자가 외측으로 이동한 경우 고관절의 외전근에 좋은 효과로 작용한다. 임상적으로 외전근과 내전근의 긴장은 대퇴골 경부의 길이가 증가하거나 대전자가 더 외측에 위치한 경우와 관련이 있다. 경부의 각도와 길이는 고관절의 외전력뿐만 아니라 대퇴골 근위부의 굴곡력에도 영향을 미치게 된다. 고관절의 내반 및 경부의 길이 증가는 대퇴골 간부를 통해 전달된 힘의 모멘트가 증가하게 됨으로써 대퇴골 근위부에 작용하는 굴곡력을 증가시키게 된다. 인공 관절 삽입물은 이러한 굴곡력에 저항할 수 있도록 설계되어야 한다. 경부의 길이가 감소하거나 대퇴골과 경부 사이의 각도가 증가(외반)하는 경우 대퇴골 내

삽입물의 굴곡력을 감소시키게 되나 외전근의 기능을 절충하게 되며, 관절의 반응력을 증가시키게 된다(표 1). 만약 경부의 각도나 길이의 변화, 관절 중심의 변화가 체중 부하에 대해 고관절의 외전근의 모멘트 크기를 감소시키게 되고, 기능적 보상이 이루어지지 않는다면 관절 작용력은 증가하게 될 것이다.

관절의 중심이 내측, 원위부, 전방부로 이동하게 되는 경우 관절에 작용하는 힘은 최소화 된다. 위치 변화는 외전근의 모멘트 유발 수용력을 최대화시키고 고관절의 중심을 족부와 지면 사이에 작용하는 힘의 모멘트 방향에 가깝게 위치시킴으로써 중심을 잡기위해 외측으로 작용하는 힘의 크기를 줄여준다. 골관절염의 경우 종종 대퇴골두가 외측, 상측, 후방부로 전위되어 있는 경우가 흔한 경우이다. 분석학적 모델은 고관절 중심이 원래의 위치에 대해 상부, 외측, 후방부로 전위된 경우 관절에 작용하는 최대 힘과 모멘트가 최대가 된다고 하였다. 고관절 중심이 상부로 전위된 경우 근육의 길이와 모멘트의 변화로 인해 외전근과 내전근, 굴곡근과 신전근의 모멘트 유발 수용력이 감소하게 된다. 이 경우 대퇴골 경부의 길이를 증가시키거나 대전자를 원위부로 이동하시키면 근육의 모멘트 유발 수용력의 감소에 대한 부분적인 보상을 얻을 수 있다.

대퇴스템의 해리는 관절의 중심이 상외측으로 이동하는 것과 연관이 있으며, 반면에 폴리에틸렌의 파손은 대퇴스템의 오프셋과 외전근의 모멘트와 연관되어 있다. 분석 연구 모델에 의하면 관절의 중심이 상외측으로 이동함으로써 증가한 접촉력은 대퇴스템의 오프셋과 외전근의 모멘트를 감소시킨다. 외전근이 근육의 힘과 모멘트의 크기가 감소하여 기능 장애가 생긴다면, 환자는 외전근에 필요한 힘의 크기를 감소시킴으로서 보행에 적응하게 될 것이다.

7. 고관절 치환술 후 보행

고관절 치환술을 시행 받은 후, 대부분의 환자들은 통증이 없어지고 기능도 회복된다. 일부 환자에서 수술 과정 중에 약화된 외전근의 근력이 회복되기까지 일시적으로 파행이나 Trendelenburg 보행을 호소할 수 있고 드물게 외전근이 영구적으로 손상된 경우에는 지속적인 보행 장애도 발생할 수 있다. 한편, 임상적 결과의 호전에도 불구하고, 일상 생활에서 정상적으로 필요한 기능들이 회복되지 않는 경우도 있으며 일반적으로 고관절 치환술 후 시상면에서 고관절의 운동 범위는 증가하긴 하지만 여전히 정상에는 미치지는 못하고 수술 전의 관절 운동 범위의 영향을 받는다. 보행 속도는 수술 후 리듬과 보폭, 고관절 관절 운동 범위가 늘어나면서 빨라진다.

참고문헌

1. 이영균, 최지혜, 원희재, 구경회. 고관절 및 고관절의 생역학 Biomechanics of Hip and Hip Replacement Arthro-plasty 대한정형외과학회지 2019.

2. Charnley J. Arthroplasty of the hip. A new operation. Lancet. 1961; 7187: 1129.

3. Connelly GM, Rimnac CM, Wright TM, Hertzberg RW, Manson JA. Fatigue crack propagation behavior of ultrahigh molecular weight polyethylene. J Orthop Res. 1984; 2: 119.

4. Engh CA, Bobyn JD, Glassman AH. Porous-coated hip replacement. The factors governing bone ingrowth, stress shielding, and clinical results. J Bone Joint Surg Br. 1987; 1: 45.

5. Fisher J, Dowson D. Tribology of total arti_cial joints. Proc Inst Mech Eng H. 1991; 2: 73.

6. Fisher J, Firkins P, Reeves EA, Hailey JL, Isaac GH. _einfluence of scratches to metallic counterfaces on the wear of ultra-high molecular weight polyethylene. ProcInst Mech Eng H. 1995; 4: 263.

7. Long WT, Dastane M, Harris MJ, Wan Z, Dorr LD. Failure of the Durom Metasul acetabular component. Clin Orthop Relat Res. 2010; 2: 400.

8. Ma SM, Kabo JM, Amstutz HC. Frictional torque in surface and conventional hip replacement. J Bone Joint Surg Am. 1983; 3: 366.

9. Morrey BF, Ilstrup D. Size of the femoral head and acetabular revision in total hip-replacement arthroplasty. J Bone Joint Surg Am. 1989; 1: 50.

10. Nassutt R, Wimmer MA, Schneider E, Morlock MM. The influence of resting periods on friction in the arti_cial hip. Clin Orthop Relat Res. 2003; 407: 127.

11. Ritter MA, Stringer EA, Littrell DA, Williams JG. Correlation of prosthetic femoral head size and/or design with longevity of total hip arthroplasty. Clin Orthop Relat Res. 1983; 176: 252.

12. Simon SR, Paul IL, Rose RM, Radin EL. "Stictionfric-tion"of total hip prostheses and its relationship to loosening. J Bone Joint Surg Am. 1975; 2: 226.

13. Sumner DR, Galante JO. Determinants of stress shielding: design versus materials versus interface. Clin Orthop Relat Res. 1992; 274: 202.

14. Wroblewski BM, Siney PD, Fleming PA.The principle of low frictional torque in the Charnley total hip replacement. J Bone Joint Surg Br. 2009; 7: 855.

CHAPTER

2

생체재료
Biomaterials

1. 금속

1920년대에 들어서, 고관절 유합술 대신 관절 내에 인공 물질을 삽입하여 관절을 재건하려는 연구가 처음으로 이루어졌다. 당시, 치과 영역에서 활발히 사용되고 있었던 코발트–크롬–몰리브덴(Co–Cr–Mo) 합금이 정형외과 영역에서도 많은 관심을 받게 되었고 이는 인공 관절 연구의 시초가 되었다. 비슷한 시기에 도입된 스테인리스강(stainless steel, 18% 크롬, 8% 니켈)은 Wiles의 의해 많은 연구가 이루어졌고 1938년 스테인리스강을 이용한 고관절 치환술이 처음으로 소개되었다. 그러나 스테인리스강은 생체적합성(biocompatibility)이 떨어져서 현재는 거의 사용되지 않는 추세이다.

1950년 McKee 및 Farrar는 최초로 금속–금속 인공 관절을 소개하였는데, 처음에는 스테인리스강을 이용하였지만, 나중에는 코발트–크롬–몰리브덴 합금(vitallium)을 이용하여 인공 관절을 만들었고, 이는 1970년대까지도 널리 사용되었다.

티타늄(titanium, Ti) 합금은 주로 항공 산업과 관련하여 개발되어 쓰이던 금속으로, 1960년대에 이르러 본격적으로 생체 재료에 적용되기 시작하였다. 티타늄은 높은 강도, 낮은 팽창 계수, 우수한 부식 저항성 등을 가지고 있어 현재 정형외과 영역에서 가장 흔히 사용하는 재료가 되었다.

정형외과 영역에서 사용되는 합금에는 철, 코발트, 티타늄 등이 흔히 쓰이고 있다. 인공 관절에 주로 사용되는 합금은 코발트–크롬–몰리브덴 합금과 티타늄 합금(Ti–6Al–4V, ELI)이다. 최근 들어서는 지르코늄(zirconium, Zr), 탄탈륨(tantalum, Ta) 등을 포함한 합금들도 개발되어 사용되고 있다.

1) 금속의 기본 특성

현재 알려져 있는 100개 원소 가운데 약 3/4은 금속적 성질 혹은 그것에 준하는 성질을 지니고 있다. 이들 금속 원소 가운데 비중이 작은 알루미늄(Al), 마그네슘(Mg), 티타늄 등을 경금속이라고 하며, 고체 상태에서 산화되지 않는 금속, 즉 금(Au), 은(Ag), 백금(Pt), 이리듐(Ir), 로듐(Rh), 팔라듐(Pd), 오스뮴(Os), 류테늄(Ru) 등의 8개 금속을 귀금속이라고 한다. 반면, 공기 중에 가열하면 백색 또는 착색한 산화물을 만드는 금속을 비귀금속이라고 하며 니켈, 크롬, 코발트, 망간, 철 등 대부분의 금속이 여기에 속한다.

(1) 금속의 결정 구조

원자가 규칙적으로 배열하고 있는 물질을 결정(crystal)이라고 하며, 고체 금속도 결정을 가지고 있다. 결정은 용융 금속이 냉각되면서 원자들이 3차원적인 공간에서 규칙적으로 배열하면서 만들어진다. 금속의 물리학적, 기계적 특성은 이러한 결정의 구조에 의해 결정된다. 결정 내의 원자 사이에는 14가지의 다른 구조가 있는데, 정형외과 영역에서 사용되는 금속들은 체심입방격자(body centered cubic, BCC), 면심입방격자(face centered cubic, FCC), 조밀육방격자(hexagonal closest packed, HCP) 등의 3가지 구조로 결정이 구성된다(그림 1).

체심입방격자는 각 입방체의 모서리와 입방체 중심에 각 1개의 원자가 배열된 결정 구조로 크롬, 철, 몰리브덴, 바나듐(V), 텅스텐(W) 등이 이에 속한다. 면심입방격자는 면의 대각선 상에 3개의 원자가 서로 접촉하고 있는 구조로 금, 은, 구리(Cu), 백금, 팔라듐, 니켈, 이리듐 등이 이에 속한다. 마지막으로 조밀육방격자는 6각주 상하면의 각 모서리와 그 중심에 1객씩의 원자가 존재하고, 6각주 중 1개씩 띄어서 3각주의 중심에 1개씩의 원자가 배열된 결정 구조이며, 아연(Zn), 마그네슘, 티타늄, 코발트, 지르코늄 등이 이에 속한다.

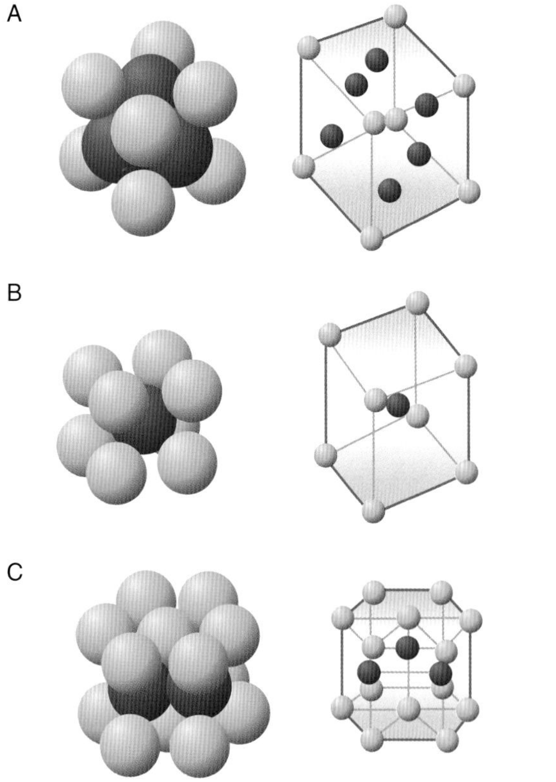

(2) 금속의 결함

금속 결정에는 결함(defect)이 있을 수 있는데, 이는 금속의 물리학적 특성과 연관이 있다. 결함은 공간적 방향에 따라 점결함, 선결함, 구역결함, 부피결함 등으로 나뉜다(그림 2). 점결함은 고체 상태에서 확산(diffusion)이 불완전하게 되었을 때, 격자 부위가 금속 원자로 완벽히 채워지지 않아 발생한다. 이는 모든 금속 및 합금에 발생할 수 있다. 선결함은 비틀림(dislocation)으로도 알려져 있으며 금속의 기계적 특성에 영향을 주는 주요 결함이다. 비틀림은 결정에서 원자의 면이 결정의 중간 내에서 끝나는 경우 부분적으로 결정 구조가 비틀어지면서 발생하게 된다. 충분한 정도의 압력이 가해지면 비틀림은 격자를 통하여 움직일 수 있고 결정 모양의 영구적 변화를 초래하게 된다. 이때, 금속은 소성 변형(plastic deformation)되었다고 한다. 다시 말하면, 금속의 소성변형은 비틀림의 발생 및 움직임에 의한 것이다. 구역결함 또는 부피결함은 2개의 금속 결정이 만나는 입자 경계면 부위에서 빈틈(void) 또는 균열(crack)에 의해 발생하는 결함으로서, 그 빈도가 더 높다고 볼 수 있으며, 금속 또는 합금의 기계적 특성에 영향을 주게 된다.

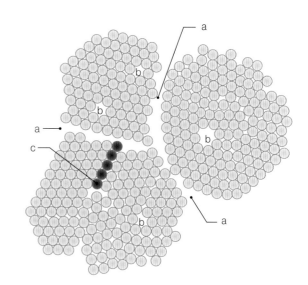

그림 1. 정형외과 영역에서 사용되는 금속의 흔한 결정구조
(A) 면심입방격자, (B) 체심입방격자, (C) 조밀입방격자

그림 2. 금속 결정 결함의 모식도
(a) 구역결함, (b) 점결함, (c) 선결함

2) 합금의 강화 기전

정형외과 영역에서는 합금의 강도를 강화하기 위해 여러 가지 방식의 강화 기전이 사용되고 있다. 이러한 강화 기전들은 대부분 비틀림을 줄이는 개념에 기초를 두고 있으며, 강화 기전을 거쳐서 합금은 더욱 강화된 기계적 특성을 얻게 된다.

(1) 고용체(Solid solution)

고용체 방법은 물에 소금을 섞어서 액체 상태에서 단일상(single phase)의 용액을 만드는 것과 같이 고체 상태에서 한 금속에 다른 금속 또는 비금속이 섞여 들어가 단일상을 만드는 것이다. 액체 상태인 소금물의 경우 물을 용매라고 하고 소금을 용질이라고 하듯이 두 금속이 고체 상태에서 잘 섞여서 고용체를 만들 때, 결정 격자의 형태를 유지하는 금속을 용매원자라고 하고, 섞여 들어가는 금속을 용질원자라고 한다. 섞여 들어가는 데에는 두가지 방법이 있는데, 그 하나는 용질원자가 용매원자를 치환하는 것으로, 이는 치환형 고용체라고 하며, 다른 하나는 용매원자 사이에 용질원자가 들어가는 것으로 이것을 침입형 고용체라고 한다(그림 3). 침입형 고용체는 용질원자가 용매원자에 비해 원자 반경이 매우 작은 경우에 만들어진다. 이처럼

용매원자의 자리를 치환하거나 용매원자 사이에 침입할 경우, 원자 크기의 차에 의하여 격자 내에서는 국소적인 격자의 뒤틀림(distortion) 현상이 나타나게 되고, 그 결과 원자들의 어긋남이 심화되어 강도, 비례한도(proportional limit), 표면경도(surface hardness) 등은 증가하고, 반면에 연성(ductility)은 일반적으로 감소한다.

(2) 소성 가공(Plastic working)

금속을 선재나 봉 혹은 다른 형태로 사용하고자 할 때, 먼저 주괴(ingot)의 형태로 주조하고, 이후 단조(forging), 압연(rolling), 압출(extruding), 스웨이징(swaging), 신선(wire drawing) 등에 의해서 최종적인 형태로 만들어지게 되며 이 과정에서 금속은 소성 변형된다. 이러한 작업을 재결정이 일어나는 온도보다 낮은 온도에서 진행하는 것을 냉간 가공(cold working), 재결정 온도보다 높은 온도에서 진행하는 것을 열간 가공(hot working)이라고 한다. 열간 가공은 금속을 가열하여 부드럽게 해서 가공하기 때문에 작은 힘으로도 금속을 변형시킬 수 있는 반면, 표면처리와 치수정밀도가 좋지 않아 냉간 가공을 추가로 하여 최종 형태를 완성하는 경우가 많다. 냉간 가공은 상온에

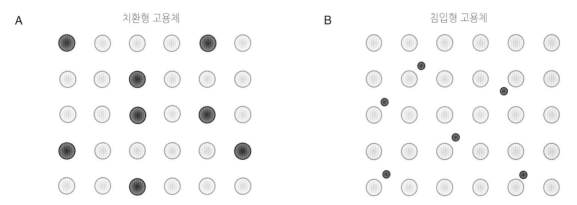

그림 3. 고용체의 모형도
(A) 치환용 고용체 - 용매원자(파란색)가 용질원자(붉은색)를 치환하는 것, (B) 침입형 고용체 - 용질원자(붉은색) 사이에 용매원자(파란색)가 들어가는 것.

서 실시되어 정확한 치수로 매우 얇은 박(foil)이나 가느다란 선도 만들 수 있다는 장점이 있다. 냉간 가공을 거친 금속은 그 내부의 결정립(crystal grain)들이 부서지고, 서로 엉기고 또 길게 늘어선 구조가 된다. 이러한 내부 구조의 변화는 인장 강도(tensile strength)와 경도(hardness)는 증가하지만, 연성은 감소하게 되는 기계적 성질의 변화를 수반하게 된다. 심하게 냉간 가공된 금속이나 합금을 가열하면 냉간 가공에 의해서 변화된 성질이 가공 전에 가까운 상태로 돌아가게 되는데, 이러한 가열 조작을 어닐링(annealing)이라고 한다. 어닐링에 의해서 원상태로 회귀하는 과정은 두 가지로 나눌 수 있다. 첫째, 가공으로 내부 변형을 일으킨 결정이 그 형태를 유지하면서 내부 에너지가 소실되는 과정을 회복이라고 한다. 회복 과정에서는 냉간 가공으로 금속이 받은 물리적, 기계적 성질의 변화가 가공 전의 상태로 돌아가려는 경향을 갖게 되지만, 결정의 모양이나 결정의 방향에는 변화를 일으키지 않고 내부 잔류응력(residual stress)의 소실만이 발생한다. 둘째, 가공된 물체에서 특징적으로 관찰되는 현상으로서, 기다랗게 늘어진 조직이 점차 없어지고 내부 변형이 없는 새로운 결정으로 치환되어 가는 과정을 재결정(recrystallization)이라고 한다. 재결정 과정은 새로운 결정의 핵의 발생과 성장을 포함하며, 새롭게 형성된 결정은 이전의 결정과는 모양과 방향이 다르다. 저온에서의 어닐링에서는 재결정은 일어나지 않고 회복만 일어나는 경우도 있으나, 재결정이 일어날 때에는 재결정 시기에 앞서, 반드시 어느 정도의 회복이 발생한다. 재결정의 정도는 합금의 조성, 냉간 가공의 형태, 냉간 가공 중 받은 가공의 정도 등의 영향을 받게 되며, 이 외에도 냉간 가공 후의 가열 온도나 시간의 영향을 받는다. 일반적으로 가열 온도가 높고, 가열 시간이 길수록 재결정되는 양이 많아진다. 가공된 조직이 재결정되면 물리적, 기계적 성질이 감소하기 때문에 가공된 금속 장치물을 조작하는 동안에 지나친 열을 가하는 것은 피하는 것이 좋다.

(3) 입자의 크기 효과(Grain size effect)

입자의 크기는 합금의 강도에 미친다. 만약, 합금 입자의 크기가 작다면 경계(grain boundary)면에서 다른 입자의 경계면으로 쉽게 이동할 수 있어 원자가 어긋나는 것을 막아주게 된다. 따라서 입자의 크기가 작을수록 합금의 강도는 증가하게 된다. 만일, 다양한 크기의 입자가 경계에 있다면 원자의 어긋남은 더욱 어려워 질 것이다.

3) 정형외과에서 사용되는 합금
(1) 스테인리스강

스테인리스강은 금속 재료 중 가장 먼저 정형외과 영역에서 쓰이기 시작한 재료로서, 크롬(Cr), 니켈(Ni), 망간(Mn), 탄소(C) 등을 포함한 철(Fe) 합금으로 만들어진다. 대표적인 생체용 스테인리스강은 크롬과 니켈이 각각 18.8% 함유된 316, 그리고 탄소 함량을 0.03% 이하로 낮춘 저탄소 316L 등이 있다. 부식(corrosion)에 강하고 항복 강도(yield strength)가 높고 체내에서 비교적 생체 반응을 덜 일으키는 특징이 있어 오랫동안 정형외과 영역에서 사용되어 온 금속 재료이다(표 1). 초기에는 인공 관절 등에서도 사용되었으나, 인간 뼈의 10배 정도의 강성(stiffness)을 가지고 있어 응력 차단(stress shielding) 현상에 의해 골흡수를 유발하여 현재는 골절 고정에 사용되고 있다.

(2) 코발트-크롬 합금

코발트-크롬 합금은 오랫동안 코발트-크롬-몰리브덴 합금(ASTMF-75) 형태로 주조 제작되어 사용되어 왔으며, 최근 들어서는 탄소를 많이 함유한 단조 코발트-크롬 합금(high-carbon-forged Co-Cr-Mo alloy)이 개발되었는데, 강도 및 마모에 대한 저항성이 더욱 강화되어 인공 고관절의 관절면과 인공 슬관절의 재료로 사용되고 있다. 마모 및 부식 저항성이 강하고 생체 적합성(biocompatibility)도 우수하다. 고관절 인공 관절에서는 폴리에틸렌과 관절면을 이루어 많이 사용되

표 1. 순수 티타늄과 열처리한 티타늄 합금의 기계적 성질 비교

소재	항복 강도 (Yield strength)	최대 인장 강도(MPa) (Ultimate Tensile Strength)	피로 강도(MPa) (Fatigue Srtength)	탄성계수(GPa) (Modulus of elasticity)
스테인리스강 (316L)	207	515	190–230	200–220
코발트-크롬 합금 (Cast)	450	621	245–280	220–240
티타늄 합금 (Ti-6Al-4V)	940	1,000–1,200	670	110

고 있으며, 스템 및 비구컵에서도 일부 사용되고 있다.

(3) 티타늄 합금

티타늄은 200여 년 전에 영국 승려인 William Gregor에 의해 처음 발견되었으나 50년 동안 거의 사용되지 않았다. 정형외과 영역에서는 1957년 대퇴스템에 처음 사용된 이후 현재 인공 관절, 척추고정기구, 골절 치료용 금속으로 광범위하게 사용되고 있다.

티타늄은 순수 상태로 자연에 존재하지 않고 금홍석 내에서 95% 이상 산화 형태(이산화티타늄, TiO_2)로 존재한다. 흔히 사용되는 알루미늄, 철과는 달리 티타늄은 정제 과정과 작업이 매우 까다롭다. 순수 티타늄은 강도가 너무 약하기 때문에 정형외과 영역의 내고정물로는 적합하지 않은 경우가 많다. 골성장(bone growth) 또는 골결합(bone osteointegration)을 위한 인공 관절의 표면처리 과정에서 티타늄 알갱이(bead)나 거친 분말이 필요할 때 순수한 티타늄을 많이 사용한다. 이 외에는 대부분 티타늄 합금(Ti-6Al-4V)으로 강도를 강화시켜 사용하고 있다. 티타늄 합금은 상온에서의 안정한 구성상의 종류에 따라 α, 준α, α+β, β상의 티타늄으로 나누어진다. 이 중, α+β상 합금인 Ti-6Al-4V는 정형외과 영역에서 가장 많이 사용되는 합금으로, 열처리하면 매우 우수한 물성과 기계적 성질을 갖는 좋은 재료가 된다.

티타늄은 생체 적합성이 우수하고, 가볍고 강하며 피로와 부식에 대한 저항성이 매우 높다. 티타늄은 반응성이 높아 공기 또는 체액과 접촉하면 쉽게 산화되는데, 표면에 형성된 산화막은 부식에 대한 높은 저항성을 지니게 한다. 이는 인체 내 환경인 염화 환경(chloride environment)에서 스테인리스강이나 코발트-크롬 합금보다 더 뛰어나 인공 관절 재료로도 바람직하다. 무게에 비하여 강도가 높고, 탄성계수가 스테인리스강이나 코발트-크롬 합금 1/2 정도로 적으므로 인공 관절의 응력 차단으로 골흡수를 줄일 수 있다. 하지만, 티타늄 합금은 마모 저항성이 낮고 마찰 계수가 높아서 관절면으로는 쓰이지 않는다. 최근 들어서는 기존의 티타늄 합금(Ti-6Al-4V) 보다 마찰 계수를 줄여 뼈와 비슷하게 맞추려고 하는 저탄성계수 β상의 티타늄 합금에 대한 연구도 진행되고 있다.

2. 폴리에틸렌(Polyethylene)

고분자량 폴리에틸렌은 1960년대 비구컵의 관절면으로 도입된 이후, 고관절 전치환술에 널리 사용되어 왔다. 하지만 폴리에틸렌은 마모로 발생한 미세한 마모 입자에 의한 삽입물 주위의 골용해와 삽입물 해리를 초래하는 것이 고관절 전치환술 후 큰 문제점으로 대두되었다. 이에 제조 방법의 개선과 소독 방법을 달리하여 마모를 줄이려는 노력이 꾸준히 시도되었고 특히, 방사선 조사에 의한 교차결합(cross linking)을 증가시키면 마모가 획기적으로 감소됨이 알려지면서, 고도

교차결합 폴리에틸렌(highly cross-linked polyethylene)이 개발되어 현재까지 널리 사용되고 있다.

1) 초고분자량 폴리에틸렌

(1) 폴리에틸렌의 구조

폴리에틸렌은 1개의 탄소 분자와 2개의 수소 분자의 이중 결합을 가지고 있는 에틸렌($CH_2=CH_2$)이 서로 결합하여 형성된 긴사슬 중합체(polymer)로, 폴리에틸렌 분말은 에틸렌 단량체(monomer)를 연결시키는 중화과정(polymerization)을 통하여 만들어진다. 초고분자량 폴리에틸렌(ultra high molecular weight polyethylene, UHMWPE)은 합성고분자로서 대개 분자량이 100만 이상인 폴리에틸렌을 말한다.

폴리에틸렌의 미세 구조는 비결정형의 간질(morphous matrix)에 결정부(crystalline domain)가 융합된 이중 구조로 되어 있으며(그림 4), 폴리에틸렌의 결정성(crystallinity)이 증가할수록 액체나 기체 등의 화학적 물질에 저항성을 가진다. 결정부는 섭씨 137℃ 이상에서 용해되어 온도에 따라서 형성과 해체가 이루어진다. 비결정부는 결정부에 비해 화학적 저항성이 약하여 액체나 기체의 폴리에틸렌 내로의 침투를 야기하게 되고, 기계적 저항성도 약하다. 초고분자량 폴리에틸렌(UHMWPE)의 기계적 특성은 화학구조, 분자량, 결정 체제, 제조 시 가열된 온도, 압력 및 촉매 화학물질

등과 밀접한 관련이 있고 제조 공정에 의해서도 영향을 받는다. 초고분자량 폴리에틸렌 인공 관절면 부품은 분자량에 따라 차이가 있지만 통속에 원료를 넣고 원통형으로 제조하는 압출 성형(ram extrusion), 폴리에틸렌 분말 원료를 가열한 상태로 고압으로 압축하여 고체판의 형태로 만드는 시트 주형(sheet molding), 그리고 원료를 직접 삽입물 모형에 넣어 제조하는 압박 주형(compressive molding)의 방법으로 제조되며 이 중에서도 압박 주형 방법이 마모가 적어서 가장 선호되고 있다.

(2) 교차결합

교차결합이란 서로 다른 중합체 사슬로부터 나온 2개의 라디칼(radical)이 화학적으로 결합하는 것으로 3차원적으로 매우 안정된 구조를 형성하여 마모에 저항성을 가지게 된다(그림 5). 교차결합을 유도하는 방법에는 감마 방사선이나 전자선(electron beam)의 전리 방사선(ionizing radiation)을 이용하는 방법과 과산화물(peroxide)과 실레인(silane) 등의 화학 물질을 이용하는 방법이 있다. 방사선을 이용한 경우, 잔존하는 유리 라디칼(free radical)이 안정화되면 안정된 교차결합이 만들어지나, 화학적 방법은 불안정한 교차결합이 만들어지기 때문에 거의 사용되지 않는다. 따라서 교차결합을 유도하고자 할 때, 주로 방사선 조사에 의한 방법

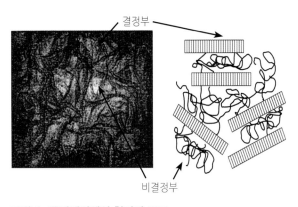

그림 4. 폴리에틸렌의 현미경 구조

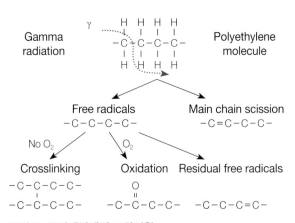

그림 5. 폴리에틸렌의 교차결합

이 이용되고 있다. 감마선 조사 방법은 과거 30년 이상 사용되어 온 비교적 안전한 방법으로 24시간에 걸쳐 서서히 조사하기 때문에 온도에 대한 손상 가능성이 적다. 반면에 electron beam은 기존의 방법보다 5,000배 이상 빠른 속도로 조사하기 때문에 고온에 의한 손상 가능성이 제기되고 있다.

방사선이 조사되면 중합체 사슬에서 화학적으로 반응성이 매우 높은 고에너지의 유리 라디칼이 형성되고, 이 유리 라디칼들이 서로 공유결합을 만들거나 교차결합을 형성하게 된다. 방사선 조사에 의한 교차결합 과정에서 결합하지 못한 유리 라디칼들이 잔존하게 되는데, 이 유리 라디칼들은 매우 불안정하여 주변의 산소와 반응하여 산화 변성(oxidative degradation)을 야기할 수 있다. 따라서, 방사선 조사에 의한 교차결합 과정에서 결합하지 못한 유리 라디칼들은 제거되어야 하며, 이를 위해 열처리를 하게 된다. 남은 유리 라디칼들을 제거하는 방법은 폴리머를 융해점(125~135℃)까지 열을 가하는 재융해(remelting) 방법과, 융해점

(melting point) 보다 조금 낮은 온도로 가열하는 어닐링(annealing) 방법이 있다. 재융해 방법은 유리 라디칼을 완전히 제거하지만 폴리에틸렌의 물리적 성질(crystallinity and stiffness)을 약화시키는 단점이 있으며, 어닐링 방법은 유리 라디칼이 소량 잔존하여 장기간에 걸쳐 물리적 성질이 약화될 가능성이 있다.

현재까지 상품화되어 사용되어 온 고도 교차결합 폴리에틸렌들은 대부분 5-10 Mrad의 방사선을 조사하고 있으며, 방사선 종류, 방사선 조사 시 온도, 방사선 조사량, 방사선 조사 후 온도 처리, 소독 방법, 총 방사선 조사량, 잔존하는 유리 라디칼의 유무 등에 따라 차이가 난다(그림 6).

(3) 폴리에틸렌의 소독

공정이 완료된 폴리에틸렌 부품의 소독 방법으로는 가스 플라즈마(gas plasma), 에틸렌옥사이드(ethyleneoxide, EO), 감마 방사선 조사 등의 방법이 있다. 가스 플라즈마 방법과 에틸렌옥사이드 방법은 소

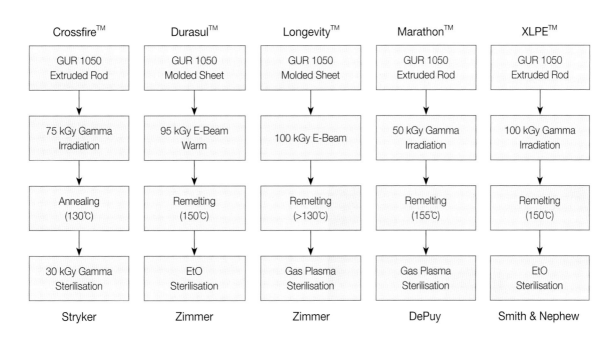

그림 6. 고도 교차결합 폴리에틸렌의 종류와 제조 공정

독 후 유리 라디칼의 형성이 없어 산화 변성을 최소화할 수 있지만, 교차 결합은 일어나지 않으며, 폴리에틸렌 내부까지 완전 소독이 어려워 독성 잔유물이 남을 수 있다는 단점이 있다. 최근 사용되는 폴리에틸렌 삽입물의 소독 방법은 주로 2.5-4 Mrad 정도의 감마 방사선 조사로 무산소 상태에서 시행한다.

(4) 폴리에틸렌의 산화

산화의 과정은 잔존하는 유리 라디칼이 산소와 결합하여 과산화유리 라디칼과 과산화수소를 형성하여 중합체의 사슬이 끊어지는 것이다. 이것으로 중합체의 분자량이 감소가 일어나면서 재결정화(crystallization)가 증가한다. 결국 중합체의 탄성계수는 증가시키나 강도, 연성, 인성(toughness) 등은 오히려 감소시켜 마모에 대한 저항력이 크게 줄어들며, 층분리(delamination), 함요(pitting)와 골절까지 유발된다(그림 7).

2) 초고분자량 폴리에틸렌의 마모와 기계적 성질
(1) 방사선 조사량에 따른 마모

교차결합의 정도는 방사선 용량에 비례하며 교차결합 정도에 따라 마모율은 반비례하여 감소한다. 하지만, 방사선 조사량을 늘릴수록 반드시 좋은 것만은 아니다. 방사선 조사량이 증가하면 마모는 감소하나 최대 인장 강도와 피로 균열 확산 저항성(fatigue crack propagation resistance) 등의 기계적 특성은 감소하게 된다. 그리고 방사선 조사량에 따른 마모율의 변화도 다른데 5 Mrad까지는 용량에 비례하여 마모율이 크게 감소하지만, 이후 10 Mrad까지는 마모율 감소폭이 둔화되고, 10 Mrad 이상에서는 마모율의 차이가 미미하다(그림 8). 또한 방사선 조사량에 따라서 마모 입자의 크기와 수를 비교하였을 때, 5 Mrad의 방사선을 조사한 경우, 마모량은 감소하나 실제 마모 입자의 수는 훨씬 많은 것으로 나타났다. 10 Mrad의 방사선을 조사한 경우, 소독하지 않은 폴리에틸린이나 5 Mrad의 방사선을 조사한 경우보다 마모 입자 수가 감소하며 입자의 평균 크기도 감소하였는데, 이는 작은 입자의 수가 증가하였기 때문이 아니라 작은 입자, 큰 입자 모두 그 수가 감소하였기 때문임이 밝혀졌다. 현재 폴리에틸렌의 물리적 특성을 보존하면서 임상적으로 골용해의 문제점을 유발시키지 않는 정도의 극소량의 마모를 발생시키는 방사선 조사량은 9.5-10 Mrad 정도로 보고 있다.

(2) 폴리에틸렌의 소독과 마모

폴리에틸렌의 마모에 중요한 영향을 미치는 인자는 소독을 위한 방사선 조사로 인하여 발생하는 폴리에틸렌 구조의 미세 변화이다. 현재 주로 사용되고 있는 소독 방법인 감마 방사선 조사 방법은 공기 중에서 방사선을 조사하는 방법과 무산소 환경에서 조사하는 방법

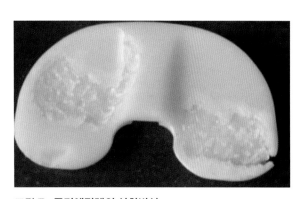

그림 7. 폴리에틸렌의 산화변성

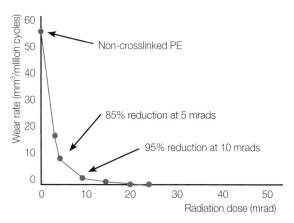

그림 8. 방사선 조사량에 따른 폴리에틸렌의 마모율 변화

이 있는데, 방사선을 조사하면 유리 라디칼이 형성되고, 이후 산소에 노출되면 유리 라디칼들이 산소와 결합하여 산화에 의한 변성을 유발하게 되어 궁극적으로 폴리에틸렌의 마모 저항성이 감소하게 된다. 특히 폴리에틸렌 삽입물 제조 공정에서 유동성을 좋게 하기 위해 첨가한 스테아르산 칼슘(calcium stearate)이 표면에 몰려 있어 산화 작용이 심한 경우 표면부에 백색띠가 관찰되기도한다. 따라서 현재는 산화 변성을 방지하기 위해 무산소 환경에서 감마 방사선 소독을 시행하고 진공 상태에서 보관하고 있다.

(3) 고도 교차결합 폴리에틸렌의 마모 기전

9.5-10 Mrad까지의 방사선 조사량 내에서의 고도 교차결합 폴리에틸렌은 여러 가지 생체 외 실험에서 마모를 95%까지 줄이는 것으로 확인되었다. 전통적인 폴리에틸렌(UHMWPE)의 마모는 주로 관절의 운동 방향에 영향을 받는다. 고관절의 주된 운동 방향인 굴곡-신전 방향으로 운동이 주로 진행되면, 이 방향으로 폴리에틸렌의 표면에 소성 변형(plastic deformation)에 의한 긴 원섬유(elongated fibril)가 형성되고, 설정된 방향이 굳어지게 된다(surface orientation). 이 때, 횡 방향인 외전과 내전 방향의 운동에는 표면이 약해지게 되어 미세한 마모 입자가 표면으로부터 만들어진다. 반면, 고도 교차결합 폴리에틸렌은 이러한 방향 설정을 제한하기 때문에 마모를 줄일 수 있다. 전통적인 고분자 폴리에틸렌을 사용한 고관절 전치환술 후 마모에 영향을 주는 요인으로는 연령, 성별, 체질량지수, 환자의 활동성, 대퇴골두 크기, 삽입물 위치 등이 주요 인자로 알려져 왔으나, 고도 교차결합 폴리에틸렌의 경우는 환자 측 요인보다는 폴리에틸렌의 재질과 마모 특성이 중요한 것으로 알려져 있다. 또한 비구컵의 적정 삽입 위치가 중요한데, 특히 고도 교차결합 폴리에틸렌의 경우 기계적 특성의 감소로 비구컵의 기울기가 클수록 과도한 스트레스가 가해져 조기 실패의 원인이 될 수 있다.

대퇴골두의 크기가 클수록 고관절의 운동 범위가 증가하여 탈구를 감소시키고 대퇴골 경부와 라이너 사이의 충돌 위험을 낮추지만, 전통적 폴리에틸렌을 사용하였을 경우 인공 대퇴골두가 클수록 체적 마모(volumetric wear)가 증가하여 골용해가 많아진다는 것이 알려져 있어 큰 인공 대퇴골두의 사용이 제한되었다. 하지만, 고도 교차결합 폴리에틸렌의 경우, 골두가 크더라도 전통적인 폴리에틸렌에 비해 발생하는 마모가 미미하여, 실제 임상에서 큰 골두를 사용할 수 있게 되었다. 그러나 상대적으로 삽입물의 두께가 얇아져 특히 잠금 장치(locking mechanism)가 있는 부위에서 피로 균열의 가능성이 있다는 보고도 있다.

3) 초고분자량 폴리에틸렌의 임상 결과

전통적인 폴리에틸렌 삽입물을 이용한 고관절 전치환술의 장기 추시 결과는 10년에 90%, 20년에 80%에 가까운 생존율을 보였다. 고도 교차결합 폴리에틸렌을 이용한 초중기 추시 결과는, 마모 감소가 대조군으로 사용된 전통적 폴리에틸렌과 비교하여 23-95%까지 보고되었다(표 2). 하지만 이는 생체 외에서 시행한 모의 마모 실험(hip simulator wear test)의 마모 감소율에는 미치지 못한다. 이러한 차이는 포복 변형(creep deformation)에 의한 변형과 대조군의 삽입물 제조 방법의 차이 때문으로 설명할 수 있다. 포복 변형은 수술 후 6개월 이내에 발생하며 교차결합의 정도에는 크게 영향을 받지 않기 때문에 수술 후 1년까지의 마모율의 차이는 의미가 없다는 보고도 있다. 또한 재치환술 시 제거된 고도 교차결합 폴리에틸렌을 분석한 보고에 의하면, 라이너 표면에 마멸(abrasion), 함요(pitting) 긁힘(scratch) 등이 발견되었고, 원래의 기계 인장(machine mark)이 왜곡되었거나 표면상 균열이 관찰되었다고 한다. 하지만, 재가열 후에 기계 인장을 다시 볼 수 있었는데, 이는 기계 인장이 소멸된 것이 마모에 의한 것이 아닌, 표면의 소성 변형 때문인 것으로 해석될 수 있다고 하였다.

413

표 2. 고도 교차결합 폴리에틸렌의 전통적 폴리에틸렌과 비교한 초중기 추시 결과

고도 교차결합 폴리에틸렌의 제조 공정	임상 연구	추시 기간(년)	소독 방법	마모 감소율(%)
Cold-irradiated and annealed (Crossfire)	Rohrl et al.	2	Gamma-irradiated, air	85
	Martell et al.	2-3	Gamma-irradiated, inert	42
	Krushell et al.	4	Gamma-irradiated, inert	58
	D'Antonio et al.	4.9	Gamma-irradiated, inert	60
Cold-irradiated and melted (Marathon)	Heisel et al.	2.8	Gamma-irradiated, air	72
	Sychterz et al.	3.2	Gas plasma	45
	Bitsch et al.	5.3	Gamma-irradiated, air	73
	Engh et al.	5.5	Gas plasma	95
Warm-irradiated and adiabatic melted (Durasul)	Digas et al.	2	Gamma-irradiated, inert	54
	Manning et al.	2.6	Gamma-irradiated, air	94
	Digas et al.	3	Gamma-irradiated, inert	23
	Bragdon et al.	3.8	Gamma-irradiated, air	83
	Dorr et al.	5	Gamma-irradiated, inert	55
Warm-irradiated and subsequently melted (Longevity)	Manning et al.	2.6	Gamma-irradiated, air	90
	Hopper et al.	2.9	Gas plasma	44
	Digas et al.	3	Gamma-irradiated, inert	31

라이너의 마모율이 연간 1 mm 이상이 되면 골용해는 매우 광범위하게 발생하는 것으로 알려져 있다. 고도 교차결합 폴리에틸렌의 장기 추시 결과에 의하면 사용되었던 베어링의 조합, 환자의 수술 당시 연령, 제품의 종류 등에 상관없이 연간 마모율이 0.1 mm 이하로 좋은 임상 결과를 보였다(표 3). Feng 등은 평균 12.9년 추시에서 연간 마모율은 0.05이며 골용해는 없었다고 하였다. Hooper 등은 15년 추시 상에서 전통적인 폴리에틸렌의 골용해는 46%에서 관찰되었고 재수술률은 12%인 반면에, 고도 교차결합 폴리에틸렌은 골용해는 9%에서 관찰되었고 재수술은 한 예도 없었다고 하였다. 호주의 관절치환술 레지스트리 현황에서도 16년 추시 동안 재수술률을 확인하였을 때, 전통적 폴리에틸렌은 11.7%, 고도 교차결합 폴리에틸렌의 경우 6.2%

로 유의한 차이를 보였다고 하였다. 하지만 고도 교차결합 폴리에틸렌의 마모 입자의 크기가 1 μm 이하가 많아 골용해의 임계점이 연간 1 mm 보다 작을 수 있다는 우려도 있다.

4) 2세대 고도 교차결합 폴리에틸렌

교차결합을 유도하기 위해 방사선 조사하는 과정에서 유리 라디칼들이 발생하게 되는데, 이를 제거하기 위해 재용해 과정을 거치게 되는 경우, 앞서 언급한 바와 같이 유리 라디칼들을 완전히 제거할 수는 있지만, 폴리에틸렌의 결정성과 경도를 약화시킬 수 있다. 반면, 어닐링 과정으로 열처리를 할 때에는, 잔존하는 유리 라디칼들을 완전히 제거할 수 없는 단점이 있다. 이를 극복하기 위해 고도 교차결합 폴리에틸렌

표 3. 고도 교차결합 폴리에틸렌의 장기 추시 결과

연구	환자수/ 증례수	폴리에틸렌 상품명	추시 기간(년)	재치환 증례수	마모(mm/년)	수술 후 합병증
Kim et al. (2013)	57/67	Marathon (DePuy)	11	0	0.031±0.004(mean±SD) (includes bedding-in period)	1 dislocation
Babovic and Trousdale (2013)	50/54	Longevity (Zimmer)	Minimum 10	1	0.02±0.0047(mean±SD) (did not state if includes bedding-in period)	1 dislocation
Garvin et al. (2015)	95/105	Longevity (Zimmer)	12 (range. 9-14)	1	0.022(95% CI, 0.015-0.030) (excludes bedding-in)	3 intraoperative fracture 1 DVT
Kim et al. (2013)	100 pts	Marathon (DePuy)	12 (minimum 11)	1	0.031±0.004(mean±SD) (includes bedding-in period)	5% squeaking or clicking hips
Kim et al. (2011)	76/79	Marathon (DePuy)	9 (range. 7-9)	0	0.05±0.02(mean±SD) (includes bedding-in period)	1 dislocation
Ranawat et al. (2012)	91/112	Crossfire (Stryker)	6 (range,5-7.7)	0	0.043(±28SD)	Not reported
Johanson et al. (2012)	51/52	Durasul (Zimmer)	10	1 each group	Radiostereometric analysis	5/61 stem (8%), revision
Bedard et al. (2014)	139/150	Marathon (DePuy)	Minimum 10	0	0.05 (includes bedding-in period)	0

Bragdon et al.
(2013)
	159/174	Marathon
		(DePuy)
			7-13	Not reported	Minimum 7-year follow-up:
					  0.018±0.079(mean ±SD)
					Minimum 10-year follow-up:
					  0.01±0.0562(mean ±SD)
					  (excludes 1-years bedding-
					  in period)	

Engh et al. (2012)	116/116	Marathon (DePuy)	10.0±1.8	None for wear in the HXLPE group, 2 for dislocation	0.04±0.06(mean ±SD) (includes bedding-in period)	2 dislocations
Garcia-Rey et al. (2013)	45/45	Marathon (DePuy)	Minimum 10	0	0.02 ±0.016(mean ±SD) (includes bedding-in period)	Not reported
Glyn-Jones et al. (2015)	39/39	Longevity (Zimmer)	Minimum 10	0	0.033	Not reported

의 제조 공정에 관한 많은 연구가 이루어졌고, 최근 들어서는 비타민 E를 항산화제로 사용한 차세대 고도 교차결합 폴리에틸렌이 출시되어 임상에 사용되고 있다 (표 4). 1995년에 Biomet사에서는 compression molding 제조 공정을 이용한 폴리에틸렌을 처음 출시하였고, 이후 고도 교차결합 공정이 더해진 ArCom XL®을 개발하였다. 2007년 들어서는 미국 Massachusetts General Hospital과 공동 연구를 진행하여, 'Antioxidant Infused Technology'를 이용한 비타민 E 안정화 폴리에틸렌(E1®)을 생산하게 되었다. 방사선 조사 후에 항산화제인 비타민 E를 결합함으로써 재용해 과정없이 피로 강도의 개선과 함께 산화 저항성을 얻을 수 있는 것이 가장 큰 특징이라 할 수 있겠다. 이후, 여러 회사에서 비타민 E를 항산화제로 이용한 비타민 E 안정화 폴리에틸렌을 출시하였고, 생역학적 실험결과, 방사선 조사 후 재용해 과정을 거친 폴리에틸렌과 같은 정도의 교차결합을 얻을 수 있으며, 피로 강도가 개선됨을 확인하였다. 다만, 폴리에틸렌 제조 과정에 사용되는

비타민 E는 합성으로 만들어지기 때문에 생체 내 용출 시에 체내 국소 및 전신적인 영향에 대한 우려가 있다. 한편, 열처리를 어닐링 방식으로 진행하였던 제품이 가지고 있던 단점인 유리 라디칼의 잔존율을 최소화하기 위해, 방사선 조사 및 어닐링 방식을 3번 반복하는 제조 공정을 도입한 2세대 고도 교차결합 폴리에틸렌 역시 개발되어 현재 사용되고 있다(그림 9).

3. 세라믹

1) 정의 및 특성

세라믹(ceramic)은 무기 비금속 원료를 성형한 후 고온으로 가열, 소결(sintering) 또는 융해(melting)하여 만든 고체로서 도자기, 유리, 시멘트, 석고, 벽돌, 타일, 단열재 등의 각종 제품을 통틀어 이르는 말이다. 순도가 높은 무기물질을 인공적으로 합성하여 고도의 기술로 소성(plastic working)을 한 재료이며 금속과는 다르게 전기를 잘 전도하지 않을 뿐 아니라 유기재료와는 달리 대략 1,700℃ 이상의 높은 융점을 가지고 있

표 4. 비타민 E 안정화 폴리에틸렌의 종류와 특징

상품명	원재료	비타민 E 처리 공정	교차결합 정도	방사선 조사 방법	소독 방법
E1TM (Biomet)	GUR 1020/1050	Infused	HXLPE (100 kGy)	Gamma-Beam	Gamma-Beam
Vitamys (Mathys)	GUR 1020	Blended	HXLPE (100 kGy)	Gamma-Beam	Gas plasma
Vivacit-E (Zimmer)	GUR 1020	Blended	HXLPE (100 kGy)	E-Beam	Eto
Vitelene (Aesculap)	GUR 1020	Blended	HXLPE (80 kGy)	E-Beam	Eto
Vital-XE (Permedica)	GUR 1020	Blended	XLPE (60 kGy)/UHMWPE	E-Beam	Eto
ECiMaTM (Corin)	GUR 1020	Blended	HXLPE (120 kGy)	Cold Gamma-Beam	Eto
E-MAXTM (Renovis)	GUR 1020	Blended	HXLPE (100 kGy)	Gamma-Beam	Eto

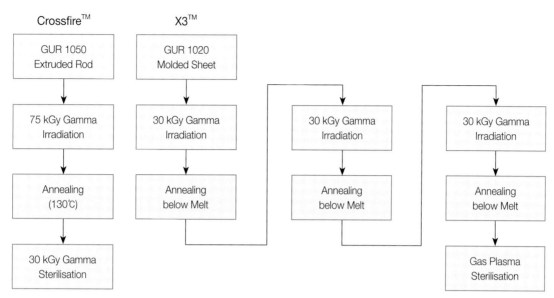

그림 9. 1세대 고도 교차결합 폴리에틸렌과 2세대 고도교차결합 폴리에틸렌의 제조 공정의 변화(Stryker Orthopaedics, Mahwah, NJ, USA)

어 고온에도 잘 견디는 특징이 있다. 세라믹의 어원은 그리스어 Keramos에서 온 것으로 도기를 뜻하며 인도 유럽어족의 낱말 커(Ker)는 열을 뜻하는데, 협의의 세라믹은 원자들이 규칙적으로 배열된 형태의 무기 화합 세라믹으로 한정하기도 하지만 현재는 요업 제품, 물질 또는 제조 과정을 모두 지칭하는 용어로 사용되고 있다. 최근의 파인 세라믹(fine ceramic)은 고순도의 인공 원료를 사용하여 만들며 전자재료, 정밀기계재료 및 생체재료로 쓰이는데 이 중 생체재료로 사용되는 경우를 바이오 세라믹이라 하고 알루미나, 지르코니아, 열분해 탄소 등과 같이 활성을 갖지 않는 비활성 소재와 수산화인회석, 인산칼슘, 바이오 글라스 등과 같이 인체 내에서 활성을 갖는 활성소재로 구분할 수 있다. 세라믹 생체소재는 높은 압축 강도, 내마모성, 화학적 안정성, 무독성, 생체 적합성 등의 특성을 가지며, 인공 고관절의 대퇴골두 및 비구컵 부분뿐만 아니라 골결손 부위의 골 대체재(bone substitute), 기타 인공 장기 부품까지 다양하게 사용되고 있다.

2) 종류
(1) 비활성 세라믹

비활성 세라믹은 고분자 화합물이나 금속에 비해 내마모성, 내열성, 내화학성 등의 기계적 특성과 화학적 안정성, 생체 안정성에서 뛰어난 생체재료로 등장했다. 활성 세라믹과 달리 생체 내에서 골과 직접 화학결합을 형성하지는 못하지만 매우 얇은 섬유성 피막을 경계로 결합하며 생체 내에서 기계적 물성을 유지하는 성질을 이용하여 주로 구조 지지용의 목적으로 사용된다. 알루미나 및 지르코니아가 대표적이며 이들 모두 높은 산화상태를 가짐으로써 생체 내에서 높은 화학적 안정성을 가지고, 이온결합과 공유결합으로 압박력에 대한 강한 저항성 및 높은 경도를 나타내며 이러한 물성은 인공 관절에 적합한 특징으로 수십년간 관절치환술에 많이 이용되었다. 반면 원자 간의 강한 결합으로 높은 취성(brittleness)을 나타내 금속에 비해 깨질 위험성이 높고, 세라믹 내의 미세균열이 발생할 수 있어 인공 관절 외 다른 분야에 대해서는 금속에 비해 사용 빈도가 낮다.

417

① **알루미나:** 알루미나는 분자량이 101.96, 비중이 3.965, 모스 경도(Mohs hardness)가 9이며 융해점이 2,072℃로 보크사이트 광물을 원료로 바이어 공정(bayer process)을 통해 제조가 이루어진다. 1974년 Boutin에 의해 인공 관절에 이용되었으며 표면 경도가 일반 금속에 비해 15-20배가량 높고 표면을 아주 매끄럽게 가공할 수 있으며, 마찰계수가 0.01 정도로 낮아 생체 관절면에 버금가는 수치를 얻을 수 있다. 또한 흡습성이 우수해 표면에 수막을 형성하고, 내마모성이 뛰어나고 높은 생체 안정성을 가져 세라믹-세라믹 관절로 이용되고 있다. 알루미나 제품은 미세 분말을 가압 성형한 후 1,600-1,700℃에서 열처리해 제조한 다결정 소성체로서 소성 단계에서 발생하는 알루미나 입자의 과도한 입자성장과잉에 따른 물성 저하를 억제하기 위해 소량의 산화마그네슘(MgO)이 소결조제(sintering aid)로 첨가된다. 알루미나의 강도, 피로저항과 파괴인성은 입자의 크기와 소결조제의 함량에 좌우되는데, 순도가 99.7% 이상이고 평균 입도입자나 분말 상태의 재료 속에 들어 있는 특정 크기의 입자가 차지하는 비율이 4 μm 이하인 알루미나는 우수한 굴곡강도와 압축강도를 보인다.

초기에 관절 움직임과 연결부위의 부착 강화를 위해 인공 관절 전체를 알루미나 한 종류로 가공하고자 하는 시도가 있었으나 여러 한계로 인해 실패하였다. 초기의 대퇴골두나 비구컵에 사용된 알루미나는 산업용 재료를 가공해 만들었으며, 이는 고온 가압 성형 과정을 거친 후 5 μm 이상의 큰 입자가 생길 수 있어 강도와 마모에 대한 저항 정도가 떨어졌다. 따라서 높은 순도와 적합한 크기의 입자를 갖는 정제법의 필요성을 깨닫게 되어 많은 연구가 진행되었다.

초기 알루미나 세라믹의 가장 큰 단점은 세라믹의 순도가 낮아 입자의 크기와 다공도가 높아 깨지기 쉽다는 점이었으며 70년대에 2세대가 이러한 단점을 보완해 출시되었으나 대퇴스템 경부와 컵(neck-socket) 충돌, 세라믹 골절 및 해리로 인해 실패한 모델이 되었다. 이후 90년대에 개발된 3세대 알루미나는 입자의 크기를 2 μm 이하로 줄이고 밀도를 3.98 g/m³으로 올려 인성과 굴곡강도가 향상되었고 알루미나 세라믹 골두의 파손율은 0.004%까지 감소하였다. 그러나 3세대 세라믹에서도 세라믹 파손, 삐걱거림 및 장기 추시 결과 생체 내 마모 및 골용해 등의 문제점이 나타났다. 최근에는 4세대 알루미나 세라믹이 소개되어 국내에서도 사용되고 있다. 알루미나 세라믹의 표면은 기계공정을 통해 아주 매끄럽게 만들 수 있어, 알루미나-알루미나 인공 관절의 마모율은 금속-폴리에틸렌, 세라믹-폴리에틸렌 관절에 비해 훨씬 적다. 마모 입자에 의한 염증 반응은 마모 입자의 크기와 형태, 용적에 영향을 받는데 이러한 알루미나 세라믹의 우수한 마모 특성으로 폴리에틸렌과 금속에 비해 마모 용적이 훨씬 적어 인공 관절의 내구성 향상에 많은 기여를 하고 있다. 그러나 대상 마모(stripe wear), 미세분리(microseparation) 등의 여러 가지 문제점 및 제한점이 남아있어 임상에서의 정확한 수술적 술기가 필요하다.

인공 관절면으로서의 세라믹은 우리나라에서 많이 사용되고 있는 것에 비하여 미국이나 유럽에서는 높은 비용 등의 문제로 인하여 40세 이하의 젊은 환자들에 국한되어 사용되어 왔으나 최근에는 장기적으로 비용에 큰 차이가 없다는 것이 알려져 점차 사용이 증가하는 경향이다. 세라믹 인공 관절의 가장 큰 단점인 골두와 라이너의 파단은 영국의 국가등록 자료에 의하면 0.1% 내외에서 발생하는 것으로 알려져 있으며 28 mm의 짧은 경부 길이(short neck) 골두와 과체중 환자에서 빈도가 높다.

② **지르코니아**: 순수한 지르코니아는 지르코늄(Zr)의 산화물을 일컫는 말로써 지르콘($ZrSiO_4$) 또는 천연 단사정(monoclinic) 지르코니아를 원료로 만들며 분자량 123.22, 비중은 5.7, Mohs 경도는 7.5 융해점이 2,677℃이다. 화학적으로 안정적이며 산화칼슘, 이트리아(Y_2O_3) 등을 첨가하여 기존의 세라믹 재제가 가지지 못한 인성을 얻을 수 있다. 지르코니아 자체는 생체 안정성이 높고 높은 내마모성, 경도, 내식성 등의 특징을 가져 인공 대퇴골두에 강화 지르코니아를 적용하는 시도가 있었으나 생체 내에서 강도가 저하되는 현상이 있어, 장기간에 걸쳐 충분한 강도를 유지할 수 있는 방법이 연구 중이다.

지르코니아는 2,677℃의 융해점을 가지나 약 1,100℃에 이르면 단사정에서 정방정(tetragonal)으로의 상변환(phase transformation)이 발생하게 되는데, 제조 시 이에 의한 3-5%가량의 체적 변화로 균열이 발생할 수 있다는 단점이 있다. 이를 보완하기 위해 산화칼슘이나 이트리아와 같은 산화물을 안정화제로 첨가해 입방정 영역에서 소결하여 이것을 입방정과 정방정 공존 영역에서 열처리해 상변환을 방지하는 안정 지르코니아 제품이 사용되고 있다. 생체재료로 이용되는 지르코니아는 이트리아를 3 mol% 첨가해 안정화시킨 정방정 지르코니아 다결정체가 주를 이룬다. 지르코니아는 알루미나에 비해 기계적 강도가 강해 작은 골두 직경에도 적합한 것으로 알려져 있으며 인공 골두의 파손을 줄일 수 있는 우수한 소재로 인식되었다. 그러나 생체 내에서의 상전이에 의해 인공 골두 표면에 국소적인 구멍이나 균열이 발생하고, 거칠어진 표면이 인접한 폴리에틸렌의 마모를 증가시켜 마모 입자에 의한 생체 반응이 증가될 수 있다. 별다른 영향이 없었다는 보고도 있으나, 전반적으로 지르코니아의 사용은 줄어드는 추세이다.

③ **열분해 탄소(카본 세라믹)**: 유리와 같은 질감의 카본 세라믹(C)과 실리콘 카바이드(C-Si)는 1960년대 후반 근골격 관련 장치들이 필요함에 따라 관심을 받게 되었다. 이들은 골과 직접적으로 연결될 수 있고 마찰계수가 낮으며, 골과 유사한 성질을 가진다. 알루미나 지르코니아와는 달리 기계적 자극이 적으며 장기적으로 생유착이 필요한 장치에 대해서 더 많은 장점을 가질 것으로 예상된다. 현재 심장판막이나 혈류나 조직액이 닿는 부분을 코팅하기 위한 재료로 사용되고 있으나 색이 검고 알루미나나 지르코니아에 비해 경도가 낮으며 마모율이 높은 단점이 있다. 또한 스테인리스강과 구획화하여 섞인 경우 금속 부식을 가속시키고(Galvanic like effect), 방사선 투과성으로 방사선 검사에서 이상소견을 발견하기 어려운 점이 있다.

(2) 활성 세라믹

활성 세라믹은 이식 후 시간이 지남에 따라 이식재료는 점점 없어지고 그 자리가 새로운 생체조직으로 대체된다. 일정 시간이 지난 후 없어지기 때문에 생체 이식재료로는 이상적일 수 있으나 기계적 강도가 점차 감소되므로 신생 조직의 강도가 적절히 증가되지 않으면 실패할 가능성이 크다. 활성 세라믹에는 인산칼슘계 화합물, 석고, 바이오 글라스 등이 있으며, 생물학적으로 활성이며 생체 친화성을 가지고 있다. 또한 비독성이며 골전도의 기능을 가져 생체 골조직과 잘 결합하므로, 골조직을 대체하는 소재로 적합하다. 인산칼슘계 화합물은 탄소, 인, 산소, 수소 등으로 이루어진 화합물을 지칭하며 수산화인회석, 인산칼슘 등이 대표적으로 많이 쓰이고 있다. 복합 재료의 충진재로 사용되어 오랜 시간에 걸쳐 뼈가 안정적으로 채워지도록 하며 부작용이 적고 골전도성이 우수하나 기계적 강도가 약한 단점이 있다.

3) 생체내 반응

생체조직의 이식재료에 대한 적응성을 생체 친화성이라고 한다. 이식재료가 화학적, 물리적으로 주위 생체조직을 자극하면 이식부에 염증반응이 생기게 되며 이는 생체조직의 치유 속도를 느리게 한다. 이식재료와 신체 조직간의 반응은 신체 부위와 이식재료의 화학적 성상에 따라 달라진다. 대부분의 금속은 산화와 부식이 발생하여 생체조직과 심하게 반응하나, 티타늄과 알루미늄은 표면에 얇은 산화물층이 형성되어 생체 세포에 반응이 비교적 적고, 코발트-크롬 합금과 스테인리스강은 내부식성이 강한 금속으로 알려져 있다. 고분자재료는 일반적으로는 불활성이지만 단분자로 존재할 때는 생체조직과 반응한다. 재료의 고분자도가 생체조직의 반응성과 연관성이 있는데 대부분의 고분자재료가 완전히 고분자화되기 어려우므로 일부가 생물학적 반응을 일으킬 수 있다.

이식재료와 생체조직 간의 결합은 이식재료 표면이 생체조직에 대해 어떻게 반응하는가에 달려있으며 바이오 세라믹은 생체조직과 거의 반응하지 않는 재료에서부터 반응성이 매우 높은 재료까지 다양하게 존재한다.

알루미나-알루미나 관절면을 이용한 고관절 전치환술 시 발생하는 선상 마모(linear wear)는 평균 0.005 mm/년 정도로 최근 개발된 알루미나는 0.001 mm/년까지 마모율을 낮출 수 있다고 알려져 있다. 생체조직에 대해 거의 활성을 보이지 않는 세라믹은 탄소, 알루미나, 지르코니아, 각종 유리 물성 등이며 이러한 재료는 생체와 화학적, 생물학적으로는 결합할 수 없다. 이런 경우 시간이 지남에 따라 이식재 주위에 섬유상 코팅이 생기게 되나 다른 불활성 재료에 비해 매우 얇아 주위 생체조직에서부터 압력을 받으면 기계적으로 고정이 이루어지는 형태학적 고정이 이루어질 수 있다. 그러나 주위 생체조직으로부터 압력을 제대로 받지 못하고 흔들림이 심하게 일어나면 이식재료가 느슨하게

되어 이식재료나 뼈가 파손되는 등의 결함이 나타나게 된다. 이러한 불활성 소재와 생체조직 사이의 계면 문제를 해결하기 위해 생체 재료의 미세 구조에 대한 연구가 많이 이루어져 왔다. 미세 구조면에서 비활성 바이오 세라믹 내에 구멍 구조를 만들어주어 생체조직이 이 구멍 안으로 자라 들어가게 하여 이식재료가 움직이지 못하도록 고정하기 쉬워지는데 이를 생물학적 고정법이라고 하여 기계적 고정보다 더 복잡한 응력에 저항할 수 있는 것으로 알려져 있다. 하지만 생체조직이 구멍으로 자라 들어가기 위해서는 약 100 μm 이상의 크기를 가져야 하는데 이런 경우 이식재료의 강도는 낮아질 수 있으며, 생물학적 고정이 된 후에 이식재료의 움직임으로 인해 혈액 공급이 차단되는 경우 세포 괴사와 염증이 발생할 수 있다. 세라믹을 주성분으로 하지만 세라믹 단일체가 아니라 섬유질 고분자 단백질인 교원질과의 복합체로 구성되어 생체와 반응하는 $3CaO \cdot P_2O_5$ 다공질체, 수산화아파타이트 등은 바이오 액티브(bio-active) 세라믹으로 인체 조직과의 친화성으로 생체 내에서 안정되어 인공뼈 등에 사용되고 있다.

4) 세라믹 코팅

금속표면의 세라믹 코팅은 주변 환경에 대한 적절한 내성을 가지게 하며, 회백색의 특유의 색을 제공하고, 자연적으로 골조직에 부착될 수 있도록 한다. 칼슘 화합물을 코팅한 삽입물에서 골결합이 빨리 이루어 진다는 것은 이미 알려져 있고 골-삽입물의 결합이 오래도록 잘 유지되도록 도움을 주지만, 비용 상승, 기계적인 강도의 한계, 장기적으로 생화학적 분해될 가능성 등의 단점을 가지고 있다. 표면이 거칠고, 대형이거나, 다공성 금속 장치인 경우에 있어서 칼슘화합물을 사용하는 것이 경제적이기도 하다. 세라믹 코팅에 대해서 적용 범위를 넓히기 위해 많은 연구가 진행되고 있다.

4. 골시멘트

골시멘트(polymethyl metacrylate, PMMA)는 주요 생체재료(biomaterial) 중 하나이며 1901년 Röhm등에 의해서 처음 발견되었고, 1943년 Kulzer 와 Degussa가 제조 방법을 확립하였다. 골시멘트는 치과, 신경외과, 안과 영역 등의 여러 의학 영역 들에서 그 동안 사용되어 왔으며 정형외과 영역에서는 1960년 Charnley가 골시멘트를 이용한 대퇴스템 고정기법을 처음 소개한 이후로 골시멘트는 삽입물을 견고하게 골에 고정시키고, 삽입물 표면에서 발생하는 하중(load)을 골표면으로 균등하게 전달하여 골에서 발생하는 스트레스를 줄여 주는 기능을 담당하는데 흔히 사용되고 있다. 1987년 Jone 등은 소위 cement disease를 소개하면서 골시멘트를 사용한 고관절 치환술의 부적절성을 경고했으나 이는 골시멘트의 독성에서 기인하는 것이 아닌 대퇴스템의 디자인과 연관이 있는 것으로 밝혀졌다. 골시멘트는 제한된 접착 성질을 가지고 있는 공간 충진(space-filling)및 부하 전달 물질(load-transferring)이어서 전문적으로 접착제보다는 그라우트(grout)로 기술된다. 골시멘트는 화학적으로 골이나 삽입물 표면과 결합하지 않으며, 초고분자량 폴리에틸렌(ultra-high molecular weight polyethylene, UHMWPE)에도 결합하지 않는다. 또한 골시멘트는 기계적 교합(mechanical interlock)만으로 주위 조직과 결합하고, 생체활성이 전혀 없어서 골시멘트 내로의 골내성장(bone ingrowth)은 일어나지 않는다. 골시멘트의 화학적, 물리적 및 기계적 특성에 대한 이해는 실제 임상에서 골시멘트 사용 후 좋은 결과를 얻기 위해서 반드시 필요하다.

1) 구성

골시멘트는 메타크릴산메틸 단량체(methyl methacrylate monomer)의 중합반응(polymerization)에 의해서 생성되며 골시멘트는 긴 사슬을 가진 중합체(polymer)의 일종으로서 분자량이 100인 탄소 단위체가 다양한 길이를 가지면서 반복되어 있다(그림 10). 사슬의 길이가 길수록 골시멘트의 강도 및 점성은 강해지고, 높아진다. 골시멘트는 40 g 정도의 분말 성분과 20 ml 정도의 액상 성분이 2:1의 비율로 구성되어 있다(표 5). 메타크릴산메틸 단량체를 바로 중합반응에 이용하지 않고 분말과 액상의 두 개의 구성 성분으로 나누

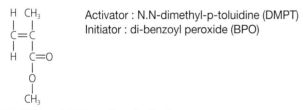

그림 10. **골시멘트의 화학조성 및 중합반응**

표 5. 각 제품에 따른 골시멘트 조성

조성	CMW 1	CMW 3	Palacos R	Simplex P	Zimmer Regular®	Zimmer LVC®
분말 성분						
BPO	2.60	2.20	0.5–1.6	1.19	0.75	0.75
BaSO$_4$	9.10	10.00	—	10.00	10.00	10.00
ZrO$_2$	—	—	14.85	—	—	—
Chlorophyll	—	—	200 ppm	—	—	—
PMMA	88.30	87.80	—	16.55	89.25	89.25
P(MMA/MA)	—	—	83.55–84.65	—	—	—
P(MMA/S)	—	—	—	82.26	—	—
액체 성분						
N, N–DMPT	0.40	0.99	2.13	2.48	2.73	2.75
Hydroquinone	15–20 ppm	15–20 ppm	64 ppm	75 ppm	75 ppm	75 ppm
MMA	98.66	98.07	97.87	97.51	97.27	97.25
Ethanol	0.92	0.92	—	—	—	—
Ascorbic acid	0.02	0.92	—	—	—	—
Chlorophyll II	—	—	267 ppm	—	—	—

BPO, benzoylperoxide;PMMA, poly(methylmethacrylate); P(MMA/MA), poly(methylmethacrylate–co–methyl acrylate); P(MMA/S), poly(methylmethacrylate–co–styrene); N, N–DMPT, N, N–dimethyl–para–toluidine;MMA, methylmethacrylate.

는 이유는 메타크릴산메틸 단량체의 중합반응은 너무 느리며, 사용되는 개시제(initiator)에 따라서 수 시간에서 수일까지 소요될 수 있고, 순수한 메타크릴산메틸 단량체는 점도가 낮아 혈액 속으로 쉽게 침투가 가능하여 심혈관계에 부작용을 일으킬 수 있으며, 중합반응 시 일어나는 열이 메타크릴산메틸 단량체를 기화시킬 수 있기 때문이다. 마지막으로 순수한 메타크릴산메틸 단량체를 중합반응 시키면 부피 감소가 약 21%나 일어나므로, 나중에 뼈와 골시멘트 사이에 틈을 만들어 삽입물의 해리를 야기할 수 있기 때문이다. 따라서 메타크릴산메틸 단량체를 직접 중합반응을 시키지 않고, 분말 성분에 포함된 선행고분자화된 (prepolymerized) 폴리메타크릴산 메틸 염주(bead)를 사용하게 된다.

(1) 분말 성분

분말 성분에는 선행고분자화된(prepolymerized) 폴리메타크릴산 메틸 염주, 황산바륨(barium sulfate), 과산화벤조일(benzoyl peroxide) 등이 함유되어 있다. 폴리메타크릴산 메틸 염주는 각 제조 회사에 따라서 직경이 10에서 150 μm, 분자량이 2만에서 200만으로 직경 및 분자량이 다양하며 사슬 길이도 각각 다르다. 황산바륨은 방사선 투과 물질인 골시멘트를 수술 후 방사선 촬영 시 관찰하기 위한 조영제로서 약 10% 정도 함유되어 있고, 과산화벤조일은 중합반응 개시제 (initiator)로서 약 1% 정도 함유되어 있다.

(2) 액상 성분

액상 성분에는 메타크릴산메틸 단량체, N,N–dimethyl–

p-toluidine (DMPT), 하이드로퀴논(hydroquinone) 등이 함유되어 있다. DMPT는 메타크릴산메틸 단량체의 중합반응을 가속시키는 활성제(activator) 역할을 하며 약 3% 정도 함유되어 있고 하이드로퀴논은 소량 함유되어 있으며 보관 기간 동안 빛이나 열에 의해 메타크릴산메틸 단량체의 중합반응이 자체적으로 일어나는 것을 막기 위한 안정화제(stabilizer) 역할을 담당한다. 액체는 개시제인 과산화 벤조일과 접촉하지 않으면 중합반응이 일어나지 않으며, 일단 접촉하면 개시제가 안정화제의 작용을 넘어서서 반응이 일어나게 된다.

2) 가공과 조작

(1) 혼합과정

골시멘트 혼합 과정은 혼합기(mixing), 대기기(waiting), 작업기(working), 경화기 및 응고기(hardening and setting) 등의 단계로 나눈다. 골시멘트는 혼합 후 시간 경과에 따라서 점도 및 온도 변화가 발생하며(그림 11), 골시멘트의 혼합 과정에 걸리는 시간은 환경적 요인들에 의해서 주로 영향을 받는다. 예를 들자면, 골시멘트를 빠르게 혼합할수록 반죽 시간은 감소하고, 수술실 온도가 1℃ 상승함에 따라서 반죽 시간 및 응고 시간은 5% 정도 짧아지며, 습도가 증가할수록 응고 시간이 감소한다. 이 외에 골시멘트의 두께, 혼합 방법의 종류,

점도, 선 냉각이나 선 가열 여부 등도 혼합 시간에 영향을 미칠 수 있으며(그림 12), 분말 성분과 액상 성분을 혼합할 때 제조 회사 지침을 준수하지 않으면 골시멘트 물성이나 조작 시간이 달라질 수 있다.

① **혼합기 및 대기기**: 혼합 시작부터 수술 장갑에 골시멘트가 묻지 않는 시기까지로 정의하며 반죽 시간(dough time)이 이 시기에 해당되고, 대개 2-3분 정도 소요된다(표 6). 이 시기는 분말에 있는 개시제인 과산화벤조일과 활성제인 DMPT가 유리 라디칼을 만들게 되면서 중합반응이 시작되며 점도가 서서히 증가하게 된다. 혼합기의 마지막이 되면 골시멘트가 균질한 상태가 되면서 시멘트 건에 골시멘트를 담을 수 있다(그림 13). 대기기에서는 선행 고분자화된 폴리메타크릴산 메틸 염주가 중합반응을 계속 진행하게 되고 점도가 계속해서 증가하게 되어 마침내 끈적끈적한 반죽의 형태(dough phase)가 된다.

② **작업 시간**: 시멘트가 수술 장갑에 묻지 않는 시기부터 시멘트가 굳어져서 조작이 어려워지는 시기까지로 정의하며, 대개 5-8분 정도이고 수술 장갑에 시멘트가 묻지는 않지만 아직 점도가 낮아 수술자가 시멘트를 쉽게 조작할 수 있는 상태의 시기이다. 이 시기 동안 점도에 대한 관찰이

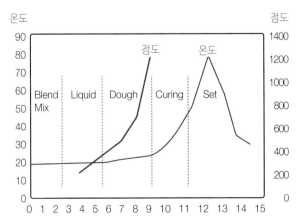

그림 11. 골시멘트의 시간에 따른 점도 및 온도의 변화

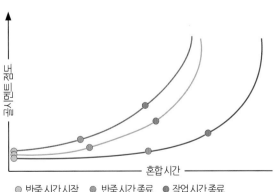

그림 12. 골시멘트의 시간에 따른 점도 및 온도의 변화

표 6. 골시멘트 종류에 따른 반죽 시간(dough time)

골시멘트	반죽 시간(dough time) (초)
Palacos R	240
Simplex P	360
Zimmer Regular	540
Osteobond	390
CMW3	330

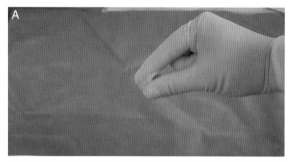

그림 13. 중합반응 정도에 따른 골시멘트 점도
(A) 중합반응 초기 단계로 골시멘트 점도가 낮아서 수술 장갑에 묻음. (B) 중합반응이 진행함에 따라서 수술 장갑에 골시멘트가 묻지 않음.

중요한데 점도가 너무 낮은 상태에서 골시멘트를 골수강내로 삽입하면 골수의 출혈 압력을 이기지 못하여 골시멘트내에 혈액에 의한 층판화(lamination)가 발생하여 골시멘트 강도가 감소할 수 있으며, 반면에 점도가 너무 높은 상태에서 삽입하면 해면골 사이로 골시멘트가 충분히 스며들지(interdigitated) 못하여 견고한 기계적 결합(mechanical bonding)을 얻을 수 없다. 기계적 결합은 골-골시멘트 경계면에서 미세운동을 방지하는데 매우 중요하며, 견고한 기계적 결합을 얻지 못하면 불량한 하중 전달 및 마모 파편이 발생하여 골흡수, 삽입물 해리 및 실패 등의 결과가 초래될 수 있다.

③ 응고 시간: 응고 시간이란 발생하는 열이 주변 온도와 최고 발열 온도의 중간 정도로 열이 발생하는 시간으로 정의되며, 반죽 시간과 작업 시간을 합한 시간으로 대개 8-10분 정도가 되며 골시멘트의 끈적한 성질은 없어지나 점도가 아직 낮은 상태이어서 임상적 조작이 주로 이 시기에 이루어진다.

④ 경화기: 중합반응이 종료되면서 양생 과정(cold-curing process)을 거쳐서 골시멘트가 단단해지는 시기이다. 이 시기에는 골시멘트의 온도가 계속해서 오르다가 점차 차가워져 체온과 같아지며, 냉각 과정에서 체적 수축(volumetric shrinkage)이 함께 일어나게 된다. 이 시기에 조작을 하게 되면 구조적 완성도에 결함이 생길 수 있다.

(2) 열 팽창과 체적 수축

골시멘트의 중합반응은 발열 반응이므로 발열에 의한 열 팽창이 먼저 발생하며 이후 냉각 과정에서 체적 수축이 발생하는데 모든 메타크릴산 메틸이 완전히 폴리메타크릴산 메틸로 변환할 경우 약 21%의 체적 수축이 이론상 발생할 수 있다. 하지만 메타크릴산 메틸 단량체는 골시멘트 전체 부피의 약 1/3정도를 차지하므로 실제 골시멘트에서의 부피 감소는 7% 정도로 발생하며 기화, 온도, 수분 등에 따라서 추가적인 체적 수축이 발생할 수 있다. 체적 수축은 초기에는 골시멘트 고정 후에 골과 골시멘트 사이에 틈을 형성하여서 삽입물의 이완과 미세운동을 유발하는 골시멘트의 단점으로 인지되었으나 체적 수축보다는 직경 수축(diametral shrinkage)이 더 중요하며, 직경 수축은 체적 수축 보다는 적기 때문에 골시멘트의 체적 수축으로 인한 부정적인 영향은 적다는 보고도 있다. 성공적인 골-골시멘트 경계면을 확보하기 위한 재혈관화에 매우 중요한데 이는 골시멘트 체적 수축 시 체적 감소는 피질골로부터 멀어지는 부위에서 발생하며 이를 통해서 발생한 틈(gap)은 벌집 모양의 골시멘트로 강화된 망상 구조를 형성하고, 이 틈을 통해서 피질골로부터 작은 혈관들의 재혈관화가 빠르게 진행하여, 골괴사를 예방하는 것으로 알려져있다(그림 14). 또한 다공성이 체적 수축에 영향을 미치는데, 다공성이 많을수록 체적

수축이 적어진다. 따라서 진공 혼합이나 원심 분리법은 골시멘트의 체적 수축을 더 크게 일으킬 수 있다.

(3) 혼합 방법

골시멘트 강도는 혼합 방법에 따라서 영향을 받으며, 혼합 방법으로는 수작업, 원심 분리법, 진공 혼합법의 세가지 혼합 방법이 있다(그림 15).

① **수작업**: 그릇에 분말 성분과 액상 성분을 섞고, 2분 정도 1-2 Hz의 속도로 손으로 직접 혼합하는 방법으로서 쉽게 시행할 수 있으나 메타크릴산 메틸이 휘발성이 있어서 작업자가 유해한 기체에 노출될 수 있고, 골시멘트가 균일하지 못하며, 종종 높은 다공성(porosity)을 만들어서 골시멘트의 피로 강도를 약화시킨다는 단점이 있다. 혼합 속도를 천천히 하면 다공성을 5% 정도로 낮출 수도 있다고 하나 여러 연구들에 의하면 다공성이 9-27% 정도로 높아진다고 한다.

② **원심 분리법**: 분말 성분과 액상 성분을 섞은 다음에 분당 2,300-4,000회의 속도로 0.5-3분 동안 원심 분리를 시행하게 된다. 이 방법은 다공성을 1% 이하로 낮추어서 그 만큼 시멘트 피로 강도

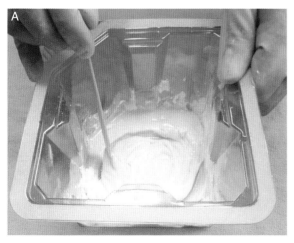

그림 14. 골-골시멘트 경계면
골시멘트 체적 수축으로 벌집 모양의 골시멘트로 강화된 망상 구조가 형성되고, 이 틈을 통해서 작은 혈관들의 재혈관화가 진행된다.

Cortex
Stem
Honeycomb structure
Cement
Small vessels in the cortex

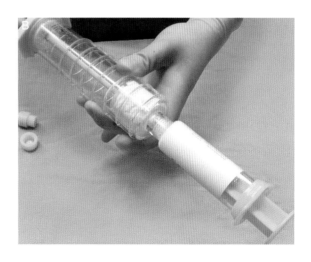

그림 15. 골시멘트 혼합 방법
(A) 수작업. (B) 진공 혼합

425

를 증가시킨다. 하지만 폴리메타크릴산 메틸보다 밀도가 큰 황산바륨 입자 등이 침전되면서 불균질한 골시멘트가 생성되어서 이로 인한 골시멘트 균열이 발생할 수 있다는 단점이 있다.

③ **진공 혼합법**: 현재 가장 널리 사용되는 혼합 방법으로서 그릇에 골시멘트의 두 성분을 혼합 후 음압을 가해서 1.5분 정도 혼합을 진행하는 방법이다. 이 방법 역시 원심 분리법과 마찬가지로 다공성을 1% 이하로 줄여서 골시멘트 피로 강도를 증가시킬 수 있으며 원심 분리법과 비교 시 골시멘트를 균질하게 혼합하면서도 다공성은 감소시킬 수 있다는 장점을 가지고 있으나 진공의 수준을 너무 높였을 경우 시멘트의 과도한 수축과 함께 시멘트 내에 균열이 증가하게 된다는 점이다. 하지만 진공 혼합법은 원심 분리법에 비해 다공성을 감소시키면서도 메타크릴산 메틸 단량체의 누출 없이 균질하게 혼합할 수 있다는 장점을 가지고 있다.

3) 물리적 및 기계적 특성

초고분자량 폴리에틸렌과 다르게 골시멘트는 단단하나 비교적 깨지기 쉬운 성질(brittleness)을 가지고 있으며 탄성계수는 높지만 연성은 낮다. 따라서 비교적 날카로운 모서리를 가진 삽입물은 응력 집중부위(stress riser)가 될 수 있어서 골시멘트와 같이 사용하면 안 된다. 골시멘트는 항복 강도(yield strength) 이상의 힘

을 받게 되면 소성 변형(plastic deformation)이 생기고, 항복 강도 이하의 힘을 장시간 받게 되면 포복 변형(creep deformation)을 통해 영구 변형이 초래된다. 대개의 경우 골시멘트 판에는 항복 강도 이하의 힘이 가해지므로 결과적으로 포복 변형을 통한 영구 변형이 생기고, 이로 인한 삽입물의 침강(subsidence)이 발생한다. 골시멘트의 기계적 특성은 대퇴 피질골과 비교할 때 압박 강도는 50%, 인장 강도는 25%, 탄성계수는 15% 정도이며, 상대적으로 골시멘트는 압박력에는 강하나 인장력에는 약하다(표 7). 따라서 골과 삽입물 사이에서 골시멘트가 치밀하게 주입되지 않으면 골시멘트의 취약한 인장력으로 인하여 골시멘트 파괴가 발생할 수 있다. 골시멘트는 종류에 따라서 점도, 혼합 과정에 소요되는 시간, 기계적 특성, 발열, 항생제 혼합 시 물성 등이 각각 다른데(표 8) 점도를 예를 들자면, 가장 점도가 낮은 제품으로 LVC®, 다음으로 Simplex P®, Zimmer regular®가 있고, 점도가 가장 높은 제품으로는 Palacos®, CMW®가 있다.

4) 골시멘트의 강도에 영향을 미치는 요인

혼합 과정에서 균질성(homogeneity) 확보 여부가 골시멘트 강도에 매우 중요하며, 이 외에도 여러 임상 요인들이 골시멘트 강도에 영향을 줄 수 있다(표 9). 대표적인 요인들로는 혼합 방법, 온도 변화, 혼합 물질 등이 있다.

표 7. 골시멘트의 기계적 특성

검사 방법	항복 강도(MPa)	탄성계수(MPa)	파괴점까지의 응력(Strain to break) (%)
장력	25.0–49.2	1583–4120	0.86–2.49
압박력	72.6–114.3	1950–3000	—
전단력	37.0–69.0	—	—
3점 굴곡력	49.9–125.0	1290–2916	—
4점 굴곡력	12.1–74.0	1950–3160	—

표 8. 골시멘트의 종류에 따른 기계적 특성

골시멘트	압박력(MPa)	4점 굴곡력
Simplex P	100	74
Zimmer regular	77	48
Palacos R	84	66
Palacos G	86	61
CMW	87	61
CMW3	100	65
Sulfix-6	102	66

요하며, 이를 위해 진공 혼합법이나 원심 분리법을 사용하게 된다. 진공 혼합법은 500-550 mmHg으로 저속 음압을 주는 것이 가장 효과적이며 1% 이하로 다공성을 낮출 수 있다. 원심 분리법은 분당 2,500-4,000회로 1분 동안 하는 것이 효과적이나 점도가 낮은 경우 효과가 없고, 첨가된 황산바륨 등이 침전되는 단점이 있다. 일부 연구들에 의하면 진공 혼합법을 이용하여 10-25%의 강도 증가를 보였다고 하며, 또 원심 분리법을 이용하여 다공성을 줄이고 피로 강도를 136%로 증가시켰다고 한다.

(1) 혼합 방법에 따른 강도의 변화

골시멘트에 공기가 함유되거나 미세공간이 형성되면 이 부분에서 피로 균열이 시작되고 진행되기 때문에, 강도를 높이기 위해서는 다공성을 감소시키는 것이 중

(2) 온도 변화에 따른 강도의 변화

골시멘트나 삽입물을 44℃ 정도로 선열 처리하면 골시멘트의 기계적 성질에 나쁜 영향을 주지 않으면서 중합 반응에 걸리는 시간을 6분 정도 줄일 수 있다. 동

표 9. 골시멘트의 강도에 영향을 미치는 요인들

요인들	결과
조절이 불가능한 요인들	
삽입 후 시간 경과	10% 정도의 강도 소실
주변 온도	방 온도보다 체온에서 10% 강도 소실
피로도	피로 강도(106주기)는 단일 주기 강도의 20-25%에 해당
수분 함량	수분 흡수 시 3-10%까지 강도 소실
조절이 부분적으로 가능한 요인들	
골시멘트 두께	2-4 mm의 두께가 피로응력 및 부피 감소 영향을 최소화
혈액과 조직의 함유	양에 따라서 70%까지 강도 소실
응력 집중부위	골시멘트는 notch에 매우 취약함
조절이 완전히 가능한 요인들	
항생제 함유	5-10%의 강도 소실
원심 분리/진공 혼합	10-25% 강도 증가 및 피로 강도 증가 가능
압력 골시멘트 주입	천천히 삽입 시 40%까지 강도의 감소
혼합 속도	너무 천천히 또는 너무 빨리 혼합 시 21%까지 강도 소실
다공성	다공성 감소 시 20%까지 강도 증가
조영제	첨가되지 않을 때보다 5% 강도 소실

시에 특히 골시멘트-스템 경계면에서 골시멘트의 간극(gap)을 줄여서 골시멘트의 전단력을 개선시킬 수 있다는 보고도 있지만, 선열 처리에 따른 온도 상승으로 인한 골괴사 발생의 우려가 있어서 일반적으로 사용되진 않는다.

(3) 혼합 물질에 의한 강도의 변화

골시멘트에 혼합되어 있는 황산바륨은 10% 정도 혼합되어 골시멘트 강도의 심각한 약화 없이 사용되고 있기는 하나 5% 정도의 압박 강도의 소실이 있고, 황산바륨입자가 균열이 시작될 수 있는 부위이며, 단핵세포의 파골세포로의 분화를 유도하여 골용해를 유발하며, 골모세포에 대한 억제 효과와 독성으로 삽입물의 안정성을 파괴하고 해리를 일으킨다는 실험적인 주장들이 있다. 또한 지방, 혈액, 미세 잔여 골 조각 등이 골시멘트에 혼합될 경우 층판화를 유발하여 골 시멘트 강도를 약화시킬 수 있다

5) 신체 내 영향

골시멘트의 국소 조직에 대한 영향은 3가지 요인들(발열, 영양 혈관 파괴, 메타크릴산 메틸 단량체 독성)과 관련이 있다. 한편 위험 인자(고령, 여성, 심혈관질환, 대퇴골 전자간 골절이나 병적 골절 등)를 가진 환자들에서 골시멘트를 사용하여 인공 관절 수술 시 폐색전증으로 인한 급사 발생의 위험성이 있다는 주장이 제기되었으나 후속 연구에서는 동시대의 시멘트 기법 및 척추 마취를 시행하면 급사 가능성은 없다고 하였다.

(1) 발열(exothermicity)

골시멘트의 중합과정에서 액체 단량체 1 g당 약 130 cal의 열이 생성되고, 만약 40 g의 단량체를 쓸 경우 약 5,200 cal의 열이 발생하며 발열은 시멘트 두께, 주변 온도, 시멘트 조성 비율(the ratio monomer/polymer)에 따라서 정비례한다. 실험실에서는 발열이 70℃에

서 120℃까지 확인되어서 이로 인한 골 및 연부조직 괴사의 우려가 제기되나 생체 내에서는 실제 골-골시멘트 접촉면에서 콜라젠(collagen) 변성이 유발하는 온도(67℃) 이하인 40-56℃ 정도의 열이 확인된다. 이는 국소 혈액 순환이 주요하게 작용하고, 수술실 온도, 수술 중 세척, 금속 삽입물로 열 전달 등의 열 분산 기전(heat dispersion mechanism), 시멘트 사용 시에 생리식염수를 통한 열식힘 작용 등의 결과이다.

(2) 영양 혈관 파괴

골시멘트를 골수강내 주입 시 골간단부의 영양 혈관이 막혀서 이로 인한 골괴사 우려가 있으나 실제 임상 결과에서 입증된 바는 없다.

(3) 메타크릴산 메틸 단량체

메타크릴산메틸 단량체의 생체 독성 효과(말초혈관 확장, 심근억제) 때문에 McMaster 등은 골시멘트의 대퇴부 주입 후에 전신적인 저혈압이 초래되어서 심각한 경우에 심정지에 이를 수도 있다고 하였으나 대부분의 저자들은 메타크릴산메틸 단량체에 의한 것보다는 신체 내의 혈류량의 소실과 골시멘트 주입 시 대퇴골 골수강내 압력으로 인한 지방색전이 주요 원인인 것으로 판단하고 있다. 또한 일부 저자들은 메타크릴산 메틸 단량체가 골-골시멘트 경계면에서 섬유조직이 생성되도록 유도한다고 하였으나 다른 저자들은 메타크릴산 메틸 단량체에 의한 독성 효과보다는 수술 시 외상으로 인한 조직 손상이 더 큰 문제라고 하였다. 골시멘트에서 중합반응 후에 잔존(3% 가량)하는 메타크릴산메틸 단량체는 생체 독성 효과가 있으므로, 이를 줄여야 하는데 메타크릴산 메틸 단량체는 중합반응과 혼합에 따라서 감소하며, 증발에 의한 소실도 대부분 혼합 시에 일어나므로 골시멘트를 반죽기(dough phase)에 주입하는 것이 단량체에의 노출을 줄일 수 있는 방법이 될 수 있다.

6) 항생제 혼합 골시멘트

항생제를 혼합하여 골시멘트를 사용하여 감염을 치료하거나 예방하려는 방법은 1969년 Bucholz가 Palacos에 겐타마이신을 혼합하여 처음 시도되었다. 항생제 혼합 골시멘트는 2003년 미국 FDA 승인을 받았으며, 현재까지 여러 연구들에서 항생제를 혼합한 골시멘트를 사용하면 무균성 해리의 발생률을 높이지 않으면서도 유의하게 삽입물 주위 감염 발생률을 줄일 수 있는 것으로 알려져 있다. 골시멘트에 혼합하는 이상적 항생제의 조건으로는 열에 안정적이어야 하며, 혼합을 위하여 액체가 아닌 분말 형태이고, 넓은 범위의 항균성을 가지고, 화학적 및 열 안정성(heat-stable)이 있으며, 생체적합성이 있고, 낮은 알레르기성 등을 가져야 한다. 겐타마이신이 골시멘트에 혼합할 수 있는 가장 이상적인 항생제이어서 흔히 사용되고 있다. 이 외에도 흔히 사용되는 항생제로는 토브라마이신, 세파졸린, 옥사실린, 반코마이신 등이 있으며, 종양 치료를 위해서 메토트렉사트를 혼합하기도 한다. 항생제 혼합으로 골시멘트의 강도가 약해질 수 있는데, 항생제 분말이 골시멘트에서 조영 물질처럼 피로 균열을 야기할 수 있기 때문이다. 1 포당(40 g) 0.5-2.0 g의 항생제를 혼합하였을 경우 압박 강도나 인장 강도에는 큰 영향이 없으나 피로 강도의 약화와 10-15%의 굴곡 력의 감소가 있으며, 항생제 혼합량이 많을수록 골시멘트의 강도가 더 약해진다. 골시멘트에 혼합된 항생제의 방출은 첫 24시간에 가장 많으며, 삽입물 주변의 항생제의 살균 농도는 삽입 후 4-6주까지 최소 억제 농도(minimal inhibitory concentration, MIC)가 유지되는 것으로 알려져 있다. 항생제 방출 시간 및 농도는 항생제의 종류, 골시멘트의 종류, 골시멘트 표면적 및 골시멘트 준비 방법 등에 따라서 달라진다. 예를 들어 Palacos는 항생제를 오랜 기간 동안 많은 양을 배출하여, CMW나 Simplex 보다 장점이 있다(그림 16). 또한 골시멘트내의 다공성을 감소시키는 진공 혼합법을 사용하였을 경우 항생제 배출 속도가 50%나 감소한다.

7) 생체활성 골시멘트(bioactive bone cement)

최근 골시멘트의 강도를 유지하면서, 골시멘트와 골 간의 계면 부착력을 증가시키기 위한 여러 연구가 진행되고 있다. 그 예로 골전도(osteoinduction) 효과가 있는 무기질 등을 혼합하여 골내 성장을 일어나게 하여 생물학적 고정력을 얻고 발열 반응도 감소시키는

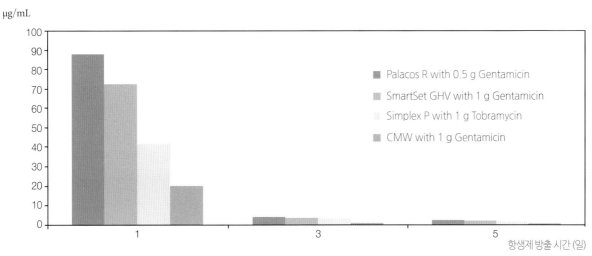

μg/mL

- Palacos R with 0.5 g Gentamicin
- SmartSet GHV with 1 g Gentamicin
- Simplex P with 1 g Tobramycin
- CMW with 1 g Gentamicin

항생제 방출 시간 (일)

그림 16. 골시멘트 종류에 따른 항생제 방출 시간 및 농도

생체활성 골시멘트(bioactive bone cement)가 개발되고 있다. 이는 동물 실험에서 좋은 결과를 얻었으나, 폴리메타크릴산 메틸에 비해 딱딱하며, 조작과 물리적 특성이 일정하지 않고, 인체 내에서의 부작용이 아직 확인되지 않은 등 아직 문제점이 많다. 대표적으로 수산화인회석 코팅, 칼슘인산염, 티타늄 입자 함유, 아민기 포함 생체활성 골시멘트 등이 있다.

(1) 수산화인회석 코팅 생체활성 골시멘(Hydroxyapatite coated bioactive bone cement)

수산화인회석은 골전도 물질로서 시멘트의 전단 응력을 증가시킨다고 하나, 수산화인회석 자체의 다공성로 인한 시멘트의 약화와 수산회인회석의 탈회 후 생긴 미세공으로의 골내성장이 대부분이라 오히려 시멘트의 강도를 약화시킨다는 우려가 있다.

(2) 칼슘인산염 골시멘트(Calcium phosphate bone cement)

골전도에 의한 골내성장을 기대하고 있으나, 골시멘트의 점성 증가와 시멘트내의 무기질이 시멘트로 피복되어 제대로 접촉을 못해 전단 강도와 교합이 약해지는 단점이 보고되어 있고, 무기질의 재결정화가 다공성을 증가시킬 우려가 존재한다.

(3) 티타늄 입자 함유 생체활성 골시멘트(Nanosized titania particle containing bioactive bone cement)

티타늄 입자가 골전도를 일으킬 수 있으나, 시멘트 내에서의 응집이 오히려 강도 약화를 초래할 수 있다.

(4) 아민기 포함 생체활성 골시멘트(Amino-group incorporated bioactive bone cement)

세포들의 부착, 증식에는 이식물 표면의 특성, 특히 수분 친화력 및 전기적 분포가 영향을 미치는데, 골모세포의 세포 부착도를 높이기 위하여 양전기를 띠는 아민기를 첨가하는 방법이다. 그러나 시멘트의 수분

흡수 증가에 따른 기계적 강도 약화의 우려가 있다.

5. 금속의 표면처리

1950년대에 Charnley경에 의해 개발된 시멘트형 인공 고관절이, 1970년대에 이르러 무균성 해리를 동반한 임상적 실패가 증가하여 무시멘트형 삽입물 개발에 많은 연구가 진행되었고, 현재는 무시멘트형 삽입물이 보다 널리 사용되고 있다. 인공 고관절의 일차적 고정과 생존율 즉 장기간 추시에서의 성공적인 고정은 삽입물의 재질, 골의 상태 그리고 궁극적으로 삽입물과 골 사이의 상호반응에 의해 결정된다. 가장 중요한 것은 무시멘트형 삽입물과 골 사이의 계면에서 골내성장이 일어나 골결합이 되는 소위 생물학적 고정(biologic fixation)을 얻는 것으로 여러 가지 금속의 표면처리 방법이 개발되었고 현재도 개선을 위한 노력이 지속되고 있다.

1) 삽입물 표면으로의 골결합

무시멘트형 삽입물이 골에 고정되는 골결합이란 표현은 1969년도에 등장하였는데, 그 과정은 크게 3가지 단계로 설명되고 있다. 1단계는 분화된 골형성세포가 삽입물 표면으로 이동하는 골전도(osteoconduction), 2단계는 골형성세포의 분화에의한 골의 석회화가 일어나는 신생 골형성(de novo bone formation), 그리고 마지막 3단계는 골의 재형성(bone remodelling)인데, 이러한 과정들이 효과적이고 능률적으로 발생되도록 삽입물의 환경을 조성하는 측면에서 표면처리의 역할은 매우 중요하다.

이러한 일련의 과정 이외에 삽입물 주위의 골형성 기전을 2가지로 구분하여 설명하는데, 원격 골형성(distance osteogenesis)과 접촉 골형성(contact osteogenesis)이다. 전자는 삽입물 주변의 골표면에 골형성 세포에 의해 신생골이 생성되고 삽입물쪽으로 파급되어 고정이 되는 기전이고, 후자는 삽입물 주위로 골형성 세포들이 모이고, 이들이 신생골을 형성하는 기전으로 결국 삽

입물 주위의 골형성이 이루어짐으로써 골고정이 되는 것이다. 골형성의 과정 및 기전을 촉진시킬 수 있는 여러 가지 표면처리 방법이 임상에 적용되고 있다.

2) 표면처리 방법

(1) 다공성 코팅(Porous coating)

삽입물 표면에 다공성의 구조를 부여함으로써 골내성장을 도모하는 방법으로 미세공(pore)의 크기에 따라 골내성장의 정도가 달라지는데, 너무 작으면 골세포의 증식을 방해하고 너무 크면 섬유조직이 형성되는데, 궁극적으로는 기계적 성질이 약화되지 않는 범위 내에서 될수록 많은 다공성(porosity)을 가져야 한다. 미세공의 크기나 구조에 대한 논란이 없는 것은 아니나 현재 최적의 미세공의 크기는 150-400 μm 정도인 것으로 알려져 있다. 이러한 목적으로 개발되어 현재 활용 중인 다공성 구조를 부여하는 표면처리 방법으로는 알갱이 코팅(bead coating), 플라즈마 분사(plasma spray), 확산접합 코팅(diffusion bonded coating) 등이 있다.

① **알갱이 코팅**(bead coating): 알갱이 코팅은 지름 약 1 mm 내외의 구슬 모양으로 생긴 여러 개의 알갱이를 유기결합체(organic binder)를 이용하여 삽입물의 표면에 접착시킨 다음에 아르곤 가스와 같이 비산화 기체로 채워진 화덕에 넣고 약 1,204-1,095℃의 열을 가하여 접착된 알갱이들이 삽입물의 표면과 융합하거나 알갱이끼리 융합되어 삽입물의 표면이 다공성 구조를 가질 수 있게 하는 방법이다. 이 방법의 단점은 표면처리시 가해지는 상당히 높은 온도로 인해 삽입물 재료 자체의 구조에 영향을 주거나, 열에 의해서 생성된 원자간 결합이 결절(notch)이나 응력 집중부위(stress concentrator)로 작용하여 삽입물의 피로 강도가 상당히 낮아지는 것이다. 또한 알갱이의 결합 강도의 약화는 삽입물 표면에서 알갱이 탈락이 발생하여 알갱이에 의한 질환(bead disease)을 유발하기도 한다. 고열처리는 티타늄이나 코발트-크롬 합금 모두 미세 구조의 변화를 가져올 수 있으나 특히 티타늄의 경우는 온도가 938-1,010℃가 되면 결정적인 변화가 초래되는 반면, 코발트-크롬 합금의 경우는 티타늄만큼의 심각한 변화는 초래되지 않지만 역시 피로 강도가 약해진다. 이런 이유 때문에 알갱이 코팅은 주로 코발트-크롬 합금으로 만든 삽입물에 사용하며 이 방법을 사용한 대표적인 삽입물이 AML 대퇴스템이다. 이 외에 단 한층의 알갱이를 코팅하는 기술도 개발되어 S-ROM 삽입물에 활용되고 있다.

② **확산 접합 코팅**(diffusion bonded coating): 고온 처리가 필요한 알갱이 코팅은 인체적합성이 가장 뛰어나지만 열에 비교적 약한 티타늄에는 적용하기가 적절치 않다. 따라서 티타늄의 미세 구조에 영향을 주지 않는 낮은 온도에서 표면처리하는 방법으로 개발된 것이 확산 접합 코팅이다. 우선 티타늄 와이어를 짧게 절단하여 구부려 마치 라면처럼 만든 일정한 크기의 주형을 제작하고 압력을 가해서 부착 가능한 패드의 형태로 만든다. 이 패드를 삽입물의 표면에 올려놓고 고밀도 흑연(high density graphite)과 같은 비반응성 도포기(nonreactive applicator)를 사용하여 압력을 가하여 밀착시킨 후 화덕에 넣고 700-982℃의 온도를 가한다. 온도가 가해지면 패드는 삽입물의 표면의 기질과 융합하고 또한 와이어는 와이어끼리 융합되어 다공성의 구조를 가지게 된다. 이 방법도 열처리 후 피로 강도가 원래 재질보다 다소 약해지는 경향을 보이나 알갱이 코팅보다는 훨씬 덜하다.

③ **플라즈마 분사**(plasma spray): 플라즈마 분사 방법은 초고온 표면처리 방법의 단점을 보완하기 위해 개발된 방법으로 현재 많은 삽입물의 표면처리에 이용되고 있다. 먼저 표면처리를 하고자 하는 부분을 아주 작은 금속공으로 때리는 작업인 쇼트피닝(shot peening)을 한 후 삽

입물의 표면에 압축응력을 준다(그림 17). 대부분의 fatigue failure는 표면에서 시작되는데 쇼트 피닝에 의해 형성된 dimple이 중첩되면 금속 표면에 인장응력(tensile stress)은 줄이고, 압축 응력(compressive stress)의 균일한 층을 형성하게 되어 균열(crack)의 개시(initiation) 및 확산(propagation)에 대한 저항력을 증가시킨다. 이러한 과정은 쇼트피닝을 하지 않고 알루미나 등으로 삽입물 표면을 분사(blasting) 처리한 경우 흠집 민감도(notch sensitivity)가 증가하여 피로 강도(fatigue strength)가 감소하는 것을 방지할 수 있다. 쇼트피닝이 끝나면 삽입물의 표면에 플라즈마 분사를 할 부위를 빼놓고 특수한 가리개를 한다. 티타늄은 덩어리 형태로 있을 때는 괜찮으나 입자 조각이 형성되면 공기 중에 산화하면서 폭발하기 때문에 삽입물을 산소가 없는 비산화조(non-oxidizing chamber)에 거치시킨다. 플라즈마총(plasma gun) 내의 전극 사이에서 형성되는 plasma arc를 이용하여 Ti-6Al-4V 분말을 삽입물 표면 위로 쏘면 이 분말이 표면에 부착하여 자연스럽게 다공성 구조를 만들게 된다. 이 방법으

로 만든 삽입물은 피로 강도가 알갱이 코팅이나 확산 접합 코팅 방법에 비해서 월등히 높으며 코발트-크롬 합금이나 티타늄 모두에서 비슷한 전단 강도(shear strength)가 보고되고 있다. 따라서 이 방법은 삽입물의 피로 강도에 크게 영향을 주지 않으면서 코발트-크롬 합금이나 티타늄 모두에서 사용할 수 있다는 장점이 있다. 그러나 이 방법을 사용하여도 적절한 다공성이나 골내성장에 이상적인 미세공의 크기를 만들기 어렵다. 현재 사용되고 있는 플라즈마 분사 방법으로 처리한 삽입물 표면의 실제 미세공 크기는 150-400 μm에서 크게 벗어나는 경우가 많으며 다공성도 30-60%로 매우 다양하게 나타나고 있다. 또한 시술시나 사용하면서 삽입물의 표면이 탈락 되어 제삼물체 마모(third-body wear)를 일으킬 가능성도 상존하고 있어 이를 보완하는 연구가 진행되고 있다.

④ **탄탈륨(tantalum)을 이용한 다공성 표면처리:** Tantalum은 연성, 전성이 크고 수소의 흡장 능력이 큰 금속으로 골에 근접한 낮은 탄성계수를 갖는 전이 금속(transitional metal)의 일종이다.

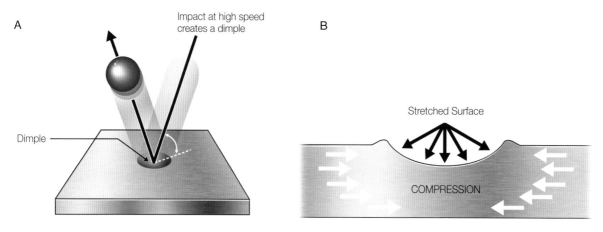

그림 17. 쇼트피닝(shot peening)
(A) 금속 표면을 망치질하듯이 금속 공을 금속표면에 발사하여 딤플(dimple)을 만든다. (B) 형성된 딤플 아래 부위는 압축응력이 형성되고, 균열의 개시나 확산에 저항하게 된다.

미세공의 평균 크기가 550 μm, 75-85%의 다공성으로 골내성장 유도가 우수하고, 골과 탄성계수가 유사하여 응력 차단(stress shielding)을 줄일 수 있고, 적합한 마찰력으로 미세운동을 줄일 수 있는 장점이 있다. 단점으로는 탄탈륨 금속 자체의 무게가 무겁고, 재수술 시에 삽입물 제거 과정에서 또는 마모(wear)로부터 기인하는 탄탈륨 입자가 발견된다는 점이며, 탄탈륨 코팅층과 모재간의 결합강도에 대한 임상적 검증이 필요하다. 또한 악성 골종양 치료 시 탄탈륨 삽입물과 doxorubicin을 동시에 사용할 경우 doxorubicin의 효과를 감소시킬 수 있다는 점이다.

탄탈륨으로 다공성 구조를 만드는 방법은 chemical vapour infiltration method와 powder metallurgy technology가 사용되었다. Powder metallurgy technique은 먼저 폴리우레탄을 탄탈륨 현탁액에 담그고 1,950℃에서 2시간 열처리하여 원하는 크기와 모양의 다공성 해면 구조를 만든 다음 그것을 용해시키면 저밀도 망상체를 가지는 유리체 탄소 골격(reticulated vitrous carbon, RVC)이 남게 된다. 이 골격에 chemical vapour deposition (CVD)를 이용하여 탄탈륨을 적층시키면 미세공의 평균 크기가 550 μm, 다공성이 75-85%되는 코팅을 만들 수 있다.

⑤ **3차원(3 dimensional, 3D) 프린팅을 이용한 다공성 처리:** 3D 프린팅이란 3차원 형상을 컴퓨터 모델링 작업을 통해 2차원 평면으로 미분한 디지털 파일을 3D 프린터라고 불리는 인쇄시스템을 이용하여 일단 평면(2차원)을 프린트하고, 이것을 한 층씩 계속 쌓아 올려 입체(3차원) 구조물을 제조하는 기술이다. 최근 3차원 프린팅 기술을 이용하여 삽입물 특히 고관절 전치환술의 비구컵을 제작하려는 시도가 활발히 이루어지고 있으며 몇몇 제품이 이미 사용되고 있다.

금속 소재를 이용한 3D 프린팅 공정은 대표적으로 Powder Bed Fusion (PBF) 방식과 Direct Energy Deposition (DED) 방식이 있다. 기존 삽입물처럼 주조나 단조 후 기계가공을 이용하여 제작된 삽입물에 플라즈마 스프레이 등을 사용하여 표면만을 다공성 처리하는 방법과 달리 3차원 프린팅 방법은 티타늄 파우더를 깔아 놓은 다음 레이저나 전자빔을 주사하여 고체 상태의 티타늄을 적층하면서 원하는 삼차원 모양의 삽입물을 만들 수 있다. 이러한 PBF 방식의 3D 프린팅 방법을 사용하면 표면을 해면골의 구조와 유사하게 구현할 수 있을 뿐 아니라 표면처리 층과 모체가 일체 구조로 되게 되어 표면이 탈락(delamination)되지 않는다는 장점이 있다. 그러나 3차원 프린팅 방법은 비구 부품에서 세라믹 라이너를 사용하는 경우 정밀성을 위해 비구 부품 내면을 다시 기계 가공을 해야 하는 단점이 있으며, 현재의 기술로는 시간이 많이 걸리고 가격도 비싸다는 단점이 있다. 이러한 단점을 보완하기 위하여 최근에는 미리 가공된 티타늄 합금으로 제작된 비구컵의 표면에 티타늄 파우더와 레이저를 동시에 분사하면서 적층하는 DED 방식의 3D 프린팅 방법을 사용하기도 한다. 이 방법으로 다공성을 높이고 미세공의 크기를 150-400 μm로 구현하였으며, 표면처리된 부위가 모체와 강력하게 유합되어 삽입물의 표면으로부터 탈락되는 문제를 해결하였다(그림 18, 19). 아직까지 3차원 프린팅 방법을 이용한 표면처리 방법은 초기 단계이나 기술의 혁신 속도가 빠르게 진행되고 있어 향후 삽입물 표면처리의 중심 기술이 될 것으로 사료된다.

(2) 비다공성 코팅(Nonporous coating)

삽입물의 표면에 다공성 구조를 얻기 위한 여러 가지 방법들은 제조 과정이 복잡하고 고비용의 문제가 있다. 유럽의 일부에서는 단순히 삽입물의 표면을 거칠

A

B

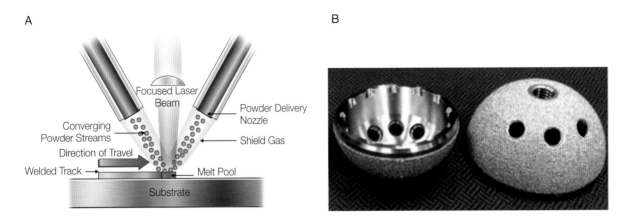

그림 18. (A) Directed energy deposition(DED) 공정 원리 (B) DED 방식의 porous coating 과정을 통해 제작한 비구컵 (Bencox® Cup)

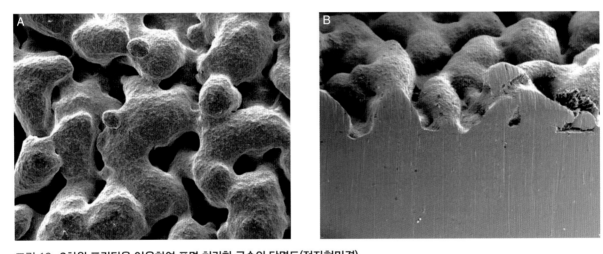

그림 19. 3차원 프린팅을 이용하여 표면 처리한 금속의 단면도(전자현미경)
(A) 3차원 프린팅을 이용하여 다공성을 높이면서 미세공의 크기를 150-400 μm로 구현하였고, (B) 표면처리된 부위가 모체와 강력하게 유합하여 표면처리된 부위와 모체간의 경계가 보이지 않는다.

게 하는 blasting 방법이 도입되었고, 이러한 방법은 골 내성장보다는 골표면성장(bone ongrowth)의 개념으로 생체적합성이 뛰어난 티타늄과 같은 금속의 표면을 적절히 처리함으로써 주위의 골이 삽입물의 표면에 밀착하여 견고한 고정을 얻는 방법이다. 이러한 범주에 속하는 표면처리 방법으로는 sand blasting (grit blasting), 인산칼슘 세라믹 코팅(calcium phosphate ceramic coating) 등의 방법과, 최근 각광받고 있는 산화 부식법

(acid etching)이나 양극 산화(anodizing)방법이 있다.

① Sand blasting: Corundum blasting, Corundumization이라고도 하며, 이미 CLS®나 Zwymuller® 등의 대퇴스템에 사용되어 양호한 임상 결과가 보고되고 있다. 알루미나 입자와 같이 티타늄보다 경도가 높으면서 인체 내에서 유해하지 않은 물질을, 삽입물의 표면에 압력을 이용하여 분사함으로써 삽입물의 표면이 3-5 μm 정도의 거칠

기(roughness)를 갖도록 하는 표면처리 방법이다 (그림 20). 이 방법은 열처리를 하지 않아 물질의 기계적 성질에 큰 영향을 미치지 않고 간단하다는 장점이 있으며, corundum 입자의 종류, 크기에 따라 표면의 형상이나 거칠기 등을 다양하게 변화시킬 수도 있다. 어느 정도의 표면 거칠기가 가장 적당한 것인가는 아직 확실히 밝혀진 바 없으나, 현재까지 좋은 임상 성적을 얻고 있는 CLS®나 Zwymuller® 삽입물이 주로 3-5 μm의 평균 거칠기로 처리되어 있기 때문에 이 정도의 거칠기를 사용하는 것이 표준으로 되어 있다. 이러한 임상 결과는 실험 연구에서도 증명되고 있는데 세포 수준에서의 연구 결과를 보면 골모세포는 표면의 거칠기가 0.4-7 μm 일 때 가장 부착이 잘되며 대사가 활발히 이루어지는 등 양호한 세포학적 반응을 보인다. 거칠기가 0.4 μm 이하가 되면 골이 부착되지 않고 삽입물 주위에 섬유 조직이 형성되는 반면에 거칠기가 너무 높으면 한정된 부위에서만 기질을 형성하여 골형성이 미흡한데 골모세포가 삽입물로 이동하기 어렵기 때문으로 추측되고 있다.

② **수산화인회석 코팅**(hydroxyapatite, HA coating): 골형성을 보다 개선하기 위하여 인체 골의 구조

그림 20. Sand blasting 방법으로 표면처리한 금속의 단면

와 같은 화학적 성분을 갖는 생활성 물질을 삽입물 표면에 코팅함으로써 조기에 강한 골고정을 얻는 것을 목표로 개발된 방법으로 현재까지 주로 수산화인석(hydroxyapatite, HA)이나 인산 삼칼슘(tricalcium phosphate, TCP)이 사용되고 있다. 합성 인산 칼슘 세라믹 중 수산화인회석(HA, $Ca_{10}(PO_4)_6(OH)_2$)이 생물학적 인회석 결정체와 가장 유사한 화학적, 결정적(crystalline) 특성을 갖는다. 수산화인석이 Ca/P 1.678로서 인산 삼칼슘의 Ca/P 1.5 보다 안정적이고 인체내에서 용해가 잘 되지 않는다. 수산화인회석의 코팅은 주로 진공상태에서 티타늄 합금의 표면에 플라즈마 스프레이 방식으로 300 m/s의 속도로 분사하면서 시행하나, 전기화학적 방법으로 시행되기도 한다. 세라믹 코팅은 기술적으로 적절한 두께와 다공성 구조를 만들기가 매우 어려운데 지금까지 보고된 바에 의하면 세라믹 코팅의 두께는 50-200 μm 정도가 가장 이상적이라고 한다. 너무 얇게 하면 칼슘과 인의 함량이 적어 효과적인 골유합을 얻을 수 없으며, 너무 두껍게하면 지속적인 전단력과 반복 하중으로 삽입물의 표면에서 코팅층이 박리될 뿐만 아니라 탈락된 세라믹 입자가 제삼물체 마모를 유발할 수도 있다. 현재도 세라믹 코팅에 대한 기술적 진보가 이루어 지고 있으며, 매끈한 표면에 수산화인회석 코팅하는 방법과 다공성 표면에 수산화인회석/인산 삼칼슘을 혼합 코팅하는 방법이 사용되고 있다.

③ **양극산화**(anodizing) **방법**: 금속이 안정되게 존재하기 위해서는 금속 표면에 자연적으로 형성된 보호성 산화피막이 필요하다. 양극산화처리란 금속 시편을 액상의 전해질 내에 담근 후 금속 시편을 양극(anode)으로 그리고 보조 전극을 음극(cathode)으로 하여 전류를 가함으로써 금속 시편 표면에 균일하고 두꺼운 산화피막(oxide film)을 형성시키는 전기화학 공정이다. 티타

늄과 같이 산화막을 형성할 수 있는 금속을 칼슘과 인이 함유된 저농도의 알칼리 용액(주로 β−glycerolphosphate calcium acetate)에 넣은 후 고전압을 가하여 전기 아크를 발생시켜 금속의 표면을 산화시키는 방법(micro−arc oxidation)이 쓰이고 있다. 자연적으로 발생하는 산화막의 두께(2−5 nm)보다 훨씬 두껍고(10−20 μm) 칼슘과 인이 풍부한 산화막을 형성하게 된다. 가해지는 전압의 크기와 적용 방법, 전해질의 종류에 따라 티타늄의 표면은 각기 다른 양상을 보이는데, 표면의 구성 성분은 거의 공통적으로 주로 칼슘과 인으로 이루어져 있으며, 마이크론이나 마이크론 이하의 크기를 가진 다공성을 구조를 갖게 된다(그림 21). 칼슘−인의 비율 및 전압의 크기를 조절하여 양극산화 방법으로 직접 인회석을 형성할 수도 있다.

이런 특별한 구조와 골결합의 우수성은 조기의 견고한 고정력이 요구되는 치과 영역의 임플란트에 적용되어 탁월한 결과가 보고되고 있다. 하지만 양극산화 방법은 거칠기가 0.2−0.5 μm로 정형외과 영역에 적용하기에는 거칠기가 너무 작다. 따라서, 거칠기를 크게 하기 위해 sand blasting을 시행한 후에 양극산화를 시행하는 방

법이 개발되었으며, 최근 정형외과의 인공 관절 대퇴스템에 적용되어 우수한 결과가 보고되고 있다. 양극산화 방법으로 형성된 미세공의 크기가 10 μm 이하로 다공성 표면(150−400 μm)에 비해 매우 작다. 골모세포를 이용한 세포 부착연구에 의하면 골모세포의 초기 부착능은 거대 다공성(macroporous) 구조보다는 미세 다공성(microporous) 구조에서 훨씬 더 좋은 것으로 보고되고 있다. 즉 표면이 미세 다공성 구조를 가지고 있으면 골모세포가 사상위족 확장(filopodia extension)에 의한 부착이 쉽다고 볼 수 있다. 이러한 초기 세포 부착능 이외에 다공성의 구조는 인공 관절의 표면적을 극대화시킬 수 있는 장점이 있다. 또한, 표면에 칼슘과 인이 첨가되어 있어 빠른 골표면성장 및 골고정을 유도할 수 있는 환경을 제공한다 하겠다.

④ **알칼리 처리**: 1996년 Kokubo 등이 처음으로 발표한 알칼리 처리방식으로 대퇴스템에 쓰이는 티타늄을 5 mol/L 수산화나트륨(NaOH) 용액에 60℃에서 24시간 담그고 증류수로 세척한 다음 실온에서 24시간 동안 수분을 제거하는 알칼리처리를 한 후에 다시 600℃의 열로 1시간 동안 가공하는 것을 말한다. 이러한 처리를 한 후 티타늄합금을 생체조직과 유사 이온 구성을 가지는 similated body fliud (SBF) 용액에 넣으면 삽입물 표면에 인회석(apatite)이 만들어진다.

비교적 간단한 처리를 통해서 삽입물의 표면에 물리적인 변화없이 수산화인화석 코팅의 효과를 낼 수 있다는 장점이 있으며, 동물 실험에서 골결합능력의 증가가 보고되었다. 임상 결과 10년 이상 장기 추시에서 대퇴스템의 98% 생존율을 보고하고 있어 골표면성장을 극대화시킬 수 있는 새로운 방법으로 주목받고 있다.

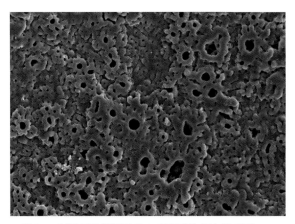

그림 21. 양극산화 방법으로 표면처리한 금속의 단면

참고문헌

1. 강 준 순. Polyethylene on metal in total hip arthroplasty. 대 한고관절학회 연수강좌; 2008. 164−174.

2. 강준순. 폴리에틸렌(Polyethylene). 대한고관절학회지. 2005; 17(3): 66−69.

3. 김신윤. 초교차결합 폴리에틸렌과 금속 관절면. 대한고관절학회지. 2007; 19(3): 348−354.

4. 김용식, 권순용, 김기원, 정진화, 우영균. 골무기질을 함유한 골시멘트의 강도에 대한 실험적 연구. 대한고관절학회지. 1995; 7(2): 135−142.

5. 문성모. 금속의 양극산화처리 기술. 한국표면공학회지. 2018;51(1):1−10.

6. 선두훈. 3차원 프린팅을 이용한 인공 관절 개발 경험. 전남대학병원 골관절 융합 심포지움. 2014.

7. 양익환. 인공 관절면: Cross linked Polyethylene−Metal. 대한고관절학회지. 2006; 18(4): 257−260.

8. 조윤제, 김강일, 유명철. 고도 교차결합 폴리에틸렌. 대한고관절학회지. 2006; 18(2): 151−158.

9. Annaz B, Hing KA, Kayser REM, Buckland T, Di Silvio LJ. Porosity variation in hydroxyapatite and osteoblast morphology: a scanning electron microscopy study. Microsc. 2004; 215: 100-110.

10. Babovic N, Trousdale RT. Total hip arthroplasty using highly cross-linked polyethylene in patients youngher than 50 years with minimum 10-year follow-up.

11. Baker DA, Bellare A, Pruitt L. The effects of degree of crosslinking on the fatigue crack initiation and propagation resistance of orthopedic-grade polyethylene. J Biomed Mater Res A. 2003; 66(1): 146-154.

12. Balla VK, Bodhak S, Bose S, Bandyopadhyay A. Porous tantalum structures for bone implants: fabrication, mechanical and in vitro biological properties. Acta Biomater. 2010;6(8):3349-59.

13. Bedard NA. Callaghan JJ, Stefl MD, Willman TJ, Liu SS, Goetz DD. Fixation and wear with a contemporary acetabular component and cross-linked polyethylene at minimum 10-year follow-up. J Arthroplasty. 2014;29:1961-1969.

14. Bitsch R, Heisel C, Bal S, Dela Rosa MA, Schmalzried TP. Short-term in vivo wear of cross-linked polyethylene. J Bone Joint Surg Am. 2004;86:748-51.

15. Blaha JD, Gruen TA, Grappiolo G, Mancinelli CA, Spotorno L, Romagnoli S, Ivaldo N. Porous coatings: do we need it? Orthopedics. 1994; 17(9): 779-780.

16. Bloebaum RD, Merrell M, Gustkek K. Simmons M. Retrieval analysis of a hydroxyapatite-coated hip prosthesis. Clin Orthop Relat Res. 1991; 267: 97- 101.

17. Bobyn JD, Engh CA, Glassman AH. Histological analysis of a retrieved microporous coated femoral hip prosthesis: a seven year case report. Clin Orthop Relat Res. 1998; 221: 303-309.

18. Bobyn JD, Pilliar RM, Cameron HU, Weatherly GC. The optimum pore size for the fixation porous surfaced metal implants by the ingrowth bone. Clin Orthop Relat Res. 1980; 150: 263-270.

19. Bohner M, Gbureck U, Barralet JE. Technological issues for the development of more efficient calcium phosphate bone cements: a critical assessment. Biomaterials. 2005;26: 6423-9.

20. Bourne RB, Rorabeck CH, Burkart BC, Kirk PG. Ingrowth surfaces: Plasma spray coating to titanium alloy hip replacements. Clin Orthop Relat Res. 1994; 298: 37-41.

21. Bracco P, Oral E. Viatmain E-stabilized UHMWPE for total joints implants: a review. Clin Orthop Rel Res. Relat Res. 2011; 496(8): 2286-93.

22. Bradford L, Baker D, Ries MD, Pruitt LA. Fatigue crack propagation resistance of highly crosslinked polyethylene. Clin Orthop Rel Res. 2004; (429): 68-72.

23. Bradford L, Baker DA, Graham J, Chawan A, Ries MD, Pruitt LA. Wear and surface cracking in early retrieved highly cross-linked polyethylene acetabular liners. J Bone Joint Surg Am. 2004; 86(6): 1271- 1282.

24. Bradford L, Kurland R, Sankaran M, Kim H, Pruitt LA,

Ries MD. Early failure due to osteolysis associated with contemporary highly cross-linked ultra-high molecular weight polyethylene. A case report. J Bone Joint Surg Am. 2004; 86(5): 1051- 1056.

25. Bragdon CR, Barrett S, Martell JM, Greene ME, Malchau H, Harris WH. Steady-state penetration rates of electron beam-irradiated, highly cross-linked polyethylene at an average 45-month follow up. J Arthroplasty. 2006; 21(7): 935-943.

26. Bragdon CR, Doerner M, Martell J, Jarrett B, Palm H, Multi-center Study Group, Malchau H. The 2012 John Charnley Award: Clinical multicenter studies of the wear performance of highly crosslinked remelted polyethylene in THA. Clin Orthop Relat Res. 2013;471:393-402.

27. Callaghan JJ, Rosenberg AG, Rubash HE. The Adult Hip, 2nd ed, Philadelphia: Lippincott Williams and Wilkins; 2007. 117-126.

28. Callaghan JJ, Rosenberg AG, Rubash HE. The Adult Hip, 2nd ed, Philadelphia: Lippincott Williams and Wilkins; 2007. 144-153.

29. Chang MC, Kim TH, Kim UK. The Influence of nano-TCP powders in the β-TCP based artificial bone synthesis. Biomaterials Research. 2013; 17(3): 121-125.

30. Clohisy JC, Beaule PE, Della Valle CJ. The adult hip. 3rd ed. Philadelphia: Wolters Kluwer; 2016. 240-51.

31. Cook SD, Thomas KA, Dalton JF, et al. Hydroxyapatite coating of porous implants improves bone ingrowth and interface attachment strength. J Biomed Mater Res. 1992; 26: 989-1001.

32. D'Antonio JA, Lanley MT, Capello WN, Bierbaum BE, Ramakrishnan R, Naughton M, Sutton K. Five-year experience with Cross-fire highly cross-linked polyethylene. Clin Orthop Relat Res. 205;441:143-50.

33. Davis JE. Mechanism of Endosseous integration. Int J Prosthodont. 1998; 11: 391-401.

34. Degas G, Karrholm J, Thanner J, Malchau H, Herberts P. Highly cross-linked polyethylene in total hip arthroplasty: randomized evaluation of penetration rate in cemented and uncemented sockets using radiostereometric analysis.

35. Diamanti MV, Del Curto B, Pedeferri M. Anodic oxidation of titanium: from technical aspects to biomedical applications. J Appl Biomater Biomech. 2011;9(1):55-69.

36. Dorr LD, Wan Z, Shahrdarr C, Sirianni L, Boutary M, Yun A. Clinical performance of a Durasul highly cross-linked polyethylene acetabular liner for total hip arthroplasty at five years. J Bone Joint Surg Am. 2005;87:1816-21.

37. Engesaeter LB, Lie SA, Espehaug B. Antibiotic prophylaxis in total hip arthroplasty: Effects of antibiotic prophylaxis systemically and in bone cement on the revision rate of 10,170 primary replacements followed 0-14 years in the Norwegian Arthroplasty Register. Acta Orthop Scand. 2003;74:644-51.

38. Engh CA Jr, Hooper RH Jr, Hyynh C, Ho H, Sritulanondha S, Engh CA Sr. A prospective, randomized study of cross-linked and non-cross-linked polyethylene for total hip arthroplastyat 10-year follow-up. J Arthroplasty. 2012;27:2-7.el.

39. Engh CA Jr, Stepniewski AS, Ginin SD, Beykirsh SE, Sychterz-Terefenko CJ, Hopper RH Jr, Engh CA. A randomized prospective evaluation of outcomes after total hip arthroplasty using cross-linked Marathon and non cross-linked Enduron polyethylene liners. J Arthroplasty. 2006;21(6 Suppl 2):17-25.

40. Eveleigh R. The preparation of bone cement. Br J Perioper Nurs. 2001; 11(2): 58-62.

41. Furlong RJ, Osborn JF. Fixation of hip prostheses by hydroxyapatite ceramic coatings. J Bone Joint Surg Br. 1991; 73: 741-745.

42. Garcia-Rey E, Garcia-Cimbrelo E, Cruz-Pardos A. New polyethylenes in total hip replacement: a ten- to 12-year follow-up study. Bone Joint J. 2013;95:32-332

43. Geesink RG, de Groot K, Klein CP. Bonding of bone to apatite-coated implants, J Bone Joint Surg Br. 1998; 70: 17-22.

44. Glyn-Jones S, Thomas GE, Garfjeld-Roberts P, Gundle R, Taylor A, McLardy-Smith P, Murray DW. The John

Charnley Award: Highly crosslinked polyethylene in total hip arthroplasty decreases long-term wear: a double-blind randomized trial. Clin Orthop Relat Res. 2015;473:432-438.

45. Goto K, Tamura J, Shinzato S, Fujibayashi S, Hashimoto M, Kawashita M, Kokubo T, Nakamura T. Bioactive bone cements containing nanosized titania particles for use as bone substitutes. Biomaterials. 2005;26:6496-505.

46. Hahn H, Palich W. Preliminary evaluation of porous metal surfaced titanium for orthopaedic implants. J Biomed Mater Res. 1970; 4: 571-578.

47. Heisel C, Silva M, Dela Rosa M, Schmalzried T. Reduction of osteolysis with crosslinked polyethylene at five years. Read at the Annual Meeting of the American Association of Hip and Knee Surgeons; 2006 Nov 4; Dallas, TX.

48. Herrera A, Mateo J, Gil-Albarova J, Lobo-Escolar A, Ibarz E, Gabarre S, Más Y, Gracia L. Cementless hydroxyapatite coated hip prostheses. Biomed Res Int. 2015; 2015: 386461.

49. Howard DP, Wall PDH, Fernandez MA, Parsons H, Howard PW Ceramic-on-ceramic bearing fractures in total hip arthroplasty: an analysis of data from the National Joint Registry. Bone Joint J. 2017 ;99-B(8):1012-1019.

50. Hulbert S, Cooke F, Klawitter J. Attachment of prosthesis to the musculoskeletal system by tissue ingrowth and mechanical locking. J Biomed Mater Res. 1974; 4: 23.

51. Im GI. Effects of Wear Particles on Osteoprogenitor Cells. Biomaterials Research. 2012; 12(2): 48-51.

52. Jafri AA, Green SM, Partington PF, McCaskie AW, Muller SD. Pre-heating of components in cemented total hip arthroplasty. J Bone Joint Surg Br. 2004;86:1214-9.

53. Johanson PE, Digas G, Hebers P, Thanner J, Karrholm J. Highly crosslinked polyethylene does not reduce aseptic loosening in cemented THA: 10-year findings of a randomized studyL Clin Orthop Relat Res. 2012;470:3083-3093.

54. Kevin L. Garvin, Tyler C. With, Anand Dusad, Curtis W. Hartman, John Martell. Low wear rates seen in THAs with highly crosslinked polyethylene at 9 to 14 years in patients younger than age 50 years.

55. Kim Y, Choi Y, Kim J. Cementless total hip arthroplasty with alumina-on-highly cross-linked polyethylene bearing in young patients with femoral head necrosis. J Arthroplasty. 2011;26:218-223.

56. Kim Y, Park J, Kulkarni SS, Kim Y. A randomized prospective evaluation of ceramic-on-ceramic and ceramic-on-highly cross-linked polyethylene bearings in the same patients with primary cementless total hip arthroplasty. Int Orthop. 2013;37:2131-2137.

57. Kim Y, Park J, Patel C, Kim D. Polyethylene wear and osteolysis after cementless total hip arthroplasty with alumina-on-highly cross-linked polyethylene bearings in patients younger than thirty year of age. J Bone Joint Surg Am. 2013;95:1088-1093.

58. Krushell RJ, Fingeroth RJ, Cushing MC. Early femoral head penetration of a highly cross-linked polyethylene liner vs a conventional polyethylene liner: a casecontrolled study. J Arthroplasty. 2005; 20(7 Suppl 3): 73-76.

59. Kuehn KD, Ege W, Gopp U. Acrylic bone cements: composition and properties. Orthop Clin North Am. 2005;36:17–28.

60. Kurtz SM, Lau EC, Baykal D, Odum SM, Springer BD, Fehring TK.. Are Ceramic Bearings Becoming Cost-Effective for All Patients? J Arthroplasty. 2018;33(5):1352-1358.

61. Kurtz SM, Muratoglu OK, Evans M, Edidin AA. Advances in the processing, sterilization, and c rosslinking of ultra- high molecular weight polyethylene for total joint arthroplasty. Biomaterials. 1999; 20(18): 1659-1688.

62. Lee IS, Whang CN, Kim HE, Park JC, Song JH, Kim SR. Various Ca/P ratios of thin calcium phosphate films. Materials Science and Engineering. 2002; 22: 15-20.

63. Lee TM, Tsai RS, Chang E, Yang CY, Yang MR. The cell attachment and morphology of neonatal rat calvarial osteoblasts on the surface of Ti-6Al-4V and plasma-sprayed HA coating: Effect of surface roughness and serum

contents. J Mater Sci Mater Med. 2002; 13: 341-350.

64. Li LH, Kong YM Kim HW et al. Improved biological performance of Ti implants due to surface modification by micro-arc oxidation. Biomaterials. 2004; 25: 2867-2875.

65. Magnan B, Bondi M, Maluta T, Samaila E, Schirru L, Dall'Oca C. Acrylic bone cement: current concept review. Musculoskelet Surg. 2013;97:93-100.

66. Manning DW, Chiang PP, Martell JM, Galante JO, Harris WH. In vivo comparative wear study of traditional and highly cross-linked polyethylene in total hip arthroplasty. J Arthroplasty. 2005; 20(7): 880-886.

67. Martell JM, Verner JJ, Incavo SJ. Clinical performance of a highly cross-linked polyethylene at two years in total hip arthroplasty: a randomized prospective trial. J Arthroplasty. 2003; 18(7 Suppl 1): 55-59.

68. McKellop H, Shen FW, Lu B, Campbell P, Salovey R. Effect of sterilization method and other modifications on the wear resistance of acetabular cups made of ultrahigh molecular weight polyethylene. A hip- simulator study. J Bone Joint Surg Am. 2000; 82(12): 1708-1725.

69. Mitsio N. Metallic biomaterials. J Artif Organs. 2008; 11: 105-110.

70. Muratoglu OK, Bragdon CR, O'Connor D, Perinchief RS, Estok DM 2nd, Jasty M, Harris WH. Larger diameter femoral heads used in conjunction with a highly cross-linked ultra-high molecular weight polyethylene: a new concept. J Arthroplasty. 2001; 16(8 Suppl 1): 24-30.

71. Muratoglu OK, Greenbaum ES, Bragdon CR, Jasty M, Freiberg AA, Harris WH. Surface analysis of early retrieved acetabular polyethylene liners: a comparison of conventional and highly crosslinked polyethylenes. J Arthroplasty. 2004; 19(1): 68-77.

72. Muratoglu OK, Wannomae K, Christensen S, Rubash HE, Harris WH. Ex vivo wear of conventional and cross-linked polyethylene acetabular liners. Clin Orthop Relat Res. 2005; 438: 158-164.

73. Murr LE, Gaytan SM, Martinez E, et. al. Next generation orthopaedic implants by additive manufacturing using electron beam melting. Int J Biomater. 2012; 245-727.

74. Murr LE, Gaytan SM, Martinez E, Medina F, Wicker RB. Next generation orthopaedic implants by additive manufacturing using electron beam melting. Int J Biomater. 2012; 245-727.

75. Nakashima Y, Hayashi K and Inadome T, Uenoyama K, Hara T, Kanemaru T, Sugioka Y, Noda I. Hydroxyapatite-coating on titanium arc sprayed titanium implants. J Biomed Mater Res. 1997; 35: 287-298.

76. Nie X, Leyland A, Matthews A. Deposition of layered bioceramic hydroxyapatite/TiO2 coatings on titanium alloys using a hybrid technique of micro-arc oxidation and electrophoresis. Surface and Coatings Technology. 2000; 125: 407-414.

77. Pilliar RM. Porous surfaced metallic implants for orthopaedic applications. J Biomed Mater Res Appl Biomater. 1987; 21(Suppl A1): 1.

78. Rafael JS, John AT, Graham AG. Contemporary cementing technique and mortality during and after exter total hip arthroplasty. 2009;24:325-32.

79. Raymond PR, Gaston RD, Thomas MG. Uncemented total hip arthroplasty using the CLS stem: A titanium alloy implant with a corundum blast finish: Results at a mean 6 years in a prospective study. J Arthroplasty. 1996; 11: 286-292.

80. Röhrl S, NIvbrant B, Mingguo L, Hewitt B. In vivo wear and migration of highly cross-linked polyethylene cups. A radiostereometry analysis study. J Arthroplasty. 2005;20:409-13.

81. Schmalzried TP, Jasty M, Harris WH. Periprosthetic bone loss in total hip arthroplasty. Polyethylene wear debris and the concept of the effective joint space. J Bone Joint Surg. 1992; 74: 849-863.

82. So K, Kaneuji A, Matsumoto T, Matsuda S, Akiyama H. Is the Bone bonding ability of a cementless total hip prosthesis enhanced by alkaline and heat treatments? Clin Orthop Relat Res. 2013; 471: 3847-3855.

83. Soballe K, Toksvigh-Lasen S, Gelineck J. Fruensgaard

S, Hansen ES, Ryd L, Lucht U, Bünger C. Migration of hydroxyapatite coated femoral prostheses. A roentgen stereophotoframmetric study. J Bone Joint Surg Br. 1993; 75: 681-687.

84. Sutula LC, Collier JP, Saum KA, Currier BH, Currier JH, Sanford WM, Mayor MB, Wooding RE, Sperling DK, Williams IR, et al. The Otto Aufranc Award. Impact of gamma sterilization on clinical performance of polyethylene in the hip. Clin Orthop Relat Res. 1995; 319: 28-40.

85. Sychterz CJ, Engh CA Jr, Engh CA. A prospective, randomized clinical study comparing Marathon and Enduron polyethylene liners: 3 year results. J Arthroplasty. 2004; 19:258.

86. Wang BC, Lee TM, Chang F, Yand C. The shear strength and failure mode of plasma-sprayed hydroxyapatite coating to bone: the effects of coating thickness. J biomed Mater Res. 1993; 27: 1315-27.

87. Wauthle R, van der Stok J, Amin Yavari S, et al. Additively manufactured porous tantalum implants. Acta Biomater. 2015; 14: 217-225.

88. Yang IH. Pathophysiology of Osteolysis. J Korean Hip soc. 2011; 23(1): 1-6.

89. Zhu X, Chen J, Scheideler L et. al. Cellular reactions of osteoblasts to micron- and submicron-scale porous structures of titanium surfaces. Cells Tissues Organs. 2004; 178: 13-22.

3 고정 방법
Fixation Methods

1. 시멘트형 고관절 전치환술

1958년 Charnley경에 의해 골시멘트를 이용한 고관절 전치환술이 소개되고 좋은 임상 결과를 발표한 이후 골시멘트를 이용하여 삽입물을 고정하는 방법이 오랫동안 사용 되어져 왔다. 그러나 1970년 말부터 대두된 고관절 치환술 실패의 주요 원인인 골용해와 그에 따른 삽입물 해리의 원인으로 골시멘트가 지목되면서 시멘트를 이용하지 않는 생물학적 고정법이 급격하게 발전하였으며, 골용해의 원인이 시멘트가 아니라고 밝혀진 이후에도 시멘트 고정법의 사용은 현저히 줄어들게 되었다. 특히 시멘트 비구컵의 결과는 초기부터 좋지 않아 일찍이 사용이 줄어든 반면, 시멘트형 대퇴스템은 과거의 임상 결과가 상당히 좋았을 뿐만 아니라, 시멘트 고정 방법의 개선으로 고정력이 향상되면서 무시멘트형 비구컵과 시멘트형 대퇴스템을 사용하는 소위 하이브리드 고관절 전치환술이 유행하였다. 그러나 최근 관절면의 개선과 무시멘트형 대퇴스템의 표면 처리 기술의 발전으로 고정력이 향상되고 좋은 임상 결과가 발표되면서 대퇴스템의 고정 방법 경향이 시멘트형에서 무시멘트형으로 바뀌고 있다.

그러나 아직도 유럽에서는 시멘트형 대퇴스템이 많이 사용되고 있으며 수술 후 초기 고정력이 중요한 고령 환자나 류마티스 관절염 환자, 골내성장이 힘든 상황 등에서는 시멘트 고정이 유용하므로 골시멘트를 사용한 고정 방법에 대하여 숙지하고 있는 것이 바람직하겠다.

1) 결과에 영향을 미치는 요인
(1) 시멘트형 고관절 전치환술의 실패

초기에 많은 술자들이 시멘트형 고관절 전치환술의 실패를 접하면서 시멘트와 골 사이에 연부조직 막을 발견하였고 많은 연구들이 이 막을 골용해의 원인으로 분석하면서 골용해의 원인을 시멘트로 단정하였다(소위 시멘트 병으로 불림). 하지만 이 막은 해리 과정에서 늦게 나타나는 경우도 있고 초기 해리 과정에 관여하지 않는 것이 밝혀지면서 오해를 벗을 수 있었다.

대개 시멘트형 고관절 삽입물의 해리는 기계적 요인으로 시작된다. 시멘트와 삽입물 사이의 분리(debonding)가 발생하고 이런 분리가 발생할 때 시멘트 맨틀 내에 최고응력(high stress)이 유발되게 된다. 이런 최고 응력은 대퇴스템의 근위부와 끝부분에 집중되고 시멘트 맨틀이 얇거나 결손 부위 또는 시멘트가 잘 섞이지 않아 발생한 기공에 균열(crack)이 발생한다. 이렇게 발생한 균열로부터 시멘트 입자(particle) 잔해(debris)가 떨어져 나가 염증 반응을 일으키게 되고 국소적인 골용해를 유발하며 연부조직 막을 형성하게 되어 결국 대퇴스템의 안정성이 소실되고 삽입물의 해리를 야기하게 된다.

시멘트 맨틀을 분석하기 위해 Barrack은 A부터 D까지 등급을 나누어 수술 후 시멘트 맨틀을 평가하였다. 시멘트-골 사이가 구분되지 않는(white-out) 골수강 내 시멘트의 완벽한 충진을 A, 약간의 방사선 투과성이 있는 경우를 B, 50% 이상에서 방사선 투과성이 보이는 경우를 C, 모든 각도에서 100% 방사선 투과성을 보이는 경우를 D로 나누어 분류하였는데 C 등급 이상에서는 해리가 발생할 가능성이 높다고 보고하였다. Mulroy는 Barrack 등의 분류를 기초로 수정한 분류 방법을 제시하였는데 A는 동일하고 거의 완전한 충진을 보이지만 일부에서 시멘트–골 사이를 구분할 수 있는 경우를 B, 시멘트–골 사이에 50% 이상에서 방사선 투과성을 보이는 경우나 시멘트에 공동이 보이는 경우를 C1, 모든 각도에서 시멘트 맨틀이 1 mm 이하로 얇아져 있는 경우나 결손이 보이는 경우, 그리고 피질골과 삽입물 사이에 직접적인 접촉이 있는 경우를 C2, 삽입물 끝 원위부에 시멘트가 없는 경우처럼 시멘트 맨틀의 광범위한 결손이나 다발성의 큰 공동이 있는 경우를 D로 나누어 분류하였다.

(2) 시멘트형 대퇴스템의 디자인 요인

시멘트형 대퇴스템의 디자인은 크게 합성 빔 (composite beam) 형태와 근위부에서 원위부로 갈수록 가늘어지는 테이퍼(taper) 형태로 나눌 수 있다. 전자에서는 하중이 스템의 첨부로 전달되어 시멘트를 통해 골로 전달되며, 전단력(shear stress)이 증가하게 되고, 압축력(compression stress)은 감소하게 된다. 하지만 연마된 테이퍼(polished taper) 형태는 스템이 침강하면서 골에 환형응력(hoop stress)을 전달시켜 응력 차단을 최소화할 수 있으며, 전단력이 감소되고, 압축력은 증가하게 되어 스템이 시멘트와 골내로 자가 잠금 테이퍼(self-locking taper)로 작용하게 되는 것이다. 이를 만족시키는 스템의 디자인은 기본적으로 칼라가 없고(collarless), 점점 가늘어지며(tapered), 연마된(polished) 형태를 가지고 있어야 하며 스템 끝(stem tip)의 아래에 공간이 테이퍼(taper)로 작용할 수 있게 존재하여야 한다.

시멘트형 대퇴스템에서 칼라(collar)의 구현은 계속적으로 논란이 되어 왔다. 칼라가 있는 대퇴스템은 칼라가 없는 대퇴스템보다 근위 대퇴골에 하중이 더 잘 전달되게 하며 근위 대퇴골의 응력 차단을 감소시키고 근위부 내측 시멘트에 응력(stress)을 감소시켜 스템의 미세운동과 해리를 감소시킬 수 있다. 반대로 칼라가 없는 스템(collarless stem)을 지지하는 주장에 의하면 칼라가 있는 스템(collared stem)의 이론적인 주장은 임상적인 결과와 다르며 대퇴골 내측 근위부 피질골과 칼라를 적절하게 접촉시키고 유지시키기 어렵다는 점, 대퇴골 내측 근위부 피질골의 응력 차단 현상, 칼라와 시멘트, 대퇴골 내측 근위부 피질골 사이의 골흡수 및 그로인한 마모 입자의 생성 등을 문제점으로 주장하고 있다.

대퇴스템의 고정 실패가 주로 스템–시멘트 간의 접촉면(interface) 사이의 분리로 인하여 발생하기 때문에 삽입물 고정을 오래 지속시키기 위하여 시멘트–삽입물 사이의 접착을 개선시키기 위한 방법으로 PMMA를 전코팅(precoating)한 것을 포함하여 표면에 질감을 주어 금속 표면을 거칠게 하였다. 1982년 Park와 Rabb은 PMMA로 대퇴스템을 표면처리한 것이 표면처리를 하지 않은 것에 비해 대퇴스템과 골시멘트 간의 접촉면의 강도를 약 2배에서 10배까지 증가시키는 것을 보고하였고, Harris는 매트(matte) 스템의 표면에 얇은 PMMA 막을 부분 처리한 전코팅된 스템 (precaoted stem)을 사용한 임상 결과를 보고하였다. 하지만 Flower와 Ling은 전코팅된 매트 대퇴스템이 오히려 골–시멘트 간의 전단응력을 증가시켜 골–시멘트 간의 해리를 유발할 수 있으며, 골–시멘트 사이가 분리되면 대퇴스템과 시멘트 사이에 마모 입자(wear particle)가 발생하여 대퇴스템의 해리와 함께 해리가 초래될 수 있다고 보고하였다. 따라서 저자들은 연마된 표면(polished surface)을 가지는 대퇴스템의 사용을 권장하였으며 Herberts와 Malchau도 연마된 엑스터 스템(polished Exeter stem)을 이용하여 높은 생존율을 보고 하기도 하였다.

(3) 시멘트 기법의 발전

1960년대에 시작된 시멘트를 사용한 고관절 전치환술은 현재까지 여러 단계를 거치면서 발전되어 왔다. 초기에는 골수강내에 플러그(plug)를 사용하지 않고 dough 단계의 시멘트를 손가락으로 눌러 삽입하는 방법으로 고정하였으며(1세대 시멘트 기법) 대퇴스템 또한 협소한 내측 연을 가지면서 가장자리가 날카로운 예각의 형태를 띤 모양으로(Muller femoral stem) 스테인레스 스틸이나 코발트크롬 합금으로 구성된 거친 표면처리를 한 제품이 대부분이었다. 이런 이유로 일관된 시멘트 맨틀을 만들 수 없었기 때문에 수술 결과는 다양하게 보고되고 있다. 1980년대에 대퇴골 골수강내 플러그(plug)를 삽입하고 박동성 세척(pulsatile lavage)과 솔질(brushing)을 이용하여 골수강을 깨끗이 처리하는 방법, 시멘트 총(gun)을 이용하여 골수강 원위부에서부터 시멘트를 삽입하는 방법 등 향상된 시멘트 기법이 소개되었다(2세대 시멘트 기법). 대퇴스템 또한 보다 강한 단조 합금으로 제조되어 넓은 내측연을 가지면서 모퉁이는 날카롭지 않게 둥근 형태를 띤 모양으로 칼라를 가진 디자인으로 발전하게 되었다.

이후에 개발된 3세대 및 4세대 시멘트 기법에는 다음과 같은 과정들이 추가되었다. 즉, 원심분리(centrifugation)나 진공 혼합(vacuum mixing)을 이용하여 시멘트의 기공을 감소시키고, 충분한 가압(pressurization)을 하여 시멘트를 충진시키며, 대퇴스템에 중심기(centralizer)를 부착하여 외반 또는 내반되지 않고 중립적인 위치로 삽입할 수 있게 되었다. 이로 인해 골시멘트의 전단 강도(shear strength)를 감소시키고 골시멘트 균열(crack)의 위험성을 줄일 수 있게 되었다. 또한 표면을 매끄럽게(smooth) 혹은 연마(polishing) 처리한 대퇴스템이나 거친 표면으로 전코팅한 스템(precoated stem)이 개발되었다. 그러나, 현재는 칼라가 없고 표면이 매끄럽게 연마된 대퇴스템이 주로 사용되고 있다. 이외에도 수술방의 온도와 습도를 적절히 맞추고 저혈압 마취를 시행하는 것이 도움이 되겠다.

(4) 시멘트형 고관절 치환술의 환자 요인

시멘트형 대퇴스템의 장기적인 성공은 스템의 디자인, 표면처리 방법, 적절한 시멘트 맨틀과 수술 기법에 의하여 결정된다고 볼 수 있다. 하지만 환자 요인 또한 스템의 생존에 영향을 미치게 되는데, 환자의 나이, 성별, 몸무게, 활동성 그리고 골의 성질 등이 장기적인 결과에 영향을 미치게 된다. 특히 젊은 연령의 환자에 비해 연령이 높을수록 좋은 결과를 보이고, 여자보다 남자 환자에서 2배 이상 실패율이 높다. 특히 75 kg 이상의 몸무게를 가진 남성 환자에서 시멘트형 스템의 예후가 불량한 것으로 알려져 있다. 또한 50세 이상의 비활동적인 환자나 류마티스 관절염 환자들에서는 시멘트를 이용한 스템 고정 방법이 효과적이고 우수한 장기 결과를 보이고 있다. Charnley 등의 연구에 의하면, 퇴행성 관절질환을 가진 환자에서보다 류마티스 관절염이나 변형된 고관절을 가진 환자에서 시멘트형 스템을 사용한 경우 무시멘트형 스템에 비해 더 나은 생존율을 보고하고 있으며, 류마티스 관절염을 가진 환자에서 대퇴스템의 재치환술 및 방사선적 해리의 빈도가 적음을 보고하였다. 저자들은 류마티스 관절염 환자들은 대퇴골 간부가 넓고, 관절염 자체에 의한 병변과 활동 저하로 인한 이차적인 효과로 골다공증이 골관절염 환자에 비해 심하며 정상적인 골대사 과정에 변화가 생겨 무시멘트형 대퇴스템을 사용할 경우 수술 후 해리가 발생할 수 있기 때문에 시멘트로 고정하는 방법이 효과적이라고 기술하였다.

대퇴골 근위부 골수강의 형태 또한 대퇴스템의 고정에 영향을 미치게 된다. 고령의 환자에서는 방사선 사진상 전후면 사진보다 측면 사진에서 측정한 골수강이 더 넓은 경우가 흔하고, 특히 전후면 및 측면 사진 상에서 난로 연통(stovepipe) 형태로 변하게 되는 심한 골수강의 확대가 일어나기도 한다. 따라서 무시멘트형 대퇴스템을 사용할 경우 불안정한 고정으로 인해 스템의 미세 움직임이 발생하여 환자가 수술 후 대퇴부 통증을 호소하기도 한다. 또한 골다공증이 있는 고령 환자에서 무시멘트형 대퇴스템을 사용하면 골과 스템 사이의 강도 차이로 인하여서도 대퇴부 통증이 생길 수도 있다. 또한 무시멘트형 대퇴스템의 대퇴골 근위부 고정력이 약하고 채움(fill)이 부적절하면, 대퇴골과 스템사이의 틈이 유효 관절 공간(effective joint space)으로 작용하여 대퇴골 원위부에 국소적인 골용해가 발생할 수 있으며 장기적으로 해리의 원인이 될 수 있다. 따라서 시멘트형 대퇴스템을 사용하면 조기에 안정적인 고정을 얻을 수 있기 때문에 넓은 대퇴골 골수강내 불안정한 스템 고정으로 인한 대퇴부 통증의 발생을 효과적으로 줄일 수 있고, 시멘트를 이용한 적절한 채움(fill)으로 골용해의 원인을 제거할 수 있다. 특히 고령의 환자에서 조기에 통증을 감소시키고, 조기 보행 등 빠른 재활치료를 시행할 수 있다.

2) 시멘트 고정 술기

(1) 비구컵

시멘트를 이용한 폴리에틸렌 비구컵의 고정 방법은 다음의 원칙으로 시행한다. 먼저 비구는 컵 크기보다 크게 준비하여 비구와 컵 사이의 시멘트 두께를 최소 3–4 mm로 일정하게 만든다. 연골하골을 보존하고, 플랜지(flange)로 비구 입구를 밀폐시키도록 준비한다. 여러 개의 직경 6 mm 드릴 구멍(drill hole), 3개의

큰 구멍(large hole)을 만들어 시멘트의 표면적을 넓혀 PMMA가 잘 고정되도록 한다(그림 1). 이후 시멘트에 압력을 가해 해면골과 연결(interdigitation)되도록 한다. 특히 상부 시멘트의 두께가 3–4 mm가 되도록 주의한다(그림 2, 3). 조직파편(debris)을 제거하기 위해 세척(irrigation)과 솔질(brushing)을 하고 비구 내측벽의 관통(penetration) 여부를 확인한다. 비구에 큰 골결손이 있는 경우에는 골이식을 시행한 후 시멘트를 넣고 가압(pressurization)한다. 시멘트가 중합되는 동안 컵 위치를 일정하게 유지하고 가압하면서 비구 주위로 밀려

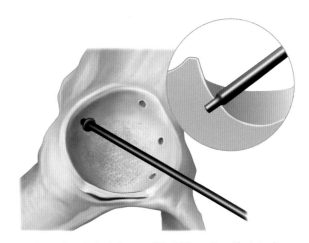

그림 1. 비구컵의 시멘트 고정을 위한 구멍뚫기(drilling)
더 안정적인 고정을 얻을 수 있도록 골과 시멘트 사이의 접촉면을 늘리기 위하여 비구 상부와 중앙에 6 mm 깊이로 5–8개의 구멍을 만든다.

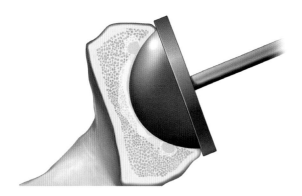

그림 2. 비구내 시멘트 삽입 후 가압
시멘트가 적절한 dough 단계가 될 때까지 일정한 압력을 유지하는데, 사용하는 시멘트에 따라 시간은 다양할 수 있지만 평균 2–3분 정도 유지한다.

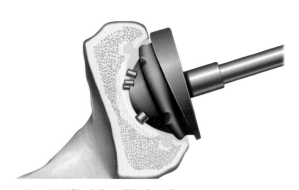

그림 3. 일정한 시멘트 맨틀의 두께
적절한 응력 분산을 위해 비구컵 주위로 시멘트 맨틀이 3–4 mm가 되도록 유지해야 한다.

나온 시멘트를 제거한다.

　이외에도 충분한 시야 확보가 필요하며, 시멘트 삽입 후 초기에 컵에 과도한 압력을 가하면 시멘트가 밖으로 밀려나와 골과 컵이 직접 접촉하게 되어 결손 부전(defective failure)을 초래하므로 주의한다. 비구 주변으로 밀려나온 시멘트를 너무 일찍 제거하면 접촉면에서 추가로 시멘트가 나오게 되므로 주의해야 한다. 또한 밀려나온 시멘트는 중합(polymerization) 반응 전에 제거하도록 하며 주변부의 나머지 시멘트는 중합 반응 후 제거한다.

(2) 대퇴스템

　시멘트형 대퇴스템의 고정 방법은 다음과 같다. 먼저 순차적으로 broach의 크기를 증가시켜 골수강을 확공하고 최종적으로는 삽입하려는 스템의 크기보다 큰 broach를 이용하여 시멘트 맨틀의 두께가 대퇴골 근위부는 4 mm, 원위부는 2 mm가 될 수 있도록 한다. 골수강을 확공한 후 느슨한 해면골을 제거하되 피질골에 가까운 단단한 해면골은 보존하도록 한다. 박동성 세척(pulsatile lavage)을 시행하여 골조각 및 응고혈을 제거하고 플러그를 예상되는 스템 길이의 약 2 cm 원위부에 위치하도록 삽입한다(그림 4). 추가적으로 박동성 세척을 시행한 후 과산화수소수와 에피네프린을 묻힌 거즈나 스폰지(sponge)를 골수강내 삽입하여 지혈 건조시킨 다음 원심분리나 진공 혼합을 이용하여 준비한 시멘트를 시멘트 총을 이용하여 플러그를 삽입한 위치에서부터 후향적으로(retrograde) 주입한다(그림 5). 시멘트 총은 의도적으로 뒤로 빼지 않고, 시멘트가 주입되면서 생기는 압력에 의해 자연스럽게 밀려나오는 상태로 주입하여야 부적절한 공간이 생기는 것을 최소화시킬 수 있다. 시멘트를 삽입하는 시기는 스템 표면의 거친 정도에 따라 달라져야 하는데, 거친 표면이나 전코팅이 되어있는 스템에서는 묽은 상태에서 삽입하고 매끄럽게 표면처리된 스템을 사용할 경우에는 좀 더 doughy 단계에서 삽입하는 것이 좋다. 골수강내 시멘

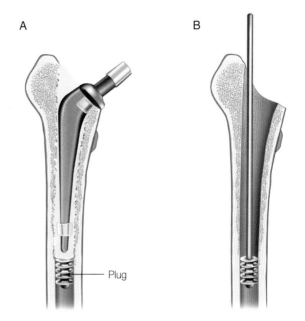

그림 4. 대퇴골 골수강 내에 플러그 삽입
예상되는 대퇴스템 길이의 약 2 cm 원위부에 위치하도록 플러그를 삽입한다.

그림 5. 시멘트 총을 이용한 시멘트 후향적 주입
원심분리(centrifugation)나 진공 혼합(vacuum mixing)을 이용하여 준비한 시멘트를 시멘트 총을 이용하여 후향적으로(retrograde) 주입을 한다.

트가 다 채워지면 골 사이로 시멘트가 잘 침투되도록 압력을 가해주고(그림 6), 골수강 내에서 스템을 중앙에 위치시키고 시멘트가 고루 퍼지도록 중심기를 장착한 스템을 삽입한다.

3) 시멘트형 고관절 치환술의 장점

현재 사용이 많이 줄어 들기는 했지만 최근에도 시멘트형 고관절 치환술의 성공적인 장기 임상 결과가 발표되고 있으며 특히 젊은 연령의 환자들에서도 만족할 만한 장기 임상 결과가 발표되고 있다. 시멘트형 고관절 치환술은 골질이 안 좋은 고령의 환자들이나 류마티스 관절염 환자에서처럼 초기에 안정적인 고정이 필요한 상황에 유리하며 시멘트 주입이 잘 이루어진 경우에는 실질적 관절 공간을 줄일 수 있어 골용해를 예방할 수 있다. 대퇴스템의 전염각을 조정하기 쉽고 다양한 위치로 삽입하는 것이 가능하기 때문에 조립형 대퇴스템을 사용하지 않더라도 연부조직 균형을 맞출

그림 6. 골수강내 시멘트 가압
골수강내 시멘트가 다 채워지면 골내로 시멘트가 최대한 침투되도록 압력을 가해준다.

수 있으며, 삽입물 주위 골절 등 수술 중 발생할 수 있는 합병증을 줄일 수 있다. 비용적인 면에서도 무시멘트형 스템보다 저렴하며 시멘트 반죽 시에 항생제를 첨가할 수 있어 감염을 예방하는데 도움이 될 수 있다. 재치환술 시에는 시멘트를 제거하지 않고 추가적인 시멘트 고정을 하는 시멘트 내 시멘트(cement in cement) 기법을 이용하여 재치환술을 시행할 수 있다. 최근 여러 연구에서 골질이 안 좋은 고령 환자에서 시멘트형 고관절 전치환술이 무시멘트 고정에 비해 수술 중 골절 등의 합병증을 줄일 수 있다는 연구가 있다.

4) 시멘트형 고관절 치환술의 단점

시멘트를 이용하여 삽입물을 고정할 경우, 기공의 발생을 줄이고 안정적인 고정력을 얻기 위해 압박을 가하게 되는데 이 경우, 골시멘트 단량체의 생체 독성 효과와 대퇴부의 압박으로 인한 지방색전 등의 이유로 일시적으로 저혈압이 발생하고 심각한 경우 심정지에 이르는 경우가 보고되었다. 따라서 골시멘트를 주입하고 압박하는 과정에 특히 주의를 기울여 환자의 생체 징후를 면밀히 관찰해야 한다.

5) 임상 결과

시멘트형 폴리에틸렌 컵의 장기 추시 결과로 Schulte은 322예를 분석하였는데, 20년 이상 추시한 결과 322예 중 6%(18예)에서 무균성 비구 해리로 재치환술을 시행하였고, 최종 추시까지 생존한 98예 중에는 10%(10예)에서 재치환술을 시행하였다고 보고하였다.

골관절염이 원인 질환인 경우 여러 저자들은 10년에서 20년 동안 추시한 결과 시멘트형 비구컵의 재치환율은 2-14%로 보고하고 있고(표 1) 방사선적인 해리도 6-23%로 비슷한 발생률을 보고하고 있다(표 2).

시멘트형 대퇴스템의 결과는 시멘트 기법의 향상으로 인하여 1세대 기법을 사용한 경우보다 2세대 기법을 사용한 스템에서 좋은 결과를 보여주고 있으며 3, 4세대 기법을 이용한 대퇴스템에서도 단기 및 중기 추시상

표 1. 시멘트형 비구컵의 실패율(재치환율)

저자, 발행 연도(년)	삽입물	환자수(예)	최소 추시 기간(년)	재치환율(%)
Stauffer, 1982	Charnley	231	10	3
Ranawat, 1988	Mixed (old)	50	10	2
Ranawat, 1988	Mixed (new)	50	5	0
Ranawat, 1995	Mixed	236	5	0.8
Severt, 1991	Mixed	75	4	5.3
Ritter, 1992	Charnley	238	10	4.6
Wroblewski, 1993	Charnley	193	18	3
Mulroy, 1995	※CAD, ¥HD-2	105	10	5
Delee, 1976	Charnley	141	평균 10	NR (9)
Cornell, 1986	Mixed	101	4	2
Older, 1986	Charnley	153	평균 11	2
Poss, 1988	Mixed	267	11.9	3.1
Fowler, 1988	Exeter	426	11	3.9
McCoy, 1988	Charnley	32	14.4	3
Kavanagh, 1989	Charnley	333	15	NR (14)
Hozack, 1990	Charnley	590	평균 6.8	0.6

※ computer-assisted design

¥ Harris design-2

표 2. 시멘트형 비구컵의 실패율(방사선적 해리)

저자, 발행 연도(년)	삽입물	환자수(예)	최소 추시 기간(년)	재치환율(%)
Delee, 1977	Charnley	141	10	NR
Stauffer, 1982	Charnley	231	10	3
Poss, 1988	Mixed	267	11	3.1
Ritter, 1992	Charnley	238	10	4.6
Wroblewski, 1993	Charnley	193	18	3
Kavanagh, 1994	Charnley	112	20	16
Ranawat, 1995	Mixed	236	5	0.8
Mulroy, 1995	CAD, HD-2	105	10	5
Callaghan, 2004	Charnley	27	30	12
Dellavalle, 2004	Charnley	40	20	23

향상된 임상 결과를 보여 주고 있다.

최근 시멘트형 대퇴스템을 사용한 고관절 전치환술의 장기 추시 결과들이 다수 발표 되었는데 장기간 추시에도 실패율이 낮으며 좋은 임상 결과를 보이는 경우가 보고되었다(표 3). 또한 고령의 환자에서뿐만 아니라 50세 이하의 젊은 연령에서도 좋은 결과들이 발표되고 있다(표 4).

표 3. 최소 추시 20년 이상되는 시멘트형 대퇴스템을 이용한 연구

저자, 발행 연도(년)	삽입물	환자수(예)	최소 추시 기간(년)	재치환율(%)
Callaghan, 2000	rnley	262(330)	25	7
Buckwalter, 2006	Charnley	321(357)	25	11
Berry, 2002	Charnley	1,689(2,000)	25	10
Clauss, 2009	Muller straight	161(165)	20	13
Kavanagh, 1994	Charnley	300(333)	20	5
Klapach, 2001	Charnley	321(357)	20	5
Ling, 2009	Exter	374(433)	20	3
Wrolewski, 2009	Charnley	94(110)	30	5
Skutek, 2007	Harris Design	166(195)	20	4
Mullins, 2007	Charnley	193(228)	25	4

표 4. 50세 이하의 환자를 대상으로 최소 추시 20년 이상 되는 시멘트형 대퇴스템을 이용한 연구

저자, 발행 연도(년)	삽입물	환자수(예)	최소 추시 기간(년)	재치환율(%)
Lampropoulou–Adamidou, 2013	Charnley	28(41)	23	34
Halley and Glassman, 2003	Charnley	54(68)	20	7
Callaghan, 1998	Charnley	69(93)	20	6
Keener, 2003	Charnley	69(93)	25	7

2. 무시멘트형 고관절 치환술

고관절 치환술용 삽입물을 체내 골조직에 고정시키는 방법 중 하나인 무시멘트 고정법은 1970년대에 시멘트 고정 인공 관절의 실패율이 높아지면서 발달하기 시작하였다. 무시멘트 고정법은 삽입물의 표면을 적당하게 거칠도록 처리하여 그 사이로 인체의 해면 골조직이 직접 자라 들어가 골조직과 삽입물이 단단히 결합하게 하는, 일명 무시멘트형 생물학적 고정 방법(cementless biological fixation)을 이용하는 것이다. 이러한 방법은 시멘트로 인한 문제로부터 자유로우며 재치환술을 할 경우에도 시멘트를 제거할 필요가 없어 수술이 보다 수월해지고 골조직에 가해지는 손상이 적다는 장점이 있다. 현재 우리나라와 북미 지역 대부분의 고관절 전문의들은 고령의 환자군을 제외한 거의 모든 환자들에게 무시멘트형 고정이 가능한 삽입물을 우선적으로 사용하고 있다.

무시멘트형 인공 관절의 성공을 좌우하는 가장 중요한 요소 중의 하나는 삽입물 내로 충분한 골내성장(bone ingrowth)이 유도되어 안정된 고정을 하는 것이다. 이러한 생물학적 고정 과정이 원활하게 이루어지기 위해서는 수술 시 삽입물을 골조직에 단단히 고정되게 삽입하여 초기의 기계적 안정성(primary mechanical stability)을 얻는 것이 중요하다.

본 장에서는 무시멘트형 고관절 치환술용 삽입물들의 생물학적 고정 기전과 디자인 특성에 따른 고정 원칙들을 살펴보면서 최적의 선택을 하기 위한 고려사항들을 기술하고자 한다. 아울러, 인공 관절의 주요한 실패 기전들을 설명하면서 새로운 삽입물이 환자에게 적용되기까지 안전성과 효능을 확인하기 위해 어떠한 과정을 거쳐야 하는지 알아보기로 하겠다.

1) 무시멘트형 생물학적 고정 기전

(1) 금속 삽입물 표면으로의 골결합

무시멘트형 금속 삽입물이 성공적으로 고정되기 위해서는 삽입물의 표면으로 새로운 골조직이 자라 들어가 견고한 골결합(osseointegration)이 이루어져야 한다. 이를 위해서는 수술 후 골형성이 일어나는 기간 동안 견고한 초기 고정을 유지해서 일차적인 안정성이 확보 되어야 한다. 그 후 골내성장(bone ingrowth) 내지는 골표면성장(bone ongrowth) 과정을 통해 삽입물과 골조직 사이에 생물학적인 결합이 이루어지는데 이를 골결합이라 한다. 두 가지 골결합 과정을 설명하자면 아래와 같다.

① 골내성장은 금속 삽입물의 표면이 해면골의 형태와 유사하게 다공성 구조(porous structure)로 되어 있어 새로 형성되는 골조직이 다공성 구조 속으로 자라 들어가는 현상을 의미한다. 알갱이 코팅(bead coating), 확산 접합 코팅(diffusion bonded coating), 플라즈마 분사(plasma spray), 탄탈륨 다공성 코팅(tantalum porous coating), 3차원 프린팅을 이용한 다공성 코팅된 표면에서 관찰할 수 있다.

② 골표면성장은 금속 삽입물의 표면이 다공성 구조를 가지고 있지는 않지만 표면을 거칠게 처리하여 형상 변화를 주거나 골과 유사한 화학적 조성으로 표면 처리하여 삽입물 표면에 신생 골조직이 직접 부착하는 현상이다. Sand blasting 등으로 표면을 거칠게 만들거나 수산화인회석 코팅(hydroxyapatite coating), 양극산화 방법(anodizing), 알칼리 처리(alkali treatment) 등으로 삽입물 표면을 골전도가 잘 되도록 활성화하는 방법이 해당된다.

결국, 이러한 두 가지 방식은 삽입물 표면의 처리 상태에 따라 조직학적으로 다르게 보일 뿐으로, 새로운 골조직이 형성되어 삽입물 표면과 부착한다는 현상은 동일한 것이다. 이때, 골결합이 이루어진 부분 중 새로 형성된 신생골의 무기질에서는 금속 고유의 성분이 검출되고 삽입물 금속의 표면에서는 골조직 무기질에 존재하는 성분이 검출된다. 이러한 현상은 신생골과 삽입물 금속 표면 사이의 결합은 단순한 기계적 맞물림(mechanical interlocking)뿐만 아니라 골조직과 금속 사이에 화학적인 결합(electrostatic bonding)에 의한다는 점을 시사한다(그림 7).

(2) 골결합 유도를 위한 조건

관절치환술용 삽입물이 체내에 이식된 후 장기적으로 기능을 발휘하기 위해서는 체내 골조직과 유기적인 결합이 이루어져야 한다. 표면을 거칠게 하여 골조직이 결합하기 위해서는 거친 정도, 즉, 미세공(pore)의 크기가 150-400 μm 정도이고 다공성(porosity)은 30-50% 정도가 최적의 조건이라고 알려져 있다. 또한, 삽입물의 초기 고정력도 매우 중요한 요소로, 견고하게 고정되지 못해 삽입물 주위에 골형성이 일어나는 초기 6-12주 이내에 미세운동이 발생하면 골결합 과정이 중지되거나 지연되게 된다. 실험적으로 100 μm 이상의 미세운동은 골결합 보다는 섬유성 결합을 유발하게 한다고 한다. 골조직과 삽입물 사이의 간격 역시 중요한 요소인데, 0.5 mm 이상 간격이 생기면 골결합이 줄고

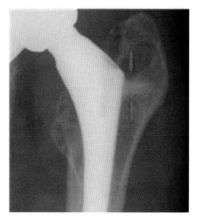

그림 7. 대퇴스템 근위부에 신생골(붉은 화살표들)이 형성되어 있는 spot weld를 보여주는 방사선 사진

섬유성 결합이 발생한다. 이러한 간격의 증가는 초기 고정력을 떨어뜨릴 뿐만 아니라 최종적인 골결합 강도도 약화시킨다.

(3) 삽입물 주위 골형성을 통한 골결합 개념

골조직에 금속 삽입물이 들어가 골결합이 이루어지는 과정은 결국, 수술로 인해 의도적으로 골조직이 손상된 후, 삽입물 주위로 새로운 골조직이 형성되어 치유되는 과정으로 이해해야 한다.

거친 표면을 가진 금속 삽입물로 골조직이 자라 들어가는 조직학적 치유 과정을 원격 골형성(distance osteogenesis)과 접촉 골형성(contact osteogenesis)으로 크게 구분해 볼 수 있다.

① 원격 골형성은 삽입물이 위치한 주변 골조직 표면부터 신생골이 형성되어서 점차 삽입물 방향으로 골조직이 자라 들어가는 과정을 일컫는다.

② 접촉 골형성은 de novo osteogenesis라고도 불리우는데, 삽입물 표면에 신생골을 형성하는 골형성세포(osteoblast)가 모여 들어 삽입물 표면 위에 직접 새로운 골조직을 만들면서 삽입물에서 주변부로 골조직이 자라나가는 것이다.

이러한 두 가지 종류의 신생 골형성 기전은 수술 후 14일 정도면 시작된다고 알려져 있다. 그 후 새로 형성된 골조직은 90일 정도 재형성 과정을 거치면서 성숙된 골조직으로 변하여 견고한 고정이 완성된다. 삽입물 표면과 신생골 사이의 결합은 거친 표면을 가진 두 물질 사이의 계면(interface)에서 발생하는 물리적 결합과 삽입물 표면 이온과 신생골의 세포외 기질(extracellular matrix) 구성 분자 간의 화학적 결합이 모두 관여하는 복합적인 과정이다.

(4) 삽입물 주위 골결합의 분자생물학적 기전

현재까지 대부분의 금속 삽입물의 생물학적 고정 과정에 대한 연구는 주로 임상 결과 분석이나 동물 실험에 의존하는 수준이어서 분자생물학적 기전에 대한 연구가 불충분하였다. 따라서 골결합 과정에 대한 기초적이고 근본적인 이해가 매우 미진한 상황이다.

금속 삽입물의 거친 표면에 골형성세포를 배양할 경우, 매끈한 표면에 비하여 세포의 증식은 저하되나 PGE1, PGE2, TGF-ß1, 활성 비타민 D3, osteoprotegerin 등과 같이 골조직 형성에 관여하는 인자 형성이 증가함이 밝혀졌다. 이러한 인자들이 자기 자신들뿐만 아니라 주변 골형성세포, 파골세포 등에도 영향을 미쳐 신생 골형성이 이루어진다.

또한, 거친 표면 위에서 골형성세포는 estradiol, 활성 비타민 D3 등과 같은 골형성에 관계되는 인자들의 영향 역시 더욱 민감하게 받으며, 궁극적으로는 이러한 효과에 의해 골형성세포의 분화가 증가하면서 골조직 세포외 기질 형성이 증가하고 특히 1형 교원질의 합성이 증가한다고 한다(그림 8).

그러나, 금속 삽입물이 체내에 유입되면서 발생하는 일련의 생물학적 반응들을 삽입물과 골형성세포와의 작용만으로 이해하는 것은 선행 기전들을 대부분 제외한 채, 마지막 과정만을 보는 오류를 범하는 것이다. 거친 표면을 가지는 금속 삽입물이 유입되면서 일어나는 반응들 중, 체내 실험을 통해 현재까지 알려진 바를 정리해 보면 다음과 같다.

① 거친 금속 표면에 신생골이 형성되어 가는 과정은, 골형성세포가 유도되어 금속 표면까지 오는 골전도(osteoconduction), 골형성세포가 세포외 기질을 분비하면서 신생골이 형성되는 신생 골형성(de novo bone formation), 그리고 신생골의 재형성이 일어나는 골재형성(bone remodeling), 3단계로 나눌 수 있다.

② 거친 표면을 가지는 금속 삽입물이 체내에 들어오면, 우선적으로 출혈이 생기고 섬유소 응괴(fibrin clot)가 형성되면서 혈소판과 중성구, 탐식세포들이 들러 붙는다.

③ 혈소판이 분비하는 PDGF, TGF-ß와 같은 인자

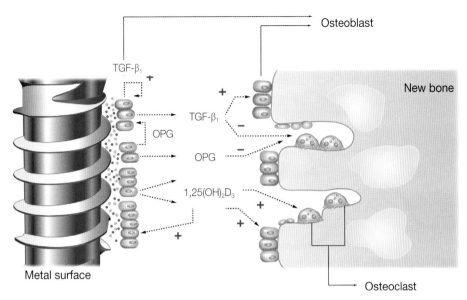

그림 8. 금속 삽입물의 거친 표면이 골형성 과정에 미치는 영향에 대한 개념도

들이 유인 인자(deriving force)로 작용하여 골형성세포가 불려온다.

④ 이때, 금속 표면에 섬유소가 들러붙어서 섬유소 기질(fibrin matrix)을 형성하는데, 이것이 잘 형성되어야 골형성세포가 섬유소 기질에 들러붙으면서 금속 표면까지 성공적으로 불려 들어오게 된다(그림 9).

⑤ 금속 표면이 거칠어야 섬유소 기질이 잘 형성된다.

⑥ 금속 표면과 섬유소 기질의 결합에는 금속 표면에 먼저 침착 된 아직 명확히 규명되지 않은 '어떤 단백질'이 매개할 것이다. 또한, 거친 표면에는 이와 같은 '어떤 단백질'이 더 잘 침착 되어 매개체로 작용 할 것이다.

따라서 위의 연구 결과를 종합해 보면, 골조직에 삽입된 금속 삽입물에 대한 체내 반응은,

① 금속 삽입물 표면에 단백질 흡착

② 혈액 응고 기전에 의한 섬유소 기질 형성

③ 혈소판, 중성구, 탐식세포 유입 및 활성화

④ 염증반응 관련 세포들로부터의 PDGF, TGF−ß

와 같은 사이토카인 및 성장 인자 방출

⑤ 사이토카인 및 성장 인자로 인한 골형성세포 유입, 증식 및 분화

⑥ 삽입물 주위 신생 골형성 과정이 유기적이면서 순차적으로 일어나는 복합 과정으로 이해해야 한다(그림 10).

2) 무시멘트형 비구컵

1970년대 후반부터 사용되기 시작한 무시멘트형 비구컵(cementless acetabular cup)은 삽입 술기가 쉽고 장기적으로 안정된 고정을 얻을 수 있어 최근 대부분의 술자들이 선택하고 있다. 반면, 시멘트형 비구컵은 거의 사용하지 않고 있다. 지금까지 나사형(threaded), 반구형(hemispherical), 이중 구조형(double geometry), 확장형(expansion) 외에도 원통형(cylinderical), 장방형(square), 원추형(conical) 등 여러 가지 형태의 비구컵이 개발되었고, 특수한 형태로 oblong 컵, deep profile 컵, 비조립형 컵 등도 있다.

453

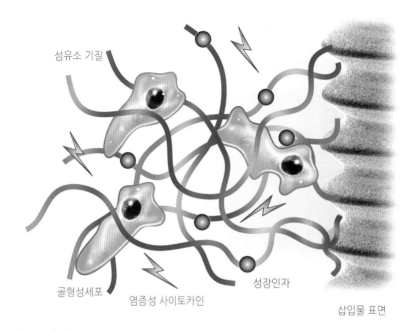

섬유소 기질

골형성세포

염증성 사이토카인

성장인자

삽입물 표면

그림 9. 금속 삽입물 표면에 형성되는 섬유소 기질과 이를 통해 삽입물 표면으로 이동하는 골형성세포를 보여주는 모식도

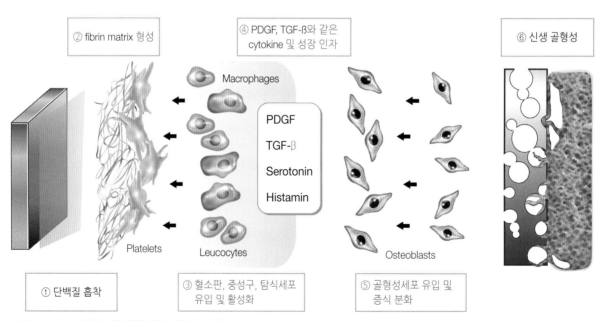

② fibrin matrix 형성

④ PDGF, TGF-β와 같은 cytokine 및 성장 인자

⑥ 신생 골형성

Macrophages

PDGF
TGF-β
Serotonin
Histamin

Platelets

Leucocytes

Osteoblasts

① 단백질 흡착

③ 혈소판, 중성구, 탐식세포 유입 및 활성화

⑤ 골형성세포 유입 및 증식 분화

그림 10. 금속 삽입물에 대한 체내 반응 모식도

(1) 무시멘트형 비구컵의 종류

① **나사형 기계적 고정 컵:** 시멘트를 사용하지 않고 비구 골조직에 비구컵을 고정하는 방식 중 가장 초기에 개발된 개념이 다. Mittelmeier (1974), Endler (1978), Parhofer & Monch (1982) 등이 고안한 것으로 비구컵을 나사 홈을 갖는 원추형 모양으로 만들어 확공한 후 비구골에 컵을 강하게 회전시켜 고정함으로써 초기 고정력을 얻도록 고안되었다. 1974년 Mittelmeier에 의해 개발된 비구컵이 대표적이다. 초기의 모델은 나사못 형상의 비구컵 외면에 어떠한 표면처리도 되어 있지 않아 골조직과의 기계적인 고정력으로만 유지되도록 고안되었다(그림 11). 그러나 표면처리가 되지 않은 나사형 컵이 골조직과 실제적으로 접촉하는 면적은 총 면적의 9% 정도에 불과하고 날카로운 나사 모서리에 응력이 집중하면서 골괴사가 발생하고 골흡수도 일어날 수 있다. 따라서 중장기 추시 결과 비구컵의 해리가 많이 발생하는 문제가 부각되었다.

이러한 문제점을 보완하고자 후기에 가서는 나사못 형상의 비구컵 외면에 다공성 구조나 표면 연마(grit blasting)로 표면처리를 하여 생물학적 골고정도 일어나게 개선된 모델이 개발되었는데,

Bicon-Plus threaded cup이 그 예이다(그림 12).

② **확장형 컵:** 다수의 엽(lobe)을 가진 개방형 구조로 비구를 확공한 후 각 엽을 오므려 삽입하면 티타늄 합금의 자체 탄성으로 엽들이 벌어지면서 고정된다. 바깥쪽 면에 톱니가 있어 비구골에 압박 고정을 할 수도 있다. 이 역시 기계적 고정력에 주로 의존하는 방식이다. 그러나 엽이 부러질 수 있고 개방형이므로 마모 입자가 자유로이 이동할 수 있어 골용해의 위험이 높을 수 있다는 우려가 있다. CLS expansion cup이 대표적이다(그림 13).

③ **반구형 컵:** 1980년대 초반부터 최근까지 가장 많이 사용되는 컵으로 생물학적인 고정을 얻을 수 있도록 골내성장을 유도할 수 있는 표면처리가 되어 있으며, 라이너와 고정되는 잠금 장치를 가진 구조이다. 반구형으로 비구골과의 접촉면이 넓고 나사나 peg, spike 등을 추가하여 고정력을 높일 수 있도록 설계 되어 있다. 컵의 삽입은 확공한 크기와 동일한 크기의 컵을 삽입하는 방법(line-to-line)과 확공을 1-2 mm 적게 한 후 보다 큰 비구컵을 압박 고정(press-fit)하는 방법이 있다.

· 표면처리를 통한 line-to-line 고정 컵
  비구부를 확공한 크기와 동일한 직경의 컵을 삽

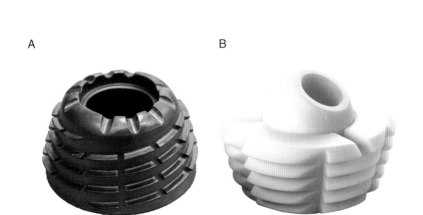

그림 11. 나사못 형상을 한 Mittelmeier 금속컵(A)과 세라믹 컵(B) (Osteo AG, 스위스)
골성 고정이 일어날 수 있는 표면처리가 되어있지 않다.

그림 12. Bicon-Plus threaded 컵 (Smith & Nephew Othopaedics, 스위스)

입 하도록 고안되어 나사못(screw), peg, spike 등으로 초기 고정력을 보강하도록 디자인되었다. 그러나 이러한 추가 고정 방법들이 골조직과의 접촉을 증대시키고 골성 고정 정도를 증진할 수 있다는 객관적인 증거는 부족하였다. 또한, 나사못을 사용할 경우 신경과 혈관의 손상을 초래할 위험성이 있으며, 비구컵에 형성되는 나사못의 구멍을 통해 폴리에틸렌 삽입물의 마모 입자가 비구 부위로 전파될 수 있고 나사못과 폴리에틸렌 삽입물 사이에 미세 충돌과 접촉으로 인한 마모 입자 생성, 비구 컵과 나사못 사이의 계면에서의 금속편 발생 등의 문제점이 꾸준히 제기되었다. 특히 확공한 크기와 동일한 크기의 비구컵을 삽입한 경우, 단기 내지는 중기 추시 방사선 사진에서 비구컵의 외연에 방사선 투과성 선(radiolucent line)이 보이는 문제는 잘 알려져 있다. 그러나 방사선 투과성 선이 존재하던 경우 장기 추시에서 비구컵의 해리가 많아진다는 객관적인 증거는 없다.

Porous-Coated Anatomic (PCA, Howmedica), Harris-Galante (Zimmer), Anatomic Medullary Locking (AML, DePuy) 컵 등이 대표적으로 이

후 개발된 컵들도 반구형 모양을 기본적으로 따르게 되었다(그림 14).

• 표면처리한 압박 고정 컵

압박 고정이란, 일정한 크기의 공간에 보다 큰 크기의 물질을 물리적으로 삽입하여 주위에 최대한 압착이 되도록 하는 기법을 일컫는다. 확공된 비구보다 큰 크기의 비구컵을 압박 고정하게 되면, 나사못 고정이 불필요할 수 있어 신경이나 혈관 손상의 위험을 피하고 나사못 구멍이 없어서 폴리에틸렌 삽입물과 비구컵의 접촉 면적을 극대화할 수 있다. 또한 나사못과 폴리에틸렌 삽입물의 충돌과 그로 인한 마모 입자 발생도 회피하고 나사못 구멍을 통한 마모 입자의 전파 위험도 줄일 수 있는 장점이 있다(그림 15).

압박 고정 비구컵은 대개 확공한 직경보다 1-4 mm 큰 컵을 삽입하게 되는데, 주위 비구골의 점탄성에 의해 비구컵의 압착력이 극대화되게 된다. 단, 압박 고정 컵을 삽입하면서 비구 골절이 발생할 가능성이 있다. 특히 제조사 대부분은 비구컵의 크기를 명기하면서 컵 외면에 표면처리한 부위의 두께는 간과하는 경우가 많아 컵의 실제 크기는 명기된 크기보다 더 클 수 있다. 또한 골

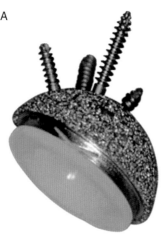

그림 13. CLS Expansion 컵(Zimmer, 미국)

그림 14. 반구형 무시멘트 비구컵
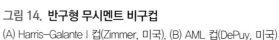
(A) Harris-Galante I 컵(Zimmer, 미국), (B) AML 컵(DePuy, 미국)

다공증이나 류마티스 관절염 등으로 비구 골조직이 약한 경우에는 무리하게 큰 비구컵을 삽입하다가는 비구 골절을 야기할 위험이 커진다. 따라서 대개의 경우에는 확공한 크기보다 2 mm 이상 더 큰 비구컵은 삽입하지는 않는 것이 좋다.

이론적으로는 압박 고정 방법만으로 비구컵의 초기 고정력을 충분히 얻을 수 있어 나사못 등의 추가적인 고정이 필요하지 않을 수 있다. 그러나 때에 따라서는 만족할 만한 압박 고정을 얻지 못해 나사못 고정이 필요할 수도 있고 경험이 많지 않은 술자의 경우에는 나사못의 구멍을 통해 비구 골과 컵의 밀착 정도를 판단할 수도 있기에 나사못 구멍이 있는 디자인을 선택하는 것이 유리할 것이다. 특히 최근 차세대 관절면이 도입되면서 관절면의 마모와 골용해의 문제가 덜 중요해지면

서 나사못 구멍을 통한 마모 입자의 전파 가능성과 골용해 유발 위험을 따져야 할 이유가 적어지고 있으니, 이 점도 나사못 구멍이 있는 비구컵 디자인을 선택하는 이유가 될 수 있다.

• 이중 구조형(double geometry) 컵

이중 구조란 비구컵의 가운데(dome) 부위보다 변연부의 직경을 크게 하여 비구의 변연부에서 강하게 압박 고정되도록 설계된 것으로, 타원형(elliptical) 컵이라고도 한다(그림 16).

이론적으로는 나사못 고정이 필요 없어 마모 입자의 전파를 줄이고 나사에 의한 신경 손상의 위험이 없으나 돔 부위에서 비구골과 삽입물 간에 간격(polar gap)이 남아 접촉 면적이 감소될 수 있다. Omnifit 컵(그림 17)과 Interfit 컵(그림 18)이 대표적이다.

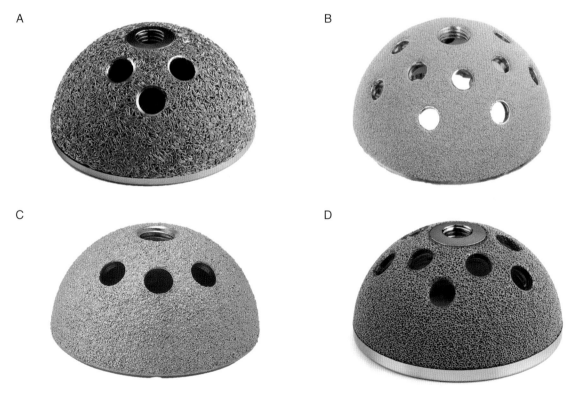

그림 15. 표면처리 방법에 따른 압박 고정 반구형 컵의 종류
(A) fiber metal 표면처리 한 Trilogy 컵(Zimmer, 미국), (B) metal bead 표면처리 한 Pinnacle 컵(DePuy, 미국), (C) plasma spray 표면처리한 Bencox 컵(Corentec, 대한민국), (D) tantalum 다공처리 한 Continuum 컵(Zimmer, 미국)

④ 그 밖의 특수한 형태의 컵: 이외에도 여러 형태의 비구골 결손에 대해 골이식 없이 삽입할 수 있도록 고안된 oblong 컵, deep profile 컵 등 다양한 형태의 비구컵이 개발되어 사용되고 있다(그림 19). 비조립형 컵은 폴리에틸렌 라이너와 금속컵을 미리 결합시켜 놓은 것이다. 금속컵의 두께는 얇고 폴리에틸렌 라이너가 두꺼워져 마모를 줄일 수 있고, 폴리에틸렌 라이너와 금속컵 사이에서 일어 나는 소위 후방 마모(backside wear)를 없앨 수

있으며 나사구멍이 없으므로 골과의 접촉 면적이 넓어지고 마모 입자의 이동 경로를 차단할 수 있다는 장점이 있다. 그러나 비구컵 내부를 볼 수 없고, 재치환술 시 컵 모두를 교체하여야 하고, 다양한 크기의 대퇴골두를 조합할 수 없는 문제점이 있다.

최근에 소개된 이중운동 비구컵(dual mobility cup)은, 직경이 작은 골두를 사용할 경우 마모를 줄일 수 있다는 Charnley의 '저마찰 원칙(low

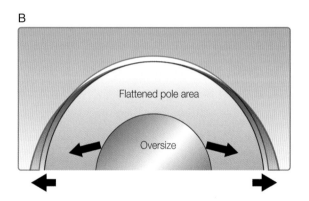

그림 16. 이중 구조형 컵의 개념
(A) 불안정한 고정. (B) 안정적인 고정

그림 17. Omnifit 컵
두 종류의 직경을 보유한 비구컵

그림 18. Interfit 컵(Smith & Nephew, 미국)

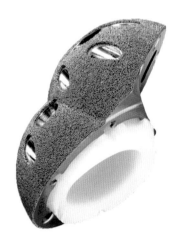

그림 19. 특수한 형태의 컵
비구 상방 골결손에 사용할 수 있는 oblong 컵

friction principle)' 개념과 직경이 큰 골두를 사용하여 탈구 위험을 낮출 수 있다는 개념을 모두 적용한 컵이다. 구조상 금속 및 세라믹 골두와 금속 비구컵 사이에 움직이는 폴리에틸렌 라이너를 삽입하여 골두와 라이너 사이, 라이너와 비구컵 사이 두 군데에서 움직임이 발생한다. 폴리에틸렌의 마모를 낮추는 동시에 탈구율을 낮출 수 있을 것으로 기대되고 있으나 아직 장기 추시 결과가 보고되지 않았다(그림 20).

(2) 세대 분류

현재 가장 많이 사용하고 있는 무시멘트형 반구형 비구컵은 그 개발 시기와 디자인 특징에 따라 아래와 같이 3가지로 분류해 볼 수 있다.

① **1세대 반구형 비구컵:** 1980년대 개발된 초기 디자인이다. 폴리에틸렌 라이너의 외연이 비구컵에서 돌출되게 고정되는 디자인으로, 돌출된 라이너 부위가 얇아서 체내에서 충돌에 의해 쉽게 파손되면서 잠김 부위가 망가져서 라이너 해리가 빈번하게 발생하는 문제가 있었다. 라이너와 비구컵 내측과의 일치도도 좋지 않아 접촉되지 않고 들뜬 부위가 상당히 존재하여 라이너 후방에서의

마모가 많이 발생할 가능성이 있었다(그림 21).

② **2세대 반구형 비구컵:** 1990년대에 개량되었던 디자인이다. 비구컵에서 돌출되는 라이너 외연의 두께가 증가하여 충돌현상에 더 잘 견디도록 고안되었으며 라이너와 비구 컵 내측의 일치도도 많이 개선시켰다. 이를 통해 라이너 해리 현상(dissociation)을 비약적으로 줄일 수 있었다(그림 22).

③ **3세대 반구형 비구컵:** 2000년대 이후 채용된 디자인으로, 라이너가 비구컵의 밖으로 돌출되지 않도록 고안되어 관절 운동 시 라이너의 직접적인 충돌 현상은 비약적으로 줄이고 잠김 부위의 손상도 최소화하게 되었다. 또한, 라이너와 비구컵의 일치도는 더욱 향상되었으며 고도교차 폴리에틸렌 라이너를 비롯하여 세라믹, 금속 라이너를 탑재할 수 있다. 최근 비구컵 디자인의 대종을 이루고 있다(그림 23).

3) 무시멘트형 대퇴스템

대퇴스템 역시 고정 방법에 따라 시멘트 고정형 대퇴스템과 무시멘트 고정형 대퇴스템으로 양분할 수 있다. 여기서는 무시멘트 고정형 대퇴스템의 디자인 개념, 고정 원칙 및 이에 따른 분류와 특징에 대해 설명

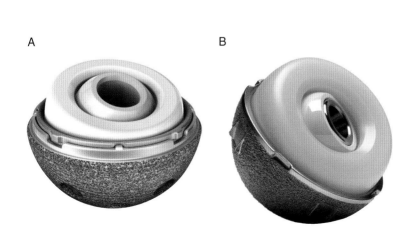

그림 20. 이중운동 비구컵
(A) MDM X3(Stryker, 미국), (B) Active Articulation™ E1®(Biomet, 미국)

그림 21. 1세대 반구형 비구컵인 Harris-Galante I 컵(Zimmer, 미국)

459

그림 22. 2세대 반구형 비구컵인 Trilogy 컵(Zimmer, 미국)

그림 23. 3세대 반구형 비구컵인 Pinnacle 컵(DePuy, 미국)

하고자 한다.

(1) 디자인의 기본 요소

일반적으로 대퇴스템은 정상 고관절의 회전 중심과 동일한 위치에 회전 중심을 만들 수 있도록 디자인된다. 이를 위해서는 대퇴스템의 수직 높이(vertical height), 내측 오프셋(medial offset), 염전각(version)이 적절하여야 한다. 수직 높이는 대개 소전자 근위부로부터 대퇴골두의 중심부까지의 높이로 표현된다. 내측 오프셋은 대퇴스템의 종축을 지나는 선으로부터 대퇴골두 중심까지의 거리이며, 염전각은 대퇴골의 원위

부와 근위부가 이루는 회전각을 의미한다. 대퇴골두의 길이에 따라서 내측 오프셋과 수직 높이가 변하게 되며 대퇴스템이 대퇴골에 삽입된 정도와 깊이에 따라 수직 높이는 달라진다.

이 외에도 대퇴스템은 125−135° 정도의 경간각(neck-shaft angle)을 가지고 있어 이에 따라 내측 오프셋과 수직 높이에 차이가 생기게 된다. 또한, 대퇴스템은 디자인에 따라 대퇴스템 길이, 근위부 직경과 폭, 원위부 직경과 폭, 원위부로 갈수록 좁아지는 각도 등이 상이하다(그림 24). 이러한 지표들은 각 제조 회사에 따라 측정하는 기준 지점들이 다르므로 단순히 위에 언급한 지표들의 수치만으로 서로 다른 제조회사의 스템들을 비교하는 오류를 범하지 않도록 주의가 필요하다.

(2) 고정의 기본 개념

대퇴스템을 최초로 삽입할 때 골과의 접촉면에서 미세운동이 생기지 않도록 강한 기계적 안정성을 얻는 것이 중요한데, 일반적으로 미세운동이 50−100 μm 이내면 안정적인 골내성장이 일어난다. 대퇴스템의 기계적 안정 고정을 얻는 방법으로는 해부학적 스템의 개념, fit and fill의 개념, 주문형(custom) 스템, 그리고 대퇴스템 하부로 가면서 점차 가늘어 지는 테이퍼형(tapered) 스템의 개념이 있다. 또한 대퇴스템이 고정되는 부위에 따라 근위 고정형 스템, 원위 고정형 스템, 광범위 코팅(extensively coated) 고정형 스템, 그리고 조립형 스템(modular stem) 등의 개념이 있다.

해부학적 스템 디자인의 개념은 대퇴골 경부는 전염이 있고 대퇴골 근위부는 후방, 간부는 전방 만곡(bowing)으로 되어 있으므로 이 형태에 맞춰 스템을 디자인하는 것으로, 좌우가 따로 구분된다. 그러나 이론적인 배경과는 달리 임상적으로는 큰 장점이 없는 것으로 평가되고 있으며 대표적인 것으로는 Porous-Coated Anatomic (PCA) 스템(Howmedica사)(그림 25)과 Anatomic 스템(Zimmer사)(그림 26)이 있다.

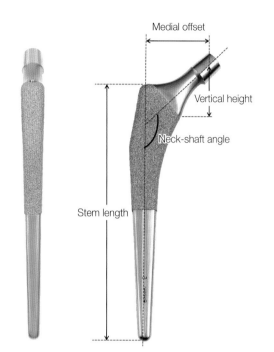

그림 24. 무시멘트형 대퇴스템의 디자인 요소

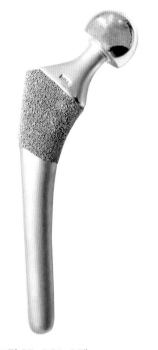

그림 25. PCA 스템
Collar가 없고 짧으면서 대퇴골 근위부의 모양대로 만곡이 있다 (Howmedica, 미국).

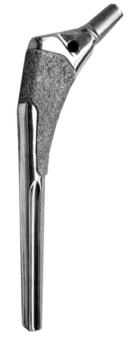

그림 26. Anatomic 스템
근위 1/3에 fiber-mesh 코팅 처리가 되어 있으며 만곡이 있다 (Zimmer, 미국).

대퇴스템의 초기 고정을 위한 골수강내 고정에 대한 개념에 있어 북미권과 유럽은 조금 차이가 있다. 북미권은 초기 고정을 위해 대퇴스템과 피질골 간에 최대한의 접촉을 얻으려는 'fit and fill'의 개념과 생물학적 고정을 위해서는 대퇴스템 표면을 다공성 코팅(porous coating) 하여 골내성장이 되도록 한다는 개념을 따른다(그림 27). 유럽권에서는 대퇴골 골수강이 측면에서 보면 이중 곡선 구조이고 전면에서는 원위로 점차 가늘어지는 구조이기 때문에 대퇴스템을 가늘어지는 쐐기(tapered wedge) 형태로 만들어 대퇴골 골수강 내로 압착하여 초기 고정을 얻고 장기적인 생물학적 고정은 대퇴스템 표면을 거칠게(corundum blasting)하여 골 표면으로 신생골이 성장되게 한다는 개념을 따른다(그림 27).

(3) 무시멘트형 대퇴스템의 분류

무시멘트형 대퇴스템의 형태에 따라 대퇴골 피질골과의 접촉 정도와 접촉되는 위치가 달라지게 되어 초기 골 고정력에 차이가 생기며, 이로 인해 주로 골내성장이 일어나 골 고정이 이루어지는 부위 역시 차이가 나게 된다. 결국, 모든 무시멘트형 대퇴스템의 디자인은 초기 고정력을 극대화하고 골내성장이 최대화되어 견고한 고정이 이루어지도록 목표로 하고 있다.

① **원위 고정형 스템**: 대퇴골 근위부는 형태학상 개인적인 차이가 심하여 대퇴스템을 근위부 모양에 맞추기 어려우므로 비교적 원형으로 일정한 형태로 되어 있는 대퇴골 간부에 스템을 고정시키는 개념이다. 일반적으로 대퇴스템 전장에 걸쳐 표면처리가 되어 있어 강력한 고정력을 얻을 수 있지만 대퇴골 근위부는 스템으로부터 하중을 적

게 전달 받아서 응력 차단(stress shielding)에 의한 골감소가 발생할 수 있고 주된 고정이 이루어지는 원위 대퇴부에 통증이 빈발한다는 문제점이 지적 되고 있다. 또한 재치환술 시 대퇴골 원위부까지 강한 골성 고정으로 인해 제거하기 어렵다. 원위 대퇴골에 강한 압박 고정을 시도함으로 수술 도중 발생할 수 있는 대퇴골 골절을 줄이기 위해 수술 전 정확한 가늠술이 필요하며 대퇴골 간부에서 최소한 5−6 cm의 길이에서 스템과 대퇴골 사이가 강하게 고정(scratch fit)되어야 한다. 주로 대퇴골 근위부 변형이 심하거나 골결손이 심하여 근위부 고정을 얻기 어려운 재치환술 시 유용하게 사용할 수 있다. AML 스템(DePuy)(그림 28)과 Wagner cone 스템(Zimmer)(그림 29)이 대표적이다.

② **근위 고정형 스템:** 원위 고정형 스템의 단점인 대퇴부 통증, 응력 차단 현상, 재치환술 시 대퇴스

템 제거의 어려움 등을 보완하기 위해 스템 근위부에만 표면처리를 하고 스템 원위부는 광택처리를 하거나 아예 표면처리를 하지 않아 골간단에 스템을 압박 고정하는 개념이다. 이론적으로는 수술 후에 약간의 스템 침강(subsidence)이 있을 수 있으나 골수강 내의 어느 지점에서 이차적인 고정이 이루어진다. 대퇴스템의 원위부를 가늘게 만들어 골수강을 채우지 않기 때문에 대퇴부 통증이 적다.

초기의 근위 고정형 스템은 다공성 코팅으로 초래되는 금속의 강도 약화로 인한 스템의 파손을 줄이기 위해 피복을 완전하게 하지 않았다. 그로 인해, 골내성장을 얻을 수 있을 정도의 초기 고정력이 충분하지 못하여 피복되지 않은 부분을 통해 마모 입자가 원위부로 이동하여 스템 원위부 주위에 골용해를 초래하였고 지속적인 대퇴부 동통이 있었다. Porous−Coated Anatomic 스

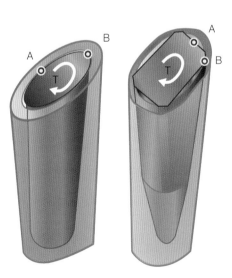

그림 27. Fit and fill 개념(좌)과 tapered press fit 개념(우)

그림 28. AML (Anatomic Medullary Locking) 스템
스템 전장에 걸쳐 다공성 표면처리 되어 있다(DePuy, 미국).

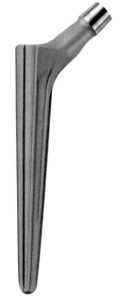

그림 29. Wagner cone 스템
원추형 모양으로 8개의 박판이 돌출되어 있고 표면은 전장에 걸쳐 거칠게(grit−blasted) 처리되어 있다 (Zimmer, 미국).

템 (PCA, Howmedica)와 Harris-Galante I 스템 (HGI, Zimmer)이 이에 해당한다(그림 30).

1세대 근위 고정형 스템의 단점을 보완하기 위해 개발된 2세대 근위 고정형 스템은 보다 개량된 재질의 금속을 사용하고, 근위부 전체를 다공성 코팅하여 대퇴부 통증과 대퇴골 골용해의 빈도를 줄였다. Taperlock 스템(Biomet)(그림 31), Omnifit 스템(Stryker)(그림 32)과 같이 전형적인 형태와 최근에 테이퍼형 디자인과 쐐기형 개념을 추가한 Summit 스템(DePuy)(그림 33), Synergy 스템(Smith & Nephew)(그림 34), Accolade 스템(Stryker) (그림 35), Bicontact 스템(Aesculap)(그림 36), M-L taper 스템(Zimmer)(그림 37) 등이 있다.

③ **테이퍼-쐐기형(tapered wedge) 스템:** 압착이란 물리적 성질이 다른 두 물질이 표면의 압박력에 의해 단단히 결합되는 상태를 말한다. 테이퍼-쐐기 형태로 만든 대퇴스템을 대퇴골 골수

강 내로 단단히 삽입하면 둥근 원통 형태의 대퇴 스템 보다 생역학적으로 강한 회전 안정성이 있으며, 금속 표면과 대퇴골 피질골 사이의 압착은 시간이 지남에 따라 초기에 응력 이완(stress relaxation)이 일어나 약간의 침강이 있을 수는 있으나 시간이 지나면서 전단응력(shear stress)이 평형을 이루면서 아주 단단한 고정력을 얻게 된다. 또한 쐐기 형태의 대퇴스템은 확공 없이 줄질(rasping)만으로 삽입하기 때문에 대퇴골 근위부의 골소실이 적고 골수강내 혈류 손상이 적으며 좌우 구별이 필요 없다. 하지만 압착을 얻기 위해 너무 강하게 삽입할 경우 대퇴골의 선상 골절이 발생할 수 있고, 압착 고정이 되지 못하면 수직 침강의 위험성이 있다. CLS 스템(Zimmer) (그림 38)과 Alloclassic 스템(Zimmer)(그림 39)이 대표적이다.

④ **조립형 스템:** 대퇴골과 대퇴스템 사이의 미세운

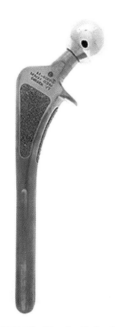

그림 30. Harris-Galante 스템

Collar가 있으며 다공성 피복이 안 된 부분이 있다(Zimmer, 미국).

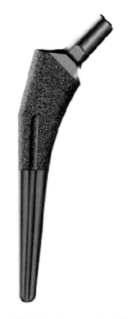

그림 31. Taperlock 스템

플라즈마 분사 표면 처리가 근위부에 되어 있고 collar가 없는 테이퍼 구조를 보여준다(Biomet, 미국).

그림 32. Omnifit 스템

앞-뒤와 내측-외측 양 방향으로 모두 테이퍼 구조를 가진다(Stryker, Howmedica Osteonics, 미국).

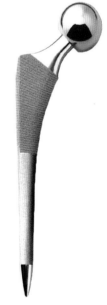

그림 33. Summit 스템

근위부가 표면 처리되어 있는 테이퍼 구조이다(DePuy, 미국).

동을 줄이기 위해 스템의 근위부와 원위부를 동시에 채울 수 있도록 한 디자인 개념이다. 일반적으로 대퇴골 근위부를 채울 수 있는 근위 부품과 이를 통과 결합하면서 골간단부 골수강을 꽉 차게 고정하는 원위 부품으로 구성되며 근위와 원위부 두 곳에서 동시에 고정된다. 대퇴골 전염각을 조절할 수 있고 근위 대퇴골의 변형이 있거나 골수강이 좁은 경우에도 사용 할 수 있으며 특히 재치환술 시 유용하다. 그러나 조립되는 부위에서 미세운동에 의한 침식(fretting), 부식(corrosion), 및 해리(dissociation)가 일어날 수 있고, 유리된 금속 이온이 골용해나 가성 종양을 초래할 가능성이 있다는 우려가 있다. S-ROM 스템(DePuy)(그림 40)이 대표적이다.

⑤ **짧은 스템:** 대퇴골의 근위 간단부에 주로 고정이 되는 디자인이라면 굳이 스템의 원위부가 길게 있어야 하는가라는 의문을 가지고 짧은 대퇴 스템 디자인이 생겨 났다. 이의 장점으로는 길이가 짧아짐으로써 대퇴골의 골소실을 줄일 수 있어 덜 침습적이며 수술 후 대퇴부 통증의 원인으로 여겨지는 원위 간부에 존재하는 스템 부분을 없애서 대퇴부 통증을 줄일 수 있고, 근위 대퇴골의 응력 차단 효과도 줄일 수 있으리라는 가정들이 거론되고 있다.

짧은 대퇴스템은 기존의 스템보다 길이를 조금 줄이긴 했으나 스템 원위부가 골간단-간부 이행부위 이하까지 삽입되는 조금 짧은 디자인(mid-short design)과 극단적으로 짧게 하여 주로 대퇴골 경부나 근위 골간단부에만 삽입되어 고정되는 디자인, 두 가지로 대별할 수 있다. 이 중 조금 짧은 스템은 10년 이상 추시에서 98%에 달하는 우수한 생존율이 보고된 바 있어 최근 대퇴스템 디자인의 가장 유행하는 형태가 되고 있다(그림 41).

극단적으로 짧은 스템들은 비록 최근 10년 이상

그림 34. Synergy 스템
직선형 테이퍼 구조를 보여준다(Smith & Nephew, 미국).

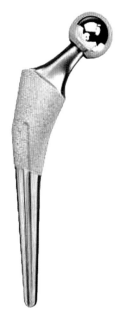

그림 35. Accolade 스템
근위부가 피복된 쐐기형태 테이퍼 구조이다(Stryker, 미국).

그림 36. Bicontact 스템
근위부는 플라즈마 분사로 표면 처리되어 있으나 원위부는 매끈한 테이퍼 구조형태이다(Aesculap AG, 독일).

그림 37. M-L taper 스템
Collar가 없는 쐐기형태이다(Zimmer, 미국).

의 추시에서 우수한 결과를 보였다는 보고도 있으나 아직 많은 연구가 이루어지지 않고 있고 추시 기간도 대부분 짧아서 장기적인 결과는 더 지켜봐야 할 것이다. Proxima 스템(DePuy), Metha 스템(Aesculap) Collum Femoris Preserving 스템 (CFP, Link) 등이 극단적으로 짧은 스템들인데, 내반 삽입될 수 있고 삽입 시 골절 발생률이 높으며 undersizing으로 인한 조기 스템 침강과 고정 소실도 발생할 수 있다(그림 42).

(4) 새로운 분류법

초기에는 대퇴스템을 직선형(straight)인지 만곡형(curved)인지, 근위 골간단부에 고정되는 형태인지 원위 골간부에 고정되는 형태인지로 구분하였다. 그 후 많은 종류의 대퇴스템이 새로 개발되면서 여러 사람들에 의해 각기 다른 관점과 분류 기준으로 대퇴스템의 종류를 구분하고 명명해 왔다. 그러나, 이러한 명칭

과 분류의 기준이 제각각이어서 서로 간의 결과를 비교하거나 특정화 하기에 어려움이 있고 과학적인 분석이 불가능한 상황이었다. 예를 들어, Callaghan 등은 modular, extensively coated, hydroxyapatite (HA) coating, proximally ingrown, tapered, press-fit, custom design 등의 7가지로 대퇴스템을 분류하였는데, modular는 조립형이라는 스템의 형식, extensively coated는 표면처리의 범위, HA coating은 표면처리의 방법, proximally ingrown은 표면처리의 범위와 방법, tapered는 스템의 모양, press-fit은 스템의 고정 방식, custom design은 스템의 제작 형식을 기준으로 명칭하고 있어 일관된 기준이 없다.

이와 유사한 분류로서 많이 사용되는 것이 fit and fill, modular, distal fitting, proximal tapered wedge, press-fit tapered wedge, 5가지로 구분하는 방법이다. 그러나 이 역시 fit and fill은 고정 방식과 범위, modular는 스템의 형식, distal fitting은 고정 부위,

그림 38. CLS 스템
corundum-blasted 기법으로 앞-뒤와 내측-외측 양 방향으로 테이퍼 구조를 보이며 전장에 걸쳐 거칠게 표면 처리가 되어 있다(Zimmer, 미국).

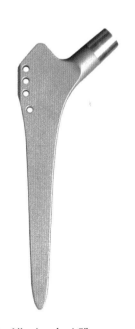

그림 39. Alloclassic 스템
grit-blasted 기법으로 직선형이고 스템의 단면적이 직사각형이며 양 방향 테이퍼 구조를 보여준다. 전장에 걸쳐 거칠게 표면 처리가 되어 있다(Zimmer, 미국).

그림 40. S-ROM 조립형 스템
근위부 부품이 크기에 따라 여러 가지로 선택이 가능하고 원위 부품 끝 부분은 세로 홈(distal flutes)이 있어 회전 안정성을 제공한다(DePuy, 미국).

465

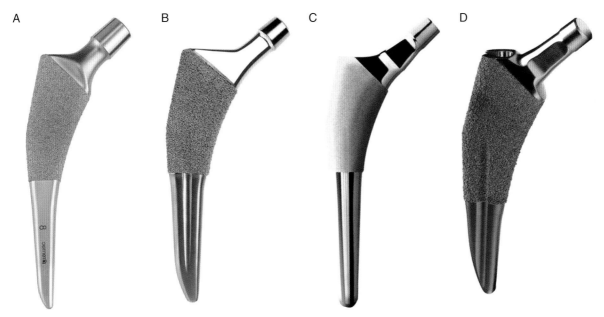

그림 41. 조금 짧은 스템(mid-short stem)의 종류들

(A) Bencox M 스템(Corentec, 대한민국), (B) Trilock 스템(DePuy, 미국), (C) M/L Taper 스템(Zimmer, 미국), (D) Taperloc Microplasty 스템 (Biomet, 미국)

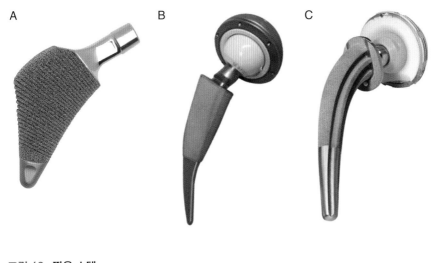

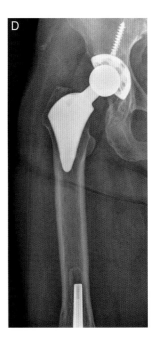

그림 42. 짧은 스템

(A) Proxima 스템(DePuy, 미국), (B) Metha 스템(Aesculap, 독일), (C) CFP 스템(Link, 독일), (D) 임상 적용예. 슬관절 재치환술로 인한 대퇴스템이 이미 존재해 있어 Proxima 스템으로 고관절을 치환하였다.

proximal tapered wedge 는 표면처리의 범위와 모양, press-fit tapered wedge는 고정 방식과 모양을 기준으로 명칭하고 있다. 이처럼 다른 기준과 관점으로 대퇴스템을 분류하고 명명함으로써 발생되는 혼란을 최소화하기 위해서는 보다 객관적이고 일관된 분류 기준이 필요한 상황이다.

2011년 미국의 Mont 그룹은 골 고정이 이루어지는 부위를 근위부부터 원위부까지로 나누고 골조직과의 접촉 면적 정도도 고려하여 1형부터 6형까지 총 6가지 종류로 대퇴스템을 분류하는 방법을 제시하였다. 이 방법은 비록 완벽하지는 않지만 각기 다른 대퇴스템을 분류하는 일반적인 기준이 될 수 있어 상호 간의 비교가 보다 수월해질 것으로 기대된다.

① 1형 스템: Single-wedge 스템이라고도 칭할 수 있는 디자인으로, 앞뒤로 얇고 좌우로는 넓으면서 스템의 원위부로 이행할수록 좁아지는 쐐기 모양이다. 근위부 1/3 내지는 5/8 부위에만 표면처리가 되어 있어 주로 대퇴골 골간단의 내측 피질골과 외측 피질골 사이에 감입되면서 고정되는 디자인이라 single-wedge 스템이라 불린다(그림 43). 측면에서 보았을 때, 근위부부터 후방 피질골, 전방 피질골, 그리고 후방 피질골에 맞닿으면서 3점 고정되며 내외측으로 넓은 근위부로 인해 회전력에 대해 안정성을 가질 수 있다(그림 44). 스템 삽입을 위해 원위 골간부를 확공할 필요 없이 broaching 작업만 하면 되므로 이론적으론 덜 침습적으로 삽입할 수 있다. 그러나, 간혹 원위 골간부의 골수강이 좁고 근위 골간단부는 넓은 소위 골간단부-간부 부조화(metaphysio-diaphyseal mismatch)된 대퇴골 구조를 가진 환자의 경우, 표면처리가 안된 스템의 원위부만 골수강에 견고히 감입되고 표면처리가 된 스템 근위부는 내측 피질골과 접촉이 덜 되어 골성 고정이 안될 수 있으므로 주의가 필요하다. 1형 스템은 20년 이상의 추시에서 99%의 스템 생존율을 보

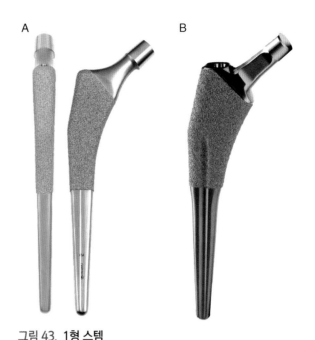

그림 43. 1형 스템
(A) Bencox ID 스템(Corentec, 대한민국), (B) Taperloc 스템 (Biomet, 미국)

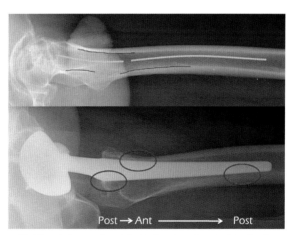

그림 44. 대퇴골 근위부의 후방 만곡과 골간부의 전방 만곡을 보여주는 방사선 사진(위)과 대퇴스템의 3점 고정 원리를 보여주는 사진(아래)

이는 매우 우수한 결과가 보고되고 있다. 대퇴부 통증 발생률은 2-3% 정도로 알려져 있다.

② 2형 스템: Double wedge 스템이라고도 불리우는데, 원위부로 갈수록 전후면에서 좌우로 넓다가 좁아지고 측면에서도 앞뒤로 두껍다가 얇아지는

디자인을 취한다. 1형과 동일하게 근위부에만 표면처리가 되어 있다. 전후면에서 대퇴골 골간단부의 내측과 외측 부위의 피질골뿐만 아니라 측면에서 골간단부의 전방과 후방 피질골에도 맞닿으며 감입 고정되는 디자인이다(그림 45). 골간단부의 내외측면과 전후방면 양측에 감입되며 고정되므로 double-wedge 스템이라 불린다. 1형에 비해 전후면으로 두터운 모양을 취하고 있어 대퇴골 골간단부의 대부분을 채우는 형식이 되어 metaphyseal filling 디자인이라고도 불리운다. 스템의 원위부는 대퇴골 골간부의 골수강을 채우는 형식으로 되어 있어 골간부에는 확공을, 골간단부에서는 broaching 작업으로 삽입하게 된다.

2형 스템은 15-20년 추시에서 95-100%의 우수한 스템 생존율이 보고되고 있다. 대퇴부 통증의 정도는 보고마다 차이가 있어 대개 4-12%까지로 알려져 있다.

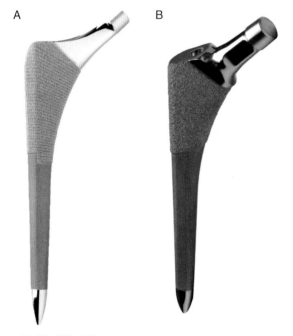

그림 45. 2형 스템
(A) Summit 스템(DePuy, 미국), (B) Echo Bi-Metric 스템 (Biomet, 미국)

③ **3형 스템**: 테이퍼 스템으로 불리우는 범주로서 원위부로 갈수록 전후면과 측면 양 방향에서 좁아지는 디자인 특성을 가지고 있다. 그러나 1형이나 2형과는 달리 근위부에만 표면처리가 되어 있거나 원위부로 이행하면서 스템의 디자인 형태가 급격히 바뀌지 않아 정상 대퇴골의 골수강이 좁아지는 대퇴골 골간단-간부 이행 부위에 고정되는 형식이다. 3형은 다시 디자인 특성에 따라 3가지로 세분할 수 있다.

• **3A형 스템**
원위부로 갈수록 양 방향에서 좁아지며 모서리가 둥글면서 원추형이다. 근위 1/3 부위가 표면처리 되어 있으며 근위부에 돌출된 pin이나 wing이 있어 회전 안정성을 준다. 원위부는 확공을, 골간단부는 broaching을 시행한 후 삽입한다(그림 46).
3A형 스템은 10년 이상 추시에서 99%의 우수한 스템 생존율을 보여주고 있으며 대퇴부 통증 발생률은 대략 4% 정도로 알려져 있다. 그러나 대부분의 환자에서 근위부 대퇴골에서 응력 차단으로 인한 변화가 관찰되었다고 하니, 이 형태의 디자인이 원위부에 고정되는 효과가 상당함을 알 수 있다.

• **3B형 스템**
원위부로 갈수록 좁아지는 원추형 디자인이다. 스템의 종축을 따라 전장에 걸쳐 날카로운 박판 (spline)이 여러 개 돌출되어 있어 대퇴골 내측 피질골에 박히면서 초기 고정력을 얻는다. 근위부가 상대적으로 둥근 원추형으로 되어 있어 좌우로 넓은 대퇴골 골간단부 내에서 어느 정도 회전을 줄 수 있어 근위 대퇴골의 변형이 있어 전염각 등을 조정 할 필요가 있을 경우 유용한 디자인이다. 원위부를 확공한 후 삽입하게 된다(그림 47).
3B형 스템은 11년 추시에서 91% 정도의 스템 생존율이 보고된 바 있다. 그러나 이 연구의 대부분이 대퇴골의 상당한 변형이 있었던 환자라는 점

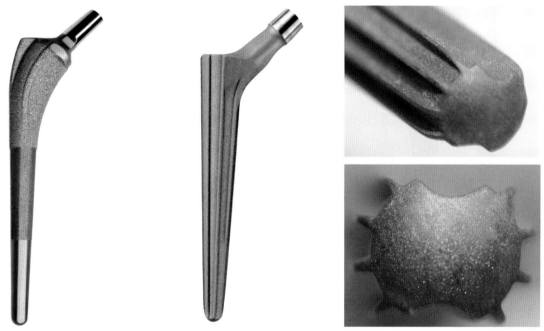

그림 46. **3A형인 Mallory Head 스템**
(Biomet, 미국)

그림 47. **3B형인 Wagner 스템(Zimmer, 미국)**
돌출된 여러 개의 박판으로 피질골에 고정되어 회전 안정성을 가진다.

을 결과 판정에 고려할 필요가 있다. 비록 널리 사용되는 디자인은 아니지만, 원위부에 주로 고정 되고 근위부가 둥근 원추형이란 점이 근위 골 소실이나 변형이 있는 재치환술 시에 유용한 스템이라 하겠다.

- 3C형 스템

스템의 단면이 직사각형 형태를 취해서 rectangular 스템이라고도 불리운다. 원위부로 갈수록 전후면과 측면 모두에서 좁아지는 테이퍼 형태로 주로 대퇴골 골간단-간부 이행 부위와 근위 골간부에 고정되며 측면상 3점 고정 방식으로 주로 고정된다. 전장에 걸쳐서 grit-blasted 표면처리가 되어 있다. 단면상 사각형 구조여서 대퇴골 골수강 내측 피질골에 스템 모서리 4군데가 강하게 압박 고정되어 회전력에 강한 안정성을 가지게 된다. 대개 확공할 필요 없이 단순한 broaching만으로 삽입이 가능하다(그림 48).

3C형 스템은 유럽에서 많이 사용되는 디자인으로, 20년 이상 추시에서 96%의 스템 생존율을 보여주는 우수한 장기 추시 결과가 보고되었다. 또한 대퇴부 통증도 2% 내외로 비교적 낮다고 알려져 있다. 1/3의 환자에서 근위 대퇴골에 응력 차단 효과가 관찰되었다는 점은 이 스템의 주된 고정이 원위부에서 일어남을 의미한다. 이처럼 고정은 원위부에서 주로 일어나지만 대퇴부 통증이 상대적으로 적다는 점은 전장에 걸친 표면처리와 3점 고정법에 주로 의존하는 고정 특성에 기인할 것으로 추측할 수 있다.

④ **4형 스템**: 원통형 모양이면서 대개 전장에 걸쳐 표면처리가 되어 있다. 스템의 원위부가 대퇴골 골간부에 고정되는 디자인으로, 대개의 경우 스템에 collar가 있어 대퇴골 근위부에 부하가 전달되고 축 방향으로 안정성을 가지도록 되어 있다. 골간부를 확공한 후 삽입하게 되는데 대개 확공

469

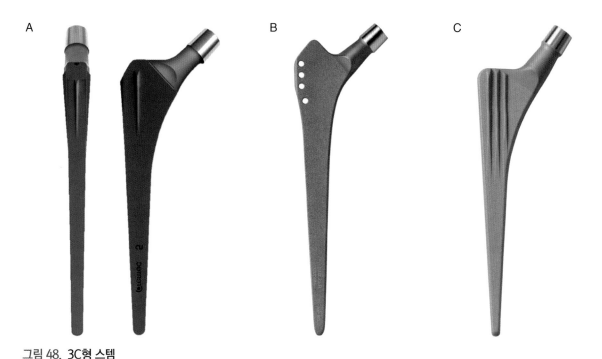

그림 48. 3C형 스템

(A) Bencox 스템(Corentec, 대한민국), (B) Zweymüeller Alloclassic 스템(Zimmer, 미국), (C) CLS 스템(Zimmer, 미국)

한 직경보다 0.5 mm 정도 더 큰 스템이 삽입되도록 고안되어 있다(그림 49). 4형 스템은 20년 이상의 장기 추시에서 98%의 우수한 생존율이 보고되고 있다. 원위부에 고정되는 특성상, 대퇴부 통증과 응력 차단이 문제점으로 지적되는데, 대퇴부 통증은 약 4% 정도로 보고되나 스템 원위부의 디자인 변화로 2% 수준으로 감소할 수 있었다는 보고가 있다. 원위 골간부의 골수강이 넓은 Dorr C형 대퇴골에서 문제 없이 사용 할 수 있는지는 아직 명확한 임상 결과가 없다.

⑤ **5형 스템:** 조립형 디자인으로 스템의 원위부와 근위부를 각기 선택하여 따로 삽입한다. 따라서 원위부와 근위부를 각자 맞는 크기로 확공한 후 최적의 크기를 가진 스템으로 삽입이 가능하다. 결국 원위 골간부와 근위 골간단부 모두에 고정을 시도하는 디자인으로, 특히 해부학적 변형이 심하거나 회전 변형이 큰 경우 유용하게 사용할

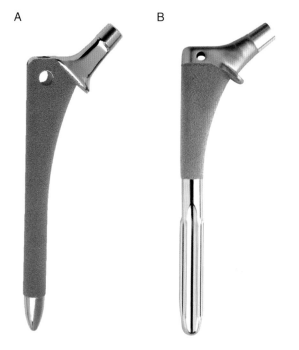

그림 49. 4형인 (A) AML 스템(DePuy, 미국), (B) Versys 스템 (Zimmer, 미국)

수 있다(그림 50). 그러나 이러한 디자인 원칙에 맞도록 근위부와 원위부를 모두 채우면서 고정하는 형식은 근위부가 원추형으로 생긴 S-ROM 스템(DePuy, 미국)이 유일할 것이다. 요즘 사용되는 다른 조립형 스템들은 비록 근위부에도 표면처리가 되어 골내성장이 일어나게 하였으나 대부분은 원위부에서 주로 골 고정이 이루어지고 근위부로는 스템의 길이, 내측 오프셋, 염전각 등을 조절한다는 사실을 이해할 필요가 있다.

5형 스템은 평균 10-11년 추시에서 99% 정도의 우수한 생존율이 보고되고 있다. 대퇴부 통증은 2-6% 정도에서 발생한다고 한다. 해부학적 변형이 심한 대퇴골에서 특히 큰 장점을 보이며 Dorr C형 대퇴골에서도 유용성이 보고되고 있으나, 조립형인 관계로 가격이 비싸고 조립되는 부위에서 미세운동에 의한 침식(fretting), 부식(corrosion), 및 분리(dissociation)가 일어날 수 있고, 유리된 금속 이온이 골용해나 가성 종양을 초래할 가능성이 있다는 우려가 있다.

⑥ 6형 스템: 대퇴골의 해부학적 모양에 맞도록 스템이 후방 만곡을 가지도록 디자인되어 대퇴골 골간단부와 원위 골간부 모두에서 피질골과 최대한 접촉이 생기도록 하는데, 일명 해부학적 스템(anatomical stem)이라고도 불리운다. 원위부로 갈수록 전후면과 측면 모두에서 좁아지는 원추 형태이며 근위 골간단부는 최대한 채우고 원위 골간부 역시 스템의 끝부분으로 채우는(fit and fill) 디자인 개념이다(그림 51).

6형의 초기 디자인 스템들의 임상 결과는 좋지 않아 5-6년의 단기 추시에서 5-9%의 비교적 높은 실패율을 보였으며 대퇴부 통증도 15-28% 정도에서 높게 나타났다. 그 후, 근위 골간단부의 피질골과의 접촉을 더욱 늘리고 스템 끝부분에 만곡을 주어 원위 피질골과의 충돌을 줄이도록 디자인 개선이 이루어진 후 임상 결과가 향상되었다는 보고도 있다. 그러나, 6형 스템은 장기적

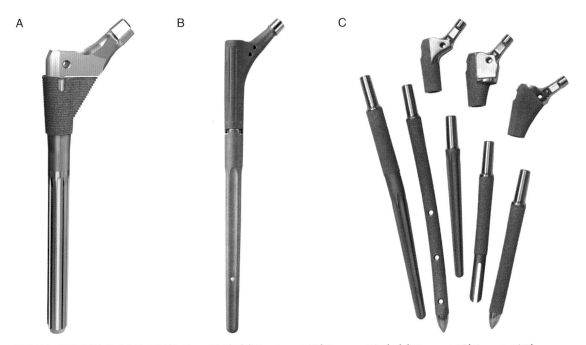

그림 50. 5형인 (A) S-ROM 스템(DePuy, 미국), (B) Revitan 스템(Zimmer, 미국), (C) Arcos 스템(Biomet, 미국)

인 결과 보고가 많지 않고 대체적으로 임상 결과가 만족스럽지 않다는 중론이 있어 현재는 찾아보기 어려운 디자인 개념이 되었다.

(5) 최신 경향

해부학적 변형이 많지 않은 일반적인 환자에게 일차성 고관절 전치환술을 시행할 때 주로 사용되는 스템의 최근 디자인 경향은 다음과 같다. 기존의 스템보다 원위부를 4–5 cm 짧게 줄이고 근위부만 표면처리한 1형 스템 디자인으로, 근위부의 좌우는 넓으나 앞뒤 두께는 얇으며 collar는 없는 쐐기 모양이다. 스템 근위부 외측의 어깨 부위는 경사가 생기도록 깎여있어 스템 삽입 시 대전자 부위의 골소실을 줄이고 골절 가능성을 낮추었다. 경부는 라이너나 비구컵과의 충돌을 최소화하도록 단면적이 원형이 아니고 앞뒤로 보다 얇아지게 하였다. 대퇴골두로는 금속과 세라믹 모두를 사용할 수 있는 호환성이 있다.

이미 예전부터 스템의 탄성률을 높이고자 원위부에 홈을 내거나 돌기나 박판을 돌출시켜 스템의 원통형 부위의 직경을 줄이거나 세로 홈(flute)을 파는 디자인을 적용한 바 있다. 최근에는, 마찬가지 이유로 스템의 원위부 앞면과 뒷면에 종축에 평행하게 길게 홈을 내서 탄성률을 줄이고자 시도하고 있다. 또한, 스템 끝부분 외측부 일부를 없애서 외측 피질골과의 접촉을 줄이려 하고 있다. 이러한 시도는 대퇴부 통증을 최소화하려는 노력의 일환인데, 아직 명확한 과학적 근거가 뒷받침되어 있지는 않다(그림 52).

4) 무시멘트형 삽입물의 선택 기준

앞서 설명한 바와 같이 현재는 표면처리가 되어 압박 고정하는 반구형 비구컵이 우수한 임상 결과를 보여주며 대세를 이루고 있으므로 이와 다른 선택을 할 여지가 거의 없다. 따라서 비구컵을 선택함에 있어서는 금속, 폴리에틸렌, 세라믹 등 여러 종류의 라이너를 모두

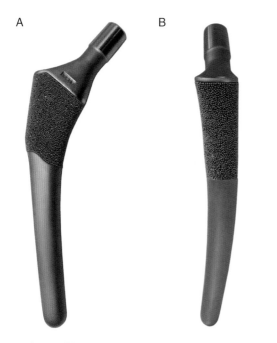

그림 51. 6형 스템
근위 대퇴골의 모양에 맞도록 고안된 디자인으로 대퇴스템이 만곡되어 있다.

그림 52. 대퇴스템의 최근 디자인 경향을 잘 보여주고 있는 Microplasty 스템(Biomet, 미국)

호환하여 사용할 수 있는 비구컵을 선택하는 것이 중요하다. 이때 세라믹 라이너를 사용하는 비구컵의 경우 컵의 디자인 특성에 따라 비구컵에 라이너가 부정결합(malseating)될 위험성이 커진다는 점을 명심해야 한다. 비구컵 내측 디자인 요소에 의해 세라믹 라이너의 테이퍼 각(taper angle)과 테이퍼 길이(taper length)가 달라지게 되는데, 테이퍼 각이 작고 테이퍼 길이가 짧을수록 비구컵 속으로 라이너가 부정결합될 위험성이 커지니, 각 제품별로 테이퍼 각과 길이를 확인하는 것이 중요하다(그림 53).

대퇴스템은 디자인 개념에 따라 여러 종류가 시중에 나와 있고 대부분 모두 매우 우수한 장기 추시 임상 결과들을 보여주고 있다. 따라서 독보적으로 우수한 대퇴스템이란 존재하지 않으므로, 술자는 자신만의 선택 기준을 잘 잡아서 판단하는 것이 중요하다.

우선, 환자의 연령, 성별, 활동도, 잔여 수명, 동반질환, 골질의 정도, 골소실의 유무와 정도, 골수강의 직경, 골간단부의 크기 내지는 오프셋 등과 같은 대퇴골의 형태학적 특성, 대퇴골의 절대적인 크기 등과 같은 환자 요인들을 고려하여야 한다(그림 54). 이어 스템의 디자인 철학과 모양, 표면처리 방법과 범위, 고정이 이루어지는 목표 부위, 사용이 가능한 대퇴골두의 재질 종류와 관절면 호환성, 현재까지 보고되고 있는 임

상 성적, 수술 시 수월성, 근위 대퇴골 골절과 같은 합병증 발생 가능성, 추후 제거가 필요할 경우 제거가 용이한 정도, 근위 대퇴골의 응력 차단 정도, 원위부 대퇴부 통증 발생 정도 등을 종합하여 판단해야 한다. 마지막으로는 술자의 과거 사용 경험도 중요한데, 이미 사용한 경험이 있거나 적어도 타인이 수술하는 것을 본 경험이 있는 제품을 선택하는 것이 안전할 것이다. 처음 사용하는 삽입물이라면 충분한 설명을 듣고 관련 자료 검토를 거친 후 사용 하는 것이 좋다.

원위 골간부의 골수강이 넓은 Dorr C형 대퇴골에서 무시멘트형 대퇴스템을 문제없이 사용 할 수 있는지에 대해서는 논란이 있었다. 견고한 초기 고정이 불가능하다는 인식하에 Dorr C형 대퇴골에서는 시멘트형 대퇴스템을 사용해야 한다는 주장도 있었다. 그러나 최근 연구에 의하면 1형 근위 고정형 대퇴스템으로도 골수강이 넓은 Dorr C형 대퇴골에 견고한 고정을 얻고 장기 추시 결과도 만족스러웠다는 보고들이 있다. 표면처리된 근위부가 3점 고정이 될 수 있고 삽입 후 회전 안정성이 확인된다면 넓은 골수강을 보이는 대퇴골에서도 1형 스템은 충분히 사용할 수 있다(그림 55).

간혹 대퇴골 원위 골간부의 골수강이 좁고 근위 골간단부는 넓은 소위 골간단-간부 부조화(metaphysio-diaphyseal mismatch)된 대퇴골 구조를 가진 환자에서

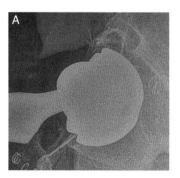
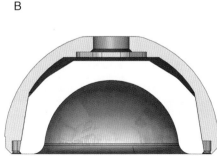
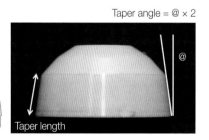

그림 53. 세라믹 라이너 부정결합
(A) 세라믹 라이너가 부정결합되어 있는 수술 후 방사선 사진. (B) 라이너 부정결합 위험도를 좌우하는 테이퍼 각(taper angle)과 테이퍼 길이(taper length)를 보여주는 그림과 사진

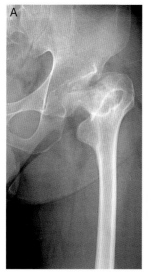
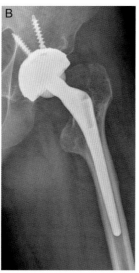

그림 54. 인공 관절 삽입물 선택의 예시

(A) 다발성 골단 이형성증(multiple epiphyseal dysplasia)을 가진 33세 남자 환자로 키가 147 cm에 불과하고 근위 대퇴골의 변형이 있으며 비구와 대퇴골의 크기가 작다. (B) 42 mm 직경의 최소형 비구컵을 사용하여 알루미나-알루미나 관절면을 장착한 고관절 전치환술을 시행하였다.

1형이나 2형 스템과 같이 근위부만 표면처리된 스템을 사용하게 되면 표면처리가 안된 스템의 원위부만 골수강에 견고히 감입되고 표면처리된 스템 근위부는 내측 피질골과 접촉이 덜 되어 골성 고정이 안 될 수 있는 위험이 있다. 이럴 경우에는 골간단-간부 연결부(metaphysio-diaphyseal junction)를 확공기로 추가 확공하여 넓혀주거나 보다 원위부에 고정되는 스템을 사용하는 것이 좋다. 3C형 스템은 원위부로 갈수록 전후면과 측면 모두에서 좁아지는 테이퍼 형태인데 주로 대퇴골 골간단-간부 연결부와 근위 골간부에 고정되며 측면상 3점 고정 방식으로 고정된다. 전장에 걸쳐서 grit-blasted 표면 처리가 되어 있고 단면상 사각형 구조여서 대퇴골 내측 피질골에 강하게 압박 고정되므로, 골간단-간부 부조화 시 좋은 선택이 될 수 있다 (그림 56).

과거 질환이나 외상으로 인해 고관절 회전 중심과 비구, 근위 대퇴골에 변형이 심할 경우 일반적인 내측 오

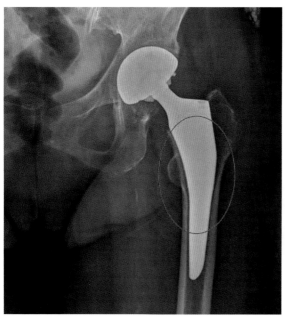
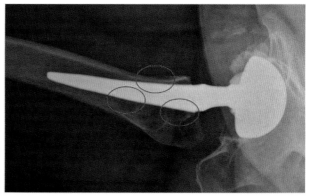

그림 55. 골수강이 넓은 Dorr C형 대퇴골에 삽입된 1형 대퇴스템
표면처리된 근위부가 3점 고정되어 대퇴골과 견고히 접촉하고 있다.

프셋보다 더 긴 오프셋을 가진 대퇴스템이 유용할 수 있다. 특히, 최근 젊은 환자의 경우에는 체형이 서구화되어 일반적인 오프셋 이상이 필요한 경우도 종종 있다. 제작 회사에 따라서 같은 크기이고 동일한 모양이면서 내측 오프셋만 6-7.8 mm 긴 스템이 준비되어 있

으니 환자의 특성에 맞는 스템을 선택하도록 노력해야 한다(그림 57).

5) 인공 관절의 실패 기전과 새로운 디자인의 도입 절차

(1) 인공 관절 실패 기전의 이해

인공 관절에 사용되는 삽입물은 체내에서 수 년, 혹은 그 이상의 장기간의 시간 동안 사용되어야 제대로 된 평가가 가능해진다. 따라서 시장에서 처음 사용할 때에는 안전성과 임상적 효능을 명확히 확인하기 어려운 제한이 있다. 인공 관절의 실패가 발생하는 주된 기전을 사전에 이해한다면 새로 개발되는 삽입물은 이러한 기전에 대해 어떤 반응을 보일지 예측하거나 평가할 수 있어, 장기간 사용에 따른 안전성과 효능을 유추할 수 있다. 결국, 실패 기전을 예측하고 이를 최소화하려는 노력이 새로운 디자인에 충분히 반영이 되어야 한다. 인공 관절의 주된 실패 기전은 아래와 같다.

① **미세 손상의 누적**: 체중 부하와 같은 외력이 계속 반복하여 가해지면 인공 관절에는 누적된 손상에 의해 변화가 발생하게 된다. 골조직과의 결합력 소실, 계면에서의 미세운동, 주위 골흡수, 연부

그림 56. 원위 골간부의 골수강이 좁고 근위 골간단부는 넓은 골간단-간부 부조화(metaphysio-diaphyseal mismatch)된 대퇴골에서 3C형 스템으로 고관절 전치환술을 시행하였다.

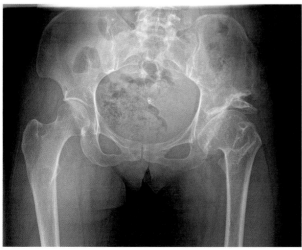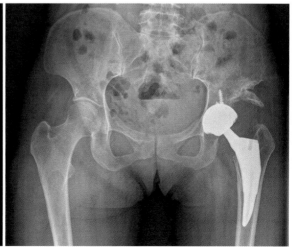

그림 57. 좌측 고관절의 회전 중심, 비구, 근위 대퇴골에 변형이 심하다. 7.8 mm 더 긴 내측 오프셋을 가진 대퇴스템으로 고관절 전치환술을 시행하여 고관절 회전 중심을 재건하였다.

조직 형성과 같은 현상이 연이어 발생하게 되며 결국에는 삽입물의 해리로 이어지게 된다. 따라서 이와 같은 실패 기전에 대한 반응을 분석하기 위해 내구성 검사, 컴퓨터 시뮬레이션, 손상 누적 분석(damage-accumulation analysis) 등과 같은 기법이 동원된다.

② **마모 입자의 생물학적 반응:** 마모 입자(wear particle)는 인공 관절의 관절면, 결합이 떨어진 부위, 삽입물 부속 간의 조립 계면 등에서 생길 수 있다. 마모 입자는 삽입물과 골조직, 또는 삽입물과 시멘트 사이 간격으로 퍼져나가 대식세포에 탐식되면서 생물학적 이물 반응이 생기고 파골세포의 활성화를 초래하는데, 결국에는 삽입물 주위 골조직의 골용해를 야기하게 된다. 고관절 시뮬레이터로 마모 입자의 발생 정도와 마모 입자의 성상을 분석할 수 있고 각 마모 입자의 생물학적 활성 정도도 체외 실험이나 체내 동물 실험을 통해 유추해 볼 수 있다.

③ **골결합의 실패:** 이 기전은 무시멘트형 생물학적 골 고정을 꾀하는 삽입물에만 해당되는 실패 기전이다. 삽입물의 골성 고정이 일어나는 최소한도의 골결합 범위와 간격이 담보되지 않으면 발생할 수 있다. 삽입물의 형태학적 분석, 미세운동 실험, 컴퓨터 시뮬레이션, 체내 동물 실험 등으로 확인해 볼 수 있다.

④ **응력 차단:** 외부로부터 가해지는 외력이 감소된 골조직은 흡수되어 없어지게 되는데, 대퇴스템은 강한 금속 재질이어서 주위 골조직에 가해지는 외력을 대신 받아주어 결국에는 주위 골에는 응력이 차단되게 되면서 골흡수가 야기된다. 특히 원위부에 고정이 이루어지는 대퇴스템에서 근위 골조직의 흡수가 빈번히 발생한다. 컴퓨터 시뮬레이션으로 응력 차단 정도를 예측해 볼 수 있다.

⑤ **응력 분산:** 응력 분산(stress bypass)은 응력 차단과 유사한 기전으로, 근위부에 응력이 걸리도록

고안된 삽입물이 근위부 보다는 원위부에 고정되어 응력 역시 근위부가 아닌 원위부에 걸리는 상황을 일컫는다. 근위부 골조직과 삽입물이 정확하게 맞지 않는 경우 발생할 수 있다. 이 역시 컴퓨터 시뮬레이션 검사로 예측할 수 있고 삽입물의 형태학적 검토로도 예상해 볼 수 있다.

⑥ **파괴 마모:** 파괴 마모(destructive wear)란 인공 관절의 관절면이나 삽입물 부속 간의 조립 계면 사이의 마모가 진행하여 각 삽입물 모재의 형태학적 일관성이 소실되게 파괴되는 상황을 일컫는 말로서, 이럴 경우 인공 관절로서의 기능은 완전히 소실되게 된다. 고관절 시뮬레이터로 예측 분석할 수 있다.

(2) 새로운 인공 관절 디자인의 도입 절차

한번 환자에게 삽입되면 평생을 문제없이 쓸 수 있는 인공 관절이란 아직 존재하지 않는다. 결국, 삽입 후 여러 기전으로 실패할 것이며 인공적인 대체 물질로서의 수명을 다하게 되어 재수술이 필요요할 것이라는 전제하에 인공 관절 삽입물은 개발되고 환자에게 사용되고 있다. 그러므로 새로운 디자인 철학이 반영된 인공 관절 삽입물을 안전성과 효능을 최대한 담보하고 사용하기 시작하려면 아래와 같은 4가지 단계로 구성된 개발 및 도입 절차를 거쳐야 한다.

① **1단계 디자인 이유:** 새로운 디자인이 필요한 이유가 명확해야 한다. 현재 임상에서 제기되고 있는 문제점 중 어떤 문제를 해결하기 위해 새로운 디자인이 개발되었는지 분명히 나타나야 한다. 즉, 현재의 문제점들의 원인을 분석하고 그 대안을 제시한 후 어떻게 새로운 디자인에 반영이 되어 있는지 납득할 만한 설명이 있어야 한다.

② **2단계 디자인 검증:** 새로운 디자인이 목적하는 바가 충족이 되는지를 객관적인 실험으로 입증할 수 있어야 한다. 예를 들어, 마모를 줄이기 위한 디자인으로 개발이 되었다 주장하려면 고관절 시

뮬레이터나 체외 실험 등으로 이를 입증해야 한다.

③ **3단계 전임상 검사:** 새로 개발된 제품이 앞서 언급한 인공 관절의 실패 기전에서 얼마나 자유로울 수 있는지 전반적인 검증을 거치는 단계이다. 각 연령별 사체 실험을 통해 새로운 삽입물이 골조직에 잘 맞는지 확인하는 절차도 필요하고 피로강도, 마모 저항성, 응력 차단 정도, 골결합 정도 등을 분석하는 시뮬레이터 실험, 체외 실험, 체내 실험 등을 거치는 과정이다. 이를 통해 예견하지 못했던 삽입물의 문제점들을 발견할 수 있다.

④ **4단계 제한된 임상 실험:** 임상에 사용하면서 단기

추시에서 예기치 않았던 문제점들이 나타나는지 확인하고 장기 추시에서 안전성과 임상적 효능을 확인하는 단계이다. 이를 위해서는 연구 대상자를 선정하여 새로운 삽입물 개발에 관여하지 않았던 의사에 의해 전향적, 무작위 연구를 시행하여야 한다.

최종적으로는 1단계부터 4단계까지의 전 과정을 모두 통과한 후에야 새로운 삽입물을 시장에 도입하여야 한다. 또한, 이러한 일련의 평가 결과들은 상호 심사를 거친 후 공신력 있는 의학 전문지에 발표하여 누구나 손쉽게 관련 정보에 접근할 수 있어야 한다.

참고문헌

1. Abdel MP, Watts CD, Houdek MT, Lewallen DG and Berry DJ. Epidemiology of periprosthetic fracture of the femur in 32 644 primary total hip arthroplasties: a 40-year experience. Bone Joint J. 2016; 98b: 461-467.

2. Ballard WT, Callaghan JJ, Sullivan PM, Johnston RC. The results of improved cementing techniques for total hip arthroplasty in patients less than fifty years old. A ten-year follow-up study. J Bone Joint Surg Am. 1994;76:959-64.

3. Barrack RL, Mulroy RD, Jr., Harris WH. Improved cementing techniques and femoral component loosening in young patients with hip arthroplasty. A 12-year radiographic review. J Bone Joint Surg Br. 1992;74:385-9.

4. Barrack RL. Early failure of modern cemented stems. J Arthroplasty. 2000;15:1036-50.

5. Belmont PJ Jr, Powers CC, Beykirch SE, Hopper RH Jr, Engh CA Jr, Engh CA. Results of the anatomic medullary locking total hip arthroplasty at a minimum of twenty years. A concise follow-up of previous reports. J Bone Joint Surg Am. 2008 Jul;90(7):1524-30.

6. Berry DJ, Harmsen WS, Cabanela ME and Morrey BF. Twenty-five-year survivorship of two thousand consecutive primary Charnley total hip replacements: factors affecting survivorship of acetabular and femoral components. J Bone Joint Surg Am. 2002;84: 171-177.

7. Berry DJ. Cemented femoral stems: what matters most. J Arthroplasty. 2004;19:83-4.

8. Berry DJ. Long-term follow-up studies of total hip arthroplasty. Orthopedics. 2005;28:s879-80.

9. Biant LC, Bruce WJ, Assini JB, Walker PM, Walsh WR. The anatomically difficult primary total hip replacement: medium- to long-term results using a cementless odular stem. J Bone Joint Surg Br. 2008 Apr;90(4):430-5.

10. Bourne RB, Rorabeck CH, Patterson JJ, Guerin J. Tapered titanium cementless total hip replacements: a 10- to 13-year followup study. Clin Orthop Relat Res. 2001 Dec;(393):112-20.

11. Boyan BD, Bonewald LF, Paschalis EP, Lohmann CH, Rosser J, Cochran DL, Dean DD, Schwartz Z, Boskey AL. Osteoblast-mediated mineral deposition in culture is dependent on surface microtopography. Calcif Tissue Int. 2002 Dec;71(6):519-29.

12. Boyan BD, Lossdorfer S, Wang L, Zhao G, Lohmann

CH, Cochran DL, Schwartz Z. Osteoblasts generate an osteogenic microenvironment when grown on surfaces with rough microtopographies. Eur Cell Mater. 2003 Oct 24;6:22-7.

13. Burt CF, Garvin KL, Otterberg ET, Jardon OM. A femoral component inserted without cement in total hip arthroplasty. A study of the Tri-Lock component with an average ten-year duration of follow-up. J Bone Joint Surg Am. 1998 Jul;80(7):952-60.

14. Callaghan JJ, Bracha P, Liu SS, Piyaworakhun S, Goetz DD and Johnston RC. Survivorship of a Charnley total hip arthroplasty. A concise follow-up, at a minimum of thirty-five years, of previous reports. J Bone Joint Surg Am. 2009;91: 2617-2621.

15. Callaghan JJ, Liu SS, Firestone DE, et al. Total hip arthroplasty with cement and use of a collared matte-finish femoral component: nineteen to twenty-year follow-up. J Bone Joint Surg Am. 2008;90:299-306.

16. Cameron HU, Keppler L, McTighe T. The role of modularity in primary total hip arthroplasty. J Arthroplasty. 2006 Jun;21(4 Suppl 1):89-92.

17. Carrington NC, Sierra RJ, Gie GA, Hubble MJ, Timperley AJ, Howell JR. The Exeter Universal cemented femoral component at 15 to 17 years: an update on the first 325 hips. J Bone Joint Surg Br. 2009;91:730-7.

18. Clauss M, Luem M, Ochsner PE and Ilchmann T. Fixation and loosening of the cemented Muller straight stem: a long-term clinical and radiological review. J Bone Joint Surg Br. 2009;91: 1158-1163.

19. Clohisy JC, Harris WH. Primary hybrid total hip replacement, performed with insertion of the acetabular component without cement and a precoat femoral component with cement. An average ten-year follow-up study. J Bone Joint Surg Am. 1999;81:247-55.

20. Cnudde PH, Karrholm J, Rolfson O, Timperley AJ, Mohaddes M. Cement-in cement revision of the femoral stem:analysis of 1179 first-time revisions in the Swedish hip arthroplasty register. Bone Joint J. 2017;99B:27-32.

21. Cooper LF. A role for surface topography in creating and maintaining bone at titanium endosseous implants. J Prosthet Dent. 2000 84:522-34.

22. Costi K, Solomon LB, McGee MA, Rickman MS, Howie DW. Advantage in using cemented polished tapered stems when performing total hip arthroplasty in very young patients. J Arthroplasty. 2017;32:1227-1244

23. Creighton MG, Callaghan JJ, Olejniczak JP, Johnston RC. Total hip arthroplasty with cement in patients who have rheumatoid arthritis. A minimum ten-year follow-up study. J Bone Joint Surg Am. 1998;80:1439-46.

24. Davies JE. Understanding peri-implant endosseous healing. J of Dental Education. 2003 67(8):932-949.

25. Delaunay C, Bonnomet F, North J, Jobard D, Cazeau C, Kempf JF. Grit-blasted titanium femoral stem in cementless primary total hip arthroplasty: a 5- to 10-year multicenter study. J Arthroplasty. 2001 Jan;16(1):47-54.

26. Epinette JA, Manley MT. Uncemented stems in hip replacement--hydroxyapatite or plain porous: does it matter? Based on a prospective study of HA Omnifit stems at 15-years minimum follow-up. Hip Int. 2008 Apr-Jun;18(2):69-74.

27. Fowler JL, Gie GA, Lee AJ, Ling RS. Experience with the Exeter total hip replacement since 1970. Orthop Clin North Am. 1988;19:477-89.

28. Friedman RJ, Black J, Galante JO, Jacobs JJ, Skinner HB. Current concepts in orthopaedic biomaterials and implant fixation. Instr Course Lect. 1994;43:233-55.

29. Garcia-Cimbrelo E, Cruz-Pardos A, Madero R, Ortega-Andreu M. Total hip arthroplasty with use of the cementless Zweymüller Alloclassic system. A ten to thirteen-year follow-up study. J Bone Joint Surg Am. 2003;85-A: 296-303.

30. Gittens RA, Olivares-Navarrete R, Schwartz Z, Boyan BD. Implant osseointegration and the role of microroughness and nanostructures: lessons for spine implants. Acta Biomater. 2014 Aug;10(8):3363-71.

31. Goldberg BA, al-Habbal G, Noble PC, Paravic M, Liebs TR, Tullos HS. Proximal and distal femoral centralizers in modern cemented hip arthroplasty. Clin Orthop Relat Res.

1998:163-73.

32. Halley DK and Glassman AH. Twenty- to twenty-six-year radiographic review in patients 50 years of age or younger with cemented Charnley low-friction arthroplasty. J Arthroplasty. 2003;18: 79-85.

33. Harris WH. Is it advantageous to strengthen the cement-metal interface and use a collar for cemented femoral components of total hip replacements? Clin Orthop Relat Res. 1992:67-72.

34. Heekin RD, Callaghan JJ, Hopkinson WJ, Savory CG, Xenos JS. The porous-coated anatomic total hip prosthesis, inserted without cement. Results after five to seven years in a prospective study. J Bone Joint Surg Am. 1993 Jan;75(1):77-91.

35. Hennessy DW, Callaghan JJ, Liu SS. Second-generation extensively porous-coated THA stems at minimum 10-year followup. Clin Orthop Relat Res. 2009 Sep;467(9):2290-6.

36. Herberts P, Malchau H. How outcome studies have changed total hip arthroplasty practices in Sweden. Clin Orthop Relat Res. 1997:44-60.

37. Hook S, Moulder E, Yates PJ, Burston BJ, Whitley E, Bannister GC. The Exeter Universal stem: a minimum ten-year review from an independent centre. J Bone Joint Surg Br. 2006;88:1584-90.

38. Illgen R 2nd, Rubash HE. The optimal fixation of the cementless acetabular component in primary total hip arthroplasty. J Am Acad Orthop Surg. 2002 Jan-Feb;10(1):43-56.

39. Jacobs CA, Christensen CP, Greenwald AS, McKellop H. Clinical performance of highly cross-linked polyethylenes in total hip arthroplasty. J Bone Joint Surg Am. 2007 Dec;89(12):2779-86.

40. Jameson SS, Jensen CD, Elson DW, et al. Cemented versus cementless hemiarthroplasty for intracapsular neck of femur fracture--a comparison of 60,848 matched patients using national data. Injury. 2013;44: 730-734.

41. Keener JD, Callaghan JJ, Goetz DD, Pederson DR, Sullivan PM and Johnston RC. Twenty-five-year results after Charnley total hip arthroplasty in patients less than

fifty years old: a concise follow-up of a previous report. J Bone Joint Surg Am. 2003;85: 1066-1072.

42. Kelley SS, Fitzgerald RH, Jr., Rand JA, Ilstrup DM. A prospective randomized study of a collar versus a collarless femoral prosthesis. Clin Orthop Relat Res. 1993:114-22.

43. Khanuja HS, Vakil JJ, Goddard MS, Mont MA. Cementless femoral fixation in total hip arthroplasty. J Bone Joint Surg Am. 2011 Mar 2;93(5):500-9.

44. Kim JT, Jeong HJ, Lee SJ, Kim HJ, Yoo JJ. Does Proximally Coated Single-Wedge Cementless Stem Work Well in Dorr Type C Femurs? Minimum 10-year Followup. Indian J Orthop. 2019 Jan-Feb;53(1):94-101.

45. Kim YH, Kim JS, Cho SH. Primary total hip arthroplasty with a cementless porous-coated anatomic total hip prosthesis: 10- to 12-year results of prospective and consecutive series. J Arthroplasty. 1999 Aug;14(5):538-48.

46. Kim YH, Kook HK, Kim JS. Total hip replacement with a cementless acetabular component and a cemented femoral component in patients younger than fifty years of age. J Bone Joint Surg Am. 2002;84-A:770-4.

47. Kim YH, Park JW, Kim JS, Kang JS. Long-term results and bone remodeling after THA with a short, metaphyseal-fitting anatomic cementless stem. Clin Orthop Relat Res. 2014 Mar;472(3):943-50.

48. Kim YH. The results of a proximally-coated cementless femoral component in total hip replacement: a five- to 12-year follow-up. J Bone Joint Surg Br. 2008 Mar;90(3): 299-305.

49. Kligman M, Furman BD, Padgett DE, Wright TM. Impingement contributes to backside wear and screw-metallic shell fretting in modular acetabular cups. J Arthroplasty. 2007 Feb;22(2):258-64.

50. Ko HS. Polyethylene bone cement acetabular cup. J Korean Hip Soc. 1999;11:1-6.

51. Kolb A, Grübl A, Schneckener CD, Chiari C, Kaider A, Lass R, Windhager R. Cementless total hip arthroplasty with the rectangular titanium Zweymüller stem: a concise follow-up, at a minimum of twenty years, of previous reports. J Bone Joint Surg Am. 2012 Sep 19;94(18):1681-4.

52. Lee GY, Srivastava A, D'Lima DD, Pulido PA, Colwell CW Jr. Hydroxyapatite-coated femoral stem survivorship at 10 years. J Arthroplasty. 2005 Oct;20(7 Suppl 3):57-62.

53. Lee YK, Kim KC, Jo WL, Ha YC, Parvizi J, Koo KH. Effect of Inner Taper Angle of Acetabular Metal Shell on the Malseating and Dissociation Force of Ceramic Liner. J Arthroplasty. 2017 Apr;32(4):1360-1362.

54. Lewthwaite SC, Squires B, Gie GA, Timperley AJ, Ling RS. The Exeter Universal hip in patients 50 years or younger at 10-17 years' followup. Clin Orthop Relat Res. 2008;466:324-31.

55. Ling RS, Charity J, Lee AJ, Whitehouse SL, Timperley AJ and Gie GA. The long-term results of the original Exeter polished cemented femoral component: a follow-up report. J Arthroplasty. 2009;24: 511-517.

56. Ling RS. The use of a collar and precoating on cemented femoral stems is unnecessary and detrimental. Clin Orthop Relat Res. 1992:73-83.

57. Lombardi AV Jr, Mallory TH, Fada RA, Adams JB. Stem modularity: rarely necessary in primary total hip arthroplasty. Orthopedics. 2002;25:1385-7.

58. Lossdorfer S, Schwartz Z, Wang L, Lohmann CH, Turner JD, Wieland M, Cochran DL, Boyan BD. Microrough implant surface topographies increase osteogenesis by reducing osteoclast formation and activity. J Biomed Mater Res A. 2004 Sep 1;70(3):361-9.

59. Manley MT, Capello WN, D'Antonio JA, Edidin AA, Geesink RG. Fixation of acetabular cups without cement in total hip arthroplasty. A comparison of three different implant surfaces at a minimum duration of follow-up of five years. J Bone Joint Surg Am. 1998;80:1175-85.

60. Marco F, Milena F, Gianluca G, Vittoria O. Peri-implant osteogenesis in health and osteoporosis. Micron. 2005 36:630-44.

61. McLaughlin JR, Lee KR. Total hip arthroplasty with an uncemented tapered femoral component. J Bone Joint Surg Am. 2008 Jun;90(6):1290-6.

62. Meding JB, Ritter MA, Keating EM, Faris PM, Edmondson K. A comparison of collared and collarless femoral components in primary cemented total hip arthroplasty: a randomized clinical trial. J Arthroplasty. 1999;14:123-30.

63. Min BW, Song KS, Bae KC, Cho CH, Kang CH, Kim SY. The effect of stem alignment on results of total hip arthroplasty with a cementless tapered-wedge femoral component. J Arthroplasty. 2008;23:418-23.

64. Mittelmeier H. Report on the first decennium of clinical experience with a cementless ceramic total hip replacement. Acta Orthop Belg. 1985 Mar-Jun;51(2-3):367-76.

65. Morrey BF, Adams RA, Kessler M. A conservative femoral replacement for total hip arthroplasty. A prospective study. J Bone Joint Surg Br. 2000 Sep;82(7):952-8.

66. Oishi CS, Walker RH, Colwell CW, Jr. The femoral component in total hip arthroplasty. Six to eight-year follow-up of one hundred consecutive patients after use of a third-generation cementing technique. J Bone Joint Surg Am. 1994;76:1130-6.

67. Pallaver A, Zwicky L, Bolliger L, Bosebeck H, Manzoni I, Schadelin S, Ochsner PE, Clauss M. Long-term results of revision total hip arthroplasty with a cement4ed femoral component. Arch Orthop Trauma Surg. 2018;138:1609-1616.

68. Park JB, von Recum AF, Gratzick GE. Pre-coated orthopedic implants with bone cement. Biomater Med Devices Artif Organs. 1979;7:41-53.

69. Park MS, Choi BW, Kim SJ, Park JH. Plasma spray-coated Ti femoral component for cementless total hip arthroplasty. J Arthroplasty. 2003 Aug;18(5):626-30.

70. Raab S, Ahmed AM, Provan JW. The quasistatic and fatigue performance of the implant/bone-cement interface. J Biomed Mater Res. 1981;15:159-82.

71. Raab S, Ahmed AM, Provan JW. Thin film PMMA precoating for improved implant bone-cement fixation. J Biomed Mater Res. 1982;16:679-704.

72. Rasquinha VJ, Dua V, Rodriguez JA, Ranawat CS. Fifteen-year survivorship of a collarless, cemented, normalized

femoral stem in primary hybrid total hip arthroplasty with a modified third-generation cement technique. J Arthroplasty. 2003;18:86-94.

73. Rasquinha VJ, Ranawat CS. Durability of the cemented femoral stem in patients 60 to 80 years old. Clin Orthop Relat Res. 2004:115-23.

74. Reigstad O, Siewers P, Røkkum M, Espehaug B. Excellent long-term survival of an uncemented press-fit stem and screw cup in young patients: follow-up of 75 hips for 15-18 years. Acta Orthop. 2008 Apr;79(2):194-202.

75. Ries MD. Review of the evolution of the cementless acetabular cup. Orthopedics. 2008 Dec;31(12 Suppl 2).

76. Röhrl SM, Li MG, Pedersen E, Ullmark G, Nivbrant B. Migration pattern of a short femoral neck preserving stem. Clin Orthop Relat Res. 2006;448:73-8.

77. Schuh A, Schraml A, Hohenberger G. Long-term results of the Wagner cone prosthesis. Int Orthop. 2009 Feb;33(1): 53-8.

78. Schulte KR, Callaghan JJ, Kelley SS, Johnston RC. The outcome of Charnley total hip arthroplasty with cement after a minimum twenty-year follow-up. The results of one surgeon. J Bone Joint Surg Am. 1993;75:961-75.

79. Skutek M, Bourne RB, Rorabeck CH, Burns A, Kearns S, Krishna G. The twenty to twenty-five-year outcomes of the Harris design-2 matte-finished cemented total hip replacement. A concise follow-up of a previous report. J

Bone Joint Surg Am. 2007;89:814-8.

80. Suckel A, Geiger F, Kinzl L, Wulker N, Garbrecht M. Long-term results for the uncemented Zweymuller/ Alloclassic hip endoprosthesis. A 15-year minimum follow-up of 320 hip operations. J Arthroplasty. 2009 Sep;24(6):846-53.

81. Tanzer M, Maloney WJ, Jasty M, Harris WH. The progression of femoral cortical osteolysis in association with total hip arthroplasty without cement. J Bone Joint Surg Am. 1992 Mar;74(3):404-10.

82. Udomkiat P, Dorr LD, Wan Z. Cementless hemispheric porous-coated sockets implanted with press-fit technique without screws: average ten-year follow-up. J Bone Joint Surg Am. 2002 Jul;84-A(7):1195-200.

83. Veldman HD, Heyligers IC, Grimm B, Boymans TA. Cemented versus cementless hemiarthroplasty for a displaced fracture of the femoral neck:a systemic review and meta-analysis of current generation hip stems. Bone Joint J. 2017;99B:421-431.

84. Zinger O, Zhao G, Schwartz Z, Simpson J, Wieland M, Landolt D, Boyan B. Differential regulation of osteoblasts by substrate microstructural features. Biomaterials. 2005 May;26(14):1837-47.

85. Zweymüller KA, Lintner FK, Semlitsch MF. Biologic fixation of a press-fit titanium hip joint endoprosthesis. Clin Orthop Relat Res. 1988 Oct;(235):195-206.

CHAPTER

4

인공 관절면
Bearing Surfaces

1. 인공 관절면의 개요

최근 인공 관절의 관절면은 고관절 전치환술에서 중요한 쟁점 중의 하나이다. 이상적인 인공 고관절의 관절면은 마모가 없고, 탈구의 위험을 감소시키기 위하여 충분히 큰 대퇴골두로 제작할 수 있어야 하며, 마모 입자가 발생하더라도 생물학적으로 비활성이어서 생물학적 반응을 유발하지 않아야 한다. 관절면의 재질은 낮은 마찰계수를 가지고, 삽입물-골 접촉면과 인공 골두-대퇴스템 접촉면에 전달되는 힘이 적어야 하며, 잡음이 발생하지 않아야 한다. 인공 관절면을 구성하는 대퇴골두와 비구 라이너는 화학적으로 생체 내에서 안정되어 부식(corrosion) 저항이 높아야하며, 파열의 위험을 감소시킬 수 있게 충분한 강도(strength)를 가져야 한다. 또한 충분한 경도(hardness)로 3물체 마모나 긁힘에 대한 내구성이 있어야하며, 낮은 연성(ductility)으로 소성 변형(plastic deformation)이 없어야 한다.

1950년대 후반 영국의 John Charnley가 관절면 재료로 고밀도 폴리에틸렌(high density polyethylene)을 사용하여 '저마찰 관절치환술(low friction arthroplasty)'의 개념을 도입함으로써 고관절 전치환술의 획기적 발전 계기가 되었다. 이후 코발트 합금 골두와 초고분자량 폴리에틸렌(ultrahigh molecular weight polyethylene, UHMWPE) 비구 라이너 관절면을 사용한 고관절 전치환술이 우수한 결과를 보이면서 대부분의 인공 고관절 관절면에 사용되었다. 그러나 폴리에틸렌의 마모에 의한 삽입물 주위의 골용해는 젊고 활동적인 환자

에서 인공 관절의 수명에 영향을 주는 주요 문제점으로 대두되었다. 많은 연구를 통해 골용해와 무균성 해리는 금속-폴리에틸렌 관절에서의 마모와 이로 인한 폴리에틸렌 마모 입자에 대한 생물학적 반응에 의해 발생하는 것으로 밝혀졌다. 마모는 Charnley가 사용한 금속-polytetrafluoroethylene 관절면에서부터 인지하기 시작하였으며, 이후 많은 연구를 통해 부적절한 삽입물의 위치, 충돌, 폴리에틸렌 산화 등 관련 요인들이 알려지게 되었다.

골용해의 발생은 마모 입자의 양과 밀접한 관련이 있을 뿐만 아니라, 마모 입자의 재질, 모양, 크기에 따라 생물학적 활성도 다르게 나타난다. 그러므로 관절면의 재질과 디자인의 개선을 통한 마모 감소의 노력은 삽입물 주위 골용해의 감소를 통한 수명 연장의 결과로서 나타나게 되었다. 마모는 윤활 조건이나 마찰 저항뿐만 아니라 관절면의 재질과 대퇴골두의 크기 등 디자인에 의하여 영향을 받게 된다. 최근 인공 관절의 디자인은 폴리에틸렌 입자의 발생 및 그로 인한 피해를 최소화하기 위해서 큰 직경의 대퇴골두를 사용하고, 폴리에틸렌의 품질을 향상시키었으며, 과도하게 얇은 폴리에틸렌(<5 mm)의 사용을 제한하고 있다. 금속-폴리에틸렌 관절면의 대안으로 세라믹-폴리에틸렌, 금속-금속, 세라믹-세라믹 관절면이 사용되고 있다. 특히 4세대 세라믹 BIOLOX®delta이 보급되어 사용되면서 젊은 환자에서도 좋은 결과를 보이고 있다.

실험 연구나 임상 연구에서 이와 같은 대체 관절면

은 고식적인 금속-폴리에틸렌 관절면에 비하여 마모 입자가 적게 발생하고 이에 따른 염증 반응도 적은 것으로 보고되고 있다. 최근에는 고도 교차결합 폴리에틸렌(highly cross-linked polyethylene)이 개발되어 사용되고 있으며, 비타민 E 또는 다벽화 탄소 나노 튜브(multiwalled carbon nanotube)를 첨가하여 강화시키거나 생체막으로 표면을 개선한 관절면이 사용되기도 한다. 또한 금속 관절면은 티타늄 질화물, 티타늄 니오븀 질화물을 이용하여 개선을 하고 있다. 표면을 다이아몬드로 처리하거나, 탄소를 기본으로 한 합성물질, 산화 지르코늄, 실리콘 질화물, 사파이어와 같은 대체물도 고려하고 있다.

또한 현재 인공 고관절의 마모와 충돌을 감소시키는 방법으로서 큰 대퇴골두를 사용하거나, 세라믹 표면의 일체형 금속컵, 이중 운동 비구컵(dual mobility cup), 서로 다른 관절면의 조합 등을 사용하기도 한다. 또한 마모 입자의 이동을 줄이기 위해 비구컵의 나사못 구멍의 수를 가능한 적게 만들고 있다. 앞으로 미래의 관절면은 디자인의 변화, 폴리에틸렌의 개선, 금속의 표면 개선, 세라믹의 개선, 대체물질이나 새로운 물질의 사용 등의 방향으로 발전될 것으로 보이며, 새로운 관절면에 유용성을 평가하기 위해서는 장기적인 임상 연구가 필수적이다. 각 대체 관절면에 대한 상세한 내용은 각각의 관절면에서 자세히 설명하기로 한다.

2. 마찰학

마찰학(tribology)의 어원은 '맞비비다', '맞문질러지다'는 뜻의 그리스어인 'tribos'에서 비롯되었고, 사전적 의미는 '두 개의 물체가 접촉하여 움직일 때, 접촉면에 나타나는 역학 현상을 연구하는 응용 역학'으로 정의하고 있다. 마찰학의 영역은 마찰(friction), 윤활(lubrication), 마모(wear)로 구분할 수 있다. 삽입물 관절면에서 발생하는 마찰에 의한 마모가 고관절 전치환술 후 실패의 주된 원인 중의 하나로 밝혀지면서, 정형외과 영역에서 마찰학은 매우 중요한 분야가 되었다.

그러므로 고관절에서 마찰학에 대한 연구는 생체 재료 사이의 마모를 감소시켜 체내 삽입물의 수명을 연장시키기 위해 진행되어 왔고, 고관절 전치환술에는 특히 관절면의 조합을 최적화하여 마찰과 마모를 최소화함으로써 인공 관절의 수명을 최대화하는데 초점을 맞추고 있다.

1) 마찰

마찰의 사전적 의미는 '고체가 접촉하고 있는 다른 고체 위를 미끄러지거나 구를 때 이를 방해하는 힘'이다. 마찰과 관련하여 실생활에서 자동차 브레이크, 못, 나사와 같이 충분한 정도의 마찰이 유지되어야 하는 경우도 있지만, 고관절 전치환술의 관절면에서는 두 가지 이유로 마찰을 최소화해야 한다. 첫째, 마찰로 인해 관절면에 큰 전단력이 발생할 경우 삽입물 부착면에 전달되어 직접적인 해리가 발생할 위험이 높아진다. 즉 인공 골두의 직경이 커지고 마찰계수가 높아질 경우 인공 관절에서의 회전 능률이 커지게되어 삽입물 부착부에서 전단응력이 높아져서 인공 관절의 해리를 쉽게 유발할수 있다. 둘째, 관절면에서의 큰 마찰력으로 인해 마모 입자 발생의 증가로 인하여 골용해 등에 의한 인공 관절의 수명 단축의 위험이 커질 수 있다.

마찰력(friction force)은 접촉면에 가해지는 부하와 마찰계수에 비례한다. 마찰계수는 생체 재료의 특성에 따라 달라지는데, 정지 마찰계수(static friction force)와 운동 마찰계수(kinetic friction force)로 구분된다. 전자는 정지하고 있는 두 물체 사이에서의 값인 반면 후자는 상대적인 운동을 하고 있는 경우에서의 값으로 정의되며, 동일한 물체에서는 정지 마찰계수가 운동 마찰계수보다 항상 크다. 접촉하고 있는 두 물체를 서로 미끄러지게 하기 위해 필요한 마찰력을 최대 정지 마찰력(maximum static frictional force)이라고 부른다. 접촉력은 접촉하고 있는 물체의 표면 상태에 따라서도 영향을 받게 되는데, 접촉면의 불규칙한 형태 때문에 실제 접촉 면적(true contact area)은 외관상 접촉 면적(apparent contact area)보다 현저히 작다(그림 1). 마찰계수는 기존 문헌들에서 표의 형태로 보고되고 있지만, 생체 재료의 구성 성분, 접촉면의 상태, 윤활제의 점도, 윤활상태(고체/경계/혼합/유체 마찰), 온도 등의 주변 환경, 부하가 가해지는 방식 등에 따라 달라지기 때문에, 보고된 값들은 특정 조건에서의 상대적인 수치로 이해해야 한다.

마찰은 실제 접촉면의 접촉점에서 주기적, 탄성 또는 소성 변형이 생기면서 시작되어, 접촉면에서 서로 고정되어 있는 돌기(asperities) 내에서 탄성 또는 소성 변형을 일으키는 에너지로 변환되고 균열을 일으키기 시작한다. 이와 같은 마찰 표면의 작용에 의하여 접촉면에서의 물질이 떨어져 나가는 현상과 점진적인 입자 파편(particle debris)의 발생을 마모라고 정의하여 왔다. 마찰은 접촉면의 가공과 윤활 작용과 같은 표면 코팅에 의해 현저히 감소될 수 있다. 접촉면에 가해지는 에너지의 90% 정도는 접촉 부위의 온도를 상승시키는 열로 전환되고, 나머지 10%는 마찰로 인해 발생한 변형 부위에 저장되거나, 상변형(phase transformation)을 일으키고, 접촉 물체, 주변 환경의 화학 반응을 일으키게 된다. 마찰은 또한 가해진 힘을 움직이는 관절면에서 고정된 경계면으로 전달한다.

2) 윤활

윤활은 마찰면 사이에 액체나 고체 등의 물질이 삽입되어 물체의 접촉면 사이의 상호작용 즉 마찰과 마모를 감소시키는 현상을 말한다. 윤활의 효율은 두 표면 사이의 접촉 상태와 액체 윤활제의 점성도와 분포에 따라 달라진다. 인공 관절면에서의 윤활은 다음과 같이 크게 세 가지 형태로 구분될 수 있다.

(1) 경계 윤활(boundary lubrication)

경계 윤활에서는 (그림 2A)에서와 같이 접촉면 사이에 윤활제가 공급되어서 표면막(surface film)을 형성하지만, 두 물체 사이의 표면 접촉이 여전히 지속적이고 광범위하게 발생한다. 액막(fluid film)이 고갈되어도 윤활제가 윤활제가 얇게라도 두 접촉면을 덮어 두 접촉면을 미끄럽게한다. 이러한 윤활은 한 쪽 표면은 변형이 생길 수 있고, 마주하는 쪽 표면은 변형이 일어나지 않는 경질(hard)−연질(soft) 조합에서 관찰된다.

(2) 혼합 윤활(mixed lubrication)

혼합 윤활은 (그림 2B)에서와 같이 움직임에 따라 윤활제에 의해 접촉 표면 돌기들이 간헐적으로 접촉하는 부분이 있고 서로 분리되어 있는 액막 윤활(fluid film lubrication)이 혼합되어 있는 경우이다.

(3) 액막 윤활(fluid−film lubrication)

액막 윤활은 (그림 2C)에서와 같이 접촉면이 윤활제에 의해 완전히 분리된 경우를 말한다. 이 경우에 접촉 표

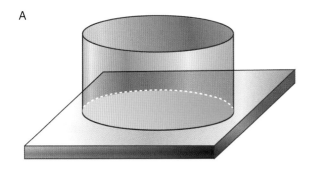
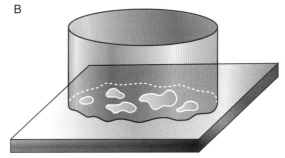

그림 1. 외관상 접촉 면적(A)과 실제 접촉 면적(B)

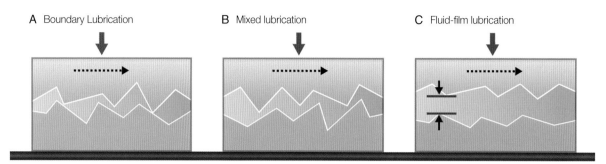

그림 2. 윤활 유형
경계 윤활(A), 혼합 윤활(B), 액막 윤활(C)

면에 가해지는 하중은 모두 접촉면의 상대 운동에 의해 발생되는 유압에 의해 지지된다. 이러한 윤활은 변형이 일어나지 않고 최적의 간극(clearance)을 가진 잘 연마된 표면 사이의 경질-경질 조합에서 발생한다.

3) 인공 관절면에서의 윤활

세 가지 윤활 중에서 가장 이상적인 경우는 접촉 표면이 완전히 분리되어 있는 액막 윤활이고, 이는 실제 인공 관절면을 구성할 때 경질-경질 조합에서 만들 수 있다. UHMWPE과 같은 연질 재료를 세라믹이나 금속과 같은 경질 재료와 조합하여 사용하면 윤활은 경계 윤활 정도에 그치게 되어 연질 재료의 마모를 피할 수 없다. 하지만, UHMWPE을 교차결합시켜 보다 단단한 재료를 만드는 기법에 의해 고도 교차결합 폴리에틸렌을 사용하게 되면서 윤활 상태를 개선시킬 수 있게 되었다. 금속-금속 관절면은 금속-폴리에틸렌 관절면 조합보다 훨씬 단단하지만, 금속의 표면 처리를 최적화하기 어렵기 때문에, 잔존하는 표면 돌기들로 인해 윤활은 혼합 윤활을 갖게 된다. 반면 세라믹-세라믹 관절면에서는 세라믹의 높은 강도와 매우 낮은 표면 조도(roughness)로 인해 액막 윤활이 이루어지게 된다. 실제 고관절 전치환술의 관절면에서 윤활에 영향을 주는 요인은 다음과 같다.

(1) 물성(material properties)

관절면을 이루는 재질 표면의 강도(strength), 강성(stiffness), 경도(hardness), 조도(roughness)와 습윤성(wettability)은 윤활에 중요한 역할을 한다(그림 3). 특히 경도는 윤활 작용이 제대로 이루어지지 않는 고체 또는 경계 마찰에서 마모에 대한 저항성의 척도로 사용된다. 연질 표면은 탄성 변형을 할 수 있는 성질 때문에 표면이 매끄럽게만 유지된 다면 윤활제에 의해 다른 표면으로부터 쉽게 분리될 수 있지만, 폴리에틸렌은 표면을 매끄럽게 가공하기가 어렵고 쉽게 손상을 받는다. 반면, 금속은 폴리에틸렌보다 단단하고 표면을 매끄럽게 가공할 수 있으며, 세라믹은 훨씬 더 단단하고 낮은 조도를 갖도록 연마시킬 수 있기 때문에 윤활에 유리하다. 또한 윤활제에 대한 관절면의 습윤성이 우수할수록 윤활에 더 유리한데, 세라믹은 폴리에틸렌, 금속에 비해 습윤성이 매우 우수하여 실제 관절에서 활액막이 관절면 전체에 걸쳐 일정하게 분포될 수 있기 때문에 액막 윤활이 이루어져 낮은 마모율을 유지할 수 있다.

(2) 반지름 간극(radial clearance)

반지름 간극이란 인공 골두와 비구컵의 반지름 차이로 정의된다. 만일 인공 골두의 반지름이 비구컵보다 크다면, 관절면은 적도면에서 서로 접하게 된다 (그림 4A). 이 경우 하중이 가해지면 극점에서는 접촉이 일어나지 않고 컵의 가장자리에 전달되는데 일치도(conformity)가 불량하여 큰 마찰이 걸리게 된다. 인공 골두가 비구컵 보다 훨씬 작은 경우에는 일치도가 낮고 극접촉(polar contact)을 하게 된다(그림 4B). 이 경우 접촉 면적이 작아 높은 응력이 작용하게 되는데 윤활막이 얇게 형성되기 때문에 높은 마찰과 마모가 발생하게 된다. 이상적인 인공 골두의 크기는 인공 골두가 비구컵보다 약간 작아서 극 접촉을 하지만 높은 일치도를 갖게되는 상태이다(그림 4C). 이 경우 반지름 간격이 작을수록 접촉 면적이 넓어지게 되고, 이차적으로 가해지는 하중의 분산 효과로 인하여 응력이 낮아지고, 윤활막이 두꺼워지면서 액막 윤활을 형성할 가

능성이 높아지면서 마찰과 마모가 감소 효과를 가지게 된다. 정지 상태에서 운동을 시작하면 윤활제가 극 부위로 유입되며, 미끄럼 운동 속도가 증가할 수록 더 많은 윤활제가 유입되어 윤활막이 두꺼워져 액막 윤활을 형성하게 되어 윤활막의 두께도 증가하게 된다(그림 5).

(3) 인공 골두 크기

마모를 감소하기 위해서는 액막 윤활이 형성되어 마찰계수가 줄어야 한다. 액막 윤활이 형성되려면 표면에 가해지는 응력이 작아야 하고(같은 하중이 작용할 때 접촉 면적이 넓어지면 응력이 작아짐) 두 표면의 상대 운동 속도(같은 걸음걸이 속도에서 인공 골두 직경이 커질수록 커짐)가 빨라야 하다. 즉 인공 골두가 커지면 이동 거리의 증가로 인한 마모의 증가, 운동속도

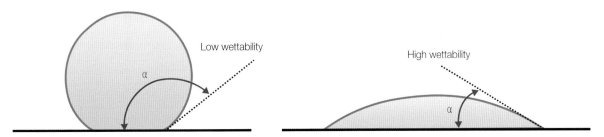

그림 3. 습윤성 지수
액체와 고체가 만날 때 이루는 접촉각(contact angle)을 습윤성 지수(wettability index)로 정의하는데, 각도가 예각일수록 습윤성이 우수하다.

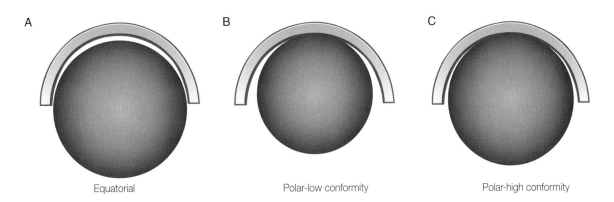

그림 4. 관절면의 간극과 일치도
(A) 적도면 접촉, (B) 낮은 일치도를 갖는 극 접촉, (C) 높은 일치도를 갖는 극 접촉

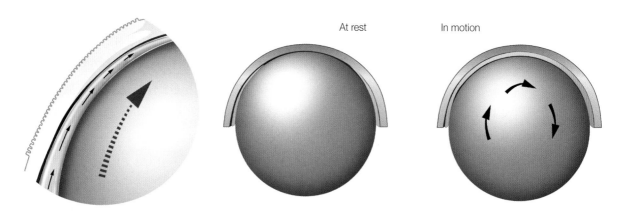

At rest   In motion

그림 5. 이상적인 간극를 가진 관절면에서의 윤활
정지 상태에서는 높은 일치도를 갖는 극 접촉을 하고 있다가, 운동을 하면서 윤활제가 유입되어 관절면 전체에 걸쳐 액막 윤활이 이루어지게 된다.

의 증가와 응력의 감소에 의한 윤활 효과의 증가를 기대할수 있다. 그러나 임상적 결과에서는 폴리에틸렌의 경우에는 하중과 운동거리에 비례하여 용적 마모(volumetric wear)가 증가한다. 인공골두 직경이 작아질수록 접촉응력이 증가하기 때문에 이론적으로 폴리에틸렌의 항복응력(yield stress)보다 접촉응력이 커지지 않는 한도 내에서 인공 골두 크기를 최소화하여 왔다. 이러한 이론적 배경하에 Charnley 고관절 전치환술에서 금속-폴리에틸렌 관절면의 금속 골두 크기의 직경이 22 mm로 정해진 것이다.

금속-폴리에틸렌 관절면에서와는 달리, 금속-금속 관절면은 인공 골두 직경이 커질수록 마모율이 감소한다. 이는 인공 골두 직경이 커질수록 윤활제의 유입 속도가 빨라지게 되어 윤활에 유리하기 때문인 것으로 추정하고 있다. Affatato 등은 금속-금속 관절면에서 28 mm, 36 mm, 54 mm 세 가지 인공 골두 크기를 사용하여 마모율을 비교하였는데, 직경이 28 mm에서 54 mm 로 증가하면 마모율이 절반으로 감소한다고 보고하였다. 하지만, 36 mm와 54 mm 인공 골두 사이에는 유의한 차이가 없었다. 이는 인공 골두 직경이 커질수록 간극도 증가하여 어느 이상 크기가 증가하면 마모율이 증가하기 때문이다.

(4) 구형도(sphericity)

이론적으로는 관절면이 완전 구형이어야 하지만, 공정 과정에서 완벽한 구형을 만들기는 불가능하다. 구형도가 좋지 않을 경우에는 관절면에서 돌출된 부분이 생겨 실제로 접촉하는 면적이 감소되기 때문에 국소적으로 응력이 증가하게 된다.

4) 마모

마모는 접촉면 사이에서의 상대적인 움직임 때문에 발생하는 고체 표면의 손상과 그로 인해 접촉면의 물질이 점진적으로 제거되는 현상으로 정의할 수 있다. 포복(creep)이나 소성 변형은 접촉 표면의 변화를 일으키지만 마모 입자를 생산하지 않기 때문에 엄밀한 의미에서는 마모로 분류되지 않는다. 또한 부식(corrosion)은 기계적인 활성화 없이도 발생할 수 있기 때문에 마모와 직접적으로 연관되어 있지 않다고 할 수 있다. 관절의 마모량은 하중과 관절내 상대 운동 거리, 관절의 접촉면의 넓이에 비례하고 경도에 반비례한다. 즉 고관절 전치환술을 받은 환자의 체중이 무겁고 사용량이 많으면 마모량은 증가하고, 경도가 크면 마모량은 감소한다.

(1) 마모의 종류 (그림 6)

① **점착 마모**(adhesive wear): 점착 마모는 두 표면이 접촉하여 고체 표면이 다른 표면에 대해 미끄러지는 운동을 하면서 발생하게 된다. 미끄러지는 두 표면의 거친 표면에서, 맞붙어 있던 부분이 전단응력에 의해서 미세하게 분리되는 것을 말한다. 접촉하고 있는 두 고체 사이에서 움직임이 일어나기 위해서는 접촉면 사이의 결합이 풀려야 한다. 그런데, 한쪽 고체의 표면이 접촉면 사이의 결합보다 약한 경우에는 상대 운동을 할 때 약한쪽 표면의 층이 얇은 조각(flake) 형태로 떨어져 나오게 된다. 만일 접착 마모에 의해 생성된 마모 입자의 크기가 관절면의 간극보다 큰 경우에는 파편이 연마 마모를 일으킬 수 있다.

② **연마 마모**(abrasive wear): 관절면을 이루는 두면의 경도가 다를 때 높은 경도를 가진 상대쪽 표면의 단단한 돌기나 거친 입자에 의해 낮은 경도의 면이 갈려나가는 형태의 마모를 연마 마모라고 한다. 두 접촉면 사이에 단단한 입자들이 침투했을 때도 연마 마모가 발생할 수 있다(3물체 마모).

③ **피로성 마모**(fatigue wear): 이 형태의 마모는 접촉면 사이에서 한 궤도를 따라 반복적인 상대 운동이 있을 때 발생한다. 이러한 반복적인 하중은 표면 또는 표면 아래에 피로 파괴의 균열이 생겨 여기에 응력이 집중되어 결과적으로 균열이 발생한 표면의 파괴를 야기시키게 된다.

④ **부식 마모**(corrosive wear): 접촉면에서 화학 반응의 결과로 발생하는 부식 마모의 가장 흔한 형태로 산화를 들 수 있다. 마찰 운동에 의하여 부식층이 떨어져나가면 새로운 부식층이 만들며 마모가 진행된다. 부식 마모에 의한 산화물은 접촉면을 거칠게 만들기 때문에 마찰을 줄이기 위해 극도로 부드러운 표면이 요구되는 관절면에서 특히 악영향을 미치게 된다.

⑤ **미동 마모**(fretting wear): 미동 마모는 고체표면이 고체 또는 액체 입자들과 부딪히면서 마모되는 현상으로 낙수에 의해 바위에 구멍이 뚫리는 것이 좋은 예라고 할 수 있다.

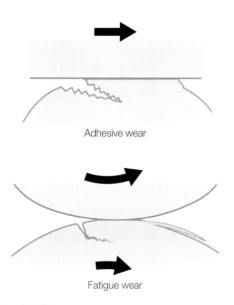

Adhesive wear

Fatigue wear

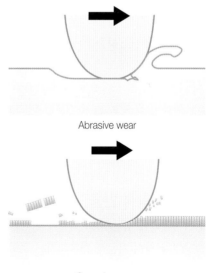

Abrasive wear

Corrosive wear

그림 6. 마모의 종류

(2) 마모 유형

마모 유형(wear mode)은 마모가 발생할 때 관절면이 기능하고 있는 기계적인 조건 및 상태로, 정적인 상태가 아니라 하나의 유형에서 다른 유형으로 변할 수 있다. 즉, 두 접촉면 사이에서 연삭에 의해 생성된 입자 파편은 경계면 매체(interfacial medium)가 되어 3물체 연마 마모(third-body wear)를 일으킬 수도 있다. 1형 마모는 두 개의 일차 관절면 사이에서 상호 간에 발생하는 형태이고, 2형 마모는 일차 관절면이 이차 관절면에 대해 운동하면서 발생하는 형태이다. 대개 2형 마모는 정상적인 형태의 마모가 아니라 1형 마모가 과도하게 발생한 후에 일어날 수 있다. 3형 마모도 두 개의 일차 관절면 사이에서 발생하지만, 두 관절 사이에 침투된 3물체에 의해 마모가 이루어지는 경우이다. 이 경우 침투된 입자는 한쪽 또는 양쪽 관절면을 직접적으로 연삭시키게 되어, 두 물체 사이의 마모(two body abrasive wear)와 구분하여 세 물체 마모(three body abrasive wear)라고도 한다. 3형 마모에 의해 관절면이 일시적 또는 영구적으로 거칠어지면서 1형 마모를 가속화시 킬 수 있다. 4형 마모는 두 개의 이차 관절면 또는 일차 관절면이 아닌 표면 사이에서 발생하는 마모이다. 4형 마모는 금속-시멘트 경계나 골-시멘트 경계에서 발생하는 마모, 소위 후면 마모(backside wear)라고 하는 폴리에틸렌과 금속 삽입물 사이 경계에서 발생하는 마모, 또는 조립형 테이퍼(taper)의 미동(fretting)과 부식 등을 예로 들 수 있다. 4형 마모로 인해 발생하는 입자들도 일차 관절면으로 이동하여 3물체 마모를 유발할 수 있다.

3. 마모와 생물학적 반응

고관절 전치환술은 지난 50년간 환자의 통증을 감소시키고 손상된 관절의 기능을 회복시키는 효과적인 수술임이 입증되었지만 영구적으로 사용 할 수는 없다. 골용해와 삽입물 해리는 고관절 전치환술 실패 원인의 75% 이상을 차지하며, 인공 관절의 수명을 좌우하는 중요한 합병증으로 주로 관절면의 마모로 발생한 마모 입자의 생물학적 반응과 관련이 있다.

1) 마모 입자의 발생과 특성

마모 입자는 관절운동 과정에서 인공 관절의 구성 성분이 유리된 것으로 대부분 관절면에서 생성된다. 생물학적 반응의 특성에 따라 폴리에틸렌, 세라믹, 금속, 시멘트 등의 입자성 마모 입자와 금속 이온 등의 용해성 마모 입자로 분류할 수 있다. Fisher 등은 폴리에틸렌 마모 입자에 대한 '기능적 생물학적 활성 지수'의 개념을 도입하고, 대식세포 자극실험에 의하여 결정되는 마모 입자에 대한 생물학적 활성 및 입자의 농도 등을 정의하였다. 골용해의 발생에는 관절면 자체 특성뿐만 아니라 마모의 양, 마모 입자에 대한 특정 생물학적 활성, 골두의 크기와 같은 여러 인자들이 복합적으로 관련되어 있다.

(1) 금속-폴리에틸렌 관절면

전통적인 금속-폴리에틸렌 관절면에서 발생되는 폴리에틸렌 마모 입자의 크기는 평균 $0.5 \mu m$이며, 나노 크 기의 매우 작은 입자와 $250 \mu m$나 되는 섬유형의 마모입 자도 발생되지만 70-90%가 $1 \mu m$ 이하이다. 대식세포가 $0.21-7.2 \mu m$의 크기의 마모 입자에서 가장 잘 활성화되므로, 대부분의 폴리에틸렌 마모 입자가 염증반응을 유발한다. 폴리에틸렌 마모 입자의 모양은 대부분 구형이고 섬유형과 같이 다양한 형태로도 관찰된다. 구형 마모 입자보다 섬유형 마모 입자가 염증반응을 더 잘 일으 키고, 표면이 거친 마모 입자가 매끈한 마모 입자보다 염증 매개인자를 더 많이 활성화한다. 따라서 폴리에틸렌 마모 입자는 크기, 형태, 표면 상태 등에 따라 염증반응의 정도는 다르게 나타난다(그림 7).

마모 입자와 생물학적인 반응의 상관관계가 밝혀지면서, 물리적 특성이 강화된 고도 교차결합 폴리에틸렌(highly cross-linked polyethylene)이 개발되어 전통적인 폴리에틸렌을 대체하고 있다. 고도 교차결합은

그림 7. 폴리에틸렌 마모 입자의 전자현미경 사진
고관절 전치환술 후 발생한 골용해 조직에서 체취한 폴리에 틸렌 마모 입자의 전자현미경 사진으로 마모 입자는 다양한 크기와 형태로 관찰된다(× 6,000).

전통적인 폴리에틸렌에 비교 시 마모와 골용해 발생이 현저한 감소를 보이고 있으나 마모 입자에 의한 생물학적 반응이 없는 것은 아니다. 금속-고도 교차결합 관절면에서 마모 입자의 발생량과 섬유형 마모 입자의 비율은 줄어들었지만, 0.1-1 µm의 작은 마모 입자는 증가하여 대식세포에 쉽게 탐식되고 더 강한 염증반응을 유발할 수 있다. 또한 고도 교차결합된 폴리에틸렌 마모 입자가 자체가 전통적인 폴리에틸렌 마모 입자에 비해 생물학적인 활성도가 높아 염증반응을 더 많이 일으킨다는 보고도 있다. 그러나 고도 교차결합 마모 입자의 염증반응은 저농도에서는 전통적인 폴리에틸렌 마모 입자와 차이가 없었고, 고농도에서만 차이가 있어 마모 입자가 적게 발생하는 고도 교차 결합에서는 문제가 되지 않는다는 주장도 있다. 즉 고도 교차결합 폴리에틸렌의 마모 입자는 더 강한 염증반응을 유발하는 성향이 있으나 그 발생량이 매우 적어 골용해증은 현저히 감소되었다.

폴리에틸렌 라이너의 마모는 관절면뿐만 아니라 비구컵 나사 구멍과 라이너 사이에서 미세 움직임으로 인하여 발생할 수 있으며, 마모 입자의 크기는 관절면 주위에서 관찰되는 마모 입자보다 비교적 크다. 비구

컵을 고정하는 금속나사는 비구컵의 초기 안정성에 도움이 되지만 부식이 발생하면 금속 마모 입자를 발생시킬 수 있다. 전통적인 금속-폴리에틸렌 고관절 전치환술에서 금속 마모 입자는 골이나 시멘트에 접해있는 스템에서 발생할 수 있지만, 주로 모스 테이퍼(Morse taper)와 금속 헤드 연결부위에서 발생한다. 특히 환자 맞춤형 삽입물로 이용되는 조립식 디자인에서 많이 발생할 수 있다. 금속-폴리에틸렌 고관절 전치환술에서 금속 마모 입자는 상대적으로 적게 발생하지만 염증 반응에 일조하고, 금속-폴리에틸렌관절면에서 3물체 마모(third-body wear)를 유발할 수 있다.

(2) 금속-금속 관절면

금속-금속 관절면에서 발생하는 금속 마모 입자의 크기는 대략 0.05 µm로 폴리에틸렌 마모 입자보다 작다. 둥근 모양이 대부분이나 바늘 모양의 긴 형태로도 관찰된다. 금속 마모 입자는 부식에 취약하므로 금속 이온을 배출하여 생물학적 반응을 유발할 수 있다. 대략 150 nm 이하의 나노 크기의 마모 입자는 세포내 이입(endocytosis)에 의해 세포 속으로 흡수되고, 150 nm 10 µm 크기의 마모 입자는 골모세포, 섬유모세포, 내피 세포, 대식세포 등에 탐식된다. 탐식한 세포는 T세포를 활성화하고, 염증 매개인자를 분비하여 세포독성과 유전자 손상을 유발할 수 있다. 화학적 반응성이 높은 금속 마모 입자는 동일 조건의 폴리에틸렌 마모 입자보다 더 많은 염증 반응을 유발할 수 있다.

(3) 세라믹-세라믹 관절면

세라믹 마모 입자는 대부분 구형으로 마모 입자의 검출 방법에 따라 차이는 있지만 1-35 nm의 작은 마모 입자군과 0.021-10 µm의 큰 마모 입자군의 두 가지 크기로 관찰된다. 세라믹 마모 입자는 동일 조건에서 폴리에틸렌 마모 입자보다 종양괴사인자(tumor necrosis factor, TNF-α)의 분비가 적어 상대적으로 염증반응을 적게 일으킨다.

2) 골용해의 특성

삽입물 주위에 발생하는 골용해는 John Charnley에 의해 'cystic erosion'으로 처음 기술되었고, 조직 검사에서 시멘트가 포함된 육아조직이 관찰되면서 '시멘트 병(cement disease)'이라고 불리기도 하였다. 그러나 생체내 실험, 동물실험, 조직 검사 등을 통해 폴리에틸렌 등의 마모 입자에 의해서도 골용해가 발생되는 것이 밝혀지면서 '시멘트 병'이라는 명칭은 사용되고 있지 않다. Willert와 Semlitsch는 마모 입자에 의한 생물학적 반응과 골용해와의 관련성을 처음으로 제시하였고, 실패한 삽입물의 주위 조직에서 큰 마모 입자를 에워싼 다핵 거대 세포와 섬유성 기질에 다양한 형태의 마모 입자를 탐식한 대식세포가 관찰되면서 대식세포가 마모 입자에 대한 염증반응에 가장 중요한 역할을 함이 밝혀졌다.

마모 입자는 관절액의 펌프작용에 의해 삽입물과 골 사이의 유효 관절 공간(effective joint space)으로 이동하고, 마모가 증가할수록 삽입물과 인접 골 주위에 쌓이게 된다. 이 과정에서 삽입물의 디자인, 재질, 코팅 등의 특성에 따라 마모 입자의 이동과 골용해의 발생 부위가 달라진다. 인공 관절면에서 발생한 마모 입자는 대식세포에 의해 탐식되고 림프관을 통해 제거되어야 하지만, 관절면 소재와 과다한 발생량에 따라 제거되지 못하고 대부분 국소적으로 쌓여 삽입물 주위에서 육아조직을 형성한다. 과도하게 발생한 마모 입자는 혈액이나 임파선을 따라 폐, 신장, 간, 비장, 임파선 등으로도 이동할 수 있다.

골용해와 무균성 해리는 영상학적으로 다른 특징을 보이지만 기본적으로 유사한 생물학적 기전에 의해 발생하는 것으로 보고하고 있다. 재치환술을 통해 수거한 치환물 주위 조직은 염증성 육아조직 형태를 보이며, 대식세포와 마모 입자뿐만 아니라 interleukin (IL)-1β, TNF-α, prostaglandin E2 (PGE2), IL-6 등 항염증 사이토카인이 증가되어 있다. gelatinase, stromelysin, matrix metalloproteinase (MMP-1, 9,

10, 12, 13) 등과 같은 기질분해효소(matrix-degrading enzyme)도 증가되어 있어, 다양한 염증 매개인자와 효소들이 파골세포의 골흡수를 촉진하고 섬유성 조직 형성에 관여하고 있다. 동물실험에서도 티타늄합금, 코발트-크롬 합금, 폴리에틸렌 마모 입자를 주입하면 섬유아세포, 대식세포, 거대세포, 마모 입자를 포함한 탐식세포 등으로 구성된 육아종이 형성되고, 배양된 조직에서도 다량의 IL-1, PGE2, 교원질 분해효소 등이 관찰되므로 마모 입자가 염증세포와 염증매개 인자를 통해 파골세포를 활성화하여 골용해를 유도할수 있음이 증명되었다.

3) 마모 입자에 대한 생물학적 반응

마모 입자에 의해 발생하는 염증반응은 비면역성(비특이적) 염증반응과 면역성 염증반응으로 분류할 수 있다. 비면역성 염증반응은 폴리에틸렌과 세라믹 마모 입자에 대해 대식세포와 섬유모세포가 주로 작용하며, T-파구의 활성은 뚜렷하지 않다. 면역성 염증반응은 금속성 마모 입자에 의해 발생하며, 혈관주위에 T-임파구가 광범위하게 활성화되어 있다(그림 8).

(1) 폴리에틸렌 마모 입자

염증반응에서는 단핵세포, 대식세포, 임파구, 섬유모 세포 등 여러 종류의 세포가 관여하고 있지만, 마모 입자를 에워싸거나 탐식하는 거대세포와 대식세포가 가장 중요한 역할을 한다. 대식세포는 염증 부위에서 일 차적으로 반응하는 세포로써 선천성 면역 핵심인 중성 백혈구와 함께 면역반응의 초병 역할을 하고, T 임파구를 활성화하여 면역반응을 유발한다. 대식세포가 폴리 에틸렌 마모 입자에 반응하면 IL-1β, IL-6, GM-CSF 등의 사이토카인 발현이 증가된다. 특히 IL-1, TNF-α, PGE2 등이 파골세포를 활성화시켜 골흡수를 유도한다. 염증성 사이토카인은 자가분비(autocrine)와 주변분비(paracrine)를 통해 다른 염증세포들을 끌어들여 사이토카인 분비를 더욱 촉진하고,

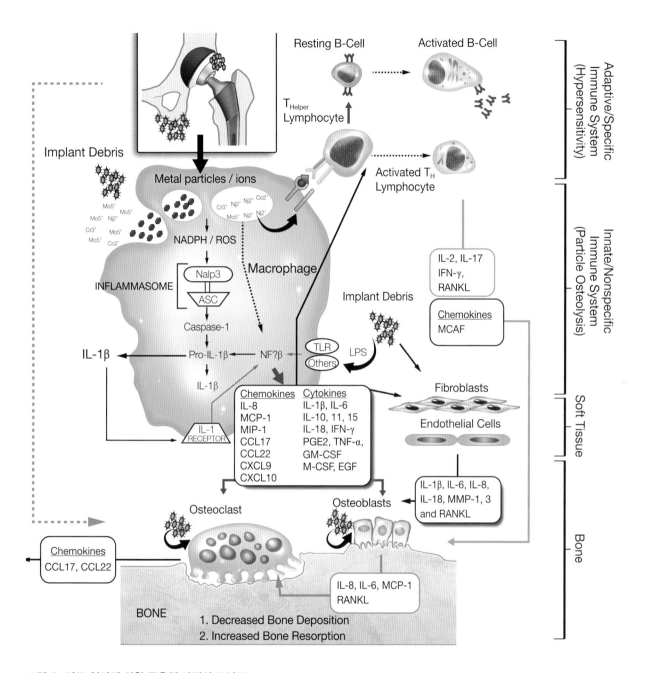

그림 8. 마모 입자에 의한 골용해 과정의 모식도

대식세포가 마모 입자를 탐식하면 염증성 사이토카인의 분비가 증가하여 인접한 조직에 염증반응을 유발하고, 파골세포를 활성화하여 골흡수를 촉진한다. 조골세포는 마모 입자에 의한 직접 접촉이나 대식세포에서 분비된 TNF-alpha의 자극으로 골형성능의 감소가 발생하여 골용해증이 발생한다.

파골세포 전구체의 분화와 성숙을 유도하고, 기질분해 효소의 발현을 증가시킨다. Matrix metalloproteinase (MMPs)는 골의 유기성 기질을 분해하고, 파골세포는 골의 무기질을 흡수하게 된다.

이러한 생물학적 반응이 광범위하게 지속될 경우 파골세포와 골모세포의 항상성을 무너지고 골흡수가 증가된다. 대식세포는 염증 매개 인자를 분비하여 골흡수를 유도할 뿐만 아니라 vascular endothelial growth factor (VEGF)를 다량 분비하여 혈관형성을 촉진하고, transforming growth factor-β1 (TGF-β1)과 같은 성장 인자를 분비하여 섬유모세포의 증식을 자극한다. 이는 염증에 대한 치유반응으로 골흡수 과정에서 섬유모세포는 염증조직을 둘러싸고, 섬유조직 및 혈관이 풍부한 반흔조직을 형성한다. 골-삽입물 사이에 섬유성 조직으로 채우고 나면 신생골이 형성될 공간이 부족하여 삽입물의 고정이 불안정하여 해리를 유발할 수 있다. 또한 섬유 모세포는 마모 입자를 탐식할 수 있으며 골기질을 분해하는 효소를 분비하여 골용해의 발생과정에도 영향을 미친다.

정상골에서는 파골세포에 의한 골흡수가 증가되면 모세포의 골형성이 유도되어 골의 항상성을 유지하는데, 이 과정에서 골형성이 제대로 이루어지지 않으면 골소실을 보상할 수 없게 된다. 마모 입자는 골모세포에 탐식되어 직접적으로 골모세포 증식을 억제하고 대식세포를 통한 TNF-α 자극, PGE2 생성을 자극하여 조골세포 분화와 세포외 기질 생성을 방해한다. 골모세포가 마모 입자를 탐식하면 골모세포의 분화를 유발하는 IL-6의 분비를 촉진시키지만 1형 교원질 생성을 억제함으로써 골형성이 억제된다. 결국 마모 입자는 IL-1, IL-6, TNF-α 등과 같은 염증 매개인자의 분비 함으로써 파골세포의 분화와 활성을 촉진하여 골흡수를 유도할 뿐만 아니라 섬유모세포의 활성을 증가시키고 골모세포의 골형성능을 억제하여 골흡수 발생 부위를 골조직으로 복원하지 못하여 섬유성 조직으로 대신 채워지게 된다.

골흡수를 담당하는 파골세포의 분화와 성숙은 골모세포의 분비되는 인자에 의해 조절된다. Receptor activator of nuclear factor kappa-B ligand (RANKL)는 골모세포와 골수 기질세포에 발현되며 파골세포 분화를 촉진한다. Osteoprotegerin (OPG)은 기질세포에서 분비 되는 당단백으로 TNF-receptor 계열로써 파골세포의 분화를 억제한다. RANKL의 수용체인 receptor activator of nuclear factor kappa-B (RANK)는 파골세포 전구체표면에 발현되며 TNF 계열과 유사성을 지닌다. OPG는 RANKL에 부착하여 RANKL이 수용체 (RANK)에 결합하는 것을 방해하여 파골세포 생성과 활성을 억제한다. RANK-RANKL-OPG 체계는 파골세포 생성과 활성을 조절하는 주된 기전으로 밝혀지고 있으며, 다양한 사이토카인이 이 과정에 영향을 미친다. 대표적으로 TNF-α는 RANKL의 발현을 증가시켜 파골세포의 활성을 촉진하고 파골세포 사멸을 억제하여 골흡수를 유도한다.

(2) 금속 마모 입자

코발트-크롬 합금에서 유리된 마모 입자와 금속 이온은 대식세포를 활성화하고 TNF-α, IL-1β, IL-6, PGE2 등을 분비하여 파골세포의 분화와 골흡수를 유발한다. 또한 골모세포의 분화와 교원질의 합성을 억제하고, 골모세포의 자멸을 유도하여 골형성을 억제한다. 금속 마모 입자는 폴리에틸렌 마모 입자와 유사하게 비특이적 염증반응을 유도하지만, 금속 이온은 면역 반응을 유발할 수 있다. 실패한 금속-금속 인공 관절 주위 조직에는 혈관주변으로 임파구가 많이 관찰된다. 이는 지연성 과민성(hypersensitivity) 반응과 유사한 소견으로 금속 이온이 단백질과 결합하면 항체로써 작용하여 과민성 반응을 유발할 수 있음을 의미한다.

Willert 등은 조직학적 검사에서 임파구 침착, 형질세포(plasma cell), 호산성 과립구, 내피 혈관, 국소적 출혈, 섬유성 삼출, 괴사, 대식세포 등을 관찰하였는데, 이를 aseptic, lymphocyte-dominated, vasculitis-associated lesion (ALVAL) 혹은 lymphocyte−dominated immunological answer (LYDIA)라고 기술하였다. 또 다른 연구자들은 결체조직의 광범위 괴사, 대식세포와 임파구의 침착, 형질세포, 호산구 등을 특징으로 하는 가성 종양(pseudotumor)을 보고하였는데, 가성 종양은 ALVAL과 유사한 소견을 보이나 미만성의 임파구 침착과 광범위한 결체조직의 괴사가 특징적이다. 두 가지의 조직학적 소견은 금속 이온의 과민성 반응에 의한 것으로 보고 있으나 발생 기전은 명확하지 않아 최근에는 adverse reaction to metal debris (ARMD)로 기술되고 있다.

금속−금속 관절면에서 금속 과민성 반응이 무균성 해리의 발생과의 상관관계에 대해서는 추가적인 연구가 필요 하지만 골용해 발생 과정에서는 관련성이 있는 것으로 보고 있다. 현재까지 금속 삽입물과 관련된 과민성 반응의 발생을 수술 전에 예측하기는 어렵다. 금속 알레르기에 대한 첩포 검사를 시행할 수 있으나 심부조직에 있는 삽입물의 과민성 반응을 의미한다고 볼 수는 없다. 금속 과민성 반응은 니켈, 크롬, 코발트, 베릴륨 등에서 주로 발생하며, 티타늄 탄탈륨, 바나디움 등에서도 보고되고 있다. 니켈은 첩포 검사에서 약 14% 정도로 나타나 가장 흔하고, 다음으로 코발트, 크롬 순으로 발생한다. 티타늄 합금은 스테인레스 강철과 코발트 합금보 다 과민성 반응이 적게 발생한다. 금속−금속 고관절 전치환술 후 실패한 환자의 60%가 금속 과민성 반응을 가지고 있는데, 이는 정상인에 비해 약 6배 높은 빈도이다. 알루미늄(Al; 1−10 ng/ml), 크롬(Cr; 0.15 ng/ml), 바나디움(V; <0.01 ng/ml), 코발트(Co; 0.1−0.2 ng/ml), 티타늄(Ti; <4.1 ng/ml) 등의 금속 이온은 체내 단백질과 결합하여 액체 상태로 주위 조직이나 다른 장기로 이동할 수 있다. 금속−금속 고관절 전치환술 후 혈청 코발트 농도는 1년에 1 μg/L, 5년에 0.7 μg/L로 상승하고, 표면 치환술 후에는 혈청 크롬 농도는 22배, 코발트는 8배 증가하는 것으로 보고되고 있다.

그러나 금속−금속 관절면에서는 디자인, 금속헤드 크기, 수술수기 등에 따라 다른 마모율을 보이므로 혈중 금속 이온의 농도의 상승은 다르게 나타날 수 있다. 티타늄 합금을 사용한 환자는 삽입물 주위 조직에서 알루미늄, 바나디움, 티타늄의 농도가 증가하고, 비장에는 알루미늄, 간에는 티타늄의 농도가 증가한다. 생체 내에서 코발트의 농도가 증가하면 적혈구증가증(polycythemia), 갑상선 저하증, 심근병증, 종양 등이 발생 빈도가 증가하고, 크롬과 니켈은 습진성 피부염(eczematous dermatitis), 과민성 반응, 종양 등을 유발할 수 있다. 바나디움은 심장과 신기능 이상을 유발할 수 있고, 고혈압, 조울증의 발생과 관련이 있다. 코발트의 세포독성은 크롬에 비해 약 40−50배 강하며 이론적으로는 유전자 변이와 종양을 유발할 수 있다. 코발트(Co^2+) 와 크롬(Cr^3+)은 중성에서 안정적이지만 Cr^6+는 세포막을 통과하여 유전자 손상과 변이를 유발할 수 있다. 그러나 이러한 연구는 매우 제한적이고, 혈중 금속 이온 농도와 유전적 변이는 연관성이 없다는 연구도 있으므로 논란이 있다. 동물실험에서는 코발트, 크롬, 니켈 등이 임파종, 골육종, 섬유육종 등을 유발하지만 사람에게 종양을 유발하였다는 근거는 없으므로, 금속 이온과 암 발생과의 관계는 추가적인 연구가 필요하다.

(3) 세라믹 마모 입자

세라믹은 다른 마모 입자와 동일한 생물학적 반응이 약하게 발생하는 것으로 보고 있다. 덩어리 형태에서는 생물학적으로 안정적이지만 세라믹 마모 입자는 대식세포를 활성화시킬 수 있다. 삽입물 주위에서 채취한 조직에서 세라믹 마모 입자와 함께 혈관이 풍부한 염증성 조직과 대식세포가 관찰된다. 금속 및 폴리에틸렌 입자와는 달리 알루미나 입자의 경우 거대세포(giant cells)가 주변에서 관찰되지 않으며 주로 대식세포에 의해 포식되는 것으로 알려져 있다. Bohler 등은 재수술 조직들을 분석한 결과 알루미나−알루미나 관

495

절면에서 발생하는 마모 입자의 용적당 개수가 금속-폴리에틸렌 관절면에서 발생하는 마모 입자보다 2–22배 적었을 뿐만 아니라 알루미나 입자는 세포 반응도 적었다고 보고하였다.

조직 내에서 세라믹 마모 입자의 농도가 증가하면 TNF-α의 분비가 증가하고, 1–7 μm의 크기에서 생물학적 활성도가 가장 높다. 이물반응(foreign-body reaction)은 대량의 입자가 있는 경우만 관찰되며 입자의 포식으로 끝나는 경우가 많다. 알루미나 입자의 경우 폴리에틸렌 입자 보다 주변 조직의 PG-E2 수치가 낮으며 IL-1, IL-6 생성 및 아라키돈산(arachidonic acid) 대사 과정에 미치는 영향도 미미하다. 폴리에틸렌 입자보다 알루미나 입자가 세포에 의해 더 포식이 잘 되나 TNF-a 생성 및 분비의 자극은 더 적으며 대식세포의 자멸사(apoptosis)를 유도하는 능력도 알루미나 입자가 더 빠른 것으로 알려져 있다. 이러한 이유들로 인해 알루미나-알루미나 관절면으로 인한 골용해의 발생률이 적은 것으로 생각되고 있다. 다량의 세라믹 입자는 다른 입자들과 마찬가지로 골용해를 일으킬 수 있으며 충분한 양의 세라믹 입자들이 존재하면 이물 반응을 촉진시켜 골용해를 일으킬 수 있다.

4. 폴리에틸렌-금속(세라믹) 인공 관절면

Chanley경에 의해 시작된 저마찰 관절치환술(low friction arthroplasty)이 성공적인 결과를 보였으나 장기 추시 상 마모와 골용해 그리고 이로 인한 삽입물의 해리 등이 발생하고 이것이 폴리에틸렌 마모 입자로 인한 것으로 밝혀졌다. 이후 다양한 대체물들이 개발되었으나 오히려 실패를 부르는 경우가 많이 있어 다시 폴리에틸렌의 개선을 통한 시도들이 계속되고 있고 전 세계적으로는 폴리에틸렌 베어링이 90% 이상을 차지하고 있다. 장기 생존을 위해 세라믹 관절면을 이용하기도 하나 세라믹의 파손 및 골절 혹은 관절운동 시 소리가 나는 경우가 있고 금속-금속 관절면은 장기 추시 상 금속증(metallosis), 가성 종양(pseudotumor)등의 문

제들이 발견되어 그 사용이 감소하는 추세이다.

우리나라의 고관절 치환술이 시행되는 가장 흔한 원인은 대퇴골두 골괴사이므로, 대상 환자들의 여명이 긴 경우가 많아 인공 관절의 장기 생존이 중요 하다. 본 단락에서는 기존의 폴리에틸렌 또는 고도 교차결합 폴리에틸렌과 단단한 인공 골두인 금속 및 세라믹을 사용 한 고관절 전치환술의 마모, 생물학적 반응과 골용해, 그리고 임상적 결과들에 대해 소개하고 최근에 개발된 새로운 소재들에 대해 기술하고자 한다.

1) 초고분자량 폴리에틸렌의 마모

(1) 기존 폴리에틸렌과 고도 교차결합 폴리에틸렌

에틸렌(ethylene)은 2개의 탄소원자와 4개의 수소원자로 이루어진 탄화수소(C_2H_4)이며 폴리에틸렌은 에틸렌가스를 중합 하여 만든 것으로 열가소성 플라스틱의 한 종류이다. 인공 관절의 관절면 재료로 사용되는 것은 초고분자량 폴리에틸렌(ultrahigh molecular weight polyethylene, UHMWPE)으로 가루의 형태의 원재료를(그림 9) 가열하여 녹이고 이것에 압력을 가하여 뽑아내거나(extrusion) 고온 압착(hot molding)하여 생산한다(그림 10). Chanley경의 저마찰 관절치환술에는 처음에 Teflon (polytetrafluoroethylene)이 사용되었다가 300예 정도의 임상 경험에서 연간 2.26 mm의 선상 마모(linear wear)가 나타나면서 폴리에틸렌으로 베어링의 재료가 교체되었다.

폴리에틸렌 마모 입자가 골용해의 주 원인으로 밝혀지면서 마모를 덜 일으키게 하기 위한 시도들이 있었다. 기존 폴리에틸렌 보다 강하게 만들고자 결정체를 늘리고 밀도를 증가시킨 Hylamer (Dupont, Welmington, Del, USA)가 출시되었으나 마모도 기존 폴리에틸렌 보다 강하지도 않으면서 오히려 편심 마모(eccentric wear)가 증가하여 시장에서 퇴출되었다. 그 후 포복(creep)에 강한 탄소 섬유를 함유한 폴리에틸렌(C-poly)이 출시되었는데 탄소 섬 유의 영향으로 검은색을 띄었다. 이 역시 기존의 폴리에틸렌에 비하여 장

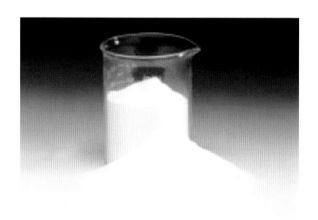

그림 9. **가루 형태의 폴리에틸렌 원재료**

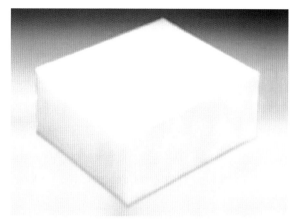

그림 10. **압착 가공한 폴리에틸렌 Sheet**

점은 없고 조기 실패가 많아져 시장에서 퇴출되었다.

폴리에틸렌을 인체에 사용하기 위해서는 멸균 과정이 필요한데 폴리에틸렌의 융점 온도가 137-140℃가량이므로 제조 후 소독 방법으로 가압 멸균할 수 없다. 따라서 25-40 kGy로 방사선 조사하거나 산화에틸렌(ethylene oxide, EO) 가스, 가스 플라즈마(gas plasma) 등으로 소독하여 포장 후 수술실에서 사용 직전 개봉하여 사용한다. 이 중 방사선 조사 소독 방법은 공기 중에서 시행하는 경우 활성산소가 생성되어 산화 작용을 일으키고 이로 인하여 폴리에틸렌 내부의 사슬이 끊어져 물성에 심각한 영향을 주어 마모에 취약하게 된다. 1990년대 말부터 폴리에틸렌을 소독할 때는 저산소 환경에서 방사선 조사하거나 EO 가스 소독을 하고 진공 포장 또는 아르곤 가스 주입 포장을 통하여 산화를 최소화하고 있다. 1970년대 일본에서 Oonishi 등은 1,000 kGy 방사선 조사로 고도 교차결합 폴리에틸렌(highly cross linked polyethylene, HXLPE) 비구컵을 만들어 임상에 적용하여 마모성이 우수하다고 발표였으나 그 후 별 주목을 받지 못하다가 1990년대 말에 50-100 kGy 가량의 저용량 방사선 조사로 고도의 교차결합을 만든 고관절 비구 라이너를 소개하였는데 이 당시 제품들이 1세대 고도 교차결합 폴리에틸렌이다. 제조 과정은 방사선 조사, 조사 후 열처리, 소독 등의 3

단계로 나누어지며 방사선 조사 방법은 수분 내에 높은 에너지 광자에 의한 사슬 절단이 가능하도록 전자빔 조사를 사용하고 조사 후엔 폴리에틸렌 내부의 장사슬은 단사슬로 절단된다. 남아있는 유리 라디컬을 제거하는 방법은 재용해(remelting)방법과 담금 열처리(annealing) 과정이 있다 재용해 방법은 방사선 조사된 폴리에틸렌을 140℃ 이상으로 가열하여 남아있는 유리 라디컬을 제거하는 방법인데 유리 라디컬은 제거되지만 가열로 인하여 폴리에틸렌의 기계적인 물성 변화가 발생하며 연성이 감소한다는 단점이 있으며 담금 열처리(annealing) 과정은 방사선 조사된 폴리에틸렌을 140℃ 이하로 가열하여 남아있는 유리 라디컬을 제거하는 방법인데 유리 라디컬은 제거되지만 완전히 제거되질 않아서 인체 내에 장시간 삽입 시에 산화의 가능성이 여전히 존재한다는 단점이 있지만 가열로 인하여 발생되는 폴리에틸렌의 기계적인 물성 변화가 적게 나타난다는 장점이 있다. 이 고도 교차결합 폴리에틸렌은 점착 및 연마 마모 저항성은 크지만 피로 골절에 대한 저항, 최대 인장 강도 및 골절 저항력은 오히려 감소한다. 또한 마모에 강하다는 것은 마모로 인한 입자가 그 만큼 작아진다는 것이고 이 작은 입자는 보다 생물학적인 활성도가 높아 골용해를 일으킬 가능성이 더욱 크다는 것이 문제점이다. 그러나 실제 임상에서는 기존 폴리에틸렌 보다 훨씬 낮은 마모율과 골용해의 발생률이 보고 되고 있다. 최근에는 응력 부하가 많고 높은 내마모성을 필요로 하는 비구컵과 슬관절의 삽입물에 적용하기 위하여 방사선 조사와 담금 열처리의 과정을 순차적으로 3차례 반복하여 더욱 많은 양의 교차결합을 유도한 2세대 고도 교차결합 폴리에틸렌이 개발되어 사용되고 있으며(예, X3(Stryker, Mahwah, NJ, USA), Arcom XL (Biomet, Warsaw, IN, USA 등) 가열로 인하여 발생되는 폴리에틸렌의 기계적인 물성 변화가 적게 하는 담금 열처리(annealing) 과정에서 남아있는 유리 라디컬을 제거하는 방법인데 비타민 E를 삽입하는 폴리에틸렌이 개발되어 인체에 사용되고 있으나 장시간 추시 결과는 아직 보고되지 않고 있다 (그림 11).

(2) 관절면의 마모에 대한 연구 현황

인공 관절을 사용하면서 마모는 필연적이며 이에 대한 많은 연구가 진행되어 왔다. 마모는 과거에 가장 많이 사용되었던 금속 골두와 기존 폴리에틸렌의 관절면에서 가장 심하다. 고관절 시뮬레이션 결과 28 mm 골두를 사용한 경우 용적 마모(volumetric wear)가 32.8 mm³/million cycle 이며, 방사선적으로 측정한 1년에 0.1 mm의 선상마모(linear wear)는 38.3 mm³의 용적 마모를 의미하여 이는 재치환술의 가능성이 높음을 시

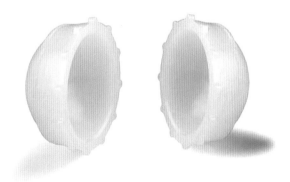

그림 11. 기존 폴리에틸렌과 고도 교차결합 폴리에틸렌 라이너 육안상으로는 구별이 되지 않는다.

사한다. 이런 이유로 개발된 고도 교차결합 폴리에틸렌은 세라믹 골두 사용 시 약 30% 정도 적은 용적 마모를 보였다. 실험실 자료는 73–87% 정도 용적 마모를 줄였다는 보고도 있다.

세라믹 골두는 표면의 거칠기가 금속에 비해 우수하므로 윤활제를 물로 하여 실험한 결과는 금속 골두에 비해 20배가량 적은 마모를 보였고 좀 더 생리학적인 환경에서 실험한 결과는 50% 정도 마모를 줄이는 효과가 보고되었다. 임상 연구로 기존의 폴리에틸렌을 사용한 연구에서는 금속 골두를 사용한 경우가 세라믹 골두에 비해 1.7–4배 가량 선상 마모가 더 많다고 보고되었다.

대퇴골두의 크기에 의해서도 마모의 양이 차이가 나고 골두가 클수록 용적 마모의 양은 증가한다. 금속-기존 폴리에틸렌관절면의 연구에서 28 혹은 32 mm 골두 를 사용한 경우 22 mm 골두에 비해 74% 가량 더 많은 용적 마모가 보고되었다. 이는 대략 대퇴골두가 1 mm 증가할 때 7.8%의 용적 마모가 증가하는 것을 의미하고 회수 연구(retrieval study)에서는 1 mm 증가할 때 1년에 5.1 mm³의 용적 마모 증가를 보고하였다. 그러나 고도 교차결합 폴리에틸렌의 경우 실험실 결과는 46 mm 골두를 사용하여도 마모에 차이가 없다고 보고되고 있으며 28 mm 대퇴골두 사용에 대한 10년 이상의 장기 추시 결과에서도 교차결합 폴리에틸렌이 마모가 적은 것이 보고되었다. Choi 등은 36 mm의 금속 골두와 고도 교차결합 폴리에틸렌을 사용하여 비교적 젊은 환자에서도 10년 이상 추시 결과 좋은 마모율을 보였다고 보고한 바 있으나 중기 추시 결과로 36 mm 혹은 40 mm 골두를 사용한 경우가 28 mm, 32 mm 골두보다 선상 마모는 줄었고 용적 마모는 더 많았다는 보고도 있어 결론을 내리기엔 아직 이르다.

(3) 라이너의 손상 과정

산화(oxidation), 부식(corrosion), 그리고 위상 변화(phase transformation)를 통해서 관절면의 파손 및 분

해가 발생한다. 이 중 산화 작용은 폴리에틸렌에 가장 치명적이며 감마 방사선 소독 중에 유리 라디칼(free radical)이 생성되며 이로 인해 폴리에틸렌의 사슬이 끊어져 강도, 연성 및 마모 저항성을 저하시키는 요인이 된다. 대기 중에서 감마 방사선 조사로 소독하던 시기에 특히 많았으나 최근에는 진공 상태에서 감마 방사선 소독함으로써 산화의 양은 많이 감소하였으나 여전히 유리 라디칼이 존재하고 있다. 고도 교차결합 폴리에틸렌은 5-10 Mrad의 방사선 조사 후 재용해(remelting) 혹은 담금질(annealing)이 필요한데 담금질하는 경우 라이너의 주변부(rim)에는 산화가 더 많이 발생할 수 있고 재용해하면 산화 작용은 감소하나 라이너의 골절 위험을 높일 수 있다. 라이너 파손은 방사선 조사, 재용해 그리고 담금질 모두가 영향을 미칠 수 있고 실제 회수 연구에서 라이너 주변부 파손(rim crack)이 기존 폴리에틸렌은 3%, 고도 교차결합 폴리에틸렌은 15%에서 관찰되었다. Ast 등의 연구에서도 고도 교차결합 폴리에틸렌 파손은 54 mm 미만의 비구컵에 36 mm 이상의 골두를 사용한 경우에 많이 발생하여 라이너 두께를 6 mm 이상 유지하는 것이 좋을 것이라 권고하였다.

최근에는 산화작용을 억제하는 것으로 알려져 있는 비타민 E을 첨가한 2세대 고도 교차결합 폴리에틸렌 라이너가 출시되고 있다(그림 12). 이는 재용해 혹은 담금질한 고도 교차결합 폴리에틸렌보다 산화를 안정화시키고 피로 강도(fatigue strength)의 저하를 막는 효과가 있는 것으로 알려져 있다. Halma 등은 28 mm 대퇴골두를 이용하여 비구컵이 잘못 삽입된 경우를 설정하고 모서리 부하에 어떤 결합이 가장 잘 견디는지 확인한 실험에서 비타민 E 함유 고도 교차결합 폴리에틸렌이 가장 마모가 적은 것으로 보고하였고, Shareghi 등은 비타민 E 함유 고도 교차결합 폴리에틸렌이 2년 추시에서는 마모의 정도가 비타민 E를 함유하지 않은 고도 교차결합한 폴리에틸렌과 차이가 없었지만 5년 추시에서는 50% 가량 낮은 마모율을 보였다고 보고한 바 있으나 재치환술을 줄이는지에 대해서는 보다 장기적인 연구가 필요할 것이다.

(4) 열악한 환경에서의 마모 양상

실제 고관절 전치환술 후엔 여러 가지 열악한 상황이 발생할 수 있다. 대퇴골두가 긁히는 경우, 3물체 마모(third-body wear), 골두와 라이너의 미세 분리(microseparation), 그리고 모서리 부하(edge loading)가 발생할 수 있다. 고도 교차결합 폴리에틸렌이 정상 환경에서는 마모에 강하나 대퇴골두가 긁힌 경우 정상인 경우보다 30배가량의 마모가 증가하는 반면에 기존의 폴리에틸렌은 3배가량의 증가에 그친다고 보고하고 있다. 또한 시멘트에 의한 3물체 마모가 발생하는 경우 고도 교차결합 폴리에틸렌은 80배가량 마모가 증가하는 반면 기존 폴리에틸렌은 6배가량 증가한다고 보고하였다. 그러나 실제 인체 환경에서는 고도 교차결합 폴리에틸렌이 더 마모에 우수한 결과를 보이는데 아마도 활액의 윤활 성분들이 거칠어진 대퇴골두에 보호 효과를 주는 것으로 생각되고 있다. 세라믹 골두가 긁힘에는 강하므로 세라믹-고도 교차결합 폴리에틸렌 조합이 우수하리라 짐작 할 수 있다.

긁힘에도 강하고 이상적인 표면을 가진 물질을 개발하는 과정에서 산화 지르코늄(oxidized zirconium, Oxinium, Smith & Nephew, Memphis, Tenn, USA)이

그림 12. 황색의 비타민 E 함유 폴리에틸렌 라이너

소개되었다. 옥시늄은 97.5%의 지르코늄과 2.5%의 니오븀(niobium)의 합금으로 공기 중에서 약 500℃로 가열하면 금속의 표면에 산화 지르코늄이 형성되는데 강도가 높아 파손의 위험성은 없으면서 세라믹 골두의 표면 조도(surface roughness)와 비슷하고 흠집이 잘 생기지 않아 마모에 저항성이 높다고 보고되었다. 실제 임상 연구에서는 금속 골두에 비해 장점이 없으며 회수 연구에서 산화 지르코늄 골두 표면에 손상이 발견되는 경우가 많았고 탈구 후에 심각한 마모를 보인 증례들이 있었으나 장기간의 연구는 없는 실정이다. 산화 지르코늄에는 니켈 성분이 없으므로 금속 알러지가 우려되는 환자에게는 큰 장점이 있으므로 향후 그 사용이 확대될 여지가 있는 재료라고 생각된다.

수술 후 연부조직의 탄력 저하 혹은 대퇴스템의 침강 등으로 관절의 이완이 발생하는 경우 보행 중 대퇴골두와 비구 라이너 사이에 비정상적인 접촉이 일어나면서 비구 라이너 주변부에 무리가 오거나 모서리 부하가 발생할 수 있다. 주로 세라믹–세라믹 관절면에서 문제가 될 수 있으나 폴리에틸렌 관절면에서도 마모가 증가할 수 있다. Williams 등의 보고에 의하면 세라믹–폴리에틸렌 관절면의 미세 분리 실험실 결과는 미세 분리가 없는 군이 미세 분리를 조장한 군보다 5배가량 마모의 양이 적다고 보고하였다. 다행인 것은 모서리 부하는 폴리에틸렌을 사용하는 경우 그 영향은 크지 않은 것으로 보고하였다.

2) 초고분자량 폴리에틸렌 마모 입자의 생물학적 반응

폴리에틸렌의 마모 입자에 대하여 세포가 생물학적 반응을 일으키는 요인은 입자의 크기, 농도, 표면의 형태 등이다. 대식세포가 섭취하는 마모 입자의 크기는 대략 10 μm 정도까지인데, 0.5 μm 보다 작은 입자들이 대식세포를 민감하게 불러들이고 이로 인하여 cytokine의 연쇄 반응을 불러 골용해와 삽입물의 해리를 유발하는 것으로 알려져 있다. 이 마모 입자의 양상이 기존

의 폴리에틸렌과 고도 교차결합 폴리에틸렌에서 다른 것으로 알려져 있다. 고도 교차결합 폴리에틸렌의 마모 입자는 88%가 0.1–0.5 μm 크기인데 기존 폴리에틸렌은 68%가 0.1–0.5 μm 크기로 생물학적 반응성은 고도 교차결합 폴리에틸렌이 50% 정도 높은 것으로 보고하고 있다. 또한 기존의 폴리에틸렌은 마모 입자 10 μm3가 TNF-α를 유도하지만 고도 교차결합 폴리에틸렌의 경우는 0.1 μm3면 충분하다고 보고하며 생물학적인 활성이 높을 수 있다고 생각되었으나 실제 임상 연구에서는 고도 교차결합 폴리에틸렌 베어링 표면의 마모 저항성이 우수하여 작은 크기의 마모 입자 절대량이 기존의 폴리에틸렌에 비해 적어 골용해의 발생률이 낮다고 보고되고 있다.

3) 임상 결과

기존의 폴리에틸렌과 금속 골두를 이용한 장기 추시 결과들을 보면 10년까지는 매우 좋으나 15년 후 부터는 골용해와 삽입물의 해리로 인한 재치환술의 증가를 볼 수 있다. Kim 등의 보고는 진공이 아닌 상태에서 소독한 기존 폴리에틸렌과 28 mm 금속 골두를 사용한 27–29년 추시 결과 마모는 1년에 0.182 mm를 보였고 비구측 골용해가 85%, 대퇴골측 골용해가 45%를 보여 34%의 증례가 재치환술이 필요하다고 하였다. 또한 Chanley 저마찰 관절치환술을 이용한 35세 미만 환자의 최소 23년 추시 연구에서 비구컵의 생존율은 10년 추시에 92.7%, 20년 추시에 67.1%, 25년 추시에 53.2%을 보였고 대퇴스템은 10년 추시에 95.1%, 20년 추시에 77.1%, 25년 추시에선 68.2%를 보였다. 이 연구에서 재치환술 군의 마모율은 1년에 0.213 mm를 보인 반면 아직 생존한 군은 0.13 mm로 차이를 보였는데, 이는 연령, 활동 능력, 신체 지수 등 다양한 요소들이 반영된 것으로 설명하고 있다.

세라믹 골두가 사용되면서 마모와 골용해 빈도가 줄어 들었다는 연구들이 발표되고 있으나 대개 10–15년 추시 결과이고 그 이상의 추시는 아직 없는 상황이다.

세라믹 골두를 사용하면서 마모가 줄어든 것을 보고하고 있으나 장기 추시 상 삽입물의 생존에는 금속 골두와 비교 하여 차이가 없다는 발표들이 있다. Meftah 등의 연구에선 기존 폴리에틸렌과 28 mm 금속 골두와 알루미나 골두를 사용하여 최소 15년 추시 결과 마모는 세라믹 골두가 1년에 0.086 mm 금속 골두는 0.137 mm로 세라믹 골두가 우수한 것으로 보이나 재치환율의 차이는 없다고 하였고 다른 연구에서도 10년 추시 결과 세라믹 골두를 사용한 군이 금속 골두 군에 비해 마모는 50%가량 적었으나 골용해는 차이가 없다고 하였다. 하지만 좀 더 장기 추시 하면 차이가 날 가능성은 높을 것으로 예상하였다.

고도 교차결합 폴리에틸렌은 마모와 골용해 방지 측면에서 우수하다는 결과들이 보고되고 있다. McCalden 등은 무작위 대조시험(randomized control trial)에서 최소 5년 추시 결과 고도 교차결합 폴리에틸렌이 기존 폴리에틸렌 보다 10배 이상 마모율이 낮은 것을 보고하였다. Bavovic 등은 50세 미만의 환자를 대상으로 고도 교차결합 폴리에틸렌 사용 후 10년 추시 결과 대부분 28 mm 금속 골두를 사용했음에도 선상 마모는 1년에 0.02 mm이었고 골용해는 관찰되지 않았으며 100%의 삽입물 생존율을 보고하였다. Engh 등의 연구에서도 28 mm 금속 골두를 사용하고 기존 폴리에틸렌과 고도 교차결합 폴리에틸렌 사용 후 평균 10년 추시 결과 마모는 기존 폴리에틸렌이 1년에 0.22 mm, 고도 교차결합 폴리에틸렌은 0.04 mm를 보였고 임상적으로 의미 있는 골용해 빈도는 22%와 0%였으며 마모 관련 합병증으로 재치환술을 시행한 10년 생존율은 94.7%와 100%로 고도 교차결합 폴리에틸렌이 우수하였다고 보고하였다. 또한 회수 검사 상에서 고도 교차결합 폴리에틸렌은 28 mm 골두를 사용한 경우 파손이 관찰되지 않았다고 하였다.

세라믹 골두와 고도 교차결합 폴리에틸렌을 같이 사용한 경우 매우 좋은 결과들을 보고하고 있다. Kim 등의 연구에서 28 mm 알루미나 골두와 고도 교차결합

폴리에틸렌 사용한 30세 미만의 환자의 평균 10.8년 추시 연구에서 1년간 마모는 0.031 mm였고 골용해 0%, 삽입물 해리 0%를 보고하였다. 또한 저자들은 양측 고관절 전치환술 시 한 환자에게 각각 28 mm 알루미나 골두-알루미나 라이너와 28 mm 알루미나 골두-고도 교차결합 폴리에틸렌을 사용하여 수술 후 12.8년간 추시 비교 관찰한 연구에서 양군 모두 골용해 소견이 관찰되지 않고 삽입물의 생존율에 차이가 없다고 보고하였다. 예전에 사용하였던 지르코늄 골두를 사용한 연구에서도 고도 교차결합 폴리에틸렌의 결과가 우수하였는데 Fukui 등의 연구에 의하면 10년 추시 결과 1년 마모는 기존 폴리에틸렌이 0.080 mm, 고도 교차결합 폴리에틸렌은 0.045 mm를 보였고 골용해는 25%와 0%로 고도 교차결합 폴리에틸렌 군이 우수하였다. 또한 Sato 등의 22 mm, 26 mm 크기의 지르코늄과 알루미나 골두를 사용하고 기존 및 고도 교차결합 폴리에틸렌을 사용한 연구에서 기존 폴리에틸렌은 알루미나 골두 사용 시보다 지르코늄 골두 사용 시 마모가 많았으나 고도 교차결합 폴리에틸렌을 사용한 경우 알루미나, 지르코늄 골두 모두 마모가 현저히 감소하였고 골두 크기, 재질에 관계없이 고도 교차결합 폴리에틸렌의 마모 우수성을 보고하였다.

탈구를 막기 위해 개발된 후방 돌출형 비구 라이너(hooded rim liner)는 관절의 안정성을 증가시켜 재치환술의 위험성을 감소 시킨다는 연구 결과가 보고되고 있으나 대퇴스템의 경부와 충돌이 유발되어 조기에 비구컵의 해리, 골용해 및 라이너의 마모가 발생할 수 있다는 우려가 공존하므로 수술 중 관절이 불안정하다고 판단될 경우에 선택적으로 사용할 것이 권장된다.

4) 특수한 경우들

보다 큰 대퇴골두를 이용하면서 탈구 등 안정성에 주안점을 둔 이중 운동 비구컵(dual mobility acetabular cup)이 개발되어 사용되고 있다(그림 13, 14). 즉 고정된 금속 비구컵에 가동형 큰 폴리에틸렌 그 안에 다시 가

그림 13. 이중 운동 비구컵(dual mobility acetabular cup)
출처: stryker

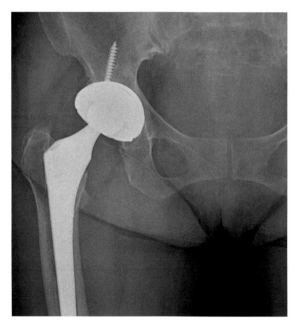

그림 14. 이중 운동 비구컵의 사용 예
67세 여자 환자로 인공 관절 후 감염으로 재치환술을 시행하였다.

동형 금속 혹은 세라믹 골두를 이용하는 방법으로 비구컵 안에 양극성 반치환술이 시행된 것 같은 모양이다. 관절운동을 증가시키면서도 탈구의 위험성을 감소시킬 수 있을 뿐만 아니라 양극성 반치환술의 단점인

서혜부 통증과 비구 연골 마모를 줄일 수 있다는 장점이 있다. 8년 이상 사용된 회수 연구에서 외측면의 선상 마모는 내측 마모 보다 적었고 용적 마모는 차이가 없었으며 전체 마모의 양은 기존 폴리에틸렌과 22 mm 금속 골두를 사용한 경우와 비슷하다고 하였으나 대퇴 골두와 비구컵 사이에 마모가 생길 수 있는 또 하나의 관절이 형성되어 비구컵 내 폴리에틸렌은 비구컵면과 대퇴골두 사이에서 안팎으로 마모가 발생한다는 점과 삽입물간의 분리(intraprosthetic dislocation)로 인한 관절의 탈구, 그리고 조립형 비구컵에서 금속의 접촉이 이루어져 부식이 발생할 수 있다는 점등은 해결되어야 할 과제이다. 탈구가 발생할 가능성이 높은 신경학적인 질환이나 외전근의 손상이 있는 환자나 재치환술의 경우에는 좋은 적응증이 된다고 생각되며, 젊고 활동적인 환자에게 이중 운동 비구컵을 사용할 수 있는지에 대해서는 마모의 발생 양상에 대한 장기적인 경과 관찰 후에 그 해답을 찾을 수 있을 것이다.

5. 금속–금속 관절면

금속–금속 관절면은 현대적인 관절치환술이 시작되기 전인 1920-1930년대에도 금속 물질을 관절 사이에 삽입하는 여러 가지 시도에서부터 이어져 왔다. 1938년에 스테인리스강 인공 관절을 소개한 Wiles에서부터 금속–금속 관절면이 처음 시작된 것으로 보고 있으며, 이후 수차례에 걸쳐 많은 관심과 사용의 증가가 이루어졌으나 가장 최근에는 사용이 급속히 감소되는 추세이다.

1) 역사

위에 언급한 Wiles에 의한 인공 관절에 대한 기록은 많이 없으며, 현대적인 개념의 금속 인공 관절은 1950년대에 McKee (영국)에 의한 금속 인공 관절에서 시작한 것으로 보는 경우가 많다. 비슷한 시기에 Sivash (러시아), Ring (영국), 그리고 1965년 McKee–Farrar (영국)에 의한 금속–금속 관절면이 소개되었는데, 주

로는 코발트-크롬 합금을 많이 사용하였다. 그러나 상대적으로 높은 해리율과 John Charnle경에 의해 소개된 저마찰 관절치환술(low friction arthroplasty)의 성공에 밀려 그 자취를 많이 감추게 되었다. McKee조차도 나중에는 세라믹 관절면에 더 큰 관심을 가지게 되었는데, 그 당시 금속-금속 관절면의 실패 원인이 모두 관절면 때문만은 아니라는 점은 나중에서야 알려지게 되었다. 금속 관절면뿐 아니라 당시 관절 삽입물들의 엉성한 디자인도 상당한 영향을 미쳤으며, 무시멘트형 삽입물을 지향하였지만 제대로된 코팅이나 표면처리 기술이 없었던 점 등도 실패의 한 원인이다.

1980년대 초반부터 소위 '폴리에틸렌 질병'이 알려진 후에 이에 대한 대안으로 Weber 등이 새로운 금속-금속 관절면을 개발하게 되었으며, 점차로 무시멘트형으로의 진화 및 금속 합금 내의 탄소 비율 증가 등이 금속-금속 관절면의 성공률을 높일 수 있게 해주었다. 여기에서 이어진 변화는 윤활작용에서의 유리함을 염두에 둔 대구경 관절면의 도입이다. 이것은 주로 Amstutz와 McMinn에 의해 주도되었으며 이후에 금속-금속 관절면을 이용한 표면 치환술 및 고관절 전치환술로 발전된다. 이후에 금속-금속 관절면의 사용 빈도는 고관절 전치환술 기준, 2010년 미국에서 일차 고관절 전치환술에서 32%에서 40% 정도, 고관절 재치환술에서 26%에서 32%정도까지 집계될 정도로 계속 증가했으나 이후에 이어진 여러 가지 연부조직 부작용의 발견은 금속-금속 관절면의 사용 빈도를 크게 낮췄다.

2) 마찰학

금속-금속 관절면에서는 금속재료 및 탄소 함량, 거시기하학(macrogeometry)적으로는 직경과 반지름 간극(radial clearance), 미시기하학(microgeometry)적으로는 표면 형태와 윤활 작용 간의 상호 작용이 금속-폴리에틸렌 관절면보다 마모에 훨씬 큰 영향을 준다.

(1) 재료 및 형태

금속-금속 관절면의 재료로는 경도(hardness)가 높고 부식에 강한 코발트-크롬-몰리브데늄이 가장 선호되며 크롬 함량이 높으면 부식에 강하고 탄소 함량이 높으면 경도가 증가한다. 합금 제조과정 중 탄화물(carbides)이 생성되는데, 이 탄화물들은 주변의 기질과 견고히 결합하여 원래 기질보다 경도가 5배나 더 커지게 하며 탄소의 함량이 높을수록 마모가 줄어든다. 탄화물의 크기나 배열은 제조 공정의 영향을 받는데, 1세대 금속-금속 관절면에서 사용된 탄화물은 주조식(cast)으로 제조되어 연마한 표면(polished surface)의 거칠기(asperity)가 심하였다. 거시기하학적인 측면에서 금속-금속 관절면의 마모를 줄이기 위해서는 인공 골두와 비구컵의 직경이 커지거나 간극이 줄어들면 접촉면적이 커지며 접촉응력(contact stress)은 접촉 면적에 반비례한다. 간극이란 인공 골두의 외경(outer radius)과 비구컵의 내경(inner radius)사이의 차이를 말하며 관절면의 적도 부위에서 가장 커진다. 최근 대량 생산 기술로 제조할 수 있는 최소 간극은 20 mm이며, 간극이 150 mm 이상이 되면 초기 running in period에서의 마모율이 급증한다.

(2) 윤활 기전

금속-금속 관절면에서는 마찰계수가 0.17로 다른 관절면에 비해 높으므로 마모를 줄이기 위한 윤활 기전이 매우 중요하다. 관절면에서의 윤활은 대개 경계 윤활(boundary lubrication), 혼합 윤활(mixed lubrication), 액막 윤활(fluid-film lubrication)로 구분되며 이중 액막 윤활이 마모를 가장 적게 일으킨다. 액막 윤활은 관절 조합을 이루는 표면들을 액막에 의해 서로 분리시키며 완전한 액막 윤활이란 관절 표면들을 완전히 분리시키는 것을 의미한다. 금속-금속 관절면은 골두가 클수록 액막 윤활이 형성되어 마모가 줄어들게 되며 하중은 액막을 통해 전달되어 마모가 최소화된다. 혼합 윤활에서는 관절 표면들끼리 부분적으로만 분리되며 대부분의 금속-금속 관절면에서의 윤활 기전은 혼합 윤활이다. 미시적으로 보면 접촉면이 아주 매끈하지가 않고 울퉁불퉁한 부분(asperity)이 존재하며 가장 돌출된 부분에서만 접촉이 일어나므로 윤활막이 상당한 영향을 미친다. Running-in period가 지나면 돌출된 부분이 매끄럽게 다듬어지고 보다 이상적인 액막 윤활 기전으로 변하게 되어 마모가 감소한다. 일반적으로 금속-금속 관절면에서는 골두의 직경이 클수록, 간극이 작을수록 액막 윤활기전이 좋아지는 것으로 되어있다.

(3) 마찰계수 및 마모의 특성

인공 관절의 마모에 가장 큰 영향을 미치는 것은 관절면의 마찰계수인데, 인체 고관절의 마찰계수는 0.01-0.04 정도이며 폴리에틸렌-금속 관절면의 마찰계수는 0.02-0.06이고 금속-금속 관절은 0.17, 세라믹-세라믹 관절면은 0.001-0.06 정도로 보고되어 있다. 고관절 전치환술에서의 마모는 수술 후 처음 1-2년간은 비구컵과 인공 골두가 자리를 잡고 초기에 마모가 많은데, 이를 running-in wear (bedding-in)라고 하며 교차결합 폴리에틸렌의 경우 100 mm/년, 세라믹은 1 mm/년, 금속-금속은 25 mm/년 정도이다. 이후에는 마모가 적어지는데 이때의 마모를 안정 상태 마모(steady-state wear)라고 하며 교차결합 폴리에틸렌은 10-20 mm/년, 세라믹은 0-3 mm/년, 금속-금속은 2-5 mm/년 정도로 알려져 있다. 특히 금속-금속 관절면은 체내에 삽입된 후 6개월-1년간은 표면의 울퉁불퉁한 면이 마찰에 의해 저절로 매끄럽게 다듬어지는데 이를 자가 연마(self-polishing)라고 하며 이 시기에 마모가 증가하고 이후는 마모가 감소하여 안정 상태 마모가 되며 혈중 금속 이온 농도를 측정해 보면 대개 수술 후 6개월-1년까지는 혈중 금속 이온 농도가 증가하다가 이후에는 금속 이온 농도가 감소하고 일정 농도로 유지되는 현상을 보인다.

3) 금속 마모 입자와 이온
(1) 금속 마모 입자와 이온

세포반응에 영향일 미치는 요소로는 마모 입자의 표면적, 개수, 크기, 모양, 농도, 재료, 농도 등이 있는데, 그 중에서 계수, 크기, 농도가 가장 중요한 요소이다. 금속 마모 입자의 크기에 대한 보고로 Doom 등은 길쭉한 바늘 모양의 20 nm 이하, Maloney 등은 700 nm 내외라고 하였다. 또한 Doom 등은 금속-폴리에틸렌 관절면의 경우 평균 마모 입자의 크기는 0.5 mm, 연간 마모 입자 개수는 $1.5 \times 1,012$, 연간 마모 용적은 100 mm^{3}로서 육아종성 염증반응이 잘 일어나는 반면 금속-금속 관절면의 경우 평균 마모 입자 크기는 0.08 mm, 연간 마모 입자 개수는 $1.9 \times 1,012$, 연간 마모 용적은 5 mm^{3}로 육아종성 염증반응이 적게 일어난다고 보고하였다. 이는 대식세포가 탐식 작용할 수 있는 크기는 0.5-10 mm인데 금속-금속 관절면 마모 입자의 경우 이보다 크기가 작아서 대식세포가 활성화되지 않고 육아종성 염증반응도 적게 일어나는 것으로 설명한다. 조직구의 숫자로 표시되는 국소 조직반응은 금속-폴리에틸렌 관절면보다 금속-금속 관절면이 훨씬 적다. 이를 설명하는 하나의 이론은 금속 입자의 크기가 폴리에틸렌 입자보다 작아서 조직구 한 개가 저장하는 금속 입자의 수가 훨씬 많기 때문에 동원되는 조직구의 수가 적다는 이론이다. 아주 작은 입자는 대식세포의 탐식 작용에 의해 포획되는게 아니고 음세포작용(pinocytosis)에 의해 대식세포로 들어가기 때문에 이에 대한 세포의 반응기전이 바뀔 수 있다고 한다.

(2) 혈중 금속 이온 농도

금속-금속 고관절 전치환술을 받은 환자의 혈액 및 소변에서 금속 이온의 농도가 증가되어 있는데 이는 관절면에서의 마모뿐만 아니라 금속의 표면, 삽입물 부품 간의 충돌, 조립식 부품들의 결합부에서의 부식에 의해 금속 이온이 발생하는 것에 의한다. 최근 보고에 따르면 금속-금속 고관절 전치환술의 큰 대퇴골두와 대퇴스템 경부의 결합부에서의 미세운동과 부식에 의해서도 금속 이온이 발생되며 특히 서로 다른 재질인 코발트-크롬 합금 재질의 금속 골두와 티타늄 대퇴스템이 결합될 경우 전류 부식(galvanic corrosion)이 발생하여 많은 금속 이온이 방출되고 이로 인하여 골용해, 가성 종양 혹은 조직 괴사가 발생하는 문제점을 보이고 있다. 금속 이온은 신장을 통해 소변으로 배출되므로 지속적으로 상승하지는 않는다. 인체의 정상 혈중 코발트 이온 농도는 0.3 mg/L 이하이며 크롬 이온 농도는 0.1 mg/L 이하로 알려져 있다. Metasul 관절면의 수술 후 1년과 5년의 혈중 코발트 농도가 각각 1 ug/L와 0.7 mg/L로 측정되어 일정 기간이 지난 이후에는 그 농도가 증가하지 않는데 수술 후 6개월 내지 1년까지는 wear-in period로 마모가 증가하여 체내 금속 이온이 증가하나 그 이후에는 관절면이 자가 연마되면서 마모가 감소한다. 또한 소변을 통하여 금속 이온이 배출되므로 정상 혈중 금속 이온 농도보다 약간 높은 상태로 유지되는 것으로 해석이 되고 있다. 인공 골두의 크기에 따른 혈청 금속 이온 농도의 수치에 대해서는 논란이 있다. 인공 골두의 크기가 커질수록 액막 윤활이 형성되어 마모를 줄일 수 있다고 하였으나 Montero-Ocampo와 Rodriguez는 인공 골두의 크기가 28 mm로 작아지면 금속 표면의 미세 분리가 적게 일어나므로 마모를 줄일 수 있다고 하였고 Clakre 등은 큰 인공 골두와 작은 인공 골두를 비교한 결과 큰 골두에서 작은 골두보다 혈청 코발트와 크롬 이온 수치가 의미 있게 높은 것으로 보고한 바 있다. 표면 치환술에 있어서 인공 골두의 크기에 따른 혈중 금속 이온 농도는 골두가 클수록 액막 윤활이 좋아져서 혈중 금속 이온이 낮다는 보고가 있는 반면, 골두가 클수록 체적 마모가 증가하여 혈중 금속 이온 농도가 높다는 상반된 보고도 있다. 금속-금속 표면 치환술과 큰 골두를 사용한 금속-금속 관절면의 고관절 전치환술 후의 혈중 금속 이온 농도를 비교한 연구에서는 큰 골두를 사용한 금속-금속 고관절 전치환술 군에서 혈중 금속

이온 농도가 훨씬 높다. 그 이유로는 큰 골두를 사용한 금속-금속 고관절 전치환술에서는 금속 이온이 배출되는 부위가 금속-금속 관절면뿐만 아니라 금속 골두의 노출된 부위, 그리고 금속 골두와 대퇴스템 경부 결합부의 부식으로 인해서도 다량의 금속 이온이 나오는 것에 기인하는 것으로 본다. 원인이 어떠하든 혈중 금속 이온이 증가하면 국소 조직반응의 위험성은 높아지는데, 대개 금속 이온 농도가 7 mg/L 이상이면 연부조직 반응의 잠재성이 있으며 2-7 mg/L이면 발생할 가능성이 있으므로 임상적으로 관심을 기울여야 하고 2 mg/L 이하이면 임상적으로 문제가 없을 가능성이 높은 것으로 받아들여지고 있다.

(3) 금속 이온 및 마모 입자의 생물학적 반응

금속-금속 관절면 고관절 전치환술로부터 배출된 금속 이온 및 마모 입자는 생체 내에서 금속 과민 반응, 세포 독성에 의한 조직 괴사 및 가성 종양 등 국소 조직반응을 일으킬 수 있으며, 이들 조직반응은 ALTRs (adverse local tissue reactions) 또는 ARMD (adverse reaction to metal debris)로 명명되고 있다. 그 외에도 발암 가능성, 염색체 변형, 태아 독성 혹은 기형의 위험 등 여러 가지 생물학적 반응을 야기할 가능성이 있으며 이에 대한 여러 가지 우려가 있다.

첫째, 금속 과민반응은 IV형 지연성 세포 매개 과민반응(delayed cell-mediated hypersensitivity)으로 일부 환자에서 문제가 될 수 있으며 배출된 금속 이온이 인체의 단백질과 결합하여 항원으로 작용, T-세포 면역 체제를 활성화시켜서 유발된다. 항원이 T세포를 활성화시키면 사이토카인들이 유리되어 대식세포가 동원되고 활성화되는 일련의 과정을 거친다. 금속 과민반응을 일으키는 가장 흔한 금속은 니켈이며 그 다음 코발트, 크롬 순이다. 이러한 금속 과민반응은 조직학적으로 특징적인 양상을 보일 수 있는데, 작은 모세혈관의 주변부로 림프구들이 많이 응집되어 있고 금속-폴리에틸렌 관절면과는 달리 가성활액막 표면에 실질 궤양

505

(substantial ulcer)을 보이는데, 이를 ALVAL (aseptic lymphocytic vasculitis associated lesions)이라고 명명하였다. 그러나 이러한 소견을 보이는 환자의 수가 적기 때문에 이러한 조직학적 과민반응 소견이 임상적으로 어떤 의미가 있는지에 대한 것은 명확하게 알려지지 않았다.

2세대 금속-금속 관절면 고관절 전치환술을 받은 환자에서 금속 과민반응의 발생 빈도는 10,000명당 2명으로 보고되고 있다. 금속-금속 고관절 전치환술을 시행하기 전 환자에게서 금속 과민반응 유무를 확인하는 것이 필요하나 현재까지 정확하고 신뢰할 수 있는 방법은 없다. 피부 반응 검사는 신뢰성에 있어서 논란이 있으며 검사 전 이미 금속에 감작된 경우에는 양성 반응을 보일 수 있으나 검사 전 금속에 감작되지 않은 환자는 위음성을 보일 수 있다. 림프구 변형 검사(lymphocyte transforming test, LTT), 림프구 이동 억제 검사(lymphocyte migration inhibition test)는 검사 장비가 흔하지 않아 임상에서 적용하기가 어렵다. 금속 과민반응의 임상적 의미는 아직 불분명하나 금속 과민반응이 있는 환자에서 골용해나 가성 종양 등 국소 조직반응이 나타날 확률이 높은 것으로 여겨지고 있다. 따라서 금속-금속 관절면의 인공 관절을 가진 환자에서 고관절 부위의 원인을 알 수 없는 만성적 통증이 있으며 활액막염의 증거가 있고 감염의 증거가 없으면 금속 과민반응을 의심해볼 필요가 있으며 MARS (metal artifact reduction sequence) 자기공명영상이나 전산화단층촬영, 초음파 검사 등을 시행해볼 필요가 있다.

둘째, 가성 종양은 관절면에서 다량의 금속 이온이나 금속 마모 입자가 배출되거나 금속 이온에 과민반응이 있을 경우 세포 독성에 의해 발생할 수 있으며 금속 과민반응보다 더 흔하고 현재 금속-금속 관절면의 수명을 단축시키는 주된 요인으로 부각되고 있다. 가성 종양은 낭종 형태이나 종괴 형태로도 다양하게 나타날 수 있으며 고관절 주변뿐만 아니라 골반 내에서도 발생하고(그림 15) 크기가 커질 경우 대퇴신경을 압박하여 신경 마비를 일으키는 경우도 보고된 바 있다. 금속-금속 고관절 전치환술에서 발생하는 가성 종양 및 ALVAL 발생률은 0-6.5%이며 예상 발생률은 약 0.6% 정도로 보고되고 있다. 표면 치환술에서 발생하는 가성 종양의 위험인자로는 작은 골두, 여자, 젊은 연령 및 높은 활동력, 높은 비구컵 경사각, 부적절한 디자인

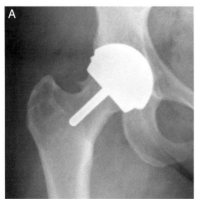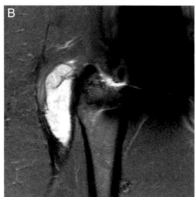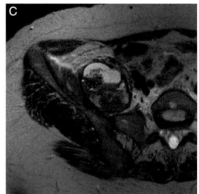

그림 15. 표면 치환술 후 발생한 가성 종양
(A) 48세 여자 환자로 표면 치환술 후 4년 추시 방사선 사진상 대퇴골 경부-비구컵 충돌에 의한 골극 형성 외에 골용해 등 이상 소견은 보이지 않는다. (B) 자기공명영상에서 대퇴골 전자부에 낭종형 가성 종양을 보이고 있다. (C) 골반내 장요근 부위에 낭종형 가성 종양을 보이고 있다.

이며 제조 방법에서는 단조보다는 주조로 만들어진 삽입물에서 발생률이 높다.

최근에는 주로 큰 골두를 사용한 고관절 전치환술을 시행받은 환자에서 더 많은 가성 종양이 보고되고 있다. 먼저 대퇴골두가 클수록 관절면에서의 마찰 회전력(friction torque)이 커지고 이 회전력이 대퇴골두-대퇴스템 경부 결합부에 가해져 골두와 스템 경부 사이에 미세운동을 야기하는 것, 다음으로는 금속 골두 연결부위(sleeve)의 재질이 코발트-크롬 합금이고 대퇴스템의 경부 재질이 티타늄일 때 서로 다른 재질 사이에서 발생하는 전기화학적 부식(galvanic corrosion)이 잘 발생한다는 것, 그리고 골두와 스템의 경부 사이의 틈에서 발생하는 틈 부식(crevice corrosion)등에 의해 다량의 금속 이온과 마모 입자가 발생하는 것으로 해석되고 있다(그림 16). 가성 종양은 금속-금속 관절면에서만 국한된 문제는 아니고 금속-폴리에틸렌 관절면에서도 발생할 수는 있으나 빈도가 매우 낮으므로 특히 금속-금속 관절면을 사용한 고관절 전치환술 시에는 주의를 요한다. 셋째, 발암 위험성에 있어서는 코발트

와 크롬 마모 입자는 동물 실험에서 암을 유발할 수 있는 것으로 입증되어 있으므로 이론적으로는 이 입자들이 충분한 양으로 인체 내에 오랜 기간 동안 존재한다면 암이 유발될 가능성은 있다. 이러한 발암 가능성을 뒷받침하는 이론적 근거로는 코발트와 크롬 이온은 체내에서 산화 혹은 환원될 수 있으며 이 과정에서 발생된 유리 라디칼(free radicals)이 염색체의 변이를 일으킬 수 있다는 실험적 결과가 보고되어 있으나 염색체의 변이가 바로 악성 종양을 의미하지는 않는다. 그리고 체내에 존재하는 금속의 전하 역가가 중요한데, 실제로 공업용 금속의 코발트는 6가(hexavalent)이며 발암물질로 분류되어 있으나 인체에 사용되는 인공 관절의 코발트는 3가(trivalent)이고 이미 산화되어 있는 상태로 6가로 더 산화되지 않는다면 발암 가능성이 없다는 보고도 있다 현재까지 인체 내에 인공 관절이나 금속 물질을 삽입한 후 총 25건 정도의 암이 발생한 것으로 보고되어 있으며 이 중 21건이 육종이었고 이 중 악성 섬유조직구종이 가장 흔한 것으로 보고되어 있다. 그러나 이 중 어느 것도 인공 관절이나 금속 삽입물과

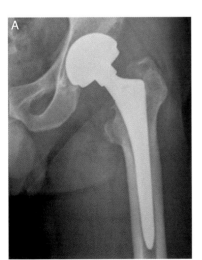
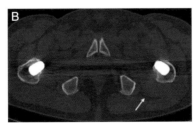

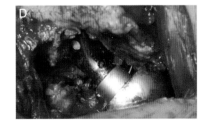

그림 16. 큰 골두를 사용한 금속-금속 고관절 전치환술에서 발생한 가성 종양
(A) 56세 남자로 수술 후 5년 추시 방사선 사진상 비구컵 상외측에 골용해가 관찰된다. (B) 전산화단층촬영 영상에서 대퇴골 전자부 후방에 종괴가 보인다(화살표). (C) 가성 종양의 수술 소견으로 섬유성 낭종 속에 노란 괴사조직이 가득 차 있고, (D) 인공 골두-스템 경부 결합부에 심한 부식(corrosion)이 관찰된다.

암과의 직접적인 상관관계가 규명된 예는 없다. Visuri 등은 금속-금속 고관절 치환술을 시행받은 환자 집단과 일반 집단을 30년간 추적 조사하여 암의 발생 빈도를 비교한 결과 악성 종양 발생 빈도는 비슷하였고 조혈계 암의 발생 빈도가 일시적으로 높기는 하였으나 통계적인 유의성은 없다고 보고하였다. Makela 등도 핀란드의 레지스트리(registry)를 이용하여 10,728명의 금속-금속 고관절 치환술 환자와 18,235명의 일반적인 고관절 치환술 환자의 비교에서 악성 종양의 위험도가 증가하지는 않는 것으로 보고하였다. 결론적으로 금속-금속 관절면이 인체에 사용된 지 40년 이상이 지났으나 현재까지는 금속 이온이나 입자가 악성 종양을 일으킨다는 직접적인 증거는 없으므로 금속 이온이나 입자의 발암 가능성은 매우 희박하다고 할 수 있다. 그러나 유발 인자가 될 가능성이 없다고 하기는 어려우므로 추가적인 연구가 필요한 상태라 하겠다.

넷째, 금속 이온의 태아독성(fetotoxicity) 가능성에 있어서는 태반이 산모의 혈류로부터 온 금속 이온을 흡수하여 방벽(barrier)역할을 함으로써 금속 이온이 모두 태아로 전달되지 않는다고 보는 의견이 지배적이다. Brodner 등은 금속-금속 고관절 전치환술을 시행받은 산모 출산 시 탯줄에서 채취한 코발트와 크롬 농도가 그들의 검사 방법으로는 검출 가능치 이하였음을 보고한 바 있다. 현재까지는 금속-금속 고관절 전치환술을 시행받은 산모에서 태어난 아기들에게서 이상 반응을 보인 경우는 없는 것으로 보고되어 있다. 단, 산모의 혈중 금속 이온은 정상보다 상승되어 있고 모유에서의 금속 이온 상승은 명확히 밝혀지지는 않았지만, 아기가 태어난 후 모유 수유에 대해서는 신중한 접근이 필요하다. 현재까지 태아에 미치는 금속 독성이 명확히 규명되지는 않았으나 임신 가능성이 있는 젊은 여자 환자군에서는 금속-금속 고관절 전치환술보다는 다른 관절면을 선택하는 것이 바람직하겠다.

4) 임상 결과

1세대 금속-금속 관절면인 McKee 삽입물의 10년 이상 추시 생존율은 79-85%로 저조하였으며 주된 실패 요인은 무균성 해리로 이는 관절면의 상태가 불량하였고 골내성장 표면처리 기술이 없었음에 주로 기인한다. Ring 삽입물 또한 10년 이상 장기 추시상 생존률은 68-84%로 저조하였으며 무균성 해리가 21.3%로 주된 원인이었다. 이들 1세대 금속-금속 관절면의 주된 실패 요인은 골내성장을 얻는 표면처리 기술이 없었다는 것이고 그 외에 인공 골두와 금속 비구컵의 내면이 완전한 구형이 아니었으며 관절면의 간극이 너무 적었기 때문인 것으로 해석되고 있다.

2세대 금속-금속 관절면인 Metasul은 관절면의 간극이 150 mm로 적절하였고 탄화물(carbide) 함량이 높아졌으며, 우수한 재질의 코발트-크롬 합금을 단조 제조하였고, 관절 표면의 거칠기가 향상되었다. 또한 인공 골두가 28 mm로 정확한 구형을 이루고, 안정된 금속-금속 결합을 이루도록 디자인되었으며, 삽입물의 표면에 골내성장을 얻을 수 있는 표면처리가 되어있다. 따라서 금속-폴리에틸렌 관절면에 비해 낮은 골용해, 낮은 해리율, 가성 종양의 드문 발생 등 비교적 우수한 임상 결과를 보이고 있다. 한편으로 Reiner 등은 이 Metasul을 이용한 환자군의 41%에서 금속과 연관된 연부조직 변화가 발견된 것을 보고한 바 있어서 추가적인 추시 결과를 확인할 필요가 있다.

표면 치환술은 기능적인 면, 대퇴골두를 보존한다는 장점이 있으나 생존율만을 고려한다면 다른 관절면을 가진 고관절 전치환술에 비해 열등한 결과를 보이고 있으며 디자인과 가공 방법에 따라 삽입물 간의 많은 결과 차이를 보이고 있다. 2010년에 DePuy사의 표면 치환술 삽입물(Articular Surface Replacment®, ASR)이 불량한 조기 결과 때문에 가장 먼저 리콜 조치되었으며 이후에 다른 회사의 표면 치환술 삽입물도 조기에 리콜 조치된 바가 있다. 표면 치환술 삽입물 중에서 Smith & Nephew사의 Birmingham hip resurfacing®은

McMinn 등에 의해 1997년 이후로 영국에서 사용되어 왔는데, 금속-금속 관절면을 사용하는 표면 치환술 삽입물 중에서 가장 결과가 좋은 제품 중 하나였으나, 이 삽입물도 2015년에 부분적인 리콜 조치가 된 상태이다. 2015년 호주의 국가 레지스트리(registry) 연구에 따르면 여성, 65세 이상 남성, 48 mm 이하의 비구컵 크기가 필요한 경우 재수술 위험이 높아지는 것으로 알려져 있다. 다르게 표현하면, 현재는 젊고, 대퇴골두가 큰 남성에서 주로 표면 치환술을 고려할 수 있겠다.

표면 치환술과 큰 골두 고관절 전치환술을 비교해 볼 때는 표면 치환술이 큰 골두의 금속-금속 고관절 전치환술보다 양호한 결과를 보이고 있다. 금속-금속 관절면과 다른 종류의 관절면을 비교하면 금속-금속 관절면을 가진 고관절 전치환술의 재치환율이 높은 것으로 되어있고 현재로서는 큰 골두가 가지는 매력에도 불구하고 각종 대규모 연구, 레지스트리 연구 등에 의하면 큰 골두의 금속-금속 고관절 전치환술은 더 이상 권장되지 않는다. Huang 등은 2010년부터 2014년까지의 호주 관절치환술 레지스트리를 분석한 연구에서 이미 알려진 대로 큰 골두의 금속-금속 고관절 전치환술의 재수술률이 다른 관절면의 고관절 전치환술보다 유의하게 높으며, 감염으로 인한 재수술률도 유의하게 높음을 보고하였다.

이렇게 불량한 금속-금속 고관절 전치환술의 결과를 개선하기 위한 방법으로 세라믹 코팅 기술을 추가한 금속-금속 관절면을 통하여 이러한 문제점을 개선하기 위한 시도가 있었으며, 주로 질화티탄(Titanium nitride)을 이용하였다. 그러나 Kim 등의 연구에 다르면 이러한 세라믹 코팅 기술을 추가한 금속-금속 고관절 전치환술의 결과 여전히 상당한 합병증을 동반하는 것으로 나타났으며, Bone 등은 이러한 삽입물의 재치환술 시에 얻은 삽입물의 분석 연구에서 코팅이 완전히 벗겨져 있는 부분이 있었다고 보고하였다.

6. 세라믹-세라믹 관절면

인공 고관절 주변의 골용해는 인공 관절의 수명에 영향을 미치는 주요 인자로 인식되고 있다. 이는 마모 입자에 대한 체내 면역계의 생물학적 반응의 하나로, 그 중 폴리에틸렌 입자가 가장 주된 원인으로 작용하는 것으로 알려져 있다. 고관절 전치환술은 금속-금속 및 금속-테플론(teflon) 관절이 높은 실패율을 보인 이후에 영국의 Charnley에 의해 초고분자량 폴리에틸렌(ultra-high-molecular-weight polyethylene, UHMWPE)이 도입됨으로써 급격한 발전을 이루게 되었다. 그러나 폴리에틸렌이 마모에 취약하여 이에 따른 문제점이 발생하였고, 1970년에 프랑스의 Boutin (그림 17)이 알루미나 세라믹 관절을 이용한 고관절 전치환술을 시작하게 되었다.

알루미나 세라믹은 매우 높은 화학적 안정성으로 인하여 강한 경도를 가지는 특성이 있고, 분자 사이의 결합이 강하여 생물학적으로 안정하며 생체 환경에서 용

그림 17. Pierre Boutin

해되지 않는 장점이 있다. 세라믹은 조직 반응에 따라 생활성 및 불활성 두 종류로 분류할 수 있는데, 골성장을 유도하지 않고 단순히 섬유반응만 유도하는 불활성 세라믹이 마모에 대한 저항력이 강하여 인공 관절의 관절면으로 사용되고 있다. 또한 세라믹은 친수성이어서 액체가 세라믹의 표면에서 윤활작용을 용이하게 한다. 세라믹은 입자 형태나 덩어리 형태 모두에서 불활성이고 생체 적합성이 높아 장기간 사용이 필요한 관절면의 이상적인 물질이라고 할 수 있다. 초창기 세라믹 비구컵은 시멘트를 이용하여 고정하거나 나사형 컵(screwed-in cup)이었으며, 불활성 세라믹이므로 골성장이 일어나지 않아 비구컵의 안정적 고정에 문제가 발생하여 해리가 많이 보고되었다. 또한 세라믹 골두는 금속 스템에 epoxy resin을 이용하여 붙이거나 대퇴스템 끝에 나사 홈 고정을 하는 방식을 사용하였는데 이러한 고정 방법들은 인공 관절의 조기 실패와 연관이 있었다. 또한 초창기에는 세라믹 제조 과정상의 한계로 세라믹의 순도가 낮고 입자가 큰 세라믹의 사용이 불가피하여 세라믹의 파괴가 많아지면서 한동안 침체기에 접어들게 된다. 그러나 지난 20-30년간 고온 등압(hot isostatic pressure) 성형 등의 방법이 제조 공정상에 도입됨으로써 최근의 알루미나 세라믹은 매우 작은 미세입자 크기로 만드는 것이 가능해짐에 따라 순도와 밀도가 높아지면서 경도(hardness), 강도(strength)와 같은 기계적 특성이 우수해졌다. 또한, 검증 시험(proof testing)과 제품 인식 표시방법(laser engraving)의 도입으로 제품의 완성도가 획기적으로 발전하였다. 최근의 세라믹은 관절면에 대한 특별한 문제점이 발생하지 않고 특히 마모율이 낮아서 이에 따른 재치환율도 낮아 전세계적으로 많이 사용되고 있다. 특히 유럽에서는 오스트리아, 독일, 이탈리아, 스위스 등에서는 전체 고관절 전치환술의 50% 이상에서 사용되고 있고, 한국에서는 전체 고관절 전치환술의 81%에서 세라믹 관절면이 사용되고 있다. 세라믹 관절면은 1970년대 초기에 프랑스, 독일 등에서 세라믹-세라믹 관절면으로 알루미나를 사용하기 시작했으며, 40년 이상 사용되면서 그 효용성이 입증되었다. 그 이후에 알루미나의 품질을 향상시키기 위해 여러 가지 기술적인 발전이 이루어졌으며, 굴곡 강도는 처음 사용되었을 때보다 3배 이상 증가하였다. 일반적으로 세라믹-세라믹 관절면은 가장 적은 마모율을 보이며, 마모 입자도 인체 내에서 국소적 또는 전신적인 문제를 발생시키지 않는다.

1) 세라믹-세라믹 관절면의 물리적 특성

Boutin에 의해 1970년에 도입된 알루미나 관절의 첫 번째 시도는 기술적인 문제로 인해 성공적이지 못했다. 대퇴골두를 실린더 모양의 trunion에 epoxy resin을 이용하여 부착하였으며 이는 결합의 해리와 높은 마모의 원인이 되었다. 이러한 문제를 해결하기 위해 독일에서 모스 테이퍼(Morse taper)가 개발되었다. 이때 두 가지 형태, Mittelmeier와 Griss 인공 고관절이 개발되었는데, Boutin의 인공 관절은 골시멘트를 이용하여 고정하는 방식인데 비하여, 독일의 인공 관절은 나사못 형태의 비구 컵을 사용하는 무시멘트형 고정방법이었다(그림 18).

모스 테이퍼를 사용하는 결합 방식 이외에 독일 연구진의 주된 업적은 Feldmüuhle(현재는 CeramTec GmbH, Plochingen, Germany)에서 개발되어 40년 동안 사용된 BIOLOX® forte 알루미나의 개발이다. 세라믹은 분말을 고형의 물질로 만드는 과정을 거치게 되는데, 분말을 유기 결합물질(organic binder)과 물에 섞은 후 원하는 모양의 주형에 넣고 압력을 가하게 된다. 이후 수분을 증발시키고 열처리를 하여 결합물질을 연소시킨다. 이 때 세라믹 분말의 질과 순도, 열처리 최대 온도 및 열처리 시간은 세라믹의 최종 미세 구조에 매우 큰 영향을 미친다. 세라믹의 최종적인 기계적 특성은 순도, 다공성(porosity), 입자(grain)의 크기 및 분포 등에 좌우되게 된다. 알루미나 세라믹의 탄성계수는 380 GPa로 코발트-크롬의 220 GPa보다 크며 피질

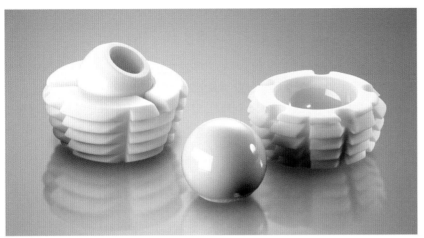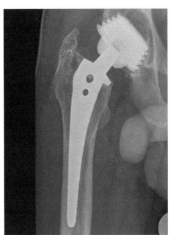

그림 18. Mittelmeier 세라믹-세라믹 관절면

골의 19배, 해면골의 300배에 달하고 폴리에틸렌의 탄성계수보다 190배 높다. 따라서 딱딱하며, 단단하여 기계적 특성상 압축력에는 잘 견디나 깨지기 쉬운 단점을 가지고 있다. 1세대 알루미나의 경우 대부분의 경우에서 만족하지 못한 임상 결과가 보고되었으며, 이는 인공 관절의 부적절한 형태 및 고정방법의 문제로 인해 야기되었다. 그러나, 젊은 환자에서 우수한 골질의 피질골에 초기 고정이 우수했던 환자에서는 좋은 결과를 보였다. 당시 알루미나-알루미나 관절면의 마모율은 5 μm/year로 폴리에틸렌보다 적었으며, 알루미나 마모 입자에 대한 생물학적 반응도 미미하였다. 그러나 알루미나 세라믹(Al_2O_3)은 초기의 단순 소결 공정(sintering process)으로는 결정 입자의 크기를 30 μm 이하로 만들기 어려워 다공성이 문제가 되었다. 초창기 1세대 알루미나 세라믹의 경우 앞에서 언급한 대로 밀도가 낮고 미세 구조가 거칠었으며, 당시 알루미나 세라믹 제조는 공기 중에서 소결로 만들어 졌다. 입자 크기는 제조사마다 다르지만 큰 것은 35 μm에 달하는 것도 있었으며 다공성은 크게 3.2% 에 달하는 제품도 있었다. 이후 향상된 순도 및 더욱 미세한 크기의 입자를 지닌 세라믹 분말을 사용하여 제조한 2세대 알루미나 세라믹이 개발되었는데 이 역시 제조 과정은 공기 중

소결을 사용하였다. 1980년경 고순도의 세라믹 입자의 생산이 가능해지고, 생산 공정이 개선됨으로써 2세대 알루미나가 도입되었다. 2세대 알루미나의 특징으로는 농도가 증가하고, 입자의 평균 크기가 균일해지고 감소하였으며, 재료의 순도가 높아졌다. 최종적으로 생산된 알루미나 세라믹 관절면의 입자 크기는 다소 감소하였으며, 순도가 높아 강도가 향상되었다. 뿐만 아니라 세라믹에 고유 번호를 새기는 방법으로 세라믹에 글자 모양의 절흔(notch)을 파는 대신 레이저로 번호를 새기는 방법(laser engraving)을 사용함으로써 절흔으로 인한 파손의 위험성(notch sensitivity)을 감소시켰다. 이후 3세대 알루미나 세라믹이 개발되었는데 고온 등압 성형의 도입으로 매우 단단하고, 98% 이상의 순도를 가지며 결정입자 크기를 2 μm 미만으로 줄였다. 또한 밀도를 3.98 g/m³으로 상승시켜 인성과 굴곡 강도가 향상되었고, 100% proof testing을 시행하여 사용의 안정성을 도모하였다. 고온 등압 성형은 극단적으로 높은 압력(약 1000 MPa)하에서 소결 온도보다 약간 낮은 온도에서 처리하는 것으로써 높은 농도를 유지하고, 입자의 크기가 증가하는 것을 방지하여 세라믹의 기계적 물성을 개선할 수 있게 되었다. 3세대 알루미나 BIOLOX® *forte*는 CeramTec GmbH™ 이러한 공정을

거쳐서 제작되었다(그림 19).

이러한 개선으로 인하여 1995년부터 BIOLOX® *forte* 가 사용되었고, 굴곡 강도도 50% 더 증가하였다. 세라믹의 순도, 입자의 크기, 농도 등에 대해 개선이 이루어지게 되어 제작 공정, 품질 관리, 디자인 등도 발전되었으며, 이로 인해 세라믹 골두의 골절률도 0.01%로 감소되었고, 마모에 대한 저항도 증가되었다. 세라믹은 높은 산화 상태를 가지고 모든 생체 환경에서 높은 화학적 안정성을 가져 부식에 대하여 강한 특성을 지니고 있을 뿐만 아니라 친수성을 띠어 액막(fluid film) 윤활을 가능하게 하여 유착성 마모가 최소화되는 특징이 있다. 세라믹은 아주 매끄러운 표면을 만들 수 있는데 이는 조도(roughness, Ra)로 표시되며 알루미나 세라믹의 조도는 0.02 Ra로서 최상의 금속 표면처리의 결과보다 우수한데 이는 작은 입자 크기에서 기인한다. 또한 알루미나 세라믹은 마모 특성의 중요한 요소 중 하나인 습윤성(wettability)이 우수하다(그림 20).

이는 액체가 알루미나 세라믹 표면에 넓게 퍼짐을 의미하며 액막 윤활을 가능하게 하는 특성이다. 이 관절면 사이의 액막은 골두와 라이너 사이의 접촉응력(contact stress)을 감소시켜 마모 특성을 좋게 한다. 간극(clearance)은 관절면 사이의 공간을 결정하는데 이 공간에 액막이 존재하게 되며 적당한 간극은 윤활의 측면에 있어서 중요한 부분이다. 최적의 간극은 20~50 μm 사이로 알려져 있다. 고관절 시뮬레이터를 이용한 실험에서는 1, 2세대 알루미나 세라믹에서 백만 싸이

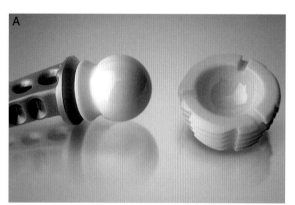
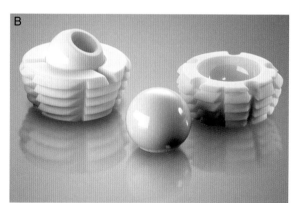
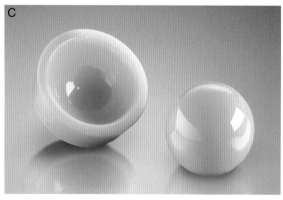

그림 19. 세대별 세라믹-세라믹 관절면
(A) 1세대 세라믹-세라믹 관절면(1974년), (B) 2세대 세라믹-세라믹 관절면(1985년), (C) 3세대 세라믹-세라믹 관절면(BIOLOX® *forte*, 1995년), (D) 4세대 세라믹-세라믹 관절면(BIOLOX® *delta*, 2003년)
출처: CeramTec GmbH

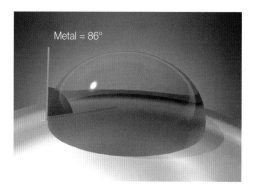

그림 20. 금속 표면(좌측)과 세라믹 표면(우측)의 습윤성 지수를 비교한 그림
출처: CeramTec GmbH

클(임상적으로 1년에 해당함)당 0.006 mm, 3세대 알루미나의 경우에는 백만 싸이클당 0.001 mm 이하의 선형 마모율을 보인다. Bos 등은 고관절 재치환술 시 제거된 관절면을 분석한 결과 인체내에서 알루미나-알루미나 관절면의 연간 선형 마모율은 0.005 mm 이하라 하였는데 이는 금속-폴리에틸렌의 0.2-0.5 mm/year, 세라믹-폴리에틸렌의 0.1 mm/year보다 매우 낮은 수치이다. 최근의 알루미나의 연간 선상 마모율은 0.5-3 μm/year로 알려져 있으며(금속-금속 2.5 μm/year, 세라믹-폴리에틸렌 30-70 μm/year, 금속-폴리에틸렌 75-150 μm/year), 생성된 마모 입자의 무게로 계산한 용적 마모율은 금속-폴리에틸렌의 1/1,000, 금속-금속의 1/40에 불과하다.

알루미나 세라믹은 높은 산화 상태를 가지고 모든 생체 환경에서 높은 화학적 안정성을 가지며 생체와는 거의 반응하지 않는다. 또한 관절의 마찰계수는 0.01 정도로 생체 관절면(0.008-0.02)에 맞먹는 수치를 보인다. 그 외 습윤성이 있어 액체가 알루미나의 표면에 넓게 퍼지게 된다. 따라서 액막(fluid film)이 세라믹 골두와 라이너 사이에 형성되며 이 액막에 의해 잘 조화된 표면들 사이에서 접촉응력(contact stress)이 줄어든다. 최근에 개발되어 사용되는 4세대 알루미나, BIOLOX® delta는 순수 알루미나가 아닌 복합체이다(그림 21). 2002년에 특유한 미세 구조를 지닌 alumina-matrix composite가 도입되었으며, 이 matrix에는 약 4.5 μm의 알루미나 입자, 약 0.3 μm의 second phase Y-TZP 지르코니아(zirconia) 입자와 최대 5 μm 크기의 혈소판 모양 결정의 strontium aluminate의 third phase가 포함되어 있다. 이 복합체는 골고루 분산된 Y-TZP입자(17%)의 상변환(phase transformation), 혈소판 모양의 입자(3%)로 인한 crack bridging의 두 가지 독립적인 상승 기전에 의해 더욱 단단해지고 강화되었으며, 이로 인해 알루미나와 다른 산화물의 균형이 이루어지고, 알루미나가 더욱 견고하게 되었다(그림 22).

제조 공정에 고온 등압 소결, laser marking, 100% proof testing 등과 같은 공정이 모두 포함되어 있으며, 관절면의 신뢰도와 수명을 연장시키기 위해서 순수한 알루미나가 지니고 있는 약한 취성, 골절 등의 약점을 보완할 수 있는 재료를 혼합하여 제작하였다. 또한, 탈구의 위험성을 줄이고 관절 운동 범위를 증가시키기 위해 보다 큰 세라믹 골두와 얇은 라이너가 필요한데, 물리적 충격이나 부적절하게 삽입한 삽입물에서 발생할 수 있는 세라믹 골두의 골절을 방지하는 것에 주안점을 두었다. 2013년에 380만 개의 BIOLOX® delta가 전세계적으로 사용되었는데, 가장 큰 관심사 중의 하나는 기계적 성질을 변화시켜 세라믹의 파손, 혹은 골절을 줄일 수 있느냐는 것이다. 최근의 보고에 의하면 BIOLOX® forte 골두의 생체내 골절은 100,000예 중 21

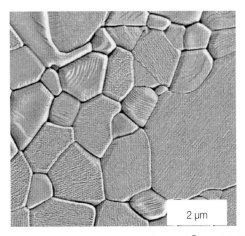 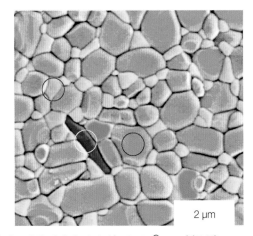

그림 21. 3세대 세라믹 관절면(BIOLOX® forte)(좌측)과 4세대 세라믹 관절면(BIOLOX® delta)(우측)
출처: CeramTec GmbH

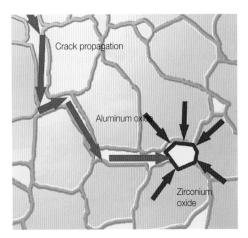 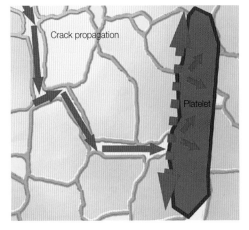

그림 22. 4세대 세라믹 관절면(BIOLOX® delta)의 구조
4세대 세라믹 관절면은 산화 알루미늄 75%, 산화 지르코늄 25%, 산화 크롬 등으로 구성되어 있으며, 산화 알루미늄 사이로 형성된 균열이 산화 지르코늄에 의해 더 이상 진행되지 않는 특성을 보여 세라믹의 파손을 줄여준다.
출처: CeramTec GmbH

예에서, BIOLOX® delta 골두에서는 BIOLOX® forte 골두의 10분의 1(0.002%)에서 발생하였고, 대부분 28 mm 크기의 골두와 long 또는 short neck에서 발생하였다고 보고하였다. 3세대 BIOLOX® forte 세라믹 관절면은 금속-폴리에틸렌 관절면에 비해 마모에 100배 강하며, 비구컵의 각도가 각각 45°, 60°일 때 모두 차이가 없었다. 이는 작은 입자의 사용이나 고온 등압 공정 등으로 인해 1세대 알루미나에 비해 순수한 알루미나의 기계적 성질이 향상되었다는 것을 의미한다. 최근의 BIOLOX® delta는 굴곡 강도와 인성(toughness)이 뛰어나서 관절의 이완 등이 있는 좋지 않은 환경에서도 마모에 대해 매우 우수한 기계적 성질을 가지고 있어 이러한 경우에서도 BIOLOX® forte에 비해 절반 정도의 마모율을 보인다. 마찬가지로 wear stripe의 경우도 BIOLOX® forte에 비해 더 얕은 형태를 보인다.

2) 세라믹의 생물학적 특성

Bohler 등은 고관절 재치환술 시 얻은 조직들을 분석한 결과 알루미나-알루미나 관절면에서 발생하는 마모 입자의 용적당 개수가 금속-폴리에틸렌 관절면에서 발생하는 마모 입자보다 2-22배 적었을 뿐만 아니라 알루미나 입자는 세포 반응도 적었다고 보고하였다. 금속 및 폴리에틸렌 입자와는 달리 알루미나 입자의 경우 거대세포(giant cells)가 주변에서 관찰되지 않으며 주로 대식세포에 의해 포식되는 것으로 알려져 있다. 이물반응(foreign-body reaction)은 대량의 입자가 있는 경우만 관찰되며 입자의 포식으로 끝나는 경우가 많다. 알루미나 입자의 경우 폴리에틸렌 입자 보다 주변 조직의 PGE2 수치가 낮으며 IL-1, IL-6 생성 및 아라키돈산(arachidonic acid) 대사 과정에 미치는 영향도 미미하다. 폴리에틸렌 입자보다 알루미나 입자가 세포에 의해 더 포식이 잘 되나 TNF-a 생성 및 분비의 자극은 더 적으며 대식세포의 자멸사(apotosis)를 유도하는 능력도 알루미나 입자가 더 빠른 것으로 알려져 있다. 이러한 이유들로 인해 알루미나-알루미나 관절면으로 인한 골용해의 발생률이 적은 것으로 생각되고 있다. 다량의 세라믹 입자는 다른 입자들과 마찬가지로 골용해를 일으킬 수 있으며 충분한 양의 세라믹 입자들이 존재하면 이물반응을 촉진시켜 골용해를 일으킬 수 있다.

3) 세라믹-세라믹 관절면의 문제점

(1) 세라믹 골두 및 라이너 파손

세라믹은 우수한 마모 특성을 지니고 있으나 취성이 높아 깨지기 쉬운 문제점을 갖고 있다. 초창기 알루미나 세라믹 골두는 파손이 잦았는데 이는 앞에서 언급한 생산 과정의 미숙함 및 디자인상의 문제에서 비롯된 것이었다. 파손의 위험성을 결정하는 요소로 알루미나의 질, 관절면의 기하학적 구조, 가해지는 부하 등을 들 수 있다.

임상적으로 나타나는 세라믹 골두 골절은 직경이 작은 골두에서 발생하고, 초창기 소결에 의해 제작되어 순도가 떨어지고 입자 크기가 큰 알루미나 세라믹 골두에서 흔히 발생한다. 또한 골두와 대퇴스템 연결부의 기하학적 구조(taper geometry)가 정확하지 않은 경우 과도한 내적응력(inborn stress)으로 인하여 파손이 발생할 수도 있다. 세라믹 골두의 파손과 연관되어 몇 가지 가설이 제시되고 있다. 첫째, 수술 시 충분한 모스 테이퍼의 접촉을 얻기 위해서는 세라믹 골두를 모스 테이퍼에 돌려서 감입시켜야 한다. 이때 돌리는 과정을 생략하는 경우 세라믹 골두가 대퇴스템 경부에 편심성으로 삽입되어 부정 선열과 높은 접촉 부하로 인하여 파손의 위험성이 증가할 수 있다. 둘째, 대퇴스템이 비교적 잘 고정되어 스템의 교체가 필요 없으나 기존의 테이퍼에 이미 손상이 있을 때, 새로운 세라믹 골두를 그대로 사용할 경우 깊은 긁힘 등에 의해 골두가 파손될 수 있다. 셋째, Marsonis 등에 의하면 특히 경부를 길게하는 골두(long neck head)를 사용한 경우 파손이 더 많았는데, 그 이유로 테이퍼가 골두 내부 홈(bore)의 아래쪽에 접촉하여 홈 상단에 더 큰 신연 응력(tensile stress)이 발생하기 때문이라고 가정하였다. 그러나 그와는 반대로 경부를 짧게하는 골두(short neck head)를 사용한 경우 골두 내부 홈 상단 외측 끝으로부터 골두 표면까지의 두께가 상대적으로 얇기 때문에 골두 파손의 위험이 더 크다는 주장도 있다. 넷째, 비구컵과 대퇴스템의 디자인 측면에서 비구컵이 너무 얇거나 대퇴스템의 테이퍼의 길이가 불충분할 경우 골절이 일어날 수 있다. 세라믹 라이너의 파손에 대해서도 몇 가지 가설이 있는데, 첫째, 라이너 삽입 과정에서 비구컵에 정확하게 직각방향이 아니고 약간 비스듬한 방향으로 힘을 주어 삽입할 경우에 세라믹 라이너가 비구컵에 완전히 안착되지 못하는 현상이 발생하게 된다(malseating or canted seating). 이때 라이너의 파괴 또는 라이너 변연부에 조각 파손이 발생할 수 있다. 그러므로 조립식 세라믹 라이너를 비구컵에 편심성 없이 안전하게 넣기 위해서는 비구컵의 변연부까지 충분히 노출시켜 라이너를 중심성으로 꽉 밀어놓는 것이 무엇보다 중요하며 삽입 후에도 조그만 틈 또는 조각이 있는지 꼭 확인하여야 하겠다. 둘째, 비구컵의 경사각이 부적절하거나 전염각이 불충분한 경우, 테이퍼의 하단과 라이너의 측면에서 충돌이 발생되어 라이너의 파손을 유발하는 경우가 있을 수 있다. 그 외에도 활동이 많거나 비만한 경우, 심한 외상에 의해서도 파손이 발생할 수 있다. 또한 세라믹 관절면을 이용한 고관절 전치환술을 시행할 때는 충분한 노출을 통해 세라믹 골두와 라이너를 정확하게 삽입해야 하므로 최소 절개 수술 시 주의해야 한다. 세라믹 골두의 파손율은 제조 회사의 제품마다 다르나 초창기 세라믹의 경우 일부 회사 제품은 13.4%에 달하는 것도 있었다. 그러나 3세대 알루미나 세라믹은 압박 강도가 4,000 MPa 이상, 굴곡 강도는 550 MPa 이상으로 향상되었으며, 높은 경도로 마모에 대한 저항성도 크며 파손의 위험성이 감소되었다(그림 23). 따라서 3세대 세라믹의 파손율은 0.004%까지 감소하였고, 4세대에서는 3세대의 10분의 1로 감소한 것으로 보고하고 있어 파손의 위험성은 매우 미미한 정도로 감소하였다.

2017년 영국에서 222,852 세라믹 관절면을 조사한 결과에 의하면 *Forte* head 골절은 0.119%, *Forte* liner 골절은 0.112% 이었으며, *Delta* head 골절은 0.009%, *Delta* liner 골절은 0.126%로 4세대 세라믹 골두 골절이 현저히 감소하였다고 보고하였다.

관절 운동 범위를 향상시키고 탈구의 위험성을 줄이기 위해 더 큰 골두를 사용하게 되었는데, 큰 골두는 관절 운동 범위가 증가되고 충돌이 적어지며 탈구 유발까지 거리(jump distance)의 증가로 탈구의 빈도가 감소 되는 장점이 있는 반면, 라이너가 얇아지고 그로 인한 파손이나 변형의 가능성이 있는 등 이론적 단점도 있다. 한편 Burroughs 등에 의하면 38 mm 보다 큰 골두를 사용하더라도 관절 운동의 증가가 더 이상 관찰되지 않는다고 한다.

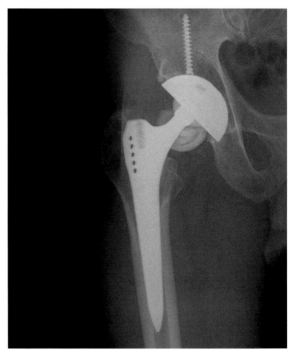

그림 23. 세라믹 라이너의 파손
59세 남자 환자로 세라믹-세라믹 관절면을 이용한 고관절 전치환술 후 6년에 발생한 세라믹 라이너의 파손이 방사선 사진상 관찰된다.

(2) 대상 마모(stripe wear)와 미세 분리

세라믹-세라믹 관절면에서 접촉응력이 증가할 수 있는 경우가 있는데 첫째는 3물체 마모로 관절면 사이에 입자 조각이 존재하는 경우이다. 이는 인공 고관절 삽입 후 관절을 정복하는 과정에서 과도한 근육의 긴장 등으로 정복의 어려움이 있을 경우 세라믹의 일부 또는 금속의 일부가 손상되면서 입자가 유리되어 관절면 사이에 끼는 경우 발생할 수도 있고, 수술 후 보행 중 유각기에 골두가 비구에서 미세하게 분리되었다가 다시 제자리로 들어가면서 야기되는 수도 있다. 후자의 경우 근육의 긴장성이 떨어져 있는 경우 악화될 수 있으므로 세라믹 관절면 선택에 신중을 기하여야 한다. 대상 마모는 세라믹 골두에 초생달 모양의 줄무늬가 표면에 생기는 것으로, 앞서 언급한 3물체 개재에 의한 마모에 의하거나 접촉응력이 증가할 수 있는 상태로 비구컵과 대퇴스템이 삽입된 경우 발생할 수 있다. Walter는 비구컵의 경사각이 55° 이상인 경우나 대퇴스템의 경간각이 140° 이상인 경우 마모율이 증가한다고 했는데, 이는 관절면의 일부분에 접촉응력이 커져 과도한 마모를 유발하기 때문이라고 하였다.

최근 보고에 의하면 5만 싸이클의 고관절 운동 시뮬레이션 후 세라믹-세라믹 관절면의 마모량은 0.25 mm³인 반면 타이타늄 trunnion의 마모량은 0.29 mm³로 최근 사용되는 세라믹-세라믹 고관절 전치환술에서 금속 입자에 의한 부정적 반응을 설명하여 준다. 그러므로 세라믹 관절면 사용 전 taper-trunnion 마모도 고려되어야 한다.

(3) Squeaking

Squeaking의 사전적 의미는 '찍찍(끽끽)거리는 소리'이다. 아직까지 정확한 원인은 밝혀지지 않고 있으나 원인 인자로 언급되고 있는 것들은 다음과 같다. 첫째, 삽입물에 관한 요소로서 관절면에 사용된 재질이 hard-on-hard인 경우이다. 수술 후에 들을 수 있을 정도의 squeaking의 빈도는 세라믹 관절면의 경우에 0.5-7% 정도이며 금속-금속 관절면을 이용한 경우는 3.9% 정도로 보고되고 있다. 반면에 폴리에틸렌을 사용한 관절면에서는 squeaking이 발생하지 않는 것으로 알려져 있다. 둘째, 환자측 요소로서 젊고 키가 크며 뚱뚱한 환자에서 많이 보고되고 있다. 이러한 환자들에서 사용되는 관절면에 요구되는 기계적 특성이 다른 사람들보다 크다는 것을 시사한다고 할 수 있겠다. 마지막으로 수술적 요소로서 비구컵의 위치가 중요한 요소로서 작용하는 것으로 보인다. 비구컵의 전염각이 너무 큰 경우 정상적인 보행 주기 중 입각기말에 세라믹 골두가 상대적으로 전상방으로 접촉이 부족해지면서 세라믹 관절면의 앞쪽에 가장자리 부하(edge loading)가 발생하게 되고 고관절이 신전될 때 squeaking이 유발될 수 있다. 반대로 전염각이 너무 적으면 고관절 굴곡 시에 세라믹 골두의 접촉이 후방쪽

에서 부족해지면서 후방에 가장자리 부하가 걸리게 되어 굴곡 시 squeaking이 발생할 수 있다. 또 다른 원인으로 언급되고 있는 것이 대퇴스템 경부와 비구컵 변연부와의 충돌이다.

Squeaking은 임상적으로 통증 및 관절의 경직과 연관이 있어 젊은 환자에서 고관절 전치환술 후 들을 수 있을 정도의 소음이 고관절로부터 발생 한다면 소음 유발과 고관절 전치환술 후 발생하는 고도의 증상들과의 연관성을 잘 인식하여야 한다.

4) 세라믹-세라믹 관절면의 임상 결과

1971년 Pierre Boutin에 의하여 처음으로 알루미나-알루미나 고관절 전치환술이 시행될 당시에는 알루미나 골두를 epoxy resin을 이용하여 부착하거나 대퇴스템에 나사 홈 고정 하였기 때문에 5.7%에서 골두의 분리가 발생하였다. 또한 입자의 크기가 크고 변동이 심하며 순도가 낮은 품질상의 문제로 1.3%에서 골두 및 비구컵의 파손이 발생하였다. 1977년 이후 모스 테이퍼 잠금 장치에 의한 고정 방법의 도입과 제조 과정의 향상으로 파손은 많이 줄어 들었다. 또 다른 문제점으로 대두된 것이 알루미나 비구컵의 해리였는데 골시멘트 고정, 나사 고정법, 압박 고정 등의 초기 고정법에서 골내성장을 유도할 수 있는 금속 비구컵을 도입함으로써 고정에 관련된 문제는 개선되었다. Boutin에 의하여 1978년부터 1980년까지 시행 된 118 관절의 20년 추시 결과 비구 삽입물을 골시멘트로 고정한 경우에는 61%, 시멘트를 사용하지 않은 경우는 86%가 생존하였고, 대퇴스템의 경우 골시멘트를 사용하지 않은 경우는 85%, 사용한 경우에는 87%의 생존율을 보였다. 골두가 파손된 경우는 없었고 마모도 단순 방사선 사진에서 관찰되지 않았다. Bizot 등은 압박 고정형 금속 비구컵에 알루미나 관절면을 사용한 234예를 대상으로 최소 5년 이상 추시한 결과를 발표하였는데 9년 생존율이 재수술 기준으로 했을 때 93.4%, 무균성 해리를 기준으로 했을 때 97.4%였다고 보고하였고 97.5%

에서 우수 이상의 임상 결과를 보고하였다. D'Antonio 등은 2005년 222예의 알루미나 세라믹 관절면을 사용한 군을 106예의 금속-폴리에틸렌 관절면을 사용한 군과 비교한 결과를 발표하였는데 평균 5년 추시 결과 골용해는 세라믹 군에서 1.4%, 비교 대상 군에서 14.0%였으며 어떠한 이유로든 재수술을 받은 경우가 세라믹 군에서는 2.7%, 비교 대상 군에서는 7.5%이었다. 우리나라에서는 Yoo 등이 28 mm 알루미나-알루미나 관절면을 이용한 무시멘트형 고관절 전치환술 후 최소 5년 이상 추시 가능했던 93예를 분석한 결과, 해리나 골용해는 한 예에서도 관찰되지 않았으며, 교통사고에 의한 세라믹 골두 파손 1예, 라이너의 가장자리 파손(chip fracture) 1예 등으로 중기 결과가 상당히 양호한 것으로 보고하였다. 10년 이상의 추시 결과로 여러 저자들은 세라믹-세라믹 고관절 전치환술의 10년 생존율을 90.8%에서 97.4%로 보고하였고, Petsatodis 등은 세라믹-세라믹 관절면의 20.8년의 장기 추시상 생존율을 84.4%로 보고하였다.

최근 Seo 등은 3세대 세라믹-세라믹 관절을 이용한 고관절 전치환술 310예를 평균 9년 추시 결과 2예의 세라믹 골두 골절이 있었으며, 3.9%의 재치환술이 이루어 졌다고 보고하였다. 또한 Lee 등은 4세대 세라믹-세라믹 고관절 전치환술 286예 평균 6년 추시 결과 한 개의 세라믹 라이너 골절을 보였으며, 99.0%의 생존율을 보였다고 보고하였다.

참고문헌

1. 강준순, 김려섭. 폴리에틸렌-금속 관절면. 대한고관절학회지. 2010; 22(4): 241-246

2. 김영호, 박기철. 고관절 전치환술에서의 금속-금속 관절면. 대한고관절학회지. 2004; 16(2): 115-21.

3. 성열보. 고관절 전치환술에서의 금속-금속 관절면. 대한고관절학회지. 2006; 18(2): 261-68.

4. 윤호현, 정지영, 심현보, 박재홍. 세라믹 대퇴골두 및 초고분자량 폴리에틸렌 라이너를 이용한 65세 이상 무시멘트형 인공고관절 전치환술: 최소 5년 중기 추시 결과. 대한정형외과학회지. 2018; 53(6): 490-497

5. Adams P, Farizon F, Fessy M-H. Dual mobility retentive acetabular liners and wear: Surface analysis of 40 retrieved polyethylene implants. 2005; 91: 627-36. 76.

6. Affatato S, Leardini W, Jedenmalm A, Ruggeri O, Tnoi A. Larger Diameter Bearings Reduce Wear in Metal-on-Metal Hip Implants. Clin Orthop Relat Res. 2007; 456: 153-8.

7. Affatato S, Spinelli M, Zavalloni M, Mazzega-Fabbro C, Viceconti M. Tribology and total hip joint replacement: current concepts in mechanical simulation. Med Eng Phys. 2008; 30(10): 1305-17.

8. Allain J, Roudot-Thoraval F, Delecrin J, Anract P, Migaud H, Goutallier D. Revision total hip arthroplasty performed after fracture of a ceramic femoral head. A multicenter survivorship study. J Bone Joint Surg Am. 2003; 85: 825-830.

9. Amstutz HC, Grigoris P. Metal on metal bearings in hip arthroplasty. Clin Orthop Relat Res. 1996; (329 Suppl): S11-34.

10. Amstutz HC, Le Duff MJ, Campbell PA, Wisk LE, Takamura KM. Complications after metal-on-metal hip resurfacing arthroplasty. Orthop Clin North Am. 2011; 42: 207-30.

11. Ansari JS, Matharu GS, Pandit H. Metal-on-metal hips: current status. Orthopaedics and Trauma. 2018;32(1): 54-60.

12. Ast MP, John TK, Labbisiere A, Robador N, Valle AG. Fractures of a Single Design of Highly Cross-Linked Polyethylene Acetabular Liners: An Analysis of Voluntary Reports to the United States Food and Drug Administration. J Arthroplasty. 2014; 29: 1231-5.

13. Atkins GJ. Role of polyethylene particles in peri-prosthetic

osteolysis: A review. World Journal of Orthopedics. 2011; 2: 93.

14. Babovic N, Trousdale RT. Total hip arthroplasty using highly cross-linked polyethylene in patients younger than 50 years with minimum 10-year follow-up. J Arthroplasty. 2013; 28(5): 815-7.

15. Back DL, Dalziel R, Young D, Shimmin A. Early results of primary Birmingham hip resurfacings: An independent prospective study of the first 230 hips. J Bone Joint Surg Br. 2005; 87: 324-329.

16. Barrack RL, Burak C, Skinner HB. Concerns about ceramics in THA. Clin Orthop Relat Res. 2004; 429: 73-9.

17. Beom H Seo, Dong J Ryu, Joon S Kang, Kyoung H Moon: Primary total hip arthroplasty using 3rd generation ceramic-on-ceramic articulation.:Hip int. 2016 Sep. 29:26(5):468-473

18. Bhalekar RM, Smith SL, Joyce TJ. 2019. Wear at the taper-trunnion junction of contemporary ceramic-onceramic hips shown in a multistation hip simulator. J Biomed Mater Res Part B 2019:107B:1199–1209.

19. Bizot P, Larrouy M, Witvoet J, Sedel L, Nizard R. Pressfit metal-backed alumina sockets: a minimum 5-year followup study. Clin Orthop Relat Res. 200; 379: 134-42.

20. Bone MC, Naylor A. Failure of an ACCIS metal-on-metal hip resurfacing prosthesis: A case report. Proc Inst Mech Eng H. 2017;231(12):1188-94.

21. Bosker BH, Ettema HB, Boomsma MF, Kollen BJ, Maas M, Verheyen CC. High incidence of pseudotumour formation after large-diameter metal-on-metal total hip replacement: a prospective cohort study. J Bone Joint Surg Br. 2012; 94: 755-61.

22. Bourne RB, Barrack R, Rorabeck CH, Salehi A, Good V. Arthroplasty options for the young parient: Oxinium on cross-linked polyethylene. Clin orthop Relat Res. 2005; 441: 159-67.

23. Boutin P. Alumina and its use in surgery of the hip. Presse Med. 1971; 79: 639-40.

24. Bracco P, Oral E. Vitamin E-stabilized UHMWPE for total joint implants: a review. Clin Orthop Relat Res. 2011; 469: 2286-2293.

25. Brockett C, Williams S, Jin Z, Isaac G, Fisher J. Friction of total hip replacements with different bearings and loading conditions. J Biomed Mater Res B Appl Biomater. 2007; 81(2): 508-15.

26. Brodner W, Bitzan P, Meisinger V, Kaider A, Gottsauner-Wolf F, Kotz R. Elevated serum cobalt with metalonmetal articulating surfaces. J Bone Joint Surg Br. 1997; 79: 316-21.

27. Brodner W, Bitzan P, Meisinger V, Kaider A, Gottsauner-Wolf F, Kotz R. Serum cobalt levels after metal-on-metal total hip arthroplasty. J Bone Joint Surg Am. 2003; 85: 2168-73.

28. Brodner W, Grohs JG, Bancher-Todesca D, et al. Does the placenta inhibit the passage of chromium and cobalt after metal-on-metal total hip arthroplasty? J Arthroplasty. 2004; 19: 102-6.

29. Brown SS, Clarke IC. A review of lubricant conditions for wear simulation in artificial hip joint replacements. Tribol Trans. 2006; 49: 72-8.

30. Burroughs BR, Hallstrom B, Golladay GJ, Hoeffel D, Harris WH. Range of motion and stability in total hip arthroplasty with 28-, 32-, 38-, and 44-mm femoral head sizes. J Arthroplasty. 2005; 20: 11-9.

31. Catelas I, Jacobs JJ. Biologic activity of wear particles. Instr Course Lect. 2010; 59: 3-16.

32. Chan FW, Bobyn JD, Medley JB, Krygier JJ, Tanzer M. The Otto Aufranc Award. Wear and lubrication of metal-on metal hip implants. Clin Orthop Relat Res. 1999; 369: 10-24.

33. Choi WK, Kim JJ, Cho MR. Results of Total Hip Arthroplasty with 36-mm Metallic Femoral Heads on 1st Generation Highly Cross Linked Polyethylene as a Bearing Surface in Less than Forty Year-old Patients: Minimum Ten-year Results. Hip Pelvis. 2017; 29(4): 223-227

34. Cipriano CA, Issack PS, Beksac B, Della Valle AG, Sculco TP, Salvati EA. Metallosis after metal-on-polyethylene total hip arthroplasty. Am J Orthop (Belle Mead NJ). 2008; 37: E18-25.

35. Clarke I, Willmann G: Structural ceramics in orthopaedics, in Cameron HU (ed): Bone Implant Interface. St. Louis, MO: Mosby; 1994. 203-352.

36. Clarke IC, Gustafson A. Clinical and hip simulator comparisons of ceramic-on-polyethylene and metal-on-polyethylene wear. Clin Orthop Relat Res. 2000; 379: 34-40.

37. Clarke IC. Role of ceramic implants: Design and clinical success with total hip prosthetic ceramic-to-ceramic bearings. Clin Orthop Relat Res. 1992; 282: 19-30.

38. Clarke MT, Lee PT, Arora A, Villar RN. Levels of metal irons after small- and large-diameter metal-on-metal hip arthroplasty. J Bone Joint Surg Br. 2003; 85: 913-7.

39. Cobelli N, Scharf B, Crisi GM, Hardin J, Santambrogio L. Mediators of the inflammatory response to joint replacement devices. Nature Reviews Rheumatology. 2011.

40. Crowninshield RD, Maloney WJ, Wentz DH, Humphrey SM, Blanchard CR. Biomechanics of large femoral heads: what they do and don't do. Clin Orthop Relat Res. 2004; 429: 102-7.

41. D'Antonio J, Capello W, Manley M, Naughton M, Sutton K. Aluminia ceramic bearings for total hip arthroplasty: Five-year results of a prospective randomized study. Clin Orthop Relat Res. 2005; 436: 164-71.

42. D'Antonio JA, Capello WN, Bierbaum B, Manley M, Naughton M. Ceramic-on-ceramic bearings for total hip arthroplasty: 5-9 year follow-up. Semin Arthroplasty. 2006; 17: 146-52.

43. D'Antonio JA, Capello WN, Manley MT, Naughton M, Sutton K. A titanium-encased alumina ceramic bearing for total hip arthroplasty: 3 to 5 year results. Clin Orthop Relat Res. 2005; 441: 151-8.

44. Dahl J, Snorrason F, Nordsletten L, Röhrl SM. More than 50% reduction of wear in polyethylene liners with alumina heads compared to cobalt-chrome heads in hip replacements: a 10-year follow-up with radiosteriometry in 43 hips. Acta Orthop. 2013; 84(4): 360-4.

45. De Haan R, Pattyn C, Gill HS, Murray DW, Campbell PA, De Smet K. Correlation between inclination of the acetabular component and metal ion levels in metal on metal hip resurfacing replacement. J Bone Joint Surg Br. 2008; 90: 1291-7.

46. de Steiger RN, Hang JR, Miller LN, Graves SE, Davidson DC. Five-year results of the ASR XL Acetabular System and the ASR Hip Resurfacing System: an analysis from the Australian Orthopaedic Association National Joint Replacement Registry. J Bone Joint Surg Am. 2011; 93: 2287-93.

47. Deborah A. Marshall, Karen Pykerman MPH et al. Hip resurfacing versus total hip arthroplasty: A systemic review comparing standardized outcomes. Clin Orthop Relat Res. Published on line 2014.

48. Delaunay C, Petit I, Learmonth ID, Oger P, Vendittoli PA. Metal-on-metal bearings total hip arthroplasty: the cobalt and chromium ions release concern. Orthop Traumatol Surg Res. 2010; 96: 894-904.

49. Della Valle AG, Doty S, Gradl G, Labissiere A, Nestor BJ. Wear of a highly crosslinked polyethylene liner associated with merallic deposition on a ceramic femoral head. J Arthroplasty. 2004; 19: 532-6.

50. Denis Nam MD, MSc, Toby Barrack BA, Staci R. Johnson MEd, Ryan M. Nunley MD, Robert L. Barrack MD: Hard-on-Hard Bearings Are Associated With Increased Noise Generation in Young Patients Undergoing Hip Arthroplasty Clin Orthop Relat Res (2016) 474:2 115–2122

51. Dennis DA, Komostek RD, Mahfouz MR. Kinematic evaluation of total hip arthroplasty with various bearing materials. Presented at Bioceramics and Alternative Bearings in Total Joint Arthropalsty: 11th Biolox Symposium, Rome, Italy. June 30- July 1, 2006.

52. Doorn PF, Campbell PA, Worrall J, Benya PD, McKellop HA, Amstutz HC. Metal wear particle characterization from metal on metal total hip replacements: transmission electron microscopy study of periprosthetic tissue and isolated particles. J Biomed Mater Res. 1998; 42: 103-11.

53. Dorr LD, Wan Z, Longjohn DB, Dubois B, Murken R. Total hip arthroplasty with use of the Metasul metal-onmetal articulation. J Bone Joint Surg Am. 2000; 82: 789-98.

54. Engh CA Jr, Hopper RH Jr, Huynh C, Ho H, Sritulanondha S, Engh CA Sr. A prospective, randomized study of cross-linked and non-cross-linked polyethylene for total hip arthroplasty at 10-year follow-up. J Arthroplasty. 2012; 8 Suppl: 2-7.

55. Evangelista GT, Fulkerson E, Kummer F, Di Cesare PE.

Surface damage to an Oxinium femoral head prosthesis after dislocation. J Bone Joint Surg Br. 2007; 89: 535-7.

56. Firkins PJ, Tipper JL, Ingham E, Stone MH, Farrar R, Fisher J. A novel low wearing differential hardness, ceramic-on-metal hip joint prosthesis. J Biomech. 2001; 34: 1291-8.

57. Fukui K, Kaneuji A, Sugimori T, Ichiseki T, Matsumoto T. Wear comparison between conventional and highly cross-linked polyethylene against a zirconia head: a concise follow-up, at an average 10 years, of a previous report. J Arthroplasty. 2013; 28(9): 1654-8.

58. Gallo J, Goodman SB, Konttinen YT, Raska M. Particle disease: biologic mechanisms of periprosthetic osteolysis in total hip arthroplasty. Innate Immun. 2013; 19: 213-24.

59. Garino J, Rhaman MN, Bal BS. Reliability of modern aluminia bearings in total hip replacements. Semin Arthroplasty. 2006; 17: 113-9.

60. Gerhardt DM, Sanders RJ, de Visser E, van Susante JL. Excessive polyethylene wear and acetabular bone defects from standard use of a hooded acetabular insert in total hip arthroplasty. Int Orthop. 2014; 38: 1585-90.

61. Germain MA, Hatton A, Williams S, et al. Comparison of the cytotoxicity of clinically relevant cobalt chrome and aluminia wear particles in vitro. Biomaterials. 2003; 24: 469-79.

62. Gill IP, Webb J, Sloan K, Beaver RJ. Corrosion at the neck-stem junction as a cause of metal ion release and pseudotumour formation. J Bone Joint Surg Br. 2012; 94: 895-900.

63. Glyn-Jones S, Pandit H, Kwon YM, Doll H, Gill HS, Murray DW. Risk factors for inflammatory pseudotumour formation following hip resurfacing. J Bone Joint Surg Br. 2009; 91: 1566-74.

64. Good V, Ries M, Barrack RL, Widding K, Hunter G, Heuer D. Reduced wear with oxidized zirconium femoral heads. J Bone Joint Surg Am. 2003; 85: 105-110.

65. Goodman SB, Gomez Barrena E, Takagi M, Konttinen YT. Biocompatibility of total joint replacements: A review. J Biomed Mater Res A. 2009; 90: 603-18.

66. Green TR, Fisher J, Stone M, Wroblewski BM, Ingham E. Polyethylene particles of a 'critical size' are necessary for the induction of cytokines by macrophages in vitro.

Biomaterials. 1998; 19: 2297-2302.

67. Ha YC, Kim SY, Kim HJ, Yoo JJ, Koo KH. Ceramic liner fracture after cementless alumina-on-alumina total hip arthroplasty. Clin Orthop Relat Res. 2007; 458: 106-10.

68. Haddad FS, Thakrar RR, Hart AJ, et al. Metal-on-metal bearings: the evidence so far. J Bone Joint Surg Br. 2011; 93: 572-9.

69. Hallab N, Merritt K, Jacobs JJ. Metal sensitivity in patients with orthopaedic implants.J Bone Joint Surg Am. 2001; 83: 428-36.

70. Hallab NJ, Jacobs JJ. Biologic effects of implant debris. Bull NYU Hosp Jt Dis. 2009; 67: 182-8.

71. Halma JJ, Senaris K, Delfosse D, Lerf R, Oberbach T, van Gaalen SM, de Gast A. Edge loading does not increase wear rates of ceramic-on-ceramic and metal-on-polyethylene articulations. J Biomed Mater Res B Appl Biomater. Published online March 21, 2014; doi: 10.1002/jbm.b.33147

72. Han SK. Metal on Metal articulation of total hip replacement. Hip & Pelvis. 2013; 25(4): 245-53.

73. Hannouche D, Hamadouche M, Nizard R, Bizot P, Meunier A, Sedel L. Ceramics in total hip replacement. Clin Orthop Relat Res. 2005; 430: 62-71.

74. Haraguchi K et al. Phase transformation of a zirconia ceramic head after total hip arthroplasty. J Bone Joint Surg Br. 2001; 83: 996-1000.

75. Harris WH. Edge loading has a paradoxical effect on wear in metal-on-polyethylene total hip arthroplasties. Clin Orthop Relat Res. 2012; 470: 3077-3082.

76. Hart AJ, Buddhdev P, Winship P, Faria N, Powell JJ, Skinner JA. Cup inclination angle greater than 50 degrees increase whole blood concentration of cobalt and chromium ions after metal-on-metal hip resurfacing.Hip Int. 2008; 18: 212-9.

77. Hart AJ, Quinn PD, Sampson B, et al. The chemical form of metallic debris in tissues surrounding metal-on-metal hips with unexplained failure. Acta Biomater. 2010; 6: 4439-46.

78. Hasegawa M, Sudo A, Uchida A. Alumina cerami-conceramic total hip replacement with a layered acetabular component. J Bone Joint Surg Br. 2006; 88: 877-82.

79. Heath JC, Freeman MA, Swanson SA. Carcinogenic properties of wear particles from prostheses made in cobalt-chromium alloy. Lancet. 1971; 1: 564-6.

80. Heiner AD, Galvin AL, Fisher J, Callaghan JJ, Brown TD. Scratching vulnerability of conventional vs highly cross-linked polyethylene liners because of large embedded third-body particles. J Arthroplasty. 2012; 27: 742-749.

81. Hopper RH Jr, Ho H, Sritulanondha S, Williams AC, Engh CA Jr. Otto Aufranc Award: crosslinking reduces THA wear, osteolysis, and revision rates at 15-year followup compared with noncrosslinked polyethylene. Clin Orthop Relat Res. 2018; 476: 279-90.

82. howard DP, Wall PDH, Femandez MA, Persons H, Howard PW Ceramic-on-ceramic bearing fractures in total hip arthroplasty: an analysis of data from the National Joint Registry. Bone Joint J 2017 Aug;99-B(8):1012-1019

83. Huang P, Lyons M, O'Sullivan M. The Infection Rate of Metal-on-Metal Total Hip Replacement Is Higher When Compared to Other Bearing Surfaces as Documented by the Australian Orthopaedic Association National Joint Replacement Registry. Hss j. 2018;14(1):99-105.

84. Huk OL, Bansal M, Betts F, et al. Polyethylene and metal debris generated by non-articulating surfaces of modular acetabular components. J Bone Joint Surg Br. 1994; 76: 568-74.

85. Ingram JH, Stone M, Fisher J, Ingham E. The influence of molecular weight, crosslinking and counterface roughness on TNF-alpha production by macrophages in response to ultra high molecular weight polyethylene particles. Biomaterials,. 2004; 25: 3511-3522.

86. Jacobs JJ, Hallab NJ, Urban RM, Wimmer MA. Wear particles. J Bone Joint Surg Am. 2006; 88(Suppl 2): 99-102.

87. Jacobs JJ, Roebuck KA, Archibeck M, Hallab NJ, Glant TT. Osteolysis: basic science. Clin Orthop Relat Res; 2001. 71-7.

88. Jacobs JJ, Roebuck KA, Archibeck M, Hallab NJ, Glant TT. Osteolysis: basic science. Clin Orthop Relat Res. 2001; 393: 71-7.

89. Jaffe WL, Strauss E, Kummer FJ. Abstract: Types of THA head damage due to islocation and reduction: Causes and effects. Final Program: 74th Annual Meeting Proceedings of the American Association of Orthopaedic Surgeons. Rosemont, IL: American Academy of Orthopaedic Surgeons; 2007. 418.

90. Jarrett CA, Ranawat A, Bruzzone M, Rodriguez J, Ranawat C. Abstract: The squeaking hip: An underreported phenomenon of ceramic-on-ceramic total hip Arthroplasty. Final Program of the 16th Annual Meeting of the American Association of Hip and Knee Surgeons. Rosemont, IL: American Association of Hip and Knee Surgoens; 2006. 20.

91. Jin ZM, Dowson D, Fisher J. Analysis of fluid film lubrication in artificial hip joint replacements with surfaces of high elastic modulus. Proc Inst Mech Eng H. 1997; 211: 247-56.

92. Kim SY, Kyung HS, Ihn JC, Cho MR, Koo KH, Kim CY. Cementless Metasul metal-on-metal total hip arthroplasty in patients less than fifty years old. J Bone Joint Surg Am. 2004; 86: 2475-81.

93. Kim WY, Ko MS, Lee SW, Kim KS. Short-term Outcomes of Ceramic Coated Metal-on-Metal Large Head in Total Hip Replacement Arthroplasty. Hip Pelvis. 2018;30(1):12-7.

94. Kim YH, Park JW, Kulkarni SS, Kim YH. A randomised prospective evaluation of ceramic-on-ceramic and ceramic-on-highly cross-linked polyethylene bearings in the same patients with primary cementless total hip arthroplasty. Int Orthop. 2013; 37(11): 2131-7.

95. Kim YH, Park JW, Park JS. The 27 to 29-year outcomes of the PCA total hip arthroplasty in patients younger than 50 years old. J Arthroplasty. Pubished on line February. 2014; doi: 10.1016/j.arth.2014.02.011.

96. Kim YH, Park JW, Patel C, Lim DY. Polyethylene wear and osteolysis after cementless total hip arthroplasty with alumina-on-highly cross-linked polyethylene bearings in patients younger than thirty years of age. J Bone Joint Surg Am. 2013; 95(12): 1088-93.

97. Kim YH. Metal-on-metal articulation in total hip arthroplasty. J Korean Hip Soc. 2007; 19: 355-62.

98. Koo KH, Ha YC, Jung WH, Kim SR, Yoo JJ, Kim HJ. Isolated fracture of the ceramic head after third generation

alumina-on-alumina total hip arthroplasty. J Bone Joint Surg Am. 2008; 90: 329-36.

99. Kop AM, Whitewood C, Johnston D. Damage of oxinium femoral heads subsequent to hip arthroplasty dislocation: Three retrieval case studies. J Arthroplasty. 2007; 22: 775-779.

100. Kunts M. Validation of a new high performance alumina matrix composite for use in total joint replacement. Semin Arthroplasty. 2006; 17: 141-145.

101. Kurtz SM, Gawel HA, Patel JD. History and systematic review of wear and osteolysis outcomes for first-generation highly crosslinked polyethylene. Clin Orthop Relat Res. 2011; 469: 2262-2277.

102. Kurtz SM. Ultra High Molecular Weight Polyethylene Biomaterials Handbook 3rd Ed. Elsevier. 2016; 45-67.

103. Kuzyk PR, Saccone M, Sprague S, Simunovic N, Bhandari M, Schemitsch EH. Cross-linked versus conventional polyethylene for total hip replacement: a meta-analysis of randomised controlled trials. J Bone Joint Surg Br. 2011; 93: 593-600.

104. Lachiewicz PF, O'Dell JA, Martell JM. Large metal heads and highly cross-linked polyethylene provide low wear and complications at 5-13 years. J arthroplasty, 2018; 33(7): 2187-2191.

105. Lampropoulou-Adamidou K, Georgiades G, Vlamis J, Hartofilakidis G. Charnley low-friction arthroplasty in patients 35 years of age or younger. Results at a minimum of 23 years. Bone Joint J. 2013; 95(8): 1052-6.

106. Lee JH, Lee BW, Lee BJ, Kim SY. Midterm results of primary total hip arthroplasty using highly cross-linked polyethylene. J Arthroplasty. 2011; 26(7): 1014-19.

107. Lee SS, Purdue EP, Nam JS: Biology of Inflammatory Periprosthetic osteolysis In Inflammatory Periprosthetic Bone Loss. Book 2. INTECK, 2012. (ISBN 978-953-307-911-0)

108. Lee SS, Sharma AR, Choi BS, Jung JS, Chang JD, Park SH, Salvati EA, Purdue EP, Song DK, Nam JS: The effect of TNF-alpha secreted from macrophages activated by titanium particles on osteogenic activity regulated by WNT/BMP signaling in osteoprogenitor cells. Biomaterials.33:4251-4263. 2012.

109. Lerf R, Zurbrügg D, Delfosse D. Use of vitamin E to protect cross-linked UHMWPE from oxidation. Biomaterials. 2010; 31: 3643-3648.

110. Lombardo DJ, Siljander MP, Gehrke CK, Moore DD, Karadsheh MS, Baker EA. Fretting and Corrosion Damage of Retrieved Dual-Mobility Total Hip Arthroplasty Systems. J Arthroplasty. 2019; 34: 1273-1278

111. Mabilleau G, Kwon YM, Pandit H, Murray DW, Sabokbar A. Metal-on-metal hip resurfacing arthroplasty: a review of periprosthetic biological reactions. Acta Orthop. 2008; 79: 734-47.

112. MacDonald D, Sakona A, Ianuzzi A, Rimnac CM, Kurtz SM. Do first-generation highly crosslinked polyethylenes oxidize in vivo? Clin Orthop Relat Res. 2011; 469: 2278-2285.

113. Mäkelä KT, Visuri T, Pulkkinen P, Eskelinen A, Remes V, Virolainen P, et al. Cancer incidence and cause-specific mortality in patients with metal-on-metal hip replacements in Finland. Acta Orthop. 2014;85(1):32-8.

114. Malahias MA, Atrey A, Gu A, Chytas D, Nikolaou VS, Waddell JP. Is Oxidized Zirconium Femoral Head Superior to Other Bearing Types in Total Hip Arthroplasty? A Systematic Review and Meta-Analysis. J Arthroplasty. 2019 Apr 2. pii: S0883-5403(19)30328-6. doi: 10.1016/j.arth.2019.03.072. [Epub ahead of print]

115. Maloney WJ, Smith RL, Schmalzried TP, Chiba J. Huene D, Rubash H. Isolation and characterization of wear particles generated in patients who have had failure of a hip arthroplasty without cement. J Bone Joint Surg Am. 1995; 77: 1301-10.

116. Mansur HALAI, Bilal JAMAL, Prem Ruben JAYARAM, David MURRAY, Alberto GREGORI, Kumar PERIASAMY: Prevalence and characteristics of noise in a series of 282 ceramic-on-ceramic total hip arthroplasties Acta Orthop Traumatol Turc 2016;50(1):10–15)

117. Masonis JL, Bourne RB, Ries MD, McCalden RW, Salehi A, Kelman DC. Zirconia femoral head fractures: A clinical and retrieval analysis. J Arthroplasty. 2004; 19: 898-905.

118. McCalden RW, Macdonald SJ, Rorabeck CH, et al.

Wear rate of highly cross-linked polyethylene in total hip arthroplasty. A randomized controlled trial. J Bone Joint Surg Am. 2009; 91: 773-782.

119. McKellop H, Shen FW, DiMaio W, Lancaster JG. Wear of gamma-crosslinked polyethylene acetabular cups against roughened femoral balls. Clin Orthop Relat Res. 1999; 369: 73-82.

120. McKellop H, Shen FW, Lu B, Campbell P, Salovey R. Development of an extremely wear-resistant ultra high molecular weight polyethylene for total hip replacements. J Orthop Res. 1999; 17: 157-167.

121. Medical Device Alert. All metal-on-metal (MoM) hip replacements (MDA/2012/036) [cited 2013 Oct22]. Available from: http//www.mhra.gov.uk/home/groups/dtsbs/documents/medicaldevicesalert/con155767.pdf.

122. Medley JB, Chan FW, Krygier JJ, Bobyn JD. Comparison of alloys and designs in a hip simulator study of metal on metal implants. Clin Orthop Relat Res. 1996; 329(Suppl): S148-59.

123. Meftah M, Klingenstein GG, Yun RJ, Ranawat AS, Ranawat CS. Long-term performance of ceramic and metal femoral heads on conventional polyethylene in young and active patients: a matched-pair analysis. J Bone Joint Surg Am. 2013; 95(13): 1193-7.

124. Mehmood S, Jinnah RH, Pandit H. Review on ceramic-on-ceramic total hip arthroplasty. J Surg Orthop Adv. 2008; 17: 45-50.

125. Minakawa H, Stone MH, Wroblewski BM, et al. Quantification of third-body damage and its effect on UHMWPE wear with different types of femoral head. J Bone Joint Surg. 1998; 80: 894-899.

126. Minakawa H, Stone MH, Wroblewski BM, Lancaster JG, Ingham E, Fisher J. Quantification of third-body damage and its effect on UHMWPE wear with different types of femoral heads. J Bone Joint Surg Br. 1998; 80: 894-899.

127. Mittelmeier H. Abstract Eight years of clinical experience with self-locking ceramic hip prosthesis, "Autophor." J Bone Joint Surg Br. 1984; 66: 300.

128. Montero-Ocampo C, Rodriguez AS. Effect of carbon content on the resistance to localized corrosion of as-cast cobalt-based alloys in an aqueous chloride solution. J Biomed Mater Res. 1995; 29: 441-53.

129. Murray DW, Grammatopoulos G, Pandit H, Gundie R, Gill HS, McLardy-Smith P. The ten-year survival of the Birmingham hip resurfacing: an independent series. J Bone Joint Surg Br. 2012; 94: 1180-6.

130. Nine M, Choudhury D, Hee A, Mootanah R, Osman N. Wear Debris Characterization and Corresponding Biological Response: Artificial Hip and Knee Joints. Materials. 2014; 7: 980-1016.

131. Nizard R, Pourreyron D, Raould A, Hannouche D, Sedel L. Alumina-on-Alumina Hip Arthroplasty in Patients Younger Than 30 Years Old. Clin Orthop Relat Res. 2008; 466: 317-323.

132. Nizard RS, Sedel L, Christel P, Meunier A, Soudry M, Witvoet J. Ten year survivorship of cement into ceramic total hip prosthesis. Clin Orthop Relat Res. 1992; 282: 53-63.

133. Noordin S, Masri B. Periprosthetic osteolysis: genetics, mechanisms and potential therapeutic interventions. Canadian Journal of Surgery. 2012; 55: 408-17.

134. O'Neill SC, Queally JM, Devitt BM, Doran PP, O'Byrne JM. The role of osteoblasts in peri-prosthetic osteolysis. Bone Joint J. 2013; 95: 1022-6.

135. Ollivere B, Wimhurst JA, Clark IM, Donell ST. Current concepts in osteolysis. J Bone Joint Surg Br. 2012; 94: 10-5.

136. Oonishi H, Takayama Y, Tsuji E. Improvement of polyethylene by irradiation in artificial joint. Radiation Physics and Chemistry. 1992; 39: 495-504.

137. Pandit H, Glyn-Jones S, McLardy-Smith P, et al. Pseudotumours associated with metal-on-metal hip resurfacing. J Bone Joint Surg Br. 2008; 90: 847-51.

138. Park YS, Hwang SK, Choy WS, Kim YS, Moon YW, Lim SJ. Ceramic failure after total hip arthroplasty with an alumina-on-alumina bearing. J Bone Joint Surg Am. 2006; 88: 780-787.

139. Park YS, Moon YW, Lim SJ, Yang JM, Ahn G, Choi YL. Early osteolysis following second-generation metal-onmetal hip replacement. J Bone Joint Surg Am. 2005; 87: 1515-21.

140. Pil Whan Yoon, Jeong Joon Yoo, Yunjung Kim, Seungmi Yoo, Sahnghoon Lee, Hee Joong Kim The Epidemiology and National Trends of Bearing Surface Usage in Primary Total Hip Arthroplasty in Korea: Clinics in Orthopedic

Surgery 2016, Volume : 8, Number : 1, page : 29 ~ 37

141. Purdue PE, Koulouvaris P, Potter HG, Nestor BJ, Sculco TP. The Cellular and Molecular Biology of Periprosthetic Osteolysis. Clinical Orthopaedics and Related Research. 2007; 454: 251-61.

142. Restrepo C, Parvizi J, Purtill J, Sharkey P, Hozack W, Rothman R. Abstract: Noisy ceramic hip: Is component malposition the problem? Final Program of the 16th Annual Meeting of the American Association of Hip and Knee Surgeons. Rosemont, IL: American Association of Hip and Knee Surgoens; 2006. 21.

143. Ries MD, Salehi A, Widding K, Hunter G. Polyethylene wear performance of oxidized zirconium and cobaltchromium kmee components under abrasive condition. J Bone Joint Surg Am. 2002; 84(suppl 2): 129-135.

144. Ring PA. Replacement of the hip joint. Ann R Coll Surg Engl. 1971; 48: 344-55.

145. Santavirta S, Nordstrom D, Metsarinne K, Konttinen YT. Biocompatibility of polyethylene and host response to loosening of cementless total hip replacement. Clin Orthop Relat Res. 1993; 297: 100-110.

146. Santos EM, Vohra S, Catledge SA, MaClenny MD, Lemons J, Moore KD. Examination of surface and material properties of explanted zirconia femoral heads. J Arthroplasty. 2004; 19(suppl): 30-34.

147. Sato T, Nakashima Y, Akiyama M, Yamamoto T, Mawatari T, Itokawa T, Ohishi M, Motomura G, Hirata M, Iwamoto Y. Wear resistant performance of highly cross-linked and annealed ultra-high molecular weight polyethylene against ceramic heads in total hip arthroplasty. J Orthop Res. 2012; 12). 2031-7.

148. Schmalzried TP, Callaghan JJ. Current concepts review wear in total hip and knee replacements. J Bone Joint Surg Am. 1999; 81: 115-36.

149. Schmalzried TP, Jasty M, Harris WH. Periprosthetic bone loss in total hip arthroplasty. Polyethylene wear debris and the concept of the effective joint space. J Bone Joint Surg Am. 1992; 74: 849-863.

150. Schmidt M, Weber H, Schön R. Cobalt chromium molybdenumn metal combination for modular hip prostheses. Clin Orthop Relat Res. 1996; 329(Suppl): S35-47.

151. Schroder DT, Kelly NH, Wright TM, Parks ML. Retrieved highly cross-linked UHMWPE acetabular liners have similar wear damage as conventional UHMWPE. Clin Orthop Relat Res. 2011; 469: 387-394.

152. Sedel L, Kerboull L, Christel P, Meunier A, Witvoet J. Alumina-on-alumina hip replacement. Results of survivorship in young patients. J Bone Joint Surg Br. 1990; 72: 658-663.

153. Sedel L. Evolution of alumina-on-alumina implants: a review. Clin Orthop Relat Res. 2000; 379: 48-54.

154. Shareghi B, Johanson PE, Kärrholm J. Wear of vitamin E-infused highly cross-linked polyethylene at five years. J Bone Joint Surg Am. 2017. 99(17): 1447-1452.

155. Sieber HP, Rieker CB, Köttig P. Analysis of 118 second generation metal-on-metal retrieved hip implants. J Bone Joint Surg Br. 1999; 81: 46-50.

156. Silva M, Heisel C, Schmalzried TP. Metal-on-metal total hip replacement. Clin Orthop Relat Res. 2005; 430: 53-61.

157. Smith AJ, Dieppe P, Vernon K, Porter M, Blom AW. National Joint Registry of England and Wales. Failure rates of stemmed metal-on-metal hip replacements: analysis of data from the National Joint Registry of England and Wales. Lancet. 2012; 379: 1199-204.

158. Smith SL, Dowson D, Goldsmith AA. The effect of femoral head diameter upon lurication and wear of metal-on-metal total hip replacements. Proc Inst Mech Eng H. 2001; 215: 161-70.

159. Sochart DH, Porter ML. The long-term results of Charnley low-friction arthroplasty in young patients who have congenital dislocation, degenerative osteoarthrosis, or rheumatoid arthritis. J Bone Joint Surg Am. 1997; 79: 1599-617.

160. Stewart TD, Tipper JL, Insley G, Streicher RM, Ingham E, Fisher J. Long-term wear of ceramic matrix composite materials for hip prostheses under severe swing phase microseparation. J Biomed Mater Res. 2003; 66: 567-573.

161. Sugano N, Iida H, Akiyama H, et al. Nationwide investigation into adverse tissue reactions to metal debris after metal-on-metal total hip arthroplasty in Japan. Journal of Orthopaedic Science. 2013; 19: 85-9.

162. Thomas MS, Wimhurst JA, Nolan JF, Toms AP. Imaging Metal-on-Metal Hip Replacements: the Norwich

Experience. HSS Journal. 2013; 9: 247-56.

163. Toni A, Traina F, Stea S, et al. Early diagnosis of ceramic liner fracture. Guidelines based on a twelve year clinical experience. J Bone Joint Surg Am. 2006; 88(Suppl 4): 55-63.

164. Urban JA, Garvin KL, Boese CK, et al. Ceramicon-polyethylene bearing surfaces for total hip arthorplasty: 17-21 year results. J Bone Joint Surg Am. 2001; 83: 1688-1694.

165. Visuri TI, Pukkala E, Pulkkinen P, Paavolainen P. Cancer incidence and causes of death among total hip replacement patients: a review based on Nordic cohorts with a special emphasis on metal-on-metal bearings. Proc Inst Mech Eng H. 2006; 220: 399-407.

166. Walter A. On the material and the tribology of alumina alumina couplings for hip joint prostheses. Clin Orthop Relat Res. 1992; 282: 31-46.

167. Walter WL, Insley GM, Walter WK, Tuke MA. Edge loading in third generation aluminia ceramic-on-ceramic bearings: Stripe wear. J Arthroplasty. 2004; 19: 402-413.

168. Walter WL, Lusty PJ, Waston A, et al. Stripe wear and squeaking in ceramic total hip bearings. Semin Arthroplasty. 2006; 17: 190-195.

169. Walter WL, O'toole GC, Walter WK, Ellis A, Zicat BA. Squeaking in ceramic-on-ceramic hips: The importance of acetabular component orientation. J Arthroplasty. 2007; 22: 496-503.

170. Weber BG. Experience with the Metasul total hip bearing system. Clin Orthop Relat Res. 1996; 329(Suppl): S69-77.

171. Willert HG, Buchhorn GH, Fayyazi A, et al. Metal on metal bearings and hypersensitivity in patients with artificial hip joints. A clinical and histomorphological study. J Bone Joint Surg Am. 2005; 87: 28-36.

172. Williams S et al. Wear and deformation of ceramicon-polyethylene total hip replacements with joint laxity and swing phase microseparation. Proc Inst Mech Eng H. 2003; 217: 147-153.

173. Wimmer MA, Fischer A. Tribology. In: Callaghan JJ, Rosenberg AG, Rubash HE, 2nd ed. New York: Lippincott Williams & Wikins; 2007. 215-26.

174. Wroblewski BM, Siney PD, Dowson D, et al. Prospective clinical and joint simulator studies of a THA using aluminia ceramic heads and a crosslinked polyethylene cup. J Bone Joint Surg Br. 1996; 78: 280-285.

175. Y.K. Lee, Y.C. Ha, J-I Yoo, W.L .Jo, K-C Kim, K.H. Koo: Mid-term results of the BIOLOX delta ceramic-on-ceramic total hip arthroplasty. Bone Joint journal Jun-B(6):741-748

176. Yoo JJ, Kim YM, Yoon KS, Koo KH, Song WS, Kim HJ. Alumina-on-alumina total hip arthroplasty. A five year minimum follow-up study. J Bone Joint Surg Am. 2005; 87: 530-535.

177. Zichner LP, Willert HG. Comparison of alumina polyethylene and metal-polyethylene in clinical trials. Clin Orthop Relat Res. 1992; 282: 86-94.

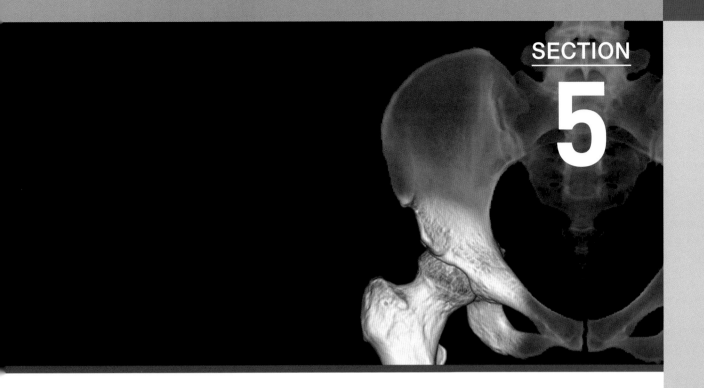

고관절 치환술: 임상적용
Hip Replacements: Clinical Practice

CHAPTER

1 적응증과 금기증
Indications and Contraindications

고관절 전치환술은 초기의 저조한 성공률 단계를 거쳐 현재는 의사와 환자가 모두 신뢰할 수 있는 치료법으로 발전하게 되었다. 초창기에는 비수술적 방법으로 통증이 충분히 완화되지 않고 고관절 절제술(Girdlestone resection arthroplasty) 또는 관절 유합술이 유일한 치료로 적용되는 65세 이상의 환자를 대상으로 하여 통증 완화를 목적으로 시행되었다. 최근에는 통증의 해소와 함께 관절 운동의 회복을 통하여 독립생활이 가능해지고 기능적인 면에서도 좋은 결과를 보여 널리 시행되고 있다. 고관절 전치환술은 수술 기법의 발전에 따라 그 결과도 개선되고 적응증도 확대되고 있지만 만족할 만한 결과를 얻기 위해서는 적절한 환자의 선택이 특히 중요하다.

1. 수술 전 고려사항

고관절 전치환술의 목적은 통증 완화와 관절 기능의 개선이다. 1994년 National Institutes of Health Consensus Statement에서는 고관절 전치환술이 현저한 관절 기능 상실과 만성 장애를 가진 거의 모든 환자에 적용될 수 있는 치료법이라 정의하였다. 그러나 고관절 전치환술은 질환으로 파괴된 고관절에 대한 마지막 단계의 치료 선택이므로 신중히 판단하여야 하며 경우에 따라 다른 치료를 먼저 고려해야 한다. 그러므로 고관절 전치환술을 결정하기 위해서는 질환의 종류, 연령, 활동도 등을 포함한 아래의 여러 요소들에 대한 고려가 필요하다.

1) 고관절 전치환술 수명의 제한성

고관절 전치환술은 제한된 수명을 가진 치료법이다. 다양한 종류의 삽입물과 다양한 기법으로 시행한 고관절 전치환술의 최근 생존율이 매우 우수하게 보고 되고 있다. 그러나 젊은 환자는 여생 동안 수차례의 재치환술이 필요할 수 있고, 이 과정에서 관절 기능도 함께 저하되게 된다. 그러므로 환자의 연령은 수술의 결정에 매우 중요한 요소이다. 동반 질환이 심하지 않은 노인 환자에서 고관절 전치환술이 필요한 질환을 가지고 있다면 가장 적절한 수술 대상이다. 반면, 젊은 성인에 대하여는 관절을 보존할 수 있는 치료를 먼저 고려하여 관절치환술의 시행을 지연시키거나 질환을 회복시키는 노력이 함께 필요하다.

2) 비수술적 치료의 효용성

비수술적 치료에는 보조기구, 약물 치료, 활동 조절의 3가지 방법이 있으며 단독이나 병합하여 단기간에 집중적으로 실시하고 조기에 수술의 결정을 내려야 효과를 최적화하고 부작용을 최소화할 수 있다.

고관절 전치환술을 포함한 주요 재건 수술 전에는 모든 가능한 보존적 요법(목발, 휠체어, 체중 감량, 진통제 투여, 물리치료)을 먼저 시도하여야 한다. 비수술적 치료 자체만으로는 수술을 고려할 정도의 심한 통증을 완화시키기 어렵지만 이러한 과정을 통하여 적절한 환자-의사 관계를 형성할 수 있으며, 수술에 대한 기대치를 확인하는데 도움이 된다. 경우에 따라서는 수술 시기를 충분히 연기시킬 정도로 증상 완화가 있을 수 있다. 통증과 관절 파괴가 심한 환자는 이러한 보존 치료를 생략하고 바로 관절치환술을 시행할 수도 있다. 그러나 비수술적 치료가 통증을 줄이지 못하고 기능을 개선시킬 수 없다는 것을 환자가 경험하고 수술에 임해야 수술 후 순응도가 향상될 수 있다. 통증을 완화하기 위한 약물치료로는 주로 비스테로이드성 소염제가 사용되나 장기적인 약물 복용은 특히 고령의 환자에게서 부작용을 나타낼 수 있으므로 추시 관찰이 필요하다.

3) 환자의 활동량과 중증도

통증은 주로 활동량과 비례하므로 증상이 경미하고 나이, 다른 질환 등을 고려하여 고관절 전치환술이 적합하지 않다면 활동 조절 등의 비수술적 치료가 적당하다. 운동 시에만 통증이 발생하는 젊은 운동 선수에게는 고관절 전치환술이 경기력을 회복시켜줄 수는 없으므로 수술의 적응증에 해당되지 않는다.

4) 일상 생활 유지와 기능 저하 정도

환자의 직업 유지, 가사 활동, 개인 위생 관리의 가능 여부를 통하여 고관절 기능 저하의 정도를 간접적으로 파악할 수 있다. 일반적으로 환자가 보존적 치료로 일상 생활을 수행할 수 없다면 고관절 전치환술을 고려할 수 있다. 특히 젊은 연령의 환자에 대한 수술에는 여러 요소를 고려해야 하는데, 그 중 환자의 체중과 활동량이 고관절 전치환술의 결과에 영향을 미치는 중요한 인자이다. 예를 들면, 외상 후 관절염이 있는 35세 운동 선수보다는 심한 다관절성 관절염에 의한 고관절 내전근 구축으로 보행 장애와 개인 위생 관리의 지장이 있는 20세 환자가 고관절 전치환술의 더 적절한 대상이 될 수 있다.

5) 연령

초기에는 60-75세가 고관절 전치환술에 적합한 연령대로 생각되었으나 1990년대 이후로 그 범위가 확대되었다. 60세 이상의 환자는 활동도가 감소되어 있고 수술의 기대치가 적절하여 비교적 수술 결과가 우수하며 대개 한 번의 고관절 전치환술만으로도 남은 생애를 보낼 수 있다. 그러나 한국에서는 고관절 전치환술의 대상 환자들이 주로 40-60세의 활동도가 높고 수술에 대한 기대치가 높은 연령대에 수술이 시행되어 수술 후 경과 및 재치환술의 가능성에 대해 충분한 사전 설명이 필요하다.

현재의 고관절 전치환술의 결과가 성공적이기 때문에, 많은 환자들이 관절의 보존적 치료를 원치 않는 경우가 많고, 과거에 주로 시행되었던 고관절 유합술이 육체 노동자에게 가장 적절한 치료법이었지만 현실적으로 받아들여지지 않는 문제점을 가지고 있다.

최근에는 고령화와 함께 많은 노인 환자들이 수술 대상이 되고 있다. 80세 이상 노인 환자에서 시행한 고관절 전치환술의 결과를 젊은 연령층에 비교했을 때 재원 기간, 합병증, 기능적 개선 등은 동일하다. 고령 자체가 수술의 금기는 아니며, 예후가 나쁜 이유는 환자의 연령보다는 동반 질환과 관계가 있다.

6) 고관절 전치환술을 대체하는 수술법

관절을 보존하는 수술로는 고관절 유합술, 대퇴골 및 비구 절골술, 대퇴골두 감압술, 혈관 유경 비골 이식을 포함한 골이식, 절골술 등이 있다. 이러한 수술적 방법으로 고관절 전치환술을 대체할 수 있는 지와 관절치환술을 대체할 수 없더라도 신체 활동량이 감소하는 연령대에 고관절 전치환술을 시행할 수 있도록 수술 시기를 지연시킬 수 있는지를 평가하여야 한다.

고관절 유합술을 시행받은 53명의 환자를 대상으로 최소 20년 이상 추시한 연구에서 약 78%의 환자가 수술 결과에 만족하였으며, 모든 환자가 수술 후 이전 직업으로 복귀할 수 있었다. 반면 장기 추시 결과상에서 약 60%의 환자가 요통이나 동측의 슬관절, 반대측 고관절의 통증을 경험한 것으로 보고되어, 수술법의 선택에 여러 가지 고려가 필요하다.

2. 적응증

좋은 수술 결과를 얻기 위해서 적절한 수술 적응증이 매우 중요하다. Charnley가 언급한 바와 같이 황금률 (golden rules)은 존재하지 않으며 수술의 결정을 위해서는 질병의 자연 경과, 중증도, 수술의 기대치, 순응도, 합병증 등을 고려해야 한다. 적응증에 해당되는 질환은 (표 1)과 같다.

1) 고관절 통증

방사선 검사상 고관절의 파괴가 심하고 보존적 요법으로 조절되지 않는 심한 통증은 고관절 전치환술의 기본 적응증이다. 통증 없이 관절 운동 제한, 파행, 하지 부동만 있는 경우는 관절치환술의 적응증이 되지 않는다.

통증은 없지만 기능 제한이 심한 몇 가지 경우에는 논란이 있다. 강직성 고관절염은 상대적으로 통증이 적더라도, 요추부, 반대측 고관절, 동측 슬관절 등에 문제를 유발할 수 있다. 그러나 인접 관절의 부담을 줄일 목적으로 무증상의 고관절을 수술하게 되면 오히려 문제가 발생한다.

단순 방사선 사진에서 중등도 이상의 퇴행성 변화가 관찰된다고 고관절 전치환술의 적응증이 되지는 않는다. 방사선 소견뿐만 아니라 임상적 관점에서 수술 후 기대할 수 있는 통증 감소와 기능 회복 정도를 고려하여야 한다.

2) 비수술적 치료의 실패

목발 등의 보조 기구를 사용하고 활동량 조절을 통하여 고관절에 가해지는 부하를 줄이면 고관절의 통증을 줄일 수 있으나, 질환에 따라서는 수술을 미룰 경우 오히려 심한 골소실과 관절 구축을 일으켜 수술에 악영향을 미칠 수 있다. 그러므로 보존적 치료에도 불구하고 통증으로 인하여 일상 생활과 업무가 불가능하다면 치환술을 시행해야 한다.

표 1. 인공 관절이 적응증에 해당되는 주요 질환들

염증성 관절염	류마티스 관절염		대퇴골두 골괴사	특발성
	소아기 특발성 관절염			외상성
	강직성 척추염			스테로이드성
골관절염	일차성			알코올성
	이차성	발달성 고관절 이형성증		혈색소병증
		Legg–Calve–Perthes 병		(겸상 적혈구병)
		외상 후 골관절염		루푸스
		대퇴골두 골단분리증		신장 질환
		Paget 병		잠수병
		혈우병성 관절염		Gaucher 병
				대퇴골두 골단분리증
감염의 후유증	화농성 관절염		과거 수술의 실패	절골술
	결핵성 관절염			고관절 반치환술
종양	근위 대퇴골의 골종양			절제 관절성형술
	비구의 골종양			표면 관절성형술
				관절 유합술

3. 환자의 평가

다른 정형외과 수술과 마찬가지로 고관절 전치환술이 필요한 환자인지를 결정하는 것은 통증, 신체적 장애와 같은 병력 청취와 철저한 신체 검사, 그리고 정확한 영상 검사를 통하여 이루어진다. 환자 평가의 이 세 가지 요소를 통하여 수술이 필요한 진행된 상태의 고관절 질환인지를 확인하여야 하고, 이 중 어느 평가 방법도 환자의 진단을 적절히 뒷받침 하지 못하면 술자는 잘못된 진단을 내린 것이 아닌지를 고려해야 하며 이에 수술 후에도 환자가 호소하는 불편한 점이 해결되지 못할 수 있음을 생각해야 한다.

1) 병력

고관절 통증은 서혜부나 대퇴 전방부 통증이 특징적이며 무릎 아래까지 통증이 있는 경우는 드물다. 동작 시 악화되고 휴식을 취하거나 체중 부하를 제한할 때 완화된다. 둔부의 통증은 비교적 드물고 오히려 척추 질환 또는 천장관절 질환 등의 감별이 필요하다. 염증성 관절염은 휴식 때나 야간에도 심한 불편을 느낄 수 있으며, 이 경우 술자는 고관절의 감염이나 종양 등의 가능성에도 주의를 기울여야 한다. 통증은 흔히 대퇴부까지도 생길 수 있지만, 무릎 아래로 퍼지는 통증은 방사통과 감별해야 한다.

이전의 비수술적 치료 경험을 포함하여 과거 수술이나 합병증 등 고관절 전치환술의 결과에 영향을 미칠 수 있는 과거 병력의 확인이 필요하다. 수술 전에 환자의 전반적인 건강 상태와 내과적 문제를 확인하고 환자의 전신 상태를 수술에 적합한 상태가 될 수 있도록 조치한다.

또한 수술 후 감염 발생의 가능성을 최소화하기 위하여 당뇨병, 신장 질환 등 면역 저하 질환이 있는지 확인하고 세균혈증을 유발할 수 있는 재발성 비뇨기계 감염, 요로 폐쇄, 치과 질환이 있으면 적절한 조치가 필요하다.

2) 신체 검사

통증 부위의 사진뿐만 아니라 보행을 관찰하여 Trendelenberg 보행 또는 진통 보행(antalgic gait)의 여부와 정도를 확인하여야 한다. 환자의 통증의 원인이 불분명할 때는 고관절 내 국소 마취제를 주입하여 확인할 수 있다. 피부를 관찰하여 이전의 수술 상처를 확인하고 건선성 관절염 같은 관절염과 연관된 질환의 여부를 확인한다. 절개 부위의 활동성 피부 질환은 수술 후 감염 발생의 위험이 있으므로 수술을 연기해야 한다. 고관절 부위의 촉진을 통하여 압통의 부위와 정도, 종양의 유무 등을 확인한다. 또한 양측 하지의 길이를 비교하고, 고정된 변형이 있는지 확인한다.

고관절의 운동 범위 중 내회전의 감소는 고관절 질환의 특징적인 초기 소견이다. 질환이 진행됨에 따라 외회전과 굴곡 구축으로 심한 보행 장애를 유발할 수 있다. 심한 내전 구축은 개인 위생 관리에 지장을 주기 때문에 고관절 수술 시 내전건 절제술을 계획하여야 한다.

족배동맥(dorsalis pedis artery)과 후경골동맥(posterior tibial artery)의 맥박을 촉진하여 혈액순환 상태를 확인해야 한다. 대동맥 질환(aorto-iliac disease)이 고관절 통증을 일으킬 수 있고 심하게 석회화된 혈관은 수술 시 손상 받기 쉬우므로 미리 확인하여야 한다. 신경학적 증상이 있는지 평가하고 척추에서 기인한 방사통 여부도 확인해야 한다.

3) 임상 평가 척도

수술 전 고관절의 상태를 적절한 임상 평가 척도를 이용하여 기록하는 것이 수술 후 결과를 평가하는데 유용하다. 주로 통증, 보행, 기능, 관절 운동 범위, 영상 검사의 변화 등을 기록한다. 임상 평가 척도로 사용되는 지표는 아직 하나의 특정 척도가 기준으로 받아들여지는 것은 없으나, Harris 고관절 점수(표 2)가 흔히 사용된다.

그동안 흔히 사용했던 임상 평가 척도는 주관적이

표 2. Harris 고관절 점수

Harris Hip Score

Pain *(check one)*	Distance Walked *(check one)*
☐ None or ignores it (44)	☐ Unlimited (11)
☐ Slight, occasional, no compromise in activities (40)	☐ Six blocks (8)
☐ Mild pain, no effect on average activities, rarely moderate pain with unusual activity; may take aspirin (30)	☐ Two or three blocks (5)
	☐ Indoors only (2)
	☐ Bed and chair only (0)
☐ Moderate pain, tolerable but makes concession to pain. Some limitation of ordinary activity or work. May require occasional pain medication stronger than aspirin (20)	**Sitting *(check one)***
	☐ Comfortably in ordinary chairs for one hour (5)
	☐ On a high chair for 30 minutes (3)
☐ Marked pain, serious limitation of activities (10)	☐ Unable to sit comfortably in any chair (0)
☐ Totally disabled, crippled, pain in bed, bedridden (0)	**Enter public transportation *(check one)***
	☐ Yes (1)
	☐ No (0)
Limp *(check one)*	**Stairs *(check one)***
☐ None (11)	☐ Normally without using a railing (4)
☐ Slight (8)	☐ Normally using a railing (2)
☐ Moderate (5)	☐ In any manner (1)
☐ Severe (0)	☐ Unable to do stairs (0)
Support *(check one)*	**Put on shoes and Socks *(check one)***
☐ None (11)	☐ With ease (4)
☐ Cane for long walks (7)	☐ With difficulty (2)
☐ Cane most of time (5)	☐ Unable (0)
☐ One crutch (3)	
☐ Two crutches (2)	
☐ Two crutches or not able to walk (0)	

Absence of Deformity (All yes = 4; Less than 4 = 0)		
Less than 30 fixed flexion contracture	☐ Yes	☐ No
Less than 10 fixed abduction	☐ Yes	☐ No
Less than 10 fixed internal rotation in extension	☐ Yes	☐ No
Limb length discrepancy less than 3.2 cm	☐ Yes	☐ No

Range of Motion					
Flexion			Abduction		
None		0	None		0
0 > 8		0.4	0 > 5		0.2
8 > 16		0.8	5 > 10		0.4
16 > 24		1.2	10 > 15		0.6
24 > 32		1.6	15 > 20		0.675
32 〉 40		2	External rotation		
40 > 45		2.25	None		0
45 > 55		2.55	0 > 5		0.1
55 > 65		2.85	5 > 10		0.2
65 > 70		3	10 > 15		0.3
70 > 75		3.15	Adduction		
75 > 80		3.3	None		0.
80 > 90		3.6	0 > 5		0.05
90 > 100		3.5	5 > 10		0.1
100 > 110		3.9	10 > 15		0.15

Total Harris Hip score : /100

고 통증 완화의 중요성이 과소평가되며, 환자의 일상 생활에서의 기능보다는 관절 운동 범위를 더 중요시 한다는 비판을 받아왔다. 예를 들면 향상된 관절 운동 범위가 스스로 양말을 신거나 발톱을 깎는 것에 도움 이 되지 못한다면 환자에게는 큰 도움이 되지 못할 것 이다. WOMAC (The Western Ontario and McMaster University osteoarthritis index) 점수(표 3)는 다른 고관 절 임상 평가 척도와 비교하여 더 기능적인 요소를 고 려 하였으며, SF-36(Short-Form 36)은 환자의 건강 상 태를 파악하는데 더 포괄적인 임상 평가 척도로서 이 두 평가 척도가 고관절의 임상 평가에 있어 추가적으로 흔히 사용된다. 이외 Oxford 고관절 점수(표 4), HOOS

(Hip disability and Osteoarthritis Outcome Score) 점수 (표 5) 등이 사용된다.

4. 금기증

고관절 전치환술에 있어서는 몇 가지의 절대적 금기 증만이 있다. 고관절 부위의 활동성 감염과 전신 감염 증은 고관절로 전이될 가능성이 있어 가장 강력한 금 기증이다. 또한 과거 고관절의 감염의 병력이 있는 경 우는 고관절 전치환술 시행 후 감염의 재발의 빈도가 높게 보고되어있다. 그러므로 지속적 감염 여부가 의 심된다면 철저한 수술 전 확인이 필요하며 적혈구 침 강속도, C 반응성 단백, 관절 천자를 시행 후 관절액의 세포 수 분석과 배양 검사가 포함된다. 만일 감염이 명확히 배제되지 못하면 변연절제술 및 항생제 혼합 골시멘트를 삽입하고 정맥 항생제 투여로 감염을 치료한 이후에 2단계 고관절 전치환술을 시행할 수 있다. 감염이 조절되지 않을 경우 추가적인 변연절제술 후 감염이 완전히 조절된 후 고관절 전치환술을 시행하여야 한다.

정규 수술을 견디기 어려운 중증 전신 질환이 있는 경우를 대표적으로 포함하여 과거 많은 종류의 전신 질환들이 상대적인 금기증으로 적용되어 왔다. 그러나 대부분의 질환은 적절한 사전준비와 치료를 시행하여 준비하면 필요한 수술을 시행할 수 있다. 병적 비만, 신경병적 관절증, 외전근력 약화, 급속 진행성 신경 질환 등이 있다. 고선량의 방사선 치료로 골반골 노출된 적이 있는 환자는 삽입물과 숙주골 간의 골 결합에 영향을 미칠 수 있음을 고려하여 적절한 삽입물 디자인의 선택이 필요하다. 고관절의 Charcot 관절증도 삽입물의 해리와 불안정의 위험이 높아 매우 주의를 요한다.

또한 만성신부전 환자에서는 감염의 위험도가 매우 높아 일부 그룹에서는 금기증으로 분류하는 경우도 있으나 현실적으로 논란이 있다. 마약 중독자는 빈번한 정맥주사로 세균혈증의 위험성이 높고, 후천성 면역결핍증 환자는 수술 후 감염의 위험성이 높아 철저한 수술 전후 감염 관리가 필요하다. 무증상의 세균뇨는 수술 후 감염과 크게 관련 없는 것으로 알려져 있어 금기증에 해당하지 않는다.

또한 고관절 전치환술의 결정은 상기의 금기증들에 대한 고려 외에도 철저한 전신적 평가가 매우 중요하다. 고관절 전치환술의 전신적 합병증 발생은 매우 위험한 상태로 직결되므로 수술 전에 전신 질환에 대한 철저한 평가 후 수술 여부 결정에 참조해야 한다. 비만은 수술 후 감염, 탈구 및 혈전 질환과 같은 합병증의 위험 인자로 알려져 있다.

과도한 음주와 치매 환자는 수술 후 탈구의 위험성이 높으므로 수술 전 교육이 필요하다. 당뇨 환자에 있어서 수술 전후 혈당 조절은 감염 예방을 위해 중요하며 당화혈색소 수치만으로는 수술 후 예후를 판단할 수 없다. 반대측 고관절의 만성 감염이 경도로 존재할 경우에도 고관절 전치환술이 가능하나 주의해서 관리해야 한다.

표 3. WOMAC 점수

WOMAC score					
RATE YOUR PAIN WHEN...	NONE	SLIGHT	MODERATE	SEVERE	EXTREME
Walking	0	1	2	3	4
Climbing stairs	0	1	2	3	4
Sleeping at night	0	1	2	3	4
Resting	0	1	2	3	4
Standing	0	1	2	3	4
RATE YOUR STIFFNESS IN THE...	0	1	2	3	4
Morning	0	1	2	3	4
Evening	0	1	2	3	4
RATE YOUR DIFFICULTY WHEN...	0	1	2	3	4
Descending stairs	0	1	2	3	4
Ascending stairs	0	1	2	3	4
Rising from sitting	0	1	2	3	4
Standing	0	1	2	3	4
Bending to floor	0	1	2	3	4
Walking on even floor	0	1	2	3	4
Getting in/out of car	0	1	2	3	4
Going shopping	0	1	2	3	4
Putting on socks	0	1	2	3	4
Rising from bed	0	1	2	3	4
Taking off socks	0	1	2	3	4
Lying in bed	0	1	2	3	4
Getting in/out of bath	0	1	2	3	4
Sitting	0	1	2	3	4
Getting on/off toilet	0	1	2	3	4
Doing light domestic duties	0	1	2	3	4
Doing heavy domestic duties	0	1	2	3	4

Outcome measurement in osteoarthritis clinical trials: the case for standardisation.
Bellamy N, Buchanan WW. Clin Rheumatol. 1984 Sep;3(3):293-303. 참고문헌

표 4. Oxford 고관절 점수

Oxford Hip score

1. **During the past 4 weeks,** how would you describe the pain you usually have in your hip?

   4) None   3) Very mild   2) Mild

   1) Moderate   0) Severe

2. **During the past 4 weeks,** Have you been troubled by pain from your hip in bed at night?

   4) No nights   3) Only 1 or 2 nights   2) Some nights

   1) Most nights   0) Every night

3. **During the past 4 weeks,** Have you had any sudden, severe pain – ' shooting ', 'stabbing', or 'spasms' from your affected hip?

   4) No days   3) Only 1 or 2 days   2) Some days

   1) Most days   0) Every day

4. **During the past 4 weeks,** Have you been limping when walking because of your hip?

   4) Rarely/never   3) Sometimes or just at first   2) Often, not just at first

   1) Most of the time   0) All of the time

5. **During the past 4 weeks,** For how long have you been able to walk before the pain in your hip becomes severe (with or without a walking aid)?

   4) No pain for 30 minutes or more   3) 16 to 30 minutes   2) 5 to 15 minutes

   1) Around the house only   0) Not at all

6. **During the past 4 weeks,** Have you been able to climb a flight of stairs?

   4) Yes, easily   3) With little difficulty   2) With moderate difficulty

   1) With extreme difficulty   0) No, impossible

Oxford Hip score

7. **During the past 4 weeks,** Have you been able to put on a pair of socks, stockings or tights?

    4) Yes, easily   3) With little difficulty   2) With moderate difficulty

    1) With extreme difficulty   0) No, impossible

8. **During the past 4 weeks,** After a meal (sat at a table), how painful has it been for you to stand up from a chair because of your hip?

    4) Not at all painful   3) Slightly painful   2) Moderately painful

    1) Very painful   0) Unbearable

9. During the past 4 weeks, Have you had any trouble getting in and out of a car or using public transportation because of your hip?

    4) No trouble at all   3) Very little trouble   2) Moderate trouble

    1) Extreme difficulty   0) Impossible to do

10. During the past 4 weeks, Have you had any trouble with washing and drying yourself (all over) because of your hip?

    4) No trouble at all   3) Very little trouble   2) Moderate trouble

    1) Extreme difficulty   0) Impossible to do

11. During the past 4 weeks, Could you do the household shopping on your own?

    4) Yes, easily   3) With little difficulty   2) With moderate difficulty

    1) With extreme difficulty   0) No, impossible

12. During the past 4 weeks, How much has pain from your hip interfered with your usual work, including housework?

    4) Not at all   3) A little bit   2) Moderately

    1) Greatly   0) Totally

Questionnaire on the perceptions of patients about total hip replacement.
Dawson J, Fitzpatrick R, Carr A, Murray D. J Bone Joint Surg Br. 1996 Mar;78(2):185-90. 참고문헌

표 5. HOOS (Hip disability and Osteoarthritis Outcome Score) 점수

Hip disability and Osteoarthritis Outcome Score (HOOS)

INSTRUCTIONS: This survey asks for your view about your hip. This information will help us keep track of how you feel about your hip and how well you are able to do your usual activities. Answer every question by ticking the appropriate box, only one box for each question. If you are uncertain about how to answer a question, please give the best answer you can.

Symptoms

These questions should be answered thinking of your hip symptoms and difficulties during the **last week**.

S1. Do you feel grinding, hear clicking or any other type of noise from your hip?

☐ Never ☐ Rarely ☐ Sometimes ☐ Often ☐ Always

S2. Difficulties spreading legs wide apart

☐ None ☐ Mild ☐ Moderate ☐ Severe ☐ Extreme

S3. Difficulties to stride out when walking

☐ None ☐ Mild ☐ Moderate ☐ Severe ☐ Extreme

Stiffness

The following questions concern the amount of joint stiffness you have experienced during the **last week** in your hip. Stiffness is a sensation of restriction or slowness in the ease with which you move your hip joint.

S4. How severe is your hip joint stiffness after first wakening in the morning?

☐ None ☐ Mild ☐ Moderate ☐ Severe ☐ Extreme

S5. How severe is your hip stiffness after sitting, lying or resting **later in the day**?

☐ None ☐ Mild ☐ Moderate ☐ Severe ☐ Extreme

Pain

P1. How often is your hip painful?

☐ Never ☐ Monthly ☐ Weekly ☐ Daily ☐ Always

What amount of hip pain have you experienced the last week during the following activities?

P2. Straightening your hip fully

☐ None ☐ Mild ☐ Moderate ☐ Severe ☐ Extreme

What amount of hip pain have you experienced the **last week** during the following activities?

P3. Bending your hip fully

☐ None ☐ Mild ☐ Moderate ☐ Severe ☐ Extreme

P4. Walking on a flat surface

☐ None ☐ Mild ☐ Moderate ☐ Severe ☐ Extreme

Hip disability and Osteoarthritis Outcome Score (HOOS)

P5. Going up or down stairs

    ☐ None   ☐ Mild   ☐ Moderate   ☐ Severe   ☐ Extreme

P6. At night while in bed

    ☐ None   ☐ Mild   ☐ Moderate   ☐ Severe   ☐ Extreme

P7. Sitting or lying

    ☐ None   ☐ Mild   ☐ Moderate   ☐ Severe   ☐ Extreme

P8. Standing upright None

    ☐ None   ☐ Mild   ☐ Moderate   ☐ Severe   ☐ Extreme

P9. Walking on a hard surface (asphalt, concrete, etc.)

    ☐ None   ☐ Mild   ☐ Moderate   ☐ Severe   ☐ Extreme

P10. Walking on an uneven surface

    ☐ None   ☐ Mild   ☐ Moderate   ☐ Severe   ☐ Extreme

Function, daily living

The following questions concern your physical function. By this we mean your ability to move around and to look after yourself. For each of the following activities please indicate the degree of difficulty you have experienced in the last week due to your hip.

A1. Descending stairs

    ☐ None   ☐ Mild   ☐ Moderate   ☐ Severe   ☐ Extreme

A2. Ascending stairs

    ☐ None   ☐ Mild   ☐ Moderate   ☐ Severe   ☐ Extreme

A3. Rising from sitting

    ☐ None   ☐ Mild   ☐ Moderate   ☐ Severe   ☐ Extreme

A4. Standing

    ☐ None   ☐ Mild   ☐ Moderate   ☐ Severe   ☐ Extreme

For each of the following activities please indicate the degree of difficulty you have experienced in the **last week** due to your hip.

A5. Bending to the floor/pick up an object

    ☐ None   ☐ Mild   ☐ Moderate   ☐ Severe   ☐ Extreme

A6. Walking on a flat surface

    ☐ None   ☐ Mild   ☐ Moderate   ☐ Severe   ☐ Extreme

Hip disability and Osteoarthritis Outcome Score (HOOS)

A7. Getting in/out of car

    ☐ None   ☐ Mild   ☐ Moderate   ☐ Severe   ☐ Extreme

A8. Going shopping

    ☐ None   ☐ Mild   ☐ Moderate   ☐ Severe   ☐ Extreme

A9. Putting on socks/stockings

    ☐ None   ☐ Mild   ☐ Moderate   ☐ Severe   ☐ Extreme

A10. Rising from bed

    ☐ None   ☐ Mild   ☐ Moderate   ☐ Severe   ☐ Extreme

A11. Taking off socks/stockings

    ☐ None   ☐ Mild   ☐ Moderate   ☐ Severe   ☐ Extreme

A12. Lying in bed (turning over, maintaining hip position)

    ☐ None   ☐ Mild   ☐ Moderate   ☐ Severe   ☐ Extreme

A13. Getting in/out of bath

    ☐ None   ☐ Mild   ☐ Moderate   ☐ Severe   ☐ Extreme

A14. Sitting

    ☐ None   ☐ Mild   ☐ Moderate   ☐ Severe   ☐ Extreme

A15. Getting on/off toilet

    ☐ None   ☐ Mild   ☐ Moderate   ☐ Severe   ☐ Extreme

A16. Heavy domestic duties (moving heavy boxes, scrubbing floors, etc)

    ☐ None   ☐ Mild   ☐ Moderate   ☐ Severe   ☐ Extreme

A17. Light domestic duties (cooking, dusting, etc)

    ☐ None   ☐ Mild   ☐ Moderate   ☐ Severe   ☐ Extreme

Function, sports and recreational activities

The following questions concern your physical function when being active on a higher level. The questions should be answered thinking of what degree of difficulty you have experienced during the last week due to your hip.

SP1. Squatting

    ☐ None   ☐ Mild   ☐ Moderate   ☐ Severe   ☐ Extreme

SP2. Running

    ☐ None   ☐ Mild   ☐ Moderate   ☐ Severe   ☐ Extreme

SP3. Twisting/pivoting on loaded leg

    ☐ None   ☐ Mild   ☐ Moderate   ☐ Severe   ☐ Extreme

Hip disability and Osteoarthritis Outcome Score (HOOS)

SP4. Walking on uneven surface

☐ None   ☐ Mild   ☐ Moderate   ☐ Severe   ☐ Extreme

Quality of Life

Q1. How often are you aware of your hip problem?

☐ Never   ☐ Monthly   ☐ Weekly   ☐ Daily   ☐ Always

Q2. Have you modified your life style to avoid activities potentially damaging to your hip?

☐ Not at all   ☐ Mildly   ☐ Moderately   ☐ Severly   ☐ Tatally

Q3. How much are you troubled with lack of confidence in your hip?

☐ Not at all   ☐ Mildly   ☐ Moderately   ☐ Severly   ☐ Extremely

Q4. In general, how much difficulty do you have with your hip?

☐ None   ☐ Mild   ☐ Moderate   ☐ Severe   ☐ Extreme

Hip disability and osteoarthritis outcome score. An extension of the Western Ontario and McMaster Universities Osteoarthritis Index. Klässbo M, Larsson E, Mannevik E. Scand J Rheumatol. 2003;32(1):46–51. 참고문헌

참고문헌

1. Alpert SW, Koval KJ, Zuckerman JD. Neuropathic Arthropathy: Review of Current Knowledge. J Am Acad Orthop Surg. 1996;4:100-8.

2. Brander VA, Malhotra S, Jet J, Heinemann AW, Stulberg SD. Outcome of hip and knee arthroplasty in persons aged 80 years and older. Clin Orthop Relat Res. 1997:67-78.

3. Callaghan JJ, Albright JC, Goetz DD, Olejniczak JP, Johnston RC. Charnley total hip arthroplasty with cement. Minimum twenty-five-year follow-up. J Bone Joint Surg Am. 2000;82:487-97.

4. Callaghan JJ, Brand RA, Pedersen DR. Hip arthrodesis. A long-term follow-up. J Bone Joint Surg Am. 1985;67:1328–1335.

5. Chee YH, Teoh KH, Sabnis BM, Ballantyne JA, Brenkel IJ. Total hip replacement in morbidly obese patients with osteoarthritis: results of a prospectively matched study. J Bone Joint Surg Br. 2010;92:1066-71.

6. Davis AM, Wood AM, Keenan AC, Brenkel IJ, Ballantyne JA. Does body mass index affect clinical outcome post-operatively and at five years after primary unilateral total hip replacement performed for osteoarthritis? A multivariate analysis of prospective data. J Bone Joint Surg Br. 2011;93:1178-82.

7. Della Valle C, Foran J, Rosenberg A. Indications and contraindications to Total Hip Arthroplasty. In: HH C, AG R, HE R, The adult hip, 3rd Ed., Lippincott. Williams & Wilkins. 2015; 1095-1108.

8. Deshmukh AJ, Thakur RR, Goyal A, Klein DA, Ranawat AS, Rodriguez JA. Accuracy of diagnostic injection in differentiating source of atypical hip pain. J Arthroplasty. 2010;25:129-33.

9. Hamadouche M, Kerboull L, Meunier A, Courpied JP, Kerboull M. Total hip arthroplasty for the treatment of ankylosed hips : a five to twenty-one-year follow-up study. J Bone Joint Surg Am. 2001;83-a:992-8.

10. Harkess J, Crockarell J, Jr. Arthroplasty of the Hip. In:

Canale S, Beaty J, Campbell`s operative orthopaedics, 13th Ed., Mosby Elsevier. 2017; 187-190.

11. Harris WH. Traumatic arthritis of the hip after dislocation and acetabular fractures: treatment by mold arthroplasty. An end-result study using a new method of result evaluation. J Bone Joint Surg Am. 1969;51:737-55.

12. Iorio R, Williams KM, Marcantonio AJ, Specht LM, Tilzey JF, Healy WL. Diabetes mellitus, hemoglobin A1C, and the incidence of total joint arthroplasty infection. J Arthroplasty. 2012;27:726-9.e1.

13. Jacobs JJ, Kull LR, Frey GA, et al. Early failure of acetabular components inserted without cement after previous pelvic irradiation. J Bone Joint Surg Am. 1995;77:1829-35.

14. Kurtz S, Mowat F, Ong K, Chan N, Lau E, Halpern M. Prevalence of primary and revision total hip and knee arthroplasty in the United States from 1990 through 2002. J Bone Joint Surg Am. 2005;87:1487-97.

15. Lavernia CJ, Lee D, Sierra RJ, Gomez-Marin O. Race, ethnicity, insurance coverage, and preoperative status of hip and knee surgical patients. J Arthroplasty. 2004;19: 978-85.

16. Lubbeke A, Suva D, Perneger T, Hoffmeyer P. Influence of preoperative patient education on the risk of dislocation after primary total hip arthroplasty. Arthritis Rheum. 2009;61:552-8.

17. NIH consensus conference: Total hip replacement. NIH Consensus Development Panel on Total Hip Replacement. Jama. 1995;273:1950-6.

18. Ollivier M, Frey S, Parratte S, Flecher X, Argenson JN. Does impact sport activity influence total hip arthroplasty durability? Clin Orthop Relat Res. 2012;470:3060-6.

19. Parvizi J, Pour AE, Hillibrand A, Goldberg G, Sharkey PF, Rothman RH. Back pain and total hip arthroplasty: a prospective natural history study. Clin Orthop Relat Res. 2010;468:1325-30.

20. Parvizi J, Sullivan TA, Pagnano MW, Trousdale RT, Bolander ME. Total joint arthroplasty in human immunodeficiency virus-positive patients: an alarming rate of early failure. J Arthroplasty. 2003;18:259-64.

21. Paterno SA, Lachiewicz PF, Kelley SS. The influence of patient-related factors and the position of the acetabular component on the rate of dislocation after total hip replacement. J Bone Joint Surg Am. 1997;79:1202-10.

22. Pivec R, Johnson AJ, Mears SC, Mont MA. Hip arthroplasty. The Lancet. 2012;380:1768-77.

23. Robinson GM, Masri BA, Garbuz DS. Primary total hip arthroplasty after infection. Instr Course Lect. 2001; 50: 317–333.

24. Sakalkale DP, Hozack WJ, Rothman RH. Total hip arthroplasty in patients on long-term renal dialysis. J Arthroplasty. 1999;14:571-5.

25. Sponseller PD, McBeath AA, Perpich M. Hip arthrodesis in young patients. A long-term follow-up study. J Bone Joint Surg Am. 1984;66:853-9.

CHAPTER

2 수술 전 계획 및 준비
Preoperative Plans and Preparations

1. 수술 전 준비

고관절의 관절치환술은 정형외과 영역의 그 어느 수술 보다도 합병증이 적고 회복이 빠르고 수술 후 일정한 기능을 기대할 수 있고 장기적으로 사용이 가능한 우수한 수술 중 하나이다. 일단 합병증이 발생하면 그 후유증이 크고, 결과가 만족스럽지 않다고 다시 되돌릴 수는 없다는 단점이 있다. 그래서 감염, 탈구, 골절, 하지 부동, 신경혈관 손상, 과도한 마모 등의 후유증을 줄이고 만족스러운 결과를 얻기 위해서는 수술 적응증을 비롯하여 수술 전에 신중하고 세밀한 수술 준비를 하여 철저한 수술 계획을 세워 정확한 위치에 삽입물을 위치시켜야 한다. 또한 새로운 수술 및 기구에 대한 수술자의 학습 곡선(learning curve)을 단축시키고 수술 중 혹시 발생할 수 있는 문제들을 예상하여 이에 대비할 수 있게 해준다. 정확한 수술 전 계획을 통해 수술자는 수술에 대하여 3차원적인 사고를 할 수 있고, 수술에 필요한 기구들을 미리 준비할 수 있다.

지난 40-50년 동안 고관절 치환술에 대한 많은 연구가 이뤄지고 많은 수술 경험이 축적되면서 수술 술기와 기구의 디자인과 소재가 월등하게 발전하였다. 특히 수술 환자들의 평균 연령도 낮아지면서 환자들은 관절치환술 후에 대한 기대치가 높아졌고, 과거에 비해 향상된 기능 회복과 삽입물의 장기 사용에 대해 당연하다고 생각하게 되었다. 그래서 환자들은 수술 후 하지 부동이나 오프셋(offset)의 변화로 인한 탈구, 통증에 대해 매우 민감하게 생각하기 때문에 세밀한 수술 전 계획이 필요한 것이다.

환자의 영상 사진을 미리 가늠자로 재는 과정(templating)은 준비 단계에서 가장 중요한 과정이면서도 가장 마지막에 시행하는 과정이다. 고관절 치환술을 시행하기 위해서는 환자의 통증이 어디서 유래되고, 정확한 진단이 무엇이고, 환자가 수술을 받기에 적합한지, 비수술적 치료 혹은 관절치환술 외의 치료법은 없는지 등을 자세한 병력 채취와 신체 검사를 통해 파악해야 한다. 그다음에 비로소 방사선 사진을 검토하고 적절한 기구 선택과 수술 중 기술적 세부 사항을 결정하기 위해 가늠자(template)로 측정하고 이 과정이 모두 끝난 후 비로소 수술에 임하는 것이다.

2. 병변의 확인

고관절에 통증이 있다고 표현하는 환자들 중 많은 수가 둔부의 통증을 호소한다. 하지만 둔부의 통증은 척추에서 유래된 통증이 많고 대부분은 서혜부의 통증이 고관절에서 유래된 특이한 통증인 경우가 많다. 일단 요추부와 고관절의 통증을 감별하기 위해서는 병력 청취를 통해 환자가 방사통 형식의 통증, 감각 이상, 근력 약화 등을 호소하는지 확인하고 신체 검사에서 하지 직거상 검사, 심부 건반사의 이상이 있는지를 확인한다. 간혹 척추와 고관절의 퇴행성 변화가 동반될 수 있는데 이때 요추에 경막외 스테로이드 주사(epidural steroid injection)를 시행하여 증세가 호전되면 그 통증은 요추에서 유래된다고 판단할 수 있다. 반면 저항을 주면서 고관절을 굴곡 할 때 통증을 호소(Stinchfield test)하거나 고관절을 내회전시킬 때 통증을 호소하면 고관절에서 유래된 통증이란 것을 알 수 있다(그림 1). 운동을 할 때 심해지는 대퇴부나 하퇴부의 통증은 허혈성 파행이나 신경성 파행을 의미할 수 있어 이에 대한 감별을 요한다.

서혜부의 통증은 고관절 병변과 많은 관계가 있지만 모두가 다 고관절에서 유래된 통증이 아니다. 다른 골반내 질환, 서혜부 탈장, 후맹장(retrocecal) 충수염, 난소 낭종 등도 서혜부 통증을 유발할 수 있어 감별해야 한다.

고관절 주위 통증이라는 것을 확인했어도 모두가 관절내 병변은 아니다. 전자부 점액낭염, 이상근 증후군(piriformis syndrome), 요근(Poas) 점액낭염, 외전근 염좌, 건초염, 좌골 조면 점액낭염(ischiogluteal bursitis) 등의 관절외 병변을 감별할 필요가 있다. 특히 전자부에 압통이 있으면서 저항을 주는 외전 시 통증을 호소하는 것은 전자부 점액낭염의 특이 소견이다.

3. 병변의 진단

우리나라의 경우 고관절 전치환술의 가장 흔한 원인은 대퇴골두 골괴사로 알려져 있다. 이러한 환자들은 기저 질환으로 신장 및 간 질환, 결체조직병, AIDS를

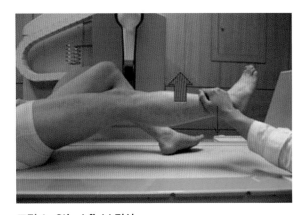

그림 1. Stinchfield 검사
저항이 있는 상태에서 고관절을 굴곡할 때 통증 발생 여부를 확인한다.

갖고 있는 경우가 종종 있으며, 장기 이식을 받아 면역억제제를 사용하거나 항암 치료 중인 환자도 있다. 최근 고령화에 따라 당뇨나 고혈압과 같은 만성 질환 환자뿐만 아니라 뇌졸중이 발생하여 편마비 증세가 있거나, 관상동맥 질환, 파킨슨병 등으로 항응고제를 투여 중인 환자를 만날 수 있다. 고관절 치환술을 계획할 때는 모든 수술에서와 마찬가지로 출혈 경향 유무를 파악하는 것이 필요하고, 혈행성 감염의 잠재적 원인이 될 수 있는 치과계를 포함한 신체 다른 부위의 최근 감염, 정맥혈전증 이환력 등 심부정맥혈전(deep vein thrombosis) 발생의 위험 인자에 대한 조사도 필수적이다.

일단 고관절의 병변이란 것을 확인하였으면 골관절염, 대퇴골두 골괴사, 염증성 관절염, 비구 이형성증, 악성 종양의 전이, 감염, 외상 등의 원인 질환들을 진단해야 한다. 대퇴골두 골괴사 환자는 괴사의 원인을 확인하고 음주가 원인이면 수술 전에 간 기능을 확인해야 한다. 과다응고질환(hypercoagulable disease)이 원인이면, 항응고제 치료나 수술 전 하대정맥 필터(inferior vena cava filter, Greenfield filter)의 삽입 등의 필요 여부를 확인한다.

염증성 질환에서도 수술 전에 고려할 사항이 많다. 류마티스 관절염 환자는 경추 1-2의 불안정성이 있는지, 하악 관절(temperomandibular joint)의 병변이 있는지 미리 검사하고 이상이 있으면 전신마취 과정에 이상이 없을지 마취과 의사와 상의할 필요가 있다. 스테로이드 사용하는 환자는 수술 전후로 stress dose를 필요하고, methotrexate 같은 면역 억제제를 사용하는 환자는 과거에는 환부 감염 예방을 위해 수술 전후에 약물 중단을 권유하였으나, 최근에는 약물 사용 여부와 염증 발생 간의 연관성이 낮아 지속적인 사용이 권유되고 있다. 한편, 생물학적 제제의 사용이 증가함에 따라, 약물의 조절이 필요하고, 통상적으로 약물의 반감기 이상의 휴지 기간이 요구될 수 있다. 만약 질환의 급성 발작이 있으면 수술 전에 발작 치료가 우선이다.

4. 수술의 적합성

진단이 확인되었으면 환자가 고관절 전치환술을 받기에 적합한지 확인해야 한다. 적절한 약물, 활동 제한, 체중 감량 등의 비수술적 치료를 제대로 하였음에도 호전이 없었으면 수술을 선택하는데 이때도 직업과 환자의 수술 후 기대감에 따라 관절치환술 여부를 결정한다. 직업상 무거운 물체를 움직이거나 많이 뛰고 점프하는 작업이 많은 직업군 환자는 직업을 바꾸거나 관절치환술에 대해 재고해 보도록 권유한다. 그 외 우울증이나 신경증이 있으면 수술하기 전에 미리 치료를 받고 수술을 한다.

환자의 건강 상태가 내과적으로 수술을 받기에 적합한지 내과와 협진을 하고 피부 궤양, 발가락 감염, 요로 감염, 전립선염, 치주염, 게실염(divertiulitis) 등 잠재적 감염의 원인들을 찾아 우선 치료할 필요가 있다.

5. 신체 검사

고관절 전치환술을 준비하면서 결과에 영향을 미치는 중요한 신체 검사들이 많다. 우선 절개를 가할 부위에 과거의 수술 혹은 최근의 침이나 뜸에 의한 상흔이 있는지 확인하고, 국소 농양이나 감염된 내향성 발톱(ingrown toe nail) 등의 감염원, 정맥류, 혈류 장애를 의심할 만한 피부 변색이나 궤양 등이 있는지 확인한다. 구강내 감염과 같이 절개를 가할 부위가 아니더라도 활동성 감염 병변이 있다면 감염 치료가 우선되어야 하겠으며, 절개를 가할 부위에 아직 아물지 않은 상처가 있다면 수술을 미루는 것이 안전하다.

고관절 주위의 피부와 주변 연부조직도 살펴봐야 한다. 이전 수술의 절개선이 이미 있을 때 이전 수술의 절개선과 평행 하는 새 절개선을 만들면 두 절개선 사이 피부 괴사를 일으킬 수 있어 가능하면 과거 절개선과 겹쳐서 절개하는 것이 더 유리하다. 환자의 기립 자세도 확인해야 한다. 요추 전만이 심하면 기립 자세에서 비구의 위치가 달라진다. 이런 경우 기립 자세와 측와위 자세와의 비구 위치 변화를 보상하기 위해 전염

각을 더 많이 준 상태에서 비구컵을 삽입하는 것이 바람직하다. 또 양측의 장골능을 후방에서 관찰하여 골반 경사(pelvic obliquity)가 있는지 확인한다. 환자가 느끼는 하지 부동과 실제 블록 검사(block test)로 측정한 하지 부동과 비교할 필요가 있다(그림 2). 특히 고정된 골반 경사로 인한 현성 하지 부동(apparent limb length discrepancy)의 원인이 요추의 측만증 때문이라면 고관절 전치환술 후에도 교정이 안 된다는 것을 미리 고지할 필요가 있다.

하지 부동에 대한 검사 후에 환자의 보행을 살펴본다. Trendelenberg gait는 외전근의 약화를 의미한다. 어느 정도의 근력 약화는 통증 때문에 생길 수 있지만 측와

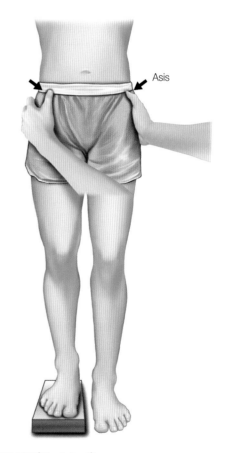

그림 2. 블록 검사(Block test)
진성 하지 부동(true limb length discrepancy)을 측정하기 위한 검사

위에서 평가했을 때 중력을 이기지 못할 정도의 외전근 약화 소견은 드물지만 중요한 소견이다. 이러한 현상이 확인되면 수술 전에 그 원인을 찾도록 하고 수술 계획에서 offset을 증가시키거나 대퇴스템의 전자부 삽입점을 외측에서 시작할 것을 고려할 필요가 있다. 아주 심한 외전근 약화의 경우 탈구 예방 목적으로 이중 운동 비구컵(dual mobility cup)이나 구속형 라이너(constrained liner) 사용을 고려할 수도 있다.

보행 분석 후에는 고관절의 운동 범위를 확인한다. 굴곡 또는 내전 구축이 심하면 탈구 등의 문제를 야기시킬 수 있어 수술 전 운동 요법으로 구축을 최소화하는 것이 필요하다. 심한 구축이 지속되면 후방 탈구의 위험이이 있기 때문에 수술 직전 내전근 건유리술(adductor tenotomy)이 필요 할 수 있다.

신체 검사 과정에서 다른 관절도 살펴봐야 하는데 만약 류마티스 관절염 환자가 상지에도 병변이 있어 수술 후 목발 보행에 지장을 줄 정도면 상지 문제부터 해결하고 수술하는 것이 바람직하고 마찬가지로 효과적인 보행을 방해하는 족부나 족관절 문제가 있으면 이 또한 고관절보다 먼저 치료하는 것이 순서이다. 동측의 고관절과 슬관절의 병변이 있으면 일반적으로 고관절 수술을 먼저 하지만 슬관절에 보행을 방해할 정도의 심한 굴곡 구축이 있으면 이 문제부터 해결하고 고관절 수술을 한다.

6. 영상 검사

고관절 전치환술 시 필요한 방사선 검사는 골반 일부 및 고관절, 대퇴골 근위부 1/2내지 1/3이 나오는 전후면 사진과 측면 사진이다. 길이 측정이 필요한 경우에는 scanogram을 시행하면 비교적 정확하게 평가할 수 있다.

영상 검사에서 가장 중요한 것은 항상 일관된 영상을 얻는 것이다. 고관절 전후면 사진은 치골 결합(symphysis pubis)이 사진의 중앙에 오게 하고 장골능이나 폐쇄공이 양측이 대칭되게 찍는다. 방사선 사진

을 필름으로 출력하는 경우 촬영 시 X−선 튜브의 표준 거리는 환자에서부터 40 인치이다. 이때 카세트를 환자 바로 뒤에 두면 약 10% 정도 확대된 영상을 얻지만, 최근 대부분 영상의학과에서 쓰이는 Bucky tray를 쓰면 카세트가 촬영 테이블 뒤에 약 2 인치 정도 더 후방에 놓이게 되어 약 15−20% 확대된 영상을 얻게 된다. 아주 비만한 환자는 영상이 25% 정도 확대될 수 있으며 아주 마른 환자는 15% 미만의 확대 영상을 얻을 것이다. 근래에는 대부분의 병원이 의료영상저장전송시스템(PACS)을 사용하기 때문에 축소 확대가 자유로워져서 확대 표시자(magnification marker)를 고관절 높이에 고정시켜 촬영을 한다(그림 3).

전후면 사진은 하지를 약 15−20° 내회전 상태에서 찍는다. 하지만 고관절의 굴곡 구축이 있는 상태에서 사진을 찍으면 대퇴골 근위부가 과도하게 확대된 영상을 얻게 된다(그림 4). 그래서 이때는 전후면을 15−20° 내회전 상태에서 반좌위(semisitting) 자세에서 찍으면 대퇴

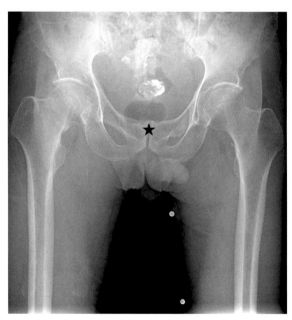

그림 3. 가늠술(templating)을 위한 전후면 방사선 사진
치골 결합(★)이 사진의 중앙에 오게 하고 확대 표시자를 부착하여 촬영한다.

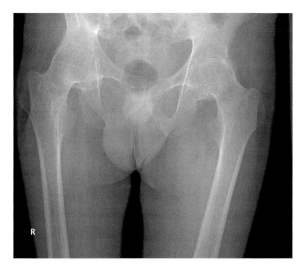

그림 4. 고관절의 굴곡 구축
양측 고관절이 강직된 환자로 좌측 굴곡 구축이 심해 좌측 대퇴골 간부가 우측에 비해 확대되어 보인다.

골 경부와 카세트와 평행 상태가 되어 정상적으로 확대된 사진을 얻을 수 있다. 골관절염은 외회전 구축이 되는 경우가 많은데 이때 전후면 사진을 찍으면 전자부가 외회전 상태에서 촬영이 되어 전자간 부위가 좁게 나타나고 대퇴골 외측 오프셋(lateral offset)이 작아지며 소전자는 돌출되게 보인다(그림 5). 또 내회전 구축이 있는 경우 반대의 영상을 얻게 된다. 대퇴골의 회전 위는 경간각과 대퇴골 오프셋(offset)의 측정에 결정적인 영향을 미치기 때문에 정확한 영상 촬영이 필요하다. 이런 경우 환자가 엎드린 상태에서 환측 대퇴골을 15−20° 외회전 위에서 촬영하면 적절한 후전면 영상을 얻을 수 있다(그림 6).

고관절 측면 사진은 lateral, cross−table lateral, frog leg 사진과 같이 일반적인 사진을 기본으로 하여 대퇴

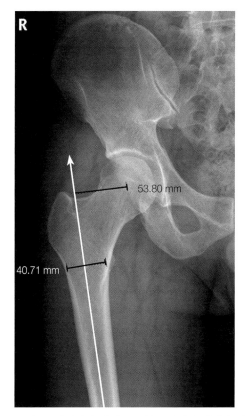
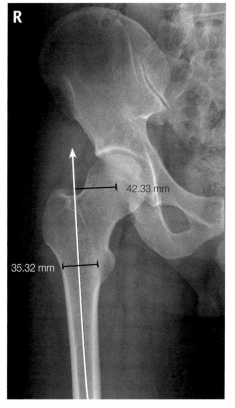

그림 5. 외회전된 대퇴골 근위부 방사선 사진의 변화
전자부가 외회전 상태에서 촬영이 되면(우측 그림), 골간단 부위가 좁게 나타나고 대퇴골 외측 오프셋이 작아지며 소전자는 돌출되어 보인다.

549

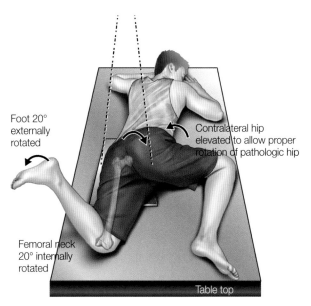

골의 전방 만곡과 대퇴골 경부의 전염각을 측정한다. 정확한 측면 사진의 촬영이 어려울 때는 필요한 경우 다음과 같은 변형된 방법을 사용할 수 있다. Löwens-tein 영상은 앙와위에서 고관절 90° 굴곡, 외전 45°에서 대퇴부가 촬영대에 접하도록 체간을 기울이고 서혜부에서 수직으로 입사하여 한쪽씩 촬영한다. 변형된 개구리 다리 측면 촬영이라고도 하는 이 방법을 통해 대퇴골 경부의 전염각(anteversion)과 대퇴골의 전방 만곡(anterior bowing)을 가장 잘 확인할 수 있으며(그림 7A), 이 상태에서 슬관절을 촬영대에서 15~20° 정도 들어올리면 대퇴골 경부의 전염이 소실되어 전후면 상에 직각인 영상(orthogonal view)을 얻을 수 있다(그림 7B).

그림 6. **좌측 고관절의 외회전 구축이 있는 환자의 촬영법**
외회전 구축이 있는 경우, 환자가 엎드린 상태에서 환측 고관절이 15~20° 내회전되도록 반대쪽 고관절을 들어 올려 촬영하면 적절한 영상을 얻을 수 있다.

1) 근위 대퇴골의 형태

근위 대퇴골의 형태와 골질에 따라 적합한 대퇴스템이 달라질 수 있으므로 방사선 사진으로 이를 잘 점검한다. Dorr와 Dossick은 근위 대퇴골을 대퇴거-골수

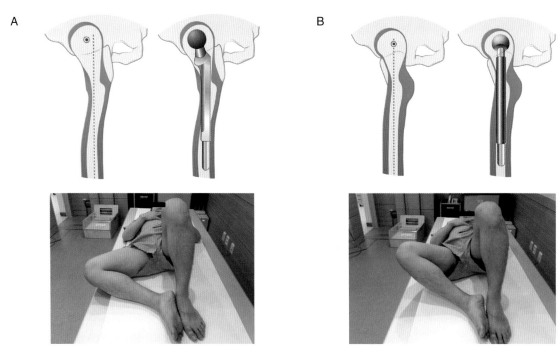

그림 7. **Löwenstein 측면 촬영**
(A) 슬관절을 촬영대에 접하도록 하여 촬영하면 대퇴골 경부의 실질적인 전염각과 대퇴골의 전방 만곡을 확인할 수 있다.
(B) 이 상태에서 슬관절을 촬영대에서 15~20° 정도 들어 올리면 전후면 상에 직각인 영상(orthogonal view)을 얻을 수 있다.

강 비(calcar-to-canal ratio)에 따라 분류하여, 소전자 중앙부에서의 대퇴골 직경을 10 cm 원위부에서의 대퇴골 직경으로 나눈 값이 0.5 이하면 type A, 0.5에서 0.75 사이면 type B, 0.75 이상이면 type C로 구분하였다(그림 8). Type A는 대퇴골의 전후, 측면 모두 두꺼운 피질골을 가져 단단하고 질적으로 좋으며 type B는 골다공증이 어느 정도 진행하여 측면 사진에서 후방 피질골이 얇아져 있고 type C는 심한 골다공증으로 인하여 전후, 측면 모두 피질골이 얇아져 연통 모양의 대퇴골을 의미한다. Type A, B는 무시멘트형 대퇴스템이 적합하고 type C는 시멘트형 대퇴스템이 더 적합할 수 있다. Noble이 제시한 골수강 확대율(canal flare index)은 소전자 상방 2 cm에서의 대퇴골 골수강 직경과 협부(isthmus)에서의 골수강 내경의 비율로 골수강 확대율(canal flare index, CFI) 값으로 근위 대퇴골 형태를 분류하였다. 4.7 이상이면 샴페인 플루트(champagne flute) 형태, 3-4.7이면 정상, 그리고 3 미만이면 연통(stovepipe) 형태로 구분였고, Dorr type과 의미는 비슷하다(그림 9).

2) 방사선적 지표

가늠술을 하기 전에 방사선 사진에 몇 가지 해부학적 지표들을 표시하는 것이 좋다. 과거에는 장좌골선(ilioischial line) 혹은 Kohler's line이 비구 돌출의 기준점이 되었으나 사실 이 선은 골반의 내측벽보다 후방에 있어 정확한 전후면 사진에서만 내측벽과 일치한다. 반면 골반골의 눈물 방울(tear drop)은 중요한 지표로서 폐쇄공(obturator foramen) 바로 상외측에 위치하며 비구의 하내측면을 의미하는데, 눈물 방울의 외측연은 비구의 내측에 해당되고 내측연은 비구벽의 내측 경계에 해당된다. 이 관계는 촬영 각도에 크게 좌우되지 않으며 눈물 방울은 방사선 영상뿐만 아니라 실제 비구의 하내측 부분의 해부학적 지표이다. 그래서 눈물 방울이 수술 전 준비에서뿐만 아니라 수술 후 삽입물의 움직임을 측정할 때 절대적인 지표로 사용되고 있다(그림 10).

수술 전 다리 길이의 측정도 꼭 필요하다. 일반적으로 양측 좌골 조면(ischial tuberosity)을 있는 선을 긋고 이 선에서부터 소전자의 상방 경계나 하방 경계까지의

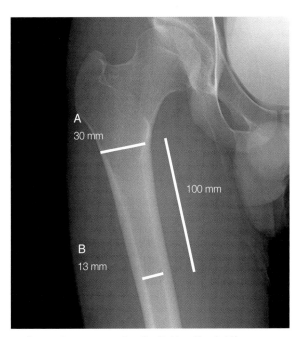

그림 8. calca-to-canal ratio (B/A ratio: 0.43)

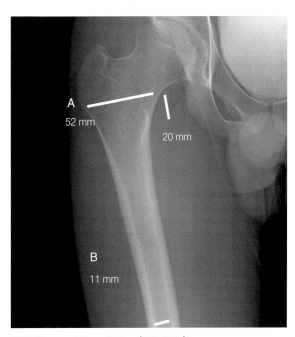

그림 9. canal flare index (CFI: 0.21)

거리를 측정하여 그 차이를 하지 부동으로 본다. 하지만 굴곡 구축이 있으면 짧게 나타나고 내전 구축이 있으면 길게 보일 수 있다. 짧은 다리는 고관절 전치환술을 시행하면서 어느 정도는 교정이 가능하다. 하지만 수술하고자 하는 다리가 길면 다리 길이를 같게 하기 위해 단축을 시행하게 되는데, 이러한 원인으로 관절의 불안정성이 야기될 수 있다. 따라서, 수술 전 길어진 상태의 다리를 교정하는 것은 위험할 수 있음을 환자에게 설명할 필요가 있다. 하지 부동은 수술 후 환자와 의사 간의 분쟁의 가장 흔한 원인이 되고 있어, 수술 전 치밀한 측정과 계획이 필요하며 하지 부동이 예상되면 수술 전 환자에게 알릴 필요가 있다(그림 11).

경간각(neck shaft angle)은 대퇴골 경부와 간부의 중앙을 있는 선의 각도를 의미하는데 평균 125° 전후이다. 만약 사용하고자 하는 기구의 경간각이 실제 경간각과 크게 차이가 나면 경부 절골 위치가 달라지게 된다.

대퇴골 오프셋(offset)은 대퇴골의 중립위 장축(neutral long axis)과 고관절의 회전 중심(center of rotation) 사이의 수평 거리를 의미한다. 정상적인 오프셋을 복원시키는 것이 고관절 전치환술의 일차 목표일 정도로 중요하지만 퇴행성 변화에 의해 오프셋의 변화

가 생길 수 있기 때문에 수술 전 측정은 반대편의 정상 고관절에서 시행하는 것이 유용하다.

7. 가늠술(Templating)

고관절의 생역학은 수술 전에 적절한 영상 사진을 사용하여 세밀하게 가늠술을 시행함으로써 복원이 가능하다. 일반적인 목표는 하지 부동이 없고 회전 중심과 대퇴골 오프셋을 해부학적 또는 수술 전 상태로 복원시키는 것이다.

최근 방사선 사진이 모두 디지털화되면서 시판되고 있는 인공 고관절의 디지털화된 가늠자(template)를 장착한 가늠술 프로그램이 개발되어 임상에 적용되고 있다. 이러한 방식은 비교적 정확한 축척 조정이 가능하여 길이 차이를 쉽게 측정할 수 있으며, 가늠술 했던 자료의 보관이 용이하다는 장점이 있으나, 프로그램이 고가이고 새로운 제품에 대한 추가가 필요하다는 문제점이 있다. 또한 The 등은 디지털 영상을 사용한 고관절 전치환술 전 가늠술은 아날로그 영상을 사용했을 때보다 정확성이 떨어질 수 있음을 지적한 바 있다. 하지만 최근 Holzer 등은 점차 정확도가 개선되어 대퇴스템은 87%, 비구컵은 78%까지 한 사이즈 내(within

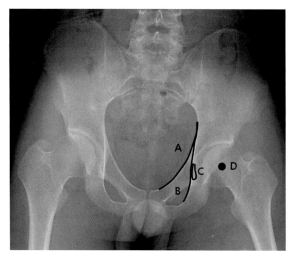

그림 10. 방사선적 지표
A. 장치골선, B. 장좌골선, C. 눈물 방울, D. 대퇴골두 중심

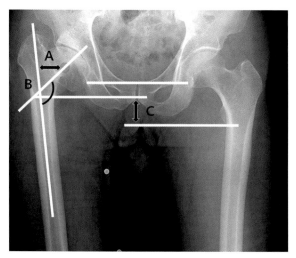

그림 11. 방사선적 지표
A. 오프셋, B. 경간각, C. 하지 부동

one size)의 정확도를 보였고 비만 환자일수록 오차가 발생할 수 있으며 숙련도가 높을수록 대퇴스템 가늠술의 정확도가 높다고 하였다. 최근에는 디지털화된 PACS 영상을 확대, 축소하여 확대율을 맞추고 보통 사용하는 투명한 셀로판 가늠자를 사용하여 측정하는 방법을 주로 사용하는 추세이다.

1) 비구 가늠술

비구컵 가늠자는 눈물 방울의 외측 경계 바로 외측에 45°각도로 위치시킨다. 이상적인 경우는 비구컵이 비구 관절면으로 다 덮이고 눈물 방울에서 비구의 상외측 경계까지 걸쳐 있는 상태이다. 이 조건을 만족하면서 연골하골의 제거를 가장 최소화시키는 컵이 적절한 크기이다. 시멘트를 사용할 경우 적절한 두께의 시멘트 맨틀을 만들기 위해 3-4 mm의 공간이 필요하다. 정확하게 비구컵의 내측면이 눈물 방울 바로 외측에 위치하면 비구컵의 회전 중심을 표시할 경우 반대편 정상 고관절의 회전 중심과 같을 것이다(그림 12).

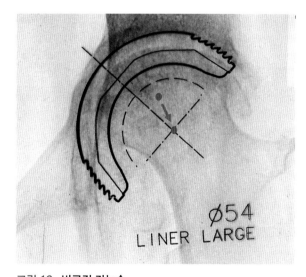

그림 12. 비구컵 가늠술
가늠술에서 고관절 회전 중심이 상내측에서 하외측으로 이동되는 것을 볼 수 있다.

(1) 비구 돌출

비구 돌출은 류마티스 관절염, 강직성 척추염, Paget병 혹은 연골하골을 약화시키는 대사성 질환 등에서 자주 볼 수 있다. 고관절의 회전 중심을 내측에 위치시키면 그 위치에서는 비구컵을 구조적으로 지탱해주기 어렵기 때문에 바람직하지 않으며 내측에 골이식을 시행하여 고관절 회전 중심을 외측으로 복원하도록 노력해야 한다. 가장 좋은 방법은 수술 중 절제한 대퇴골두를 갈아서 비구 내측에 이식하고, 고관절의 해부학적인 중심으로 비구컵을 외측에 위치하도록 한다. 이때 경우에 따라서는 많은 양의 이식골이 필요할 수 있어, 환자의 대퇴골두 외에 동종골도 준비할 필요가 있다. 비구컵의 내측 부분은 이식골만으로 접촉하기 때문에 비구의 외곽 경계(peripheral rim)와 충분한 접촉이 가능한 큰 컵을 사용해야 한다.

(2) 외측화된 비구

대부분의 골관절염의 경우, 골극의 비후로 인해 고관절의 회전 중심이 외측으로 이동하게 된다. 이런 경우 제대로 가늠술을 시행하면 비구컵을 눈물 방울 근처에 위치시키기 위해 1-2 cm 정도 내측으로 의도적인 확공이 필요하다고 측정되는 경우가 있는데, 이를 미리 인지 못하면 비구컵이 외측에 위치하여 충분한 뼈로 덮이지 못하고 기구의 안정성도 얻지 못할 수 있다(그림 13). 퇴행성 변화로 회전 중심이 외측으로 편측화 되었으면 정상적인 고관절 전치환술 후 회전 중심이 제 위치로 오면서 오프셋이 감소할 것을 예상해야 하고, 이 경우 큰 오프셋을 가진 대퇴스템의 사용을 고려하기도 한다.

(3) 상외측 이동

고관절 골관절염의 경우 회전 중심이 내외측 전위뿐만 아니라 상외측으로 전위 되는 경우가 많은데, 특히 비구 이형성증에 의한 이차성 골관절염이 발생한 고관절에서 흔하다. 이런 경우 가늠자를 눈물 방울 옆에 위

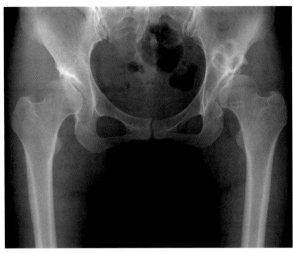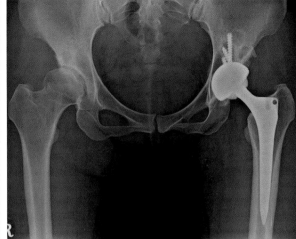

그림 13. 비구 이형성증에 의한 이차성 골관절염이 있는 좌측 고관절
비구컵을 눈물 방울 근처에 위치시키기 위해서 1–2 cm의 내측 확공이 필요하다.

치시켰을 때, 비구컵의 외측이 충분히 덮이지 않기 때문에 몇 가지 방법들을 사용하여 이를 해결할 수 있다. 첫째, 무시멘트형 컵을 사용한다면 비구 내측벽의 연골하골까지 확공하고 넓이에 비해 높이가 낮은 low profile cup을 쓰면 비구컵을 최대한 덮을 수 있다. 비구컵의 10–20% 정도 덜 덮이는 것은 괜찮지만 이때 환상 변연부 접촉(circumferential peripheral contact)이 없어 나사못으로 추가 고정하는 것이 필요하다. 둘째, 시멘트형 비구컵을 사용할 경우 시멘트로 상외측 결손을 채울 수 있다. 셋째, 무시멘트 비구컵을 약간 수직으로 세우고 elevated rim liner를 사용할 수도 있다. 마지막으로 이 모든 조치를 취했는데도 10–20%가 덜 덮이면 구조적 골이식(structural bone graft)을 준비해야 한다.

2) 대퇴골 가늠술

대퇴골의 가늠술은 먼저 비구 가늠술에서 정한 고관절의 회전 중심을 기준으로 시작한다. 비록 대부분의 술자들이 여러 가지 형태의 대퇴골에 같은 종류의 대퇴스템을 사용하는 경우가 많지만, 근위부 코팅

(proximal coating)된 무시멘트형 스템, 완전 코팅(full coating)된 무시멘트형 스템, 시멘트형 스템에 따라 가늠술이 달라지고 가늠자 측정에 의해 스템의 형태와 종류가 결정되기도 한다.

대퇴스템의 크기는 전후면 사진에서 측정한다. 근위부 코팅된 스템은 대퇴골의 근위부에 잘 맞고 빈 공간을 꽉 채워야 한다. 반면 완전 코팅된 스템은 원위부에서 고정이 일어나기 때문에 대퇴골 협부에 꽉 끼는 스템을 사용한다. 스템의 내외측면이 피질골 내벽과 3–4 cm 정도 마주 닿아야 한다. 시멘트형 스템은 시멘트 맨틀의 공간이 필요한데 스템 주변에 2–3 mm 두께의 맨틀이 가장 적합하다. 이런 측정은 일정하게 확대가 되고 진정한 전후면 사진에서 측정을 해야 스템의 크기, 경부 길이, 오프셋(offset), 대퇴골 경부 절골 위치 등을 정확하게 예측할 수 있다. 만약 병변 측 고관절이 외회전 구축이 있고 반대측 고관절은 정상이면 반대측 정상 고관절에서 회전 중심을 측정하고 눈물 방울에서의 거리를 측정하여 병변 측에 옮겨 놓으면 된다.

대퇴스템 가늠자를 세로 방향으로 이동하여 대퇴스템의 중심이 비구 중심과 같은 높이에 놓이게 한다. 이

상적으로는 대퇴골을 필요 이상으로 제거하지 않도록 하고 대퇴골 경부 절골은 기구의 디자인과 환자의 대퇴골 크기에 따라 소전자에서 1−2 cm 위에 계획한다. 이때 대퇴골의 회전 중심이 전에 측정해 놓은 고관절의 회전 중심과 일치하면 다리 길이와 오프셋이 정확하게 복원될 것이다. 경부 절골 위치를 표시하고 소전자에서의 거리를 측정하여 수술 시 참조할 수 있도록 기록 한다(그림 14).

만약 대퇴스템의 회전 중심이 비구컵의 회전 중심과 높이는 같으면서 내측에 위치하게 되면 실제 수술장에서 계획된 스템을 삽입하면 오프셋이 증가하여 보다 더 안정적인 관절을 얻을 수 있는 유리한 점이 있다. 하지만 오프셋이 너무 많이 증가하면 전자부가 돌출하고 점액낭염이 생길 수 있고 내전근이 긴장되어 운동범위가 감소할 수 있어 조심해야 한다. 반대로 대퇴골의 회전 중심이 외측에 위치하게 되면 오프셋이 감소하여 외전근의 지렛대 거리(moment arm)가 짧아지고 힘이 약해져 파행이 생길 수 있다. 또한 폴리에틸렌의 마모가 늘어나고 관절의 불안정성이 생겨 불량한 결과를 초래할 수도 있다.

오프셋 감소가 예상되는 경우 몇 가지 방법을 시도해 볼 수 있는데, 첫 번째로 대퇴골 경부 절골선을 낮게 잡고 대퇴스템을 깊이 삽입하며 긴 경부 길이를 갖는 골두(long neck head)를 사용하면 오프셋을 어느 정도 회복시킬 수 있다. 두 번째로 더 큰 크기의 스템을 사용하면 오프셋을 증가시킬 수 있으나 이것은 대퇴골의 구조에 따라 불가능 할 수도 있다. 또한 큰 시멘트형 스템을 사용한다면 충분한 시멘트 맨틀이 들어갈 공간을 확보해야 한다. 세 번째는 오프셋이 크게 디자인된 스템을 사용할 수 있다. 오프셋을 증가시키는 디자인으로는 경간각을 감소시키거나 스템 근위부가 내반각을 형성하거나 경부가 스템 내측에서부터 시작하게 하는 방법들이 있다. 최근에는 같은 대퇴스템에 두 종류의 오프셋을 선택할 수 있는 이중 오프셋을 가진 스템을 사용하는 것이 선호되기도 한다.

전후면 사진에서 대퇴스템의 삽입점을 예측해야 한다. 대퇴골 간부의 외측 경계를 따라 선을 그어 보면 적합한 삽입점을 찾을 수 있다. 특히 스템을 내반위에서 삽입하지 않기 위해서는 삽입점 외측에 있는 뼈들을 충분히 제거해야 한다.

대퇴스템의 크기와 원위부 골수강 직경을 미리 측정해서 수술 시 참고해야 한다. 만약 예측한 크기보다 작게 줄질(rasping)되면 삽입점이 대부분 내측에서 잘못 시작되어 확공과 줄질(rasping)이 내반위에서 이루어지고 있는 경우가 많다. 만약 예측한 크기보다 더 크게 줄질(rasping)이 되면 수술 중 방사선 사진을 찍어 의도하지 않은 골절이 생겼거나, 골다공증이 심한 대퇴골

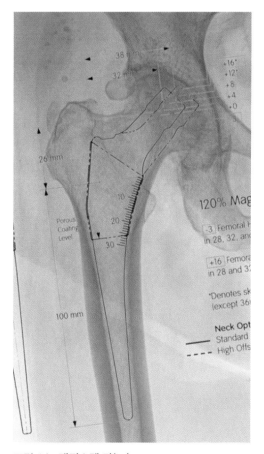

그림 14. 대퇴스템 가늠술
고관절의 회전 중심, 대퇴골 경부 절골 위치를 정하고 사용할 스템의 크기를 선택한다.

을 과도하게 확공했는지 확인하여야 한다.

수술 전 경간각도 미리 측정할 필요가 있다. 경간각이 평균보다 많이 감소되어 있는 환자는 오프셋이 커져있다. 이런 환자는 대퇴골 경부 절골을 낮게 하고 긴 경부를 갖는 골두를 사용한다. 일반적인 높이에서 경부 절골을 하면 스템 크기는 증가하지 않으면서 다리 길이만 늘어난다. 아니면 오프셋이 큰 스템이나 경간각이 적은 스템을 사용하면 대퇴골 경부 절골을 덜 해도 된다. 반대로 경간각이 큰 환자는 오프셋은 적으면서 대퇴골 경부 길이가 긴 경우이다. 이런 경우는 경부 절골을 길게 하고 짧은 경부 길이를 갖는 골두(short neck head)를 사용함으로써 오프셋과 다리 길이를 모두 복원할 수 있다. 또 경간각이 큰 환자들은 종종 오프셋이 적으면서 전자간 간격이 매우 협소한 경우가 있어 이때는 CDH 스템 같은 특수 스템을 필요로 할 수 있다.

비구 이형성증이 있으면 종종 대퇴골의 과도한 전염각이 같이 있을 수 있다. 이런 경우 시멘트형 대퇴스템을 사용하여 작고 일직선인 스템을 쓰면 전염각 교정이 용이하다. 그러나 이런 경우 대전자가 후방에 위치해 신전 외회전위에서 비구 외벽과 충돌하는 것을 확인해야 한다. 무시멘트형 스템을 사용하기로 했으면 조립형(modular) 스템을 사용하면 이 문제를 해결할 수 있다.

8. 수술 접근법

수술 전 준비과정 중 어떤 수술 접근법을 사용할지도 결정해야 한다. 대부분의 경우 수술자가 선호하는 방법을 선택하게 되는데, 재수술을 시행하는 경우에서는 대부분 기존의 접근법으로 수술이 시행된다. 재수술 시에 주의할 점은 기존 절개선을 이용하여 수술을 시행하거나, 아니면 기존에 시행된 방법과는 다른 접근법을 사용하도록 한다. 만약, 기존 절개선과 평행한 절개선을 사용하면 두 절개선 사이의 피부 괴사 등의 문제가 발생할 수 있다.

비만 환자들은 보다 더 긴 절개선을 계획해야 하고 신경근육계 질환(소아마비, 뇌성마비, 중풍, 파킨슨병) 환자들은 탈구가 쉽게 발생할 수 있어 후방 접근법보다는 전방 또는 외측 접근법이 유리할 수 있다.

관절이 경직되어 있거나 강직이 있는 경우는 후방 도달법이 선호되는데 대퇴 방형근(quadratus femoris)과 대둔근 부착부(gluteus sling)의 절개를 하여 수술 시야를 확대하기 용이 하기 때문이다. 경우에 따라서는 전자부 절골술(trochanteric osteotomy)이 필요할 수 있으나, 절골술 부위의 불유합이 발생할 수 있어 주의를 요한다.

돌출형 비구를 수술하는 경우 관절을 탈구시킬 때 많은 힘이 필요하기 때문에, 너무 과도한 힘이 가해지게 되면 대퇴골의 골절을 일으킬 수도 있다. 이런 합병증은 전자부 절골술을 시행하거나, 탈구를 시행하기 전에 대퇴골 경부의 절골을 먼저 시행하면 예방할 수 있다.

참고문헌

1. Barrack RL, Rosenberg AG. The Hip 2nd ed. Philadelphia: Lippincott Williams and Wilkins;2006. 177-202.

2. Berend KR, Sporer SM, et al. Achieving Stability and Lower-Limb Length in Total Hip Arthroplasty. J Bone Joint Surg Am. 2010;92:2737-52.

3. Bono JV. Digital templating in total hip arthroplasty. J bone Joint Surg Am. 2004;86:118-122.

4. Cooper HJ, Rodriquez JA. Early Post-operative Periprosthetic Femur Fracture in the Presence of a Non-cemented Tapered Wedge Femoral Stem. HSSJ. 2010;6:150-154.

5. Della Valle AG, Padgett DE, Salvati EA. Preoperative Planning for Primary Total Hip Arthroplasty. J of AAOS. 2005;13:455-462.

6. Dorr LD, Faugere MC et al. Structural and Cellular Assessment of Bone Quality of Proximal Femur. Bone. 1993;14:231-242.

7. Holzer LA, Scholler G, et al. The accuracy of digital templating in uncemented total hip arthroplasty.

8. Lieberman JR, Berry DJ. Advanced Reconstruction Hip. Rosemont: AAOS;2002. 41-47.

9. Schmidt RD. Preoperative Planning for Revision Total Hip Arthroplasty. The American J of Orthopedics. 2002: 179-185.

10. The B, Diercks RL et al. Comparison of analog and digital preoperative planning in total hip and knee arthroplasties. A prospective study of 173 hips and 65 total knees. Acta orthop. 2005;76(1):78-84

CHAPTER

3

수술 전후 관리
Perioperative Managements

1. 통증 관리

고관절 치환술 후 적절한 통증 관리는 입원 기간을 감소시키고 조기 재활을 가능하게 하여 일상 생활로의 복귀를 빠르게 한다. 이러한 통증 관리에서 진통제의 효능과 부작용이 환자의 만족도를 결정짓는 주요 인자가 된다. 일반적으로 사용되는 수술 후 통증 치료 방법들로는 지속적 경막외 마취, 지속적 관절강내 국소 마취제의 투여, 경정맥 환자 조절 진통법, 국소 신경 차단술 등 여러 가지가 있다. 그러나 단일 방법만으로는 충분한 진통 효과를 얻기 어렵고, 상당한 부작용이 따른다. 따라서 현재는 효과적인 통증 조절과 함께 진통 요법의 부작용을 최소화하기 위하여 여러 가지 기전과 방법을 사용하여 통증을 조절하는 복합 통증 조절(multimodal pain control)의 방법들이 시도되고 있다.

1) 수술 후 통증의 기전

수술 후 통증은 조직의 손상, 말초신경의 자극에 의한 신경계와 호르몬계의 작용에 기인한다. 수술에 의한 조직 손상은 prostaglandin, bradykinin 같은 화학 전달 물질을 손상 조직으로부터 분비시켜 통증 유발 물질인 substance P의 분비를 자극하며 이는 다시 손상 조직 인근의 통각수용체(nociceptor)를 감작시켜 통증이 급격하게 증폭 및 전파되도록 한다. 또한 적절히 조절되지 않은 통증은 염증 반응과 내분비계의 변화를 유발하며 자율 신경계를 활성화시켜 다른 여러 신체 기관의 부작용을 초래할 수 있다. 통각수용체의 지속

적인 활성은 강직과 근막 통증을 유발할 수 있고, 혈류와 원심성 유출(efferent outflow)의 변화는 교감신경성 통증의 지속으로 만성 통증이 유발되어 결국 지속적인 장애와 재활의 지연을 일으키게 된다(그림 1).

이러한 통증 기전에 대한 이해는 선행적 통증 조절(preemptive analgesia)의 개념으로 발전하였으며, 이는 중추 감작의 시작과 수술 후 통증의 증폭을 예방하기 위해 통증 자극 전에 진통제를 투여하는 것을 의미한다. 수술 전에 시작하여 수술 당일과 수술 후 급성기의 통증을 조절하게 된다. 이러한 예방적 중재는 말초 신경계에서 척수와 뇌로 전달되는 유해한 구심성 정보를 일정 기간 동안 완전히 차단해야 한다.

2) 수술 후 통증 조절 방법

적절한 통증 치료는 환자의 생리적, 정신적 상태 및 수술로 인한 병태생리적 변화 등을 고려하여 처방되어야 한다. 고관절 치환술 시 마취와 진통은 환자들이 대부분 고령이고 주요한 기저 질환들이 동반되어 있어 매우 위험할 수 있다. 그러므로 수술 후 이환율과 사망률을 감소시키면서 최소한의 부작용으로 적절한 가동성과 기능 회복을 도모할 수 있는 효과적인 진통 처방을 선택하는 것이 중요하다. 하지만, 어떠한 처방이 수술 후 통증 조절에 가장 효과적인지는 알려지지 않고 있다. 지금까지 각각의 마약성 진통제, 경막외 마약성 진통제, 관절내 국소 진통제, 말초신경 차단, 신경총 차단 및 진통 소염제와 혼합 사용의 방법들이 소개되

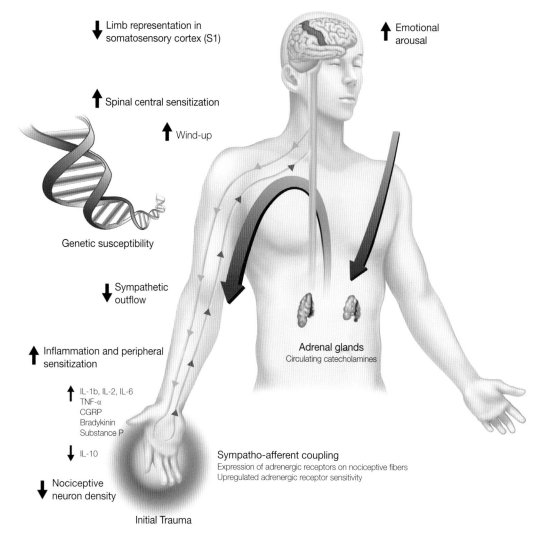

↓ Limb representation in somatosensory cortex (S1)

↑ Spinal central sensitization

↑ Wind-up

↑ Emotional arousal

Genetic susceptibility

↓ Sympathetic outflow

↑ Inflammation and peripheral sensitization

↑ IL-1b, IL-2, IL-6
TNF-α
CGRP
Bradykinin
Substance P

↓ IL-10

↓ Nociceptive neuron density

Initial Trauma

Adrenal glands
Circulating catecholamines

Sympatho-afferent coupling
Expression of adrenergic receptors on nociceptive fibers
Upregulated adrenergic receptor sensitivity

그림 1. 급성 통증의 기전

어 왔으며, 이러한 다양한 방식의 통증 조절 요법의 혼합 사용은 적은 부작용으로 더 나은 진통 효과를 나타낼 수 있다고 알려져 수술 후 통증 조절에 널리 사용되어 오고 있다.

(1) 신경축성 통증 조절

신경 축성 통증 조절(neuroaxial analgesia)은 척수강 혹은 경막외강으로 약제를 투여하는 방법으로 일회성 투여와 지속적 투여 방법이 있다. 척수 및 경막외 마취에 사용되는 마약성 진통제는 전신성 마약 진통제보다 우수한 진통 효과를 보이지만 더 많은 부작용을 동반할 수 있다. 사용되는 약제는 국소 마취제와 아편 유사제(opioid)인데, 두 가지를 혼합하여 부작용을 줄이며 효과적으로 통증을 조절하는 방법으로 널리 사용되고 있다. 마약성 진통제 단독 경막외 주입은 적절한 진통 효과를 제공하지 못하고 국소마취제 단독 주입은 심한 감각 및 운동 장애를 초래하여 보행이나 배뇨를 어렵게 할 수 있다. 하지만 이 두 약제의 낮은 농도의 조합으로 통증 조절의 시너지 효과를 나타낼 수 있다.

아편 유사제의 작용 시간 및 기간은 약제의 지방 친화성(lipophilic)에 의해 결정된다. Fentanyl 같은 지방 친화적인 약제는 진통 효과가 빠르게 나타나고 척수액으로 확산이 잘 되지 않고, 빠른 분해 현상을 보인다. 반면, morphine이나 hydromorphine 같은 친수성(hydrophilic) 마약성 진통제는 작용 기간이 긴 대신 호흡기 억제 같은 부작용이 발생하기 쉽다. 최근에 경막외 morphine의 지속적인 주입이 널리 사용되고 있고 약 48시간 효과가 지속된다. 하지만, 이는 더 큰 부작용 발생 위험이 있기 때문에 전신성 마약 진통제에 민감성을 보이는 환자에게는 마약 진통제를 척수 및 경막외로 투여하지 말아야 한다.

최근에는 진통제를 저용량으로 지속적으로 주입하는 방법을 사용하고 있는데, 이러한 주입은 진통제가 통증 자극 수준까지 좀 더 정확히 적정(titration)될 수 있게 하며 부작용 발생 시 빨리 종료할 수 있다. 또한, 간헐적인 용량 주입 방법에 비해 부작용을 감소시키면서 약제 주입과 약제 효과를 평가하는데 걸리는 시간을 단축시키고 오염의 위험을 감소시킬 수 있는 장점이 있다. 이러한 자가 조절용 경막외 진통제는 정맥 주사 환자 조절 진통제에 비해 더 높은 진통 효과를 보이고 저용량의 약제가 필요하며, 단일 용량이나 지속적인 주입 방법보다 더 큰 효과와 환자 만족도를 보이고 있다. 현재 morphine의 지연성 호흡 부전의 부작용을 줄이기 위해 hydromorphine이나 좀 더 지방 친화적인 fentanyl이 사용되고 있다.

(2) 말초신경 차단

말초신경 차단은 침윤, 관절내 차단, 단일 신경 차단 또는 신경총 차단으로 시행될 수 있다. 이것은 효과적인 수술 후 진통 효과, 적은 마약류의 사용, 재활의 용이, 부작용의 감소 및 환자 만족도의 향상이라는 장점들을 가지고 있다.

침윤 기법은 수술 부위에 국소 마취제를 주사하고

수술 후 수 시간의 진통 효과를 나타낸다. 관절낭과 근육으로의 관절내 주사는 또한 말초 감각을 억제하는데, 여러 약제의 조합을 사용할 수 있고 이는 스테로이드, morphine, clonidine, epinephrine 또는 ketorolac과 더불어 국소 마취제를 사용할 수 있다.

대퇴 또는 좌골신경 차단 자체는 고관절 수술에 효과적인 진통 효과를 내기 어렵지만 보조적 수단으로 유용하게 사용될 수 있다. 반면 부천추(parasacral)신경 차단과 함께 요추 신경총 차단은 매우 만족스러운 결과를 보이고 있다. 요근 차단은 대퇴신경, 외측 대퇴 피부신경 및 폐쇄신경을 포함한 모든 요추 신경총을 차단할 수 있어 고관절 수술에 선호되고 있다.

말초신경 차단은 비교적 안전하지만 운동 및 정위 감각 기능을 변화시켜 조기 보행에 어려움을 줄 수 있다. 새로운 말초신경 및 신경총 차단 기법은 정확히 측정된 양의 국소 마취제로 한번 주입하거나 작용 시간이 더 긴 약제와 병용해서 시행되고 있고, 이는 카테터의 사용을 피하고 운동 및 정위 감각 기능 장애와 같은 부작용을 최소화한다. Ropivacaine과 levobupivacaine 같은 국소 마취제는 감각 및 운동 차단에 대한 독성이 적고 선택성이 높아 최근에 유용하게 사용되고 있다.

(3) 관절 주위 주사 요법

수술 중 관절 내 및 관절 주위로의 주사는 인공 관절 환자에서 널리 사용되고 있으며 전신적 부작용이 비교적 적은 방법이지만 유용성에 대해서는 논란이 있다. 약제의 구성, 주사량, 위치, 지속적인 주입을 위한 카테터의 사용 등에 대한 여러 프로토콜이 보고되고 있다. 사용 약제로는 아편유사제, 비스테로이드성 소염진통제, epinephrine, 국소 마취제, 부신피질 호르몬제 등이 있으며 국소 감염을 막기 위해 항생제를 혼합하기도 한다.

고관절 전치환술 후 서로 다른 약제 조합의 주사를 시도, 평가한 연구들이 많이 보고되고 있는 가운데 Busch 등은 ropivacaine, epinephrine 및 morphine을 관절 주위 주사한 결과 24시간 환자 조절 진통제 양을 감소시킬 수 있었다고 보고하였다. 고관절 전치환술 후 ropivacaine과 ketorolac을 지속적으로 주입한 결과 통증 조절과 환자 만족도에서 우수한 결과를 보고되기도 하였으며, 고관절 전치환술 환자에서 ropivacaine, epinephrine 및 ketorolac을 혼합하여 관절 내 주입한 결과 입원 기간 단축, 수술 후 마약성 진통제의 사용 감소 및 재활 운동 촉진 등의 장점이 보고되었다. Ropivacaine, ketorolac 및 epinephrine의 주입이 수막 공간내(intrathecal) morphine 주입이나 경막외 주입에 비해 통증 조절이나 입원 기간 단축에 개선된 효과를 보인다고 하였다. 하지만 각 약제의 적정 용량 및 수, 가장 효과적인 혼합 약제 등에 대한 지속적인 연구가 있어야 할 것이다. 부신피질 호르몬제의 사용은 국소 염증 반응을 줄일 수 있는 것으로 알려져 있으나 감염의 빈도를 증가시키고 창상 치유를 지연시켰다는 보고도 있다.

(4) 약물 요법

① **아세트아미노펜:** 아세트아미노펜(acetaminophen)은 비마약성 진통제로 가장 유용한 약제 중 하나지만, 수술 전후에 널리 사용되지는 않고 있다. 주로 중추 신경계에서 prostaglandin 합성을 억제하여 그 효과를 나타내는 것으로, 고용량에서의 위장관 및 간 독성으로 인해 4,000 mg 이하로 사용되어져야 한다. 단독적으로는 진통 효과에 적합하지 않아 다른 진통제들과 병용해서 사용 되고 있다. 아세트아미노펜은 다른 병용 진통제의 용량을 감소시킬 수 있어 모든 통증에 기본적 처치 약제로 추천되고 있다.

② **마약성 진통제:** 경구용 마약성 진통제는 즉시 발현되어 중등도 및 중증의 통증에 효과적이지만 4시간마다 투여돼야 하고, 특히 야간에 투여가 끊기게 되면 오히려 통증의 악화를 초래할 수 있다. 따라서 수술 후 48시간 이상 정해진 시간에 따라

처방될 것이 요구된다. 경구용 마약성 진통제의 위장관계 부작용은 비경구용 마약성 진통제보다 덜한 것으로 알려져 있다. 수술 후 72시간 동안 controlled-release 형태의 oxycodone 투여는 우수한 진통 효과를 보여, 그 효과를 최대화하고 부작용을 줄이기 위해 심한 통증에 대해 비마약성 진통제의 수시 처방과 더불어 controlled-release 형태의 oxycodone을 사용하고 있다.

마약성 진통제로도 적절한 진통 효과를 나타낼 수 있지만 용량-의존성 부작용이 흔하다(표 1). 하지만 아직도 널리 사용되고 있으며 정맥내, 근육내 및 수막 공간 내 경로로 투여될 수 있다. 최근에 가장 흔한 처방은 수술 후 24-48시간 동안 정맥내 환자 조절 진통제를 시행한 후 경구용 제재로의 전환이다. 환자 통증 조절기의 성공적 시작은 혈장 기저 농도를 제공하는 유도량(loading dose)의 투여다. 적절한 대량 주입량(bolus dose)은 마약성 진통제의 상대적 효능에 따라 결정되는데, 불충분한 양은 진통 효과가 덜하고 지나친 양은 부작용을 일으키기 쉽다. 주입제한시간(lockout interval)이 너무 짧으면 충분한 진통 효과를 얻기 전에 추가적인 진통제를 필요케 하여 결국 마약성 진통제의 과용량 축적을 유발하게 된다. 반대로 너무 길면 적절한 진통 효과를 제공하지 못한다. 이러한 마약성 진통제의 내성이 개인마다 다르기 때문에 환자 조절 진통제 용량 처방에 신중해야 한다. 하지만 이러한 환자 조절 진

표 1. 마약성 진통제의 전신적 부작용

관련 계통	부작용
위장관계	오심, 구토, 변비, 장폐색
호흡계	호흡 억제, 저산소증
피부계	소양증
신경계	섬망, 기면
비뇨기계	요 저류

통제가 고관절 치환술을 시행받은 환자에서, 특히 보행하거나 재활 중에는 적절한 진통 작용을 제공하지 못한다. 최근에는 조기 재활이나 보행을 위해 이러한 비경구용 마약성 진통제를 이용한 환자 조절 진통제를 일상적으로 사용하지는 않는 추세이다. 따라서, 이러한 마약성 진통제의 사용은 중등도 내지 중증의 통증 조절을 위해 추천된다.

③ **트라마돌:** 트라마돌(tramadol)은 morphine이나 codeine과 비슷한 중추계에 작용하는 진통제로서 serotonin과 norepinephrine의 흡수를 차단할 뿐 아니라 아편 유사제 수용체와 결합하여 작용한다. Tramadol은 호흡 부전, 변비 및 남용의 부작용이 적어 널리 사용되고 있으며, 적절한 진통 효과로 인해 수술 후 통증 조절에 있어 마약류의 대체제로서 사용될 수 있다.

④ **N-methyl-D-aspartate (NMDA) 수용체 길항제:** 최근에 NMDA 수용체가 통증 조절에 관여하는 것으로 알려지면서 ketamine 및 dextromethorphan 같은 NMDA 길항제가 복합 통증 조절의 방법의 한 부분으로 사용되고 있다. 저용량의 ketamine (0.1-0.2 mg/kg IV)이 부작용이 적은 것으로 알려져 있지만, 다른 진통제와의 조합의 장점 및 NMDA 길항제의 적절한 용량, 시기 및 작용 시간에 대해서는 아직 연구가 필요하다.

⑤ **α₂ 작용제:** Clonidine 및 dexmedetomidine 같은 작용제는 진정 및 진통 효과가 있는 것으로 알려져 있다. Clonidine의 경구용, 주사용 또는 경피적 투여는 마약성 진통제의 사용을 감소시키고 진통 효과를 개선시킬 수 있다. 하지만, 저혈압, 서맥 및 과도한 진정 효과와 같은 부작용으로 인해 그 사용이 제한되고 있다. 말초신경 차단 또는 관절내 주사 요법 시 국소 마취제와의 혼합은 진통 효과를 개선 및 연장하고 부작용을 감소시킬 수 있는 장점이 있다.

⑥ **스테로이드:** 글루코코티코이드(glucocorticoids)는 prostaglandin과 leukotriene의 생성을 억제하여 소염 효과를 나타내며, 수술 후 통증을 감소시키고 염증 반응을 감소시킨다. 하지만, 위장관계 부작용, 감염 및 수술 상처 치유의 지연과 같은 부작용을 간과해서는 안된다.

⑦ **비스테로이드성 소염제:** Cyclo-oxygenase (COX)-1과 COX-2를 억제하여 prostaglandin 합성을 차단하는 비스테로이드성 소염제(nonsteroidal anti-infammatory drugs, NSAIDs)는 수술적 외상에 염증 반응을 감소시켜 말초 통각을 감소시킨다. 최근에는 통증 자극에 대한 중추 신경계 반응이 척수에서 비스테로이드성 소염제에 의한 prostaglandin 합성 억제에 의해 조절된다고 보고되고 있다. 일반적으로 비스테로이드성 소염제는 출혈, 위궤양, 및 신기능 장애와 같은 부작용을 일으킬 수 있어 출혈, 탈수, 간경화, 심부전이 있는 환자들이나 노인 환자들에서는 주의해서 사용하여야 한다.

경구용 제재와 더불어 ketorolac이나 diclofenac 같은 주사제도 널리 사용되고 있는데, etorolac 같은 주사제는 대부분의 환자에서 마약류의 사용을 감소시키면서 통증 조절에 효과적으로 사용되고 있다. 하지만, 출혈, 위궤양, 및 신기능 장애와 같은 부작용들 때문에 중등도 및 중증의 급성 통증이 있는 성인에서 5일 이상 사용되어서는 안 된다.

선택적 COX-2 억제제가 소개된 이후 수술 전후 통증에 널리 사용되고 있는데, 이는 비스테로이드성 소염제의 혈소판 및 위장관에 대한 부작용이 적다는 장점이 있다. 이 약제는 혈소판 침전 및 응고 체계에 대한 억제 작용이 없기 때문에 수술 직전까지와 수술 직후에도 사용될 수 있다. 현재까지는 celecoxib만이 사용되고 있으며 다른 종류의 선택적 COX-2 억제제들은 심혈관계 및 피부과적 부작용으로 인해 사용되지 않고 있다.

563

⑧ Gabapentin/Pregabalin: Gabapentin은 처음에 항경련제로 개발되었으나, 신경병성 통증에 널리 사용되기 시작했다. 척수 후각(dorsal horn)에 있는 presynaptic voltage-gated sodium channel을 억제해 구심성 흥분 신호(afferent excitatory signaling)를 감소시켜 작용하게 된다. 부작용으로는 진정효과가 있으며 신기능 부전이 있는 환자에서는 주의를 요한다.

Gabapentin 사용이 수술 후 2일째까지 자가 조절용 morphine의 사용을 줄였고 소양증과 같은 부작용을 감소시킨다고 보고되고 있다. 수술 전과 수술 후 2주간 pregabalin을 고관절 전치환술 환자에서 투여한 결과 경막외 및 경구용 마약성 진통제의 사용을 현저히 줄였고 수술 후 한 달째보다 많은 굴곡 운동 범위를 얻었으며 3개월 및 6개월째 신경병성 통증의 현저한 감소를 보였다고 하였다. 그러나 진정 효과와 혼동 상태같은 부작용이 발생될 수 있다.

(5) 복합 통증 조절

수술 후 복합 통증 조절(multimodal pain control) 방법은 Kehlet과 Dahl 및 Wall에 의해 소개되었는데, 이러한 방법은 통증 경로의 각각의 서로 다른 단계를 목표로 처치하여 각각의 약제들의 용량과 부작용을 최소화하면서 통증 조절의 시너지 효과를 나타나게 한다(그림 2).

복합 통증 조절은 수술 전의 예방적 통증 조절, 신경 중추성 마취, 국부적 신경 차단 또는 관절 주위 주사 요법, 그리고 수술 후 경구용 및 정맥 주사용 처방으로 이루어진다(표 2). 다양한 방식의 약제 처방이 고관절 치환술 환자에서 사용되고 있다.

Peters 등은 관절전치환술 환자를 대상으로 경구용 마약성 진통제, COX-2 차단제, 대퇴신경 카테터 및 관절 주위 주사로 다양한 방식의 처치를 시행한 후 수술 후 통증 및 보행에서 개선된 효과를 보였고 마약

성 진통제 사용의 감소 및 입원 기간의 단축 소견을 보였다고 보고하였다. Fu 등은 슬관절 전치환술 환자에서 경구용 celecoxib와 tramadol을 수술 전 및 수술 후에 처방하였고 morphine, ropivacaine, epinephrine 및 betamethasone을 혼합하여 관절내 주사를 시행 후 마약성 진통제의 사용이 현저히 감소하였고 통증 감소에 의미있는 효과가 있었다고 보고하였다. 또한, 수술 후 조기 재활이 빨랐고 오심과 구토 같은 부작용도 현저히 감소하였다고 하였다.

Lee 등은 고관절 전치환술 환자에서 morphine, methylprednisolone 및 ropivacaine을 이용한 수술 중 관절내 주사, 수술 전 및 후 지속되는 oxycodone 및 아세트아미노펜을 처방한 결과 대조군에 비해 수술 후 4일째까지 우수한 진통 효과와 더 빠른 재활이 가능하였다고 보고하였다.

Parvizi 등은 다양한 방식의 진통 처방으로 수술 전후 통증 조절을 위한 비마약성 약제들의 용량과 처방을 제시하였고(표 3), 관절내 주사 없이 이들 처방과 함께 15 mg 또는 30 mg의 ketorolac이나 morphine 같은 일시적인 정맥내 주사 처방으로 효과적인 통증 조절 효과를 얻을 수 있다고 하였다.

전반적으로 복합 통증 조절은 마약성 진통제의 사용을 줄이고 상대적으로 안전한 방법이다. 또한, 다중 통증 조절 방법에서 기존의 비스테로이드성 소염제와 COX-2 억제제가 마약성 진통제의 사용을 줄이는데 가장 안전하고 효과적인 약물로 알려져 있다. 많은 연구들에서 이러한 약제들과 일시적인 마약성 진통제의 병행 처방이 안전하고 효과적이며 부작용을 최소화할 수 있는 방법으로 알려져 있다.

고관절 전치환술 전후 통증을 조절하는 방법들은 지속적으로 개선되어 오고 있으며, 최근에는 다양한 방식의 진통 방법이 대부분의 환자에서 효과적인 진통 효과를 나타내며, 부작용을 최소화하고 조기 회복 및 재활을 가능케 한다고 알려져 있다. 이러한 통증 조절 방법은 환자 만족도를 증대시키고 기존의 통증 조절

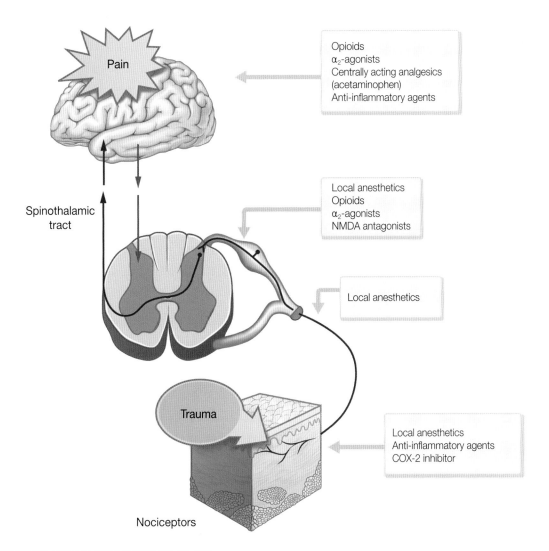

그림 2. 통증 경로 및 다양한 방식의 진통제 처방

표 2. 혈액 관리의 원칙

Early identification and intervention for patients at high risk for transfusions
Utilization of current scientific evidence and the promotion of clinical best practices
Alignment and coordination of all members of the healthcare team
Patient advocacy and patient safety
Stewardship of scarce and expensive hospital resources

표 3. 정형외과 혈액 관리 전략

수술 전 관리
수혈 위험이 높은 환자의 조기 발견
실혈 관리 알고리즘
적혈구생성인자 및 철분제의 선택적 사용
출혈 경향에 영향을 주는 약제 및 약초의 중단
자가 전혈의 수술 전 확보(권고 전략은 아님)
수술 중 관리
수술 시간의 최소화
국소 마취
체온 유지
환자의 수술 자세
통제된 '정상 혈압'
전기 소작
국소 지혈제
수술 중 자가 수혈
항섬유소용해제
현장검사
근거 중심의 수혈 지침
수술 후 관리
근거 중심의 수혈 지침
수술 후 자가 수혈(회수 혈액의 회수 및 재주입법)
의인성 출혈의 최소화

방법들에 비해 비용 절감 효과도 나타낸다. 따라서, 수술 전후에 복합 통증 조절의 지속적인 발전 및 개선은 환자 만족도 및 편의를 더욱 향상시킬 수 있을 것이다. 그러나 현재까지도 복합 통증 조절의 영역에서 정립되어 있지 않은 부분들이 많으므로 추가될 수 있는 다양한 약제들에 대한 타당한 임상적 근거를 마련하기 위해 지속적인 연구가 필요하다.

2. 실혈 관리

고관절 전치환술 시 발생하는 출혈은 상당하며, 평균적으로 약 1,500 mL의 출혈이 발생하는 것으로 보고되고 있다. 실혈 관리 방법의 발전에도 불구하고 아직 수혈률의 감소로 이어지지 않고 있다. 수혈로 인한 부작용에는 급성 및 지연성 용혈성 수혈 부작용(acute or delayed hemolytic transfusion reaction), 발열성 비용혈성 수혈 부작용(febrile non-hemolytic transfusion Reaction), 알레르기 반응, 동종면역(allolimmunization), 수혈 관련 급성 폐손상(transfusion-related acute lung injury), 수혈 후 자반증(post-transfusion purpura), 수혈 전파성 감염(transfusion transmitted infection) 등이 있으며, 이러한 부작용을 피하고 무분별한 수혈에 기인하는 사회경제적 부담을 줄이기 위해서 시행되는 모든 근거 중심의 의학적 행위 및 수혈 지침이 실혈 관리의 핵심이라 할 수 있다(표 3).

1) 수술 전 평가 및 관리
(1) 수술 전 평가

수술 전 빈혈은 고관절 치환술 후 수혈률 및 사망률의 증가로 이어질 수 있으므로 적어도 수술 한 달 전 빈혈에 대한 적절한 평가가 필요하다. 빈혈이 발견될 시 이의 원인을 찾기 위한 추가적인 검사를 시행하여 필요하다면 수술을 연기하고 빈혈을 교정하는 것이 중요하다. 수술 전 평가로는 위장관 증상을 포함한 자세한 병력 청취는 물론, complete blood count (CBC) 검사, 철 대사 관련 검사, C 반응성 단백 검사와 콩팥 기능 검사 등이 포함된다. CBC를 구성하고 있는 내용 중 혈장 혈색소(hemoglobin, Hb)는 혈액 내 혈색소의 농도를 평가하며 세계보건기구(WHO)는 빈혈 기준으로 남성은 13 g/dL 미만 및 여성은 12 g/dL 미만인 경우로 정의하고 있다. 적혈구용적률(hematocrit, Hct)은 혈장내 적혈구의 비율을 평가한다(정상 수치, 남성: 39-50%, 여성: 36-45%). 또한 적혈구 지수(red blood cell index)에는 평균 적혈구 용적(mean corpuscular volume, MCV), 평균 적혈구 혈색소(mean corpuscular hemoglobin, MCH), 평균 적혈구 혈색소 농도(mean corpuscular hemoglobin concentration, MCHC), 적혈구 분포지수(red cell distribution width, RDW), 혈소판(platelet)의 수 및 평균 혈소판 용적(mean platelet volume, MPV) 등이 포함된다.

수술 전 빈혈의 가장 흔한 원인은 철 결핍으로 빈혈 환자의 1/3 이상이 철 결핍을 보이는 것으로 알려져 있다. 철 대사 관련 검사에는 혈장 철, 총 철 결합능(TIBC), 혈장 페리틴(ferritin), 트렌스페린 포화도(TSAT) 및 망상 적혈구 혈색소 등이 있다. 혈장 페리틴의 정상 수치는 남성 15-200 ng/mL 및 여성 12-150 ng/mL이며, 혈장 페리틴의 감소는 철 결핍성 빈혈(iron deficiency anemia)의 가장 특이적인 것으로 알려져 있다. 또한 환자의 출혈 경향에 대한 평가 또한 매우 중요하다. 응고장애의 가족력, 간질환 및 출혈 경향을 증가시키는 항혈소판제, 항응고제의 투약력 등의 평가가 이에 포함되며, 교정 가능한 요소에 대하여 수술 전 교정이 필요하다.

(2) 수술 전 관리

수술 후 빈혈을 예방하고 수혈을 줄이기 위해서 가장 좋은 방법은 수술 전 빈혈을 미리 발견하여 교정하는 것이다. 그러므로 수술 전 관리의 목표는 혈장 혈색소를 최적화하여 WHO의 빈혈 기준보다 높게 유지하는 것이다. 철 결핍이 있을 경우 철분제의 사용이 권고되며, 일반적으로 적혈구 생산에 필요한 시간은 7-10일로 알려져 있기 때문에 철분제는 수술 전 충분한 기간을 두고 투약하는 것이 권고된다. 경구 철분제의 경우 2주에서 6주간 매일 100 mg의 철분 복용이 권고되며, 정맥 철분 주사제의 경우 'Ganzoni equation'를 통해 총 철 부족량을 계산하여 투약한다.

Total iron deficit (mg)=[Target Hb – Actual Hb (mg/dL)]×Weight (kg)×0.24+500 mg 철분제의 수술 후 사용에 있어서 정맥 철분 주사제의 경우 수술 후 빈혈을 교정하고 수혈을 예방하는 것으로 알려져 있다. 하지만 수술로 인한 골 및 연부조직의 기계적 조작은 전신적 염증반응을 유발하고 적혈구 생산을 방해하기 때문에 수술 후 경구 철분제의 사용은 효과적이지 못하고 부작용을 유발하게 된다. 정맥 철분 주사제의 수술 후 투약할 시 용량은 500 mL의 출혈량에 200 mg의 철을 투약하도록 권고되고 있다. 정맥 철분 주사제의 경우 경구 철분제와는 달리 과민반응(hypersensitivity reaction)의 위험이 있으므로 아나필락시스 또는 아나필락시스 유사 반응(anaphylaxis or anaphylactoid reaction)에 대처가 가능한 상황에서 투약하고 투약이 끝난 후 약 30분간 환자의 집중 관찰이 권고된다.

적혈구생성인자(erythropoietin)의 사용은 일반적으로 고관절 치환술 전 3단위의 자가 전혈을 확보하거나 1,000 mL 이상의 출혈이 예상되나 수술 전 자가 전혈의 확보가 어려운 경우에 권고된다. 적혈구생성인자의 용량은 약 3주간 600 IU/kg을 주 2회 투약 하도록 권고되며, 적혈구생성인자의 사용으로 인한 철 결핍이 발생하지 않도록 정맥 철분 주사제를 함께 사용하는 것이 권장된다.

2) 출혈 최소화 전략

출혈을 최소화하기 위해서는 적절한 수술 술기 및 최소 침습 수술접근법이 가장 필수적이며 이외에 출혈에 영향을 줄 수 있는 요소들에 대해서도 적절한 조치가 필요하다.

출혈 경향에 영향을 주는 약제로는 항혈소판제, 항응고제, 비스테로이드성 소염진통제, 세로토닌 노르아드레날린 재흡수억제제(SNRI), 선택적 세로토닌 재흡수 억제제(SSRI) 등이 있다(표 4). 이러한 약제의 사용을 수술 전 조정하여 수술 중이나 후의 출혈을 최소화하여야 한다.

부적절한 수술 자세와 전신마취 시 흉강내 압력이 양압인 경우 수술 중 정맥 울혈을 야기하고 출혈을 증가시키기 때문에 수술 자세를 신중히 결정하고 흉강내 압력을 감소하기 위한 인공호흡기의 압력 및 호흡 용적의 조정이 필요하다.

수술 중 저체온증은 혈소판의 기능을 감소시키고,

표 4. 출혈 경향에 영향을 주는 약제들

Drug class	Specific agents
Anticoagulants	argatroban, bivalirudin, desirudin, heparin, lepirudin, warfarin
Antiplatelets	aspirin, cilostazol, clopidogrel, dipyridamole, prasugrel, ticlopidine
NOAs	apixaban, dabigatran, edoxaban, rivaroxaban
NSAIDs	low risk: celecoxib, etodolac, ibuprofen, meloxicam, nabumetone, salsalate
	high risk: flurbiprofen, indomethacin, ketorolac, meclofenamate, naproxen, oxaprozin, proxicam
SNRIs	desvenlafaxine, duloxetine, venlafaxine
SSRIs	citalopram, escitalopram, fluoxetine, fluvoxamine, milnacipran, paroxetine, sertraline

NOA: novel oral anticoagulant, NSAID: nonsteroidal anti-inflammatory drug, SNRI: selective norepinephrine reuptake inhibitor, SSRI: selective serotonin reuptake inhibitor.

응고작용의 효소 작용을 감소시키므로 정상 체온을 유지하는 것이 필요하다. 조절 저혈압 기술은 혈액의 혈관외 유출을 줄이고 국소 상처 혈류를 감소시켜 출혈을 줄여주지만 지속적인 혈역학적 평가를 요하고 관상동맥 질환이 있는 환자에게는 허용되지 않는다.

척수마취(spinal anesthesia) 또는 경막외 마취(epidural anesthesia)와 같이 중추 신경축 마취(central neuraxial block)의 경우 전신마취와는 달리 교감신경 긴장도(sympathetic tone)와 정맥 긴장도(venous tone)를 감소시켜 출혈을 감소시키는 효과가 있고 수술 후에도 효과가 유지된다는 장점이 있다.

수술 중 출혈 혈액을 회수 및 재주입법은 cell savor를 이용하여 수술 중 또는 후 시행하는 자가 수혈 기법으로 출혈된 혈액을 회수하고 세척한 뒤 다시 자가수혈하는 방법이다. 많은 출혈이 예상될 시 고려할 수 있으며, 동종 수혈을 줄이는 것으로 알려져 있으나, 혈액 기능의 유지와 안정성 확보의 문제 및 cell savor를 사용하는 경제적 부담을 고려해야 한다.

수술 중 응고장애를 조기 발견하여 교정하는 것은 출혈을 최소화하는 데에 매우 중요하다. 현장 검사(point of care testing)란 진료 현장에서 직접 사용이 가능하도록 고안된 검사법을 총칭하며 여러 지혈작용에 관련

된 요소들을 수술 중 검사하여 필요시 신선냉동혈장(fresh frozen plasma, FFP) 또는 섬유소원(fibrinogen concentrate)을 투약할 수 있다.

수술 중 지혈을 위해서 봉합, 보비(Bovie), 지혈 클립(clip) 등이 일차적으로 사용되며 이러한 일차적 방법이 실패하면 보조적 역할로 지혈제가 사용될 수 있다. 지혈제는 크게 전신적 지혈제(systemic hemostatic agent)와 국소 지혈제(topical hemostatic agent)로 분류할 수 있고, 다시 국소 지혈제는 기계적 지혈제, 화학적 지혈제, 물리적 지혈제, 생리학적 지혈제로 나눌 수 있다. 전신적 지혈제의 경우 지혈 작용의 전신적 활성화를 유도하는 약물로 심혈관계 질환의 유발, 사망률의 증가 등이 보고되어 사용이 권고되지 않는다. 국소 지혈제의 기계적 지혈제는 골밀납(bone wax), 오스틴(Ostene) 등이 포함된다. 출혈 부위의 물리적인 장벽으로 작용하여 출혈을 제한하는 역할을 하며 비용 효과적인 측면으로 흔히 사용된다. 화학적 지혈제는 아연(zinc), 질산은(silver nitrate), 알루미늄 클로라이드(aluminum chloride) 등이 포함되며 주위 조직의 손상을 유발하고 혈전을 생성하여 작은 혈관들을 막아 출혈을 줄이는 역할을 한다. 물리적 지혈제는 젤라틴(gelatin), 셀룰로스(cellulose), 미세섬유성 콜라겐

(microfibrillar collagen), 친수성 고분자 등이 있으며 흡습성이 있어 혈액을 흡수하여 응고인자를 축적하고 혈소판의 응집을 돕는 삼차원적인 그물구조를 형성한다. 생리적 지혈제는 출혈 부위에서 일어나는 혈관 수축 및 혈액 응고작용을 증진시키는 지혈제를 칭하며 에피네프린(epinephrine), 트라넥삼산(tranexamic acid, TXA), 트롬빈(thrombin), 섬유소(fibrin) 등이 있다. TXA는 수술 중 출혈을 막기 위해 사용되는 중요한 약제로 리신(lysine component)의 합성 유도체이다. TXA는 플라스미노젠(plasminogen)의 리신 결합부에 결합하는 가역적 및 경쟁적 저해제(competitive inhibitor)로서 활성화된 플라스민(plasmin)과 단백가수분해효소의 상호작용을 막아 플라스민을 통한 섬유소 혈괴(fibrin clot)의 분해를 감소시킨다(그림 3). 고관절 전치환술 및 재치환술에서 TXA는 안전하고 효과적으로 수술 후 출혈을 줄이고 수혈률을 감소시키는 것으로 알려져 있으나 최적의 투약 경로(정맥 주사 또는 국소)는 아직 논란이 있다. TXA 정맥 주사의 경우 수혈률을 2.56배 감소시키며 정맥혈전증과 같은 부작용은 비투약군과 비슷한 것으로 보고되고 있다. 일반적으로 고관절 전치환술 전 TXA 정맥 주사 투약 용량은 10–20 mg/kg 또는 1 g을 수술 직전에 투약하도록 권고되며, 수술 후에도 최소 1회 재투약이 권고되고 있다. TXA 국소 사용의 경우 TXA 2 g 이상을 사용하는 것이 낮은 용량보다 효과가 좋은 것으로 알려져 있다.

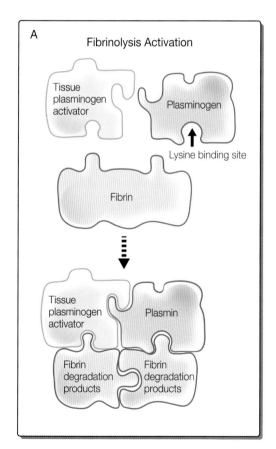
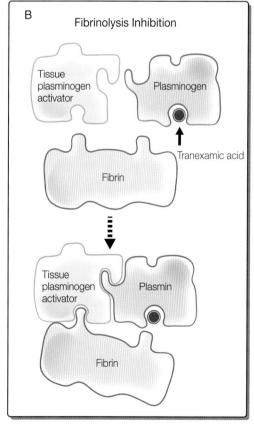

그림 3. 트라넥삼산의 작용 기전

(A) Activation of fibrinolysis. (B) Inhibition of fibrinolysis. Due to structural similarity of lysine, tranexamic acid competitively inhibits binding of fibrin to plasminogen

3) 수술 후 수혈 지침

과거에 경험적으로 적용되던 '10/30 수혈 트리거 (transfusion trigger)'는 혈장 혈색소 농도 10 g/dL 미만 또는 적혈구 용적률 30% 미만인 경우 수혈을 시행하는 기준이며 이는 더 이상 사용되지 않는다. Carson 등은 수혈 기준을 혈색소 농도 8 g/dL 미만으로 낮춰도 사망률, 심혈관계 질환의 발병에 영향을 미치지 않는다고 제시하였으며, NICE 가이드라인(National Institute For Health and Clinical Excellence guidelines)에서는 혈장 혈색소 7 g/dL 미만 또는 심혈관계 질환이 있는 환자에서는 혈장 혈색소 8 g/dL 미만에서 수혈을 고려하도록 권고하고 있다. 혈소판 수혈의 경우에는 심한 출혈을 보이거나 또는 혈소판 수치가 50×10^9 /L 미만이면서 출혈이 예상되는 수술을 앞둔 경우 시행하도록 권고되고 있다. 신선냉동혈장은 단일 응고인자 부족이 응고인자 검사상 확인되고 심한 출혈이 발생하였을 시 수혈하도록 권고되고 있다.

3. 재활

고관절 치환술의 성공 여부는 통증 완화, 삶의 질 향상, 정상 기능의 회복 여부에 달려 있으므로 수술 후 재활은 고관절 치환술 결과의 중요한 요소이다. 수술 후 재활의 주된 목표는 통증을 줄이고 관절 운동 범위를 향상시키며 고관절 근육을 강화시켜 최상의 기능을 확보하는 것이다. 고관절 치환술에서 재활은 수술 전 교육과 운동 중재 및 입원 기간 중 조기 보행과 수술 후 운동, 보행과 균형감각 훈련을 포함하여야 한다. 그러나 고관절 치환술 후의 재활에 대한 접근은 개인별, 기관별, 국가별로 다양하여 현재까지 표준화되고 통일된 재활 치료는 없다. 대부분의 기능적 회복은 수술 후 첫 6개월 이내에 달성되므로 이 시기에 적절한 재활 프로그램을 하는 것이 중요하다. 다양한 요소들이 재활 프로그램의 성공에 영향을 미치며 수술 전 처치, 수술 방법, 통증 치료 방법, 수술 후 재활 방법, 체중 부하 정도 및 재활 치료의 질 등이 관련이 있다.

1) 수술 전 처치

이상적인 재활은 수술 전부터 시작되어야 한다. 적절한 목표를 가지고 동기가 부여된 환자는 재활 과정에 더 적극적이기 때문에 보조기의 사용, 보행 방법, 수술 후 주의점, 치료과정, 회복을 위한 일정 등을 미리 숙지할 수 있도록 하며, 수술 후에는 가능한 빨리 능동적 근력 및 관절 운동과 거동을 시작하도록 한다. 수술 후 통증, 보행, 재활 등에 대한 환자 교육이 고관절 치환술의 좋은 결과를 이루기 위해 중요한 첫 번째 요소이다. 수술 전 교육은 환자로 하여금 동기를 부여하고 치료 과정에 대한 이해를 높여 재활 과정의 어려움을 덜어 주므로 수술 전 교육을 받은 환자들이 대조군에 비해 수술 후 조기 보행, 계단 걷기, 의자 앉기, 독립적 보행 등의 기능적 향상을 보인다고 보고되고 있다. 환자 교육은 수술 후 빠른 퇴원, 적은 진통제 사용과도 밀접한 관계가 있다.

고관절 치환술에 대한 수술 전 환자 교육은 고관절의 적절한 자세 유지를 통한 수술 후 고관절 탈구 방지에 초점을 맞추고 있다. 수술 전 고관절 주위 근육 강화가 수술 후 보행 거리 및 기능 향상에 도움이 된다는 보고가 있으나 이에 대해서는 아직 논란의 여지가 있다.

2) 수술 방법에 따른 고려사항

수술 후 회복에 영향을 미치는 요소 중의 하나가 수술 방법이다. 특히 고관절 외전근의 상태에 따라 환자의 보행에 영향을 미쳐 파행을 초래할 수 있다. 후외측 접근법이 외전근의 손상을 줄일 수 있으나 탈구의 빈도가 약간 높다. 전방 접근법이 이론적인 장점을 가지고 있으나 기술적으로 어렵고 수술실 내 특별한 장치가 필요할 수 있다. 최소 침습 수술도 도입되었으나 기존 수술에 비해 통증 감소, 기능 회복, 부작용 및 만족도에서 차이를 보이지 않으며 오히려 상처 회복 지연, 삽입물의 부적절한 위치, 대퇴골 골절 등 합병증이 더 증가한다는 보고도 있어 논란이 있다.

고관절 치환술에서 재활 치료 시 고려해야 할 점은

수술 접근법, 사용된 고정 방법, 골이식 유무 등에 따라 관절 운동에서 체중 부하 시 주의점이나 제한 정도가 달라지게 된다는 것이다. 후방 접근법은 수술 후 탈구가 일어나기 쉽고 고관절 신전근과 심부 외회전근들의 근위약이 발생할 수 있다. 측면 접근법의 경우 특히 고관절 외전근의 위약이 오기 쉽다. 재활 과정에서는 이러한 점들을 고려하여 자세에 대한 주의와 접근법에 따른 근육 강화 운동 등 적합한 운동을 고려하여야 한다.

3) 수술 후 주의점

수술 후 고관절의 위치 제한이 수술 시 손상으로 인한 연부조직의 회복을 도와 탈구를 방지한다. 표 5는 각 고관절 전치환술 시 수술 접근 방법에 따른 일반적인 주의점이다. 이러한 주의 사항은 충실히 수행하기 어려우며 수술 후 재활 과정에 방해 요소로 작용하기도 한다. 후방 접근법 후 탈구는 고관절을 중심선보다 내측으로 움직이거나 내회전, 90° 이상 굴곡하는 경우 잘 발생한다. 이것을 방지하기 위해 외전 베개(abduction pillow)를 누워 있을 때 환자의 무릎 사이에 위치시킨다. 재치환술을 했거나 환자가 지시에 잘 따르지 않는 경우 무릎 고정대나 고관절 외전 보조기를 6–12주간 처방할 수도 있다. 전방 접근법 또는 전외측 접근법을 사용한 경우 외회전, 내전, 신전을 일반적으로 제한한다(그림 4).

표 5. 수술 접근법에 따른 일반적인 주의사항

접근법	주의사항
전방	고관절을 과신전하지 않는다.
	엎드리지 않는다.
	고관절을 외회전하지 않는다.
	브릿지 운동(bridging exercise)을 하지 않는다.
후방	고관절을 90° 이상 굴곡하지 않는다.
신경계	고관절을 중심선 이상으로 내회전하지 않는다.
비뇨기계	고관절을 중심선 이상으로 내전하지 않는다.

4) 관절 운동 범위의 제한

고관절 치환술 후에는 수술로 인한 손상으로 연부조직, 즉 관절막, 고관절 주위 근육 등이 약해지고 이런 부위에서 고관절 탈구의 가능성이 있어 관절 가동 영역의 제한이 필요하다. 수술 시 어떤 접근 방법을 사용하였는지에 따라 관절 가동 영역의 제한이 달라질 수 있다. 후방 접근법의 경우 90° 이상의 고관절 굴곡을 제한하고 내회전과 내전도 몸의 정중앙을 넘어 반대편까지 가지 않도록 제한한다. 전방 접근법을 사용한 경우에는 과신전을 피하고 외회전, 내전을 제한한다. 이러한 관절 범위는 수술한 하지를 이용하여 침대에서 의자로 옮기려고 하는 경우에 사용될 수 있기 때문에 수술 직후부터 자세와 일상생활 동작에서 주의해야 할 점들을 환자와 보호자들이 잘 숙지할 수 있도록 해야 한다. 고관절 치환술 후 어떤 원인에 의해서든 재치환술을 시행하였던 경우는 모든 방향에 대해서 불안정하므로 지나친 내회전이나 외회전은 후방 혹은 전방 탈구를 유발하므로 주의해야 한다.

작업치료를 통해 탈구 방지에 대한 교육과 일상생활 동작 훈련을 효과적으로 할 수 있다. 지나친 고관절 굴곡을 방지하기 위하여 변기나 의자의 높이를 높여주는 보조 좌석을 처방하고 침대에서도 지나친 내전을 방지하기 위하여 내전 방지를 위한 보조기를 처방하거나 무릎 사이에 베개를 끼워 준다. 그 외 필요에 따라 양말 신는 것을 도와주는 보조기나 집게 등을 처방하여 상체의 굽힘에 동반되어 나타날 수 있는 고관절의 지나친 굴곡을 방지하여 준다.

5) 재활 프로그램

수술 의사의 선호도 및 지역적 위치에 따라 다양한 운동 프로그램이 사용되고 있지만 대부분 대퇴사두근 강화운동과 고관절 굴곡 운동이 포함되어 있다. 외전근이 입각기에서 골반의 위치를 유지하고 유각기에서 골반의 기울어짐을 방지하므로 점진적인 외전근의 강화가 강조된다. 대부분의 운동 프로그램은 초기 앙와

〈내전 금지〉

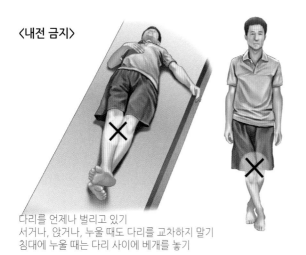

다리를 언제나 벌리고 있기
서거나, 앉거나, 누울 때도 다리를 교차하지 말기
침대에 누울 때는 다리 사이에 베개를 놓기

〈앉을 때 주의사항〉

안락의자, 흔들의자,
낮은 의자 피하기

〈굴곡 제한〉

서거나 앉거나 누울 때 고관절을 90° 이상 굴곡하지 말 것

〈하지 거상 제한〉

발톱을 자르거나 다
리 털을 면도할 때는
다른 사람에게 도움
을 청할 것

수술한 다리를 90°
이상 들어 올리거나
받치지 말 것

〈양말과 신발 착용〉

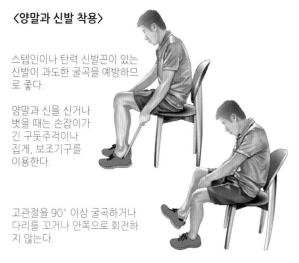

스텝인이나 탄력 신발끈이 있는
신발이 과도한 굴곡을 예방하므
로 좋다.

양말과 신을 신거나
벗을 때는 손잡이가
긴 구둣주걱이나
집게, 보조기구를
이용한다.

고관절을 90° 이상 굴곡하거나
다리를 꼬거나 안쪽으로 회전하
지 않는다.

〈옷 입고 벗기〉

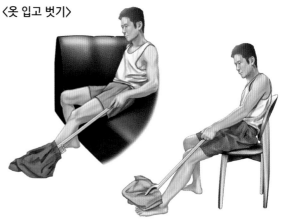

손잡이가 긴 기구나 집게를 이용한다.

그림 4. 인공 고관절 치환술 후 주의해야 할 자세

위 자세에서 외전근의 구심성 수축을 하고 나중에 측면으로 누워 저항에 대해 외전근의 등척성 수축을 실시한다. 하지 직거상 운동은 체중의 1.5-1.8배의 힘이 가해지므로 부분적 또는 전체 체중 부하가 허용될 때에만 실시해야 한다. 만약 통증이 있으면 고관절에 미치는 힘을 줄이기 위해 받침대를 이용하여 고관절 굴곡 운동과 슬관절 신전 운동을 분리해서 한다.

수술한 고관절의 외전 유지와 굴곡 제한을 방해하지 않는 다른 신체 부위의 능동적 운동은 수술 직후부터 시행하도록 권장한다. 환측 족관절의 배굴운동, 대퇴 사두근과 둔근의 등척성 운동, 하지 직거상 운동을 깨어있는 동안 매 시간마다 몇 분씩 시행하게 한다. 외전근 강화 운동은 특히 중요하며 환자가 환측이 위로 가게 옆으로 돌아누운 상태에서 다리를 직거상하는 동작을 취하면 된다. 한번에 5-7초 정도 정지자세를 하는 것이 좋고 근력이 오르면 발목에 적정 무게의 모래주머니 등을 차고 시행하는 것도 좋은 방법이다. 이 운동은 장기적으로도 계속함으로써 파행을 줄일 수 있다. 환측 하지 운동뿐만 아니라, 심호흡과 다른 사지의 근력 및 관절의 능동적 운동도 자주 하도록 한다. 특히 반대측 하지의 경우는 심부정맥혈전증 예방을 위해 필수적이다.

재활 프로그램에는 건측 다리로의 체중 부하, 바닥이 편평하지 않은 곳에서의 보행 훈련, 계단 오르기, 바지 입기 등이 포함된다. 처음에는 건측으로 침대에 들어가고 나오면서 건측으로 체중을 부하하는 훈련을 하고 진전되면 환측으로 침대에 들어가고 나오는 방법도 연습한다. 이 방법은 계단에서도 적용되어 계단을 오를 때 건측으로 먼저 올라가도 내려올 때는 환측 다리를 먼저 이용한다.

6) 체중 부하 운동 및 보행 훈련

체중 부하 방법에는 부하 정도에 따라 부하를 전혀 하지 않는 방법(non-weight bearing), 발 끝만 닿는 방법(toe-touch weight bearing), 발 전체를 디디되 부분만 부하하는 방법(partial-weight bearing), 견딜 수 있는 만큼의 체중 부하(weight bearing as tolerated), 체중을 모두 싣는 방법(full weight bearing) 등 5가지 방법으로 나눌 수 있다. 체중 부하 즉 발끝 체중 부하, 부분 체중 부하는 수술 후 기능적 독립 단계에 직접적인 영향을 미친다. 발끝 체중 부하는 10% 이하의 체중 부하를 말하고 부분 체중 부하는 30-50%의 체중을 주는 것을 말한다. 체중 부하를 전혀 하지 않는 것보다 발끝 체중 부하가 선호되는데 그 이유는 체중을 부하하지 않는 경우 고관절의 위치를 잡기 위하여 근육이 수축하여 고관절에 더 강한 압력이 작용하기 때문이다. 완전 체중 부하를 하는 것이 회복을 앞당기고 입원 기간을 단축시키는데 이는 상지의 사용을 줄여서 고관절의 외전근 강화를 촉진시켜 기능의 향상을 유발하기 때문이다.

수술 후 거동은 환자가 견딜 수 있는 한도 내에서 가능한 빨리 시작하여 침대에 앉고, 휠체어를 타거나 화장실 변기에 앉으며 목발을 짚도록 훈련하되 환측 고관절은 외전을 유지하고 굴곡을 제한하며 내회전되지 않도록 주의하여야 한다. 보행 훈련은 경사 테이블을 시작으로 평행봉 보행, 보조기 보행 순으로 진행한다. 보조기로는 목발이 편리하나 고령 환자의 경우에는 균형과 안정감을 위해 보행기 사용이 권장된다. 수술한 다리의 체중 부하 정도는 삽입물의 고정 방법, 골이식 여부, 대퇴골의 응력 상승자, 대퇴 전자간 절골술 여부 등에 따라 결정한다. 시멘트를 사용한 경우에는 이론적으로 수술 직후부터 체중 부하가 가능하나 시멘트를 사용하지 않은 경우에는 대부분 저자들이 6-8주 이상 보조기 보행을 통해 체중 부하를 제한하였다. 그러나 시멘트를 사용하지 않은 인공 고관절 치환 환자를 대상으로 한 무작위 또는 조절된 쌍 연구에서 수술 직후의 전체중 부하가 수술 결과에 악영향을 미치지 않는다는 보고가 점차 늘고있다. 특히 최근 사용이 증가되고 있는 쐐기형 대퇴 삽입물의 경우 수술 직후의 체중 부하가 삽입물의 초기 침강을 약간 증가시킬 수는 있으나, 그것이 중기 이후의 결과에 영향을 미치지 않는다는 보고가 이어지고, 작은 절개를 사용한 고관절 전치환술이 증가됨에 따라 극단적으로는 수술 당일 체중 부하 후 퇴원을 포함하는 조기 재활 프로그램이 시도되고 있다. 그러나 재치환술의 경우 환자의 상황에 따른 차이가 너무 심하여 수술 후 처치가 정해져 있지 않듯이, 일차 고관절 전치환술이라도 골결손이 심하여 커다란 지주골 이식을 시행했거나, 많은 양의 동종골 이식을 시행한 경우에는 6개월 이상 전체중 부하를 제한해야 하는 경우도 있으므로 체중 부하 진행은 삽입물의 종류와 수술 상황 등을 고려하여 술자의 경험에 따라 결정되어야 한다. 환자가 수술 전부터 고관절의 굴곡 구축 변형이 있었다면 고관절의 신전운동이 중요하다. 앙와위에서 무릎 밑에 베개를 받치는 것은 고관절의 굴곡구축을 초래하므로 가능한 피해야 한다. 수술 후 수일 후부터 고관절 굴근을 신장시키기 위해 자주 복와위 자세를 취하도록 하는 것도 한가지 방안이다.

보행기(walker), 목발, 지팡이 같은 보조 장구는 수술한 쪽의 부하를 줄이고 균형을 잡기 위해 사용한다. 다음 단계로의 이동은 나이, 동반 질환, 체중 부하 허용정도 등에 의해 결정한다. 처음에는 체중 지지면을 증가시켜 안정성을 유지하기 위해 워커를 사용한다. 워커는 양 손을 사용하므로 일상생활을 하는데 제약을 가져올 수 있으며 문턱이나 계단을 이동할 때는 사용할 수 없다. 표준적인 워커보다 바퀴가 달린 워커를 사용하면 좀 더 빠른 보행이 가능하다. 환자들은 쉽게 워커에서 목발로, 그리고 지팡이 단계로 이동한다. 액와목발과 전박 목발이 젊고 활동적인 사람에게 적합하나 안정성 면에서 다리의 힘과 균형 감각이 좀 더 필요하다. 액와 목발을 사용하는 경우 잘못 사용하면 액와 신경 마비가 올 수 있으므로 주의해야 한다. 지팡이는 대개 수술한 쪽의 반대쪽 손으로 사용하며 수술한 쪽으로의 체중 부하를 10~20% 경감시킬 수 있다. 지팡이의 기능은 체중 지지면을 넓히고 안정성을 증가시키는 역할이므로 완전 체중 부하가 가능한 상태에서만 사용

한다. 지팡이는 비용이 저렴하고 보행 양상을 유지할 수 있고 계단에서도 사용할 수 있으며 키에 따라 조정이 가능한 장점이 있다. 지팡이의 길이는 팔꿈치 관절을 15~30° 굽힌 상태에서 지팡이의 손잡이가 요골 경상 돌기에 위치하는 정도가 적절하다.

7) 관절 운동 및 근력 강화 운동

수술 후 운동은 관절 구축의 방지와 근력 회복, 그리고 보행을 목적으로 시행한다. 대개는 입원 기간 동안 이루어지는 초기 급성기 재활 운동과 아급성기 이후 기능 회복을 위한 운동으로 구분될 수 있다. 재활 운동의 목적은 고관절에 부적절한 힘이 가해지는 것을 최소화하면서 관절 범위 및 유연성과 근력을 극대화하는 것이다.

능동적 보조 운동과 등척성(isometric) 운동을 조기에 서서히 하는데 고관절 신전근, 굴곡근, 외전근에 대하여 시행한다. 슬관절이나 대퇴 원위부 뒤에 물건을 괴고 대퇴사두근의 등장성 수축을 유발하는 운동도 필요하다. 이러한 근력 강화 운동은 근육의 재교육을 통하여 보행에 도움을 준다. 특히 고관절의 주요 외전근인 중둔근의 근력 강화 운동은 중요하다. 그러나 격렬한 저항운동은 피하는 것이 좋다. 실내 자전거 타기는 효과적인 관절 운동이자 근력 강화 운동이면서 고관절에 가해지는 힘이 매우 적은 운동으로 권장된다.

수술 후 6주 이후에는 수술한 쪽 고관절의 능동적 운동 범위를 제한하지 않는다. 대퇴골두 골괴사나 비구 이형성증에 의한 이차성 골관절염 등과 같이 성인이 된 이후에 통증이 발생한 경우라면 일부러 관절 운동을 하지 않더라도 양말이나 신발을 신고 벗는 과정을 통해 서서히 운동범위가 증가하게 되어 이들 동작이 수월해질 뿐만 아니라 양반다리 자세가 가능해지는 것이 보통이다. 추시 중에 6개월 정도 되어도 이들 동작에 진전이 더디거나 없다면 적극적인 운동을 시키도록 한다. 운전을 허용하는 시기는 정해진 것이 없는데 우측을 수술한 경우 적어도 고관절의 외전을 유지하도록

하는 6주간은 금하는 것이 안전하겠으며, 이후에도 상당 기간 급정거 등의 반사 운동이 늦을 것이므로 과속을 피하는 등의 조심 운전이 요구되겠다.

고관절 주변의 근육 강도는 수술 후 3-6개월에 정상 수준의 절반 정도로 회복된다. Long에 따르면 수술 후 2년째까지 근력이 정상화되지 않는 경우에는 지속적이며 체계적인 운동 프로그램이 필요하다고 하였다. 특별한 문제가 없는 일차성 고관절 전치환술의 경우 수술 후 6-8주 이후로부터 단거리의 운전과 앉아서 할 수 있는 업무로의 복귀를 허용한다. 3개월 후부터는 제한된 범위 내에서 들고 굽히는 일을 할 수 있으나 대부분의 술자들은 고관절 전치환술 후 힘이 드는 육체 노동하는 것을 추천하지 않는다(그림 5).

수영, 고정식 자전거, 속보, 골프 등의 운동은 큰 제한 없이 가능하지만 조깅이나 라켓으로 하는 운동, 고관절에 반복적인 부하를 가하거나 과도한 자세 변화를 요하는 운동 등은 피해야 한다.

8) 재활 치료의 단계

고관절 치환술 후 재활의 단계를 연속선상에서 개념화하여 개인의 건강과 정신사회적 요구를 이해하려는 움직임이 점차 커지고 있다. 재활 치료의 단계는 크게 네 가지 단계로 나눌 수가 있으며(그림 6) 고관절 전치환술을 시행 받는 환자들은 이 연속선 상에서 재활 치료를 고려해야 한다.

(1) 단계 1: 준비기 재활

단계 1은 준비기 재활 단계로 환자가 고관절 전치환술의 대상으로 선정된 후부터 수술 당일까지에 이루어지는 재활 치료다. 단계 1은 단순히 수술을 준비하는 것뿐만 아니라 첫째, 합병증을 포함한 수술 과정, 수술 후 회복, 재활에 대한 교육과, 둘째 가정 환경의 준비 및 사회적 지원을 위한 조정, 셋째 보행 보조 기구의 처방과 사용에 대한 교육, 넷째 수술 결과에 영향을 미칠 수 있는 생활양식(흡연, 영양)과 의학적 문제들의

해소, 다섯째 수술 과정에 특화된 운동 프로그램의 개발 및 적용(보행 기구를 사용하기 위한 상체 근력 강화 등)을 포함한다. 수술 전 포괄적인 교육이 환자와 환자의 가족으로 하여금 수술과 재활 과정에 잘 준비하고 적극적으로 참여하게 하여 준다. 이는 육체적인 재활 뿐만 아니라 인지 행동 교정을 통한 수술과 수술 후 좌정에 대한 불안감, 우울증을 감소시키고 적응력과 효율성을 극대화하는데도 초점이 맞추어져야 한다.

(2) 단계 2: 급성기 재활

수술 직후 재활에 대한 최신의 기술은 합병증, 의료 비용, 집으로의 퇴원율 증가, 재원기간 단축 등의 현저한 발전을 이루어 왔다. 이 기간의 재활의 가장 중요한 부분은 조기 거동이다. 또한 통증 관리, 혈전색전증 예방, 수술 직후 합병증(섬망, 빈혈) 치료, 장 및 방광 훈련, 이동 교육, 독립적인 자기 간호 와 퇴원 후 계획을 포함해야 하며 재활 치료는 매일 하는 것이 권장된다.

(3) 단계 3: 회복기 재활

재활의 대부분이 이루어지는 시기로 환자가 급성 관리에서 퇴원하자마자 시작된다. 다학적 재활 치료가 어느 정도 효과가 있다고 보고되고 있으나, 급성기 이후 재활 프로그램을 개인별로 맞춤 처방하는 데는 고려할 사항들이 여러 가지가 있다. 장소(외래, 입원, 가정), 시간(퇴원 직후 혹은 수주 경과 후), 관리감독의 수준(일대일 혹은 집단), 프로그램의 종류(지상 혹은 수중) 등이다. 각각의 개별 사항들에 대해 어느 방법을 선택하는 것이 다른 방법 보다 우위에 있다고 밝혀진 바는 아직 없다. 그러나 어느 정도 공통적인 의견은 환자의 수술 결과를 극대화하기 위해서는 의료 전문가의 감독하에, 정기적으로 시행되는, 단순 관절가동범위 및 저강도 운동에서 고강도 저항 운동까지 단계별로 강도가 증가하는 운동이 좋다는 것이다. 고관절 치환술 후 지속적인 통증, 근위약, 연부조직 구축, 하지 부동, 부정정렬, 다른 관절에 기계적 혹은 퇴행성 질환

〈고관절 외전 운동〉

〈대퇴사두근 운동〉

〈하지직거상 운동〉

〈슬관절 신전 운동〉

〈고관절의 등척성 운동〉

〈고관절의 등척성 저항성 운동〉

그림 5. 고관절 치환술 후 근력강화 운동

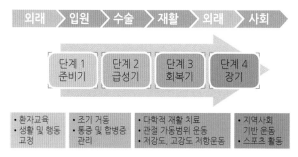

그림 6. 고관절 치환술 후 재활 치료의 단계

등 지연 혹은 불량한 기능 회복을 보이는 환자들은 추가적인 재활 전략이 필요하다. 보조 기구, 전기 자극, 비골신경 유리술(peroneal nerve neurolysis), 보톡스 근육내 주사, 스테로이드 주사 등 추가적인 치료가 필요할 수 있다.

(4) 단계 4: 장기 재활

이 기간에는 환자가 조직화된, 치료자 주도 재활 프로그램에서 퇴원하고 난 후의 지역사회 기반 운동 프로그램이 이루어지는 시기이다. 지역 사회에서 제공하는 피트니스 프로그램이나 체육관 운동, 스포츠 활동, 노인 재활 시설에서의 여가 활동 등이 이에 해당된다. 장기 재활의 고관절 치환술에 미치는 영향에 대한 논문은 없으나 꾸준한 운동 및 여가 활동이 건강한 생활 습관과 더불어 건강에 좋을 것임은 당연한 사실이다.

급성기 병원에서는 수술 후 당일 또는 다음날부터 재활 치료가 시작된다. 초기 치료는 환자의 상태에 대한 파악을 하는 것으로 환자가 누운 상태에서 환자의 자세와 정맥혈전증의 징후가 있는지 살피고 수술 부위의 소독 상태, 건측의 관절 가동 범위 및 근력을 기록하는 것이다. 초기 훈련은 앉은 자세에서 일어서기, 보행 및 균형 훈련을 실시한다. 침대에서 의자로의 이동은 한 번에 30분씩 하루에 두 번 실시하고 바지 입기, 목욕하기, 변기 사용하기 등을 교육한다. 보행 훈련은 환자의 나이, 수술 전 상태, 향상의 정도, 체중 부하의 정도에 따라 진행한다. 다중 통증 조절, 심부정맥혈전증 예방,

대장 훈련, 동반 질환에 대한 의학적 처치를 함께 시행한다. 처음에는 하지의 등척성 운동(대퇴사두근, 슬곡굴근, 둔근)과 발목 펌프(ankle pump) 운동을 시행한다. 초기 환자는 수동적 운동만 할 수 있으나 점차 능동적 운동을 할 수 있으며 치료는 매일 실시한다(표6).

재활병원에서의 입원 환자에 대한 포괄적 접근은 급성기 병원과는 차이가 있다. 재활병원에서는 물리치료와 가족치료에 중점을 두며 의학적 처치도 병행한다. 수일간 치료가 필요하고 치료 후 집으로 퇴원할 수 있으며 하루 3시간 이상 치료할 수 있는 환자가 입원 대상이 된다. 대개는 가족의 지지가 없는 노인과 동반된 다른 질환이 있는 환자들이 입원 치료의 대상이 된다.

아급성기 너싱홈(subacute nursing facility)은 하루에 3시간 이상 치료할 수 없고 의학적 동반 질환이 없는 환자가 대상이 된다.

최근, 수술 후 조기 퇴원이 강조되고 있으므로 환자가 안전하게 집으로 퇴원할 수 있는지 평가하는 것이 중요하다. 수술 및 통증 관리 기법의 발달로 수술 당일 퇴원도 가능하게 된 반면 동반된 질환이 있는 경우 오랜 기간 입원이 필요하다.

집으로 퇴원 가능한 경우는 표7과 같다.

9) 고관절 치환술 후 재활 프로토콜

대퇴사두근 강화운동, 뒤꿈치 올리기를 하루에 두 번씩 20회를 실시한다. 매일 보행기를 이용하여 걸을 수 있을 만큼 걷고, 15–20분간 저항 없는 상태로 고정 자전거를 타고, 가능한 정도의 수영을 할 것을 권유하며, 수술 후 6주간은 일반적인 주의 사항을 지키도록 한다. 보행 이상을 관찰하고 교정한다. 대부분의 보행 이상이 고관절의 굴곡 이상에 의하므로 환자가 수술한 쪽 고관절을 신전하지 않으려는 경향에서 비롯된다. 가장 흔한 잘못은 환자가 수술한 쪽 다리로 보폭을 길게 하는 것이다. 따라서 환자에게 건측으로 보다 길게 다리를 벌리도록 교육해야 한다. 두 번째로 흔한 잘못은 입각기 후반 무릎을 빨리 굽히는 것으로 이는 과도

표 6. 고관절 치환술 후 첫 주 운동 프로그램

수술 후 날짜	지침
1일	등척성 운동(대퇴사두근, 슬근, 둔근 운동)
	발목 펌프 운동
2일	이전의 운동들을 지속함
	누워서 허용된 범위 내의 고관절 관절 가동 범위 운동(수동적 운동에서 능동적 저항 운동 순으로)
3–4일	이전의 운동들을 지속함
	앉아서 발뒤꿈치 들어 올리기
	큰 범위의 대퇴사두근 운동
5–7일	이전의 운동들을 지속함
	간단 쪼그려 앉기(mini-squats, 무릎을 45° 미만으로 쪼그려서 버티기)
	서서 고관절을 90°까지 굴곡하기
	서서 고관절 신전하기
	서서 고관절 외전하기
	전방으로 계단 오르고 내리기

한 뒤꿈치 들기를 유발한다. 환자에게 입각기 후반 발을 땅에 지지하고 있어야 한다고 교육해야 한다. 세 번째로 흔한 잘못은 환자가 중간 및 후기 입각기 시 허리를 앞으로 구부리는 것으로 이를 교정하려면 환자에게 입각기에 골반을 앞으로 기울이면서 어깨는 뒤로 젖히도록 교육해야 한다. 그 외의 잘못은 습관적인 파행으로 보행 훈련 시 전신을 볼 수 있는 거울이 효과적일 수 있다. 표 7은 고관절 전치환 수술 후 흔한 문제점과 이에 대한 치료를 요약한 것이다.

외래 재활 프로토콜은 운동 치료 및 근육 강화에 중점을 둔다. 수술 후 주의 사항이 완료되면 추가적인 관절 가동범위를 확보하며 닫힌 사슬운동 및 균형 운동을 포함한 점진적 기능적 근력 강화 훈련을 실시한다. 초기 운동 처방은 탄성 밴드나 무게를 부가하여 근육에 점진적인 과부하를 작용하고 지구력이 향상되면 근

력 강화 훈련도 한 번에 6–10회씩 2회 실시한다. 표 8은 시간 경과에 따른 재활 치료의 목표치 이다.

10) 합병증에 따른 재활

고관절 치환술 후 발생하는 합병증은 재활 치료 과정에서 발생할 수 있어 이를 잘 파악하고 진단하여 치료하는 것이 중요하다. 혈전색전증, 감염, 섬망, 탈구 등 수술 후의 중요 합병증뿐만 아니라 이소성 골형성, 신경 손상, 하지 길이의 차이 등에 대해서도 잘 알고 대처해야한다. 그 중, 이소성 골형성이 발생하였다고 해서 관절 가동 운동을 중단하거나 운동 강도를 줄여야 하는 것은 아니며 수술 후 즉시 나타나는 하지 길이의 차이는 연부조직의 단축에 의한 것일 가능성이 있으므로 즉각적인 치료를 필요로 하지는 않으나 차이가 있는 경우, 신발창을 높이거나 테이프를 감아 신발 높이를 조절하여 주는 것이 도움이 될 수 있다.

11) 노인에서의 재활

고령의 환자들에게서는 고관절 치환술 후 재활을 실시함에 있어 추가로 고려해야 할 사항들이 있다. 수술

표 7. 집으로의 퇴원 판정 기준

- 실내에서 독립적으로 150 feet (46 m)를 걸을 수 있다.
- 수술 후 주의사항을 충실히 지킬 수 있다.
- 보조 장구 등을 이용하여 기본적인 일상생활을 수행할 수 있다.

표 8. 고관절 치환술 후 첫 주 운동 프로그램

기간	목표
수술 후 6주	고관절의 완전한 능동 관절 운동 범위를 확보한다. 운전을 한다. 수술한 쪽으로 옆으로 누울 수 있다.
수술 후 12주	독립 보행을 한다. 대부분의 가벼운 운동을 할 수 있다.

후 합병증의 빈도가 높고 입원 기간의 연장, 근골격계 이상(근감소증, 골감소증, 골다공증), 인지 장애(기억력 상실, 치매, 섬망), 감각기관 장애(청각, 시각), 동반된 내과 질환, 수면 장애, 생활 환경의 변화, 사회적 보장의 정도 등이 재활 과정에 장애물이 될 수 있다. 나이 자체 보다는 여러 인자가 관련되어 있어 결국에는 독립성 소실로 나타나게 된다. 표 9는 고령의 환자들에게 재활을 실시함에 있어 주의 사항들을 나열한 것이다.

12) 수술 후 스포츠 복귀

신체적 활동도가 고관절 삽입물의 수명에 영향을 미치고 마모로 인한 해리가 발생하면 재수술이 필요할 수 있다. 그러나 고관절 치환술 후 운동을 할 수 없다는 것을 의미하지는 않는다. 운동은 건강을 유지하는 데 중요하므로 활동을 제한하기 보다는 적절한 가이드 라인이 제시되어야 할 것이다. 표 10은 고관절에 대한 충격의 정도에 따라 시행할 수 있는 스포츠의 종류를 나열한 것이다.

표 9. 고령의 고관절 치환술 환자에 대한 재활 치료 시 고려 사항

낙상 및 골절 위험 증가
근육량 및 강도의 현저한 감소
연부조직 및 관절 유연성 감소
기능적 폐활량 감소
인지 및 감각 장애
심각한 동반 질환 및 수술 후 합병증 빈도 증가
사회적, 경제적 의존성 증가

표 10. 고관절 치환술 후 스포츠 활동에 대한 추천 사항

추천하는 스포츠	가능한 스포츠	피해야 하는 스포츠
사교댄스	발레	야구
자전거	미용 체조	소프트볼
볼링	하강 스키	농구
크로스컨트리스키	펜싱	축구
골프	하이킹	핸드볼
승마	재즈 댄스	라켓볼
아이스스케이팅	조깅	카라테
인라인스케이트	달리기	태권도
저강도 에어로빅	암벽 등반	라크로스
조정	탁구	축구
항해	테니스	배구
빨리 걷기(경보)	수상스키	
실내 자전거		
실내 스키		
수영		
걷기		
수중 에어로빅		

참고문헌

1. Aguirre J, Baulig B, Dora C, et al. Continuous epicapsular ropivacaine 0.3% infusion after minimally invasive hip arthroplasty: a prospective, randomized, double-blinded, placebo-controlled study comparing continuous wound infusion with morphine patient-controlled analgesia. Anesth Analg. 2012; 114: 456-461.

2. Alshryda S, Sukeik M, Sarda P, Blenkinsopp J, Haddad FS, Mason JM. A systematic review and meta-analysis of the topical administration of tranexamic acid in total hip and knee replacement. Bone Joint J. 2014;96-B:1005-15.

3. Andersen KV, Bak M, Christensen BV, Harazuk J, Pedersen NA, Soballe K. A randomized, controlled trial comparing local infiltration analgesia with epidural infusion for total knee arthroplasty. Acta Orthop. 2010; 81: 606-610.

4. Andersen LJ, Poulsen T, Krogh B, Nielsen T. Postoperative analgesia in total hip arthroplasty: a randomized double-blinded, placebo-controlled study on preoperative and postoperative ropivacaine, Ketorolac, and adrenaline wound infiltration. Acta Orthop. 2007; 78: 187-192.

5. Andersen LO, Otte KS, Husted H, Gaarn-Larsen L, Kristensen B, Kehlet H. High-volume infiltration analgesia in bilateral hip arthroplasty. A randomized, double-blind placebo-controlled trial. Acta Orthop. 2011; 82: 423-426.

6. Banerjee P, Bardakos NV. Te efcacy of multimodal high-volume wound infiltration in primary total hip replacement. Orthopedics. 2011; 34: 698-705.

7. Baron DM, Hochrieser H, Posch M, et al. Preoperative anaemia is associated with poor clinical outcome in noncardiac surgery patients. Br J Anaesth. 2014;113: 416-23.

8. Berend KR, Lombardi AV Jr, Mallory TH. Rapid recovery protocol for perioperative care of total hip and total knee arthroplasty patient. Surg Technol Int. 2004; 13: 239-247.

9. Bhave A, Marker DR, Seyler TM, Ulrich SD, Plate JF, Mont MA. Functional problems and treatment solutions after total hip arthroplasty. J Arthroplasty. 2007; 22(6 Suppl 2): 116-24.

10. Bisbe E, Moltó L. Pillar 2: minimising bleeding and blood loss. Best Pract Res Clin Anaesthesiol. 2013;27:99-110.

11. Block BM, Liu SS, Rowlingson AJ, et al. Efficacy of postoperative epidural analgesia: A meta-analysis. JAMA. 2003; 290: 2455-2463.

12. Boettner F, Sculco P, Altneu E, Capar B, Sculco TP. Efficiency of autologous blood donation in combination with a cell saver in bilateral total knee arthroplasty. HSS J. 2009;5:45-8.

13. Busch CA, Whitehouse MR, Shore BJ, MacDonald SJ, McCalden RW, Bourne RB. Te efcacy of periarticular multimodal drug infiltration in total hip arthroplasty. Clin Orthop Relat Res. 2010; 468: 2152-2159.

14. Buvanendran A, Kroin JS, Della Valle CJ, Kari M, Moric M, Tuman KJ. Perioperative oral pregabalin reduces chronic pain after total knee arthroplasty: a prospective, randomized, controlled trial. Anesth Analg. 2010; 110: 199-207.

15. Carson JL, Terrin ML, Noveck H, et al. Liberal or restrictive transfusion in high-risk patients after hip surgery. N Engl J Med. 2011;365:2453-62.

16. Clarke H, Pereira S, Kennedy D, et al. Gabapentin decreases morphine consumption and improves functional recovery following total knee arthroplasty. Pain Res Manag. 2009; 14: 217-222.

17. Clement ND, MacDonald D, Howie CR, Biant LC. The outcome of primary total hip and knee arthroplasty in patients aged 80 years or more. J Bone Joint Surg Br. 2011; 93(9): 1265-70.

18. Davis AM, Perruccio AV, Ibrahim S, Hogg-Johnson S, Wong R, Streiner DL, Beaton DE, Côté P, Gignac MA, Flannery J, Schemitsch E, Mahomed NN, Badley EM. Te trajectory of recovery and the inter-relationships of symptoms, activity and participation in the frst year

following total hip and knee replacement. Osteoarthritis Cartilage. 2011; 19(12): 1413-21.

19. Dobrydnjov I, Anderberg C, Olsson C, Shapurova O, Angel K, Bergman S. Intraarticular vs. extraarticular ropivacaine infusion following high-dose local infiltration analgesia after total knee arthroplasty: a randomized double-blind study. Acta Orthop. 2011; 82: 692-698.

20. Duncan CM, Hall Long K, Warner DO, Hebl JR. Te economic implications of a multimodal analgesic regimen for patients undergoing major orthopedic surgery: a comparative study of direct costs. Reg Anesth Pain Med. 2009; 34: 301-307.

21. Enloe LJ, Shields RK, Smith K, Leo K, Miller B. Total hip and knee replacement treatment programs: a report using consensus. J Orthop Sports Phys Ther. 1996; 23(1): 3-11.

22. Essving P, Axelsson K, Aberg E, Spännar H, Gupta A, Lundin A. Local infltration analgesia versus intrathecal morphine for postoperative pain management after total knee arthroplasty: a randomized controlled trial. Anesth Analg. 2011; 113: 926-933.

23. Evered LA, Silbert BS, Scott DA, Maruf P, Ames D, Choong PF. Preexisting cognitive impairment and mild cognitive impairment in subjects presenting for total hip joint replacement. Anesthesiology. 2011; 114(6): 1297-304.

24. Fischer HBJ, Simanski CPJ. A procedure-specific systemic review and consensus recommendations for analgesia after total hip replacement. Anaesthesia. 2005; 60: 1189-1202.

25. Freburger JK, Holmes GM, Ku LJ, Cutchin MP, Heatwole-Shank K, Edwards LJ. Disparitiesinpost-acuterehabilitation care for joint replacement.Arthritis Care Res (Hoboken). 2011; 63(7): 1020-30.

26. Fu PL, Xiao J, Zhu YL, et al. Efcacy of a multimodal analgesia protocol in total knee arthroplasty: a randomized, controlled trial. J Int Med Res. 2010; 38: 1404-1412.

27. Genêt F, Mascard E, Coudeyre E, Revel M, Rannou F. Te benefts of ambulatory physiotherapy after total knee replacement. Clinical practice recommendations. Ann Readapt Med Phys. 2007; 50(9): 793-801, 783-92.

28. Gilbey HJ, Ackland TR, Wang AW, Morton AR, Trouchet T, Tapper J. Exercise improves early functional recovery after total hip arthroplasty. Clin Orthop Relat Res. 2003; 408: 193-200.

29. Giraudet-Le Quintrec JS, Coste J, Vastel L, Pacault V, Jeanne L, Lamas JP, Kerboull L, Fougeray M, Conseiller C, Kahan A, Courpied JP. Positive efect of patient education for hip surgery: a randomized trial. Clin Orthop Relat Res. 2003; 414: 112-20.

30. Gocen Z, Sen A, Unver B, Karatosun V, Gunal I. The efect of preoperative physiotherapy and education on the outcome of total hip replacement: a prospective randomized controlled trial. Clin Rehabil. 2004; 18(4): 353-8.

31. Hamel MB, Toth M, Legedza A, Rosen MP. Joint replacement surgery in elderly patients with severe osteoarthritis of the hip or knee: decision making, postoperative recovery, and clinical outcomes. Arch Intern Med. 2008; 168(13): 1430-40.

32. Higuera CA, Elsharkawy K, Klika AK, Brocone M, Barsoum WK. 2010 Mid-America Orthopaedic Association Physician in Training Award: predictors of early adverse outcomes after knee and hip arthroplasty in geriatric patients. Clin Orthop Relat Res. 2011; 469(5): 1391-400.

33. Horlocker TT, Kopp SL, Pagnano MW, et al. Analgesia for total hip and knee arthroplasty: A multimodal pathway featuring peripheral nerve block. J Am Acad Orthop Surg. 2006; 14: 126-135.

34. Indelli PF, Grant SA, Nielson K, et al. Regional anesthesia in hip surgery. Clin Orthop Relat Res. 2003; 414: 112-120.

35. Joshi GP. Multimodal analgesia techniques for ambulatory surgery. Int Anesthesiol Clin. 2005; 43: 197-204.

36. JH Song, JW Park, YK Lee, et al. Management of blood loss in hip arthroplasty: Korean hip society current consensus. Hip Pelvis. 2017;29(2):81-90.

37. Kehlet H, Dahl JB. The value of "multimodal" or"balanced analgesia" in postoperative pain treatment. Anesth Analg.

1993; 77: 1048-1056.

38. Kennedy DM, Stratford PW, Hanna SE, Wessel J, Gollish JD. Modeling early recovery of physical function following hip and knee arthroplasty.BMC Musculoskelet Disord. 2006; 7: 100.

39. Khan F, Ng L, Gonzalez S, Hale T, Turner-Stokes L. Multidisciplinary rehabilitation programmes following joint replacement at the hip and knee in chronic arthropathy. Cochrane Database Syst Rev. 2008; 2: CD004957.

40. Kishida Y, Sugano N, Sakai T, Nishii T, Haraguchi K, Ohzono K, Yoshikawa H. Full weight-bearing after cementless total hip arthroplasty. Int Orthop. 2001; 25(1): 25-8.

41. Lavernia C, Cardona D, Rossi MD, Lee D. Multimodal pain management and arthrofibrosis. J Arthroplasty. 2008; 23(6 Suppl 1): 74-79.

42. Lawlor M, Humphreys P, Morrow E, Ogonda L, Bennett D, Elliott D, Beverland D. Comparison of early postoperative functional levels following total hip replacement using minimally invasive versus standard incisions. A prospective randomized blinded trial. Clin Rehabil. 2005; 19(5): 465-74.

43. Lee KJ, Min BW, Bae KC, Cho CH, Kwon DH. Efficacy of multimodal pain control protocol in the setting of total hip arthroplasty. Clin Orthop Surg. 2009; 1: 155-160.

44. Loeser RF. Age-related changes in the musculoskeletal system and the development of osteoarthritis. Clin Geriatr Med. 2010; 26(3): 371-86.

45. Lunn TH, Husted H, Solgaard S,et al. Intraoperative local infiltration analgesia for early analgesia after total hip arthroplasty: a randomized, double-blind, placebo-controlled trial. Reg Anesth Pain Med. 2011; 36: 424-429.

46. Maheshwari AV, Boutary M, Yun AG, Sirianni LE, Dorr LD. Multimodal analgesia without routine parenteral narcotics for total hip arthroplasty. Clin Orthop Relat Res. 2006; 453: 231-8.

47. MahomedNN, Lau JT, Lin MK, Zdero R, Davey JR. Significantvariationexists in home care services following

total joint arthroplasty.J Rheumatol. 2004; 31(5): 973-5.

48. Masonis JL, Bourne RB. Surgical approach, abductor function, and total hip arthroplasty dislocation. Clin Orthop Relat Res. 2002; 405: 46-53.

49. Melvin JS, Stryker LS, Sierra RJ. Tranexamic Acid in Hip and Knee Arthroplasty. J Am Acad Orthop Surg. 2015;23: 732-40.

50. Murphy TP, Byrne DP, Curtine P, Baker JF, Mulhall KJ. Can a periarticular levobupivacaine injection reduce postoperative opiate consumption during primary hip arthroplasty? Clin Orthop Relat Res. 2012; 470: 1151-1157.

51. O'Connor AB, Dworkin RH. Treatment of neuropathic pain: an overview of recent guidelines. Am J Med. 2009; 122: s22-32.

52. Okoro T, Lemmey AB, Maddison P, Andrew JG. An appraisal of rehabilitation regimes used for improving functional outcome after total hip replacement surgery. Sports Med Arthrosc Rehabil Ther Technol. 2012;4(1): 5.

53. Pagnano MW, Hebl J, Horlocker T. Assuring a painless total hip arthroplasty: a multimodal approach emphasizing peripheral nerve blocks. J Arthroplasty. 2006; 21(4 Suppl 1): 80-4.

54. Park JH, Kim HS, Yoo JH, et al. Perioperative blood loss in bipolar hemiarthroplasty for femoral neck fracture: analysis of risk factors. Hip Pelvis. 2013;25:110-4.

55. Parker MJ. Iron supplementation for anemia after hip fracture surgery: a randomized trial of 300 patients. J Bone Joint Surg Am. 2010;92:265-9.

56. Parvizi J, Bloomfield MR. Multimodal pain management in orthopedics: Implications for joint arthroplasty surgery. Orthopedics. 2013; 36: 7-14.

57. Parvizi J, Miller AG, Gandhi K. Multimodal pain management after total joint arthroplasty. J Bone Joint Surg Am. 2011; 93: 1075-1084.

58. Peak EL, Parvizi J, Ciminiello M, Purtill JJ, Sharkey PF, Hozack WJ, Rothman RH. The role of patient restrictions in reducing the prevalence of early dislocation following

total hip arthroplasty. A randomized, prospective study. J Bone Joint Surg Am. 2005; 87(2): 247-53.

59. Peters CL, Shirley B, Erickson J. Te efect of a new multimodal perioperative anesthetic regimen on postoperative pain, side effects, rehabilitation, and length of hospital stay after total joint arthroplasty. J Arthroplasty. 2006; 21(6 Suppl 2): 132-138.

60. Peters CL, Shirley B, Erickson J. Te efect of a new multimodal perioperative anesthetic regimen on postoperative pain, side effects, rehabilitation, and length of hospital stay after total joint arthroplasty. J Arthroplasty. 2006; 21(6 Suppl 2): 132-8.

61. Ranawat AS, Ranawat CS. Pain management and accelerated rehabilitation for total hip and total knee arthroplasty. J Arthroplasty. 2007; 22(7 Suppl 3): 12-5.

62. Rathmell JP, Pino CA, Taylor R, et al. Intrathecal morphine for postoperative analgesia: A randomized, controlled, dose-ranging study after hip and knee arthroplasty. Anesth Analg. 2003; 97: 1452-1457.

63. Reardon K, Galea M, Dennett X, Choong P, Byrne E. Quadriceps muscle wasting persists 5 months after total hip arthroplasty for osteoarthritis of the hip: a pilot study. Intern Med J. 2001; 31(1): 7-14.

64. RoosEM. Effectivenessandpracticevariation of rehabilitation after joint replacement.Curr Opin Rheumatol. 2003; 15(2): 160-2.

65. Sinatra RS, Torres J, Bustos AM. Pain management after major orthopaedic surgery: Current strategies and new concepts. J Am Acad Orthop Surg. 2002; 10:117-129.

66. Singelyn FJ, Ferrant T, Malisse MF, et al. Effects of intravenous patient-controlled analgesia with morphine, continuous epidural analgesia, and continuous femoral nerve sheath block on rehabilitation after unilateral total hip arthroplasty. Reg Anesth Pain Med. 2005; 30: 452-457.

67. Skinner HB, Shintani EY. Results of a multimodal analgesic trial involving patients with total hip or total knee arthroplasty. Am J Orthop. 2004; 33: 85-92.

68. Souron V, Delaunay L, Schifrine P. Intrathecal morphine

provides better postoperative analgesia than psoas compartment block after primary hip arthroplasty. Can J Anaesth. 2003; 50: 574-579.

69. Sukeik M, Alshryda S, Haddad FS, Mason JM. Systematic review and meta-analysis of the use of tranexamic acid in total hip replacement. J Bone Joint Surg Br. 2011;93:39-46.

70. Talbot NJ, Brown JH, Treble NJ. Early dislocation after total hip arthroplasty: are postoperative restrictions necessary? J Arthroplasty. 2002; 17(8): 1006-8.

71. Tian W, DeJong G, Brown M, Hsieh CH, Zamfrov ZP, Horn SD. Looking upstream: factors shaping the demand for postacute joint replacement rehabilitation. Arch Phys Med Rehabil. 2009; 90(8): 1260-8.

72. Trudelle-Jackson E, Smith SS. Effects of a late- phase exercise program after total hip arthroplasty: a randomized controlled trial. Arch Phys Med Rehabil. 2004; 85(7): 1056-62.

73. van Bodegom-Vos L, Voorn VM, So-Osman C, et al. Cell salvage in hip and knee arthroplasty: a meta-analysis of randomized controlled trials. J Bone Joint Surg Am. 2015;97:1012-21.

74. Viscusi ER, Martin G, Hartrick CT, et al. Forty- eight hours of postoperative pain relief after total hip arthroplasty with a novel, extended-release epidural morphine formulation. Anesthesiology. 2005; 102: 1014-1022.

75. Vissers MM, Bussmann JB, Verhaar JA, Arends LR, Furlan AD, Reijman M. Recovery of physical functioning after total hip arthroplasty: systematic review and meta-analysis of the literature. Phys Ter. 2011; 91(5): 615-29.

76. Vukomanovi ć A, Popovi ć Z, Durovi ć A, Krsti ć L. Te effects of short-term preoperative physical therapy and education on early functional recovery of patients younger than 70 undergoing total hip arthroplasty. Vojnosanit Pregl. 2008; 65(4): 291-7.

77. Wall PD. Te prevention of postoperative pain. Pain. 1988; 33: 289-290.

78. Wang AW, Gilbey HJ, Ackland TR. Perioperative exercise programs improve early return of ambulatory function after

total hip arthroplasty: a randomized, controlled trial. Am J Phys Med Rehabil. 2002; 81(11): 801-6.

79. Westby MD, Backman CL. Patient and health professional views on rehabilitation practices and outcomes following total hip and knee arthroplasty for osteoarthritis: a focus group study.BMC Health Serv Res. 2010; 10: 119.

80. Westby MD. Rehabilitation and total joint arthroplasty. Clin Geriatr Med. 2012; 28(3): 489-508.

81. Wheeler M, Oderda GM, Ashburn MA, et al. Adverse events associated with postoperative opioid analgesia: A systematic review. J Pain. 2002; 3: 159-180.

82. Whitney JA, Parkman S. Preoperative physical activity, anesthesia, and analgesia: effects on early postoperative walking after total hip replacement. Appl Nurs Res. 2002; 15(1): 19-27.

CHAPTER

4 반치환술
Hemiarthroplasty

고관절 반치환술의 역사는 Bohlman이 1940년에 거대세포종이 동반된 골절환자에서 vitallium을 이용하여 고관절 치환술을 시행한 것이 시초라 할 수 있으며 이후 Thompson과 Austin Moore에 의해서 각각 비슷한 시기에 현대적인 개념의 고관절 부분치환술이 시작되었다. 1950년에 Thompson은 코발트-크롬 합금 재질의 휘어진 대퇴스템을 가진 고관절 반치환술 삽입물을 고안하여 고관절 관절염 환자에게 처음으로 적용하였다(그림 1A). 거의 같은 시기에 Austin Moore는 대퇴스템이 직선형이면서 근위부에 천공이 있는 반치환술 삽입물을 만들었는데, 정상적으로 전만곡이 있는 대퇴골 수강 내에서 3점 고정이 이루어지고 천공을 통한 골유합이나 섬유성 유합이 가능한 구조로 고안되었다(그림 1B). 이후 Austin Moore가 고안한 고관절 반치환술 삽입물은 대퇴골두 골괴사 환자에서 사용되었다. 초기의 삽입물은 대퇴스템과 골두가 하나로 만들어진 형태의 단극성 고관절 반치환술 삽입물이었는데 수술 후 비구 연골의 미란에 의한 인공 골두의 근위부 이동이 빈번히 발생하는 문제점이 있었다.

1974년 Bateman과 Giliberity에 의해 처음 도입된 고관절 양극성 반치환술 삽입물은 단극성 고관절 반치환술 삽입물의 단점을 보완하기 위해 고안된 삽입물로서, 단극성 삽입물과 전치환 삽입물의 중간형태로 금속 비구컵, 폴리에틸렌 관절면, 대퇴골두와 대퇴스템으로 구성되었다. 고관절 양극성 반치환술 삽입물은 대퇴골두와 폴리에틸렌 라이너 사이에서 안쪽 관절면

이 형성되고 비구컵과 비구 사이에서 바깥쪽 관절면이 형성되어 두 개의 관절면에서 움직임이 일어나 관절면의 마모를 줄일 수 있도록 고안되었다.

고관절 양극성 반치환술은 안쪽과 바깥쪽의 두 개 관절면에 의한 움직임으로 비구 연골 마모를 줄이고 이로 인해 골반내 비구 돌출의 발생을 줄일 수 있으며 비구측에 대한 술기가 필요치 않아 수술 시간이 짧고 용이한 장점이 있다. 그러나 비구내 금속컵의 움직임으로 인한 연골 손상, 비구측 골용해 및 서혜부 통증의 발생이 단점으로 제기되고 있다.

현재 고관절 질환의 치료에 있어 양극성 반치환술의 임상적 적용 및 적응증에 대한 이견이 있다. 고관절 전치환술과 양극성 반치환술의 적응증에 영향을 주는 요소에는 원인 질환, 수술에 대한 환자의 위험성, 재치환술의 가능성, 경제성 등이 있으며 술자에 따른 수술 술기나 선호하는 수술적 접근법 등도 치환물의 선택에 영향을 미칠 수 있다.

1. 삽입물의 형태

반치환술 시 사용되는 삽입물은 관절면을 이루는 형태에 따라 단극성, 양극성으로 나눌 수 있으며 조립성(modularity) 여부에 따라 대퇴스템과 골두가 하나로 만들어진 일체형 스템과 골두가 분리되어 있는 조립형으로 나누어 진다.

고관절 반치환술은 비교적 정상적인 비구에는 수술적 처치를 하지 않고, 병변이 존재하는 환자의 대퇴골

585

두를 크기와 모양이 일치하는 삽입물로 대체하는 개념의 술식이다. 인체의 정상 대퇴골두는 정확한 반원형이기보다는 약간의 달걀 모양으로 되어 있어 임상적으로 비구컵과 환자의 비구 사이에서 정확한 관절면의 접촉을 얻기는 어렵다. 이러한 대퇴골두 삽입물과 비구 사이의 부조화를 해결하기 위한 방법으로 과거 타원형 대퇴골두가 만들어지기도 했으나 널리 사용되지는 못하였고, 환자의 대퇴골두 직경보다 크거나 작은 크기의 인공 골두를 사용하여 비구 변연부 접촉이나 극성 접촉(polar contact)을 유도하는 술식이 사용되기도 하였으나 여러 문제점들이 발견되어, 최근에는 환자의 기존 대퇴골두와 같은 크기의 반원형 삽입물로 치환하는 방법이 널리 사용되고 있다.

1) 단극성 반치환술(unipolar hemiarthroplasty)

단극성 반치환술은 가장 오래된 형태의 부분치환술로서 Thompson과 Austin Moore 형태의 삽입물이 사용되었다(그림 1). 금속 대퇴골두와 비구 연골이 직접 관절면을 형성하고 대퇴스템과 골두가 하나로 만들어져 대퇴스템을 통해 근위 대퇴 골수강에 고정된다. 과거 단극성 반치환술 삽입물은 대퇴스템과 골두가 일체형

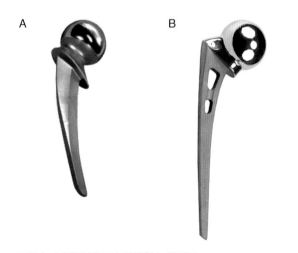

그림 1. 고관절 단극성 반치환술 삽입물
(A) Thompson prosthesis, (B) Austin Moore prosthesis

으로 되어 있어 골두 크기에 따른 정해진 스템 크기의 사용으로 수술 시 대퇴 골수강 내 고정이 용이하지 않았으며, Thompson이 고안한 휘어진 대퇴스템은 수술 시 내전위로 삽입될 가능성이 많았다. 이후 조립형 삽입물이 개발되었고, 대퇴골두의 크기와 관계없이 환자의 대퇴골 골수강 크기에 맞는 대퇴스템을 삽입할 수 있게 되어 비교적 쉽게 골수강 내 안정적 고정이 가능하게 되었다.

고관절 단극성 반치환술의 장점은 양극성 반치환술에 비하여 삽입물의 비용이 저렴하여 경제적이라는 점이다. 그러나, 비구 연골 손상과 대퇴골두의 비구내 돌출이 빈번히 발생하는 단점이 있어, 현재는 양극성 반치환술이 주로 사용되고 있다. 하지만, 대퇴골 경부 골절에서 시행한 양극성 반치환술과 단극성 반치환술의 전향적 연구결과에 대한 메타분석상에서는 양극성 반치환술의 임상 결과가 우월하다는 증거가 없어, 일부 가이드라인에서는 고령의 대퇴골 경부 골절 환자에서 환자의 여명, 활동도 및 경제적 이유를 고려하여 단극성 반치환술을 우선적으로 시행할 것을 권유하고 있다.

2) 양극성 반치환술(bipolar hemiarthroplasty)

안쪽과 바깥쪽 관절면으로 이루어진 고관절 양극성 반치환술은 1974년 Bateman과 Giliberty에 의해 처음 소개되었다. 장점으로는 1) 안쪽 관절면의 움직임으로 인한 비구 연골 손상의 감소, 2) 두 개의 관절면에 의한 관절 운동 범위의 증가, 3) 폴리에틸렌 라이너를 통한 충격의 감소, 4) 재치환술 시 용이, 5) 증가된 관절 운동 범위로 인한 탈구율의 감소 등이 있다. 반면 단점으로는 1) 단극성 반치환 삽입물에 비해 비싼 가격, 2) 폴리에틸렌 라이너 잠금 장치의 손상으로 인한 탈구의 발생, 3) 폴리에틸렌 마모에 의한 골용해 발생 등이 있을 수 있다. 이후 양극성 반치환술의 발달로 안쪽 및 바깥쪽 관절면의 중심이 편심성으로 이루어져 비구컵의 내전위를 방지할 수 있는 자가 중심 체계(self-centering system)를 갖는 양극성 반치환술 삽입물이

만들어져 사용되고 있으며 최초의 반치환술에 비해 임상 결과도 향상되었다.

(1) 생역학

고관절 양극성 반치환술 삽입물은 안쪽 관절면의 회전 중심이 내측에 위치하고 바깥쪽 관절면의 회전 중심이 외측에 위치하는 편심성 위치를 갖는다. 따라서 고관절에 체중 부하를 하였을 경우 비구컵은 내측보다는 외측으로 회전하여 탈구를 방지하게 된다(그림 2A). 만약 안쪽 관절면의 회전 중심이 외측에 위치하고 바깥쪽 관절면의 회전 중심이 내측에 위치하면 비구컵의 내전 상태에서 비구컵의 끝부분과 대퇴스템의 경부 및 골두 사이에서 충돌 현상이 발생하게 된다. 충돌 현상

은 폴리에틸렌 손상을 초래하고 탈구를 일으킬 수 있다(그림 2).

(2) 안쪽 및 바깥쪽 관절면에서의 움직임

고관절 양극성 반치환술 후 관절 운동은 이론상으로 안쪽 관절면과 바깥쪽 관절면에 배분되어 일어남으로써 단극성 반치환술에서보다 비구 연골 손상이 적을 수 있다. 임상적으로는 안쪽 관절면과 바깥쪽 관절면의 움직임에 대해 다양한 결과들이 보고되고 있다. 양극성 반치환술 후 안팎 관절면의 움직임이 모두 유지되거나, 안쪽 관절면의 움직임이 유지되어 좋은 결과를 얻었다는 보고들도 있다. 그러나 시간이 지남에 따라 안쪽 관절면의 움직임이 줄어들거나 없어져 바깥쪽

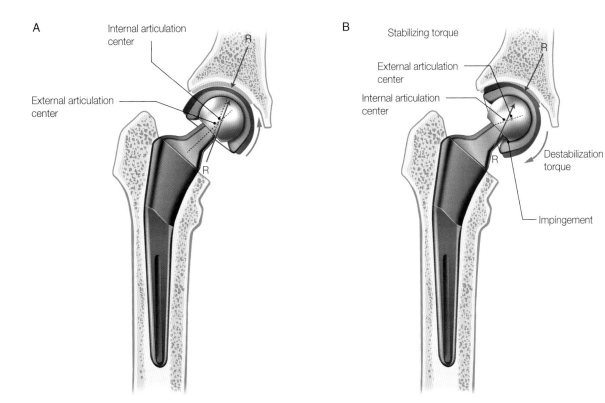

그림 2. 고관절 양극성 반치환술의 모식도
(A) 대퇴골두 중심은 내측에 비구컵 중심은 외측에 위치하여 관절에 하중이 가해지면 비구컵은 외측으로 회전한다. (B) 대퇴골두 중심이 비구컵 중심의 외측에 위치하면 하중에 의해 비구컵은 내측으로 회전하여 스템의 경부와 비구컵의 충돌 현상이 발생하여 탈구의 원인이 된다.

관절면의 움직임만 남아 기존의 단극성 반치환술과 비교하여 차이가 없었다는 보고도 있으며 대퇴골두 골괴사 환자에서 시행한 반치환술의 경우 마찰계수의 차이로 인하여 바깥쪽 관절면 움직임이 주로 일어나지만, 시간이 지나면서 비구의 마모가 진행하면서 바깥쪽 관절면의 움직임이 줄어든다는 보고도 있다. 또한 관절면의 움직임은 비구 연골의 상태, 삽입물의 형태, 골두의 크기 등에 따라 다른 것으로 보고되었다. 관절염 환자에서 양극성 반치환술을 시행하였을 경우 안쪽 관절면의 운동이 주로 일어났고 골절 환자에서는 수술 후 바깥쪽 관절 운동이 더 많이 일어나 관절면의 움직임 양상이 달랐다는 보고도 있다. 여러 연구들에서 양극성 반치환술 후의 안쪽 및 바깥쪽 관절면의 움직임 양상은 일관성이 없으며 여러 다른 요인에 의하여 영향을 받는 것으로 보인다. 또한 이러한 연구들은 관절면의 움직임을 고관절의 내외전 시에만 평가하였고, 굴곡과 신전 시의 움직임은 측정하지 못한 불충분한 점이 있다.

(3) 비구 연골 마모

지금까지 보고된 단극성 및 양극성 반치환술의 결과를 보면 최근 메타 분석 연구상에서는 수술 후 점수 등의 임상 결과와 합병증 발생 등에 있어서는 차이가 없는 것으로 보고되고 있으나 비구 연골 마모에 있어 다양한 결과를 보였다. 연구에 따라 차이는 있으나 대부분 양극성 반치환술이 단극성 반치환술에 비해 비구 연골 마모가 적은 것으로 보고되고 있다. 고관절 반치환술 후 재치환술이 필요하였던 환자의 비구 연골은 대부분 비정상적인 변화가 관찰되었으며 실험적으로도 비구 연골과 금속컵이 접촉함으로서 조기에 연골의 단백 다당이 소실되고 섬유화가 발생하는 등 연골의 점진적 손상이 발생하는 것으로 알려져 있다. 고관절 반치환술은 수술 전 비구 연골의 상태에 따라 임상 결과가 달라질 수 있다. 비구 연골의 상태는 단순 방사선 사진에서 정상적으로 보이는 경우에도 수술 시 직접

관찰하면 비정상적인 변화를 보이는 경우가 종종 있어 반치환술 및 전치환술 여부를 결정할 시에 고려가 필요한 부분이다.

2. 적응증과 금기증

과거 고관절 반치환술은 1950년대 Moore와 Thompson에 의해 사용되기 시작하면서 고령의 대퇴골 경부 골절의 치료를 위해 사용되었고 대퇴골 경부 골절 후 발생하는 불유합 및 대퇴골두 골괴사에도 적용이 되었다. 또한 대퇴골 경부 골절에서 시행된 고관절 반치환술은 골유합을 위한 안정 기간이 필요 없고 조기 보행이 가능한 장점이 있다. 따라서 현재까지도 고령 환자의 전위된 대퇴골 경부 골절의 치료시 양극성 반치환술이 가장 많이 시행되고 있다(그림 3). 수술 적응증에 대하여 이견이 있을 수 있으나 고령에서 발생한 불안정성 분쇄형 대퇴골 전자간 골절도 양극성 반치환술의 선택적 적응증이 될 수 있다(그림 4). 이는 금속 고정술은 골유합을 얻기 전에 고정술의 실패 가능성이 있으며 전자간 골절 후에도 골괴사 등의 합병증이 발생할 수 있는데 반하여 고관절 반치환술은 조기 보행을 가능하게 하고 불유합으로 인한 재수술의 가능성을 줄일 수 있기 때문이다.

과거에는 비구 연골의 상태가 양호한 젊은 대퇴골두 골괴사 환자에서도 수술이 간편하고, 추후 비구 연골 마모나 골용해 발생하더라도 전치환술로의 전환이 용이하므로 반치환술이 시행되기도 하였다. 그러나 최근에는 고도교차결합 폴리에틸렌이나 세라믹 관절면과 같이 마모가 적고 골용해 발생률이 낮은 관절면이 개발되어 우수한 장기 추시 결과가 보고됨으로써 대부분 고관절 전치환술이 시행되고 있다.

고관절 양극성 반치환술의 금기증은 전치환술과 비슷하며 전신 감염이 있는 경우, 수술 부위의 감염성 염증이 동반된 경우, 환자의 전신 상태가 수술이 불가능한 경우 등은 금기증에 해당된다. 또한, 수술 전 비구 측 관절면의 손상이 있는 경우, 반치환술 보다는 전치

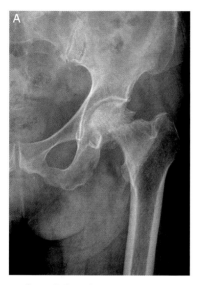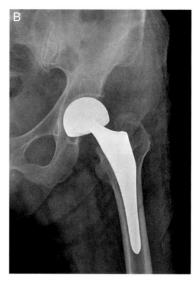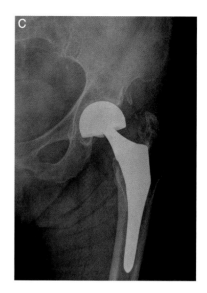

그림 3. 대퇴골 경부 골절에서 고관절 반치환술
(A) 좌측 대퇴골 경부에 전위된 골절이 관찰된다. (B) 양극성 반치환술 직후 사진. (C) 수술 후 13년째 골용해와 삽입물 해리 소견없이 양호한 결과를 보인다.

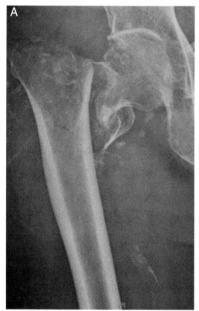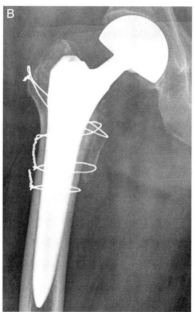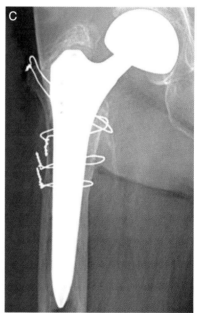

그림 4. 불안정성 대퇴골 전자간 골절에서 고관절 반치환술
(A) 우측 소전자 골절이 동반된 불안정성 대퇴골 전자간 골절이 관찰된다. (B) 양극성 반치환술 직후 사진. (C) 수술 후 2년째 금속 강선으로 고정한 골절편의 골유합되었고 대퇴스템은 안정 고정되어 있다.

환술이 권유되고 있다. 한편, 신경근육질환이나 파킨슨 병에서도 인공 고관절 치환술의 높은 실패율이 보고되고 있어 신중하게 고려되어야 한다.

3. 수술 술기

고관절 전치환술과 마찬가지로 수술 전 방사선 사진을 이용한 가늠술(templating)이 필요하다. 대퇴골두 크기는 확대율을 맞추어 측정하고 대퇴골두의 중심과 가늠자(template)의 회전 중심을 일치시켜 측정한다. 대퇴골두에 변형이 있는 경우에는 반대편 대퇴골두의 크기로 대신할 수도 있다. 대퇴스템의 크기는 대퇴골을 15° 정도 내회전시킨 전후 방사선 사진에서 측정하여야 스템의 크기, 경부 길이, 경부 절골 위치 등을 정확하게 예측할 수 있다. 대퇴스템 가늠자의 대퇴골두 중심점을 비구의 회전 중심점 높이에 맞춘 후, 대퇴골의 중립축에 중심을 잡고 적절한 스템 크기를 결정한다. 시멘트형 스템을 사용할 경우 2-3 mm 두께의 시멘트 맨틀이 들어찰 수 있는 공간을 감안하여 대퇴스템을 선정한다. 비구측 관절면의 두께를 수술 전 가늠술에 고려하는 경우 수술 후 발생하는 하지 부동을 줄일 수 있다는 보고도 있다.

수술적 접근법은 술자의 선호에 따라 선택될 수 있다. 전방이나 전측방 접근법은 탈구 발생률이 비교적 낮고 후방 접근법은 상대적으로 탈구 발생률이 높게 보고되었으나 최근 후방 접근법 후 후방 구조물의 복원으로 탈구율을 줄일 수 있는 것으로 보고되고 있다. 일반적으로 반치환술 시행 시 수술 후 탈구율은 고관절 전치환술에 비하여 낮으므로 수술적 접근법이 탈구에 미치는 영향이 고관절 전치환술 시에 비하여 크지 않아 수술적 접근법의 선택이 비교적 자유롭지만, 신경 근육병, 치매, 정신의 혼미 등이 있는 환자에서는 반치환술 후에도 탈구에 대한 위험이 높아 전방 또는 전측방 접근법의 사용이 고려될 수 있다.

관절막은 가능한 봉합할 수 있도록 절개를 하는데 비구순에 손상을 주지 않도록 주의를 요한다. 대퇴골두를 탈구시켜 수술 전 가늠술에서 측정된 소전자의 위쪽 높이에서 절골하고 비구측에 남아 있는 원형인대 등을 제거한다.

절제된 대퇴골두의 상하 및 내외 직경을 측정자로 측정하고, 이에 맞는 시험용 골두를 비구 내에 삽입해 보고 적절한 골두 크기를 확정한다. 적절한 골두 크기를 결정하는 방법은 술자에 따라 다를 수 있는데, 시험용 골두를 비구 쪽에 압력을 가하면서 움직여 보아 저항 없이 매끄럽게 움직이는 최대의 직경을 선택하는 것도 한 방법이 된다. 일반적으로 측정된 것보다 작은 것을 사용하는 것이 큰 것을 사용하는 것보다 환자들이 서혜부 불편감이 적다.

대퇴스템의 삽입 과정은 고관절 전치환술에서와 차이가 없다. 수술 대상이 대부분 고령으로 대퇴골의 골질이 좋지 않은 경우가 많기 때문에 대퇴스템의 고정 시 시멘트를 이용한 고정이 선호되었으나, 최근에는 무시멘트형 삽입물 디자인 및 표면처리 기술의 발달로 무시멘트 고정도 좋은 결과를 보이고 있어서 그 적용이 증가되고 있다.

4. 합병증

양극성 반치환술에서도 고관절 전치환술 후 합병증과 같이 감염, 신경 손상, 탈구, 대퇴골 골절, 해리, 심부정맥혈전증, 이소성 골화증 등이 발생할 수 있다.

특히 고관절 전치환술과 달리 양극성 반치환술 후 발생하는 합병증으로는 바깥쪽 관절면을 이루는 비구컵과 비구 연골 사이의 마찰에 의해 비구 연골 마모가 발생할 수 있으며 비구부 마모가 진행될 경우 비구의 골반내 돌출 등이 발생할 수 있다. 비구 연골 손상은 술후 발생하는 서혜부 통증과 연관이 있고 젊고 활동적인 환자에서 더 많이 발생한다. 연골 마모는 방사선 검사를 통해 관절 간격의 감소로 확인할 수 있다.

1) 골용해
고관절 반치환술 후 발생하는 비구측 골용해는 중장

기 추시 결과 18-58% 정도로 다양하게 보고되고 있다. 양극성 반치환술 후 골용해는 외측 관절면과 비구 연골 사이의 마찰에 의해 발생하고 비구 표면에 형성된 섬유성 막에 폴리에틸렌 마모 입자들이 침윤하여 유발된다. 폴리에틸렌 마모 입자는 대부분 비구컵 안의 관절면에서 발생하며 안쪽 관절면의 마모 이외에 대퇴스템 경부와 폴리에틸렌 관절면 변연부 충돌에 의해서도 유발될 수 있다(그림 5).

고관절 양극성 반치환술 후 골용해는 조기에 발생할 수 있으나 오랜 시간이 지나도 발생하지 않는 경우도 있다. 그러나 골용해가 발생하게 되면 빠른 진행 속도를 보이며 재치환술의 가능성이 있으므로 고관절 반치환술 후에는 정기적인 추적 관찰을 통하여 골용해 발생을 확인할 필요가 있다.

2) 서혜부 또는 둔부 통증

고관절 양극성 반치환술 후 관찰되는 서혜부 또는 둔

부 통증은 비구컵과 비구 연골 사이의 마모와 비구부의 골용해에 의해 발생할 수 있다. 발생 빈도는 보고에 따라 차이가 있으며 1-42% 정도로 다양하다. 고관절 반치환술 후 서혜부 통증이 흔하게 발생하므로 비구 연골이 손상되지 않았더라도 고관절 전치환술을 시행하는 것이 타당하다는 주장도 있다. 그러나 동일 환자의 양측 고관절 병변에 대해 한쪽씩 각각 양극성 반치환술과 고관절 전치환술을 시행 후 통증 및 골용해 등의 합병증 발생률에 있어 결과 차이가 없었다는 보고가 있다. 또한 다른 연구 결과에서도 양극성 반치환술 후 서혜부 통증이 일부 환자에서만 나타났다는 보고도 있어 고관절 반치환술과 서혜부 통증의 발생의 연관관계는 명확하지 않다.

3) 비구 연골 마모

비구 연골의 마모는 반치환술 삽입물과 비구 연골간의 마찰에 의해 발생하게 되는데, 수술 후 발생하는 서

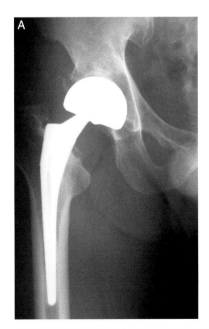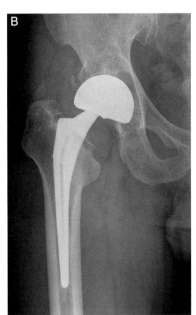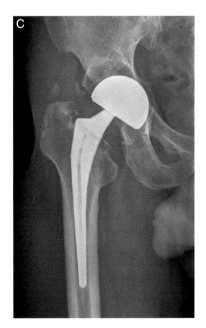

그림 5. 고관절 반치환술 후 발생한 골용해
(A) 양극성 반치환술 수술 직후 사진. (B) 수술 후 15년째 비구부의 골용해가 관찰된다. (C) 수술 후 21년째 사진상 진행된 비구부 골용해와 비구컵의 비구 내측 전위가 관찰된다.

혜부 통증과 연관이 있고, 양극성 반치환술의 주요 실패 원인이 된다(그림 6). 연골 마모는 방사선 사진에서 관찰되는 관절 간격의 감소로 확인할 수 있는데, 비구 연골의 마모율은 평균 0.06~0.20 mm/yr로 보고되고 있다. 연골 마모 발생 시기는 수술 2년 이후부터 발생하는 것으로 알려져 있다. 비구 연골의 마모와 연관된 인자로 젊은 연령, 대퇴골두 골괴사가 제시되기도 하나, 다른 연구에서는 연관 인자를 발견할 수 없다는 보고도 있다.

5. 예후

고관절 양극성 반치환술 후 생존율에 대한 결과는 보고마다 차이가 있으며 10년 이상 생존율은 56–95%로 다양하게 보고되고 있다. 실패의 가장 큰 원인은 비구 컵과 비구 연골의 마찰로 인한 비구측 연골 마모 및 골용해에 의한 통증이다. 고관절 전치환술과 마찬가지로 마모 입자에 의한 대퇴스템 주위의 골용해도 재치환술의 원인으로 보고되고 있다. 비구 연골의 상태가 양호

하고 체질량지수가 낮은 경우 비교적 양호한 결과를 기대할 수 있으나 골질이 불량하고 비구 연골의 변화가 있는 경우에는 좋은 결과를 기대할 수 없다.

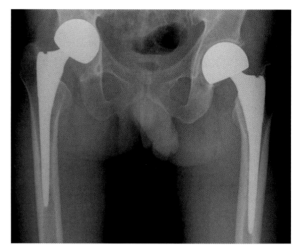

그림 6. 양극성 반치환술 후 발생한 비구 연골 마모
반치환술 삽입물과 비구 연골간의 마찰에 의해 비구 연골마모가 발생하여, 우측 비구컵이 좌측에 비하여 상방 전위되어 있다.

참고문헌

1. Boettchler WG. Total hip arthroplasties in the elderly. Morbidity, mortality and cost effectiveness. Clin Orthop Relat Res. 1992; 274: 30-4.

2. Broos PL. Pros the ticrepl a c ement in the management of unstable femoral neck fractures in the elderly. Analysis of the mechanical complications noted in 778 fractures. Acta Chir Belg. 1999; 99: 190-4.

3. Cabanela ME. Bipolar versus total hip arthroplasty for avascular necrosis of the femoral head: A comparison. Clin Orthop Relat Res. 1990; 261: 59–62.

4. Calton TF, Fehring TK, Griffin WL, McCoy TH. Failure of the polyethylene after bipolar hemiarthroplasty of the hip: A report of ve cases. J Bone Joint Surg Am. 1998; 80: 420–3.

5. Chen SC, Sarkar SA. A radiological study of the movements of the two components of the Monk prosthesis(hardtop 'due-pleet') in patients. Injury. 1980; 12: 243-9.

6. Coleman SH, Bansal M, Cornell CN, Sculco TP. Failure of bipolar hemiarthroplasty: A retrospective review of 31 consecutive bipolar prostheses converted to total hip arthroplasty. Am J Orthop. 2001; 30: 313–9.

7. Dalldorf PG, Banas MP, Hicks DG, Pellegrini Jr VD. Rate of degeneration of human acetabular cartilage after hemiarthroplasty. J Bone Joint Surg Am. 1995; 77: 877–82.

8. Drinker H, Murray WR. The universal proximal femoral endoprosthesis, a short-term comparison with conventional hemiarthroplasty. J Bone Joint Surg Br. 1979; 61: 1167-74.

9. Eftekhar NS. Total hip arthroplasty. 1st ed; 1993. 481-3.

10. Figved W, Frihagen F, Madsen JE, Nordsletten L. Cemented versus uncemented hemiarthroplasty for displaced femoral neck fractures. Clin Orthop Relat Res. 2009; 467: 2426-35.

11. Floren M, Lester DK. Outcome s of total hip arthroplasty and contralateral bipolar hemiarthroplasty. A case series. J Bone Joint Surg Am. 2003; 85: 523-6.

12. Giliberity RP. A new conc ept of bipolar endoprosthesis. Orthop Rev. 1974; III: 40-5.

13. Harkess JW. Campbell's Operative Orthopaedics, 10th ed. 1998; 340-1.

14. Hernigou P, Quiennec S, Guissou I. Hip hemiarthro-plasty: from Venable and Bohlman to Moore and Thompson. Int Orthop. 2014;38: 655-61.

15. Ito H, Matsuno T, Kaneda K. Bipolar hemiarthroplasty for osteonecrosis of the femoral head: A 7- to 18-year followup. Clin Clin Orthop Relat Res. 2000; 374: 201–11.

16. Jia Z, Ding F, Wu Y, Li W, Li H, Wang D, He Q, Ruan D. Unipolar versus bipolar hemiarthroplasty for displaced femoral neck fractures: a systematic review and meta-analysis of randomized controlled trials. J Orthop Surg Res. 2015;10:8.

17. Johnson EE, Gebhard JS. Hip arthroplasty, 1st ed.1991; 917-28.

18. Kim KJ, Rubash HE. Large amounts of polyethylene debris in the interface tissue surrounding bipolar endoprosthesis: Comparison to total hip prosthesis. J Arthroplasty. 1997; 12: 32-9.

19. Kim YS, Kim YH, Hwang KT, Choi IY. The cartilage degeneration and joint motion of bipolar hemiarthroplasty. Int Orthop. 2012; 36: 2015-20

20. Kusaba A, Kuroki Y. Wear of bipolar hip prostheses. J Arthroplasty. 1998; 13: 668–73.

21. Lachiewicz PF, De sman SM. The bipolar endoprosthesis in avascular necrosis of the femoral head. J Arthroplasty. 1988; 3: 131–8.

22. Langan P. The Giliberty bipolar endoprosthesis, a clinical and radiographical review. Clin Orthop Relat Res. 1979; 141: 169-75.

23. Liu Y, Tao X, Wang P, Zhang Z, Zhang W, Qi Q. Meta-analysis of randomised controlled trials comparing unipolar with bipolar hemiarthroplasty for displaced femoral-neck fractures. Int Orthop. 2014; 38: 1691-6.

24. Lee SB, Sugano N, Nakata K, Matsui M, Ohzono K. Comparison between bipolar hemiarthroplasty and total hip arthroplasty for osteonecrosis of the femoral head. Clin Orthop Relat Res. 2004; 424: 161-5.

25. Mess D, Barmada R. Clinical and motion studies of the Bateman bipolar prosthetic in osteonecrosis of hip. Clin Orthop Relat Res. 1990; 251: 44-7.

26. Moon KH, Kang JS, Lee TJ, Lee SH, Choi SW, Won MH. Degeneration of acetabular articular cartilage to bipolar hemiarthroplasty. Yonsei Med J. 2008; 49: 719-24.

27. Muraki M, Sudo A, Hasegawa M, Fukuda A, Uchida A. Long-term results of bipolar hemiarthroplasty for osteoarthritis of the hip and idiopathic osteonecrosis of the femoral head. J Orthop Science. 2008; 13: 313-7.

28. Nakata K, Ohzono K, Masuhara K, Matsui K, Hiroshima K, Ochi T. Acetabular osteolysis and migration in bipolar arthroplasty for of the hip. Five to 13-year follow-up study. J Bone Joint Surg Br. 1997; 79: 258-64.

29. Nishii T, Sugano N, Masuhara K, Takaoka K. Bipolar cup design may lead to osteolysis around the uncemented femoral component. Clin Orthop Relat Res. 1995; 316: 112-20.

30. Phillips FM, Pottenger LA, Finn HA, VandermolenJ. Cementless total hip arthroplasty in patients with steroid-induced avascular necrosis of the hip: A 62-month follow-up study. Clin Orthop Relat Res. 1994; 303: 147–54.

31. Rogmark C, Leonardsson O. Hip arthroplasty for the treatment of displaced fractures of the femoral neck in elderly patients. Bone Joint J. 2016;98:291-7.

32. Schmalzried T, Antoniades J. Master techniques in orthopaedic surgery: the hip. 2nd ed; 2006.

33. Scottish Intercollegiate Guidelines Network. (2009). Management of hip fracture in older people (SIGN no. 111). Retrieved from https://www.sign.ac.uk/sign-111-management-of-hip-fracture-in-older-people.html

34. Sharkey PF, Rao R, Hozack WJ, Rothman RH, Carey C. Conversion of hemiarthroplasty to total hip arthroplasty: Can groin pain be eliminated? J Arthroplasty. 1998; 13: 627-30.

35. Steinberg ME, Corces A, Fallon M. Acetabular involvement in osteonecrosis of the femoral head. J Bone Joint Surg Am. 1999; 81: 60–5.

36. Suh KT, Moon KP, Lee HS, Lee CK, Lee JS. Consideration of the femoral head cartilage thickness in preoperative planning in bipolar hemiarthroplasty. Arch Orthop Trauma Surg. 2009; 129:1309-15.

37. Turcotte R, Godin C, Duchesne R, Jodoin A. Hip fracture and Parkinson's disease. A clinical review of 94 fractures treated surgically. Clin Orthop Relat Res. 1990; 256: 132-6.

38. Verberne GHM. A femoral head prosthesis with a built-in joint. J Bone Joint Surg Br. 1983; 65: 544-7.

39. Wathne RA, Koval KJ, AharonoGB, Zuckerman JD, Jones DA. Modular unipolar versus bipolar prosthesis: a prospective evaluation of functional outcome after femoral neck fracture. J Orthop Trauma. 1995; 9: 298-302.

40. Zhou Z, Yan F, Sha W, Wang L, Zhang X. Unipolar Versus Bipolar Hemiarthroplasty for Displaced Femoral Neck Fractures in Elderly Patients. Orthopedics. 2015; 38: 697-702.

CHAPTER

5

고관절 전치환술
Total Hip Replacement

1. 기본 술기

1) 가늠술(Templating)

Charnley는 올바른 고관절의 생역학을 복원시키는 것이 고관절 전치환술의 일차적 목적이라고 하였는데, 이를 위해 수술 전 가늠술을 주의 깊게 시행해야 한다.

실질적인 수술 전 측정-계획 작업을 하기 전에 해부학적인 기준점을 표시하고, 측정값을 기록하는 것이 편리하다. 비구의 눈물 방울은 폐쇄공의 바로 상부와 외측에 위치한 비구의 하내측을 나타내는 해부학적인 기준점이다. 눈물 방울의 외측연은 비구의 내측에 해당되고 내측연은 비구벽의 내측 경계에 해당된다. 비구의 눈물 방울은 장좌골선에 비해 골반의 회전에 따른 위치 변화가 적어 수술 전 뿐만 아니라 수술 후 비구컵의 이동을 측정하는 중요한 기준점이 된다. 골반의 전후면 방사선 사진상 양측 눈물 방울의 하단을 잇는 선을 긋고, 이 선에 대해 눈물 방울을 둘로 나누는 수직선을 위로 긋는다. 대퇴골두의 중심을 표시하고 눈물 방울의 하단으로부터 대퇴골두의 중심에 이르는 평행선의 거리와 수직선의 거리를 측정한다. 그렇게 측정된 가로와 세로의 좌표가 고관절의 회전 중심점의 정확한 측정값이다.

전후면 단순 방사선 사진을 통해 하지의 길이를 가늠할 수 있다. 양측 비구 눈물 방울 하단이나 좌골 조면의 하단을 연결한 선을 그어서 기준으로 삼고, 이들 선으로부터 양측 고관절의 소전자의 상단이나 하단을 연결한 수직의 거리를 측정한다(그림 1). 양측 측정 값의

차이를 방사선상의 하지 길이 불일치 값으로 기록한다. 이 값은 임상적인 측정값과 일치해야 하며 의미 있는 차이가 있다면 원인을 밝혀 해결해야 한다.

하지 길이의 변화는 수술 전 계획을 주의 깊게 수립함으로써 최소화해야 한다. 수술 후 하지의 부동이 예상되는 경우에는 이를 수술 전 환자에게 충분히 설명하고 이해시켜야 한다.

경간각은 대퇴골의 중심축과 대퇴골 경부의 중심축 사이의 각으로 정의되며 정상치의 범위가 넓어서 125° 전후의 평균값을 갖는다. 사용되는 대퇴스템의 경간각

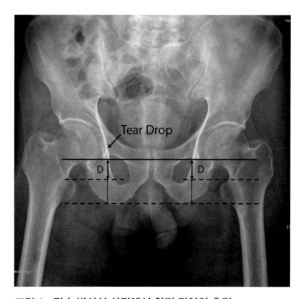

그림 1. 단순 방사선 사진에서 하지 길이의 측정
양측 눈물 방울(tear drop) 하단을 잇는 선 또는 좌골 조면 하단을 잇는 선 기준에서 소전자부 상단의 높이 차이가 양측 하지 길이의 차이를 나타낸다.

이 해부학적 각과 크게 다른 경우 경부 절골 위치가 영향을 받게 된다.

대퇴골 오프셋은 대퇴골의 중립상 장축으로부터 고관절의 회전 중심점 사이의 수평 거리이다. 정상 정도의 오프셋을 복원시켜 주는 것이 고관절 치환술의 일차적인 목표로, 오프셋의 측정은 매우 중요하다. 오프셋의 크기는 퇴행성 변화에 영향을 받기 때문에 건측 고관절의 오프셋을 측정하는 것이 유용하다.

전술한 바를 토대로 가늠술 기법을 요약하면 다음과 같다(그림 2). 가늠술은 건측 고관절의 내부 구조가 병변이 있는 고관절을 정확히 보여줄 수 있다는 가정하에 건측을 기준으로 한다. 그러나 대퇴골두 골괴사와 같이 양측 모두 병변이 있을 경우는 골두 중심을 가상으로 그려 기준으로 삼을 수 있으며 골괴사가 없는 대퇴골두 하방연을 기준으로 가상의 원을 그려 측정하기도 한다. 첫 단계는 하지 길이 측정으로 전후면 방사선 사진에서 양측 눈물 방울이나 좌골 조면의 하단을 잇는 선을 그은 다음 소전자에서 이 선까지의 수직 거리를 측정한다. 이것으로 길이의 차이를 측정한 후에 참고하여 수술 중 하지 길이의 변화를 가늠한다. 앙와위에서 수술하는 경우에는 하지 길이의 변화를 직접 측정할 수 있다. 많이 사용하는 측와위에서 수술하는 경우에는 직접 측정이 힘들기 때문에 양측 대퇴부를 겹쳐 놓고 양측 슬개골의 위치를 비교하는 방법이 있고, 인공 관절의 삽입 및 정복 후 환측 하지를 견인하여 고관절의 관절 간격이 얼마나 벌어지는지 근육의 긴장 정도를 보는 Shuck 검사가 있으나 오차가 많은 단점이 있다. 이를 보완하기 위해 여러 저자들이 골의 고정된 지점간의 측정을 통해 수술 전과 수술 중 거리를 비교함으로써 하지 부동을 최소화 하고자 하였다. Bose 등은 스타인만 핀(Steinmann pin)을 장골에 삽입하고 여기에 캘리퍼를 부착시켜 대퇴골 근위부 일정 지점까지의 거리를 재고 인공 관절을 삽입한 후 다시 측정하여 비교하는 방법을 사용하였다. Woolsen 등은 수술 전 골반 전상장골극 및 대퇴골 부위에 금속핀을 삽입하여

미리 표시를 한 다음 수술 중 인공 관절 정복 후 그 거리를 비교하는 방법을 사용하였다. Ranawat 등은 수술 중 비구 최하부의 구상하부(infracotyloid groove)에 금속핀을 삽입 하여 그에 마주치는 대퇴골 대전자 부위의 지점에 표시를 해놓고 인공 관절 정복 후 표시에서 변화한 길이를 측정하여 하지 길이의 연장 정도를 파악하는 방법을 소개하였다. 또한 저자가 사용하는 방법은 전후면 방사선 사진에서 정상측 고관절의 대퇴골 소전자의 최상부 지점과 고관절의 중심 사이의 거리(femoral head center to lesser trochanter distance, H-L distance)를 scanogram에서 미리 측정하여 실제 수술 시 대퇴스템을 삽입한 다음, 자를 이용하여 정상측 H-L distance를 복원하도록 경부의 길이를 조정하는 방법을 이용한다. 만약 대퇴골이 심하게 내반이나 외반 변형 되어있는 경우에 H-L distance를 보완하기 위하여 추가로 대퇴골 축 선을 긋고 대퇴골두 중심에서 그린 수직인 선에서 대전자 최상부까지의 길이를 scanogram에서 측정하여 수술 시에 참고하도록 한다(그림 2).

이상과 같은 방사선적 표지자가 정상측과 같이 복원되도록 가늠자를 사용하여 골수강을 채울 수 있는 대퇴스템의 크기를 선택한다. 이때 대퇴스템의 오프셋과 정상 오프셋의 상관관계를 반드시 참고하여야 한다. 이어서 전후면 사진으로 비구컵의 크기와 위치를 결정하는 것으로 고관절의 회전 중심을 정한다. 비구컵의 아래쪽 경계는 폐쇄공이며 내측 경계는 눈물 방울의 바로 외측이다. 대개는 전후면 scanogram 사진으로 대퇴스템 및 비구컵의 크기, 복원할 하지 길이 등을 측정하지만 대퇴골 근위부의 만곡이 심한 경우에는 대퇴골 근위부의 측면 scanogram 사진을 참조하여 대퇴스템의 크기를 결정할 수도 있다. 대퇴골 경부의 절골 위치를 표시하여 이것을 기준으로 대퇴스템의 크기 및 형태를 선택한다. 가늠술에서 대퇴골두의 중심이 비구컵의 중심보다 내측에 있을 때는 대퇴골 오프셋이 증가하지만, 외측에 있는 경우 대퇴골 오프셋이 감소하여 불안

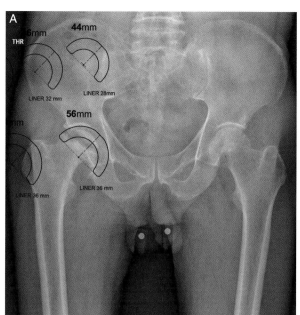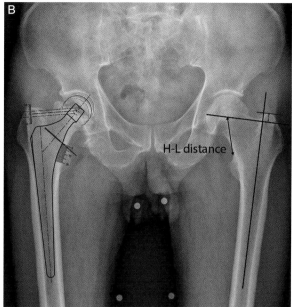

그림 2. 고관절 전후면 방사선 사진에서 가늠술을 시행한 예
(A) 비구의 가늠술로 비구컵의 크기 및 위치를 결정한다. (B) 대퇴골의 가늠술로 대퇴골두 중심의 높이와 스템 크기를 결정한다.

정성을 나타낼 수 있기 때문에 오프셋 변화를 고려해야 한다.

2) 무시멘트형 고관절 전치환술의 원칙

무시멘트형 고관절 전치환술의 결과는 수술 수기의 정확성에 의해 좌우된다. Lunceford는 "부적절하게 시행된 시멘트형 고관절 치환술은 짧은 기간이라도 환자가 만족할 수 있는 유예기간이 있으나, 부적절하게 시행된 무시멘트형 고관절 치환술은 유예기간이 없이 증상이 감소되지 않으며 조기에 재치환술이 필요하다."고 하여 무시멘트형 관절치환술에서 수술 수기의 중요성을 강조하였다. 현재 수많은 종류의 인공 고관절 삽입물이 존재하고, 각각의 삽입물마다 수술 방법이 조금씩 다를 수 있다. 일반적으로 무시멘트형 고정이 성공하기 위해서는 삽입물의 다공성 표면이 골내막(endosteum)과 치밀하게 접촉되어, 수술 직후 즉각적인 안정성을 얻을 수 있어야 한다. 또한 무시멘트형 고

관절 전치환술은 시멘트형 고관절 전치환술보다 더 정확하게 삽입물의 크기와 형태, 수술 기구를 선택해야 한다. 일반적인 고관절 전치환술의 수술 순서는 고관절을 노출시키고 탈구시킨 후 대퇴골 경부에서 절골을 시행하여 대퇴골두를 절제한다. 이어서 비구를 노출시켜 확공한 후 비구컵을 삽입하고 조립식 컵인 경우 비구 라이너를 삽입한다. 그 후 대퇴골을 노출시켜 줄질을 시행한 후 대퇴스템과 골두를 차례로 삽입하고 관절을 정복한 후에 연부조직을 봉합한다.

(1) 무시멘트형 비구컵의 삽입 술기

현재 무시멘트형 비구컵의 초기 고정력을 얻기 위해 일반적으로 쓰이는 방법은 해면골 나사못을 이용하는 것이다. 그 외 비구컵의 변연부에 회전 방지 못이 부착되어 있거나, 컵의 후방에 spike가 부착되어 있는 삽입물들이 개발되기도 했으나 지금은 거의 쓰이고 있지 않다. 이들 방법 모두 초기 고정력은 우수한 것으로 알

려져 있지만 해면골 나사못을 이용하여 추가적인 고정을 시행한 경우 다공성 코팅 표면으로의 골내성장이 가장 우수한 것으로 밝혀져 있고, 시행 방법도 비교적 용이해서 주로 이용되고 있다.

최종 확공 크기와 같은 크기의 비구컵을 사용하면 비구컵과 비구를 밀착시키기는 쉽지만 초기에 자체 고정력이 발생하지 않으므로 나사못이나 못(peg) 등을 이용한 추가적인 고정이 필요할 수 있다. 몇몇 문헌에서는 이 방법의 초기 및 중기 방사선 추시상 12-60%의 환자에서 방사선 투과성 선이 비구컵 주위에 관찰되었다고 보고하였는데, 주변 골의 흡수를 의미하고 결국 비구컵의 해리 현상과 연관되어 있다고도 볼 수 있다.

최종 확공된 크기보다 1-2 mm 큰 비구컵을 비구 내로 삽입하면 비구컵을 압박 고정(press-fit)하게되어 자체적으로 초기 고정력을 얻을 수 있다. Schmalzried 등은 압박 고정 방법을 사용한 결과 최종 확공 크기와 같은 크기의 비구컵을 사용하였을 때 골과 비구컵 사이에 흔히 관찰되었던 방사선 투과성 선의 빈도가 현저히 감소되었다고 보고한 바 있다. 그러나 압박 고정법은 비구와 비구컵의 크기 차이로 인해 돔 부위에서 비구골과 비구컵 사이에 간격(polar gap)이 생기는 경우가 있는데, 이 방법을 선호하는 의사들은 간격이 수술 후 2년가량 경과하면 소실된다고 주장하기도 한다. 이는 비구컵이 조기 체중 부하 시 미세하게 상부로 이동하기 때문인 것으로 보고 있다. 압박 고정법의 또 다른 문제점은 압박 고정 과정에서 비구 골절이 발생할 가능성이 있다는 것이다. 중심 부분은 확공 크기와 같게 하고, 변연부만 1.3-2 mm 크게 한 변형된 형태의 반구형 비구컵도 있다.

비구컵을 나사못으로 고정할 때는 나사못에 의한 비구 주변의 신경이나 혈관 손상에 매우 주의해야 한다. 빈도는 높지 않지만 매우 심각한 결과를 초래할 수 있기 때문에 술자는 비구 주위의 해부학에 대해 숙지하여야 한다. Wasielewsk에 의해 제안된 방법이 널리 알려져 있는데, 나사못을 삽입할 때 전상장골극과 비구

중심을 지나는 가상의 직선, 그리고 여기에 수직이면서 비구 중심을 지나는 가상의 선을 그어 비구를 사등분(전상방, 전하방, 후상방, 후하방 구획)한다. 나사못이 전상방 구획으로 향하면 외장골동맥(external iliac artery)및 정맥을 손상시킬 수 있고, 전하방 구획을 향하면 폐쇄신경과 혈관을 손상시킬 수 있다. 후상방 및 후하방 구획을 통과하는 나사못은 비교적 안전하나 나사못 끝이 대좌골 절흔으로 튀어나올 경우 좌골신경과 상둔 혈관(superior gluteal vessel)에 손상을 줄 수 있다. 결론적으로 후상방 구획이 가장 안전하고, 25 mm 이상의 긴 나사못도 삽입할 수 있으나 전상방 구획은 가능하면 피해야 한다(그림 3).

나사못을 사용할 때 나사못이 지나가는 트랙을 따라서 폴리에틸렌 마모 파편이 이동해 골용해를 유발할 수 있다는 점을 염두에 두어야 한다. 관절액이 이동할 수 있는 삽입물 주변의 모든 공간을 통틀어 '유효 관절 공간(effective joint space)'이라고 하는데 Schmalzried는

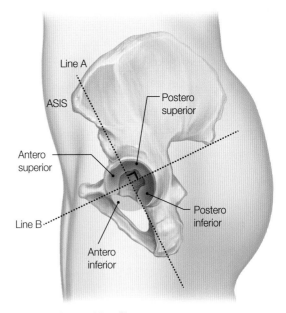

그림 3. 비구부 4분 구획
전상장골극과 비구 중심을 지나는 가상의 직선, 여기에 수직이면서 비구 중심을 지나는 가상의 선을 그어 비구를 4개의 구획으로 나눈 것으로 나사못 삽입 시 후상방 구획이 가장 안전하다.

마모 입자가 관절액을 통해 여기저기로 이동해 골용해를 일으키는 현상을 지적한 바 있다. 실제로 나사못을 이용하지 않고, 못(peg)을 이용한 경우도 못 주위에 골용해가 발생하는 것을 볼 때 비구 내로 나사못이나 못 등을 사용하여 고정하는 것은 마모 입자가 이동할 수 있는 통로를 제공한다고 볼 수도 있다.

① **비구의 노출 및 확공:** 비구순을 포함한 비구 주변의 연부조직과 골극을 정리하고, 여러 견인기구를 사용하여 비구연을 충분히 노출시킨다. 확공 작업 전에 비구와(acetabular fossa)를 채우고 있는 지방섬유조직(pulvinar)을 제거하고 비구의 내측벽을 확인한다. 종종 내측 골극이 비구와를 덮고 있을 수 있는데, 이런 경우 골극을 제거하고 내측벽을 확인하지 않으면 비구 확공이 불충분하게 되어 비구컵이 해부학적 중심보다 외측에 위치할 수 있다.

확공은 가장 작은 크기의 확공기로 내측벽을 향해 시작하되 확공기가 내측벽에 도달하면, 이후부터는 점진적으로 큰 크기의 확공기를 사용하여 실제 비구컵을 넣을 방향과 각도를 고려하여 확공을 시행한다. 원칙적으로 비구내의 모든 연골이 제거되고 연골하골이 노출되어야 하며, 이는 골 표면에서 균일하게 출혈이 발생하는 것으로 확인할 수 있다. 비구컵과 비구가 최대한 접촉되도록 비구와의 바닥에 닿을 때까지 정확한 반구 모양으로 확공해야 한다. 최종 각도는 실제 비구컵을 삽입할 각도인 45° 외전, 10-15° 전염으로 설정한다(그림 4). 시험용 비구컵이 있는 경우 이것을 사용하면 실제 컵이 압박 고정될 수 있는지를 시험해 볼 수 있다. 이때 삽입물의 디자인에 따라 확공기의 크기와 실제 비구컵의 크기가 다른 경우와 같은 경우가 있으므로 사전에 확인한 후

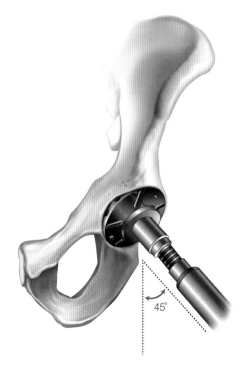
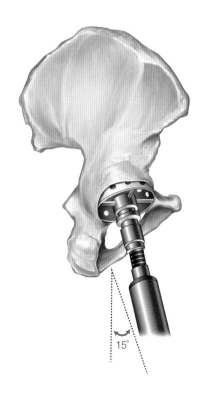

그림 4. 비구부 확공
비구부 확공(reaming)은 가능하면 비구컵 삽입 각도대로 하는 것이 좋다.

삽입해야 한다.

② **비구컵의 위치 선정 및 삽입:** 최종 크기의 확공을 시행한 후 실제 비구컵을 정렬 가이드가 부착된 비구컵 임팩터에 끼운다. 일반적으로 정렬가이드는 10-15° 전염, 45° 외전으로 설정되어 있으므로 이를 참고하여 비구컵을 위치시키고 압박 고정한다(그림 5). 후방 탈구를 예방할 목적으로 과도한 전염각을 주면 오히려 전방은 비구 전벽, 후방은 비구컵 변연부와 대퇴스템 경부 사이에 충돌이 초래되므로 바람직하지 않다. 압박 고정을 한 후에는 임팩터를 제거하고 비구컵의 나사 구멍을 통해 비구컵이 뼈와 충분히 접촉했는지 여부를 반드시 확인해야 한다. 접촉이 불충분한 경우에는 다시 추가적인 망치질을 하여 압박 고정시키고, 그래도 접촉이 불충분한 경우에는 비구컵을 제거하고 확공을 다시 시행한 후 압박 고정을 다시 시행한다. 나사못을 삽입할 때는 안전 지대를 고려해야 하며, 가이드를 나사 구멍 바닥에 충

분히 밀착한 후 천공을 시행해야 한다. 천공이 올바른 각도로 시행되지 않으면 나사가 삽입되면서 컵이 밀려 뜨게 되거나, 나사가 끝까지 삽입되지 않아 라이너가 안착되는 것을 방해할 수 있다.

③ **비구 라이너의 삽입:** 인공 관절면으로 세라믹과 폴리에틸렌 라이너가 흔히 이용되고 있으며, 대퇴골두 크기에 따라 28 mm, 32 mm, 36 mm, 40 mm 등을 사용할 수 있다. 임시 비구 라이너를 넣은 후 대퇴골에는 마지막 줄질(rasping)에 사용한 대퇴스템 줄(rasp)을 유지한다. 시험용 대퇴골두를 결합한 후 시험 정복하여 관절의 안정성과 하지 길이 차이, 충돌 여부를 확인한다. 계획한대로 삽입물의 정렬과 안정성이 확정되면 다시 탈구시켜 시험용 대퇴골두, 대퇴스템 줄을 제거한 후 실제 라이너를 삽입한다. 라이너 삽입 시에는 편심성으로 삽입되어 부정결합(malseating)되지 않도록 주의해야 하는데, 특히 세라믹 라이너를 사용할 경우 부정결합되면 세라믹 라이너 파손의 위

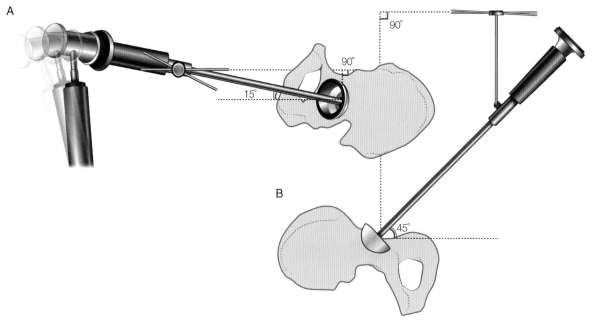

그림 5. 비구컵 삽입시 위치 선정
(A) 비구컵은 10°-15°의 전염각으로 (B) 45° 외전이 되게 정렬가이드를 참고하여 삽입한다.

험이 높아진다. 비구컵 내부의 테이퍼 각이 작고 테이퍼 길이가 짧을수록 세라믹 라이너의 부정결합 위험성이 커지므로 삽입 시 특별한 주의가 필요하다.

3) 무시멘트형 대퇴스템의 삽입

무시멘트형 대퇴스템에서 골내성장을 통한 생물학적 고정을 얻기 위해서는 축성 안정성과 회전 안정성이 확보되어야 한다. 이를 위해서는 대퇴스템의 표면처리된 부위와 대퇴골 골내막면 사이에 치밀한 접촉을 얻어 수술 직후부터 안정적인 고정이 되도록 하는 것이 필수적이다. 대퇴골의 해부학적 구조가 사람마다 다르고, 대퇴골 골수강의 크기는 나이에 따라 달라지며, 대량 생산된 스템의 모든 부위를 골내막면과 치밀하게 접촉시키는 것은 불가능하므로 대부분 3점 고정을 통해 안정성을 얻는다. 대퇴스템 삽입 시 각 단계에서 주의해야 할 점은 다음과 같다.

(1) 대퇴골 경부 절골

대퇴골 경부의 절골은 대부분 대퇴골두를 먼저 탈구시킨 후에 시행한다. 골반내 돌출비구나 섬유성 강직 등으로 탈구에 어려움이 있는 경우에는 먼저 대퇴골두 직하방에서 절골술을 시행하여 대퇴골을 움직여 놓고 계획한 경부 위치에서 다시 절골한다. 비구에 남아있는 대퇴골두는 corkscrew를 이용하여 제거하거나 안 되면 절골기로 분할하여 제거한다. 제거가 불가능한 경우에는 대퇴골두가 있는 채로 비구 확공을 진행한다. 경부 절골은 기계톱을 사용하여 소전자 상방 내측 피질골에서 외상방으로 삽입물의 삽입 지침에 따른 각도로 대퇴골 경부 전염각을 무시하고 시행한다. 칼라가 없는 스템(collarless stem)을 사용할 계획이면 절골각을 정확히 맞출 필요는 없다.

(2) 대퇴골 골수강 접근

사각 절골기(box chisel)를 사용해 대퇴골 골수강(femoral canal)을 연다. 시작 부위가 내측으로 치우치면 스템이 내반으로 삽입되기 쉬우므로 가능하면 대퇴골 경부 절단면의 외후방, 대전자부 기시부에서 시작한다. 필요하면 론저(rongeur) 등을 사용하여 이 부위를 제거한다. 골수강 가이드(canal probe)를 사용하여 rasp이 들어갈 축이 대퇴골의 장축과 일치하는지 확인한다.

(3) 줄질(Rasping)

대퇴스템 줄(rasp)을 손잡이에 끼워 작은 크기부터 큰 것으로 순차적으로 줄질을 시행하며, 가능하면 처음부터 대퇴골의 장축에 일치하게 5–10°의 전염각을 준 상태로 시행한다(그림 6). 과도한 전염각을 준 상태로 대퇴스템을 삽입하는 것은 후방 충돌을 초래하므로 바람직하지 않다. 원래 수술 전 가늠술에서 계획된 크기를 참고하면서, 적당한 힘으로 망치로 치고 더 이상 삽입이 되지 않는 크기까지 증가시킨다. 이때 대퇴골 골절이 발생하지 않도록 주의한다. 손잡이를 제거 하고 라이너와 맞는 크기의 시험용 골두를 장착하여 정복시킨 후 수술 전 계획된 길이와 오프셋을 얻을 수 있는지 여부를 점검하여 최종 삽입할 골두의 경부 길이를 결정한다.

위의 방법처럼 줄질 또는 브로칭(broaching)만 사용하는 경우도 있으나, 수술자의 선호도 및 대퇴스템의 디자인에 따라 골수강을 확공하는 경우도 있다. 직선형 대퇴스템은 곧은 날 확공기(straight fluted reamer)를, 해부학형의 대퇴스템은 유연성 확공기(flexible reamer)를 이용한다. 이때 압박 고정을 얻기 위해서는 삽입할 대퇴스템보다 골수강을 0.5 mm 작은 크기로 확공하기를 권하는 스템도 있으나, 대부분의 대퇴스템은 같은 크기로 확공하는 경우가 많다.

(4) 대퇴스템 삽입

마지막 사용한 대퇴스템 줄과 동일한 크기의 대퇴스템에 임팩터를 부착해 정확한 각도로 삽입한다. 삽입

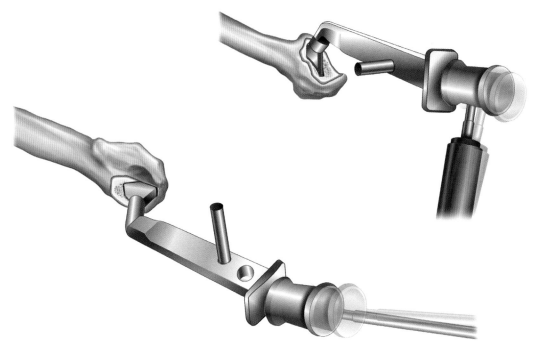

그림 6. 대퇴골의 줄질(rasping)
대퇴골의 줄질은 5°-10°의 전염각을 주고 내반이 안 되도록 한다.

시 대전자부 쪽으로 힘을 주면서 삽입하면 대퇴스템이 내반되는 것을 어느 정도 예방할 수 있다(그림 7). 스템에 표시된 경부 절골 높이가 대퇴스템 줄에 표시되었던 경부 절골 높이만큼 충분히 삽입되었는지를 점검한다. 실제 대퇴스템이 삽입된 후 시험용 골두를 사용하여 시험 정복한 후 다시 수술 전 계획된 길이와 오프셋을 얻었는가를 점검한다.

(5) 시험용 골두 장착 후 정복 및 관절 운동 범위 확인

실제 대퇴스템을 삽입한 후 시험용 골두를 끼운 상태에서 시험 정복을 하고 굴곡, 신전, 내전, 외전, 내회전, 외회전 등의 방향으로 움직여 탈구가 발생하지 않는지 점검한다. 후방 안정성은 굴곡, 내전 및 내회전으로 판정하며 가능하면 굴곡 90°, 내전 20° 외전 30°에서 안정되고, 굴곡 90° 상태에서 30° 이상의 내회전 및 외회전 시에도 안정성이 유지되어야 한다.

전방 안정성은 고관절의 신전 및 외회전으로 판정하며 이러한 전방 안정성 검사는 특히 전방 관절막을 제거하였을 경우 필요하다. 후방 불안정성의 주된 원인은 비정상적으로 튀어나온 대전자의 앞 부분과 골반골 사이의 접촉에 의한 경우가 많으므로 대전자부의 앞부분을 제거함으로써 해결이 가능하다. 그 외 충돌 여부, 긴장도는 적당한지 여부, 하지 길이가 정상측과 동일하게 되었는지 등을 점검한다.

(6) 실제 대퇴골두 삽입

실제 대퇴골두 삽입 전에 이물질이 끼지 않도록 스템의 콘(cone) 부위를 닦은 후 비구컵의 라이너와 일치하는 크기의 골두를 삽입하고 정복한다. 만약 시험용 라이너를 사용한 상태라면 이를 제거 후 실제 라이너를 먼저 삽입한다. 실제 삽입물이 모두 들어간 상태에서 다시 한 번 관절의 안정성과 운동 범위를 검사한다.

무시멘트형 대퇴스템을 삽입하는 과정에서 발생하는 대퇴골 골절의 빈도는 2-10.5%로 비교적 높은 것으

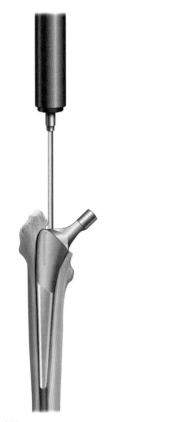

그림 7. 대퇴스템 삽입
실제 대퇴스템은 줄질한 방향대로 삽입한다.

로 알려져 있다. 그 이유는 압박 고정이 필요하고, 제품마다 디자인의 차이가 있어 술기가 다양하기 때문이다. 대퇴골 골절이 발생했을 때에는 우선 골절의 전체 범위를 확인해야 하고, 골절의 형태와 대퇴스템의 디자인 등을 고려해 해결 방법을 결정한다. 스템 삽입 중 발생한 골절은 전위가 미미하고 스템의 안정성에 지장이 없으면 스템을 그대로 둔 채로 강선 고정을 실시할 수 있다. 한편 스템 삽입 전 줄질 중에 골절이 발생하였다면 우선 강선이나 케이블 등을 이용해 고정한 후에 대퇴스템을 삽입한다. 대퇴골 골절이 스템 원위부에 있거나 완전히 전위된 경우에는 골절 부위의 관혈적 정복 및 금속판 고정과 함께 강선이나 케이블 등을 사용해야 하는 경우도 있다. 수술 중 골절을 발견한 경우 반드시 즉각적인 안정성을 얻도록 처치를 해야 한

다. 수술 후 대퇴골 골절을 발견한 경우에는 골절이 근위부에 국한되거나 전위가 없는 경우에 한해 보존적인 치료를 시도해 볼 수도 있다.

4) 시멘트형 고관절 전치환술의 원칙
(1) 시멘트형 비구컵의 삽입

시멘트형 폴리에틸렌컵 고정 시 다음의 원칙을 준수하여야 좋은 고정을 얻을 수 있다. 확공 시 연골하골이 손상되지 않도록 주의한다. 특히 직경 6–8 mm 드릴로 장골, 치골 및 좌골을 향한 3개의 구멍을 만들고 필요하면 추가적으로 여러 개의 작은 드릴 구멍을 뚫어 시멘트의 표면적을 넓혀 고정력을 높일 수 있다. 일부 해면골을 노출시켜 시멘트에 압박을 가해 결합이 잘 되도록 할 수는 있으나 최소한으로 하는 것이 좋다. 확공 후에는 잔여물을 제거하기 위해 세척을 철저히 하고 출혈을 줄이기 위해 과산화수소 거즈(hydrogen peroxide gauze)나 에피네프린 거즈(epinephrine gauze)로 비구를 압박하여 채운다. 비구컵을 선택할 때는 비구보다 크기가 작은 컵을 선택하여, 시멘트 맨틀이 최소 3–4 mm의 일정한 두께가 되도록 하여야 한다. 시멘트를 삽입하는 최적의 시기는 일반적으로 술자의 장갑에 시멘트가 붙지 않거나 시멘트 덩어리의 표면에 주름이 잡히기 시작하는 때이다. 시멘트가 중합되는 동안 비구컵 고정 손잡이를 사용하여 비구컵 위치를 일정하게 유지하며 계속 압박을 가해야 하는데, 이때 상방의 시멘트 두께가 3–4 mm가 유지되도록 주의한다. 잔여 시멘트는 가능하면 굳기 전에 제거하고 시멘트가 굳은 후 고정 손잡이를 제거할 때 손잡이에 골시멘트가 걸려 고정이 소실되지 않도록 특히 조심하여야 한다.

(2) 시멘트형 대퇴스템의 삽입

대퇴스템 고정을 위한 시멘트 기법은 시멘트의 응력을 감소시키고 물질적인 강도를 증가시켜 피로 강도를 개선시키는 목적을 가지고 발전해 왔으며 크게

1, 2, 3, 4세대로 나뉜다. 2세대 시멘트 기법은 대퇴골 골수강에 플러그를 삽입하고 시멘트 건을 사용하며, 둔각의 내측연을 갖는 개선된 대퇴스템을 이용하였다. 3세대 시멘트 기법은 2세대 기법에다 원심분리(centrifugation)나 진공 혼합(vacuum mixing)을 이용하여 시멘트의 기공을 감소시키고, 충분한 가압(pressurization)을 하여 시멘트를 충진시켰으며, 시멘트와 대퇴스템 사이의 결합을 증진시키기 위하여 전코팅(precoating)된 스템을 사용하기도 하였다. 4세대 시멘트 기법에서는 3세대의 모든 기법 이외에 스템의 근위부와 원위부에 중심기(centralizer)를 덧붙여서 대퇴스템이 외반 또는 내반되지 않고 중립적인 위치로 삽입할 수 있게 하였으며, 대칭적인 시멘트 맨틀이 형성 되도록 하였다. 시멘트형 대퇴스템은 시멘트 맨틀을 결손 없이 완벽하게 만드는 것이 성공의 중요한 요소이다. 현대적인 시멘트 기법을 단계적으로 정리하여 보면 1) 느슨한 해면골의 제거 및 골내막 표면에 부착한 해면골의 보존, 2) 박동성 세척(pulsatile lavage)을 통한 골 및 혈전 조각의 제거, 3) 대퇴스템 끝 1-2 cm 원위부에 시멘트 플러그 삽입, 4) 이차 박동성 세척, 5) 에피네프린 스폰지, 과산화수소, 냉각된 식염수 등을 이용한 골수강내 처리, 6) 골수강내 세척 및 건조, 7) 시멘트 건을 이용하여 대퇴골 원위부부터 근위부로 시멘트 삽입(그림 8), 8) 골수강 입구를 막은 후 약 5-6분간의 가압(pressurization), 9) 근위 및 원위부 중심기를 장착한 대퇴스템의 삽입의 단계로 시행한다(그림 9).

골수강 처리의 목적은 시멘트를 골내로 주입 시 공기, 혈액, 골 조각 등이 시멘트 내에 들어가지 않도록

그림 8. 시멘트 건을 이용한 골시멘트 주입
시멘트 플러그로 골수강을 먼저 막고 골시멘트는 원위부부터 시멘트 건을 이용하여 주입한다.

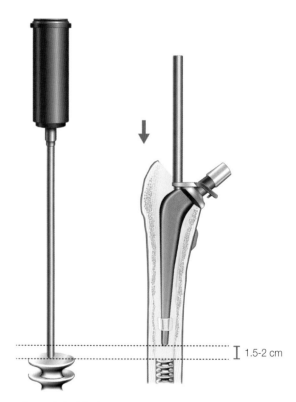

1.5-2 cm

그림 9. 시멘트형 대퇴스템의 삽입
시멘트형 대퇴스템은 정해진 깊이대로 내반이 안되게 삽입하며 시멘트 플러그와 1.5-2 cm 간격을 유지하는 것이 좋다.

하는 것이다. 박동성 세척을 시행하면 시멘트의 접착 강도를 185%까지 증가시키며, 척추 마취가 출혈을 감소시키는데 도움이 된다. 최근에는 골수강 내 진공 시멘트 기법을 사용하여 지방 색전증을 예방할 수 있다는 보고가 있다.

대퇴스템의 첨부나 가장자리에 응력이 증가되면 균열이 시작될 수 있으며 특히 시멘트 맨틀의 두께가 2 mm 이하인 경우 위험도가 높다. 이상적인 시멘트 맨틀 두께를 정의하기는 어려우나 적어도 원위부에서 2 mm 이상, 근위부에서 3-6 mm 정도 되어야 한다. 최근 Ramaniraka 등은 스템의 미세 움직임이 시멘트 맨틀 두께가 3-4 mm일때 가장 적었으며 이보다 두꺼워도 증가하였다고 보고한 바 있다. 그러므로 적절한 시멘트 두께는 삽입물의 형태에 따라 다를 수 있으나 결손 부위는 없어야 하며 3-4 mm 정도가 적합하고 특히 응력이 전달되는 근위 내측부가 중요하다고 하겠다. 대부분의 현대적인 시멘트형 스템은 시멘트 맨틀 두께를 균일하게 만들기 위하여 중심기를 부착시키고 있다. Barrack 등과 Ebramzadah 등이 시멘트 맨틀 두께와 해리와의 관계를 보고하였고, 이후 Mulroy 등은 시멘트 맨틀층의 형성 정도를 A, B, C1, C2, D로 분류하고 C2 이상은 좋지 않은 결과를 보였다고 하였다.

시멘트 주입 중 측정한 평균 최고 압력은 근위 대퇴골에서 32 ± 10 psi이었고 재치환술에서 19 ± 9 psi이었다. 유연성 관형 밀봉장치(flexible cannulated seal)을 근위부에 사용하면 50 psi의 압력을 줄 수 있고 압력으로 인한 피질골의 괴사에 관한 우려가 있으나 임상적으로 입증 되지는 않았다.

시멘트의 기공을 감소시키는 방법에는 원심분리(centrifugation)나 진공 혼합(vacuum mixing)을 이용하는 방법이 있으나 그 효용성에 관해 논란이 있다. 이러한 방법으로 시멘트 맨틀 내 미세 기공의 크기는 200-400 μm으로 감소하며 최대 인장 강도는 24% 증가하고 인장 압축 피로 강도는 136%까지 증가한다고 보고하고 있다.

(3) 수술 중 고관절의 안정성 평가

대부분의 제조회사에서는 모든 삽입물에 대한 시험용 삽입물(trial prosthesis)을 제공하고 있는데 실제 삽입물을 삽입하기 전에 항상 시험용 삽입물을 삽입하고 골조직과의 고정 상태, 관절의 안정성 및 운동 범위, 하지 길이의 변화를 확인한다. 골조직과의 고정 상태나 회전 안정성이 불안정하다면 더 큰 삽입물로 바꾸거나 재고정을 시행하고, 그래도 불안정할 경우에는 다른 종류의 대퇴스템으로의 변경이나 고정 방법 변경 등을 고려하여야 한다. 정복 후 신전, 외회전과 굴곡, 내회전에서의 안정성과 충돌 유무를 확인하여 불안정성이 있으면 비구 삽입물의 방향을 바꾸거나 경부가 긴 대퇴골두로 바꾸어 다시 확인하고 충돌이 되는 조직은 절제한다. 표준 오프셋과 큰 오프셋 대퇴스템을 모두 제공하는 회사의 대퇴스템을 사용할 경우에는 큰 오프셋 대퇴스템으로 변경하여 다리 길이의 변화 없이 충돌을 피하고 안정성을 회복시킬 수도 있다. 안정성에 문제가 없다면 하지 길이의 변화를 조사한다. 정복의 용이함, 정복 후의 관절 운동 범위와 그에 따른 저항 등으로 하지 길이의 변화를 판단할 수 있는데, 재치환술에서는 알기 어려운 경우가 많다. 안정성을 우려하여 지나치게 경부가 긴 대퇴골두를 삽입하여 하지 부동을 초래하면 안 된다. 실제 대퇴스템을 삽입하고 필요한 경우 시험용 골두를 종류별로 삽입하여 안정성을 재점검 후 실제 대퇴골두를 결합한다.

2. 수술 후 처치

고관절 전치환술은 정형외과 영역에서 성공적인 결과를 보이는 수술 중의 하나이다. 성공적인 결과를 얻는데 있어 수술 방법, 삽입물의 재료나 형태 및 수술 기구의 발전이 대단히 중요한 역할을 하였음은 물론이나, 수술 후 처치나 장기적 추시를 통한 평가 및 관리 또한 매우 중요한 역할을 한다. 일차성 고관절 전치환술 후의 처치와 평가는 매우 광범위한 영역으로 다양한 항목들을 포함하고 있다. 수술 후의 임상적 및 방사선적 평가는 많은 연구와 토론을 거쳐 매우 체계적으로 발전되어 왔으나, 수술 후 처치에 대해서는 각각의 항목에 대한 학문적 연구나 보고는 그리 많지 않고 다양한 주장이 있는 분야도 많다.

1) 창상 처치 및 감염 예방

일차성 고관절 전치환술 후 감염은 약 0.5%로 드물지만 가장 심각한 합병증이고, 일단 발생하면 환자에게 심각한 영향을 미칠 수 있으므로 적극적으로 예방해야 한다. 이를 위해서는 세심한 수술 술기와 수술실 번잡도의 최소화가 필수적이며, 가능하면 층류식 공조장치 수술실, 우주복형 수술복, 일회용 방수성 멸균포 등의 사용이 권장된다. 예방적 정주 항생제의 사용은 수술 후의 감염을 줄일 수 있는 좋은 방법으로 대부분 사용되고 있다. 수술 시에 혈중 항생제 농도를 최고로 유지하기 위해서 예방적 항생제는 피부절개 1시간 이내에 사용하는 것이 가장 효과적인 것으로 알려져 있다. 재치환술과 같이 수술 시간이 4시간 이상 길어지는 경우 한 번 더 투여하는 것이 좋다. 광범위 항생제를 사용하게 되는데 대부분 1세대 또는 2세대 세팔로스포린 계열의 약물을 권장하고 있다. 사용기간은 확실히 규명된 바는 없으나 약물의 부작용이나 내성균주의 발생을 줄이기 위해 점차 감소되는 추세이다. 수술 부위 감염의 위험도가 낮거나 감염과 관련된 기저 질환이 없는 경우 예방적 항생제는 최소 기간 투여할 것을 권장하고 있다.

수술 후 사용하는 도뇨관은 그 자체로서 감염의 위험이 있기는 하나 소변의 저류를 막아 요로 감염을 줄일 수 있다는 장점이 있어 많이 사용되고 있다. 그러나 최근의 무작위 연구에서는 한 번의 항생제를 사용한 상황에서 도뇨관 설치 군보다 간헐적인 배뇨관 사용 군에서 요로 감염이 더 적은 것이 관찰되기도 하였다.

혈종은 창상 부위의 장력을 높이고 조직으로의 산소 유입을 저해하여 창상 치유를 더디게 하며, 혈종 내에는 일반 혈액에 비해 보체가 부족하여 호중성 백혈구의 탐식작용을 방해, 균주가 자라기 쉬운 배지로 작용한다. 수술 후 흡입 배액관은 수술 부위의 혈종 형성을 방지하는 것으로 알려져 있다. 하지만 배액관 자체가 감염의 통로가 될 수 있고, 특히 인공 관절은 삽입물 자체가 금속 및 합성수지 또는 세라믹과 같은 이물질로 감염에 더 취약하다는 점을 고려해야 한다. Raves 등은 동물 실험에서 단순 배액관 삽입보다는 적었지만 흡입 배액관 삽입 후 20%의 감염률을 보고한 바 있다. Juan 등은 배액관 삽입의 유무가 수혈의 빈도, 양, 수술 후 혈색소 수치, 혈종의 생성, 감염의 발생률에 영향을 미치지 않는다고 보고 했으며, Ryohei 등은 배액관을 제거하며 시행하는 배양 검사가 감염의 선별검사로 유의하지 않다고 보고했다. 최근 들어서는 배액관을 사용한 군이 사용하지 않은 군과 비교하여 수혈의 빈도와 양이 일률적으로 많다는 보고도 있어 수술 후 무조건적인 배액관 사용에 대해서는 논란의 여지가 있다. 하지만 대부분의 경우 배액관을 삽입하는 것이 단점보다는 장점이 많은 것으로 인식되고 있다.

고관절 전치환술 후 염증을 예방하는 효과적인 방법 중 하나는 삽입물을 모두 거치시키고 정복을 완료한 후에 충분한 세척을 하는 것이다. 어떤 방법을 써도 공기 중에 병원균이나 이물질이 있을 수 있기 때문에 대부분의 술자들은 생리식염수를 사용하여 환부에 유입된 감염원을 제거할 목적으로 충분한 세척을 시행하고 있다.

고관절 전치환술 후 다른 외과적 치료를 조기에는 시행하는 것은 가능하면 피하는 것이 좋다. 발치를 포함한 치과적인 수술이 가장 높은 빈도의 일시적 균혈증을 일으키는 것으로 알려져 있으나 이것이 관절치환술 후 감염의 위험성을 증가시킨다는 확실한 증거는 없다. 미국 정형외과학회와 치과학회의 공동 보고서에서는 관절치환술을 받은 모든 환자에게 치과적인 수술을 할 경우 예방적인 항생제 투여가 필요하지는 않다고 하였으나, 면역 체계에 문제가 있거나, 관절치환술 후 2년 이내의 환자, 당뇨, 영양결핍 등의 고위험군에게는 수술 전후 1-2회의 예방적인 항생제 투여를 권유하고 있다.

2) 정맥혈전색전증의 예방

정맥혈전색전증(venous thromboembolism)은 미국에서 수술 후 3개월 이내의 주요 사망 원인이며, 고관절 전치환술 후 심근경색, 뇌혈관 질환 다음으로 3번째로 높은 사망률을 보이고 있다. 예방적인 치료를 하지 않았을 경우 고관절 전치환술 후 심부정맥혈전증의 빈도는 40-70% 정도이며 폐색전증에 의한 사망은 대략 2%에 이른다고 알려져 있다. 동양인에서 고관절 전치환술 후의 심부정맥혈전증이나 폐색전증의 발생 빈도는 보고에 따라 다양한데, 예방적 치료를 하지 않은 환자군에서 발생 빈도는 아시아에서 9.1-27.5%, 국내에서 10-27%로 비교적 낮은 편이다. 이처럼 동양인에서 심부정맥혈전증의 발생률이 낮은 현상은 최근에는 유전자적 차이에 의한 것으로 해석된다. 일반적으로 하지 원위부 정맥혈전증은 대개 증상이 없고 임상적인 의미가 없으나, 근위 정맥혈전증은 혈관을 막지 않는다 하더라도 치명적인 폐색전증으로 악화될 가능성이 있어 예방이 중요하다. 예방은 크게 약물적 방법과 기계적 방법이 있다. 예방에 쓰이는 약물로는 아스피린, 덱스트란, 와파린, 헤파린, 저분자량 헤파린, 헤파린, 제Xa인자 억제제 등이 있다. 기계적인 방법으로는 조기 운동, 압박 스타킹, 족부 압박기, 간헐적 공기 압박기(pneumatic compression device) 등이 있다. 이들의 효과와 사용 기간 등에 대해서는 다양한 의견이 있으나, 미국흉부의학회에서 발표한 바에 따르면 와파린과 저분자량 헤파린이 혈전증에 대한 예방 효과가 가장 좋고, 저용량 헤파린, 아스피린, 제Xa인자 억제제 등도 효과적이라고 하였다. 기계적인 방법은 약물적 방법과도 같이 사용될 수 있으나 출혈의 위험성이 높은 환자에서 단독으로 사용할 수 있다. 약물의 사용 기간에 대한 주장도 다양하나 일반적으로 최소 10일 이상의 사용을 권고하는 경우가 많으며 위험군인 경우 6주 이상

의 치료가 권장되고 있다. 최근에는 antithrombin III와 결합하여 제Xa인자의 비활성화를 증대시켜 제Xa인자의 간접적 억제제로 작용하는 fondaparinux가 용량에 따른 작용이 예측 가능하고 혈장내의 반감기가 17시간 정도로 길며, 100% 생물학적 이용성으로 감시 없이 하루 한 번 피하주사로 사용할 수 있다는 장점 때문에 사용되기도 한다. 그러나 수술 부위의 자발적 혈종이나 상처 감염 등의 합병증이 증가하므로 사용에 주의를 기해야 한다는 주장이 제기되고 있고, 우리나라의 심부정맥혈전증의 발생 빈도는 낮지 않으나, 치명적인 폐색전증으로의 이환은 거의 없으므로 반드시 예방적인 치료를 할 필요는 없다는 주장도 있다.

3) 수혈 요법

고관절 전치환술 중 예상 출혈량은 평균 750 ml 가량으로 알려져 있으나, 실제로는 평균 2,000 ml 가량이라는 주장도 있다. 실혈로 인한 평균 혈색소 수치 감소는 4 g/dL에 이르는 것으로 알려져 있으므로 수술 전의 혈색소 수치가 충분히 높은 경우를 제외하고는 수혈이 필요한 경우가 많아, 고관절 전치환술 환자의 68-73%가 최소한 한 단위 이상의 수혈을 시행 받고 있다. 수술 후 동종 수혈을 받은 군에서 수혈 받지 않은 군에 비해 수술 상처의 치유가 늦고, 입원 일수가 유의하게 증가한다는 보고가 있어 여러 방식의 자가 수혈이나, 혈액 대체제 등을 사용하여 동종 수혈량을 감소시키기 위한 노력이 많이 이루어지고 있다. 국내에서도 고관절 전치환술 후 자가 수혈을 사용한 보고가 증가 추세에 있으며 수혈량을 줄이기 위해 수술 중 수혈을 줄이고 배액관을 사용하지 말자는 보고도 있지만, 대부분의 경우에는 배액관을 사용하고 있다.

최근 고관절 전치환술 후 수혈을 줄이기 위해 사용하는 여러 가지 방법 중 tranexamic acid의 사용은 안전하고 우수한 효과를 보이고 있다. 관절내 도포, 정맥 투여, 경구 복용과 같은 투약 방법에 따른 효과의 차이는 미미하고 모두 효과적인 것으로 알려져 있다.

Tranexamic acid의 정맥 주사 사용 시 심부정맥혈전증, 폐색전증 발생률이 증가할 수 있다는 염려가 있으나, Yale 등은 ASA physical score 3점 이상의 환자군에서 tranexamic acid의 관절내 도포, 정맥 투여, 경구 복용이 심부정맥혈전증의 위험성을 증가시키지 않는다고 보고했다.

3. 임상 결과

발표된 연구에 따르면 삽입물의 디자인에 따라 다양한 결과를 보였지만 무시멘트형 고관절 전치환술 후 15−20년 이상 추시 관찰한 여러 연구에서 결과가 좋은 디자인들은 생존율이 95% 이상인 것으로 보고되었다. de Wittee 등은 CLS (Cementless Spotorno) 대퇴스템을 사용한 15년 보고에서 스템과 컵 전체로는 15년 생존율이 78.4%이었지만 대퇴스템만으로는 99% 생존율을 보였다고 보고하였다. Belmont는 CLS 대퇴스템을 사용한 119예의 환자들을 22년 추시 관찰한 결과 비구컵 생존율은 85.8%, 대퇴스템 생존율은 97.8%로 보고하였다. 비구컵 골용해는 30.4%에서 발견되었고 비구컵의 해리와 관련성이 있었다. 대퇴스템 주위 골용해는 36.8%에서 발견되었으나 스템 해리와 관련이 없다고 하였다. Evola 등은 CLS 대퇴스템의 최소 21년 보고에서 23년 Kaplan−Meier 생존율을 91.5%로 보고하였으며, Lucia 등은 50세 미만의 환자 100예 20−25년 추시 결과 대퇴스템의 23.8년 생존율은 93.4%로 보고하였다. 국내 보고도 Lee 등은 CLS의 15−20년 추시 결과 대퇴스템은 100% 생존하였고 94%에서 골내성장을 보였으며, 비구컵은 88.6%의 생존율을 보였다고 보고하였다.

Grübl은 Zweymüller 스템과 나사형 비구컵(threaded cup)을 사용한 108예의 15년 추시 결과 89예에서 양호한 결과를 보인다고 하였으며 대퇴스템의 생존율은 98%, 비구컵의 생존율은 85%로 보고하였다. Kolb 등은 같은 환자군의 20년 이상의 보고에서 대퇴스템의 생존율은 96%, 비구컵의 생존율은 67%로 보고하였으며,

208예 중 총 5예에서 대퇴스템 재치환술을, 총 15예에서 비구컵 재치환술을 시행하였다고 하였다. Suckel은 Zweymüller 스템과 Alloclassic 컵을 사용한 15년 추시 결과 비구컵 생존율은 98%, 대퇴스템 생존율은 98%로 보고하였다. Ana는 50예에 대한 20년 추시 결과, 대퇴스템과 비구컵 모두의 생존율은 84.1%, 해리 소견은 4.1%에서 발견되었으며, 대퇴골 근위부 골용해 소견은 15예(30%), 골감소증은 30예(60%), 피질골 과증식(cortical hypertrophy)은 21예(42%)에서 발생하였다고 보고하였다.

그 외에 장기적으로 좋은 결과들을 보면 원래 개발자 그룹들과 결과에 차이는 있다는 보고가 있지만, McLaughlin 등은 Taperloc 대퇴스템을 사용한 22−26년 추시 결과 0.7%에서 재수술을, 0.7%에서 해리 소견을 보여 99% 생존율을 보였다고 보고하였다. Jeffery 등은 Taperloc 대퇴스템을 사용한 108예의 29년 추시 결과 대퇴스템의 생존율은 90%, 해리는 한 건도 발생하지 않았다고 보고하였다.

그 외의 무시멘트형 고관절 전치환술의 결과를 보면 Vidalain은 Corail 스템을 사용 23년 추시 결과 96.3%의 생존율을 보고하고 있고, Ateschrang은 Bicontact 스템을 사용한 22.8년 추시 결과에서 93.1%의 대퇴스템 생존율을 보고하였다.

대퇴스템으로 시멘트형 삽입물을 사용하는 경우가 점차 줄어드는 추세이지만, 시멘트 기법의 발전과 시멘트형 스템 디자인의 개선 등으로 비교적 만족할 만한 결과를 보여주고 있다. 시멘트형 고관절 전치환술 또한 15−20년의 장기 결과들은 대부분 만족할 만한 결과를 보였다. 초기 시멘트 방법을 사용한 고관절 전치환술의 결과도 비교적 양호하였는데 Mulroy는 102예 15년 추시 결과 단지 2예에서 무균성 해리로 재치환술을 시행하였으며, 7예에서 방사선적 해리가 관찰되었다고 하였다. Neumann은 Charnley 삽입물을 사용한 240예에서 평균 17년 추시 결과 연령이 55세 이하에서 10%에서 재치환술, 생존율은 88.3%, 55세 이상에서는

8%에서 재치환술, 생존율은 89.3%로 보고하였다. 또한 Sochart은 Charnley 삽입물을 사용한 226예에서 40세 이하 환자의 19.7년 추시 결과 대퇴스템의 재치환술은 36예(16%)에서, 대퇴스템의 25년 생존율은 81%로 보고하였으며 비구컵의 25년 생존율은 68%로 보고하였다. Callaghan 등은 Charnley 인공 고관절의 35년 생존율은 77% 이었으며, 23%에서 재수술을 시행하였는데 18%는 무균성 해리, 5%는 염증성 해리였다고 보고하였다. Engh은 160예의 시멘트형 고관절 전치환술 후 무시멘트형 삽입물로 재치환술을 받은 환자들을 연구한 결과 시멘트형 치환술의 실패 이유로 삽입물의 디자인, 수술 술기, 수술 전 골의 손상 정도 등을 들었고 그 중 수술 전 골의 손상 정도를 가장 중요한 요인으로 보고하였다.

Trumm 등은 현대적인 시멘트 고정방법으로 수술한 최소 20년 이상의 추시 결과에서 대퇴스템의 무균성 해리가 7.5%, 비구컵의 무균성 해리를 21.7%로 보고하고 있다. Katz 등은 현대적인 시멘트 고정방법으로 수술한 고관절 재치환술의 12–16년 추시 결과에서 대퇴스템의 재재치환술률은 5.4%로 만족스러웠지만 비구컵 재재치환술률은 16%로 예상보다 좋지 못했다고 보고했다.

Corten은 1987년부터 2002년까지 250명을 대상으로 평균 20년 추시 관찰한 무작위 임상 시험 결과 무시멘트형 고관절 전치환술이 시멘트형 고관절 전치환술에 비해 생존율이 통계적으로 유의하게 우수함을 보고하였으며, Zicat은 137예의 시멘트형 또는 무시멘트형 고관절 전치환술 후 환자들을 평균 105개월 추시 조사하였을 때 시멘트형에서 비구컵 주위 골용해율은 37%로 18%의 무시멘트형 비구컵 주위 골용해 비율에 비해 높은 것으로 보고한 바 있다.

고관절 전치환술의 생존율에 대한 대규모 연구가 Jonathan 등에 의해 이루어졌는데, 메타분석을 통한 44개 연구의 13,212명을 대상으로 25년 추시한 결과 생존율은 77.6% 이었으며, 호주와 핀란드의 National Joint Replacement Registries에 등록된 215,676례 고관절 전치환술의 25년 생존율은 57.9% 이었다. 한편 고관절 전치환술 후 환자의 등록이 제도적으로 잘 되어 있는 북유럽의 Nordic Arthroplasty Register Association(NARA)의 1995년부터 2011년까지의 자료를 정리한 2014년 보고를 보면 시멘트형 고관절 전치환술의 10년 생존율은 덴마크 93.1%, 스웨덴 94.6%, 노르웨이 93.4%, 핀란드 92%, 15년 생존율은 덴마크 87.9%, 스웨덴 89.0%, 노르웨이 88.8%, 핀란드 86.6%로 보고되고 있으며, 무시멘트형 고관절 전치환술의 10년 생존율은 덴마크 92.4%, 스웨덴 91.7%, 노르웨이 91.0%, 핀란드91.0%, 15년 생존율은 덴마크 86.0%, 스웨덴 82.7%, 노르웨이 80.6%, 핀란드 80.8%로 보고되었다. 재치환술의 가장 흔한 원인으로는 공통적으로 무균성 해리가 가장 많았으며 고관절 탈구, 심부 감염, 삽입물 주위 골절 순이었다.

참고문헌

1. Alexander JW, Korelitz J, Alexander NS. Prevention of wound infections. A care for closed suction drainage to remove wound fluids deficient in opsonic proteins. Am J Surg. 1976; 132: 59-63.

2. Ateschrang A, Weise K, Weller S, Stöckle U, de Zwart P, Ochs BG. Long term results using the straight tapered femoral cementless hip stem in total hip arthroplasty: A minimum of twenty-year follow-up. J Arthroplasty. 2014; 29: 1559-65.

3. Belmont PR, Jung AW, Breusch SJ, Ewerbeck V, Parsch D. Survival of the cementless Spotorno stem in the second decade. Clin Orthop Relat Res. 2009; 467(9): 2297-304.

4. Bierbaum BE, Callaghan JJ, Galante JO, Rubash HE, Tooms RE, Welch RB. An analysis of blood management in patients having a total hip or knee Arthroplasty. J Bone Joint Surg Am. 1999; 81: 2-10.

5. Callaghan JJ, Albright JC, Goetz DD, Olejniczak JP, Johnston RC. Charnley total hip arthroplasty with cement. Minimum twenty-five-year follow-up. J Bone Joint Surg Am. 2000; 82(4): 487-97.

6. Caton J, Prodhon JL. Over 25 years survival after Charnley's total hip arthroplasty. Int Orthop. 2011; 35: 185-8.

7. Charnley J. Low Friction Arthroplasty of the Hip. New York: Springer-Verlag; 1979.

8. Corten K, Bourne RB, Charron KD. What works best, a cemented or cementless primary total hip arthroplasty? Minimum 17-year follow up of a randomized controlled trial. Clin Orthop Relat Res. 2011; 469(1): 209-17.

9. Cruse PJ, Foord R. A five-year prospective study of 23,649 surgical wounds. Arch Surg. 1973; 107(2): 206-210.

10. Cruz-Pardos A, Garcia-Rey E, Garcia-Cimbrelo E. Total hip arthroplasty with use of the cementless Zweymuller alloclassic system: A concise follow-up, at a minimum of 25 years, of a previous report. J Bone Joint Surg Am. 2017; 99:1927-31.

11. de Witte PB, Brand R, Vermeer HG, van der Heide HJ, Barnaart AF. Mid-term results of total hip arthroplasty with the CementLess Spotorno (CLS) system. J Bone Joint Surg Am. 2011; 93(13): 1249- 55.

12. Eckardt JJ, Gossett TC, Amstutz HC. Autologous transfusion and total hip Arthroplasty. Clin Orthop Relat Res.1978; 132: 39-45.

13. Evans JT, Evans JP, Walker RW, Blom AW, Whitehouse MR, Sayers A. How long does a hip replacement last? A systematic review and meta-analysis of case series and national registry reports with more than 15 years of follow-up. Lancet. 2019; 393: 647-52.

14. Evola FR, Evola G, Grace A, Sessa A, Pavone V, Costarella L, Sessa G, Avondo S. Performance of the CLS Spotorno uncemented stem in the third decade after implantation. Bone Joint J. 2014; 96(4): 455- 61.

15. Fillingham YA, Ramkumar DB, Jevsevar DS, Yates AJ, Shores P, Mullen K, Bini SA, et al. The safety of tranexamic acid in total joint arthroplasty: A direct meta-analysis. J Arthroplasty. 2018; 33: 3070-82.

16. Fujita S, Hirota S, Oda T, Kato Y, Tsukamoto Y, Fuji T. Deep venous thrombosis after total hip or total knee arthroplasty in patients in Japan. Clin Orthop Relat Res. 2000; 375: 168-74.

17. Garvin KL, Hanssen AD. Infection after total hip arthroplasty. J Bone Joint Surg Am. 1995; 77: 1576-88.

18. Geerts WH, Heit JA, Clagett GP, et al. Prevention of venous thromboembolism. Chest. 2001; 119: s132-175.

19. Glenny AM, Song F. Antimicrobial prophylaxis in total hip replacement: a systemic review. Health Technol Assess. 1999; 3: 21.

20. Goodman SB, Adler SJ, Fyhrie DP, Schurman DJ. The acetabular teardrop and its relevance to acetabular migration. Clin Orthop Relat Res. 1988; 236: 199-204.

21. Grübl A, Chiari C, Giurea A, Gruber M, Kaider A, Marker M, Zehetgruber H, Gottsauner-Wolf. F. Cementless total

hip arthroplasty with the rectangular titanium Zweymuller stem. A concise follow-up, at a minimum of fifteen years, of a previous report. J Bone Joint Surg Am. 2006; 88: 2210-5.

22. Hanssen AD, Osmon DR. Prevention of prosthetic joint infection. In Morrey BF ed. Joint replacement arthroplasty, 3rd ed, NewYork, Churchill Livingston; 2003. 79-89.

23. Helm AT, Karski MT, Parsons SJ, Sampath JS, Bale RS. A strategy for reducing blood-transfusion requirements in elective orthopaedic surgery. Audit of an algorithm for Arthroplasty of the lower limb. J Bone Joint Surg Br. 2003; 85: 484-9.

24. Katz RP, Callaghan JJ, Sullivan PM, Johnston RC. Long-term results of revision total hip arthroplasty with improved cementing technique. J Bone Joint Surg Br. 1997; 79(2): 322-6.

25. Keating EM, Ritter MA, Faris PM. Structures at risk from medially placed acetabular screw. J Bone Joint Surg Am. 1990; 72(4): 509-11.

26. Keating EM, Ritter MA. Transfusion options on total joint Arthroplasty. J Arthroplasty. 2002; 17: 125-8.

27. Kim YH, Oh SH, Kim JS. Incidence and natural history of deep-vein thrombosis after total hip arthroplasty. A prospective and randomized clinical study. J Bone Joint Surg Br. 2003; 85: 661-5.

28. Ko PS, Chan WF, Sin TH, Khoo J, Wu WC, Lam JJ. Deep vein thrombosis after total hip or knee arthroplasty in a "low-risk" chinese population. J Arthroplasty. 2003; 18(2): 174-9.

29. Kolb A1, Grübl A, Schneckener CD, Chiari C, Kaider A, Lass R, Windhager R Cementless total hip arthroplasty with the rectangular titanium Zweymüller stem: a concise follow-up, at a minimum of twenty years, of previous reports. J Bone Joint Surg Am. 2012; 94(18): 1681-4.

30. Lee JM, Park YS Long-term Follow-up Results after Hip Arthroplasty using a Cementless Spotorno (CLS) Femoral Stem J Korean Orthop Assoc. 2008; 43: 710-17.

31. Leizorovicz A, Turpie AG, Cohen AJ, Wong L, Yoo

MC, Dansa. Epidemiology of venous thromboembolism in Asian patients undergoing major orthopaedic surgery without thomboprophylaxis. The SMART study. J Thromb Haemost. 2005; 3(1): 28-34.

32. Luo ZY, Wang HY, Zhou K, Pei FX, Zhou ZK. Oral vs intravenous vs topical tranexamic acid in primary hip arthroplasty: A prospective, randomized, double-blind, controlled study. J Arthroplasty. 2018; 33: 786-93.

33. Mäkelä KT, Matilainen M, Pulkkinen P, Fenstad AM, Havelin LI, Engesaeter L, Furnes O, Overgaard S, Pedersen AB, Kärrholm J, Malchau H, Garellick G, Ranstam J, Eskelinen A. Countrywise results of total hip replacement. Acta Orthop. 2014; 85(2): 107-116.

34. Maloney WJ, Peters P, Engh CA, Chandler H. Severe osteolysis of the pelvic in association with acetabular replacement without cement. J Bone Joint Surg Am. 1993; 75(11): 1627-35.

35. McLaughlin JR, Lee KR. Total hip arthroplasty with an uncemented tapered femoral component in patients younger than 50 years of age: A minimum 20-year follow-up study. J Arthroplasty. 2016; 31: 1275-8.

36. McLaughlin JR, Lee KR. Uncemented total hip arthroplasty with a tapered femoral component: a 22- to 26-year follow-up study. Orthopedics. 2010; 33(9): 639.

37. Mulroy WF, Estok DM, Harris WH. Total hip arthroplasty with use of so-called second-generation cementing techniques. A fifteen-year-average follow-up study. J Bone Joint Surg Am. 1995; 77(12): 1845-52.

38. Noble PC, Alexander JW, Lindahl LJ, et al. The anatomic basis of femoral component design. Clin Orthop Relat Res. 1988; 235: 148-64.

39. Parker MJ, Roberts CP, Hay D: Closed suction drainage for hip and knee arthroplasty. A meta-analysis. J Bone Joint Surg Am. 2004; 86: 1146-52.

40. Ramaniraka NA, Rakotomanana LR, Leyvraz PF. The fixation of the cemented femoral component. Effects of stem stiffness, cement thickness and roughness of the cement-bone surface. J Bone Joint Surg Br. 2000; 82(2): 297-303.

41. Ranawat CS, Rao RR, Rodriguez JA, Bhende HS. Correction of limb length inequality during total hip arthroplasty. J Arthroplasty. 2001; 16: 715-20.

42. Raves JJ, Slifkin M, Diamond DL. A bacteriologic study comparing closed suction and simple conduit drainage. Am J Surg. 1984; 148: 618-20.

43. Rosencher N, Kerkkamp HEM, Marcheras G, et al. Orthopedic surgery transfusion hemoglobin European overview(OSTHEO) study: blood management in elective knee and hip arthroplasty in Europe. Transfusion. 2003; 43: 459-69.

44. Sachs RA, Smith TH. Kuney M and Paxton L. Does anticoagulation do more harm than good? A comparison of patients treated without prophylaxis and patients treated with low dose warfarin after total knee Arthroplasty. J Arthroplasty. 2003; 18(4): 388-95.

45. Sochart DH, Porter ML. The long-term results of Charnley low-friction arthroplasty in young patients who have congenital dislocation, degenerative osteoarthrosis, or rheumatoid arthritis. J Bone Joint Surg Am. 1997; 79(11): 1599-617.

46. Suarez JC, McNamara CA, Barksdale LC, Calvo C, Szubski CR, Patel PD. Closed suction drainage has no benefits in anterior hip arthroplasty: A prospective, randomized trial. J Arthroplasty. 2016; 31: 1954-8.

47. Suckel A, Geiger F, Kinzl L, Wulker N, Garbrecht M. Long-term results for the uncemented Zweymuller/ Alloclassic hip endoprosthesis. A 15-year minimum follow-up of 320 hip operations. J Arthroplasty. 2009; 24(6): 846-53.

48. Sudo A, Sano T, Horikawa K, Yamakawa T, Shi D, Uchida A. The incidence of deep vein thrombosis after hip and knee arthroplasties in Japanese patients: a prospective study. J Orthop Surg(Hong Kong). 2003; 11(2): 174-7.

49. Takada R, Jinno T, Koga D, Hirao M, Muneta T, Okawa A. Is drain tip culture prognostic of surgical site infection? Results of 1,380 drain tip cultures in total hip arthroplasty. J Arthroplasty. 2015; 30: 1407-9.

50. Tang WM, Chiu KY, Ng TP, Yau WP, Ching PT, Seto WH. Efficacy of a single dose of cefazolin as a prophylactic antibiotic in primary arthroplasty. J Arthroplasty. 2003; 18(6): 714-718.

51. Trumm BN, Callaghan JJ, George CA, Liu SS, Goetz DD, Johnston RC. Minimum 20-year follow- up results of revision total hip arthroplasty with improved cementing technique. J Arthroplasty. 2014; 29(1): 236-241.

52. Valkering LJJ, Biemond JE, van Hellemondt GG. A wedge-shaped uncemented femoral component: Survivorship in patients younger than 50 years at a mean follow-up of 22 years. J Arthroplasty. 2018; 33: 3226-30.

53. Van den Brand IC, Castelein RM. Total joint arthroplasty and incidence of postoperative bacteriuria with an indwelling catheter or intermittent catheterization with one-dose antibiotic prophylaxis: a prospective randomized trial. J Arthroplasty. 2001; I6(7): 850-5.

54. Vidalain JP. Twenty-year results of the cementless Corail stem. Int Orthop. 2011; 35(2): 189-94.

55. Walmsley PJ, Kelly MB, Hill RM, Brenkel I. A prospective, randomized, controlled trial of the use of drains in total hip arthroplasty. J Bone Joint Surg Br. 2005; 87: 1397-1401.

56. Wasielewski RC, Cooperstein LA, Kruger MP, Rubash HE. Acetabular anatomy and the transacetabular fixation of screws in total hip arthroplasty. J Bone Joint Surg Am. 1990; 72(4): 501-8.

57. Waugh TR, Stinchfield FE. Suction drainage of orthopedic wounds. J Bone Joint Surg Am. 1961; 43: 939-46.

58. Woolson ST, Harris WH. A method of intra- operative limb length in total hip arthroplasty. Clin Orthop Relat Res.

59. Zicat B, Aldinger CA, Gokcen E. Patterns of osteolysis around total hip component. J Bone Joint surg. 1995; 77: 432-9

CHAPTER

6 고관절 표면 치환술
Hip Resurfacing Arthroplasty

1. 표면 치환술의 발전

　표면 치환술은 역사적으로 크게 세 번의 변천 과정을 거쳤다. 표면 치환술의 기원은 Smith-Petersen (1923)이 중간삽입 컵성형술(interposition cup arthroplasty)이라는 새로운 개념의 관절 성형술을 시도한 때로 거슬러 올라간다. 이는 오늘날과 같은 진정한 의미의 표면 치환술은 아니었지만 그는 비스콜로이드(viscoloid), 파이렉스(pyrex), 베이클라이트(bakelite) 등의 물질을 반원 모양의 컵으로 만들어 비구와 대퇴골두 사이에 삽입하였다. 관절의 반복적인 운동을 통해 관절면이 매끈해지면서 관절 연골을 재생시키는 일종의 mold arthroplasty의 형틀로 컵을 이용하고자 하였다. 1938년 바이탈륨(vitallium)이라는 코발트-크롬 합금의 특수 금속으로 컵(Smith-Petersen Cup)의 재질이 바뀌면서 표면 치환술 탄생의 기초가 되었다(그림 1). 이어 Luck 컵(1948)이 대퇴골두를 씌우는 형태로 진화되면

서 1951년 Charnley경이 테프론 재질을 소재로 비구측과 대퇴골두측을 모두 덮어 씌우는 이중컵 성형술(double-cup arthroplasty) 개념을 도입하였다(그림 2).

　2세대는 1968년 Müller와 Boltzy, 1970년 Gerard는 바이탈륨 합금을 재료로 오늘날 표면 치환술의 모양에 가까운 이중컵 디자인을 개발한 것을 시작으로, Paltrinieri와 Trentani (1971), Furuya (1971), Freeman과 Swanson (1972), Eicher와 Capello (1973), Wagner (1974), Amstutz (1975; THARIES) 등이 폴리에틸렌 비구컵에 금속 대퇴골두컵을 이용한 표면 치환술을 사용하기 시작하였다(그림 3). 이들은 컵의 재질과 관절면의 조합, 컵의 고정 방법에 따라 조금씩 차이는 있으나, 공통점은 일반적인 고관절 전치환술과는 별도로 거의 비슷한 시기에 시작되었다는 점과 고관절의 생역학적인 측면을 고려하고 그 기능을 복원하고자 골조직을 가능한 보존하도록 개발되었다는 점이다. 또한

그림 1. (A) Smith-Petersen glass mold arthroplasty, (B) Vitallium cup mold arthroplasty

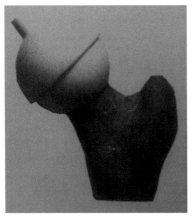
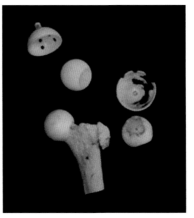

그림 2. Charnley의 테프론 재질을 이용한 이중컵

그림 3. 이중컵 디자인
시멘트형 폴리에틸렌 비구컵과 시멘트형 코발트-크롬-몰리브덴 합금의 대퇴 삽입물(Wagner, 1974)

고관절 탈구의 위험을 감소시키고 관절 운동 범위를 증가시켜 모든 일상 활동이 가능하도록 디자인 되었다. 그러나 폴리에틸렌 마모에 의한 골용해와 삽입물의 해리, 대퇴골두 골괴사 등의 합병증으로 인해 생존율이 불량한 것으로 보고되자 1980년대를 지나면서 표면 치환술은 한동안 자취를 감추게 되었다.

1980년대 말 스위스의 Hardy Weber와 미국의 Amstutz가 금속-금속 관절면 고관절 전치환술을 받은 환자 중 상당수가 장기간 우수한 결과를 보인 것에 착안하여 금속-금속 관절면에 다시 관심을 갖기 시작하였다. 1990년대 초 독일의 Heintz Wagner (Wagner 금속-금속 무시멘트형 표면 치환 디자인)와 영국의 Derek McMinn (Birmingham 표면 치환 디자인)이 코발트-크롬-몰리브덴(Cobalt-Chrome-Molybdenium, CoCrMo) 합금을 이용하여 새로운 금속-금속 관절면의 무시멘트형 표면 치환 삽입물을 디자인하였다. 이것이 바로 3세대 표면 치환술의 시작이었다. 이는 금속 재질의 개선과 함께 삽입물 제조 공정의 정밀도가 크게 향상되고 금속-금속 관절면의 액막 윤활(fluid-film lubrication)의 변화된 마찰 개념을 도입하여 마모를 최소화 시킴으로써 골용해나 해리를 예방할 수 있었으며 비구 삽입물을 무시멘트 고정 방법으로 디자인

하는 등 과거의 표면 치환 디자인과는 크게 다른 새로운 변화로 표면 치환술의 새 시대를 열었다. 이로부터 Amstutz (1993)의 Conserve Plus®를 위시하여 형태, 크기, 골두 덮개, 합금 재질, 관절 간극 허용치, 수술 기구 등의 차이에 따라 Articular Surface Resurfacing® (ASR®), Durom TM®, ReCap Hemiresurfacing Hip®, Corin Hemiresurfacing Hip® 등 약 15종류의 다양한 디자인이 정형외과 영역에 소개되었으며 현재 미국, 유럽과 한국을 포함한 아시아 지역에서도 다양하게 시술되고 있다(그림 4). 하지만 새로운 제품들 간에도 디자인에 따라 서로 상이한 치료 결과를 보였다. 특히 ASR®과 Durom® 등 몇몇 제품들은 금속 잔해물에 의한 부작용(adverse reaction to metal debris, ARMD)이 높게 보고되는 등 예상치 못한 합병증으로 인해 결국 시장에서 퇴출되는 결과를 맞이하였다. 한편 현재 국내에서 사용되고 있는 Conserve Plus® 등은 세계적으로 우수한 중장기 추시 결과를 보고하고 있다.

2. 대퇴골두 혈행과 표면 치환술

초기 고관절 표면 치환술시 우려되었던 점 중 하나는 수술 후 대퇴골두 삽입물 내 남은 골두 혈행의 안전성 여부이다. 남은 골두 내의 혈행이 수술 후 표면 치환

그림 4. Conserve Plus®와 Birmingham hip resurfacing system®

술의 결과에 영향을 미칠 수 있기 때문이다. 일반적으로 고관절 전치환술과는 달리 표면 치환술 시에는 골두를 보존하므로 수술 술기가 무엇보다 중요하다. 정상 대퇴골두에 공급되는 혈행은 골외 혈관 공급시스템과 골내 혈관 공급시스템 두 가지로 나누어진다. 골외 혈관 공급 시스템은 내측 대퇴회선동맥(medial femoral circumflex artery)의 상행 가지(ascending branch)가 가장 중요한데 이는 단외회전근을 관통해서 후상방으로 주행하면서 지대동맥(retinacular artery)이 되어 후방 관절막을 뚫고 대퇴골 경부를 통해 골내로 들어간다. 골내 혈관 공급 시스템에서는 대퇴골두-경부 상단 연결부를 뚫고 골두 내로 들어와 외상방으로 주행하며 여러 작은 가지를 낸 뒤 대퇴골두 상단과 내측으로 계속 주행하면서 대퇴골두의 혈행을 담당한다.

표면 치환술 후 대퇴골두의 혈행 감소와 산소 분압의 저하에 대한 보고도 있었으며 후방 접근법이 전방 접근법에 비해 혈관손상 위험성이 더 높다는 보고도 있었다. 하지만 실제 혈행의 감소 여부에 대해서는 논란의 여지가 있으며, 고관절에 관절염 등의 변화가 있는 경우 골외 순환보다는 골내 순환이 주된 혈액 공급원이라는 연구 결과도 있다. 하지만 대부분의 경우 실제로 골내 순환, 대퇴 영양 혈관과 골간단동맥을 통해 대퇴골두에 충분한 혈행이 유지되므로 대퇴골두를 완전히 깎고 다듬은 후에도 표면의 혈액순환이 잘 이루어짐을 확인할 수 있다. 뿐만 아니라 표면 치환술 후 사

고로 동측 대퇴골 경부가 골절되어 재수술한 환자의 조직 검사에서도 삽입물 내 남아있는 골조직이 생존해 있음을 확인할 수 있다(그림 5).

현재까지 접근법에 따른 대퇴골두의 혈행 손상 여부의 차이에 대해서는 명확히 밝혀져 있지 않다. 이론적으로는 전방 접근법이 골외 혈관 공급을 보존하는 면에서 보다 유리할 것으로 예상되지만 전방 접근법을 사용한 경우에도 수술 후 대퇴골두 괴사가 발생하였다는 보고들도 있다. 따라서 각 술자에게 있어서 평소 가장 익숙하고 자신 있는 접근법을 선택하는 것이 바람직하다. 어떤 접근법을 사용하든 숙련된 술기로 수술 중 최대한 연부조직을 보호하고 혈행을 보존하려는 노력을 기울인다면 잠재적 혈행 장애의 가능성을 크게 줄일 수 있을 것으로 보인다. 또한 대퇴 삽입물 고정 시 사용하는 골시멘트의 깊은 침투와 굳을 때 발생하는 열 또한 골괴사의 원인으로 작용할 수 있으므로 주의를 기울여야 한다.

3. 원리와 장점

표면 치환술의 원리는 고관절에 통증을 유발하는 퇴행성 변화나 골괴사가 발생한 경우, 비구와 대퇴골두의 정상 부분은 가급적 보존하고 손상된 관절 표면만을 인공물로 대체하여 정상적인 관절의 해부학적 구조와 생역학적 기능을 복원시키는 일종의 관절성형술이다. 대퇴골두를 완전히 절제하고 골간부에 이르는 긴

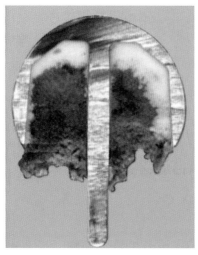
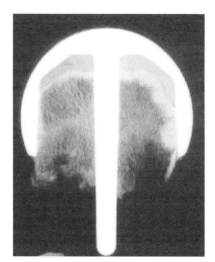

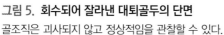

그림 5. 회수되어 잘라낸 대퇴골두의 단면
골조직은 괴사되지 않고 정상적임을 관찰할 수 있다.

대퇴스템을 삽입하는 고관절 전치환술에 비해 표면 치환술은 근위 대퇴골을 최대한 보존하고 보다 정상에 가까운 고관절 기능을 회복할 수 있다(그림 6).

특히 금속-금속 관절면을 이용한 현세대의 표면 치환술은 이전 세대 표면 치환술의 다음과 같은 문제점들을 상당 부분 해결하였다. 과거에 사용된 얇은 폴리에틸렌 비구컵은 심한 마모로 인해 골용해와 삽입물해리를 흔히 일으켰다. 표면 치환술의 특성상 대퇴 삽입물의 직경이 크기 때문에 두꺼운 비구컵의 사용이불가능하여 폴리에틸렌의 마모가 상대적으로 클 수밖에 없었다. 또한 과거 표면 치환술에서는 시멘트형 고관절 전치환술과 마찬가지로 시간에 따른 골시멘트의피로 및 붕괴가 실패의 주된 원인 중 하나였다. 게다가과거에는 수술 술기가 현재에 비해 숙련되지 않았으며, 수술 후 발생할 수 있는 합병증에 대해서도 잘 알려져 있지 않았다. 대퇴골 경부 골절의 중요한 선행 인자로 알려져 있는 경부의 절흔(notching)이 지금과 같이 강조되지 않아 수술 후 대퇴골 경부 골절이 드물지않게 발생하였다.

오늘날의 3세대 금속-금속 관절면 표면 치환술은 다음과 같은 장점을 갖는다. 첫째, 비구나 대퇴골두의 건강한 골조직을 최대한 보존하여 삽입물의 단단한 지지 기반을 만들고 삽입물의 안정적 고정에 기여한다. 둘째, 정상적인 해부학적 고관절 중심을 유지하여 고관절에 가해지는 하중과 스트레스를 고르게 분산시키며 근위 대퇴골의 응력 차단(stress shielding) 현상을 최소화한다. 표면 치환술을 시행한 경우 일반적인 대퇴스템을 이용한 고관절 전치환술을 시행한 경우에 비해 대퇴골 근위부에 가해지는 힘이 생역학적으로 보다정상에 가깝다. 수술 일 년 후 대퇴골 근위부의 골밀도를 측정하였을 때 고관절 전치환술에서는 Gruen 영역 I, VII에서 수술 전에 비해 각각 7.8%, 7.7% 감소하였으나, 표면 치환술에서는 해당 영역에서 각각 2.6%, 0.6% 감소하는데 그쳐 상대적으로 골밀도가 유지되는 것으로 확인되었다. 셋째, 금속-금속 관절면의 액막 윤활 기전으로 금속 관절면 사이의 마찰을 줄이며마모 발생을 최소화한다. 금속 마모 입자는 폴리에틸렌 입자와는 달리 수 나노미터 단위의 매우 작은 입자로 신장을 통해 배설이 가능하여 어느 정도 시간이 경과하면 체내에서 농도의 평형을 이루게 된다. 개인의

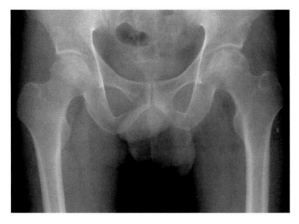
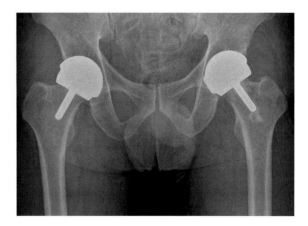

그림 6. 대퇴골두 골괴사로 고관절 표면 치환술을 시행한 후 15년 추시 방사선 사진

체질에 따른 차이가 있긴 하나 일반적으로 장기간 추시하였을 때 금속 입자는 폴리에틸렌 입자에 의한 것과 같은 심각한 골용해를 일으키지는 않는 것으로 보고되고 있다. 넷째, 큰 직경의 대퇴골두에 의한 고관절 안정성을 극대화하여 정상적 생활인으로 복귀시킬 수가 있다. 전치환술에 비해 큰 대퇴골두를 재건함으로써 탈구가 되기까지 필요한 골두의 이동거리(jump distance)를 증가시켜 탈구의 위험을 방지할 수 있다 (그림 7). 따라서 수술 후 관절 운동 범위가 넓고 탈구의 위험이 거의 없으므로 수술 후 초기 재활 치료에 적극적으로 임할 수 있다. 다섯째, 고관절 전치환술에 비해 생역학적으로 자연스러워 수술 후 주변 근육이나 인대에 미치는 영향이 덜하며 관절면의 파손 위험이 적어 격렬한 스포츠 활동이 가능하여 전문적인 운동 선수에게도 시행할 수 있다. 여섯째, 수술 후 하지 부동 (leg length discrepancy)이 거의 없으며 대퇴부 통증이 적다. 일곱째, 정상적인 비구와 대퇴골두를 최대한 보존하므로 추후 재수술이 용이하다. 특히 대퇴골 경부 하방의 골소실이 없으므로 일차 고관절 전치환술에 사용되는 일반적인 대퇴스템을 사용하여 재수술이 가능하다.

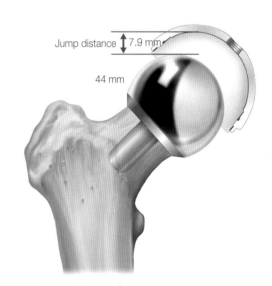

그림 7. Jump distance
골두의 크기가 증가할수록 jump distance가 증가하여 탈구의 위험성이 감소한다.

4. 적응증 및 금기사항

전술한 바와 같이 표면 치환술은 탈구의 위험이 거의 없고 관절 운동 범위가 거의 정상으로 회복되고 조기 재활치료와 함께 대부분의 스포츠 활동을 할 수 있으므로 활동량이 많고 각종 스포츠를 즐기는 젊은 환자들에게 적응이 된다. 대부분의 연령층에서 시행 가

617

능하나 골질이 약한 노인이나 골다공증이 있는 환자에서는 표면 치환술이 바람직하지 않다. 대퇴골두 골괴사는 비교적 젊은 연령에서 발생하므로 표면 치환술의 좋은 적응 대상이 될 수 있다. 그러나 이 경우 대퇴골두가 이미 혈행 장애로 괴사되어 있어 수술 시 골두의 상당 부분을 제거한 뒤 골시멘트로 대치해야 한다. 따라서 골괴사의 범위가 너무 넓은 환자에서는 건강한 골두가 거의 남아있지 않게 되므로 대퇴 삽입물의 조기 해리나 대퇴골 경부 골절의 가능성이 다른 경우보다 높아지기 때문에 신중을 기해야 한다.

대퇴골의 해부학적 변형이 심한 경우에도 신중한 선택이 필요하다. 대퇴골 경부가 너무 짧거나, 직경이 좁은 경우, 심한 내반고, 전염각의 변형이 심한 경우, 하지 부동이 심한 경우, 오프셋이 아주 작은 경우 등에서는 수술을 시행하기가 어려우며 수술 후 좋은 결과를 기대하기 어렵다. 비구부의 골결손이 커 다른 보조 기구의 도움 없이 비구컵을 압박 고정할 수 없는 경우에도 표면 치환술을 시행할 수 없다. 화농성 관절염이나 결핵성 관절염 등 과거 고관절 감염력이 있는 환자도 적응 대상에서 제외된다.

현대적 표면 치환술은 금속-금속 관절면을 사용하기 때문에 코발트, 크롬, 니켈 등에 과민 반응을 보인 과거력이 있는 환자에서는 금속 마모 입자가 체내에서 과도한 면역 반응을 유발할 수 있어 표면 치환술을 시행하지 않는 것이 권장된다. 수술 전 문진을 통해 접촉성 피부염 등 금속 물질에 대한 알레르기 과거력을 확인하고 의심되는 환자에서는 피부 첩포 검사를 시행하여 과민 체질 여부를 확인해야 한다. 또한 금속 이온은 신장을 통해 배설되므로 신장 기능이 저하된 환자에서는 체내 금속 농도가 높아질 수 있고 신장 기능에도 악영향을 미칠 가능성이 있어 금속-금속 표면 치환술은 금기이다. 그 밖에 태아에 대한 금속 이온의 영향이 아직 확립되지 않았으므로 미혼 여성이나 향후 임신 계획이 있는 여성에서는 표면 치환술은 가급적 피하는 것이 좋다.

5. 수술 술기

표면 치환술은 대퇴골두를 그대로 두고 모든 수술 과정을 진행하므로 수술 시 시야의 확보가 어렵고 대퇴골두를 공급하는 혈관을 보존하고 주변 연부조직의 손상을 최소화해야 하는 면에서 일반 고관절 전치환술보다 술기가 까다롭고 상당한 경험을 필요로 한다. 또한 비구컵과 대퇴 삽입물이 정확하게 안착되지 않으면 예기치 않은 합병증이 발생하거나 수술 후 실패의 직접적인 원인이 된다. 따라서 수술 전 철저한 계획이 필요하고 오류를 예방할 대책을 충분히 검토하고 수술에 임해야 한다.

1) 수술 전 계획

먼저 정확한 고관절 전후면, frog-leg 측면, cross-table 측면의 3가지 방사선 사진을 촬영하여 대퇴골 근위부와 비구에 대한 해부학적 분석을 시행한다. 특히 cross-table 측면 사진은 대퇴골두와 경부의 상관 관계 및 대퇴 삽입물의 정확한 위치를 파악하는 데 중요한 정보를 제공한다. 경우에 따라서는 전산화단층촬영을 이용하여 대퇴골 및 비구의 전염각, 전후벽 상태, 경간각, 경부의 부분적 비후 여부 등을 파악할 수 있다. 특히 대퇴골두 골괴사 환자의 경우 전산화단층촬영 또는 자기공명영상은 괴사의 범위와 위치를 파악하여 표면 치환술의 적응 여부를 판정하는데 결정적인 정보를 제공하며 대퇴골두와 비구의 관절면하 낭성 병변을 확인하는 데에도 유용하다. 정확히 촬영된 전후면 및 측면 방사선 사진을 이용하여 적정 삽입물 선택을 위한 수술 전 가늠술(templating)을 시행한다(그림 8). 이때 대퇴골두-경부 경계지점을 정확히 인지하고 절흔 생성을 피하기 위한 스템의 위치와 방향, 대퇴 삽입물의 크기 등을 예측한다. 과거 Amstutz 등은 대퇴스템과 대퇴골의 장축이 이루는 각도를 환자의 자연 경간각보다 약간 외반된 각도, 또는 135°에서 140° 사이를 목표로 설정하도록 기술하였으나, 이는 수평 오프셋을 작게 하고 오히려 대퇴골 경부의 절흔 및 골절 발생의 위험성

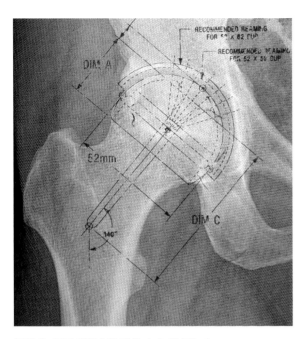
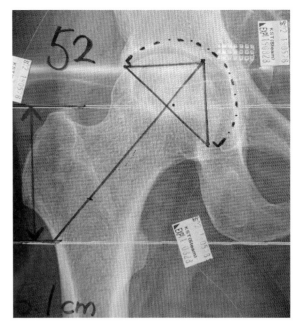

그림 8. 표면 치환술을 위한 수술 전 가늠술
대퇴골 경부의 절흔이 발생하지 않게 주의하여야 하며, 대퇴 삽입물의 각도는 환자의 대퇴골 경간각을 기준으로 하여 가늠한다.

을 증가시킬 수 있다. 특히 동양인의 경우 대퇴골 경간각이 서양인에 비해 작은 경우가 많아 가급적 환자의 자연적인 대퇴골 경간각에 맞추어 대퇴골 경부의 중앙을 지나도록 스템을 위치시키는 것이 권장된다.

2) 수술 방법

표면 치환술은 전방 또는 후방 접근법을 이용하여 시행할 수 있으며, 충분한 시야 확보를 위해 일반적인 고관절 전치환술에 비해 피부를 넉넉하게 절개하는 것이 좋다. 일부 술자들은 대퇴골두를 공급하는 혈관과 주변 연부조직의 손상 가능성을 피하기 위해 전방 또는 전외측 접근법을 권하고 있으나 실제로 많은 술자들은 후외측 접근법을 사용하고 있다. 각각의 접근법에 대해 장단점이 존재하지만 각자가 자신있게 시행할 수 있는 접근법을 택하는 것이 중요하다. 여기에서는 전외측 접근법을 기준으로 수술 방법에 대해 설명하도록 하겠다.

일반적인 고관절 전치환술을 시행할 때와 마찬가지로 장경대를 절개하고 중둔근 및 소둔근의 전방 부착부를 박리한 뒤 전방 관절낭을 제거한다. 대퇴골 경부를 절제하지 않고 관절을 탈구시켜야 하기 때문에 일반 전치환술에 비해 관절낭을 충분히 절제하는 것이 좋다. 수술 전 계획한 대로 유도핀을 삽입하기 위해 자연적인 대퇴골 경간각에 맞추어 측정한 대퇴골 외측부 시작점에서 근위부로 전염각을 고려하여 유도핀을 삽입한다. 이후 bone hook을 이용하여 대퇴골두를 전방으로 탈구시킨 뒤 고관절을 굴곡, 외회전, 내전시켜 대퇴골두를 완전히 노출시킨다.

대퇴골 외측의 유도핀에 가이드를 걸고 관상면을 기준으로 환자의 자연적인 대퇴골 경간각을 목표로 설정한 뒤 jig를 적용하여 목표한 대로 중심이 설정되었는지 확인한다(그림 9). 이때 골극이 크거나 대퇴골두의 변형이 심한 경우 적절한 중심을 잡기 쉽지 않으므로 여러 번 반복하여 확인하여야 한다. 이후 대퇴골두의 중

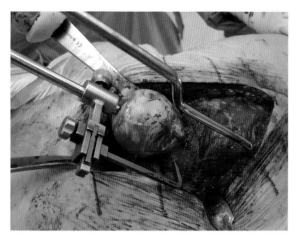

그림 9. 유도핀 삽입 과정

Jig를 이용하여 대퇴골두의 중심을 확인한 뒤 대퇴골 경부의 중심을 지나도록 3.2 mm 유도핀을 삽입한다.

심으로부터 향후 대퇴스템이 위치할 경로, 즉 대퇴골 경부의 중앙을 지나는 경로로 3.2mm 유도핀을 삽입한다. 이 유도핀을 기준으로 주변을 확공한 뒤 막대형 가이드(spigot)를 설치한다. 이후 원통형 리머(cylindrical reamer)를 이용해 대퇴골두의 주변부를 갈아내게 되는데 미리 측정한 사이즈보다 한 사이즈 크게 시작하여 해당 사이즈까지 리밍한다(그림 10A). 이 과정에서 대퇴골 경부에 절흔이 발생하지 않도록 주의하여야 하며, 이를 위해 원통형 리밍이 어느 정도 진행이 되면 주위를 rongeur로 다듬어서 절흔이 발생하지 않도록 한다. 그 다음 cut-off ring을 설치한 뒤 대퇴골두의 dome 부위를 절삭하고 chamfer cutter를 이용하여 대퇴골두의 가장자리를 절삭하여 대퇴 삽입물이 위치할 수 있도록 형태를 만든다(그림 10B, C).

골관절염의 경우에는 괴사된 부위를 제거하는 과정은 필요 없으나 대퇴골두 골괴사의 경우 rongeur, curette 등을 이용하여 기저부의 단단한 정상 골조직이 노출될 때까지 괴사된 부위를 철저히 제거해야 하며, 괴사부 주변으로 생성된 낭성 병변에 대해서도 충분히 제거해야 한다(그림 10D). 이후 시험용 대퇴 삽입물을 적용해서 괴사부의 표면이 삽입물보다 지나치게 넓으면

고관절 전치환술로 계획을 변경할 수 있다. 대퇴골두의 표면에 6 mm 드릴을 이용하여 구멍을 여러 개 만들어주어 골과 시멘트 사이의 접촉 면적을 넓혀주고 추가적인 안정성을 부여하도록 한다. 대퇴골 소전자 부위에 음압 흡입기를 설치하고 대퇴골두의 표면에 남아 있는 연부조직이나 이물질 등을 제거한 뒤 박동성 세척기를 이용하여 깨끗이 세척한다. 대퇴골두에도 음압 흡입기를 이용하여 골두를 최대한 건조시켜 준다. 이후 대퇴골두와 대퇴 삽입물 내측에 골시멘트를 적용한 뒤 대퇴 삽입물을 망치를 이용하여 고정한다(그림 11). 과도한 망치질은 대퇴골 경부의 골절을 유발할 수 있으므로 주의하여야 한다. 또한 시간이 너무 경과하면 시멘트가 경화되어 대퇴 삽입물이 계획한 대로 삽입되지 않을 수 있으니 주의하여야 한다. 골시멘트가 삽입물 주위로 나오게 되면 curette이나 forceps 등을 이용하여 골시멘트를 제거한다. 비구부의 경우 일반적인 고관절 전치환술과 동일한 방법으로 골시멘트 없이 압박 고정시킨다. 하지만 대퇴골두가 남아 있기 때문에 비구부의 시야 확보에 주의하여야 하며 확공 시나 비구컵 삽입시 대퇴골두나 경부를 손상시키지 않도록 주의해야 한다. 전치환술과는 달리 비구 삽입물에 나사못을 적용할 수 없으므로 숙련된 확공 기술이 필요하다. 충분한 시야를 확보하고 비구컵의 삽입을 용이하게 하기 위해 주변 관절낭과 비구순을 충분히 제거해 주는 것이 좋다. 압박 고정시 비구컵이 충분히 깊게 삽입되었는지 나사못 구멍을 통해 확인할 수 없기 때문에 비구컵과 변연부의 관계를 통해 판단하여야 한다.

비구측을 먼저 시행할지 대퇴골측을 먼저 시행할 지에 대해서는 술자의 취향에 따라 그 순서가 달라질 수 있다. 하지만 대퇴 삽입물을 최종 삽입한 후에 비구컵을 삽입하는 경우 수술 과정에서 대퇴 삽입물에 손상을 가할 수 있으므로 일반적으로는 비구측을 먼저 시행하거나 대퇴골두의 준비를 마친 뒤 최종 삽입물은 삽입하지 않은 상태로 비구컵을 완성하고 대퇴 삽입물을 최종적으로 삽입하게 된다.

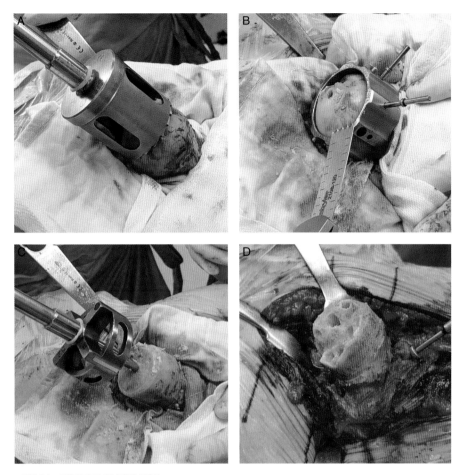

그림 10. 대퇴골두의 준비 과정
(A) 원통형 리머를 이용하여 대퇴골두를 절삭하는 모습. (B) Cut-off ring을 설치한 뒤 sagittal saw를 이용하여 대퇴골두의 dome을 절삭하는 과정. (C) Champfer cutter를 이용하여 대퇴골두의 가장자리를 절삭하는 모습. (D) 대퇴골두에 드릴을 이용하여 구멍을 뚫고 중심부와 소전자부에 음압흡입기를 삽입한 모습

그림 11. 대퇴골두에 최종적으로 대퇴 삽입물을 고정하는 모습

6. 임상 결과

많은 저자들이 금속-금속 표면 치환술의 장기 추시 결과를 보고하였다. Treacy는 144예의 10년 이상 추시에서 95.5%의 생존율을 보고하였다. Amstutz는 100예에서 5년에 93.9%, 10년에 88.5%의 생존율을 보고하였는데, 그 중 대퇴골두의 크기가 46 mm 이상인 경우에는 95.6%, 44에서 46 mm 사이는 83.8%, 42 mm 이하에서는 78.9%로, 여성이나 삽입물의 크기가 작은 환자에게서는 상대적으로 좋지 않은 결과를 보인다고 하였다. Gross는 11년 추시 결과에서 93%의 성공률을 보고하였으며, Yoo 등은 104예의 10년 이상 추시 결과 96.8%의 생존률을 보고하였다. Mont와 Amstutz 등은 골관절염과 대퇴골두 골괴사에서 시행한 표면 치환술의 장기 생존률은 두 군 간에 차이가 없었다고 보고하였다. McMinn은 55세 이하의 젊은 환자에게서 결과가 더 좋았으며, 표면 치환술을 한쪽만 시행한 군에서는 31%, 양쪽을 모두 시행한 군에서는 28%에서 수술 후 힘든 일이 가능했으며, 정기적인 스포츠 활동은 한쪽만 시행한 군에서는 92%, 양쪽을 모두 시행한 군에서는 87%에서 가능하였다고 보고하였다. 표면 치환술의 경우 일반 고관절 전치환술에 비해 술기가 복잡하여 장기간의 학습 곡선이 필요한 경우가 많아 경험이 많은 술자에게서는 좋은 결과를 보이지만 술기가 익숙하지 않은 경우에는 좋지 않은 결과가 나타날 수도 있다. 또한 ASR® 등 일부 제품에서는 디자인상의 문제로 인하여 5년 추시 결과 상 10%가 넘는 재치환율을 보여 더 이상 사용되지 않는다.

7. 합병증과 문제점

표면 치환술은 전술한 바와 같이 장점이 많은 반면 합병증과 문제점도 갖고 있다. 일반 고관절 전치환술보다 수술 술기가 더 까다롭고 상대적으로 오랜 학습 기간이 필요하며 상당한 경험 축적을 필요로 하므로 술기가 미숙한 경우 많은 합병증을 유발할 수 있다.

첫째, 비구 삽입물과 대퇴 삽입물의 잘못된 삽입이

다. 이는 가장 흔한 합병증으로 정도가 심한 경우는 표면 치환 삽입물의 수명에 직접적인 영향을 미친다. 특히 대퇴 삽입물이 과도하게 내반 위치로 삽입되는 경우 대퇴골 경부 상단에 전단력과 굴곡력을 지속적으로 발생 시켜 대퇴 삽입물의 해리나 대퇴골 경부 골절이 발생할 위험성이 증가한다. 과도하게 외반 위치로 삽입되게 되면 대퇴골 경부 상외측에 절흔이 발생하기 쉽고 이곳에 하중이 집중되어 대퇴골 경부 골절의 위험이 높아진다. 또한 비구부의 경우에도 남아 있는 대퇴골두로 인해 시야가 좋지 않고 확공 시 방해를 받을 수 있으며 나사못 구멍이 없기 때문에 비구컵이 잘못 삽입될 가능성이 고관절 전치환술에 비해 높다. 비구컵이 부적절한 전염각이나 경사각을 갖을 경우 금속-금속 관절면의 접촉면에서 가장자리까지의 거리(contact patch to rim distance)가 감소하여 과도한 edge loading이 발생할 수 있다.

둘째, 대퇴골 경부 골절이다. 이는 수술 후 수개월 이내 발생되는데 대부분 수술 오류가 원인이 된다. 특히 경부 상단에 절흔이 발생하는 경우 이곳에 응력이 집중하여 골절이 발생하기 쉬우며, 대퇴 삽입물이 과도하게 내반 위치로 삽입되었을 때도 발생하기 쉽다. 또한 대퇴스템 삽입 시 가해진 충격에 의한 미세한 균열이 추후 경부 골절로 이어질 수 있다. 대퇴골 경부 골절은 술자에 따라 0-10%의 빈도로 보고하고 있으며, 최근의 발표를 보면 평균 1.25%에서 주로 수술 후 4-5개월 이내에 발생하는 것으로 알려져 있다(그림 12).

셋째는 대퇴골 경부의 충돌소견이다. 표면 치환술 후 고관절의 운동 범위는 정상 또는 그 이상으로 증가되고 다리를 꼰 자세나 쪼그리고 앉는 자세가 가능하고 스포츠 활동에도 참여하게 되므로 대퇴골 경부와 비구컵의 외측 가장자리가 반복적으로 충돌이 일어나 대퇴골 경부에 함몰이 발생할 수 있다. 이는 방사선 사진상 경계가 진하면서 움푹 파인 모양으로 관찰된다(그림 13). 이러한 변화는 대개 수술 후 2년까지 진행되다가 이후 정지된 상태로 방사선 사진상 더 이상 진행

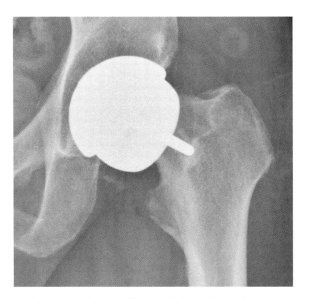

그림 12. 고관절 표면 치환술 후 발생한 대퇴골 경부 골절

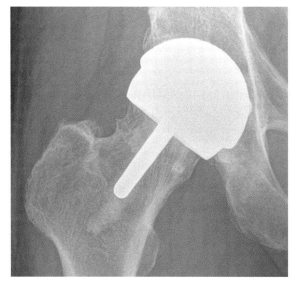

그림 13. 대퇴골 경부 충돌
비구컵과 대퇴골 경부의 충돌로 인해 대퇴골 경부의 외측 상방에 움푹 파여져 있는 모습이 관찰된다.

되지는 않는다. 비구컵의 전염각이 25° 이상이거나 경사각이 40° 이하일 때 충돌이 발생하기 쉬운 것으로 보고된다. 대개 증상은 유발하지 않으나 드물게 고관절 주위의 과격한 운동 후 둔통을 호소하는 경우도 있다. Lim 등은 약 11%에서 충돌 현상이 발생하였다고 보고하였으며, 다른 저자들 또한 3-20% 사이로 보고하고 있다.

넷째는 혈중 금속 이온(코발트, 크롬) 농도의 증가이다. 혈청 내 코발트 이온은 정상적으로 2 μg/L 이하이며, 7 μg/L 이상이 되었을 때 주의를 요하는데, 일반적으로 수술 후부터 6개월에서 1년까지 증가하는 경향을 보이며 그 이후에는 금속 관절면의 자가 연마(self-polishing) 작용에 의해 더 이상의 증가하지 않고 일정한 수준을 유지한다(그림 14). 혈중 금속 이온 농도는 비구 삽입물의 위치 또는 각도와 연관되어 있다. 비구 삽입물의 전염각은 5°에서 25°, 경사각은 40°에서 50° 이내로 조절하는 경우 안전하지만 이 각도에서 벗어나는 경우 고관절의 굴곡 또는 신전 시 edge loading이 일어나기 쉬워 금속 이온 농도가 증가할 수 있다. 금속 농

도가 현격히 높은 경우 신경 계통에 이상을 야기한다는 보고도 있으나 암 발생과는 연관이 없는 것으로 보고되고 있다. 금속 이온의 태반 통과는 태반이 어느 정도 금속 이온의 농도를 조절한다는 알려져 있으나 가임기 여성에서는 주의하는 것이 좋다. 영국 고관절 학회(British hip society)에서는 금속-금속 관절면 표면치환술 시행 후 5년까지 1년에 한 번씩 혈중 코발트, 크롬 농도를 측정하도록 권고하고 있으며 이후에는 증상이 있는 환자들에 대해서만 매년 금속 농도를 측정하도록 권고하고 있다.

다섯째, 국소적인 금속증(metallosis) 및 이로 인해 발생하는 부작용(adverse reaction to metal debris, ARMD)이다. 이는 특정 디자인의 기구 사용이나 잘못된 기구 삽입으로 금속 관절면 사이에서 심한 edge loading이 일어나거나 충돌(impingement), 부식(corrosion)의 결과로 발생할 수 있다. 이는 조직학적 소견으로 림프구를 매개로 하는 혈관염과 유사한 염증 반응(aseptic lymphocytic vasculitis-associated lesions, ALVAL)으로 나타난다(그림 15). 이는 4형 면역

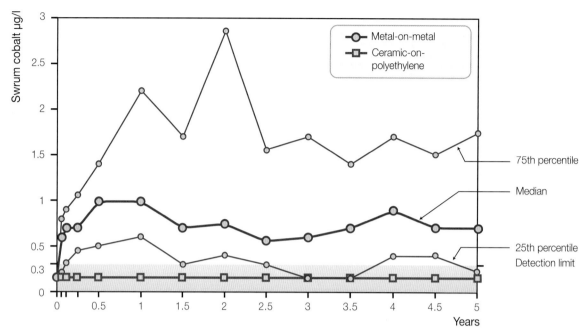

그림 14. 금속-금속 관절면 고관절 전치환술 후 혈청 코발트 이온농도의 변화
수술 후 2년까지 혈청 코발트의 이온농도가 증가하다가 그 이후에는 더 이상 증가하지 않고 일정한 수준을 보인다.
Brodner W.J Bone Joint Surgery, Am 2003, 85(11)

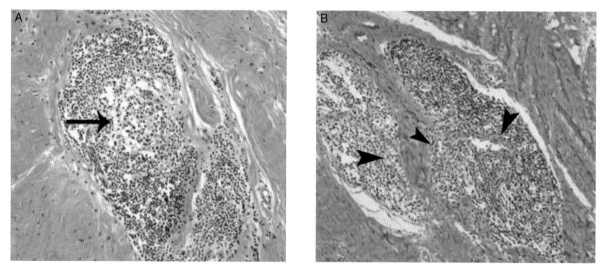

그림 15. Aseptic lymphocytic vasculitis-associated lesions (ALVAL)
혈관 주변에 비정상적인 림프구 침윤 소견 및 부분적인 조직 괴사 소견을 보이고 있다. 이러한 병변은 4형 지연 과민 반응을 시사하는
소견으로 aseptic lymphocytic vasculitis-associated lesions (ALVAL)로 명명된다(HE, ×100).

반응이 관여하는 일종의 지연된 과민 반응(delayed-type hypersensitivity)으로 환자의 체질에 따라 그 정도가 다르게 나타나며, 남성보다는 여성 환자에서 더 흔한 것으로 알려져 있다. 이러한 면역 반응은 때로는 심한 통증을 일으킬 수 있으며, 심한 경우 주변 근육이나 관절낭의 괴사, 가성 종양(pseudotumor), 골용해 현상으로 나타날 수 있고, 이는 삽입물의 해리, 탈구, 감염 등으로 이어질 수 있다(그림 16). 문제가 발생한 경우 대부분 혈중 금속 이온 농도가 상승해 있기 때문에 통증이 있는 환자에 대해서는 언제든 혈중 금속 농도를 측정하고 금속 인공물 감쇄(metal artifact reduction; MAR) 자기공명영상을 촬영하여 가성 종양 등을 확인하는 것이 중요하다. 한국, 중국, 일본 등의 보고에서는 금속 과민 반응, ALVAL, 가성 종양의 발생 빈도는 미국이나 유럽의 보고보다는 적은 것으로 보고되고 있다. 아직까지 이러한 결과 차이에 대한 명확한 이유를 설명하기는 어려우며 대상 환자의 체격, 체중 등 신체 특성의 차이, 유전적 차이, 생활 습관의 차이 등을 원인으로 생각할 수는 있으나 앞으로 추가적인 연구가 필요하다. 여섯째는 대퇴골 경부가 좁아지는 현상(neck narrowing)이다(그림 17). 이는 보고자에 따라 10-27%에서 보고되고 있으며 대퇴골 경부의 혈행 장애,

충돌, 골용해, 응력 차단(stress shielding) 및 리모델링 등이 원인일 것으로 추측되고 있으나 아직까지 정확한 원인은 알려져 있지 않다. 대퇴골 경부가 좁아지는 현상이 향후 대퇴 삽입물의 해리나 대퇴골 경부 골절로 이어질 수 있는지에 대해서도 아직까지 명확히 밝혀지지 않았다. 마지막으로 관절 운동 시 clicking이나 squeaking 등 소리 발생은 주로 세라믹-세라믹 관절면에서 주로 보고되고 있으나, 금속-금속 관절면에서도 드물게 보고되고 있다.

8. 전망

3세대 표면 치환술이 소개된 후 이전 세대의 표면 치환술의 문제점이 대폭 개선되면서 전반적으로 우수한 중장기 치료 결과를 보고하고 있다. 특히 수술 후 탈구 위험이 적고 정상 생활로의 빠른 복귀 및 왕성한 스포츠 활동이 가능하다는 점에서 젊고 활동적인 환자들에서 선호도와 만족도가 높다. 표면 치환술은 정상적인 고관절의 구조를 최대한 유지하므로 주변 조직에 가해지는 생역학적 변화를 최소화하게 되며, 대퇴골의 절삭 부위가 고관절 전치환술에 비해 적기 때문에 젊은 환자들에게 있어서 긴 여생을 위한 좋은 전략적 선택이 될 수 있다. 이러한 장점으로 금속-금속 표면 치환

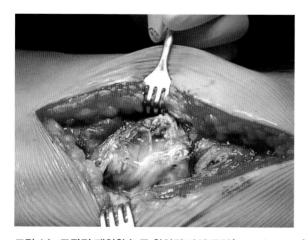 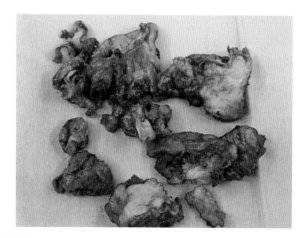

그림 16. 고관절 재치환술 중 확인된 가성 종양(pseudotumor)의 모습

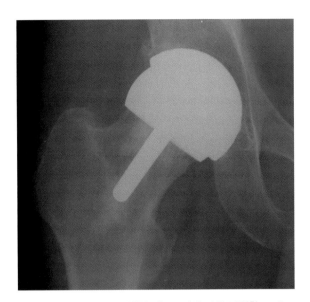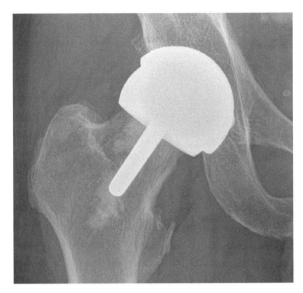

그림 17. 고관절 표면 치환술 후 14년에 걸쳐 진행한 neck narrowing 소견

술은 2000년대에 들어서면서 한동안 급속도로 보급이 증가되었으나 이후 금속 과민 반응, 가성 종양, 골용해, 대퇴골 경부 골절 등에 대한 우려가 꾸준히 제기되면서 현재는 그 사용 빈도가 많이 감소하였다. 뿐만 아니라 새로운 제품들이 오히려 기존에 사용되던 기구들보다 오히려 좋지 않은 결과를 보고하였으며, 일부 제품들은 단기간에 심각한 부작용을 초래하기도 하였다. 특히 2010년 ASR®이 결국 리콜 조치되어 제조사가 천문학적인 배상금을 지불하게 되면서 표면 치환술의 시행 건수는 전세계적으로 급감하게 되었다. 거기에 더해 최근 들어 고도 교차 폴리에틸렌 및 세라믹 관절면의 발전으로 고관절 전치환술의 장기 생존율이 뚜렷하게 개선되면서 술기가 까다롭고 금속-금속 관절면에 대한 우려를 안고 있는 표면 치환술에 대한 회의론이 이어지고 있다.

하지만 검증된 기구를 이용하여 숙련된 술자에 의해 시행된 표면 치환술의 경우에는 현세대의 고관절 전치환술에 못지 않은 우수한 장기 생존율을 보고하고 있어 기능적인 면을 중요시하는 환자들에게는 여전히 좋은 선택지가 되고 있다. 또한 특히 대퇴골두 골괴사의 유병률이 높은 우리나라의 경우에는 앞으로도 표면 치환술을 원하는 환자들이 꾸준히 발생할 것으로 전망된다. 향후 표면 치환술이 다시 각광받기 위해서는 금속-금속 관절면의 부작용을 줄일 수 있는 방안이 모색되어야 할 것이며 수술 기구나 수술 술기의 발전 또한 필요하다. 한편으로는 고도 교차 폴리에틸렌이나 세라믹 등 금속-금속 이외의 관절면을 이용한 표면 치환술의 개발도 기대해 볼만하다. 지난 수십 년간 표면 치환술을 비롯한 인공 관절 분야는 놀라운 발전을 거듭해 왔다. 고관절 전치환술에 버금가는 오랜 역사를 자랑하는 고관절 표면 치환술은 현재 여러 문제들로 인해 위기를 겪고 있지만, 앞으로 다시 한 번 주류로 부상하게 될지는 시간을 두고 지켜봐야 할 일이다.

참고문헌

1. Amstutz HC, Campbell PA, Le Duff MJ. Fracture of the neck of the femur after surface arthroplasty of the hip. J Bone Joint Surg Am. 2004; 86: 1874–1877.

2. Amstutz HC, Le Duff MJ. Correlation between serum metal ion levels and adverse local tissue reactions after Conserve(R) Plus hip resurfacing arthroplasty. Hip Int. 2017; 27: 336-342.

3. Amstutz HC, Le Duff MJ. Hip resurfacing for osteonecrosis: two- to 18-year results of the Conserve Plus design and technique. Bone Joint J. 2016; 98-b:901-909.

4. Amstutz HC, Le Duff MJ. Hip resurfacing results for osteonecrosis are as good as for other etiologies at 2 to 12 years. Clin Orthop Relat Res. 2010; 468(2): 375-381.

5. Beaulé P, Dorey F, Le Duff M, Gruen T, Amstutz H. Risk factors affecting early outcome of metal on metal surface arthroplasty of the hip in patients 40 years old and younger. Clin Orthop Relat Res. 2004; 418: 87-93.

6. Beaule PE, Campbell PA, Lu Z, Leunig-Ganz K, Beck M, Leunig M, et al. Vascularity of the arthritic femoral head and hip resurfacing. J Bone Joint Surg Am. 2006; 88(Suppl 4): 85-96.

7. Cooke NJ, Rodgers L, Rawlings D, et al. Bone density of the femoral neck following Birmingham hip resurfacing. Acta Orthop. 2009; 80(6): 660-665.

8. Coulter G, Young DA, Dalziel RE, Shimmin AJ. Birmingham hip resurfacing at a mean of ten years. Results from an independent centre. J Bone Joint Surg Br. 2012; 94: 315-321.

9. Daniel J, Pradhan C, Ziaee H, Pynsent PB, McMinn DJ. Results of Birmingham hip resurfacing at 12 to 15 years: a single-surgeon series. Bone Joint J 2014; 96-b: 1298-306.

10. Ford MC, Hellman MD, Kazarian GS, Clohisy JC, Nunley RM, Barrack RL. Five to Ten-Year Results of the Birmingham Hip Resurfacing Implant in the U.S.: A Single Institution's Experience. J Bone Joint Surg Am. 2018; 100: 1879-87.

11. Forrest N, Murray AD, Schweiger L, Hutchison J, Ashcroft SA. Femoral head viability after Birmingham resurfacing hip arthroplasty: assessment with use of [18F] Fluoride positron emission tomography. J Bone Joint Surg Am. 2006; 88(Suppl 3): 84-89.

12. Gerard Y, Chelius P, Legrand A. Hip arthroplasty using non-cemented paired cups. 14-year experience. Rev Chir Orthop reparatrice Appar Mot. 1985; 71(Suppl): 82-85.

13. Haddad FS, Konan S, Tahmassebi J. A prospective comparative study of cementless total hip arthroplasty and hip resurfacing in patients under the age of 55 years: a ten-year follow-up. Bone Joint J. 2015; 97-b: 617-22.

14. Haughom BD, Erickson BJ, Hellman MD, Jacobs JJ. Do Complication Rates Differ by Gender After Metal-on-metal Hip Resurfacing Arthroplasty? A Systematic Review. Clin Orthop Relat Res. 2015; 473: 2521-9.

15. Hing C B, Young D A, Dalziel R E, Bailey M, Back D L, Shimmin A J. Narrowing of the neck in resurfacing hip arthroplasty. J Bone Joint Surg Br. 2007; 89(8): 1019-24.

16. J.P.Holland, D.J.Langton, M.Hashmi. Ten-year clinical, radiological and metal ion analysis of the Birmingham hip resurfacing. From a single, nondesigner surgeon. J Bone Joint Surg Br. 2012; 94: 471-476.

17. Khan A, Yates P, Lovering A, Bannister GC, Spencer RF. The effect of surgical approach on blood flow to the femoral head during resurfacing. J Bone Joint Surg Br. 2007; 89: 25.

18. Kwon YM, Ostlere SJ, McLardy-Smith P, et al. "Asymptomatic" pseudo tumors after metal-on-metal hip resurfacing arthroplasty: prevalence and metal ion study. J Arthroplasty. 2011; 26(4): 511-518.

19. Langton DJ, Joyce TJ, Jameson SS, Lord J, et al. Adverse reaction to metal debris following hip resurfacing: the influence of component type, orientation and volumetric wear. J Bone joint Surg Br. 2011; 93(2): 164-71.

20. Lim SJ, Kim JH, Moon YW, Park YS. Femoro-acetabular cup impingement after resurfacing arthroplasty of the hip. J Arthroplasty. 2012; 27: 60-65.

21. Little CP, Ruiz AL, Harding IJ, Mclardy-Smith P, Gundle R, Murray DW, et al. Osteonecrosis in retrieved femoral

heads after failed resurfacing arthroplasty of the hip. J Bone Joint Surg Br. 2005; 87: 320-323.

22. Liu F, Jin Z, Robers P, Grigoris P. Importance of head diameter, clearance, and cup wall thickness in elastohydrodynamic lubrication analysis of metal-onmetal hip resurfacing prostheses. Proc Inst Mech Eng H. 2006; 220: 695-704.

23. Matharu GS, Berryman F, Judge A, Reito A, McConnell J, Lainiala O, et al. Blood Metal Ion Thresholds to Identify Patients with Metal-on-Metal Hip Implants at Risk of Adverse Reactions to Metal Debris: An External Multicenter Validation Study of Birmingham Hip Resurfacing and Corail-Pinnacle Implants. J Bone Joint Surg Am. 2017; 99: 1532-9.

24. Mcmahon ST, Young D, Ballok Z, Badaruddin BS, Larbaiboonpong V, Hawdon G. Vascularity of the femoral head after Birmingham hip resurfacing. A technetium Tc 99m bone scan/single photon emission computed tomography study. J Arthroplasty. 2006; 21: 514-521.

25. McMinn DJW, Treacy RBC, Lin K, Pynsent PB. Metal on metal surface replacement of the hip. Experience of the McMinn prosthesis. Clin Orthop Relat Res. 1996; 329S: S89-S98.

26. Mont MA, Ragland PS, Etienne G, Seyler TM, Schmalzried TP. Hip resurfacing arthroplasty. J Am Acad Orthop Surg. 2006; 14: 454-463.

27. Müler M, Boltzy X. Artificial hip joints made from Protasul. Bull Assoc Study Probl Internal Fixation; 1968. 1-5.

28. Murray DW, Grammatopoulos G, Pandit H, Gundle R, Gill HS, McLardy-Smith P. The ten-year survival of the Birmingham hip resurfacing. An independent series. J Bone Joint Surg Br. 2012; 94: 1180-1186.

29. Nakasone S, Takao M, Sakai T, Nishii T, Sugano N. Does the extent of osteonecrosis affect the survival of hip resurfacing? Clin Orthop Relat Res. 2013; 471: 1926-34.

30. Park CW, Kim JH, Lim SJ, Moon YW, Park YS. A Minimum of 15-Year Results of Cementless Total Hip Arthroplasty Using a 28-mm Metal-On-Metal Articulation.

J Arthroplasty. 2019.

31. Park YS, Moon YW, Lim SJ, Yang JM, Ahn G, Choi YL. Early osteolysis following second-generation metal-on-metal hip replacement. J Bone Joint Surg Am. 2005; 87: 1515-1521.

32. Ritter MA, Lutgring JD, Berend ME, Pierson JL. Failure mechanisms of total hip resurfacing: implications for the present. Clin Orthop Relat Res. 2006; 453: 110-114.

33. Schmalzried T, Silva M, de la Rosa M, Choi E, Fowble V. Optimizing patient selection and outcomes with total hip resurfacing. Clin Orthop Relat Res. 2005; 441: 200-204.

34. Sershon R, Balkissoon R, Valle CJ. Current indications for hip resurfacing arthroplasty in 2016. Curr Rev Musculoskelet Med. 2016; 9: 84-92.

35. Siebel T, Maubach S, Morlock M. Lessons learned from early clinical experience and results of 300 ASR hip resurfacing implantations. Proc Inst Mech Eng H. 2006; 220: 345-353.

36. Treacy RBC, McBryde RP, McBryde CW, Shears E, Pynsent PB. Birmingham hip resurfacing. A minimum follow-up of ten years. J Bone Joint Surg Br. 2011; 93: 27-33.

37. Vendittoli P, Lavigne M, Roy A, Lusignan D. A prospective randomized clinical trial comparing metalon-metal total hip arthroplasty and metal-on-metal total hip resurfacing in patients less than 65 years old. Hip Int. 2006; 16: 873-881.

38. Wagner M, Wagner H. Preliminary results of uncemented metal on metal stemmed and resurfacing hip replacement arthroplasty. Clin Orthop Relat Res. 1996; 329(Suppl): S78-S88.

39. Yoo MC, Cho YJ, Chun YS, et al. Impingement between the acetabular cup and the femoral neck after hip resurfacing arthroplasty. J Bone Joint Surg Am. 2011; (Suppl 2): 99-106.

40. Yoon JP, Le Duff MJ, Johnson AJ, Takamura KM, Ebramzadeh E, Amstutz HC. Contact patch to rim distance predicts metal ion levels in hip resurfacing. Clin Orthop Relat Res. 2013; 471: 1615-21.

7

복잡한 고관절 전치환술
Complex Total Hip Arthroplasty

1. 수술 전 계획

다양한 원인에 의해서 고관절의 해부학적인 변형이나 골결손이 동반된 경우 시행하는 고관절 전치환술은 많은 어려움이 따를 수 있는 고난이도 수술이다. 변형을 일으킬 수 있는 대표적인 원인으로는 발달성 고관절 이형성증, 감염성 고관절염 후유증, 고관절 골절 후 유증, 대퇴골두의 골반내 돌출 비구 등이 있다. 이 경우 수술의 일차 목표는 비구 삽입물을 해부학적 고관절 중심 위치에 안정 고정시키고, 적절한 대퇴스템을 삽입하여 고관절의 기능을 정상적으로 회복시키는 것이다. 이를 위해서는 철저한 수술 전 계획과 섬세한 수술 술기가 중요하다.

1) 비구

철저한 수술 전 계획을 세우는 것이 복잡한 비구 재건술 시에 가장 중요한 단계라고 할 수 있다. 이러한 계획을 통해서 수술적 접근법을 결정하고, 추가로 필요한 수술 도구나 특수한 삽입물, 이식골 등을 미리 준비해 두어야 한다. 비구 변형이나 골결손의 형태를 파악하기 위해서 골반 전후면 방사선 사진과 Judet 사진, 3차원 전산화단층촬영을 통하여 비구의 형태, 용적, 방향 및 골절 등과 같은 많은 유용한 정보를 얻을 수 있다.

수술 전 계획 단계에서 가장 중요한 것은 진성 비구의 위치를 파악하고, 여기에 비구컵을 고정하는 것이 가능한지를 알아보는 데 있다. 비구컵을 가능하면 진성 비구에 위치시키려고 노력하는 이유는 이 위치가

삽입물을 고정하기에 가장 좋은 골량을 가지고 있으면서 고관절의 생역학을 정상적으로 복원할 수 있는 위치이기 때문이다. 이를 통해서 고관절 외전근의 기능을 향상시키고 고관절에 가해지는 힘을 줄여 줄 수 있으며, 삽입물 간의 충돌을 최소화할 수 있는 장점이 있다. 단순 방사선 사진을 통해서 진성 비구의 위치를 파악하여 수술 전 가늠술(templating)을 시행하고, scanogram을 통해서 하지 부동 정도를 측정하며, 필요하다면 전산화단층촬영을 통하여 진성 비구에 비구컵을 고정할 만한 충분한 골량이 있는지 미리 파악하는 것이 중요하다. 현격한 하지 부동으로 비구컵을 진성 비구에 위치시키는 것이 어렵거나 가능하더라도 과도한 하지 신장으로 신경 마비의 위험이 있는 경우에는 대퇴골 단축 절골술을 시행하거나 상방 비구 중심(high hip center)에 비구컵을 위치시키는 방법을 고려해야 한다. 후자는 기술적으로 쉬운 장점이 있으나 외전근의 약화에 의한 파행이나 삽입물간의 충돌 현상으로 인하여 탈구가 발생할 수 있고 삽입물 해리를 증가시키는 단점이 있다. 진성 비구에 비구컵을 고정할 만한 골량이 충분하지 않은 경우에는 충분한 내측 확공 후에 작은 크기의 비구컵으로 고정하는 방법으로 대부분의 시술이 가능하다. 만일 비구컵이 숙주골에 의해 70% 미만으로 덮이게 되는 경우에는 구조성 동종골이식술로 보강해 주어야 한다. 비구의 변형이나 골결손이 심한 경우에 구상 절골술 후에 비구컵을 상당히 내측에 위치시키는 방법(cotyloplasty), 비구 보강환

(acetabular reinforcement ring)이나 특수하게 디자인된 컵을 사용하는 방법을 사용하기도 한다.

2) 대퇴골

고관절 전치환술에서 대퇴골의 변형에 대해 주의를 요하는 경우는 발달성 고관절 이형성증 또는 소아기 화농성 고관절염의 후유증, 절골술 후 대퇴골 변형(부정유합 또는 불유합), 대퇴골두 골단분리증 후 관절염, 고관절 골성 및 섬유성 강직, 고관절 골절 후 불유합, 종양 등이 있다. 대퇴골의 해부학적 변형이 심한 환자에서는 수술적 접근법, 대퇴스템의 종류, 고정 방법 등에 대하여 미리 생각하고 적절한 선택을 하여야 한다. 인공 고관절의 안정성과 효율적인 생역학적 기능을 위해서 고관절의 중심을 복원하고 대퇴골 오프셋을 정상적으로 회복하여 삽입물에 가해지는 스트레스를 감소시키는 것이 중요하다.

3) 수술 접근법

변형이 심하지 않은 경우에는 일반적인 전외측 접근법이나 후외측 접근법이 모두 가능하지만 후외측 접근법이 가장 선호되고 있다. 비구의 심한 변형이나 골결손으로 복잡한 수술이 예상되는 경우나 외전근의 긴장성 회복이 필요한 경우에는 전자부 절골술을 시행한다. 전자부 절골술을 이용한 접근법의 장점은 비구 전체에 대한 수술 시야 확보가 우수하고, 필요한 경우에는 전자부 절골편의 원위 이동을 통하여 외전근의 기능을 향상시킬 수 있다는데 있다. 하지만, 단점으로는 절골편의 재부착이 어렵고 절골편의 근위부 이동에 따른 합병증의 가능성이 있다. 전자부 활주 절골술(trochanteric slide osteotomy)은 절골편의 상방과 하방부위에 각각 중둔근과 외측 광근이 부착되어 있기 때문에 수술 후 절골편의 근위 이동을 막아주는 장점이 있다(그림 1).

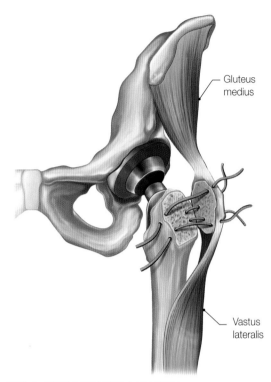

그림 1. 전자부 활주 절골술의 모식도

2. 발달성 고관절 이형성증

1) 적응증

발달성 고관절 이형성증이 있는 성인 환자에서 고관절 전치환술을 시행하는 이유는 고관절 통증 때문인 경우가 가장 흔하다. 그 외에도 현격한 하지 부동, 심한 파행, 요추부 통증이나 동측 슬관절 통증을 이유로 수술을 시행하는 경우가 있다. 하지만, 발달성 고관절 이형성증 환자에서 이차성 골관절염이나 그에 따른 증상들이 나타나는 시기가 비교적 젊은 연령대이기 때문에 고관절 전치환술의 수명이나 재치환술에 대한 고려가 있어야 하고, 경우에 따라서는 절골술과 같은 치료 방법을 먼저 선택해야 할 수도 있다. 또한, 고관절 이형성 정도가 심하지 않는 Crowe 분류 1, 2형인 경우에는 일반적인 고관절 전치환술과 임상 결과에서 별다른 차이를 보이지 않으나(그림 2) 고관절 이형성 정도가 심한 Crowe 3, 4형 또는 Hartofilakidis 분류 C형 고위 탈구인 경우(그림 3)에는 수술 자체가 기술적으로 어렵고 합병증 발생률도 비교적 높게 보고되고 있다. 따라서 고관절 전치환술을 결정할 때는 질병의 심한 정도, 이차성 골관절염의 진행 정도, 환자의 나이와 환자가 원하는 기능적 목표 등을 잘 고려하여야 한다(표 1).

2) 수술 술기 및 주의사항

(1) 비구

비구 재건술에서는 비구컵을 숙주골에 안정적으로 고정시키는 것이 가장 중요하다. 비구 재건술을 위해 가장 좋은 골량을 가지고 있는 위치는 대부분의 경우 진성 비구이나, 이전에 골반 절골술이나 선반 비구성

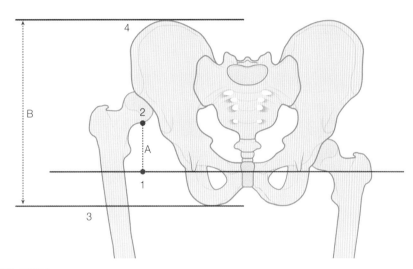

Crowe I: A/B < 0.1
Crowe II: A/B = 0.10-0.15
Crowe III: A/B = 0.15-0.20
Crowe IV: A/B > 0.20

그림 2. Crowe 분류법에 대한 모식도
A: 눈물 방울 간 수평선(1번 선)과 대퇴골두–경부 연결부의 최하방(2번 점) 사이의 수직 거리, B: 좌골 조면 간 수평선(3번 선)과 장골 능선간 수평선(4번 선) 사이의 수직 거리

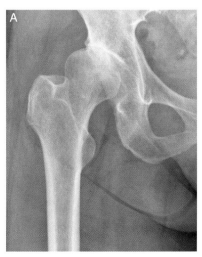
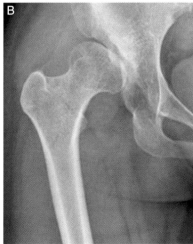
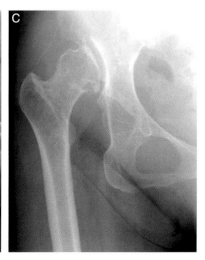

그림 3. Hartofilakidis 분류법에 대한 모식도
(A) 이형성증(dysplasia), (B) 저위 탈구(low dislocation), (C) 고위 탈구(high dislocation)

표 1. 발달성 고관절 이형성증에 대한 Crowe 및 Hartofilakidis 분류법

분류	단계	대퇴골두의 아탈구 정도
Crowe	I	50% 이내의 아탈구
	II	50%–75%의 아탈구
	III	75%–100%의 아탈구
	IV	>100%의 완전 탈구
Hartofilakidis	A형(이형성증)	대퇴골두가 진성비구 안에 위치
	B형(저위 탈구)	대퇴골두가 부분적으로 진성비구 안에 위치
	C형(고위 탈구)	대퇴골두가 완전히 진성비구 밖으로 벗어남

형술(shelf acetabuloplasty) 등을 받은 경우에는 다를 수 있다. 수술 중에는 폐쇄공의 위치를 기준으로 삼아 진성 비구의 하방 경계인 비구와를 찾아내는 것이 중요하다. 특히, 고관절 이형성증이 심한 환자의 경우에는 진성 비구의 크기가 매우 작으면서 깊이가 얕고 외측으로 전위되어 있으면서 전염각이 증가되어 있어서 다른 해부학적 구조물과 혼동이 쉽기 때문에 조금이라도 의심이 되는 경우에는 확공을 시작하기 전에 이동형 방사선 촬영장치를 이용하여 진성 비구의 위치를 정확히 확인하여야 한다.

비구의 확공 위치가 결정되면 이후 확공은 보통 36 mm 정도의 아주 작은 직경의 확공기를 이용하여 시작한다. 확공이 진행되어 진성 비구의 중심와가 확인되면 비구 중심의 내벽을 향하여 천공기로 가는 구멍을 뚫어 그 두께를 측정하여 얼마나 더 내측 전위가 가능한지를 알아보아야 한다. 보통 내측 피질골이 0.5~1.0 mm 정도 남을 때까지 확공을 진행하고, 이후에 최종 확공을 진행하며, 최종 확공한 직경보다 1–2 mm 큰 사이즈의 시험용 비구컵을 40–45°외측 경사각 및 10–20°전염각 위치로 삽입하여 비구컵이 70% 이상 피복되는지를 확인한다. 이후 최종적으로 무시멘트형 반구형 비구컵을 압박 고정한다(그림 4).

비구 변형이나 골결손이 심하여 비구컵의 70% 이상 피복을 얻을 수 없는 경우에 가장 많이 사용되고 있는 방법은 구조적 골이식술이다. 고관절 이형성증 환자에서는 대부분 수술 중에 절제한 자가 대퇴골두를 사용하며, 골결손이 있는 비구의 상외측 부위의 연부조직을 제거하고, 이식할 대퇴골두는 연골 부분만 제거하고 골결손 부위에 알맞게 다듬는다. 이후 2개의 4.5 mm 해면골 나사를 이용하여 이식골을 비구골 상외측 부위에 고정한다. 이때 추후 이식골이 흡수되는 것을 막아주기 위해서 이식골의 망상골 부분은 관절 쪽이 아닌 비구컵 쪽으로 위치시켜 고정하여야 한다. 저자에 따라서는 이식골과 숙주골의 경계 부위에 작은 크기의 해면골을 추가로 이식해 주기도 한다(그림 5).

비구 결손 부위에 구조적 골이식술을 시행한 환자들에 대한 장기 추시 결과, 일부 환자에서 이식골의 흡수와 이에 따른 비구컵의 무균성 해리가 발생하였다는 보고들이 있다. 물론 이 경우에도 남아 있는 이식골이 재치환술 시에 유용하게 사용될 수 있는 골 지지대 역할을 해준다는 주장도 있지만, 가능하면 충분한 내측 확공 후에 작은 크기의 비구컵을 이용하여 최대한 숙주골에 접촉하는 것이 중요하며, 너무 구조적 동종 골이식술에 의지하는 것은 바람직하지 못하다. 수술 중에 의도적 혹은 비의도적으로 비구컵이 상방 비구에 위치되는 경우가 있는데, 이 방법은 기술적으로 쉬운 장점이 있으나 너무 상방에 위치하게 되면 파행, 삽입물 탈구나 해리 발생 위험이 증가할 수 있는 단점이 있

632

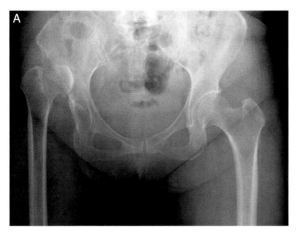

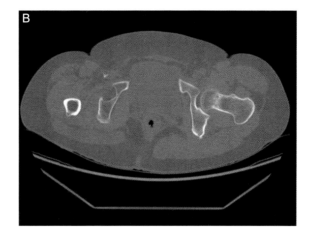

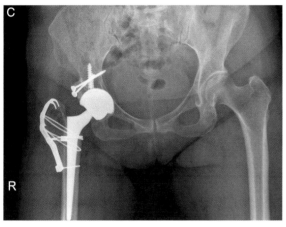

그림 4. 발달성 고관절 이형성증에서 시행한 고관절 전치환술

(A) 우측 Crowe 4형 및 Hartofilakidis C형 고위 탈구가 관찰되고, (B) 전산화단층촬영에서 진성 비구는 크기가 작고 깊이가 얕으며 전염각이 증가되어 있다. (C) 충분한 내측 확공 후 무시멘트형 비구컵을 압박 고정하였으며, 6년 추시 방사선 사진에서 안정된 고정을 보인다.

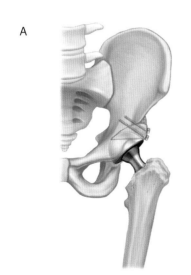

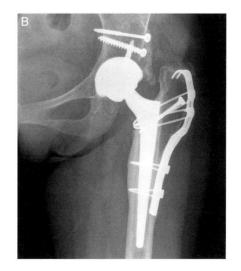

그림 5. 발달성 고관절 이형성증에서 시행한 구조적 골이식술

(A) 구조적 골이식술의 모식도 (B) 자가 대퇴골두를 이용한 구조적 골이식술 후 고관절 전치환술을 시행하였다.

으므로 주의를 요한다. 구조적 골이식술을 반대하는 일부 저자들은 비구 내측 벽에 인위적인 골절을 유발하여 골반 내로 밀어 넣고 내측에 골편들을 이식한 후, 비구컵을 고정하는 방법(cotyloplasty)을 사용하여 비구컵의 충분한 피복과 압박 고정을 얻을 수 있었다고 보고하였다(그림 6). 또한 비구 보강환이나 oblong 컵을 사용하여 골이식 없이 비구컵을 고정하기도 한다.

발달성 고관절 이형성증 환자에서 고관절 전치환술 시 문제가 되는 합병증은 신경 손상과 탈구이다. 신경 손상 발생률은 3-15%로 높게 보고되고 있으며, 이중 좌골신경의 비골신경 분지 손상이 가장 흔하게 발생한다. 경골신경 분지까지 손상된 경우에는 예후가 불량하며, 대퇴신경 손상은 좌골신경 손상보다 예후가 양호하다. 고관절 이형성증 환자에서 고관절 전치환술 후에 나타나는 신경 마비는 하지 길이의 과도한 연장에 의해 나타나는 신경의 신연에 의한 경우가 많기 때문에 신경 손상을 방지하기 위해서는 일반적으로 하지 길이의 연장을 4 cm 미만으로 할 것을 권장하고 있지만, 좌골신경의 긴장 상태를 잘 살피면서 수술하는 경우 신경 손상없이 더 많은 교정이 가능하기도 한다. 탈구 발생 빈도는 5-11%로 높게 보고되고 있으며, 작은

대퇴골두의 사용, 전자부 절골술 부위의 불유합 등이 연관되어 있다. 또한 비교적 젊은 환자에서 작은 비구컵이나 폴리에틸렌 관절면을 사용할 때 골용해로 인한 지연성 탈구가 발생할 수 있다.

(2) 대퇴골

발달성 고관절 이형성증에서는 비구의 형성부전, 작은 대퇴골 골수강, 대퇴골 경부와 골두의 전염의 증가 등의 고관절의 정상 해부학적 구조가 심하게 변형되어 있는 것이 일반적이다. Crowe 분류 4형과 같이 심한 이형성증에서는 대퇴골두의 고도 탈구로 하지가 5-6 cm 이상 단축되어 있으며, 근위 대퇴골의 형성부전이 동반되어 있어 고관절 전치환술이 어려운 경우도 있으나, 대부분의 경우에 대퇴골의 형성부전은 골수강내 확공을 시행하거나 작은 대퇴스템을 사용하여 고정할 수 있다(그림 7).

대퇴골두가 탈구되어 골반 상부로 이동되어 있어 하지 단축이 심한 환자에서 비구컵을 원래의 고관절 위치에 삽입할 경우에는 일반적인 방법으로 대퇴골 경부를 절골하여 대퇴스템을 삽입하면 대퇴골두를 정복하기 어렵고, 고관절 전치환술 후 하지가 길어질 수 있

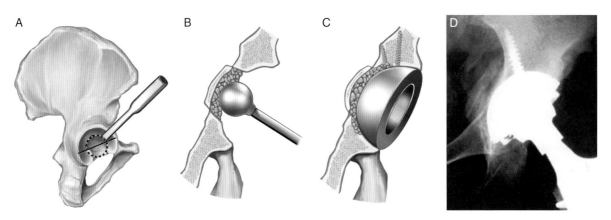

그림 6. 비구 내측벽 환상 절골술을 이용한 무시멘트형 비구컵 고정
(A) 비구 내측벽에 환상 절골술을 시행하고, (B) 비구컵 pusher를 이용하여 절골된 비구 내측벽을 전위시킨 후, (C) 무시멘트형 비구컵으로 고정한 모식도이다. (D) 실제 수술 환자의 술후 방사선 사진으로 전위된 비구 내측벽은 골유합이 잘 되어 있다.

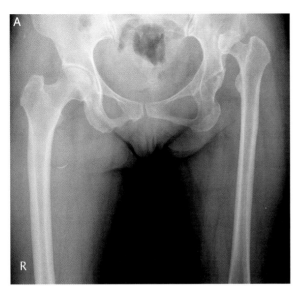
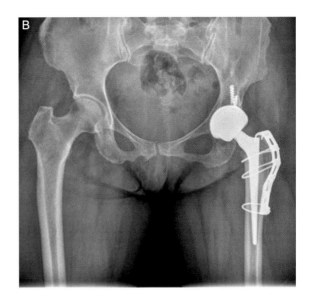

그림 7. 근위 대퇴골의 심한 형성부전이 동반된 환자에서 고관절 전치환술
(A) 좌측 고관절에 고위 탈구와 하지 단축이 동반된 대퇴골 형성부전이 관찰된다. (B) 대퇴골에 전자부 단축 절골술 후 원추형 대퇴스템을 이용하여 고관절 전치환술을 시행하였다.

으며, 좌골신경 마비의 위험성이 있다. 이때 대퇴골의 절골술을 시행하고 대퇴골 일부를 분절 절제한 후 단축하여 대퇴스템을 삽입하는 방법이 선호되고 있다. 전자하부 또는 전자부에서 단축 절골술(shortening osteotomy)을 시행하는 것이 대표적이나, 대퇴골 원위부에서도 시행할 수 있다(그림 8). 이 방법은 대퇴스템을 삽입 후에 인공 고관절을 쉽게 정복할 수 있고, 대퇴골 경부의 심한 전염이 있는 경우 교정이 용이하다. 또한 고관절 전치환술 후 환측 하지 길이의 과도한 연장을 교정할 수 있는 장점이 있다. 그러나 절골편을 대퇴골에 견고하게 고정시키지 못하면 절골부의 불유합이 발생할 수 있다(그림 9).

요추 방사선 사진을 촬영하여 골반 경사(pelvic obliquity)가 고정되어 있는지, 유연성이 있는지를 확인하고 만약에 골반 경사가 이미 고정되어 있으면 이것을 감안하여 하지 부동을 교정하여야 한다. 골반 경사가 교정 가능하다면 실제의 하지 부동이 교정 후에 약 6개월 내지 1-2년에 걸쳐 골반 경사가 서서히 교정되어 하지 부동이 교정되는 경우도 있다. 하지 부동의 교정 시에 환측 하지의 경골이 과성장으로 경골의 길이가 정상 쪽의 경골보다 길어진 환자들이 있으므로, 하지 전체의 방사선 사진으로 확인하여야 한다. 발달성 고관절 이형증 환자에서 고관절 전치환술 시에 요근, 내전근, 대퇴직근 등의 유리술만으로 하지 길이의 연장은 쉽게 얻을 수 있으나, 한 번에 2 cm 이상의 하지 길이의 연장 시에는 좌골신경의 긴장도를 관찰하고 촉지하여 좌골신경 손상에 주위를 기울여야 한다.

3. 감염성 관절염의 후유증

1) 적응증

화농성 또는 결핵성 고관절염은 다양한 양상의 고관절 파괴를 유발하여 통증, 관절 강직, 하지 부동과 같은 후유증을 초래할 수 있다. 또한 비구와 대퇴골두가 파괴되거나 이차적으로 이형성되어 아탈구나 완전 탈구를 유발할 수 있다. 이에 따른 고관절의 불안정성은 보행 장애 및 요추부와 슬관절의 이차적 통증을 초래

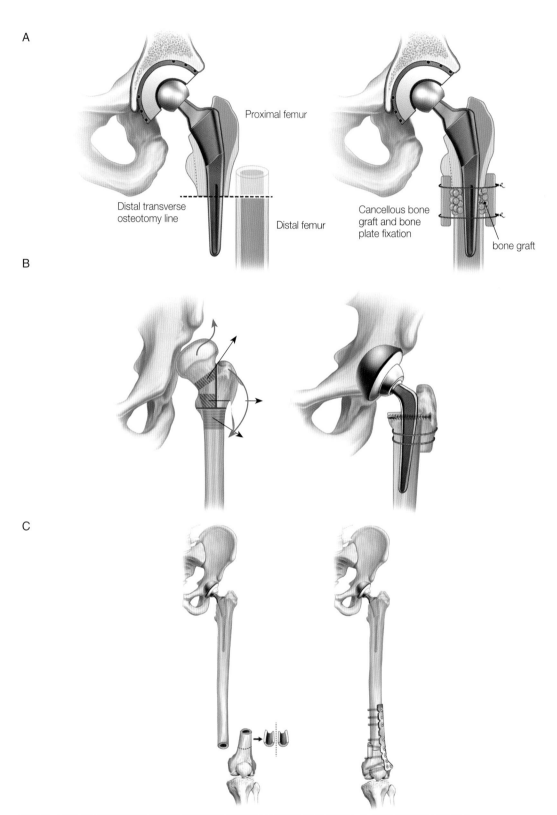

A

Proximal femur

Distal transverse
osteotomy line

Distal femur

Cancellous bone
graft and bone
plate fixation

bone graft

B

C

그림 8. 고위 탈구된 발달성 고관절 이형성증 환자에서 대퇴골 단축 절골술을 통한 고관절 전치환술
(A) 전자하부 단축 절골술의 모식도, (B) 전자부 단축 절골술의 모식도, (C) 원위 대퇴골 단축 절골술의 모식도

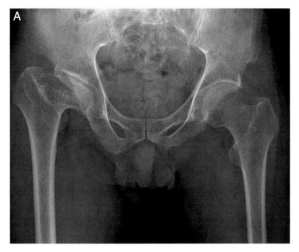

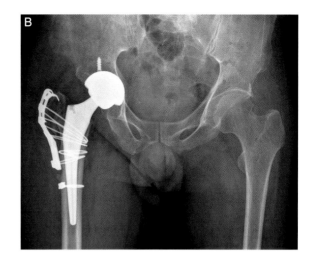

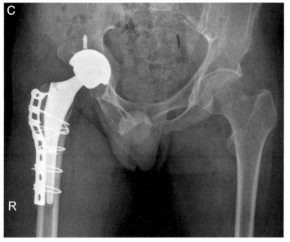

그림 9. 발달성 고관절 이형성증 환자에서 고관절 전치환술 후 발생한 전자부 절골술 부위의 불유합

(A) 우측 대퇴골두가 아탈구된 발달성 고관절 이형성증 환자에서 (B) 대퇴골 전자부 단축절골술 후 금속판과 강선으로 고정하였으나 불유합이 발생하였다. (C) 긴 금속판과 골이식을 통한 대전자부 골유합술을 시행하였다.

하는 경우가 많다. 고관절 감염 후유증 환자에게 가동성이 있으면서 안정적이고 통증이 없는 고관절을 만들어 주고, 가능하다면 하지 부동도 해결하는 것이 치료의 목표라고 할 수 있다. 고관절 전치환술 전에는 철저한 병력 청취와 임상 병리 검사를 통해서 감염의 재활성화 위험이 있는 환자를 미리 파악하여 배제하는 것도 중요하다.

2) 수술 술기 및 주의사항
(1) 비구

대부분의 환자들에서 일반적인 후외측 혹은 전외측

접근법으로 수술이 가능하나, 골성 강직이 있거나 복잡한 재건술을 요하는 경우에는 경전자 접근법을 이용한다. 수술 중에는 장기간의 감염성 병변으로 인한 연부조직의 반흔으로 발생한 고관절 주변 근육과 관절낭의 구축을 적절히 유리해 주어야 수술 시야를 확보할 수 있고 관절 운동 범위를 회복할 수 있다. 이때 이차적인 위치 변형이 있는 신경-혈관 구조물을 손상시키지 않도록 주의하여야 한다. 또한, 고관절 중심의 비정상적 위치, 비구의 심한 변형 및 부적절한 골밀도로 인하여 비구 재건술이 매우 어려운 경우가 많아서 다양한 종류의 수술 기구와 삽입물을 준비하여 최악의 시

나리오를 대비하여야 한다.

골성 강직이 있는 경우에는 정확한 해부학적 구조를 알기 어려운 경우가 많아 대퇴골 경부 절제 후 전상장골극, 치골, 좌골 결절, 좌골 절흔 등의 해부학적 구조물을 기준점으로 정확한 방향을 설정하여 정상적인 비구 위치를 인지하고, 폐쇄공의 횡인대를 기준으로 정확한 고관절의 중심을 찾는 것이 중요하다. 수술 중에는 골성 강직으로 연결된 비구와 대퇴골 경부는 먼저 소전자부를 확인하고 이곳보다 상부에서 대전자부 방향으로 절골하여 대퇴골을 전방으로 젖힌 후 원래의 비구로 추정되는 부위 쪽으로 서서히 확공을 시작한다. 이때 천공기로 가는 구멍을 뚫어 그 두께를 측정하여 얼마나 더 내측 전위가 가능한지를 확인하면서 확공해 나가야 하며, 조금이라도 의심이 있는 경우에는 이동형 방사선 촬영장치로 중간 중간에 반드시 위치를 확인하여야 한다. 또한, 골밀도가 현저히 감소된 경우가 많기 때문에 의도치 않은 과도한 확공으로 비구컵 고정이 어려워지는 경우가 발생할 수 있으므로 주의를 요한다. 대부분의 경우 비구에는 무시멘트형 비구컵으로 압박 고정한다(그림 10).

일반적인 합병증 이외에 신경 및 혈관 손상, 감염의 재활성화, 탈구, 수술 중 골절 등이 드물지 않게 보고되고 있다.

(2) 대퇴골

소아기 화농성 고관절염 후 발생한 고관절 탈구는 상당한 정도의 고관절 근막 또는 근절제술 후에도 정복이 어려운 경우가 흔하므로 먼저 고관절 주위 연부조직 구축에 대한 유리술 후 골격 견인이나 외고정 방법을 사용하여 대퇴골을 원위부로 이동시킨 후 이차적으로 고관절 전치환술을 시행하는 것이 안전할 수 있다(그림 11).

화농성 관절염의 후유증으로 고관절 고위 탈구가 발생한 환자에서는 4-6 cm 이상 길이를 연장해야 하기 때문에, 좌골신경이나 대퇴동맥의 손상 위험이 있으므로 하지 길이의 연장을 매우 조심스럽게 시행하여야 한다. 고관절 내전 구축이 심하여 대퇴골 전체가 외반 변형이 있는 경우에는 고관절 전치환술 후 대퇴골 외

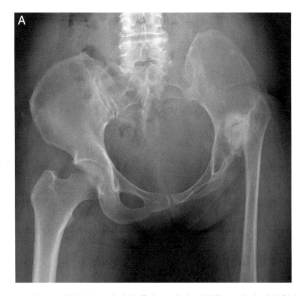
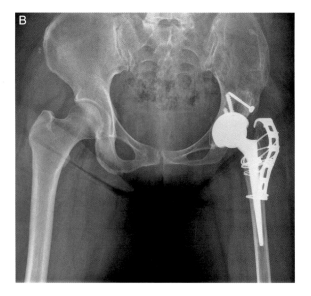

그림 10. 감염성 고관절염 후유증에서 시행한 고관절 전치환술
(A) 좌측 대퇴골두의 심한 골 파괴 및 변형 소견에 대해, (B) 전자부 절골술을 이용하여 고관절 전치환술을 시행하였다.

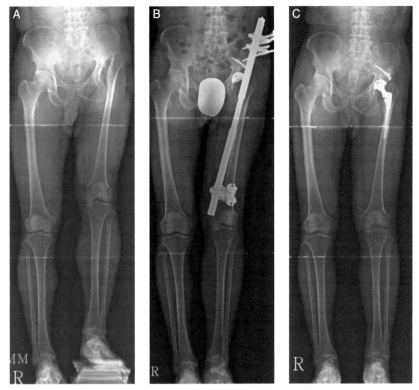

그림 11. 고관절 고위 탈구에서의 고관절 전치환술
(A) 좌측 대퇴골두가 고위 탈구되어 심한 하지 길이 단축이 발생하였다. (B) 연부조직 유리술 후 외고정 기기를 이용하여 대퇴골을 원위부로 이동시켰다. (C) 2단계로 고관절 전치환술을 시행하였다.

반 변형 상태가 심화되어 대퇴골 원위부에서 내반 절골술이 필요한 경우도 있다(그림 12).

4. 고관절 골절의 후유증

1) 비구 골절의 후유증

비구 골절의 적극적인 수술적 치료에도 불구하고 5–15% 정도에서는 외상성 골관절염이 발생하며, 그 외에도 수술 후 감염, 금속 고정물의 관절내 돌출, 대퇴골두 골괴사 등과 같은 합병증으로 고관절 전치환술을 시행해야 하는 경우가 많다. 비구 골절 후 외상성 관절염이나 대퇴골두 골괴사가 발생하면 대개 통증, 파행, 관절 기능 감소 등이 생기며, 불유합의 경우 골반 불안정성까지 야기시킬 수 있다. 초기 골절 수술 시

광범위한 절개로 인하여 이소성 골형성이 발생하여 관절 강직을 나타낼 수 있으며, 좌골신경 손상에 의한 족부의 감각 이상이나 운동 저하 등이 있는지를 잘 관찰해야 한다.

수술 후 지속적 통증이 있을 때에는 심부 감염을 강력히 의심하여야 하며 필요한 경우 천자 흡입술을 통해 확인해 보아야 한다. 수술 전 3차원 전산화단층촬영을 통해 불유합 또는 부정유합 여부를 확인하는 것이 매우 중요하며, 그 이외에도 이소성 골형성 및 비구 골결손 부위 등을 정확하게 관찰할 수 있다. 전산화단층촬영에서 불유합이 있는 경우에는 다른 합병증이 없는 한 어느 정도 골유합이 될 때까지 시간을 두고 관찰한 후에 관절치환술을 시행하는 것이 불안정성 불유합이

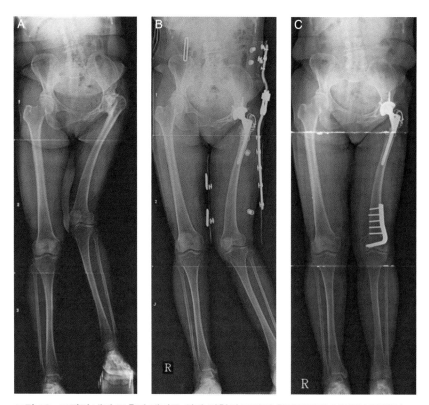

그림 12. 고관절 내전 구축과 대퇴골 외반 변형이 동반된 환자에서의 고관절 전치환술
(A) 좌측 고관절은 내전 구축되어 있고 대퇴골은 심한 외반 변형을 보인다. (B) 고관절 전치환술 후 슬관절의 외반 변형 상태가 심화되었다. (C) 원위 대퇴골에서 내반 절골술을 시행하여 외반 변형을 교정하였다.

있는 상태에서 복잡하고 어려운 재건술을 시행하는 것보다 나은 방법일 수 있다.

비구 골절 후유증으로 고관절 전치환술을 시행하고자 할 때 기존의 후외측 혹은 전외측 접근법이 모두 가능하나, 금속 삽입물의 제거 유무, 이소성 골화 유무, 좌골신경 손상 유무 등을 고려해서 적절히 선택해야한다. 비구 노출 후에는 섬유성 연골과 육아조직을 제거하고 골결손 및 변형, 불유합 유무 등을 세심하게 살핀다. 이때, 골내 출혈이 일어날 때까지 섬유성 반흔 조직이나 괴사된 골을 모두 제거하는 것이 중요한데, 불충분하게 제거하면 추후 비구컵 조기 해리의 원인이 될 수 있기 때문이다. 또한, 불유합에 대한 평가가 제대로 이루어지지 않아서 금속판이나 나사못 고정 후

골이식하는 과정 없이 비구컵만을 고정하게 되면 골절 부위의 전위와 함께 비구컵이 조기에 해리되는 원인이 된다. 비구컵 삽입에 방해가 되지 않는다면 이전에 삽입한 금속판이나 나사를 굳이 제거할 필요는 없고, 확공 과정 중에 노출되는 부분만 금속 절단용 기구를 이용하여 제거하면 비구컵 삽입에 문제가 없다(그림 13). 그 이유는 이전의 비구 절골 수술 후에 치료되는 과정에서 좌골신경이 반흔 조직에 의해 주변 골에 유착되어 있는 경우가 많기 때문에 금속 고정물의 제거하는 과정 중에 경미한 외상이나 견인에도 신경 손상이 발생할 가능성이 높기 때문이다. 이를 소위 'double crush syndrome'이라 한다.

이소성 골형성은 이전의 광범위한 절개술 후 호발하

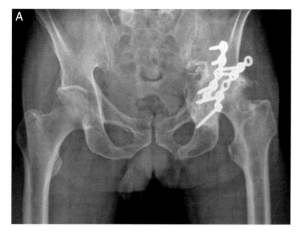

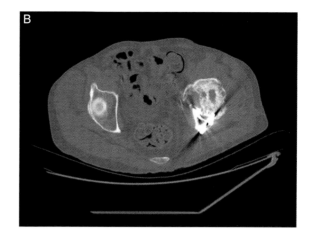

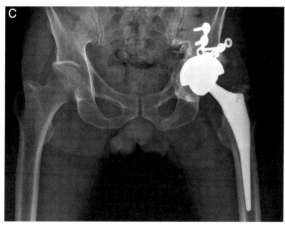

그림 13. 고관절 외상성 골관절염에서의 고관절 전치환술
(A) 좌측 비구 골절로 관혈적 정복 및 내고정술 시행 받은 후 골관절염이 발생하였다. (B) 전산화단층촬영상 금속 나사의 관절내 천공이 관찰되었으나, (C) 확공 과정 중에 노출된 나사만 제거하고 비구컵 삽입에 방해가 되지 않는 금속 고정물은 제거하지 않고 수술하였다.

며 Brooker I-II 등급에서는 수술에 지장이 없는 경우가 대부분이나, III-IV 등급에서는 삽입물의 거치를 위해 제거가 불가피한데 과다 출혈, 심부 감염, 이소성 골형성의 재발, 외전근 약화, 탈구 등의 합병증을 유발할 가능성이 높다. 수술 전 전산화단층촬영을 통해 정확한 위치와 크기를 파악해서 적절한 정도를 제거하는 것이 중요하며, 특히 후방에 위치하는 경우에는 제거 과정에서 좌골신경 손상이 되지 않도록 매우 주의하여야 한다. 비구의 골결손이나 불유합에 대해서는 크기와 위치에 따라서 해면골 이식술, 구조적 골이식, 금속판, 금속망사(mesh), 점보컵, 비구 보강환, oblong 컵과 같은 다양한 기구와 특수 삽입물을 이용하여 치료한다.

2) 대퇴골 골절의 후유증

전자간 골절 후에 발생한 불유합으로 고관절 전치환술을 시행할 때에는 기존의 내고정물을 제거할 수 있도록 수술 전 준비가 필요하다(그림 14). 전자부를 포함한 골간단부 골편의 처리와 대퇴골에 안정적인 고정을 위하여 무시멘트형 조립형 디자인 또는 골간부의 원위 고정용 대퇴스템의 사용을 고려하여야 한다. 대퇴골 골수강이 넓고 골다공증을 동반한 고령 환자들에서 시멘트형 대퇴스템을 사용하는 경우 대퇴골 근위부 골편과 대퇴골 간부를 동시에 고정하기에 용이하고 수술 후 조기 보행이 가능한 것이 장점이다. 소전자부를 포함하여 대퇴골 골간단부의 심한 골소실이 예상되거나, 골절이 전자하부까지 연장되는 경우에는 추가 금속

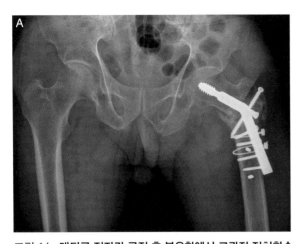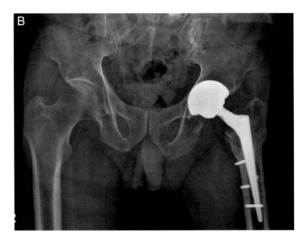

그림 14. 대퇴골 전자간 골절 후 불유합에서 고관절 전치환술
(A) 좌측 대퇴골 전자간 골절에 대하여 역동적 고 나사로 내고정하였으나 내고정물의 실패가 발생하였다. (B) 내고정물을 제거하고 고관절 전치환술을 시행하였다.

판 고정이나 대퇴거-대치형 스템(calcar-replacement stem) 또는 재치환술용 대퇴스템이 필요할 수도 있다 (그림 15).

5. 돌출비구

대퇴골두의 골반내 돌출 비구는 일차성과 이차성으로 분류되는데, 일차성은 매우 드문 것으로 알려져 있고 이차성은 다양한 원인에 의해서 발생할 수 있다(표 2). 지속적인 통증과 함께 점차 진행되는 관절 운동 범위의 제한 및 강직이 있는 환자에서 고관절 전치환술을 시행한다.

수술 시에는 원래의 고관절 회전 중심을 복원하기 위해서 비구 내벽의 공간에 동종골 및 자가골을 이식하고 확공을 시작한다. 이후 최종 비구컵 크기보다 1-2 mm 작은 크기까지 확공하고 마지막에 확공기를 반대 방향으로 작동시켜 이식골을 단단하게 다져준다 (그림 16). 주로 무시멘트형 비구컵을 압박 고정할 수 있으며(그림 17), 테두리 골결손(rim defect)이 있는 경우는 비구 보강환을 이용하여 재건술을 시행한다.

6. 근위 대퇴골 변형

후외상성 또는 고관절 질환으로 절골술을 시행하였던 경우 근위 대퇴골이 너무 작거나, 각 변형, 회전 변형, 대퇴골 골수강의 폐쇄 등이 있을 수 있다. 변형이 심한 경우를 제외하고는 일반적인 방법으로 고관절 전치환술을 시행할 수 있으나 세심한 수술 전 계획과 가늠술이 필요하다(그림 18). 고관절에 과도한 내반 및 외반 변형이 있다면 대전자부 절골 후 원위부에 스템을 고정하여 대퇴골 오프셋을 정상적으로 회복시켜 고관절 전치환술 후에 하지 부동을 예방하고 인공 관절의 안정성을 유지하는 것이 중요하다.

대퇴골 변형이 있을 때에는 시멘트형 대퇴스템 보다는 무시멘트형 대퇴스템의 사용이 유리하고 대부분의 경우에는 원위 고정 대퇴스템이나 조립형 대퇴스템의 사용이 안전할 수 있다(그림 19). 근위 대퇴골 변형이 심할 경우에는 때로 대전자부 절골술을 시행하는 접근법이 용이하고, 변형된 대퇴골에 절골술을 시행할 경우 안정적인 고정을 위하여 재치환술용 긴 대퇴스템이 필요할 수 있다. 이전의 금속 내고정물들은 수술 전 확인하여 알맞은 제거기구를 준비하여야 한다. 수술 중 골절이 발생하지 않도록 주의해야 하며, 골절의 가능성

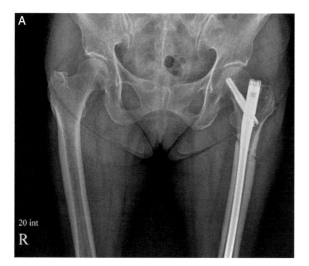
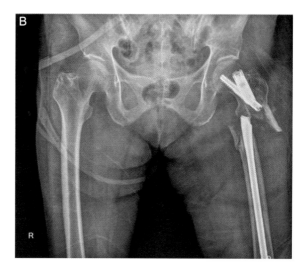
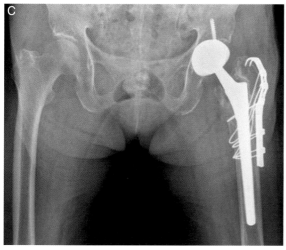

그림 15. 대퇴골 전자간 골절 후 불유합에서 고관절 전치환술
(A) 좌측 대퇴골 전자하 골절에 대해 골수강내 금속정으로 고정하였다 (B) 불유합 및 내고정물의 고정실패가 발생하였다. (C) 내고정물을 제거하고 긴 대퇴스템을 이용하여 고관절 전치환술을 시행하였다.

표 2. 이차성 대퇴골두의 골반내 돌출 비구의 원인

감염	염증성 관절염	대사성 골질환
세균성	류마티스 관절염	골연화증
결핵성	연소기 류마티스 관절염	파제트병(Paget's disease)
	강직성 척추염	골형성부전증
		조직흑변증(Ochronosis)

유전성 질환	종양	외상
엘러스-단로스 증후군	혈관종	비구 골절
(Ehlers-Danlos syndrome)	골전이	방사선조사 후 골괴사
마르팡 증후군(Marfan syndrome)	신경섬유종증	인공 고관절 반치환술 후유증
겸상적혈구병		

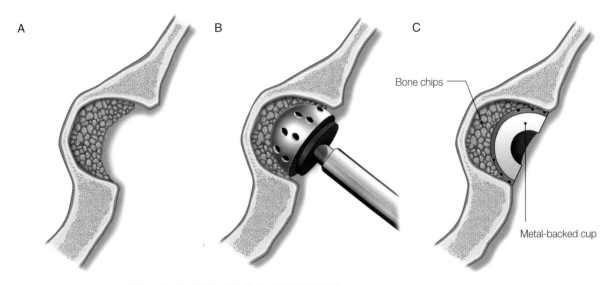

그림 16. 대퇴골두의 골반내 돌출 비구에서 비구 재건술 시 골이식 방법
(A) 분쇄골을 이식하고, (B) 확공기를 역으로 돌려 분쇄골을 압박한다. (C) 무시멘트형 비구컵을 압박 고정한다.

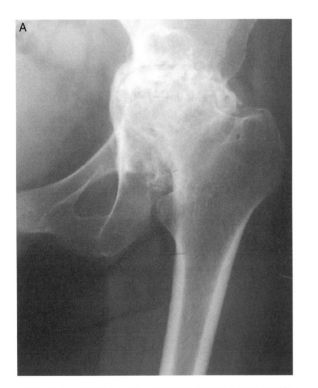
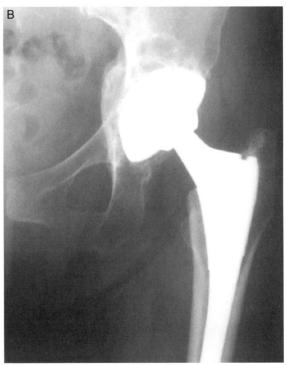

그림 17. 돌출비구를 보이는 환자에서 시행한 고관절 전치환술
(A) 좌측 대퇴골두의 골반내 돌출 비구가 관찰된다. (B) 자가골 및 동종골이식 후 무시멘트형 비구컵을 압박 고정하였다.

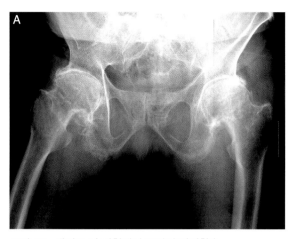
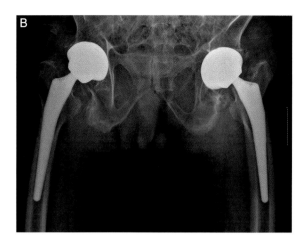

그림 18. 대퇴골 각 변형에서 고관절 전치환술
(A) 대퇴골의 전방 및 외측 만곡 변형이 심한 환자에서 (B) 수술 전 계획과 가늠술을 통해 일반적인 무시멘트형 대퇴스템을 사용하여 고관절 전치환술을 시행하였다.

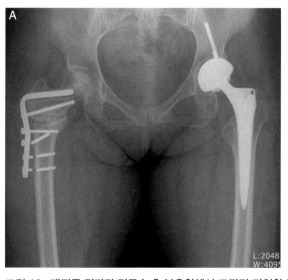
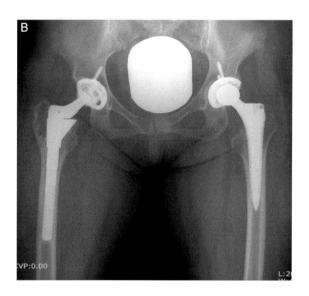

그림 19. 대퇴골 전자간 절골술 후 불유합에서 고관절 전치환술
(A) 우측 대퇴골 전자간부에서 절골술을 시행하였으나 불유합과 금속 고정물의 실패가 발생하였다. (B) 조립형 대퇴스템으로 고관절 치환술을 시행하였다.

이 높은 경우로 생각될 경우 예방적 강선 고정을 하는 것도 추천된다. 대퇴골 골수강이 피질골로 폐쇄되어 있는 경우에 일반적인 골수강 확공이 어렵고 브로칭 (broaching) 시에 위치조절이 어렵기 때문에 대퇴골 골수강 확공 전에 연마기(burr)나 절골기로 골수강 내의 경화된 피질골을 제거하는 것이 필요하다.

7. 고관절 골성 강직

고관절 골성 강직은 소아기 화농성 관절염 후 자연적으로 발생한 골성 또는 섬유성 강직, 고관절 질환의 치료 방법으로 고관절 유합술을 시행하였던 경우, 강직성 척추염의 후유증 등으로 발생한다. 고관절 골성 강직의 환자에서 고관절 전치환술의 전통적인 적응증은 통증을 동반한 고관절 섬유성 강직이나 관절 유합술 후 불유합 상태의 환자, 부정위치의 고관절 강직, 과도한 기계적 스트레스로 발생한 퇴행성 변화로 인한 요통과 해당 하지의 슬관절염 및 슬관절 통증을 동반한 경우 등이다. 최근에 인공 고관절의 마모 문제가 많이 해결되면서 고관절 운동 범위의 회복이나 요통, 슬관절 통증 등을 예방하기 위해 조기에 고관절 전치환술을 시행하는 방법도 고려되고 있다(그림 20).

장기간의 고관절 강직은 해부학적 변화를 초래하게 되는데, 고관절 외전근 및 외회전근의 위축 또는 소실이 발생할 수 있으며, 고관절 감염으로 인한 고관절 강직에서는 골반 또는 대퇴골의 골결손을 초래할 수 있어, 때로는 고관절 전치환술의 시행이 어려울 수가 있다. 수술 전에 접근법, 절골술의 위치, 대전자부의 상태, 삽입물의 선택 등에 대하여 철저한 계획이 필요하며, 특히 고관절 외전근 상태의 확인은 중요한 사항이다. 신체 검사로 고관절 외전근이나 둔부 근육의 수축을 촉지하거나 자기공명영상과 근전도 검사로 확인할 수 있다.

내고정물이 있는 경우 이를 제거한 후에 대퇴골 경부의 위치에 이중 절골술로 대퇴골두를 먼저 절제하는 것이 수술에 용이하며 이때에 절골술의 위치를 방사선 투시기나 이동형 방사선 촬영장치로 확인하는 것이 삽입물의 적절한 위치를 정하는데 도움이 된다. 하지 부동을 예방하고 고관절 오프셋을 정상적으로 복원시키기 위해서는 고관절 주위 근육을 포함한 광범위한 연부조직 유리술이 필요하다. 이때에 가능한 고관절 외전근의 손상이 적게 발생하도록 하고, 좌골신경에 손상을 주지 않도록 주의를 기울여야 한다.

8. 류마티스 관절염

류마티스 관절염 및 스틸병, 건선성 관절염 등의 환자들에서 통증 조절 및 관절 운동 범위 증대를 위해 고관절 전치환술을 시행할 수 있다. 환자들이 스테로이드 제제 또는 면역 억제제를 복용 중인 경우가 많으므로 고관절 전치환술 후 감염 및 골절의 위험성이 크다. 대퇴골두는 연골 미란과 골괴사로 인해 부분적으로 결손이 있으며, 돌출비구의 양상도 보일 수 있어 주의해

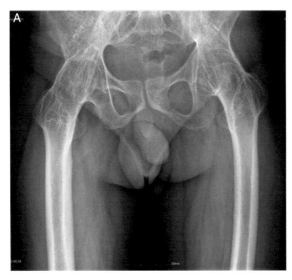
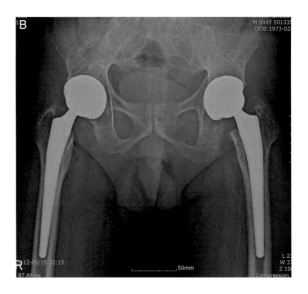

그림 20. 고관절 골성 강직에서의 고관절 전치환술
(A) 강직성척추염 환자에서 발생한 골성 강직이 있는 양측 고관절에 대해, (B) 무시멘트컵을 이용한 고관절 전치환술을 시행하였으며 5년 추시 방사선 사진에서 양측 모두 안정된 고정을 보인다.

야 한다. 피질골이 매우 얇고 골수내강이 넓어, 대퇴골에 대한 수술을 시행할 때 골절이 발생하지 않도록 주의해야 한다. 또 심한 골감소증으로 인해 무시멘트형 삽입물을 사용하기 어려운 경우도 있다(그림 21).

9. 방사선 조사 후 골괴사

골반 부위 방사선 조사 후 발생하는 대퇴골두 및 비구 골괴사는 잘 알려진 합병증으로 방사선 조사 후 골생성 세포의 손상, 미세 혈관의 손상과 염증 반응으로 인하여 장기간에 걸쳐서 발생하며, 대개는 대퇴골두 붕괴와 함께 갑작스런 통증 발생으로 병원에 방문하여 수술적 치료를 시행받게 된다. 골반 부위 방사선 조사 후 발생한 대퇴골두 빛 비구 골괴사의 치료로서 고관절 전치환술이 다른 치료 방법에 비해 좋은 선택으로 여겨지고 있으나, 고관절 전치환술의 결과 역시 높은 실패율이 보고되고 있다(그림 22). 방사선 조사 후 자연적인 경과로 비구 골절이나 돌출비구 등이 발생할 수 있다. 무시멘트형, 시멘트형 모두에서 높은 실패율이 보고되고 있으며, 따라서 비구 보강환 또는 cage를 이용하는 비구 재건술이 시도되고 있다. 그러나 이 경우에서도 좋지 않은 결과를 나타내고 있기 때문에, 치

료 방침을 결정하는데 있어서 환자와 수술 전에 충분한 상의가 있어야 한다.

10. 신경근육계 질환

만성 신경근육병(neuromuscular disease)환자들은 일반적으로 근육 긴장도(muscle tone) 및 경직(Spasticity)이 증가되어 있으며, 이러한 경직의 증가는 뇌성 마비 등의 선천적 또는 뇌척수 손상에 따른 후천적 원인에 의해 발생할 수 있다. 이러한 신경근육계 질환의 환자들에서는 다른 군에 비하여 피부, 호흡기계, 비뇨기계 감염 등의 일반적인 합병증의 발생 확률이 높으므로 고관절 전치환술을 시행함에 있어 더욱 세심한 관리가 필요하다. 또한 수술 후에도 근기능의 악화를 방지하기 위해 조기 보행을 할 수 있도록 교육해야 한다.

신경근육계 질환의 환자들은 일반적으로 고관절의 굴곡–내전 구축이 되어 있는 경우가 흔하며 이러한 굴곡–내전 구축은 후방 접근법을 통해 수술을 진행할 경우 술 후 탈구의 가능성이 증가하게 된다. 이를 방지하기 위해 신경근육계 질환 환자들에서는 전방 또는 전측방 접근법, 두 부위 절개법(2-incision approach) 등을 선택하는 것이 더 효율적이다(그림 23).

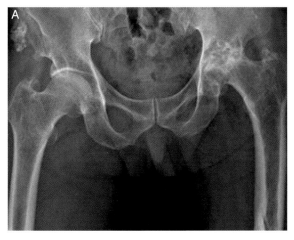
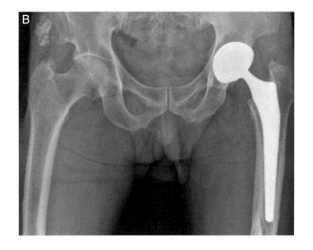

그림 21. 류마티스 관절염 환자에서의 고관절 전치환술
(A) 류마티스관절염 환자에서 심한 연골 미란과 골괴사 양상을 보이는 좌측 고관절에 대해 (B) 무시멘트컵을 이용한 인공 고관절 전치환술을 시행하였다.

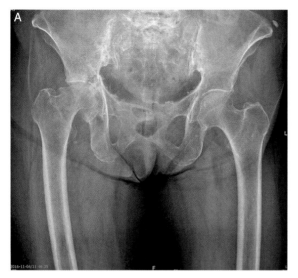
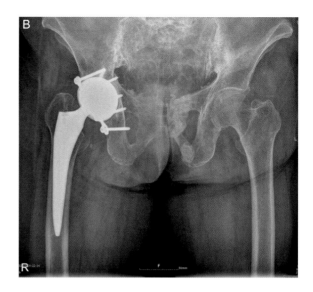

그림 22. 방사선 조사 후 골괴사 환자에서의 고관절 전치환술
(A) 다발성 전이된 자궁경부암에 대해 방사선 치료를 받은 후, 우측 대퇴골두 골괴사 및 비구의 병적골절이 발생한 환자 (B) 고관절 전치환술 및 금속판 고정술 후 3년 추시 방사선 사진에서 안정된 고정상태를 보인다.

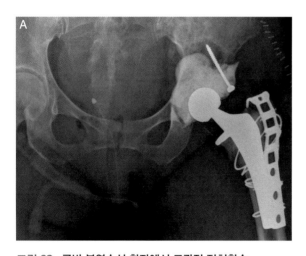
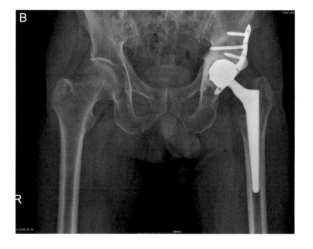

그림 23. 골반 불연속성 환자에서 고관절 전치환술
(A) 단순방사선 사진상 폐쇄공의 비대칭성을 보이는 항생제 시멘트 장치 상태의 환자에서 골반 불연속성을 진단할 수 있었다. (B) 고관절 재치환술 시에 비구 후방 지주의 금속판 고정술 및 소켓 고정을 시행하였다.

신경근육계 질환 환자들은 고관절의 굴곡–내전 구축이 있고 경직이 증가되어 있으므로 고관절 전치환술에 있어 전방 관절낭 및 요근의 유리술, 경피적 내전건 절단술이 필수적이다. 고관절의 안정성을 증가시키기 위해 비구 치환물의 전염각을 증가시킬 수 있으며, 수술 후에 고관절의 안정성이 만족스럽지 않다면, 연부조직이 치유될 때까지 약 4–6주간 골반보조기(pelvic brace)를 통해 고관절의 안정성을 증가시킬 수 있다.

11. 종양

근위 대퇴골은 전이성 골종양을 포함한 악성 골종양 또는 양성 골종양의 호발 부위이다. 후사반부(hindquarter)절단을 포함하여 여러 치료 방법들이 있으나, 화학 요법이나 방사선 치료법의 발달과 향상된 인공 삽입물로 최근에는 골종양 종류, 골종양의 침범 단계, 환자의 연령 및 건강 상태 등에 따라서 종양 부위의 광범위 절제 후 근위 대퇴골 삽입물로 재건하는 사지구제술이 시도되고 있으며 임상적으로 좋은 결과들이 보고되고 있다.

인공 관절로 재건하는 방법들은 자가골−삽입물 복합체(autograft prosthetic composite), 동종골−삽입물 복합체(allograft−prosthetic composite), 주문제작형 삽입물(custom−made) 등을 사용할 수 있다. 단순 동종골이식술보다 감염, 불유합, 골절 등의 수술 후 합병증을 줄일 수 있는 장점이 있는 반면에 젊은 연령의 환자에서는 차후 재수술이 필요할 수 있으며, 전이성 골종양인 경우에는 내고정술 보다 광범위한 수술이 필요하다는 것이 단점이다.

일반적으로 골종양 환자에서 고관절 전치환술은 광범위한 후외방 접근법으로 광범위 절제를 시행하나, 절제 경계가 종양으로부터 안전한 경우 대퇴골 대전자부는 절제 후에 인공 삽입물에 재부착하여 고관절 외전근의 기능을 보존하여야 한다. 골절제는 일반적으로 종양으로부터 적어도 약 2−3 cm 원위부에서 절제하며 원발성 악성종양인 경우에 대퇴골 부위에 부착된 근육은 전체를 환상으로 절제하여야 한다. 전이성 골종양인 경우에는 절제 경계가 변연절제로도 허용될 수 있으나 종양의 고관절 내로의 침범 정도에 따라 절제 범위를 결정한다(그림 24).

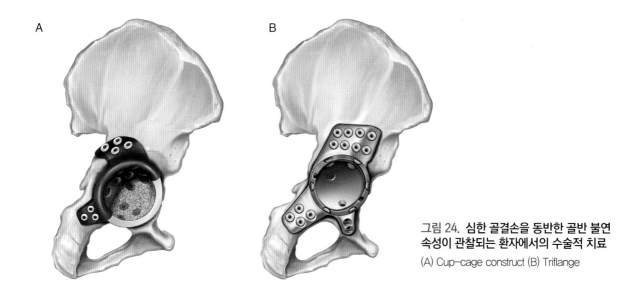

A   B

그림 24. 심한 골결손을 동반한 골반 불연속성이 관찰되는 환자에서의 수술적 치료
(A) Cup−cage construct (B) Triflange

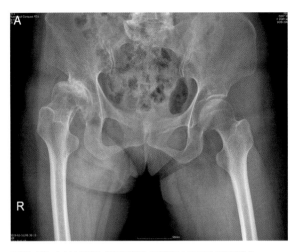
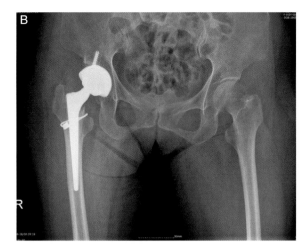

그림 25. 뇌성 마비 환자에서 시행한 고관절 전치환술

(A) 우측 편마비 형의 경직성 뇌성 마비로 굴곡-내전 구축을 보이는 우측 고관절 골관절염 환자에서 (B) 고관절 전치환술을 시행하였다.

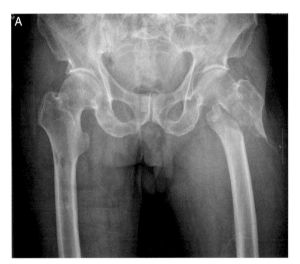
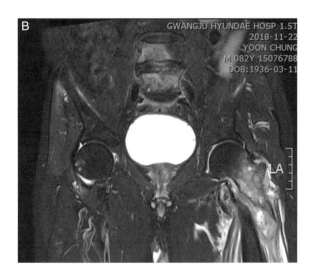
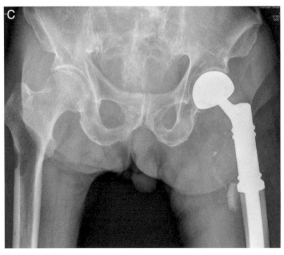

그림 26. 악성 종양에서의 고관절 전치환술

(A), (B) 단순 방사선 사진 및 자기공명영상에서 좌측 근위 대퇴골에 전이성 악성 종양과 그로 인한 병적 골절이 발생하였다. (C) 종양대 치 삽입물을 이용한 사지 구제술을 시행하였다.

참고문헌

1. 김대희, 임채현, 안상호, 김민욱, 정영율. 고관절 이형성 증에서 시행한 무시멘트형 고관절 전치환술. 대한고관절학회지. 2012; 24(1): 32-67.

2. 김주오, 조홍만, 박철, 심주현. 대퇴 전자간 골절에서 고정 실패로 인한 인공관절 치환술의 결과. 2012; 24(2):94-101.

3. 문도현. 비구 골절의 인공관절 치환술. 대한고관절학회지. 2004; 16(2): 304-308.

4. 박윤수. 외상 또는 수술로 인한 변형이 있는 고관절에서의 인공관절 치환술. 대한고관절학회지. 2002; 14(4): 275-281.

5. 박종석, 최상욱, 어수익, 서유성. 고위 고관절 탈구에서 퇴골 단축을 시행하지 않은 고관절 전치환술. 대한고관절학회지. 2009; 21(3): 226-456.

6. 유명철. 선천성 고관절 이형성증 및 고관절 탈구증에 의한 이차적 고관절염에서의 고관절 전치환술. 대한고관절학회지. 1999; 11(2): 69-84.

7. 이수호, 심경보. 고관절 전치환술 후 정맥혈전색전증 예방을 위한 항응고제 사용 이후 발생한 종에 의한 좌골신경 마비 - 증례보고 - . 대한고관절학회지. 2013;25(1): 77-81.

8. 이중명. 하지 부동이 있는 감염성 고관절염 후유증에 서의 고관절 전치환술. 대한고관절학회지. 2006; 18(2):181-189.

9. 임영욱, 박범용, 김용식. 인공관절 전치환술 후의 하지 부동. 대한고관절학회지. 2011; 23(4): 258-261.

10. Abdel MP, Trousdale RT, Berry DJ. Pelvic Discontin-uity Associated With Total Hip Arthroplasty: Evaluation and Management. J Am Acad Orthop Surg. 2017; 25(5):330-338.

11. Akiyama H, Kawanabe K, Yamamoto K, Kuroda Y, So K, Goto K, Nakamura T. Cemented total hip arthroplasty with subtrochanteric femoral shortening transverse osteotomy for severely dislocated hips: outcome with a 3- to 10-year follow-up period. J Orthop Sci. 2011; 16(3): 270-277.

12. Archibeck MJ, Rosenberg AG, Berger RA, Silverton CD. Trochanteric osteotomy and xation during total hip arthroplasty. J Am Acad Orthop Surg. 2003; 11(3): 163-173.

13. Berry DJ, Halasy M. Uncemented acetabular components for arthritis after acetabular fracture. Clin Orthop Relat Res. 2002; 405: 164-167.

14. Bickels J, Meller I, Henshaw RM, Mlalawer MM. Reconstruction of hip stability after proximal and total femur resections. Clin Orthop Relat Res. 2000; 375:218-230.

15. Callaghan JJ, Rosenberg AG, Rubash HE. e Adult Hip, 2nd ed. Lippincott Williams & Wilkins; 2007.

16. Chang-Yong Guo, Bo-Wei Liang, Mo Sha, Liang-Qi Kang, Jiang-Ze Wang, Zhen-Qi Ding. Cementless arthroplasty with a distal femoral shortening for the treatment of Crowe type IV developmental hip dysplasia. Indian J Orthop. 2015 Jul-Aug; 49(4): 442-446.

17. Cho MR, Kwun KW, Lee DH, Kim SY, Kim JD. Latent period best predicts acetabular cup failure after total hip arthroplasties in radiated hips. Clin Orthop Relat Res. 2005; 438: 165-170.

18. Crowe JF, Mani VJ, Ranawat CS. Total hip replacement in congenital dislocation and dysplasia of the hip. J Bone Joint Surg Am. 1979; 61(1): 15-23.

19. Engesaeter L, Furnes O, Havelin L. Developmental dysplasia of the hip good results of later total hip arthroplasty: 7135 primary total hip arthroplasties after developmental dysplasia of the hip compared with 59774 total hip arthroplasties in idiopathic coxarthrosis followed for 0 to 15 years in the Norwegian Arthroplasty Register. J Arthroplasty. 2008; 23(2): 235-240.

20. Eskelinen A, Helenius I, Remes V, Ylinen P, Tallroth K, Paavilainen T. Cementless total hip arthroplasty in patients with high congenital hip dislocation. J Bone Joint Surg Am. 2006; 88(1): 80-91.

21. Glassman AH. Complex primary total hp replacement: Femoral side. The Adult Hip(2nd Ed). 2007; 1159-1185.

22. Haddad FS, Masri BA, Garbuz DS, Duncan CP. Primary

total replacement of the dysplastic hip. Instr Course Lect. 2000; 49: 23-39.

23. Haidukewych GJ. Acetabular fractures: the role of arthroplasty. Orthopedics. 2010; 7; 33(9): 645.

24. Hartofilakidis G, Georgiades G, Babis GC, Yianna-kopoulos CK. Evaluation of two surgical techniques for acetabular reconstruction in total hip replacement for congenital hip disease: results after a minimum ten-year follow-up. J Bone Joint Surg Br. 2008; 90(6): 724-730.

25. Jaroszynski G, Woodgate IG, Saleh KJ, Gross AE. Total hip replacement for the dislocated hip. Instr Course Lect. 2001; 50: 307-316.

26. Kim SY, Kim YG, Hwang JK. Cementless calcarre-placement hemiarthroplasty compared with intramedullary fixation of unstable intertrochanteric fractures. A prospective, randomized study. J Bone Joint Surg Am. 2005; 87(10): 2186-2192.

27. Kim YH, Oh SH, Kim JS. Total hip arthroplasty in adult patients who had childhood infection of the hip. J Bone Joint Surg Am. 2003; 85(2): 198-204.

28. Lakstein D1, Kosashvili Y, Backstein D, Safir O, Gross AE. Trochanteric slide osteotomy on previously osteotomized greater trochanters. Clin Orthop Relat Res. 2010; 468(6): 1630-4.

29. Lim SJ, Park YS. Modular cementless total hip arthroplasty for hip infection sequelae. Orthopedics. 2005; 28(9): 1063-1068.

30. Michael J. Archibeck, MD, Aaron G. Rosenberg, MD, Richard A. Berger, MD, and Craig D. Silverton, DO. Trochanteric Osteotomy and Fixation During Total Hip Arthroplasty. J Am Acad Orthop Surg 2003;11:163-173.

31. Myung-Sik Park, Kyu-Hyung Kim, Woo-Cheol Jeong. Cementless Bipolar Hemiarthroplasty Using a Hydroxyapatite-Coated Long Stem for Osteoporotic Unstable Intertrochanteric Fractures. J Arthroplasty. 2011; 26(4): 626–632.

32. Park KS, Yoon TR, Song EK, Seon JK, Lee KB. Total hip arthroplasty in high dislocated and severely dysplastic septic hip sequelae. J Arthroplasty. 2012; 27(7):1331-1336.

33. Park YS, Moon YW, Lim SJ, Oh I, Lim JS. Prognostic factors influencing the functional outcome of total hip arthroplasty for hip infection sequelae. J Arthroplasty. 2005; 20(5): 608-613.

34. Perry K, Berry DJ. Femoral considerations for total hip replacement in hip dysplasia. Orthop Clin North Am. 2012; 43(3): 377-386.

35. Sinno K1, Sakr M, Girard J, Khatib H. e eectiveness of primary bipolar arthroplasty in treatment of unstable intertrochanteric fractures in elderly patients. N Am J Med Sci. 2010; 2(12): 561-568.

36. Timo Paavilainen. Total hip replacement for developmental dysplasia of the hip: How I do it. Acta Orthopaedica Scandinavica, 68:1, 77-84

37. Yiannakopoulos CK, Chougle A, Eskelinen A, Hodgkinson JP, Hartofilakidis G. Inter-and intraobserver variability of the Crowe and Hartofilakidis classification systems for congenital hip disease in adults. J Bone Joint Surg Br. 2008; 90(5): 579-583.

38. Yoo MC, Cho YJ, Kim KI, Rhyu KH, Chun YS, Chun SW, Oh H, Kim EY. Cementless total hip arthroplasty with medial wall osteotomy for the sequelae of septic arthritis of the hip. Clin Orthop Surg. 2009; 1(1): 19-26.

39. Young-Kyun Lee, Yong-Chan Ha, Byeong-Keun Chang, Ki-Choul Kim, Tae-young Kim, Kyung-Hoi Koo. Cementless Bipolar Hemiarthroplasty Using a Hydroxyapatite-Coated Long Stem for Osteoporotic Unstable Intertrochanteric Fractures. J Arthroplasty. 2011; 26(4): 626–632.

CHAPTER

8 합병증
Complications

1. 탈구 및 불안정성

고관절 전치환술 후 발생하는 탈구(dislocation)는 환자뿐만 아니라 술자에게도 매우 심각한 합병증으로 해리(loosening)에 이어 두 번째로 흔한 합병증이다. 여러 가지 수술 기법들과 삽입물들이 개발되어 고관절 전치환술 후 탈구율을 감소시켰으나 일차성 고관절 전치환술 후 탈구의 발생 빈도는 약 1–3%, 재치환술의 경우에는 약 10%에 이른다. 첫 탈구 후의 재탈구율은 약 33%로 아주 높은 빈도를 나타낸다.

1) 원인

고관절 전치환술 후 탈구의 예방 및 치료를 위해서는 고관절의 불안정성(instability)을 야기시키는 환자적 요인, 수술적 요인, 삽입물의 요인 및 수술 후 요인 등 다양한 위험 요인의 종합적인 이해가 필요하다. 환자

적 요인으로 수술 전 진단이 고관절 골절, 고관절 수술의 과거력이나 고관절 재치환술, 고관절 외전근의 약화, 신경근육계 질환, 척추–골반 불균형(spino–pelvic imbalance) 등이 있고, 수술적 요인으로 술자의 경험, 후방 접근법, 삽입물의 위치 이상, 골반이나 골극과 대퇴골 경부의 충돌, 부적절한 연부조직 긴장도, 대전자의 불유합 등이 있다. 삽입물의 요인으로 대퇴골두의 크기, 비구컵의 크기와 디자인이나 삽입물 간의 충돌이 있을 수 있으며, 수술 후 요인으로 환자의 순응도(compliance)가 떨어지는 경우 등이 있을 수 있다(표 1).

(1) 환자적 요인

수술 전 진단이 고관절 골절이나 불유합, 염증성 관절염의 경우에서 수술 후 탈구율이 높아진다는 보고가 있다. 고관절 골절 후 시행한 고관절 전치환술의 탈구

표 1. 고관절 전치환술 후 탈구 발생의 위험 인자

환자적 요인	수술적 요인	삽입물의 요인	수술 후 요인
고관절 골절	술자의 경험 부족	작은 대퇴골두	환자의 순응도 부족
고관절 수술의 과거력	후방 접근법	큰 비구컵	
고관절 재치환술	삽입물의 위치 이상	삽입물 간의 충돌	
고관절 외전근 약화	대퇴골 경부의 충돌		
여성	부적절한 연부조직 긴장도		
알코올 중독	대전자의 불유합		
신경근육계 질환			
척추–골반 불균형			

율은 14%로서 골관절염에 비해 의미있는 증가를 보였다는 보고가 있으며, 이는 연부 및 골 조직의 외상으로 인해 변화된 해부학적 구조가 안정성에 영향을 미치는 것으로 알려져 있다. 고관절 전치환술, 절골술, 골절의 관혈적 정복 등 이전의 고관절 수술의 과거력이 있는 경우 고관절 전치환술 후 탈구율은 증가한다. Alberton 등은 1,548예의 고관절 재치환술에 대해 최소 2년간의 경과 관찰에서 7.4%의 높은 탈구율을 보고하였으며, Woo와 Morrey는 고관절 재치환술의 경우 일차성 고관절 치환술에 비해 2배 높은 탈구율을 보고하였다. 이에 관여하는 인자로는 과도한 연부조직 유리술, 근력 약화, 작은 크기의 대퇴골두, 그리고 전자부 불유합 등이 있다. 신장과 몸무게는 더 이상 탈구의 유발 인자로 여겨지고 있지 않으나, 고령, 남성보다 여성에서 탈구율이 높은 것으로 보고되고 있다. 알코올 중독이 탈구의 요인이 된다는 보고들이 있으며, 이는 장기간의 음주로 인한 집중력의 약화, 탈구에 대항하는 근육의 근력 약화, 또는 위치 감각의 결핍 등이 원인으로 작용한다고 보고 있다. 척추의 운동성을 평가하는 것 또한 중요하다. 요추의 전만이 감소되어 경직된 상태로 있거나 너무 유연하여 과도한 요추 전만이 있는 경우, 골반 좌우 경사가 있는지 여부를 살펴보아야 한다. 시상면에서 척추-골반 불균형이 있는 경우에는 충돌을 유발하여 탈구의 위험 요소가 될 수 있다. 근육신경 질환이나 굴곡 구축이 심한 환자들과 같이 탈구의 위험이 높을 것으로 예상되는 경우에는 전방 접근법을 고려할 수 있다.

(2) 수술적 요인

술자의 경험이 중요하게 작용할 수 있는데, Hedlundh 등은 경험이 많은 술자에 비해, 연 15회 이하의 고관절 전치환술을 시행한 술자에서 탈구의 위험성이 2배 정도 높았다고 보고하였다. Woo와 Morrey는 후방 접근법에서 탈구율이 5.8%로, 전방 접근법의 2.3%에 비해 탈구율이 높다고 보고하였다. 이는 후방 접근법으로 인한 비구컵의 불충분한 전염각(anteversion)과 후방 연부조직의 손상으로 인한 것이다. 모든 단외회전근건(tendon of short external rotator)의 박리 또한 탈구 유발 요인으로 작용하였는데, 후방 연부조직의 섬세한 봉합으로 고관절의 안정성을 증가시켜 예전보다 탈구율이 감소하여 0-0.85%까지 보고되고 있다. 후방 접근법 시 후방 연부조직의 봉합 유무에 따른 탈구율에 대한 메타 분석에서 4.6%에서 0.4%로, 거의 1/10수준으로 탈구율이 감소된 것으로 보고하고 있다. 후방 연부조직의 봉합에 대해서는 다양한 수술 기법이 보고되고 있으며 Suh 등은 후방 관절낭을 대전자로부터 사다리꼴 모양의 피판으로 분리한 후 대전자 후방부 골에 구멍을 만들어 비흡수사를 이용하여 재부착시키고 이상근건과 단외회전근의 병합건을 대전자부 골에 같은 방법을 이용하여 재부착하는 방법을 소개하였다(그림 1).

수술 중 환자의 자세는 삽입물을 정확한 위치에 고정시키는데 가장 중요한 부분이다. 수술대에서의 환자의 위치는 비구컵 위치 이상(malposition)의 가장 큰 원인이 된다. 후방 접근법이 사용될 경우 환자가 측와위 자세로 튼튼하게 고정되었는지 또는 얼마나 기울었는지를 확인하여야 한다. 측와위 자세에서 여성의 경우는 골반이 넓고 어깨가 좁기 때문에 상대적으로 Trendelenburg 자세가 되어 비구컵이 예상보다 수평하게 위치하는 경향이 있고, 남성에서는 어깨가 넓고 골반이 좁아서 반대의 상황이 나타나기 쉽다. 앙와위에 비해 측와위 자세에서는 요추부의 굴곡-신전 및 골반골의 전후방 회전에 따라 골반골의 위치가 변하게 된다. 또한 비구를 충분히 노출시키기 위해서 대퇴골을 전방으로 지나치게 당기는 경우 환자 자세가 흔히 전방으로 기울게 되어 비구컵의 전염각이 감소하는 경향이 있다. 수술 중에도 실제 비구컵과 대퇴스템을 삽입하기 전에 환자의 측와위 자세를 확인하는 것이 필요하며 술자의 경험에 의한 외과적 표지자를 가지고 있는 것이 중요하다. 멸균포 위로 전상장골극을 촉지하여 골반의 자세를 확인하는 것이 좋고, 골성 표지자를

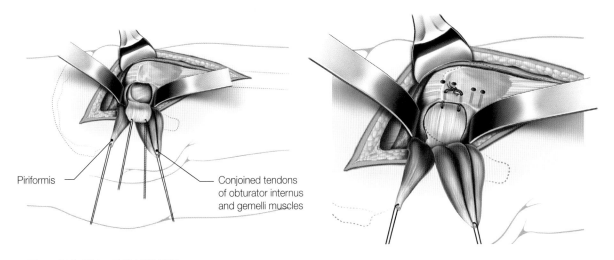

그림 1. 후방 연부조직의 봉합 방법
비흡수성 봉합사를 이용하여 후방관절낭을 대전자 후방부에 구멍을 뚫어 재부착시키고, 이상근과 단외회전근의 병합건을 같은 방식으로 재부착시킨다.

잘 관찰할 수 있도록 비구를 충분히 노출시키는 것도 중요하다. 시험용 삽입물(trial prosthesis)을 최종적인 비구컵의 위치에 놓은 후 비구 변연부와의 상관관계를 확인하는 것도 오차를 줄일 수 있는 방법이다.

일반 방사선 촬영으로 비구컵의 정확한 전염각을 측정하기는 어렵다. 무시멘트형 비구을 삽입한 후에 전염각은 방사선 사진상 비구컵의 전후 연(rim)에 의해 만들어지는 타원 음영의 상관 관계를 확인함으로써 예측할 수 있다. 전후 연의 음영이 완전히 중복되어 타원이 만들어지지 않고 비구컵이 반구형으로 보이는 경우는 전염각이 거의 없는 것으로 판단할 수 있으며, 타원 음영이 보이는 경우는 어느 정도의 전염각이나 후염각(retroversion)이 존재하는 것으로 예측할 수 있다. 최근에는 이러한 타원 음영의 비를 이용하여 전염각을 측정하는 여러 가지 방법이 제시되고 있으며 소프트웨어 프로그램을 이용한 측정 방법도 사용되고 있다. 수술 후에는 cross-table 측면 영상이 전염각을 측정하는데 도움이 될 수 있으며, 전산화단층촬영을 이용한 측정이 더 정확하다고 보고되고 있다. 정상적인 비구의 전염각은 대개 17°(11.5-28.5°) 정도인 것으로 알려져 있다. Woo와 Morrey는 비구컵의 경사각(inclination angle)은 전후면 촬영에서 좌골 조면을 잇는 선과 비구컵의 면이 이루는 각으로 정의하였으며, 전염각은 측면 사진상에서 수평면에 대한 수직선과 비구컵의 면이 이루는 각으로 정의하였다(그림 2).

하지만 환자의 자세나 위치에 따라 측정값의 변화가 클 수 있어 촬영 시 정확한 자세와 숙련된 영상 촬영 기법이 요구되는 단점이 있다. Lewinnek 등은 수술 후 방사선 사진에서 비구컵의 경사각과 전염각이 각각 40±10°와 15±10°인 경우에서 약 1.5%의 탈구율을 보였으나 이러한 범위를 벗어난 경우 6.1%의 탈구율을 보여, 안전 구역(safe zone)을 벗어나 비구컵을 삽입하는 것과 탈구율 사이의 상관 관계를 보고하였다. 비구컵의 위치 이상이 심하지 않은 경우, 즉 안전 구역 내에 존재하는 경우에는 탈구율과 밀접한 연관성을 보이지는 않으며, 탈구는 복합적 요인에 의해서 발생하고 비구컵의 정확한 위치를 측정하기 힘들기 때문에 비구컵의 위치와 탈구의 연관성을 증명할 수 없다는 연구도 있다. 비구컵의 전염각이 과도한 경우 고관절의 신전, 외회전 시 전방 탈구가 발생할 수 있고(그림 3), 전염

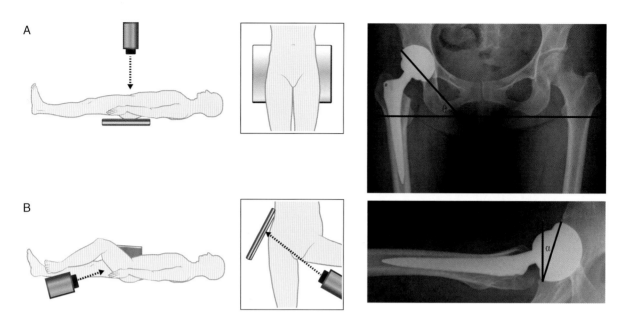

그림 2. 표준화된 방사선 촬영 방법과 방사선적 지표

(A) 골반의 전후면 촬영은 배꼽과 치골 중간 지점을 중심으로 시행하며, 비구컵의 경사각(theta)은 전후면 촬영에서 사진에서는 tear drop 연결을 잇는 선과 비구컵의 면이 이루는 각으로 측정한다. (B) Cross–table 측면 영상의 촬영은 반대편 고관절을 굴곡시키고 촬영하려는 고관절의 외측에 필름을 위치시킨 뒤 미부에서 두부로 약간의 각을 주어 방사선을 조사하며, 비구컵의 전염각(alpha)은 수평면에 대한 수직선과 비구컵의 면이 이루는 각으로 측정한다.

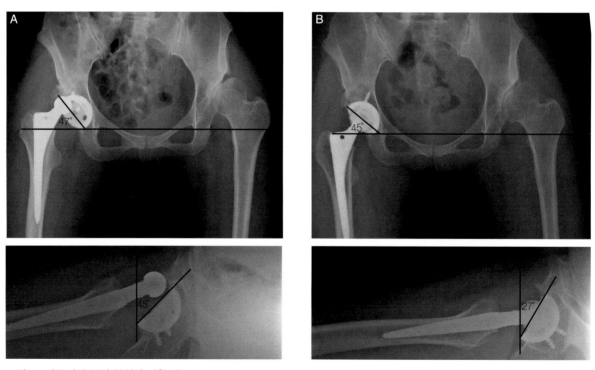

그림 3. 비구컵의 부정 위치에 의한 탈구

(A) 29세 여자환자로서 양측 고관절 이형성에 의한 골관절염에 대하여 우측 고관절 전치환술을 시행하였으나 수술 후의 비구컵의 경사각은 47°, 전염각은 45°로 증가되어 있었다. 수술 1개월 후 전방 탈구가 발생하였으며, (B) 비구컵에 대하여 재치환술을 시행하여 전염각은 교정되었다.

656

각이 지나치게 작은 경우에는 고관절의 굴곡, 내전, 내회전 시 후방 탈구가 발생할 수 있다. 경사각이 과다한 경우에는 내전 시 상방 탈구가 발생할 수 있는데 수술 후 내전 구축이 지속되거나 비구 하방의 골극이 충돌을 야기하는 경우에 특히 잘 발생하게 되고, 경사각이 너무 작은 경우에는 고관절 굴곡 초기에 충돌이 일어나서 후방 탈구가 발생할 수 있다.

대퇴스템의 위치도 탈구와 관련이 있으며, 대퇴스템의 전염각을 정확하게 측정하기는 어려우나 전산화단층촬영을 통해서 비교적 정확한 측정이 가능하다. 대퇴스템의 전염각은 5–15°가 좋다고 알려져 있다. Herrlin 등은 대퇴 전염각의 감소는 충돌에 의한 관절 운동 범위의 감소를 야기하므로 10–20°의 대퇴스템 전염각을 권유하였다. 전염각이 너무 작은 경우에는 고관절의 굴곡, 내회전 시 후방 탈구되는 경향이 있으며, 15° 이상인 경우는 전방 탈구가 일어나기 쉽다. 발달성 고관절 이형성증이나 연소성 류마티스 관절염이 있는 경우에는 대퇴골 경부의 전염각이 커지게 되고, 대퇴골두 골단분리증이 있는 경우에는 대퇴골 경부의 후염각이 존재할 수 있으므로 대퇴스템 삽입 시 주의를 요한다. 이런 경우에는 근위 대퇴골 보다는 슬관절의 축과 대퇴스템과의 방향을 확인하는 것이 더 정확할 수 있다. Amuwa와 Dorr는 병합 전염각(combined anteversion)에 대해 기술하였으며 비구컵의 전염각과 대퇴스템의 전염각의 합으로 정의하였다. 목표로 하는 병합 전염각은 35°로 25–50°까지를 허용 범위로 하며 측정을 위해서는 컴퓨터 네비게이션을 필요로 한다.

비구컵 주위의 골극이나 비구 주위 골막 등의 연부조직에 의한 충돌 또한 탈구를 일으키는 요인으로 작용한다. 비구컵이 비구 내에 깊이 위치하는 경우 전방, 후방, 하방의 돌출된 뼈나 골극은 제거되어야 하는데, 비구컵이 고위 고관절 중심에 위치한 경우에는 제거가 어려울 수 있다. 이전 수술이나 병변이 진행되어 대전자가 비대하거나 변형이 심한 경우에도 충돌을 피하기 위해 일부 골조직을 제거하여야 한다. 골성 충돌은 대

퇴골 오프셋이 적절히 회복되지 못한 경우에 쉽게 발생하므로 큰 오프셋을 가진 대퇴스템을 사용해야 한다. 고관절 주위 연부조직의 긴장도는 탈구를 예방하는데 매우 중요하다. 또한 고관절을 안정하게 하는 여러 조직들은 고관절 전치환술을 시행하면서 손상되거나 제거될 경우 수술 후 고관절 안정성에 영향을 미친다. Fackler와 Poss는 고관절 전치환술 후 탈구가 일어난 34예에서 수술 후 하지 길이가 평균 1.5 mm 증가한 반면에 대퇴골 오프셋은 평균 5 mm 감소하였다고 보고하였다. 대퇴골 오프셋의 감소는 충돌의 위험성을 증가시키고 고관절 외전근의 긴장도를 감소시키기 때문에 고관절의 불안정성을 야기할 수 있다.

전자부의 불유합 또한 외전근의 긴장을 감소시킴으로써 탈구를 유발할 수 있다. Woo와 Morrey는 전위된 전자부 불유합의 경우 17.6%의 탈구율을 보임으로써 전위 없이 골성 유합이 일어난 경우에서의 탈구율에 비해 높은 탈구율을 보인다고 하였다. 그러므로 수술 전 가늠술을 세심하게 시행하고, 수술 중 하지 길이 및 연부조직 긴장도를 회복하여 관절 안정성을 증가시켜야 한다.

(3) 삽입물의 요인

큰 직경의 대퇴골두 사용은 삽입물 간의 충돌을 감소시켜 관절 운동 범위를 증가시키고 비구로부터 대퇴골두를 완전히 탈구시키는데 필요한 전위거리(jump distance)가 증가하게 되어 탈구의 위험을 감소시킬 수 있다. 1970년대 22 mm 대퇴골두보다 큰 크기의 골두를 사용하려는 시도가 있었으나 폴리에틸렌 마모의 문제로 사용할 수 없다가, 최근에는 교차결합 폴리에틸렌 라이너의 개발로 다시 큰 대퇴골두에 대하여 관심을 갖게 되었다. Maloney는 큰 대퇴골두의 안정성과 교차결합 폴리에틸렌의 마모에 대한 저항성은 탈구의 위험도가 큰 환자에서 사용될 수 있는 유용한 대안이라고 하였고, Smith 등은 금속–금속 고관절 전치환술에서 큰 대퇴골두를 사용하여 탈구가 발생하지 않았다

고 보고하였다. 대퇴스템의 경부와 비구컵 변연부 또는 라이너와의 충돌은 대퇴골두-경부 오프셋 비율과 관련이 있다. D'Lima 등은 컴퓨터 모델을 이용하여 대퇴골두-경부 오프셋의 변화와 충돌 및 관절 운동의 관계에 대하여 연구하였으며, 낮은 대퇴골두-경부 오프셋 비율은 작은 관절 운동 범위에서도 충돌을 일으켜 탈구를 야기할 수 있다고 보고하였다. 큰 대퇴골두를 사용하면 상대적으로 대퇴골두-경부 오프셋 비율을 증가시켜 관절 운동 범위를 증가시킨다. 여러 연구에서 큰 대퇴골두는 일차성 고관절 전치환술 및 재치환술에서 고관절의 안정성을 증가시킨다고 알려져 있다. 반대로 치마(skirt)형 대퇴골두의 사용은 대퇴골두-경부 오프셋 비율을 낮춤으로써 관절 운동 범위를 감소시키고 탈구의 위험성이 커진다.

거상형(elevated) 폴리에틸렌 라이너의 사용은 대퇴골두의 접촉면(coverage)을 어느 정도 증가시킴으로써 고관절을 안정되게 하여 탈구를 감소시키는 반면, 과도하게 큰 거상 부위나 이것이 부적절한 방향으로 사용된 경우에는 관절 운동이 전반적으로 저하되고 거상 부위 방향으로 운동 시 조기에 대퇴골 경부와 비구컵 사이의 충돌이 발생하여 폴리에틸렌 마모와 비구컵 해리가 발생할 가능성이 있으므로 주의를 요한다.

(4) 수술 후 요인

대부분의 탈구는 대체로 수술 후 첫 3개월 이내에 발생하는데 봉합된 연부조직이 완전히 치유되지 않은 상태에서 주로 발생한다. Woo와 Morrey는 고관절 전치환술 후 탈구의 59%가 수술 후 3개월 내에 발생하고 77%가 1년 내에 발생한다고 보고하였다. 재활 치료 및 수술 후 탈구 예방 조치를 잘 따르는 환자의 순응도가 초기 탈구 발생 여부에 중요하다. 따라서 환자의 치료에 관여하는 물리치료사, 간호사, 기타 간병인들도 수술 후 탈구를 유발할 수 있는 자세와 움직임 등에 대해서 충분히 알고 있어야 한다. 이러한 자세들은 환자마다 다를 수 있고, 수술적 접근법이나 여러 수술 요인

들에 따라 다를 수 있으므로 교육을 통하여 환자가 충분히 인지할 수 있도록 하여야 한다. 3개월 이후의 탈구는 삽입물의 위치 이상이나 대전자부 또는 외전근의 기능 장애에 의해 발생하며, 이런 경우 반복적인 탈구가 발생할 가능성이 높고 수술적인 치료가 필요한 경우가 많다. von Knoch 등은 후기 탈구의 55%가 반복적으로 발생하고, 재발성 탈구의 61%에서 수술적 치료가 필요하였다고 보고하였다.

2) 치료

고관절 전치환술 후 탈구가 발생한 경우에는 부분 마취 또는 진정 상태에서 방사선투시기를 이용하여 즉각적이고 세심한 도수 정복을 시행하여 관절면의 손상을 최소화하여야 한다. 종축 견인을 시행한 후 대퇴골두가 비구 위치까지 내려왔을 때 약간 외전시킴으로써 정복을 이룰 수 있으며, Allis나 Stimson 도수 정복술도 사용할 수 있다. 만약 탈구 후 수시간이 경과된 경우에는 부종이나 근육의 연축 등으로 인해 정복이 어려워질 수 있다. 정복 후에는 삽입물의 분리와 같은 비정상적인 소견과 안정된 관절 운동 범위 및 충돌 유무를 확인하고 연부조직 긴장도를 평가해야 한다. 삽입물의 위치가 적절한 경우에는 정복 후 일정 기간의 침상 안정이 필요하며 고관절 외전 보조기를 사용한다. 정해진 고정 기간은 없으나 손상된 연부조직이 회복되는 6주에서 3개월 정도가 권장된다. 후방 탈구에 있어서는 보조기를 외전은 20°로 고정하고 굴곡은 60°까지로 제한하며, 전방 탈구에 있어서는 보조기의 신전을 굴곡 30°까지로 제한한다. Clayton과 Thirupathi는 삽입물의 위치는 양호하지만 수술 후 탈구가 발생한 환자에 대하여 고관절 외전 보조기를 사용하였고 9개월 추시관찰에서 더 이상의 탈구가 없었다고 보고하였다.

전통적으로 명백한 삽입물의 위치 이상이 없고 정복 시 안정된 관절 운동 범위를 보이는 경우의 탈구는 대부분 보조기를 이용하여 환자의 2/3에서 효과가 있는 것으로 알려져 있다. 삽입물의 위치 이상이 있거나

재발성 탈구에서는 대개 수술적 치료가 필요하다(표 2).

삽입물의 위치 이상은 없으나 보존적 치료에 효과가 없는 재발성 탈구 환자에서도 수술을 고려할수 있다. 고관절 전치환술 후 불안정성에 대한 수술 방법으로는 잘못된 위치의 삽입물에 대한 재치환술, 긴 경부 옵션을 가진 대퇴골두나 직경이 더 큰 대퇴골두로의 교환, 비구컵의 교환, 충돌을 야기시키는 구조물의 제거, 대전자 원위 전위술 등이 있다. 그러나 삽입물의 위치 이상과 같이 탈구의 명확한 요인이 존재하는 경우에도 그 수술적 결과가 다소 실망스러울 수도 있기 때문에 수술 전 철저한 계획으로 모든 가능한 수술 방법을 고려하여야 하며 환자 및 보호자에게도 이러한 가능성에 대하여 충분히 설명하여야 한다. Daly와 Morrey는 비구컵의 위치 이상과 같이 불안정성의 원인이 확인된 경우 61%의 환자에서 삽입물의 재치환술로 불안정성을 치료할 수 있다고 하였다. 충돌을 일으키는 골극이나 골시멘트 등은 쉽게 제거할 수 있다. 대개 10°이상의 비구컵의 위치 이상이 있는 경우에는 적절한 위치로 교정하여야 하고, 약간의 위치 이상은 거상형 폴리에틸렌 라이너를 사용하여 치료할 수 있다. 그러나 라

표 2. 고관절 전치환술 후 첫 주 운동 프로그램

비수술적 방법	수술적 방법
도수 정복	삽입물 재치환술
고관절 외전 보조기	• 비구컵의 위치 교정
	• 거상형 폴리에틸렌 라이너
	• 긴 대퇴골두
	• 큰 대퇴골두
	• 이중 운동 고관절 전치환술
	• 구속형 비구컵
	충돌 조직의 제거
	대전자 원위 전위술
	양극성 반치환술
	외전근 재건술
	외전근 성형술
	인공 삽입물 제거

이너 단독 교환술 그 자체도 수술 후 고관절의 탈구 위험 인자로 작용하여 수술 후 재발률이 25%에 이른다는 보고가 있어 신중히 시행하여야 한다. 불충분한 오프셋으로 탈구가 발생한 경우에는 더 긴 경부 옵션을 가진 대퇴골두로 교체하여 오프셋을 회복시킬 수 있고, 더 큰 대퇴골두를 사용하여 고관절의 안정성을 증가시킬 수 있다. Beaule 등은 탈구가 발생하였던 12예에 큰 대퇴골두(40-50 mm)를 사용함으로써 평균 7년 추시 결과 10예에서 좋은 결과를 얻을 수 있었다고 보고하였다. 하지만, 대퇴스템만의 위치 이상으로 재치환술을 필요로 하는 경우는 매우 드문 것으로 알려져 있다. 삽입물의 위치 이상이 없는 재발성 탈구의 경우는 대전자 원위 전위술을 시행함으로써 연부조직 긴장도를 증가시켜서 탈구를 예방할 수 있다. 불안정성의 원인이 신경학적 이상이나 외전근 기능 부전인 경우에는 양극성 반치환술을 시행하여 재치환술을 고려해 볼 수 있다. Parvizi와 Morrey는 비록 전치환술에 비해 임상적 결과는 양호하지 못하였으나 양극성 반치환술을 사용한 재치환술로 81%의 성공률을 보고한 바 있다. 최근에는 비구속형(non-constrained) tripolar 혹은 이중 운동(dual mobility) 고관절 전치환술이 고관절의 안정성을 증가시켜 탈구를 예방할 수 있는 방법으로 제시되고 있다. Darrith 등은 54개의 관련 문헌을 분석한 메타연구에서 이중 운동 비구 삽입물이 일차 고관절 전치환술과 재치환술 모두에서 탈구의 위험을 최소화할 수 있는 효과적인 방법임을 보고한 바 있다. 여러 번의 재치환술이 실패한 경우, 불안정성의 원인을 알 수 없는 경우에 최후의 대안으로 골두를 비구컵 내부에 잠기도록 하는 구속형(constrained) 비구컵을 사용할 수 있다. Callaghan 등은 구속형 비구컵의 우수한 결과를 보고한 바 있으며 폴리에틸렌의 마모의 증가나 골용해는 관찰되지 않았다고 하였다. Goetz 등도 신경학적 이상이 있거나 수술 중 고관절 불안정성이 있는 경우에 구속형 비구컵을 사용하여 4%의 재발성 탈구를 보고하였다. 그러나 고관절 운동 범위가 감소하고 폴리에틸렌

의 마모가 증가하며 라이너의 변연부가 대퇴골 경부와 충돌을 일으켜서 비구컵의 실패, 폴리에틸렌의 비구컵으로부터의 분리, 금속링의 파괴, 대퇴스템에서 골두가 분리되는 등의 문제가 발생할 수 있으므로 이러한 기구의 사용은 신중히 고려되어야 하고 정확한 위치에 대퇴스템과 비구컵을 삽입하여야 한다. Whiteside와 Roy는 외전근의 결손이 있는 환자에서 대둔근과 대퇴근막장근을 이용한 외전근 재건술이 고관절 기능 회복에 기여한다고 소개한 바 있다. Chicago의 Rush 그룹은 고관절 전치환술 후 불안정성을 다음과 같이 분류하였다. 1형: 비구컵의 위치 이상, 2형: 대퇴스템의 위치 이상, 3형: 외전근 결손, 4형: 충돌(impingement), 5형: 라이너 마모, 6형: 원인을 알 수 없는 경우. 그리고 각각의 분류에 대한 치료 방법은 다음과 같이 제시하였다. 1형: 비구컵 재치환술, 2형: 대퇴스템 재치환술, 3형: 구속형 라이너의 사용, 적절한 삽입물의 위치 확인, 외전근 재건, 4형: 교차결합형 폴리에틸렌 라이너 교체 및 큰 골두 사용, 6형: 구속형 라이너 사용. Wera 등은 75례의 불안정성에 대하여 상기 분류방법에 따라 환자를 구분하고 이에 대한 고관절 재치환술을 시행한 후 11예(14.6%) 환자에서 재탈구를 경험했다고 보고하였다. 마지막으로 순응도가 심하게 떨어지는 환자, 알코올이나 약물 중독자, 고령의 쇠약한 환자, 그리고 모든 방법의 수술적 시도가 실패한 경우에는 더 이상의 재건술보다는 삽입물의 제거가 시도될 수 있다.

2. 하지 부동

고관절 전치환술의 일차적인 목적은 통증을 완화하고 관절 운동을 개선하며 관절의 안정을 도모하는 것이다. 이외에도 고관절 전치환술은 적절한 대퇴골 오프셋과 회전 중심, 정확한 삽입물의 위치, 동일한 다리 길이를 통해 고관절의 생역학을 회복시킬 수 있어야 한다. 수술 후 하지 부동은 고관절 전치환술 후 발생하는 가장 흔한 합병증 중 하나로 환자의 불만을 초래하고 심각한 장해가 될 수 있기 때문에 때로는 법적 분쟁

의 원인이 되기도 한다. 다행히 수술 후 초반에 인지되는 대부분의 하지 부동은 시간이 지나면서 호전되지만 일부 환자에서는 고관절 및 허리 통증을 야기하거나 신경학적 증상을 발생 시켜 일상 생활에 불편을 초래할 만한 심각한 장해의 원인이 될 수도 있다.

고관절 전치환술 후 하지 부동은 정상측에 비해서 다리가 짧아지는 경우보다 길어지는 경우가 더 흔하며 다리가 길어지는 경우에 환자는 더 큰 불편감을 느낄 수 있다. 일반적으로 1 cm 이하의 하지 부동에서는 큰 불편감을 호소하지 않는 것으로 보이나, 1.5 cm 이상의 하지 부동이 발생하는 경우에는 요통이나 보행 장애, 신경 손상을 나타낼 수도 있다. 신경 손상은 하지 부동에 의한 가장 심각한 합병증으로 하지의 길이가 약 2.5 cm 이상 길어지면 신경 마비와 심한 감각 이상성 통증을 나타낼 수 있고, 4.4 cm 이상 길어지면 좌골신경 마비를 초래할 수 있다. 특히 심폐기능과 신경근육계의 이상이 있는 노인에서 다리가 길어지게 되면 에너지 소모량이 증가하므로 2 cm의 하지 부동으로도 보행 장애를 일으킬 수 있다. 따라서 하지 부동이 발생할 가능성이 있는 환자를 수술 전에 인지하여 예방하는 것은 매우 중요하며, 만약 수술 후 심각한 하지 부동이 발생한 경우에는 적절한 평가와 치료가 이루어져야 한다.

1) 수술 전 계획
(1) 하지 길이에 영향을 미치는 요인
수술 전 하지 길이의 평가를 위해서는 신체 검사 및 방사선 검사를 통해 고정된 척추의 변형, 외전근의 기능, 고관절 관절낭의 구축, 그리고 반대쪽 고관절 또는 슬관절의 병변 등의 영향을 고려해야 한다. 하지 부동은 기본적으로 진성 하지 부동(true limb length discrepancy)과 현성 하지 부동(apparent limb length discrepancy)으로 구분한다. 이 두 가지 하지 부동은 치료와 예후가 다르므로 각각의 병인을 구별하는 것은 매우 중요하다. 대부분 하지 부동은 진성 하지 부동에 의한 경우보다는 현성 하지 부동과 관련된 경우가 많

으며, 이 경우 예후도 더 좋은 것으로 알려져 있다. 따라서 하지 부동을 느끼는 환자에서 현성 하지 부동의 원인을 파악한다면 불필요한 재수술을 피할 수 있다.

진성 하지 부동은 양쪽 하지에서 골격과 연골 두께를 합한 총 길이의 차이를 의미하며 과거 절골술 같은 수술을 한 경우 수술 전 진성 하지 부동이 발생할 수 있다. 수술 후 발생하는 진성 하지 부동은 잘못된 삽입물 위치와 관련이 된 경우가 많으며 대부분 다리가 길어지는 양상을 보인다. 흔한 원인으로 비구컵의 하내측 부위가 눈물 방울(tear drop) 아래까지 내려오거나 대퇴스템이 충분히 삽입되지 못한 경우, 대퇴골 경부를 길게 남긴 경우, 연부조직의 긴장을 강화하여 안정성을 부여할 목적으로 긴 골두를 사용하는 경우에도 술후 진성 하지 부동이 발생할 수 있다.

현성 하지 부동은 연부조직 구축이나 척추 변형 등에 의해 골반의 좌우 경사(pelvis obliquity)가 발생하여 기립한 상태에서 하지의 비대칭이 발생하는 경우를 의미한다. 현성 하지 부동의 원인으로는 척추 측만증, 소아마비, 발달성 고관절 이형성증, 척추 추간판 변성 등이 있다. 고관절의 굴곡 구축이 있는 경우에는 환측의 하지 단축이 있는 것으로 오인할 수 있으며, 고관절의 외전 구축이 있는 경우에는 골반 좌우 경사가 발생하여 반대쪽 다리의 하지 단축으로 오인할 수 있는 현성 하지 부동이 나타날 수 있다. 진성 하지 길이는 전상장골극(anterior superior iliac spine)에서부터 발목의 내과(medial malleolus)까지의 거리를 측정하는 반면, 현성 하지 길이는 배꼽이나 검상돌기에서부터 발목의 내과까지의 거리를 측정한다. 골반의 좌우 경사는 짧은 쪽 다리에 블록을 받쳐 측정한다. 진성 하지 부동은 보상적으로 척추 측만증을 초래할 수 있으며 대부분 짧은 쪽 다리에 블록을 고이면 없어진다. 짧은 쪽 다리에 블록을 고여 균형을 맞춤으로써 기능적인 하지 부동을 판단할 수 있지만, 연부조직 구축에 의한 것인지, 골반의 좌우 경사에 의한 것인지를 분별하기는 어렵다. 척추측만증, 고정된 골반 좌우 경사, 반대측 다리의 변형

이 있는 경우는 실제 하지 길이가 같더라도, 다리 길이가 차이나게 느낄 수 있다.

수술 전 하지 부동이 있는 환자에서는 수술의 목표가 현성 하지 부동이 아닌 진성 하지 부동을 교정하는 것이라는 점에 대하여 심도있는 상담이 필요하다. 경우에 따라서는 고관절의 안정성을 위해서 수술 후 다리가 길어지는 것이 불가피 할 수 있다는 점을 충분히 숙지시켜야 환자의 비현실적인 기대감과 수술 후 불만족으로 인한 법적 분쟁의 발생가능성을 피하는데 도움이 된다.

(2) 방사선적 평가

수술 전 고관절 전후면 사진에서 양측 좌골 결절을 연결한 선과 소전자와의 거리로 비교한다(그림 4). 이때 대퇴골은 20° 내회전시켜 촬영해야 한다. 고관절이 외회전될 경우 고관절 오프셋이 작게 보일 수 있기 때문이다. 드물지만 경골 또는 대퇴골의 길이 차이로 인해 하지 길이의 차이가 있을 수 있으므로 scanogram을 반드시 확인해야 한다(그림 5). 고관절 재치환술의 경우 골손실에 의해 하지 길이 측정이 어려울 경우가 있다. 이때 방사선상의 대퇴골 지표를 확인하여 수술 중 하지 길이를 적용하는 것이 중요하다. 수술 전 가늠술(templating)을 이용한 측정이 하지 길이를 예측하는데 도움이 될 수 있다. 예를 들어 골두 중심과 골반의 눈물 방울(tear drop), 소전자부 등과의 관계가 삽입물의 크기에 따라 변하는 것을 미리 측정해 볼 수 있다. 비구컵의 가늠술 시 비구컵은 연골하골에 접촉해야 하며, 경사각은 40±5°를 유지하고, 눈물 방울은 비구컵의 하내측면과 일치하도록 하여 대퇴골두 중심을 맞추는 것이 하지 길이를 결정하는데 중요하다. 대퇴스템의 가늠술 시 알맞은 크기의 대퇴스템을 결정하고 오프셋을 유지하며 하지 길이를 적합하게 하는 것이 연부조직의 긴장도를 유지하는데 중요하다. 오프셋을 크게 하기 위해서는 경부 절골 위치를 낮게 하여 좀 더 긴 대퇴골 경부 삽입물을 사용할 수 있으며, 확장형

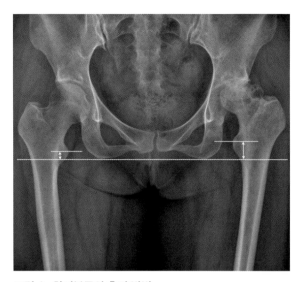

그림 4. 하지부동의 측정 방법
좌골결절을 잇는 수평선을 기준선으로 그린다. 양측 소전자에서
각각 기준선에 수직으로 이르는 거리를 측정한다. 대전자의 근위
단을 다른 기준점으로 사용할 수 있다.

오프셋(extended offset)의 대퇴스템을 사용하면 하지
길이의 증가 없이 수평 오프셋을 늘릴 수 있다. 가늠술
을 이용하여 삽입물의 크기를 측정하고 해부학적 지표
들 간의 상관 관계를 예측하는 것은 하지 부동을 최소
화하여 좋은 임상 결과를 얻을 수 있는 첫 번째 단계이
며, 수술 중 하지 길이를 측정하는 방법과 함께 시행되
어야 좋은 결과를 얻을 수 있다.

2) 수술 중 하지 길이의 측정

수술 전 가늠술을 적용하여 수술 중 하지 길이를 결
정하기 위해서는 각 해부학적 지표들의 정확한 인지를
위해 환자의 위치를 바로잡는 것이 매우 중요하다. 수
술 시작 전후에 건측인 반대쪽 하지를 기준으로 환측
의 하지 길이를 비교한다. 측와위로 수술을 하는 경우
에는 양쪽 하지를 겹치게 한 후 슬개골의 위치를 확인
하여 수술 전후 다리 길이를 측정한다. 이때 위쪽 다리
는 내전되기 때문에 아랫쪽 다리에 비해서 짧게 측정
되는 경향이 있을 수 있고, 환자의 비만도에 따라 골반
의 좌우 경사가 변하기 때문에 하지 길이의 측정도 달

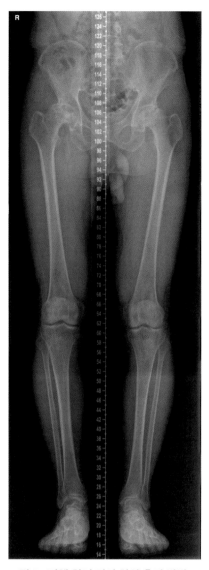

그림 5. 전체 하지 길이 차이 측정 방법
Scanogram에서 골반과 양측 하지전체의 길이를 측정할 수 있다.

라질 수 있다는 점에 유의해야 한다.

수술 중 대퇴골 경부 절골 위치는 정확한 수술 전 가
늠술에 의해 결정된다. 대부분 소전자를 절골 위치 결
정을 위한 해부학적 지표로 사용하지만 대퇴골 경부
로 이어지는 경사로 인해 항상 정확한 것은 아니다.
Woolson 등은 대퇴골두의 정상 부위에서부터 경부의
절골 부위를 측정하는 방법을 통해서 수술 후 하지 부
동을 최소화할 수 있다고 하였는데, 이 방법을 통해서

351명의 환자(408예) 중 97%에서 하지 부동이 1 cm 미만이었으며, 평균 하지 부동은 1 mm였다고 하였다. 대전자도 수술 중 하지 길이를 측정하는 해부학적 지표로 흔히 사용된다. 대전자 상단부위는 대부분의 경우에 대퇴골두의 중심과 높이가 일치하므로 하지 길이를 결정하는 지표로 사용할 수는 있지만 대퇴골두 중심이 대전자의 상단부와 항상 일치하는 것은 아니다.

수술 중 하지 길이의 측정 방법으로는 골반에 1개 이상의 금속 핀을 삽입하고, 이 핀과 대전자부의 일정 부위와의 거리를 측정할 수 있다. 이때 하지의 위치는 일정하게 유지되어야 한다. Milhalko 등은 비구 상부에 나사를 삽입 후 나사 머리에 드라이버를 장착하고 대전자 외측부의 광근 결절 부위에 전기 소작기로 표시하여 드라이버와 표시 부분과의 거리를 시험용 삽입물(trial prosthesis) 삽입 후의 거리와 비교하여 하지 길이를 결정하였다. McGee와 Scott는 비구의 상부 1.5-2 cm에 Steinmann pin을 삽입 후 U자 형으로 구부려 대전자부에 닿는 부분을 표시하고 시험용 삽입물 삽입 후 측정하여 비교하였다(그림 6). 이 방법은 구부린 핀의 끝과 대전자와의 수평거리를 측정하여 오프셋의 변화를 측정할 수 있다는 장점이 있다. 이렇게 핀을 사용하는 방법들은 근육과 피부 등 연부 조직에 의해 핀이 휘거나 뼈가 약하면 고정이 불안정하여 측정이 불가능해진다. 이러한 경우 수술 중 방사선 촬영이 도움이 될 수 있다. 이 때는 양측 고관절이 보일 수 있게 해야 하며, 영상이 확대된다는 것을 고려해야 한다.

삽입물의 위치에 대한 평가를 한 후에는 촉진을 통해서 관절 주위 연부조직의 긴장도를 평가하는 것도 유용한 방법이다. 고관절을 신전 및 외전한 상태에서 천천히 내전하는 Ober 검사는 대퇴근막장근과 대퇴직근의 긴장도를 평가하는데 사용될 수 있다. Shuck 검사와 drop-kick 검사는 관절의 이완 정도를 평가하는 대표적인 검사 방법으로 사용된다. Shuck 검사는 고관절을 중립으로 위치시킨 상태에서 다리를 종축으로 견인하여 관절이 벌어지는 정도를 평가하는 방법으로 골두의

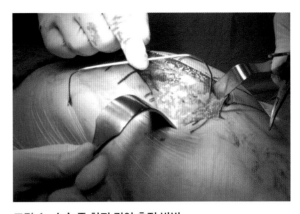

그림 6. 수술 중 하지 길이 측정 방법
Steinmann 핀을 골반골에 삽입하고 'U'자 모양으로 구부린다. 고관절을 중립위치로 고정하고 지시침의 끝이 외측 광근과 닿는 부위에 표시한다.

절반 이상이 비구 라이너에 위치하는 경우를 정상으로 간주한다. Drop-kick 검사는 고관절을 신전한 상태에서 슬관절을 90° 굴곡시킨 후 다리를 놓았을 때 다리의 움직임을 평가하는 방법으로 다리가 길어지게 되면 과도한 신전 메커니즘의 긴장도로 인하여 슬관절의 수동적 신전(=kick)이 발생하는 것을 관찰할 수 있다. 하지만 이러한 검사 방법은 주관적이고 마취, 근육량, 환자의 체형, 가해지는 힘의 정도, 술자의 숙련도 및 연부조직의 이완술 정도와 같이 여러 요인에 의해 영향을 받을 수 있으므로 하나의 검사 방법으로 술 중 하지 부동을 평가하기에는 적합하지 않으나 관절의 안정성을 평가하여 최종 하지 길이를 결정하는데 도움이 될 수 있다.

3) 수술 후 평가

수술 후 확인되는 하지 부동을 평가할 때에는 수술적 교정 가능 여부를 판단하기 위해서 진성 하지 부동과 현성 하지 부동을 감별하는 것이 가장 중요하다. 수술 후 고관절 전후면 영상에서 해부학적 지표를 이용한 간접 측정방식을 사용하거나 수술 후 scanogram이 하지 길이 평가에 도움이 되며, 슬관절의 굴곡 변형이 있는 경우에는 전산화단층촬영이 도움이 된다.

4) 치료

(1) 비수술적 치료

수술 후 현성 하지 부동이 있는 환자의 초기 치료는 시간이 지나면서 증상이 좋아질 수 있음을 알려 환자를 안심시키고 구축된 연부조직이 늘어날 수 있도록 물리치료를 처방하면서 경과 관찰을 하는 것이다. 수술 후 14% 정도에서 일과성으로 현성 하지 부동이 발생할 수 있다. 이러한 현성 하지 부동이 영구적으로 지속되는 경우는 매우 드물며 수술 후 3-6개월에 대부분 호전된다. 신발을 올려주는 방법은 연부조직의 구축이 회복되는 것을 지연시킬 수 있으므로 초기 6개월까지는 권장되지 않는다.

수술 후 진성 하지 부동이 있는 환자의 초기 치료 역시 환자 교육과 적절한 재활 훈련이다. 환자가 인지하는 하지 부동은 시간이 지나면서 호전되는 경우가 많으므로 신발의 높이를 올려주는 방법은 수술 후 6개월까지 미루는 것이 좋다. 초기 치료에 실패하는 경우에는 짧은 쪽 하지에 신발의 높이를 올려주는 방법을 통해서 요통, 좌골신경통, 고관절 통증 등의 증상을 해소할 수 있다.

(2) 수술적 치료

수술적인 치료는 비수술적 방법이 실패한 경우, 심한 고관절 통증과 요통이 있는 경우, 고관절이 불안정한 경우, 감각 이상이나 족하수(foot drop) 등의 신경 증상이 하지 부동이 개선되면 호전될 것으로 예상되는 경우 등에 시행한다. 단순한 연부조직의 유리만으로 경미한 하지 부동은 개선될 수 있다. 조립형 대퇴골두의 교환으로도 하지 길이를 어느 정도 조정할 수 있다. 대부분의 경우 고관절 치환술을 시행한 쪽의 하지가 길어지므로 대퇴골두는 경부가 짧은 것으로 교체하여 길이를 단축시킬 수 있으나, 관절의 불안정을 초래할 수 있고 교정할 수 있는 범위도 작다. 하지 단축을 시행할 때, 오프셋을 늘릴 수도 있으며 더 큰 직경의 골두로 교체할 수 있고, 관절의 안정성을 위해 대전

자부를 원위로 전위시켜 하지 길이의 연장없이 연부조직의 긴장을 개선시킬 수 있다. 때에 따라서는 구속형 비구컵을 사용할 수도 있다. 고관절이 안정적이고 기능적이지만 하지 길이의 차이가 많을 경우에는 대퇴골 원위부 절골술을 시도할 수 있다. 하지 단축으로 신경 증상이 호전을 기대할 수 있지만 성공률은 일정하지 않다. 반대쪽에 고관절의 병변이 있어 고관절 전치환술이 예상되는 경우에는 신발의 뒷굽을 올려주는 방법 등 비수술적 방법으로 유지하고 반대쪽 수술을 시행할 때까지 기다릴 수 있다. 1 cm 정도의 하지 부동은 대부분의 환자가 적응하며, 1 cm 이상의 차이가 있더라도 32-43% 정도만 하지 부동을 인지하므로 성급한 조치를 취하기 보다는 경과를 지켜보는 것도 좋겠다.

수술 후 하지 부동을 예방하기 위해서는 정확한 수술 전 평가뿐만 아니라, 수술 전후 환자에 대한 교육 역시 매우 중요하다. 수술 후 실제 다리 길이와 하지 길이의 느낌이 항상 같지 않다는 점을 환자에게 인식시키고, 수술 후 기능성 하지 부동이 소실될 때까지 술자가 긍정적인 자세로 환자를 치료하는 것 또한 중요하다.

3. 신경혈관 손상

1) 신경 손상

고관절 치환술 후 발생하는 신경 손상의 전체적인 빈도는 1-2% 정도이며, 재치환술의 경우 7.6%까지 증가하는 것으로 보고되고 있다. 좌골신경 손상(79%)이 가장 흔하며 다음으로 대퇴신경 손상(13%), 좌골신경과 대퇴신경의 동반 손상(6%), 폐쇄신경 손상(1.6%) 순의 발생 빈도를 보인다. 원인이 밝혀지지 않는 경우가 가장 흔하고(47%), 다음으로는 신연(20%), 좌상(19%), 혈종(11%), 탈구(2%) 등이며 신경의 직접적인 열상은 1% 이하로 드물다. 이외에도 수술 중 견인기의 과도한 압박, 시멘트 사용 시 열손상 등이 원인으로 알려져 있다.

좌골신경 손상은 고관절 치환술 후 가장 흔한 신경 손상이며 위험 인자들로는 발달성 고관절 탈구, 과도한 하지 길이 연장, 재치환술, 여성 등이 있다. 수술 중

직접적인 손상, 하지 길이 연장 시 과도한 긴장, 허혈, 시멘트에 의한 열손상, 혈종에 의한 압박, 강선 및 봉합사에 의한 협착, 비구 나사못에 의한 손상 등에 의해 발생한다. 고관절 높이에서는 좌골신경의 경골신경 분지와 비골신경 분지가 하나의 신경 다발에 포함되어 주행하므로 두 신경 분지 모두가 손상받을 가능성이 있다. 비골신경이 경골신경에 비해 더 쉽게 손상받는 것으로 알려져 있다. 문헌에 따르면 좌골신경이 손상되는 경우 약 94~99%의 빈도로 비골신경 손상이 동반되는 반면 경골신경 손상은 41%가량 동반되는 것으로 보고되며, 비골신경 단독 손상은 약 47-65%, 경골신경 단독 손상은 0.5-2% 정도로 보고된다. 이러한 이유는 비골신경 다발의 밀도가 상대적으로 경골신경보다 높으며, 비골신경 다발이 경골신경 다발에 비해 외측에 위치하여 고관절 치환술 시 압박이나 신연 등의 손상에 취약할 가능성이 높기 때문이다. 후방 접근법과 외측 접근법 간에 좌골신경 손상에 대한 의미 있는 차이는 없으며, 수술적 접근법의 종류보다는 환자의 해부학적인 변이나 재건술의 복잡성 등이 더 큰 영향을 미친다. 일반적으로 고관절 재치환술 시에는 수술적 접근이 기술적으로 어려운 경우가 많으며, 좌골신경이 후방 반흔 조직내 유착되어 손상받기 쉽다. 재치환술의 경우 수술 중 신경근전도 감시를 시행해보면 실제로 약 1/3의 경우에서 이상 소견을 보이는 것으로 보고된다. 일반적인 고관절 치환술 시 좌골신경의 노출은 필요하지 않으나 대퇴골의 외회전 변형과 같은 고관절의 변형, 비구의 골반내 돌출, 대퇴골두 및 경부의 단축, 발달성 고관절 탈구, 재치환술 등에서는 도움이 될 수 있다. 좌골신경 손상 시 예후는 다양하며 손상된 정도와 가장 밀접하게 연관되어 있다. 퇴원 전에 일부 증상이 회복된 환자에서는 완전한 회복을 기대할 수 있으나, 심각한 이상 감각을 보이는 환자에서는 예후가 불량하다. 하지 길이 연장에 따른 좌골신경 손상의 정도에 대한 연구는 다양하게 보고되고 있다. Edward 등은 1.9-3.7 cm의 하지 길이 연장의 경우 비골신경 가

지의 손상이 일어날 수 있고 4.0-5.1 cm의 연장 시 완전 좌골신경 손상이 일어날 수 있다고 보고하였다. 하지만 Eggli 등은 이러한 하지 길이 연장 자체만으로 좌골신경 손상이 발생하지 않으며 수술 중 기계적 손상이 더 큰 이유라고 보고하였다. 하지만 신연 손상이 직접적인 외상에 의한 손상보다 불량한 예후를 보이므로 과도한 하지 길이 연장을 시행하지 않는 것이 추천된다. 수술 후 좌골신경 혹은 비골신경 손상이 인지된 환자는 족부의 첨족 변형을 예방하기 위한 족부 보조기를 착용해야 한다. 하지만, 일반적으로 완전한 회복은 드문 것으로 알려져 있다.

대퇴신경 손상의 빈도는 0.1-0.2% 정도로 좌골신경 손상에 비해 훨씬 드물다. 위험 인자로는 전방 혹은 전외측 접근법, 비구 전방에 위치한 나사못, 혈종, 고관절 굴곡 구축의 교정, 시멘트 유출, 전방 비구 견인기에 의한 직접 손상 등이 있다. 일반적으로 대퇴신경은 비구 전벽의 앞쪽에 위치하는 장요근에 의해 보호된다. Simmon 등은 비구 전방에 삽입하는 견인기의 사용이 대퇴신경 손상을 야기하는 주요 원인이라고 보고하였다. 이에 전방 비구 견인기를 위치시키는 경우에는 대퇴신경 손상을 피하기 위해 비구에 견인기가 정확하게 위치되었는지를 확인하는 것이 매우 중요하다. 대퇴신경 손상은 수술 직후 흔히 간과되어, 진단이 지연되는 경우가 많다. 대퇴신경 손상 시 회복의 예후는 좌골신경과 비슷하다. 손상의 정도가 심할수록, 손상 기전 또한 신연 손상이 직접 손상보다 불량한 예후를 보인다. 대퇴신경 마비가 발생한 환자는 보행시 대퇴사두근의 약화로 인하여 슬관절 굴곡이 발생한다.

폐쇄신경 손상의 발생 빈도는 극히 드물다. 고관절 치환술과 연관된 신경 손상의 1.6%를 차지하며 24,469예의 고관절 치환술 중 오직 4예(0.0156%)에서만 발생된 것으로 보고된 바가 있다. 유출된 시멘트나 견인기에 의한 물리적 손상 또는 비구의 전하방 구획에 위치한 나사못 등에 의해 발생할 수 있으며, 대퇴 내측부의

통증이 유일한 증상이다.

상둔신경 손상은 중둔근을 분리하는 외측 혹은 전외측 접근법과 연관되어서 발생한다. Ramesh 등은 Hardinge 접근법을 사용하였을 때 상둔신경 손상의 발생 빈도는 23%에 달하는 것으로 보고하였다. 상둔신경은 중둔근의 중간 1/3에 분포하며, 대전자부로부터 상방 5 cm까지는 안전 구역으로 여긴다. 그러므로 중둔근의 분리는 대전자의 끝에서 3-4 cm 이내에서 시행하는 것이 안전하다(그림 7). 상둔신경 손상 환자에서는 외전근 약화로 지속적인 파행이나 탈구를 보일 수 있다.

수술 후 신경 손상의 치료는 손상 원인을 파악하는 것이 중요하다. 신경 손상은 보통 수술 직후 인지되지만 수술 중 발생한 손상이 지연되어 나타나는 경우도 있다. 혈종의 형성이나 직접적인 압박의 경우 수술 후 수일이 경과한 후 나타난다. 수술 후 수 주 이후 나타나는 경우는 삽입물의 이동에 의한 것일 수 있다. 수술 직후 신경 마비 증상이 발생한다면 즉각적인 고관절

및 슬관절의 굴곡을 통해 좌골, 대퇴신경의 긴장을 완화시켜야 한다. 혈종에 의한 압박이 의심되면 초음파, 전산화단층촬영, 자기공명영상 검사 등을 시행해야 하며, 혈종이 진단된 경우에는 즉각적인 수술적 감압이 필요할 수 있다. 신경 마비가 있는 경우 탐색술을 시행해야 하는 경우는 드물지만, 6주내 회복되는 소견이 보이지 않거나 시멘트나 비구 나사못에 의한 압박이 의심되는 경우에는 고려할 수 있다. 신경 손상의 50%에서 원인을 찾아낼 수 없으므로 면밀한 관찰과 환자에 대한 격려와 교육이 중요하다. 적절한 보조기의 사용, 수동적 관절 운동, 비타민 B의 공급 등이 관절 구축을 예방하고 신경 회복에 도움을 줄 수 있다. 또한 술 후 정기적인 신경전도 검사를 통해 회복의 정도를 예상할 수 있다.

고관절 치환술 시 발생하는 신경 손상은 무엇보다 예방이 중요하며 이를 위해서는 수술 시 정확히 해부학적 지표를 인지하여 손상을 방지하고, 견인기 사용 시 주의를 기울여야 한다. 또한 과도한 하지 길이 연장을 피하고, 시멘트 사용 시 유출을 방지하며, 고위험군의 경우 좌골신경을 미리 박리하여 보호하는 등 세심한 노력이 필요하다.

2) 혈관 손상

고관절 전치환술 시 혈관 손상은 발생 빈도가 0.1-0.2%로 드물지만 즉각적으로 생명을 위협하거나 하지 절단의 원인이 될 수 있는 심각한 합병증이다. 혈관 손상으로 인한 사망률은 7-9%로 이 중 15%에서 하지 절단술, 17%에서 영구적인 하지의 기능 소실을 가져올 수 있다. 무시멘트형 비구컵, 골이식편, 항돌출 케이지(anti-protrusio cage)와 연관되어 나사못의 사용이 광범위하게 증가함으로써 그 빈도는 증가하고 있다. 혈관 손상이 발생하는 기전으로는 기존 혈관 질환을 가진 환자에서의 폐색 혹은 색전, 삽입물의 삽입 및 제거 시 직접적인 혈관 손상 등이 있다. 손상의 위험이 있는 혈관들은 대퇴 혈관, 폐쇄 혈관, 내·외 장골 혈관, 상

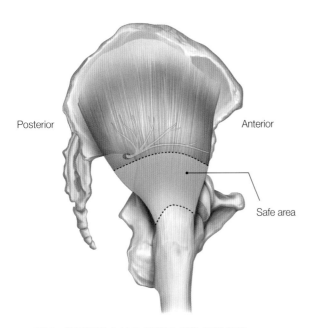

Posterior

Anterior

Safe area

그림 7. 상둔신경 손상을 피하기 위한 안정 영역
(A) 상둔신경은 좌골 절흔에서 나와 중둔근과 소둔근 사이로 주행한다. (B) 외측 접근법 중 중둔근의 분리는 상둔신경 손상을 피하기 위해 대전자 근위부 3-4 cm 이내에서 시행해야 한다.

둔 혈관, 하둔 혈관 등이다.

대퇴 혈관 손상은 대퇴신경 손상과 마찬가지로 비구 전방 견인 시 사용하는 견인기나 굴곡 구축을 교정하기 위하여 전방 관절낭을 유리하는 경우 발생한다. 폐쇄 혈관 손상은 비구 하방의 골극과 연부조직 제거 시 발생할 수 있다. 또 비구 확공 시 비구 내측벽이 천공되거나 골반 내로 시멘트의 함입이 발생하면 장골 혈관 손상이 발생할 수 있다.

혈관 손상의 가장 위험한 요소는 비구컵 고정을 위하여 사용되는 나사못이다. 이를 피하기 위해서 나사못 고정의 지침은 비구의 4분 구획으로 설명할 수 있다 (그림 8). 이는 전상장골극에서 비구의 중심을 향하여 그은 선과 이 선에 직각인 선에 의해 비구를 4분 구획으로 나눈다. 외측 장골정맥은 전상방 구획의 골에 인접하여 주행하고 폐쇄 혈관과 신경은 전하방 구획의 골반 근위부에 가깝게 존재한다. 이렇게 형성된 4분원 중 전상방 구획이 가장 위험하다. 전상방 구획에 속하며 비구 내측을 통과하게 되는 손상은 어떠한 것이라도 폐쇄동정맥뿐만 아니라 외장골동정맥의 손상을 유발할

수 있다. 특히 이 부위의 골반골은 후방보다 두께가 훨씬 얇기 때문에 더 위험하다. 나사못 고정은 가능하면 후방 사분원에 제한되어야 하며, 전방 구획으로 나사못을 고정해야 하는 경우 짧은 드릴을 사용하여 조심스럽게 시행되어야 한다. 후상방 구획은 전상장골극과 대좌골 절흔 사이의 상부 비구 영역을 의미하며 나사못 고정에 가장 안전한 부위이다. 이 구획은 뼈가 두꺼워 35 mm의 비구 나사못 삽입이 가능할 수도 있지만 이보다 긴 나사못을 삽입할 경우 좌골신경이나 상둔신경 손상을 야기할 수 있어 주의를 요한다. 후하방 구획은 다음으로 안전한 부위이나 후상방 구획에 비해 뼈가 얇기 때문에 25 mm 이상의 비구 나사못은 삽입하지 않는 것이 좋으며, 하둔신경과 혈관, 내음부 신경과 혈관 손상의 가능성이 있다. 고관절 재치환술의 경우 비구 삽입물이 상방이나 골반 내측으로 전위되어 있는 경우가 많아 혈관계들이 더욱 손상받기 쉬운 위치에 놓이게 되므로 세심한 주위가 필요하다.

만약 비구컵이나 나사못 삽입 시 나사못 구멍으로부터 박동성 출혈을 보이거나 갑작스러운 저혈압이나 혈색소 감소가 발생할 경우 혈관 손상을 의심할 수 있다. 환자가 혈역동학적으로 안정적이라면 혈관 조영술을 통해 카테터 색전술을 시도해 볼 수 있다. 그러나 혈역동학적으로 불안정하다면 추가적인 실혈을 막고 환자의 생명 유지를 위하여 즉각적인 후복강 부위의 노출과 장골 혈관의 일시적인 결찰, 혈관 외과의 협진을 요한다. 삽입물을 안전하게 제거하는 것도 혈관 손상을 피하는 데 중요하다. 특히 비구 삽입물이나 시멘트가 골반 내측으로 전위된 경우 필요에 따라서는 수술 전 혈관 조영술을 촬영하여 골반골과 삽입물, 혈관들 간의 위치관계를 파악해 두는 것이 유용하다. 지연성으로 발생할 수 있는 혈관계 문제점들로는 장골 혈관의 혈전증, 동정맥류, 가성동맥류 등이 있으며, 이 중 절개 부위의 지속적인 출혈 혹은 박동성 종괴를 호소하는 환자에서는 가성동맥류를 의심해야 한다.

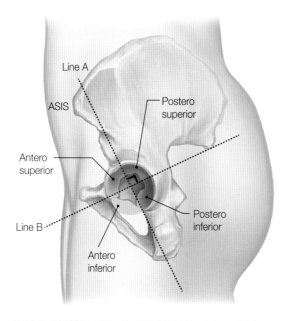

그림 8. 안전한 나사못 고정을 위한 Wasielewski 비구 4분 구획

4. 삽입물 주위 골절

삽입물 주위 골절(periprosthetic fracture)은 평균 수명의 연장으로 고령 인구가 증가하고 골절이나 관절염 등으로 인한 관절치환술이나 내고정물 삽입 등의 빈도가 증가함에 따라 발생률이 급격히 증가하고 있다. 삽입물 주위 골절은 삽입물 주위 대퇴골의 골강도가 저하되어 있으므로 일상 생활에서 낙상과 같은 저에너지 손상에 의해서도 쉽게 발생한다. 골절에 관계된 요인으로는 환자의 나이, 골용해 또는 무균성 해리의 여부, 고관절 재치환술의 횟수, 고관절 치환술 당시 골절 진단의 여부, 삽입물의 종류와 수술자의 경험에 따라서도 차이가 난다. 일반적으로 수술 중 또는 수술 후 발생하는 삽입물 주위 골절로 구분하며 골질이 약하고 삽입물이 골수강 내에 존재하므로 치료하기 어렵고 예후도 좋지 않아 골절이 발생하는 것을 예방하는 것이 중요하다. 골절이 발생하면 정확한 골절 분류를 통하여 적절한 치료 방법을 선택하여야 하고, 특히 삽입물의 안정성을 정확히 판단하여 골절의 정복과 고정을 시도할 것인지 아니면 삽입물의 교체가 적절한지를 판단하는 것이 중요하다.

1) 역학

수술 후 발생하는 삽입물 주위 골절은 무균성 해리와 재발성 탈구 다음으로 고관절 전치환술 후 시행하는 재수술의 세 번째 많은 원인(9.5%)이며, 일차 고관절 전치환술 후 골절이 발생하는 빈도는 0.4%-1.1%이고, 고관절 재치환술 후 발생 빈도는 2.1%-4%이다. 수술 도중 발생하는 골절은 일차 고관절 전치환술의 시멘트형 치환술에서는 약 1%, 무시멘트형 치환술에서는 약 3-20%의 빈도로 일어난다. 고관절 재치환술의 수술 중에 골절이 발생하는 빈도는 조금 더 높아서 시멘트형에서는 6.3%이며, 무시멘트형에서는 17.6% 정도로 발생한다.

삽입물 주위 골절은 주로 골다공증이 있는 노년기에 잘 발생하고 삽입물 자체로 인한 응력 차단(stress shielding) 현상으로 인해 골질이 약화되어 있어 골절의 고정력이 약화되고, 삽입물이 나사못이나 골수정 등의 내고정물을 삽입하는데 방해물로 작용할 수 있으며, 나사못이나 삽입물이 들어간 자리가 골절을 일으키는 응력 집중부위(stress-riser)로 작용할 수 있다. 또한 삽입물의 삽입 과정이나 대퇴스템을 고정하기 위한 시멘트를 주입하는 과정에서 골수강내 혈류 순환을 차단하여 골절 부위의 불유합을 초래할 수도 있어 삽입물 주위 골절의 치료 시에 세심한 주의를 요한다.

삽입물 주위 골절의 원인은 전신적 요인으로 골다공증, 골감소증, 골 이형성증 등의 전신 질환으로 인한 골 변형, 평형감각 이상으로 인한 낙상 등이 있으며, 국소적인 요인으로는 고관절 재치환술, 최소 침습법을 이용한 수술, 국소적인 응력 집중 요인(나사못 구멍, 금속판의 끝부분, 불안정한 내고정물의 고정 상태), 그리고 국소적인 골결손 등이 있다. 이러한 요인들 외에 삽입물 주위 골절은 많은 경우에서 삽입물의 삽입 도중에 시술상의 기술적인 잘못에 기인하는 경우가 많다. 대퇴스템 삽입 시 스템이 피질골에 손상을 주어 응력 집중을 유발하여 골절이 발생하는 경우와 골절 등의 치료를 위해 삽입하였던 내고정물 제거 후에 나사못이 제거된 구멍을 통해 골절이 발생하는 경우 등이 대표적이다. 따라서 삽입물 주위 골절을 예방하려면 수술 중 갈라진 틈과 골결손 등이 생기지 않게 하고, 시멘트가 갈라진 틈으로 새어 나가는 것을 방지하며, 수술 도중 미세 골절이 발생한 경우 골절의 전위가 없어도 환형 강선으로 고정한다. 골손실이 있는 부위는 골이식으로 보정하며 수술 후 골용해, 통증, 또는 기능에 변화가 있는지 관찰하여야 한다.

2) 대퇴스템 주위 골절
(1) 골절의 분류

대퇴스템 주위 골절에 대해서는 많은 종류의 분류가 있으나, 기본적으로 골절의 위치와 삽입물의 안전성에 기초하여 분류한다. 여기에 골절의 양상, 수술 중 또는 수술 후와 같은 골절의 시기, 시멘트형 또는 무시멘트형 삽입물의 형태에 따라 분류한다.

① **수술 중 골절의 분류:** 골절의 위치에 따른 Vancouver 분류가 가장 널리 사용된다(표 3, 그림 9). A형 골절은 근위 골간단부의 골절로 골간부까지 확장되지 않으며, B형은 골간부의 골절이나 원위부까지 확장되지 않은 골절로 긴 대퇴스템으로 골절 부위를 지나 고정할 수 있다. C형은 원위골 간부 또는 골간단부의 골절로 가장 긴 대퇴스템으로도 연장하여 고정할 수 없는 골절을 말한다. 각각의 골절은 다시 골절의 양상과 스템의 안정성에 따라 세부적으로 분류하였는데, 1형은 단순한 골피질 천공으로 시멘트의 제거 또는 대퇴강의 확공 중에 발생할 수 있으며 골간단부에서 잘 일어난다. 2형은 전위되지 않은 선상 골절이다. 확공 또는 대퇴스템 삽입 중에 발생하며 주로 근위 코팅 대퇴스템 사용 시 근위 골간단부와 골간부에 발생한다. 수술 중 발견하지 못하였다 하더라도 수술 후 방사선 검사에서 확인하여야 한다. 3형은 전위되거나 불안정한 골절을 말한다.

② **수술 후 골절의 분류:** 골절의 위치, 삽입물의 안정성, 대퇴골의 골질에 따라 골절의 치료 지침을 제시한 Vancouver 분류가 가장 많이 사용되고 있

다(표 4). 골절의 위치에 따라 A, B, C형으로 분류하였으며, A형은 삽입물의 근위부의 골절로 대전자의 골절은 AG형으로, 소전자의 골절은 AL형으로 다시 세부 분류하였다. B형 골절은 대퇴스템 주위 또는 스템 말단의 바로 아래에 일어난 골절이며, C형은 대퇴스템 말단의 원위부에 발생한 골절이다. B형 골절은 대퇴스템의 안정성과 주위 골의 골질에 따라 다시 세부 분류하였는데, B1 골절은 대퇴스템의 고정이 안정된 골절, B2 골절은 대퇴스템이 불안정한 골절이며, B3 골절은 전신적 골감소증, 골용해, 또는 심한 분쇄 골절 등으로 심한 골결손이 있는 경우를 말한다(그림 10). Duncan 등은 대퇴스템 주위 골절의 발생 빈도를 A형이 4%, B형은 86.7%, C형은 9.3%, B1은 18.5%, B2는 44.6%, B3는 36.9%의 빈도를 보고하였다.

(2) 수술 전 고려 사항

대퇴골 삽입물 주위 골절은 대부분이 B형이며 이 B형 중 수술 전 B1으로 분류되었던 환자의 50%가 실제로 수술 시에 B2로 판정되어 삽입물 주위 골절의 치료 시 가장 먼저 판단하여야 할 것은 삽입물의 고정 상태, 즉 대퇴스템의 안정성 여부이다. 안정성 여부를 판

표 3. 수술 중 발생한 대퇴골의 삽입물 주위 골절의 Vancouver 분류

분류	골절부위	세부 분류
A	근위 골간단부: 골간부로 연장되지 않음	A1: 피질골 천공 A2: 전이없는 선상균열 A3: 전이되거나 불안정한 골절
B	골간부: 재치환용 긴 스템으로 통과시술이 가능함	B1: 피질골 천공 B2: 전이없는 선상균열 B3: 전이되거나 불안정한 골절
C	원위 골간부 및 골간단부: 재치환용 긴 스템으로 통과시켜 고정하지 못함	C1: 피질골 천공 C2: 전이없는 선상균열 C3: 전이되거나 불안정한 골절

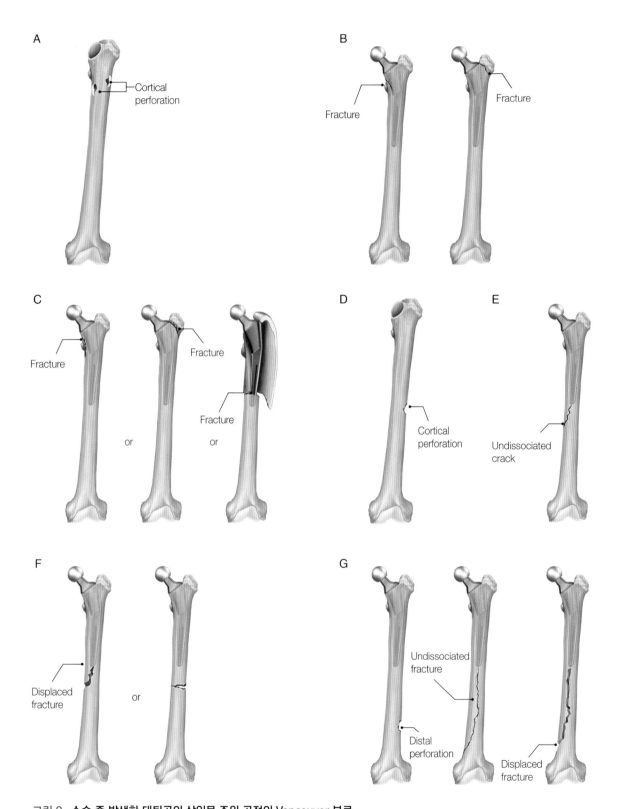

그림 9. 수술 중 발생한 대퇴골의 삽입물 주위 골절의 Vancouver 분류
(A)Type A1 (B) Type A2 (C) Type A3 (D) Type B1 (E) Type B2 (F) Type B3 (G) Type C1, C2, C3

표 4. 수술 후 발생한 대퇴골의 삽입물 주위 골절의 Vancouver 분류

분류	골절부위	세부 분류
A	전자부	A$_G$: 대전자
		A$_L$: 소전자
B	스템의 원위단 또는 그 주위	B1: 안정된 스템
		B2: 불안정한 스템
		B3: 골량이 불충분함
C	스템 원위단의 원위부	

단하기 위해 임상 증상뿐만 아니라 방사선 촬영, CT, MRI, Bone scan 등도 시행할 수 있으나 금속으로 인한 간섭 효과 때문에 충분한 영상을 얻을 수 없는 경우도 많다. 삽입물 주위 골절의 진단 및 수술 전 처치 시 또

한가지 주의할 점은 삽입물의 존재로 인한 감염의 가능성이 잔존하므로 혈액 검사를 시행하고 경우에 따라 골절 부위의 천자(aspiration)를 시행하여 감염 가능성을 미리 예측하고, 필요하면 수술 도중 현미경 검사를 통하여 감염 가능성을 배제하여야 한다.

(3) 골절의 치료 원칙

골절의 위치, 삽입물과 골절의 안정성, 대퇴골의 질, 환자의 전신 상태와 나이, 수술 의사의 경험에 따라 치료 방법을 결정하여야 한다. Vancouver 분류에 따라 대퇴스템이 안정되어 있는 경우에는 골절 치료만으로 충분하나 대퇴스템이 불안정한 경우에는 대퇴스템을 교체하여야 하며 삽입물 주위의 대퇴골 골질이 충분하지 않은 경우에는 골이식술을 고려하여야 한다. 대퇴골

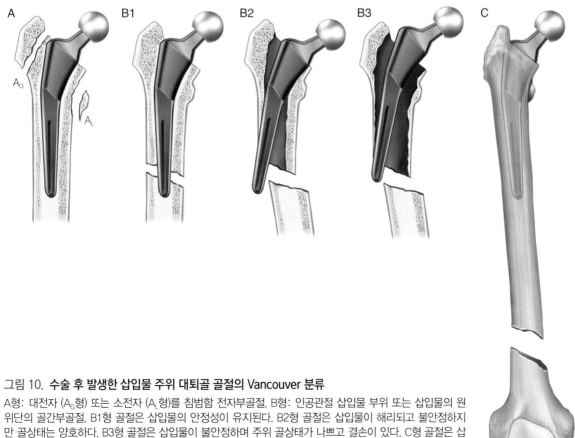

그림 10. 수술 후 발생한 삽입물 주위 대퇴골 골절의 Vancouver 분류

A형: 대전자 (A$_G$형) 또는 소전자 (A$_L$형)를 침범함 전자부골절. B형: 인공관절 삽입물 부위 또는 삽입물의 원위단의 골간부골절. B1형 골절은 삽입물의 안정성이 유지된다. B2형 골절은 삽입물이 해리되고 불안정하지만 골상태는 양호하다. B3형 골절은 삽입물이 불안정하며 주위 골상태가 나쁘고 결손이 있다. C형 골절은 삽입물 원위부의 골간부 골절로 삽입물에 영향은 없다.

삽입물 주위 골절 정복 시 가장 피하여야 할 것은 내반 정복(varus reduction)이며, 추가 골절을 피하기 위하여 응력 집중부위를 만들지 말아야 한다(그림 11). 삽입물 주위 골절의 고정 원칙은 일반 골절과 마찬가지로 골절의 형태에 따라 절대적 안정성(absolute stability)을 얻을 것인지 상대적 안정성(relative stability)을 얻을 것인지 결정하여야 한다. 일반적으로 단순 골절은 해부학적인 정복과 함께 절대적 안정성을 얻기 위한 고정을 시도하고(그림 12), 비전위 골절 및 분쇄 골절은 상대적 안정성을 얻기 위해 간접 정복을 통해 생물학적 고정(biologic fixation)을 시도한다(그림 13). 금속판과 나사못으로 고정할 경우 골질이 약한 뼈의 고정력을 높이기 위해 필요한 경우 잠김 나사못 등을 사용하여 고정하여야 하며, 대퇴스템이 골수강 내에 존재하는 대퇴골 근위부에는 고정력을 높이기 위하여 잠김 부착 금속판(locking attachment plate)이나 케이블 등을 사용하

여 고정력을 높일 수 있다(그림 14). 골다공증 등으로 인한 골질 손상이 심할 경우 충분한 고정력을 얻기 위해 노력하여야 하며 때로는 대퇴골 전장을 고정하여야 할 경우도 있다(그림 15). 시멘트형 대퇴스템을 고정할 경우 시멘트의 손상을 줄이기 위해 나사 끝을 뭉툭하게 하여 사용하는 것이 좋으며(그림 16), 스템 말단부 주위의 횡골절이나 심한 분쇄 골절의 경우에는 필요하면 이중 금속판이나 동종지주골(strut allograft)을 추가한다(그림 17).

(4) 수술 중 골절의 치료

골간단부의 골절로 대퇴거 부위의 A1형 골절은 골이식을 시행한다. A2형은 대퇴스템을 제거한 후 환형 강선으로 고정하고 동일한 스템을 삽입한다. A3형은 대퇴스템의 안정성에 문제가 생기므로 골간부 원위고정형 대퇴스템을 사용하고 환형 강선으로 고정한다. 전자부의 골절은 A1형은 골이식을 시행하고, A2형은 수술 후 충분한 기간 동안 체중 부하를 하지 않도록 하며 필요하면 보조기를 착용한다. A3형은 대전자부 고정물을 이용해 고정한다.

B1형 골절은 환형 강선으로 고정하거나 지주 외재 피질골이식(strut onlay cortical bone graft)을 시행한다. B2형 골절로 원위부의 세로로 갈라진 골절이 수술 중 발견되면 환형 강선으로 고정하고, 수술 후 발견되면 수술 후 6주간 체중 부하를 피한다. B3형은 골절부위를 지나 대퇴골 골수강 협부에 고정하는 긴 대퇴스템을 사용하고 삽입물 고정이 안정되면 골절은 환형 강선으로 고정한다. C1형은 지주 외재 피질골이식으로 고정한다(그림 18). C2형은 환형 강선 또는 지주 외재 피질골이식을 시행한다. C3형은 관혈적 정복 및 내고정술을 시행하고, 근위부 대퇴골의 결손이 심하여 삽입물이 불안정하면 골이식을 시행한다.

간혹 수술 직후에, 수술 중에 발견하지 못한 골절을 발견하는 경우가 있다. 이러한 골절은 대부분 전위가 없고, 안정적이며, 삽입물의 고정 상태에 영향을 미

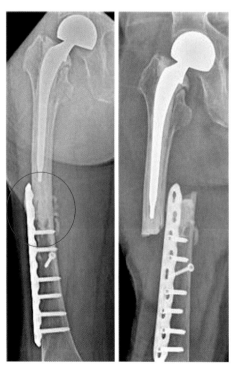

그림 11. 응력 집중부위(stress riser). 대퇴스템의 끝과 금속판 사이가 응력 집중부위로 작용하여 골절 발생

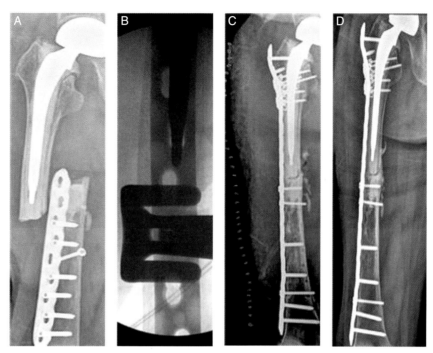

그림 12. 해부학적인 정복 후 절대적 안정성을 얻기 위한 고정 방법
시멘트형 대퇴스템 말단부에 발생한 단순 골절(A)에 대하여 해부학적 정복 후(B), 견고한 고정 후
(C), 3년 추시 골유합(D) 방사선 사진

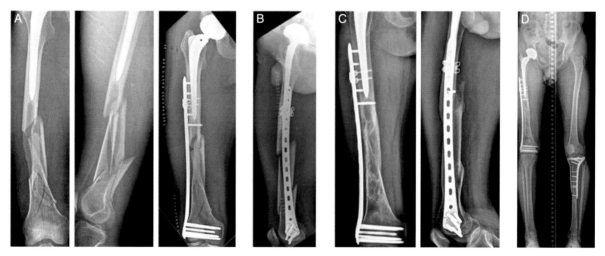

그림 13. 생물학적인 정복 후 상대적 안정성을 얻기 위한 고정 방법
무시멘트형 대퇴스템 하방의 심한 분쇄 골절을 동반한 C형 골절(A)에 대하여 간접 정복을 통한 생물학적 정복 및 고정(B) 후 3년 경과
사진상 골유합 소견을 보이며(C), 하지길이 차이도 없다(D).

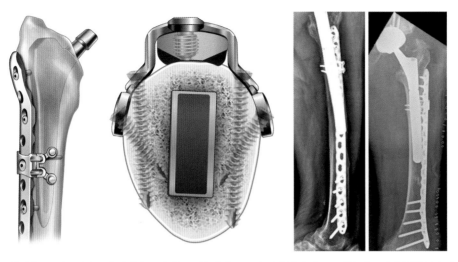

그림 14. 대퇴스템이 골수강내에 존재하는 근위 대퇴골 고정 시에 부가적으로 사용하는 잠김 부착 금속판

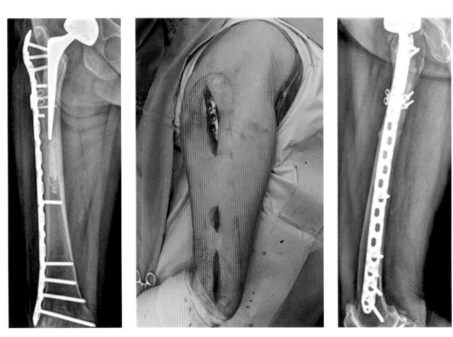

그림 15. 골다공증이 심한 경우에는 응력 집중부위를 줄이기 위해 대퇴골 전장을 고정한다.

치지는 않으므로 방사선 소견에서 골절의 범위를 정확히 확인 후 충분한 기간 동안 체중 부하를 하지 않거나, 보조기 착용으로 큰 문제없이 골유합을 얻을 수 있다. 만일 불안정한 골절이 수술 중 발견되었다면 적극적 방법으로 치료하여야 한다. 수술 중 대퇴스템 주위 골절의 치료지침을 그림으로 표기하였다(그림 19).

(5) 수술 후 골절의 치료(그림 20)

비수술적 치료방법은 대부분의 경우 이환 기간을 길게 하고 골절의 불유합, 부정유합 그리고 전신적 합병증의 빈도를 높게 하므로, 전신적 문제로 수술이 불가능할 경우를 제외하고는 권장되지 않는다.

Vancouver A형 골절은 비수술적 치료가 원칙이나 골

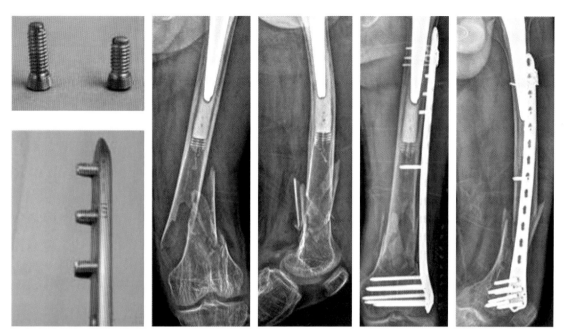

그림 16. 시멘트형 대퇴스템을 고정할 경우 시멘트 손상을 줄이기 위해 끝이 뭉툭한 나사를 사용한다.

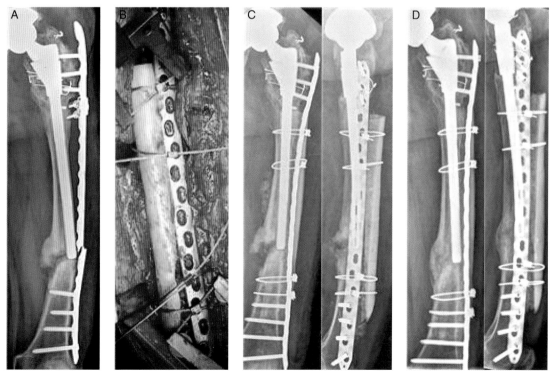

그림 17. 대퇴스템 말단부 주위의 횡골절이나 심한 분쇄골절의 경우에 필요하면 이중 금속판(dual plate) 고정이나 지주 동종골이식을 병행한다. 대퇴스템 말단부 주위의 횡골절 불유합에 대하여 금속판 및 자가골이식(A)과 구조적 동종골이식(B)을 시행하고(C), 8개월 추시상 골유합의 소견(D)

675

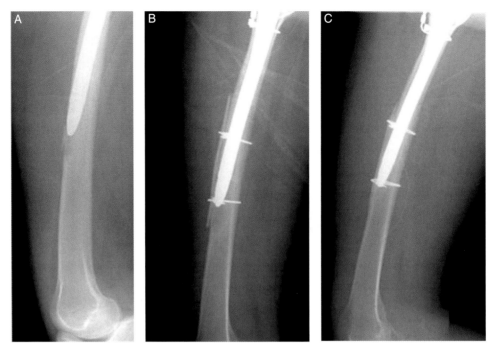

그림 18. 재치환술용 긴 대퇴스템으로 고정하지 못하는 원위 대퇴골의 수술 중 피질골 천공
재치환 수술 도중 발생한 C1 형 피질골 천공(A)에 대하여 외재 피질골이식(B) 후 10년 추시 사진상 골유합의 소견을 보인다(C).

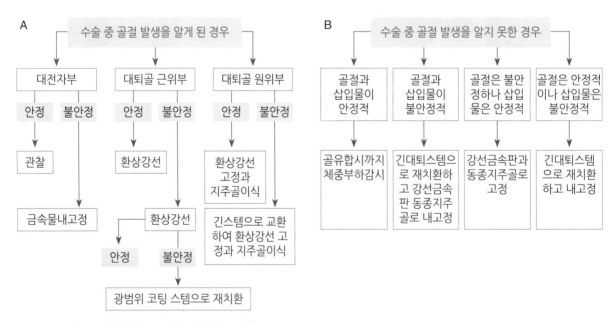

그림 19. 수술 중 대퇴 삽입물 주위 골절의 치료지침
(A) 수술 중 삽입물 주위 대퇴골 골절을 수술 중 알게 된 경우. (B) 수술 중 삽입물 주위 대퇴골 골절을 수술 중 알지 못한 경우

676

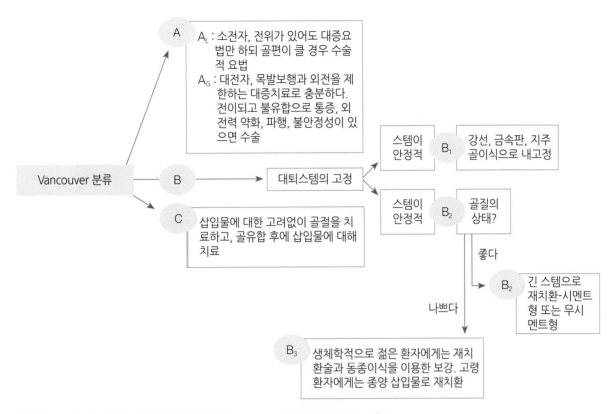

그림 20. 수술 후 삽입물 주위 대퇴골 골절의 Vancouver 분류에 따른 치료 지침

절의 원인이 골용해인 경우 원인을 교정해주어야 한다. A_G형 골절은 대부분 안정적이어서 약 6–12주간 체중 부하와 능동적 고관절 외전 운동을 제한하면 된다. 골편이 2.5 cm 이상 전위되었거나, 대전자의 불유합으로 인한 통증, 관절의 불안정, 그리고 외전력의 약화가 있으면 골이식과 내고정을 고려해야 한다. A_L형 골절은 매우 드물지만 대퇴거의 골편이 커서 삽입물의 안정성에 문제가 되면 골절 고정이나 재치환술이 필요하다. 대퇴스템이 안정된 B1형이나 C형인 경우 관혈적 정복술 및 금속 내고정이 원칙이며, 경우에 따라서는 연부조직 손상을 최소화할 수 있는 최소 침습법(MIPO technique)을 이용한 비관혈적 정복술이 효과적인 경우도 있다(그림 21). 대퇴스템의 안정성이 없는 B2형은 대퇴스템의 교체가 불가피하며 새로운 스템은 기존의 삽입물이 있던 곳을 완전히 우회(bypass)하여야 한다. 사

용할 대퇴스템의 선택은 골절의 양상, 환자의 활동성에 대한 예상 기대치, 골의 질, 골수강 직경의 크기, 골수강의 모양에 따라 결정하며, 간혹 시멘트형 대퇴스템이 필요할 경우도 있다. 대부분의 경우 원위 고정 무시멘트형 대퇴스템을 사용하여 골절 부위를 지나 원위 골간부에서 고정력을 얻는다(그림 22). B3형 골절에서는 대퇴스템의 해리로 재치환술이 필요하나 골손실로 근위 대퇴골이 대퇴스템을 지지하기 어려우므로 고령환자의 경우에는 종양 삽입물(tumor prosthesis)을 사용할 수 있으며 젊은 환자에게는 근위골 결손의 보강을 위해 동종골–삽입물 복합체(allograft–prosthesis composite, APC)를 이용한 대퇴골 근위부 치환 및 금속판과 강선 시스템을 이용한 내고정술이 추천된다(그림 23).

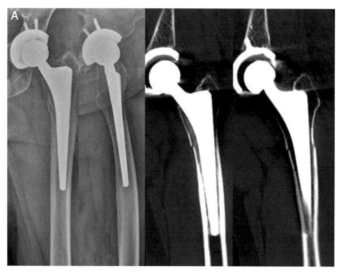

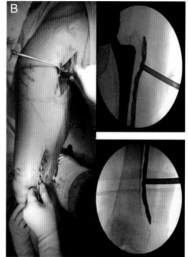

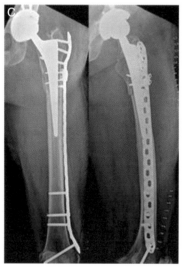

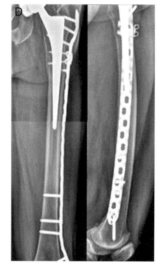

그림 21. Vancouver B1형 골절에서 최소 침습법을 이용한 정복 및 생물학적 고정

66세 여자 환자의 Vancouver B1형의 골절(A)에 대하여 최소 침습법을 이용한 정복 및 고정(B, C) 후 1년 추시 방사선 사진상 골유합이 확인된다(D).

3) 비구 삽입물 주위 골절

일차성 고관절 전치환술 시에 삽입물 주위 비구 골절의 빈도는 시멘트형 비구컵 사용 시에는 0.02% 정도로 매우 드물지만 무시멘트형 비구컵을 압박 고정하면서 빈도가 증가하였다. 타원형 조립형 비구컵이나 구형 일체형 비구컵보다 타원형 일체형 비구컵에서 골절 발생률이 높다. Peterson 등이 삽입물 주위 비구 골절을 분류하였다. Type 1은 임상적, 방사선적으로 비구컵이 안정된 골절이며, Type 2는 비구컵이 불안정한 골절이다. 골절이 발생한 시기에 따라 수술 중 골절, 수술 직후(early postoperative), 후기 골절(late fracture)로 나눌 수 있다. 수술 직후 골절은 대부분 수술 중 발생한 골절을 수술 중에 인지하지 못한 경우이다. 후기 골절은 그 원인이 외상이거나 마모와 골용해에 의한다.

골용해의 크기에 따라서 치골 또는 비구 내측벽의 피로 골절이 올 수 있으며, 골용해 또는 응력 차단(stress shielding)에 의한 골손실을 동반하여 골반골의 연속성을 완전히 잃을 수도 있다. 골반골의 불연속성이 있을 경우 후방 지주에 금속판으로 고정하고 비구컵을 재건하여야 한다.

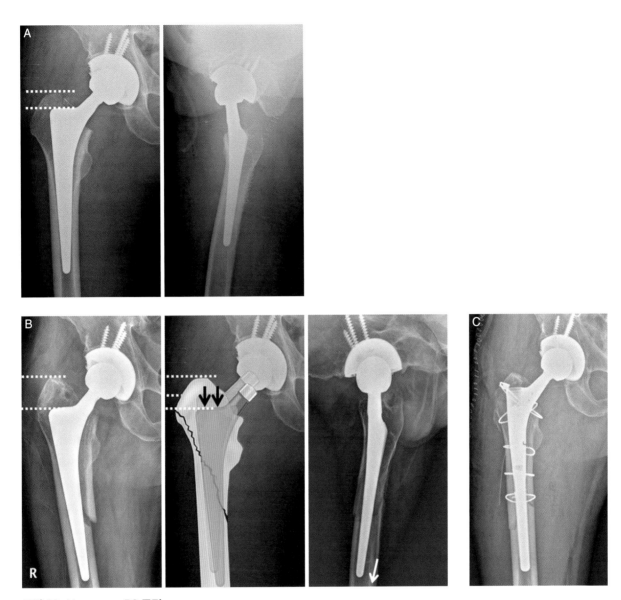

그림 22. Vancouver B2 골절

(A) 인공 고관절 전치환술 직후 단순 방사선 사진과 비교하여, (B) 수술 후 3년 2개월에 낙상 후 촬영한 단순 방사선 사진상 대퇴스템의 침강 소견(모식도 내의 검은색 화살표와 측면 영상에서의 흰색 화살표)이 보여 스템 해리가 동반된 Vancouver B2 골절로 판단하였다. (C) 수술 소견상 대퇴스템의 해리가 확인되어 원위 고정형 조립식 스템을 이용한 재치환술을 시행하였다.

비구컵 주위에 골용해가 진행될 경우 특별한 외상 없이도 비구 골절이 발생할 수도 있으므로 치료 시기를 놓치지 않게 적절한 치료가 필요하다. 치골지에 피로 골절이 생긴 경우는 수술적 치료 없이도 잘 치료된다. 일반 방사선 사진에서는 발견할 수 없었던 골절을 전산화단층촬영에서 진단할 수 있으므로 골절이 의심되면 전산화단층촬영으로 확인해야 한다.

4) 예방

삽입물 주위 골절에 대한 치료 성적은 기대보다 나

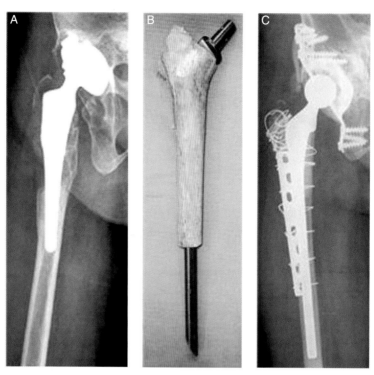

그림 23. 동종골-삽입물 복합체를 이용한 Vancouver B3형 골절의 치료
심한 골결손을 동반할 경우(A) 동종골과 시멘트형 재치환술용 긴 대퇴스템의 복합체
(B)를 이용한 재치환술(C)을 사용할 수 있다.

쁜 경우가 많으므로 골절이 일어나지 않도록 예방하는 것이 중요하다. 수술 전에 환자에 대한 세심한 진찰과 최근 방사선 사진에 대한 정확한 평가가 필요하며, 전신적인 그리고 국소적인 골절 발생 위험 인자를 파악하고 그에 따른 적당한 삽입물과 수술 접근법을 선택해야 한다. 수술 중에는 작은 피부 절개를 통해 지나친 견인을 하는 것보다는 적절한 절개를 통해 충분한 시야를 확보하여야 한다. 수술 과정에서는 고관절 탈구, 골수강 확공, 시험 정복, 특히 무시멘트형 스템을 삽입할 경우 골절이 일어나지 않도록 주의하여야 한다. 재치환술 시에 기존 삽입물 또는 시멘트를 제거할 때는 의도하지 않은 골절이 일어나지 않도록 세심한 주의가 필요하다. 대퇴골과 비구 삽입물 주위의 골질과 골결손의 정도가 예후에 큰 영향을 미치므로 관절면의 마모로 인한 골용해가 있다면 치료시기를 놓치지 않도록 주의를 기울여야 할 것이다.

5. 감염

고관절 치환술 후에 발생하는 감염은 가장 심각한 합병증 가운데 하나이다. 고관절 치환술 후 감염의 최근 유병률은 약 1–2% 정도로 보고되고 있으며, 치료 비용 및 사망률이 증가하며 결과적으로 병에 걸린 환자를 더 힘들게 할 수 있다. Charnley 등의 초창기 보고에서는 고관절 치환술 후 감염률이 6.8%에 이르렀으나, 수술실 및 수술팀에 대한 철저한 소독, 층류식 공조 장치(laminar airflow system), 우주복형 수술복(body exhaust suit), 방수성 멸균포(impervious drapes), 예방적 항생제 투여 등의 처치와 수술 술기의 발전으로 최근에는 감염률이 감소하고 있다.

1) 위험 인자

고관절 치환술 후 감염의 위험 인자는 환자 관련 인자, 수술실 환경, 수술 또는 술기와 관련되는 인자, 그리고 수술 전후의 처치와 관련되는 인자로 대별할 수 있다. 환자 관련 인자에는 후천성 면역 결핍, 류마티스 관절염, 당뇨병, 겸상 적혈구 빈혈증, 건선, 신장이나 간 이식, 투석, 면역 억제제 사용 등을 가진 환자가 고위험군에 속한다. 요로 감염의 경우 증상이 있는 경우(symptomatic UTI)는 감염의 위험 인자이므로 치료하는 것이 좋지만, 무증상 세균뇨(asymptomatic bacteriuria)의 경우는 감염의 위험 인자가 되지 않는다. 환자의 영양 상태 또한 감염과 밀접한 관계가 있는데, 수술 전후 혈청 transferrin 수치와 수술 전 혈청 알부민은 창상의 치유 과정에 상당한 영향을 미치기 때문에 유의해야 한다.

수술실에서는 창상 환경을 최적화해야 하고 개방창을 오염시킬 수 있는 세균 부하를 최소화하도록 해야 한다. 방수성 수술복과 멸균 헬멧(body exhaust suit)을 사용하면 오염 가능성을 줄일 수 있다. 피부 절개 시에는 피부에 있는 모낭과 피부지선이 노출된다. 따라서 수술 전 피부를 비누와 포비돈 및 클로르헥시딘 등의 소독제 용액으로 철저히 세척해야 한다. 환자의 피부소독은 가급적 가운을 입고 장갑을 낀 손으로 하는 것이 좋으며 수술 시 장갑 착용은 두 겹 착용이 추천된다. 또한 수술실 내의 층류식 공조 장치는 공기 중 세균수를 줄일 수 있는 것으로 알려져 있다.

수술 또는 술기와 관계되는 인자들은 과거에 고관절 수술을 받았던 환자의 경우, 수술 시간이 길어지는 경우 감염률이 높다. 따라서 절개 부위는 빈 공간(dead space), 혈종, 창상 괴사, 봉합 열개(dehiscence) 등의 문제가 발생하지 않도록 주의 깊게 봉합해야 한다. 조직에 손상을 주면 fibronectin이 생성되어 박테리아의 증식 환경을 제공하게 되므로 수술 중 연부조직을 조심스럽게 다루어야 한다.

수술 전후의 처치와 관련된 인자들 중에서는 전신

적인 항생제 투여가 가장 중요하다. 감염을 예방하기 위해 수술 전 항생제 투여는 피부 절개 전 1시간 내에 투여하고 정형외과 수술에서 추천되는 항생제는 cefazolin과 cefuroxime이다. β-lactam 알러지가 있는 환자의 경우 clindamycin과 vancomycin이 사용될 수 있다. 항생제의 양은 환자의 체중에 비례하여 투여해야 하며 80 kg 이상의 환자는 두 배 용량으로 투여되어야 한다. 수술이 길어질 경우 항생제의 반감기의 두 배마다 1회씩 추가 투여해야 한다. 감염의 위험도가 낮거나 감염과 관련된 기저 질환이 없는 경우 예방적 항생제는 수술 후 최소 기간 투여할 것을 권장하고 있다. 수술 후 배뇨 지체나 도뇨관 삽입은 감염의 위험성을 높이므로 비뇨기계 질환이 있는 환자들은 고관절 수술 전에 치료해야 하고, 도뇨관은 수술 후 24-48시간 이내에 제거해 주어야 하며, 요로 조작 전후에는 예방적으로 항생제를 투여한다. 수술 전후 치과적 처치가 필요한 경우에도 항생제를 예방적으로 투여해야 감염의 위험을 줄일 수 있다. 흡입 배액관을 넣는 것이 감염률을 줄이는지에 대해서는 아직 논란의 여지가 있다.

고관절 치환술 후 감염의 원인균은 대부분 그람 양성균이며, Salvati 등은 응고효소 음성 포도상구균(coagulase-negative staphylococci)과 황색 포도상구균을 가장 흔한 균으로 보고하였다. methicillin 또는 oxacillin 저항성 균주를 제외한 대부분의 포도상구균은 1세대 또는 2세대 세팔로스포린 계열이 잘 듣는다. 삽입물 주위 감염에 대해서 Tsukayama 등은 수술 중 배양 검사 양성, 수술 후 조기 감염, 급성 혈행성 감염, 후기 만성 감염 등 4가지로 범주로 분류하였다(표 5).

2) 진단

성공적으로 감염을 치료하기 위해서는 조기 진단이 필수적이다. 누공(fistula)이 있는 경우에는 감염의 진단은 쉬우며 고열, 발한, 전신 허약 등의 전신적 증상과 함께 고관절 주위의 창상 배농, 홍반, 부종 등의 국소 증상을 보일 경우 감염이 있다고 할 수 있다. 하지

표 5. 삽입물 주위 감염의 Tsukayama 분류

Type I	수술 중 양성 배양 검사(Positive intraoperative cultures)	무균성 상태로 추측되는 관절치환술 중에 실시한 배양 결과가 양성일 때
Type II	수술 후 조기 감염(Early postoperative infection)	수술 후 1달 이내의 감염 발생
Type III	급성 혈행성 감염(Acute hematogenous infection)	1달 이후의 감염 발생 정상의 인공 관절에서 급성으로 발생 원거리에서 감염이 이동해 온 경우
Type IV	후기 만성 감염(Late chronic infection)	수술 후 1달 이후의 감염 발생 증상이 서서히 발현

만 많은 고관절 치환술 후 감염은 무증상이고 때로는 감염의 분명한 징후를 보이지 않는다. 자세한 병력 청취를 통해서 감염의 위험 인자를 찾아보아야 하고 지속적인 누공이나 창상 치유 지연의 과거력이 있는지를 확인하여야 한다. 통증은 감염과 관련된 중요한 증상의 하나로, 무균성 해리의 통증과 감별점은 움직이는 동작이나 체중 부하와 관계없이 지속되는데 있다. 세밀한 신체 검사를 통하여 종창, 국소 열감, 홍반, 국소 압통, 배농관 등을 관찰하여야 한다.

일반적으로 고관절 치환술에서 발생한 갑작스러운 통증은 감염을 의심할 수 있는 유일한 전조 증상이며, 진단은 임상 소견, 영상 소견, 실험실 검사 소견 등을 종합적으로 분석하여 이루어져야 한다. 근골격감염학회(musculoskeletal infection society, MSIS)에서는 삽입물 주위 감염의 진단 기준을 제시한 바 있으며, 2018년 Parvizi 그룹은 개정안을 제시하였다(표 6).

급성 감염에서는 백혈구가 증가하고 특히 미성숙 중성구(immature neutrophil)가 증가하며, 무증상의 감염 시에는 정상 혹은 약간 상승된 정도를 보인다. 적혈구 침강 속도(erythrocyte sedimentation rate, ESR)는 최근 연구에 의하면 30 mm/hr 이상일 경우는 82%의 민감도와 85%의 특이도, 58%의 양성 예측도와 95%의 음성 예측도로 알려진 비교적 정확한 검사이다. ESR의 증가는 다른 부위의 감염이나 염증성 관절염, 교원성 혈관질환, 악성종양, 최근의 외과적 처치 등에서도 나타나며, 합병증이 없는 경우에도 수술 후 정상화되기까지 12개월이 걸릴 수 있다. C 반응성 단백(C reactive protein, CRP)은 감염에 대하여 좀 더 민감하여 감염의 진단에 96%의 민감도와 92%의 특이도, 74%의 양성 예측도와 99%의 음성 예측도가 보고되고 있으며, 수술 후 3주 이내에 정상화된다. 따라서 정상범위의 ESR과 CRP를 보이는 경우는 감염의 진단을 배제할 수 있으며, ESR이나 CRP 중 한 개 또는 두 개 모두 증가된 경우는 감염을 의심하고 추가적인 정밀검사를 시행하여야 한다.

일반적으로 30 mm/h 이상의 ESR과 10 mg/L 이상의 CRP 수치는 비정상으로 평가하고 있다. 그러나 이 수치들은 실험실 간의 측정값의 편차와, 연령, 성별, 및 환자의 의학적 동반질환에 의해 영향을 받으며 수술 후 약 30–60일 동안 상승되어 있을 수 있다. 최근에 ESR과 CRP는 고관절 삽입물 주위 감염일 경우 선별 검사로 사용되고 있고 감염의 치료 후에 그 효과를 관찰하는 데에도 사용되고 있다.

고관절 흡인 검사는 모든 고관절 재치환술 대상 환자에서 시행하는 것보다 심부 감염이 의심되는 환자에서 시행하는 것을 권유하고 있다. 고관절 천자는 ESR과 CRP 수치가 감염 진단이 의심될 때 진단을 위한 다음 검사로 사용되고 있다. 전산화단층촬영 유도 흡인

표 6. 삽입물 주위 감염의 Parvizi 등의 진단 기준(2018, Journal of Arthroplasty)

주기준(다음 중 적어도 1가지 이상이 해당)		판정
1) 삽입물 주변에서 얻은 두 개의 별도 조직이나 액체 샘플 배양에 의해 동일한 병원균이 분리되었을 때		감염
2) 삽입물과 통하는 배농구의 존재		

부기준	점수	판정
혈청 C 반응성 단백(>1 mg/dL) 또는 D-dimer (>860 ng/mL)의 증가	2	6점 이상 - 감염
혈청 적혈구 침강속도의 증가(>30 mm/h)	1	2-5점 - 감염의 가능성이 있음
활액내 백혈구 수(>3,000 cells/mL) 혹은 백혈구 에스테라제의 증가	3	0-1점 - 감염이 아님
활액내 알파-디펜신(alpha-defensin) 양성	3	
활액내 다핵형 호중구 백분율 증가(>80%)	2	
활액내 C 반응성 단백 증가(>6.9 mg/L)	1	

수술 전 점수의 총합이 2-5점으로 결론에 이르지 못하는 경우 혹은 dry tap의 경우	점수	판정
수술 전 점수에 아래 소견의 점수을 합산	–	6점 이상 - 감염
조직학적으로 감염의 양성 소견(400배 고배율에서 5개를 초과하는 중성구)	3	4-5점 - 감염의 가능성이 있음 (추가적인 분자생물학적 진단검사 고려)
화농성 고름의 양성 소견	3	0-3점 - 감염이 아님
삽입물 주변에서 얻은 한 개의 별도 조직이나 관절액 배양에 의해 병원균이 분리되었을 때	2	

검사(CT guided aspiration)의 정확도는 약 86.5%로 알려져 있고, 천자된 검체의 부피가 1 mL를 넘고, 주변 연부조직 집적이 심하고, 장골 혈관 주변 림프구의 비대가 있는 경우 감염의 가능성이 높다고 할 수 있다. 급성 감염 환자에서 활액 내 백혈구와 다핵형 호중구의 구성은 약 20,000 cells/mm³, 89%로 훨씬 더 높다. 급성 감염은 수술로부터 1-3개월 이내 혹은 증상 발병 1-3개월 이내를 기준으로 한다. 감염된 고관절 치환술의 경우 활액 내 백혈구 수와 다핵형 호중구의 백분율 수준은 명확하지 않으며 감염된 고관절 치환술에서 백혈구 수 3,000 /mm³, 다핵형 호중구 백분율 80%를 기준치로 제시한 연구가 있다. 고관절 천자의 효용성으로는 감염의 존재를 확진하고 균주를 파악할 수 있다는 것, 수술 직후부터 사용할 항생제 선택을 위한 검체를 얻을 수 있는 것, 골시멘트에 첨가할 항생제를 알아

낼 수 있다는 것 등이다. 이전의 항생제 사용이나 저독성 세균에 의한 위음성의 결과도 있어 해석에 주의를 요하며, 시술 전에 항생제를 사용한 환자에서 관절액 내의 젖산(lactic acid)의 증가가 보이면 삽입물 주위 감염을 의심할 수 있다.

수술 중 조직 배양검사는 삽입물 주위 감염의 확진을 내리는 기준으로 민감도와 특이도가 각각 94%와 97%로 보고되고 있다. 배양을 위한 조직이나 액체는 삽입물 주위에서 가장 감염이 의심되는 부위의 조직을 채취해야 하며 검체 간의 오염을 차단하기 위해, 각각 분리 채취해야 한다. 최소 2주 전에는 항생제를 중단하고 검체를 채취하여야 하며, 채취 후 가능한 빨리 미생물 실험실에 보내야 한다. 삽입물 주변에서 최소 세 개 이상, 다섯 개 이하의 조직 배양 검체를 채취하여 혐기성과 호기성 환경에서 배양하여야 한다. 진균

이나 마이코박테리움 배양은 통상적으로 시행하지 않지만, 고위험군에는 고려해야 한다. 배양 시간은 아직 표준화되지 않았다. 다른 판정 기준에 해당 없이 응고 효소 음성 포도상구균, Propionibacterium acnes 혹은 Corynebacterium과 같은 저독성 병원균의 단일균 동정은 명확한 감염으로 정의하지 않는다. 단, 황색 포도상구균과 같은 단일 독성 유기체의 동정은 감염으로 볼 수 있다. 최근의 연구에서 삽입물 주위 조직 및 조직액에서 시행한 그람 염색 검사는 삽입물 주위 감염의 진단에 민감하지 않은 것으로 보고되고 있다. 수술 중 그람 염색은 민감도(0-23%)가 낮고 저독성 세균에 의한 감염이나 만성 감염에서는 위음성의 결과가 도출되기 쉽다.

동결 절편 검사(frozen section)로 삽입물 주위 조직에서 400배 확대 시야에서 5개 이상의 다핵형 호중구가 보이면 민감도와 특이도는 각각 80%와 90% 이상으로 알려져 있으며, 10개 이상이 보인다면 민감도의 감소 없이 특이도는 99%까지 증가한다고 한다. 만약 동결 절편 검사가 음성 소견이면 재치환술을 계속 진행할 수 있으나 고배율상 10개 이상의 다형핵 백혈구가 발견되면 잔존 감염을 의심해야 한다. 삽입물 주위 조직에서 다핵형 호중구의 판별은 병리 의사의 경험이 중요하고, 판독자 간의 차이가 있을 수 있으므로 삽입물 주위 감염의 진단은 임상 의사가 최종 결정을 해야 한다. 다핵형 호중구의 존재를 평가할 때 작은 혈관이나 표재성 섬유소(fibrin)에 포획된 다핵형 호중구는 제외하여야 한다. 또한 삽입물 주위 골절 혹은 염증성 관절염으로 다핵형 호중구의 증가가 예상되는 환자들은 분석 시 고려하여야 한다.

단순 방사선 검사에서는 감염 초기 단계에는 대부분 감염의 특이적인 소견 없이 정상으로 보인다. 감염을 시사하는 소견으로는 골막염, 국소적 골감소, 골내 부채꼴 모양의 변화(endosteal scalloping), 강선이나 케이블 주위의 환형 골용해(ring osteolysis), 진행성 방사선 투과성(progressive radiolucency) 등이 있다. 해리 소견

이 있다고 해서 모두 감염에 의한 것이라고 볼 수는 없다. 초음파 검사는 농양의 존재를 알 수 있으며, 감염을 시사하는 두꺼워진 피막을 관찰할 수도 있고 또한 농양의 위치를 파악해서 흡인하여 적절한 검체도 얻을 수도 있다.

자기공명영상은 통증이 있는 고관절 치환술 환자에서 드물게 사용될 수 있다. 관절 조영술은 관절 주변에 발견되지 않은 농양을 찾아내는 데 이용될 수 있다. 방사선 동위원소 검사는 삽입물 주위 감염의 진단에 보조로 사용되고 있다. 가장 흔히 쓰이는 Technetium^{-99m}을 이용한 삼상 골주사(three phase bone scan)는 감염성 및 비감염성 해리 시 모두 섭취(uptake)가 증가되어 특이도는 낮지만 민감도는 매우 높다고 알려져 있다. 수술 후 1년이 지나도 섭취가 증가될 수 있어 특이도는 더욱 떨어진다. 좀 더 특이도가 높은 gallium^{-67} scan과 병용하면 진단의 정확도를 높일 수 있으며 가장 믿음직한 조합은 Indium^{-111} labeled leukocyte scan과 Technetium^{-99m} scan을 하는 것으로 민감도와 특이도는 각각 100%와 98%로 보고되고 있다. 일반적으로 사용하기보다는 감염이 의심되나 항생제 사용 등으로 인하여 다른 검사가 음성으로 나올 때 시행해 볼 수 있다.

최근 새로운 진단을 위한 도구로 FDG-PET CT가 쓰이고 있으며, 높은 정확도로 앞으로는 더욱 많이 사용될 것으로 예상된다. 후기 만성 감염(late chronic infection)의 진단을 위하여 민감도와 특이도가 높은 leukocyte imaging이 이용될 수도 있다.

3) 치료

치료의 일차 목표는 원인균을 없애고 기능을 보존하는 것으로 여러 가지 방법들이 사용되고 있다. 치료 방법의 선택은 감염의 급성 여부, 병원균의 독성, 골과 주위 연부조직의 상태, 삽입물의 안정성, 그리고 환자의 내과적 상태와 시술을 받고자 하는 환자의 의지 등을 고려하여 선택한다. 치료 방법은 항생제 치료, 삽입물을 그대로 둔 채 변연절제술, 삽입물 제거와 변연절

제술, 1단계 혹은 2단계 재치환술, 고정술, 절제 관절성형술, 절단술 등이 있다(표 7).

수술 후 조기감염은 심한 정도에 따라 표재성 감염과 심부 감염으로 나누며 표재성 감염은 단지 항생제만으로 치료가 가능할 수도 있고 심부 감염은 수술적 치료가 필요하다. 수술 상처의 괴사, 배농, 감염된 혈종 같은 표재성 감염은 종종 수술적 치료가 필요하다. 감염이 표재성이라고 판단되면, 관절 천자술은 심부 감염으로의 확산을 유발할 수 있으므로 피해야 한다. 가능한 빨리 환자를 수술실로 이동하여 전신마취하에 수술적 처치를 한다. 심부 근막 아래까지 개방하여 감염이 근막 아래로 확장되어 있는지, 고관절 내로 확장되어 있는지를 결정하기 위해 그 구조물을 조심스럽게 관찰하여야 한다. 근막층을 수술 중에 꼼꼼히 봉합하였다면 이것이 방어막으로 작용하여 더 깊은 조직으로의 감염의 확산을 막을 수 있다. 수술 시에 감염이 심부인지 아닌지 의심스러우면 심부 감염의 존재 여부를 확인하기 위해서 주사기로 천자해보는 것이 현명하다. 감염이 표재성이라면 항생제를 포함한 생리적 용액으로 철저하게 세척하고 피하의 모든 괴사된 조직을 제거한 후, 배액관을 삽입하고 피부는 느슨하게 봉합한다. 감염이 고관절 내로 확장되어 있다면 상처는 철저하게 변연절제술을 시행하고 충분히 세척한다. 내고정물의 안정성을 주의 깊게 검사하고 해리의 증거가 없

표 7. 인공 삽입물 주위 감염의 치료 방법

항생제 요법
삽입물 유지 + 변연절제술
삽입물 유지 + 변연절제술 + 항생제 첨가물 추가
삽입물 제거 + 변연절제술 + 1단계 재치환술
삽입물 제거 + 변연절제술 + 2단계 재치환술
절제 관절성형술
관절 유합술
절단술 / 이단술

을 때에는 남겨둘 수 있다. 삽입물을 그대로 둔 채 변연절제술만 하는 경우에는 증상 발현 초기에 철저한 변연절제술을 시행하고 삽입물의 안정된 고정이 확인되었을 때에 선택적으로 시행하면 상당한 성공률을 얻을 수 있다. Tsukayama는 수술 후 2주 이내 감염 환자에서 변연절제술과 삽입물을 그대로 두고 변연절제술을 시행하여 71%의 성공률을 보고하였다. Andrew 등은 최근 연구에서 4주 이내의 급성 초기 수술 후 감염에서 변연절제술(70%는 골두와 라이너 교환, 30%는 변연절제술만 시행)로 약 85%의 성공률을 보고하였다. 관절액이나 대퇴골 또는 비구에서 채취한 액을 원인균 동정과 항생제 감수성을 위해서 검사실에 보내야 한다. 배양과 감수성 검사에서 결정된 적절한 항생제를 감염내과와 협진하여 6주 동안 정주한다.

급성 혈행성 감염은 감염된 치아를 발치한 후, 상기도 감염, 비뇨기계 기구나 감염, 피부 감염 같은 원거리부터 혈액성 전파에 의해서 야기된다. 체중 부하 보행 시, 고관절 운동 시 혹은 휴식 중에도 통증이 발생할 수 있다. 환자는 열이 발생하고 혈액 검사상 백혈구 수의 상승, ESR 및 CRP의 상승이 흔히 관찰된다. 만약 급성 혈행성 감염이 확진되면 삽입물을 그대로 둔 채 변연절제술을 시행할 수 있는데, 초기 수술 후 감염과 같이 증상의 발현과 변연절제술 사이의 시간이 2주 이내일 때에 시도된다. 최근 연구에서 변연절제술의 성공률은 약 79%로 보고되고 있다. 진단이 이 기간보다 늦어지거나 삽입물의 해리가 있다면 후기 만성 감염처럼 삽입물을 완전히 제거하고 변연절제술을 시행해야 한다.

후기 만성 감염에서 감염을 근절하려면 수술적 변연절제술과 삽입물의 제거가 필요하다. 후기만성 감염 환자에서는 삽입물을 그대로 둔 채로 변연절제술을 시행하는 것은 추천되지 않는다. 그 이유는 삽입물 표면에 균주에 의해 생산된 세균막(bacterial biofilm)이 형성되기 때문이다. 따라서 감염된 삽입물 표면에 세균막이 형성되기 전인 급성기에는 삽입물 제거없이 철저

한 변연절제술과 적절한 항생제 투여만으로 치료가 가능하나, 대부분의 감염된 고관절 치환술은 삽입물 제거와 철저한 변연절제술 후에 1단계 혹은 2단계 재치환술로 치료하는 것이 표준이다(그림 24, 표 8). 수술 시에는 기존 사용되었던 비흡수성 봉합사나 전자부 금속 고정물, 감염된 괴사 조직은 모두 제거한다. 비구와 대퇴골로부터의 액체와 조직은 배양 검사를 보내고, 수술 중 그람 염색은 감수성이 낮아 이 단계에서는 도움이 되지 않는다. 세균이 잠복할 수 있는 모든 표면을 없애기 위해서 비구와 대퇴골 삽입물, 다른 이물질 즉 시멘트, 강선 등은 제거하여야 한다. 배양 검사를 보낸 후 관절은 철저하게 세척해야 한다. 세척 후에는 남아있는 이물질이나 감염되거나 괴사된 조직이 있는 지 관절을 조심스럽게 다시 검사한다. 수술 중 방사선 검사는 금속 삽입물의 완전한 제거가 의심스러울 때 시행한다. 항생제 단독 투여는 대수술을 받기 불가능한 환자, 감염된 삽입물의 제거를 거부하는 환자에서 선택적으로 사용해 볼 수 있으나 실패율이 높다.

고관절 전치환술 감염 후의 재건술은 논란의 여지가 많다. 환자의 기능적인 결함, 감염된 조직, 변연절제술의 적절성, 감염의 제어 정도가 새로운 삽입물로의 재치환술을 결정하는 요소이다(표 8). 감염된 고관절 치환술의 재치환술은 원인균을 박멸하여 무균성 환경을 만들어야 하므로 철저한 변연절제술과 이물질의 제거가 가장 중요하다. 1단계 재치환술은 철저한 변연절제술과 동시에 항생제를 함유한 시멘트를 이용하여 삽입물로 재치환술하는 방법으로 일회의 수술로 치료가 되는 경제적 이점이 있다. Jackson과 Schmalzried는 1단계 재치환술로 치료한 여러 문헌을 분석하여 결과를 보고하였는데, 99%에서 항생제가 함유된 시멘트를 사용하였으며, 최종 추시에서 83%가 좋은 결과를 보였고, 실패한 경우는 다균주 감염(polymicrobial infection), 그람 음성균(특히 녹농균) 감염이나 일부 그람 양성균(methicillin-resistant Staphylococcus epidermidis, group D Streptococcus) 감염 등이었다. 항생제를 함유하지 않

은 시멘트를 사용한 결과(58%)는 항생제를 사용한 경우(83%) 보다 현저히 낮은 성공률을 보이기 때문에 항생제가 함유된 시멘트의 사용은 필수적이라 하겠다. Christopher 등은 1단계 재치환술과 2단계 재치환술을 비교하였는데 1단계 재치환술의 경우 재감염과 삽입물의 실패율이 2단계 재치환술보다 높았으며, 2단계 재치환술의 경우는 사망률이 더 높아 궁극적인 성공률은 두 방법 간에 큰 차이가 없었다. 일반적으로 항생제를 함유한 시멘트를 이용한 1단계 재치환술의 적응증은 환자의 건강상태가 양호하며, 특히 당뇨, 류마티스 관절염, 면역 결핍증 등이 없는 환자, 원인균이 항생제에 민감한 경우(methicillin-sensitive Staphylococcus epidermidis, Staphylococcus aureus, Streptococcus), 배농관이 없어서 완전한 변연절제술이 가능한 환자, 주위 연부조직이나 골조직이 재건술에 적당하여야 하며 여러 번의 수술을 견딜 수 없는 노인 환자인 경우 등이다.

2단계 재치환술은 1단계로 감염된 삽입물을 제거한 후 항생제를 함유한 시멘트를 삽입하고 추후 감염의 증거가 없어지면 2단계 재치환술을 시행하는 방법으로 감염의 치료에 좀 더 좋은 환경을 제공한다는 점과 무시멘트형 삽입물을 선택할 수 있는 장점이 있다. 2단계 재치환술의 성공률은 대체로 90-95% 정도로 감염을 근절하는 데는 1단계 재치환술보다 유리한 술식이다. Stephen 등은 2단계 재치환술 시행 후 15년간의 추시 결과 초기 1년간 성공률은 90%정도를 보고하였는데, 15년 추시 결과 재발률을 약 15%로 보고하여 장기간의 성공률은 약 85%정도로 보고하였다. 2단계 재치환술에서 항생제 투여 기간, 각 단계 사이의 기간, 항생제 함유 염주(antibiotic bead)와 충진물(spacer)의 사용, 동종골이식, 시멘트형 또는 무시멘트형 삽입물의 선택 등은 아직 논란의 대상이 되고 있다. 대부분의 저자들은 4-6주간의 항생제 정맥 투여를 권장하고 있다. 이 때 치료에 대한 반응을 조심스럽게 관찰하여 조금이라도 치유가 덜 되었다고 의심되면 절대로 치환술을 시행해서는 안 되고, 필요하다면 감염 조직 제거술을

표 8. 감염된 고관절 치환술의 치료 지침

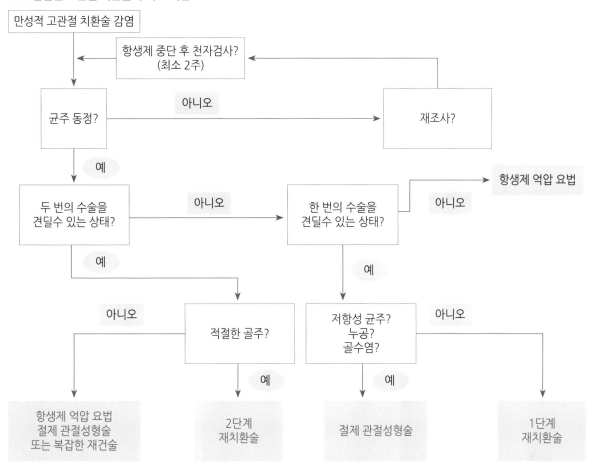

그림 24. 감염된 고관절 치환술의 2단계 재치환술
(A) 고관절 반치환술 후 감염이 발생하였으며, (B) 감염 치료를 위하여 삽입물 제거 후 항생제 함유 시멘트 충진물을 삽입하였다. (C) 고관절 재치환술 후 3년 경과된 방사선 사진으로 감염의 재발없이 안정된 고정을 보인다.

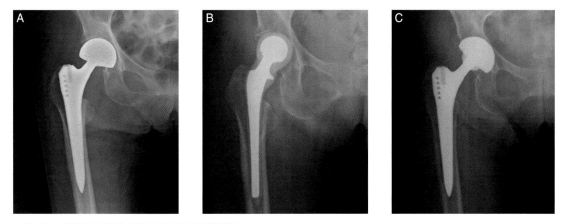

반복할 수도 있다. ESR과 CRP 수치가 항생제의 치료 효용성을 판단하는 데 유용한 지표가 된다. 1단계 수술 후 6주에서 3개월 후에 2단계 재치환술을 시행할 수 있다. 각 단계 사이에서 고관절의 기능을 유지하고 하지 길이를 유지하며 2단계 재치환술을 쉽게 시행할 수 있는 방법으로 prosthesis with antibiotics−loaded acrylic cement (PROSTALAC) 또는 그와 유사한 충전물이 현재 많이 쓰이며 좋은 결과를 보여주고 있다(그림 25, 26). PROSTALAC은 어느 정도의 일상생활이 가능하여 감염이 조절될 때까지 충분한 시간동안 충진물인 상태로 지낼 수 있는 장점이 있다. 국소 항생제 농도를 높이기 위해 항생제 함유 시멘트 염주를 삽입할 수도 있다. 동종 이식골은 부골(sequestrum)로 작용하여 감염 치유를 지연시킬 수 있으므로 가급적 사용하지 않은 것이 좋다. 감염성 해리가 오래 지속되면 대퇴골이나 비구에 심각한 골결손을 초래하여 골이식을 필요로 하는

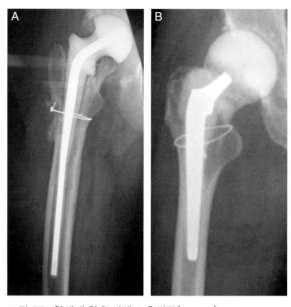

그림 25. 항생제 함유 시멘트 충진물(spacer)
(A) 상품화된 거푸집(mold)을 이용한 시멘트 충진물(cement spacer) (B) 수술 중 제작한 시멘트 충진물

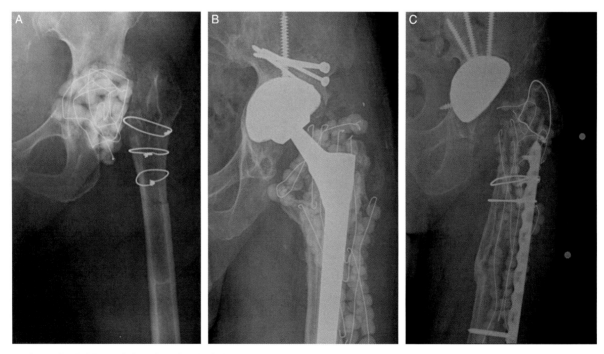

그림 26. 항생제 함유 시멘트 염주 삽입의 사례
(A) 확장 전자부 절골술을 이용하여 감염된 삽입물을 제거 후 절골 부위를 강선으로 고정 후 항생제 함유 시멘트 염주로 충진하였다. (B) 안정된 대퇴스템을 유지한 상태로 변연절제술과 세척 후 항생제 함유 시멘트 염주로 충진하였다. (C) 금속 강선 고정은 유지한 상태로 대퇴스템만 제거한 후 항생제 함유 시멘트 염주를 삽입하였다.

경우가 많다. 이때는 시멘트형 삽입물을 선택하기 어려우며 이식골이 부골화되어 지속성 감염을 초래할 수 있다. 또한 지속적인 창상 배액, 욕창, 재활 조건이 나쁠 경우, 내성 균주에 의한 감염, 또는 항생제 치료에 부작용이 있는 경우 등은 재치환술의 금기증이다.

시멘트와 함께 삽입하는 항생제는 여러 가지 조건을 만족해야 하는데, 가루 형태로 시멘트와 섞기 용이해야 하며, 수용성이고 이상성의 해리를 가져야 한다. 또한 시멘트의 열에 견딜 수 있어야 한다. 보통 치료를 위해서는 항생제마다 차이가 있을 수 있으나 40 g의 시멘트에 3.6 g의 항생제가 적절하다. 여러 연구들에 의하면 삽입물과 관련된 감염에 유용한 항생제로는 반코마이신, 리팜핀, 토브라마이신, 겐타마이신 등이 높은 민감도를 가진 것으로 연구되어 있다.

최근에는 후기 만성 감염에서 2단계 재치환술을 PROSTALAC이나 항생제 함유 시멘트 충진물없이 시행하거나, 대퇴스템이 안정적이고 감염 소견이 명확하지 않은 경우 삽입물을 모두 제거하지 않고 쉽게 제거가 가능한 골두와 라이너, 비구컵만을 제거하고 2단계 재치환술을 시행하는 술식 등도 높은 성공률을 보이고 있다(그림 27).

절제 관절성형술은 모든 삽입물과 감염된 조직을 제거하는 방법으로 수술 후 재치환술과 동일하게 항생제 치료를 한다. 적응증으로 항생제 내성균이 존재할 때, 골과 연부조직의 상태가 좋지 않을 때, 감염이 재발되기 쉬운 위험 인자를 가지고 있는 환자(만성 면역 억제 환자, 마약 사용자), 재치환술 후 치료 방법을 견딜 수 없거나 의지가 없는 환자, 내과적으로 수술을 견뎌낼 수 없는 환자 등이다. 비록 이 방법이 감염을 줄이고, 통증을 제거하는데 효과적이기는 하지만 기능상의 결과는 재치환술을 한 경우보다 좋지 않고 하지 부동으로 인하여 보행 시 많은 에너지 소비가 요구된다.

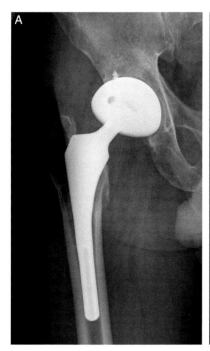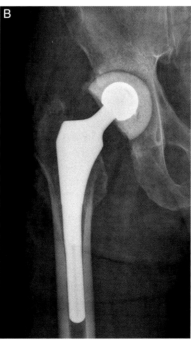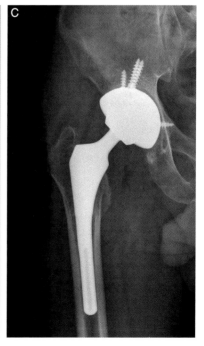

그림 27. 삽입물을 모두 제거하지 않고 2단계 재치환술을 시행하는 술식
(A) 대퇴스템이 안정적이고, 감염의 소견이 명확하지 않은 경우 (B) 삽입물을 모두 제거하지 않고 쉽게 제거가 가능한 골두와 라이너, 비구컵만을 제거하고 (C) 2단계 재치환술을 시행하였다.

고관절 유합술과 고관절 이단술은 구제술식으로 다른 방법들이 모두 실패하였거나 금기증일 때 사용하는 방법이다. 고관절 고정술은 높은 기능적 요구를 가진 젊은 환자가 고관절 치환술을 실패하였을 때 유용하며 고관절 이단술은 생명을 위협하는 감염이 존재할 때, 심한 연부조직 및 골조직의 소실이 있을 때, 혈관손상이 있을 때 적응이 된다.

6. 해리(Loosening)

고관절 치환술은 정형외과 영역에서 가장 성공적인 수술 중 하나이다. 그러나, 삽입물의 디자인, 고정 방법, 수술 술기 및 관절면의 괄목할 만한 발전에도 불구하고, 2011년 건강보험심사평가원 자료 분석 시 고관절 재치환술의 비율은 전체 고관절 치환술의 18.9%를 차지하고 있다. 고관절 재치환술의 원인으로 무균성 해리, 탈구, 감염 등이 있으나, 가장 중요한 원인은 기계적 불안정으로 인한 무균성 해리이다. 해리의 소견을 보이는 삽입물은 감염의 동반 가능성을 항상 염두에 두어야 한다.

1) 병인

삽입물의 장기적인 안정성을 위해서는 견고한 초기 고정을 얻고, 이를 유지할 수 있는 적절한 골량을 유지하고 골결손을 줄이며, 골-삽입물 결합 혹은 삽입물 자체의 피로 부전(fatigue failure)을 감소시켜야 한다. 해리의 병인을 설명하는 이론으로는 마모 입자에 의한 골용해, 불충분한 초기 고정력과 삽입물의 미세운동(micromotion), 변화된 하중 부하로 인한 골의 재형성 및 응력 차단, 관절액의 유동 압력(hydrodynamic pressure), 경계면 혹은 삽입물 자체의 피로 부전 등이 있다(그림 28).

(1) 마모 입자와 골용해

해리로 인한 고관절 재치환술 시 삽입물 주변부 계면막(periprosthetic interfacial membrane)의 조직 검사에서 마모 입자와 함께 대식세포, 섬유 세포 및 약간의 T-임파구 등이 관찰되는데, 이는 마모 입자와 이로 인한 생물학적 반응인 골용해가 해리의 주요 요인임을 암시하고 있다(그림 29).

(2) 초기 고정력과 삽입물의 반복적인 미세운동

골-시멘트 혹은 골-삽입물 결합의 장기적인 안정성을 위해서는 초기 고정력이 무엇보다 중요하다. 연골, 골편, 지방 조직 및 혈액 등의 잔류물로 인해 시멘트의 해면골 내 충진이 부족하거나 해면골을 과도하게 제거하는 경우, 골-시멘트 경계면에서의 전단력에 대한 저항이 감소할 수 있다. 또한 작은 삽입물의 사용, 고관절 재치환술이나 비구 이형성증 등 골결손이 심한 경우나, 고령 혹은 류마티스 관절염 등 골다공증이 심해 지지력이 약화된 경우에도 삽입물의

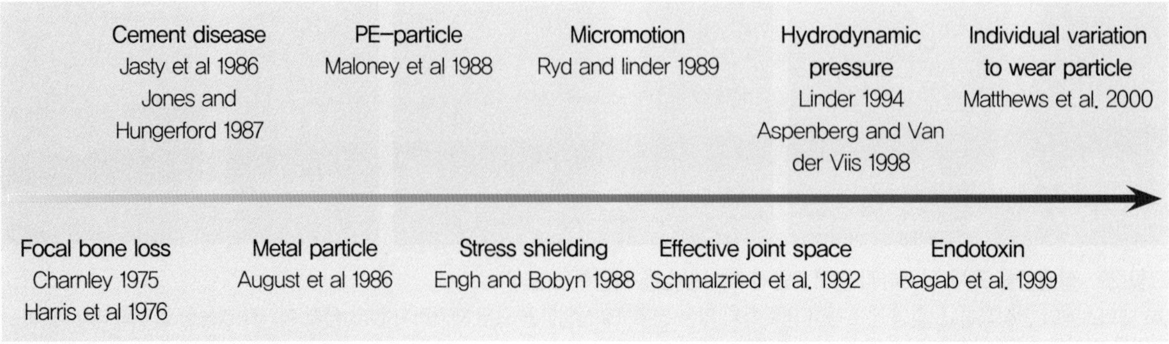

Cement disease	PE-particle	Micromotion	Hydrodynamic pressure	Individual variation to wear particle
Jasty et al 1986	Maloney et al 1988	Ryd and linder 1989	Linder 1994	Matthews et al. 2000
Jones and Hungerford 1987			Aspenberg and Van der Viis 1998	

Focal bone loss	Metal particle	Stress shielding	Effective joint space	Endotoxin
Charnley 1975 Harris et al 1976	August et al 1986	Engh and Bobyn 1988	Schmalzried et al. 1992	Ragab et al. 1999

그림 28. 해리와 관련된 시대별 이론들

A

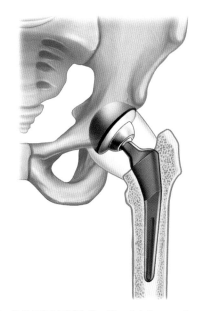

B

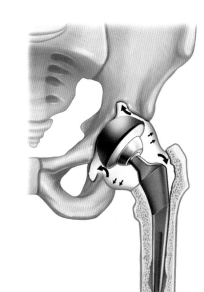

그림 29. 유효 관절 공간(effective joint space)

(A)관절액과 접촉 가능한 삽입물 주변 부위를 유효 관절 공간이라 한다. 고관절 전치환술은 고관절의 해부학적 구조를 변화시키고, 일부 골조직 및 삽입물−골 경계면을 유효 관절 공간 내로 노출시키게 된다. 고관절의 운동은 관절내 용적을 변화시키고 요근 및 외전근 등의 고관절 주위 근육들의 수축시켜, 관절강내 압력을 변화시킨다. (B) 마모 입자의 탐식과 육아조직 형성으로 가성 관절막(pseudocapsule, 작은 화살표)은 비후된다. 마모 입자 일부는 임파관을 통해 배출되고(큰 화살표), 나머지 입자들은 관절액과 함께 저항이 적은 부위를 따라 이동하는데, 이러한 이동으로 마모 입자는 골−삽입물 경계면의 틈 혹은 주위 연부조직 사이로 전파된다.

이동이나 침강(subsidence), 미세운동이 발생할 수 있다. Gooodman은 미세운동을 '전통적인 방사선 검사에 의해서는 발견되지 않는, 삽입물과 골 사이의 미세한 이동'으로 정의하였으며, 침강 등의 거시적인 변화와는 구분이 필요하다. 이러한 미세운동에 의한 골유합(osteointegration)의 억제는 가토를 이용한 동물 실험에서 증명되었고, 골−시멘트 혹은 골−삽입물 경계면에서의 미세운동은 시멘트 혹은 삽입물의 입자 발생도 증가시키는 것으로 알려져 있다.

(3) 골의 재형성 및 응력 차단

1870년 Wolff가 물리적 자극에 의한 골의 구조적 변화를 제시한 이후, 적절한 골량을 유지하기 위한 기계적인 부하의 중요성은 오랜 기간 강조되어 왔다. 고관절 치환술은 이러한 물리적인 힘의 전달 방향 및 정도를 변화시킨다. 그러나, 응력 차단은 골성 안정된 삽입물의 근위부에서 주로 발생하고, 또한 응력 차단으로 인한 골 소실은 해리의 위험 인자 중 하나로 제시될 수는 있으나, 응력 차단 단독으로 해리를 설명하기는 곤란하다.

한편, Engh 등은 고관절 치환술 후 응력 차단으로 인한 골의 변화를 다음과 같이 분류하였다(그림 30).

① 1도(first degree): 절골된 대퇴골 경부 근위부 내측의 원형변화(round−off). 이는 경부 절골 부위의 혈류 차단에 일부 기인한다.

② 2도(second degree): 상기 1등급의 변화와 함께 Gruen 7구역의 내측 피질골 음영 감소

③ 3도(third degree): 광범위한 골흡수로, Gruen 6, 7구역의 내측 피질골과 Gruen 8구역 전방 피질골의 골흡수가 관찰된다.

④ 4도(fourth degree): 골흡수가 Gruen 5구역의 대퇴골 간부로 연장된다.

691

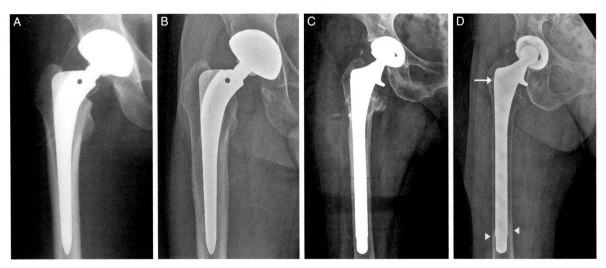

그림 30. 기계적 부하에 대한 골의 반응

(A) 52세 환자의 무시멘트형 대퇴스템을 이용한 고관절 전치환술 후 사진으로, (B) 수술 후 15년 추시 방사선 사진상, 경부 내측 Gruen 7구역의 골음영 소실(Engh 등의 분류 2도) 및 Gruen 2,5,6구역의 피질골 비후가 관찰된다. (C) 60세 환자의 무시멘트형 광범위 다공성 코팅 스템을 이용한 고관절 전치환술 후 사진으로, (D) 수술 후 15년 추시 방사선 사진상, 원위 대퇴골과 비교 시 근위 대퇴골 및 간부의 피질골 위축이 관찰되며(Engh 등의 분류 4도), Gruen 1구역의 방사선 경화선(화살표)과 다공성 코팅 원위부의 spot weld (화살표 머리)가 관찰된다.

(4) 관절액의 유동 압력

골용해 및 골흡수의 주요 원인으로 마모 입자의 중요성이 강조되고 있으나, 삽입물 혹은 마모 입자가 없는 경우에도, 가령 골관절염에서의 연골하 낭종, 동맥류 골낭종 등에서도 골흡수가 관찰되므로, 일부 저자들은 증가된 관절액의 유동 압력(hydrodynamic pressure)을 해리의 원인으로 주장하기도 한다. 보행 시 관절면의 운동 혹은 삽입물 자체의 미세운동은 관절액의 유동 압력을 증가시키고, 증가된 압력은 저항이 적은 부위를 따라 관절액을 골-삽입물 혹은 골-시멘트 사이의 틈을 통해 전파시킴으로써, 증가된 압력에 의해 뼈로 가는 혈류가 감소하거나 물리적인 힘에 의해 직접적으로 골미란이 발생한다는 이론이다. 실제 해리가 없는 환자들에 비해, 해리가 있는 환자들은 관절 내 압력이 증가되어 있고, 동물 실험에서도 증가된 압력이 골세포에 허혈성 손상을 줄 수 있음이 확인되었다. 그러나, 해리의 발생과정에서 이러한 유동 압력의 증가가 어느 정도의 역할은 할 수 있을 것으로 추정되나, 직접적인 인과관계는 아직 임상적으로 증명되지 못했고, 복잡한 해리의 발생 과정을 지나치게 단순화한 한계가 있다.

(5) 경계면 혹은 삽입물 자체의 피로 부전(fatigue failure)

반복적인 부하는 삽입물 자체나 골-시멘트 또는 골-삽입물 경계면의 미세 손상을 야기하고, 누적된 미세 손상은 결국 삽입물의 파손 혹은 해리를 야기할 수 있다. 이러한 피로 부전은 특히, 시멘트형 삽입물에서 시멘트 두께가 얇은 경우, 시멘트 골절과 해리를 야기하는 중요한 인자로 지목된다. 반면, 무시멘트형 삽입물의 경우, 경계면에서의 피로 부전의 역할은 명확하지 않으나, 이론적으로는 spot weld에 의해 안정성을 가지는 삽입물에서, 골-삽입물 경계면의 반복적인 미세 손상은 골 가교(bone bridge)의 미세골절을 야기할 수 있다.

2) 임상 증상
가장 흔한 임상 증상은 새로 발생한 통증이다. 특징

적으로 보행을 시작할 때 통증이 심하지만(start-up pain), 체중 부하 후에는 삽입물이 상대적으로 안정되면서 통증이 완화되기도 한다. 일반적으로 통증은 휴식 시 완화된다. 통증의 위치는 비구 삽입물의 경우 서혜부에, 대퇴스템은 대퇴부 통증으로 나타나는 경우가 많다. 다만, 해리가 없더라도 무시멘트형 대퇴스템은 대퇴부 통증을 호소하는 경우가 있으므로 주의를 요한다. 한편, 비구 삽입물의 상방 이동이나 대퇴스템의 침강이 발생한 경우, 환자는 파행과 함께 다리 길이의 단축을 호소하기도 한다. 골용해와 동반되어 골소실이 심한 경우, 삽입물 주위 골절이 발생할 수도 있다.

감염성 해리의 경우, 고관절의 통증으로 내원하기도 한다. 특히 수술 직후 발생하거나 수술 이후 지속되는 통증을 호소하는 경우에는 감염에 의한 해리를 염두에 두어야 한다. 통증은 휴식에 의해서도 소실되지 않기도 하며, 발적, 국소 열감 및 부종을 동반하는 경우도 있으나, 감염의 초기 단계에서는 이러한 임상적 소견 및 다음의 방사선 소견이 나타나지 않을 수도 있어 경우가 주의를 요한다.

3) 방사선 소견

해리의 진단에 가장 중요한 검사는 연속된 단순 방사선 사진이다. 방문시에는 비구 삽입물뿐만 아니라 대퇴스템의 전장을 확인할 수 있게 촬영하고, 기존 촬영한 단순 방사선 사진과 순차적으로 비교한다. 기공(void), 시멘트 골절 및 분절화 등을 관찰하기 위해서는 다양한 각도에서 촬영한 방사선 사진이 필요할 수도 있다. 방사선 소견은 대퇴스템의 경우 Gruen 등과 Johnston 등의 기준에 따라 전후면 및 측면 방사선 사진상 14구역으로 분류하고, 비구 삽입물의 경우 DeLee와 Charnley의 기준에 따라 외측에서부터 3구역으로 분류한다(그림 31).

해리에 대한 방사선 기준은 저자에 따라 다를 수 있고, 시멘트형 혹은 무시멘트형 삽입물, 비구 혹은 대퇴골 삽입물 등에 따라 해리의 진단 기준에는 차이가 있

다. 또한, 단순 방사선 사진상 대퇴스템보다 비구 삽입물의 해리를 예측하기 어려운 경우가 많고, 시멘트형보다 무시멘트형에서 해리를 파악하기 어려운 경우가 많으며, 방사선 투과성선(radiolucent line)도 반드시 해리를 의미하는 것은 아니다. 그러나, 연속된 단순 방사선 사진상 삽입물이나 시멘트의 파손, 진행되는 방사선 투과성선 등은 삽입물의 종류나 위치에 관계없이 해리를 시사하는 소견이다. 감염으로 인한 해리는 무균성 해리와 방사선 소견이 유사할 수 있으나, 불분명한 삽입물 주위 골소실(ill-defined periprosthetic resorption)과 골막 반응과 같은 특징적인 소견을 보인다.

(1) 시멘트형 삽입물

안정된 시멘트형 대퇴스템의 경우, 얇은 신생피질골(neocortex)이 생성되어 내측으로는 시멘트 맨틀을 둘러싸고, 외측으로는 피질골과 방사상으로 해면골로 연결되어 고정력을 유지하게 된다. 그러나, 이러한 신생피질골은 일반적인 단순 방사선 사진상에서는 시멘트와 겹쳐서 구분되지는 않는다. 골-시멘트 경계면에서 미세운동이 일어나는 경우 혹은 확공시 해면골이 불완전하게 제거되거나 시멘트 중합 반응 시 발생하는 열에 의해 골이 괴사되면, 골이 흡수되면서 골-시멘트 경계면은 섬유성 막으로 둘러싸이게 되는데, 이는 방사선 투과성선으로 나타나게 된다. 따라서, 삽입물 주변의 이러한 방사선 투과성선은 골의 내적 재형성(internal bone remodeling)을 반영하는 소견으로, 반드시 약한 골-시멘트 결합을 의미하는 것은 아니다. 시멘트형 삽입물은 무시멘트형 삽입물보다 이러한 반응성 변화(reactive change)를 자주 보이는 경향이 있으며, 안정성을 가지는 삽입물에서도 2 mm 이내의 방사선 투과성선을 가질 수 있으므로 주의한다. 특히, 대퇴스템에서 Gruen 1 혹은 8구역은 줄질(rasping)할 때 시야가 제한되거나 시멘트 주입 시 압력을 가하기 어려운 경우가 많아 이들 구역에서 방사선 투과성선이 자

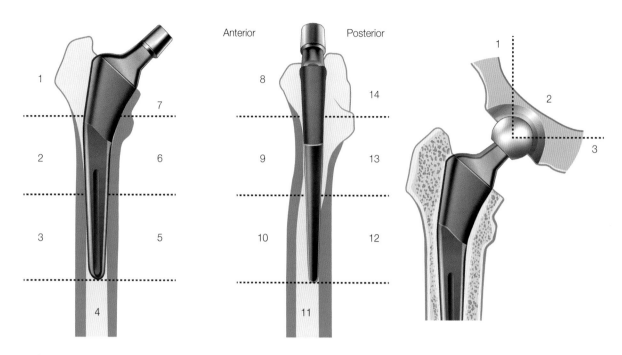

Anterior Posterior

그림 31. 단순 방사선 사진에서 삽입물 주위의 구역
(A) 대퇴스템 주변의 구역으로 Gruen 등과 Johnston 등은 전후면 방사선 사진상 외측에서부터 1–7구역으로, 측면 방사선 사진상 전면에서부터 8–14구역으로 분류하였다. (B) 비구 삽입물 주변의 구역으로 DeLee와 Charnley는 외측에서부터 1–3구역으로 분류하였다.

주 관찰될 수 있다. 그러나, 두께가 2 mm 이상이거나 진행하는 경우에는 반드시 해리를 의심하여야 한다(그림 32A–E). 한편, 연령이 증가함에 따라 골다공증에 대한 보상 기전으로 골수강의 직경은 넓어지고, 피질골은 얇아지는 생리적 변화를 겪게 되는데, 특히 고령의 여성 환자에서 시멘트형 대퇴스템을 사용하는 경우, 이러한 생리적 변화가 방사선 투과성선의 진행으로 오인되기도 한다. 그러나, 이러한 생리적 변화는 해리와는 달리 대퇴스템 주변의 경화선(sclerotic line)을 가지지 않는다는 점에서, 해리와는 구분된다(그림 32F, G).

① 대퇴스템

다음은 시멘트형 대퇴스템의 해리를 시사하는 방사선 소견이다.

• 삽입물의 파손 혹은 변형: 명백한 해리로 간주되며, 합금 재료의 발전으로 삽입물의 파손은 과거에 비하여 현저하게 감소하였다. 일반적으로 삽입물에 가해지는 굴곡 능률로 인해 삽입물의 중간 1/3 전외측 부위에 먼저 균열(crack)이 생기고 내측으로 진행한다.

• 삽입물의 정렬 변화: 명백한 해리로 간주되며, 주로 내반위로 변화한다(그림 32E). 다만 단순 방사선 사진 촬영 시 하지의 회전 정도가 일정하지 않은 경우, 삽입물의 정렬 변화로 오인될 수 있으므로 주의한다(그림 33).

• Debonding: 시멘트–삽입물 경계면에서의 방사선 투과성선으로, 주로 Gruen 1구역에서 관찰된다(그림 34). 수술 직후 발견되는 경우, 수술 중 시멘트와 삽입물의 불완전한 접촉이나 착시 효과인 'Mach band'에 의해서도 발생 가능하며, 두께가 2 mm 이하인 경우 반드시 해리를 의미하는 것은 아니다. 그러나, 두께가 2 mm 이상이거나 추시 관찰 도중 진행 혹은 새로 발생하는 경우, 명백한

해리로 간주된다.

- 시멘트 맨틀의 골절 혹은 분절화(fragmentation): 시간이 경과함에 따라, 시멘트의 탄성 계수와 강도는 감소하고, 포복 변형(creep deformation)은 증가하여, 그 결과 균열이 발생한다. 특히 시멘트

기법이 좋지 않은 경우 기공을 통해 균열은 더욱 쉽게 생기게 된다(그림 32C-E). 시멘트 맨틀의 골절은 흔히 Gruen 4구역에 발생하는 반면, 분절화는 삽입물의 경부-체부 사이의 7구역에 흔히 발생하며, 두 소견 모두 명백한 해리로 간주된다.

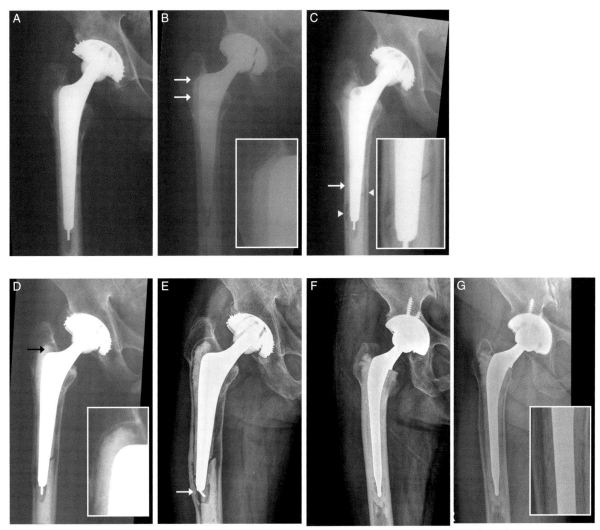

그림 32. 골-시멘트 경계면에서의 방사선 투과성선으로 해리(A-E)와 연령의 증가에 따른 생리적 변화(F와 G)

(A) 54세 환자의 시멘트형 대퇴스템을 이용한 고관절 전치환술 후 사진으로, (B) 수술 후 1년 추시 방사선 사진상, Gruen 1구역에서 방사선 투과성선(화살표 머리, 삽입 그림)이 관찰된다. (C) 수술 후 5년 추시상 환자는 대퇴부 통증을 호소하였으며, 단순 방사선 사진상 방사선 투과성선은 진행하였고(화살표, 삽입 그림), Gruen 3, 5구역에서 골용해 및 시멘트 맨틀의 골절(화살표 머리, 삽입 그림)이 관찰된다. (D) 수술 후 8년 추시 방사선 사진상, 방사선 투과성선, 골용해 및 시멘트 맨틀의 골절의 진행과 함께 debonding (화살표, 삽입 그림) 및 삽입물의 침강이 관찰된다. (E) 수술 후 12년 추시 방사선 사진상, 상기 D의 소견이 더욱 진행되었고, 삽입물의 내반위로의 변화 및 침강의 진행으로 인한 중심기(centralizer)의 파손(화살표)이 관찰된다. (F) 63세 환자의 시멘트형 대퇴스템을 이용한 고관절 전치환술 후 사진으로, (G) 수술 후 10년 추시상 환자는 특별한 증상이 없었으며 Harris 고관절 점수도 94점이었다. 단순 방사선 사진상, 골-시멘트 경계면에서의 방사선 투과성선은 연령이 증가함에 따라 피질골의 두께 감소로 인한 변화로 해리와는 달리 삽입물 주변의 경화선을 가지지 않는다(삽입 그림).

• 시멘트내 삽입물 혹은 골수강내 시멘트와 삽입물의 침강: 해리의 결과로 삽입물의 침강이 발생한다. 전후면 방사선 사진상 대퇴스템의 일정 지점

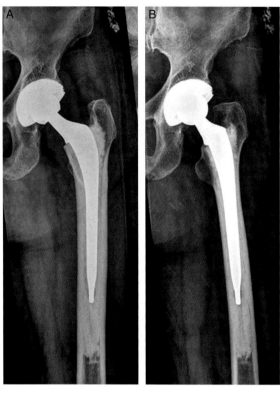

그림 33. 연속된 방사선 사진상 하지의 회전 정도가 일정하지 않는 경우
특히 중립위(A)가 아닌 외회전(B)되어 촬영되는 경우 외반 변화로 오인될 수 있다.

(경부–체부 연결부 혹은 삽입물의 어깨 부위 등)과 대퇴골의 해부학적 특정 지점(대전자나 소전자 첨부 등) 사이의 거리의 변화를 측정하며, 일반적으로 1 mm 이하의 변화는 측정 오차의 가능성이 있고, 2 mm 이하의 침강은 안정된 삽입물에서도 발생할 수 있으나, 추시 관찰상 진행하는 경우 명확한 해리로 간주된다(그림 32D, E, 그림 34C).

• 두께 2 mm 이상의 두께를 가지면서 범위가 증가하는 방사선 투과성선(그림 32).

Harris 등은 시멘트형 대퇴스템의 방사선 소견을 해리와 관련하여 다음과 같이 분류하였다.

• Definite loosening: 삽입물 혹은 시멘트 맨틀의 이동, 삽입물의 파손, 시멘트 골절, debonding 및 삽입물의 침강

• Probable loosening: 시멘트 맨틀 주변의 완전한 방사선 투과성선

• Possible loosening: 시멘트 맨틀 주변 50% 이상의 불완전한 방사선 투과성선

무균성 해리를 예방하기 위해서는 시멘트 기법이 매우 중요하며, 시멘트 기법과 관련된 대퇴스템 해리의 위험 인자들은 다음과 같은 것들이 있다.

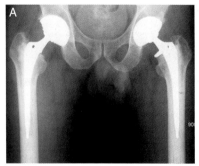
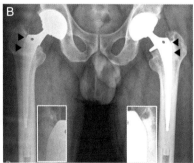
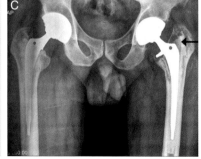

그림 34. Debonding
(A) 42세 환자의 시멘트형 대퇴스템을 이용한 양측 고관절 전치환술 후 사진으로, Barrack 등에 의한 시멘트 등급상 1등급의 시멘트 맨틀 소견이 관찰된다. (B) 수술 후 3년 추시 방사선 사진상, 양측 대퇴골 Gruen 1구역의 시멘트–삽입물 경계면에서 debonding 관찰된다(화살표 머리, 삽입 그림). (C) 수술 후 7년 추시 방사선 사진상 좌측 대퇴스템의 침강(화살표)이 관찰된다.

- 부적절한 시멘트 두께: broach가 충분한 해면골을 제거하지 못하거나, broach가 삽입물 크기와 맞지 않는 경우 시멘트 두께가 얇아질 수 있다. 또한 시멘트 맨틀 내 삽입물의 정렬이 내반 혹은 외반위인 경우 시멘트 두께가 얇아질 수 있고, 특히 내반위인 경우 굴곡 능률 또한 증가되므로, 이를 예방하기 위해 중심기(centralizer)를 사용하기도 한다.
- 과도한 해면골 제거: 해면골의 과도한 제거는 골수강 표면을 매끄럽게 만들어, 골-시멘트 경계면의 전단력에 대한 저항을 감소시킨다. 줄(rasp)대신 동력 확공기(power reamer)를 사용하거나, 재치환술 시 신생피질골을 충분히 제거하지 못한 경우에 발생할 수 있다.
- 시멘트의 불충분한 가압(pressurization) 및 다공성(porosity): 골수강 내 시멘트를 주입할 때 압력이 충분하지 않은 경우, 시멘트의 해면골 내 충진이 부족하여 골-시멘트 결합이 약해진다. 또한, 시멘트에 공기, 혈액 및 골조각 등이 혼합되는 경우, 기공이 증가되어 시멘트의 피로 강도가 약화될 수 있다
- 시멘트 경화시 삽입물의 이동

Barrack 등은 수술 후 단순 방사선 사진상 대퇴스템에서의 시멘트 등급을 표 9와 같이 분류하였고(그림 30A와 그림 34A), C와 D등급의 경우 해리의 위험성이 높다고 하였다.

② 비구 삽입물

다음은 시멘트형 비구 삽입물의 해리를 시사하는 방사선 소견이다.
- 삽입물의 파손
- 삽입물의 정렬 변화: 경사각 혹은 전염각의 변화를 측정한다. 대퇴스템과 마찬가지로 단순 방사선 사진 촬영 시 골반의 회전 정도가 다른 경우, 삽입물의 위치 변화로 오인될 수 있으므로 주의한다.
- 삽입물 혹은 삽입물과 시멘트의 이동: 비구삽입물과 골반의 해부학적 특정 지점(눈물 방울 등)사이의 거리 변화를 측정한다. 특히 Köhler line 내측의 골반내 이동에 주의한다.
- 시멘트의 골절
- 범위가 진행하는 방사선 투과성선(그림 35)
- DeLee와 Charnley 1-3 구역 모두에서 관찰되는 방사선 투과성선: 방사선 투과성선의 범위와 해리의 가능성은 상관관계가 있는 것으로 알려져 있다.

다음은 시멘트 기법과 관련된 비구 삽입물 해리의 위험 인자들이다.
- 불충분한 시멘트 두께: 시멘트 용량이 부족하거나, doughy 단계에서 비구 삽입물에 과도한 압력을 가할 때 삽입물 일부가 골과 직접 접촉할 수 있다.
- 부적절한 연골 및 연골하골 제거: 불충분한 확공

표 9. Barrack 등에 의한 수술 후 시멘트 등급

등급	단순 방사선 소견
A	시멘트에 의한 골수강의 완벽한 충진(골-시멘트 경계면에서의 'white-out')
B	골-시멘트 경계면의 50% 미만을 차지하는 방사선 투과성선
C	골-시멘트 경계면의 50%-99%를 차지하는 방사선 투과성선 또는 시멘트 맨틀의 일부 결손 혹은 불완전한 충진
D	골-시멘트 경계면의 100%를 차지하는 방사선 투과성선 또는 삽입물 첨부에서의 시멘트 결손

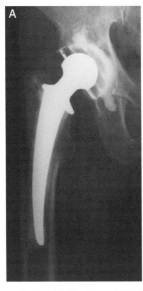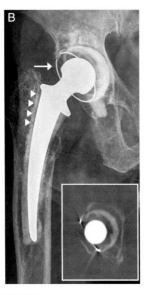

그림 35. 시멘트형 비구 삽입물의 해리

(A) 75세 환자의 시멘트형 고관절 전치환술 시행 후 10년 추시 방사선 사진으로, DeLee와 Charnley 1, 2구역의 방사선 투과성선이 관찰되나, 통증은 경미하였다. (B) 수술 후 18년 추시 방사선 사진상 비구 삽입물의 정렬 변화(화살표) 및 대퇴스템의 debonding이 관찰된다(화살표 머리). 삽입물 주변의 골소실과 함께 비구 삽입물의 후염이 관찰된다(삽입 그림).

은 골–시멘트 결합을 약화시키고, 비구의 깊이가 충분하지 못하여 삽입물 혹은 시멘트–삽입물이 비구 밖으로 탈구될 수 있다.

- 불충분한 시멘트 가압 및 다공성: 비구의 모양으로 인해 시멘트가 비구 밖으로 시멘트가 새어 나오는 경향이 있어, 특히 비구의 크기에 비해 작은 비구 삽입물은 충분한 시멘트 가압을 얻기가 쉽지 않다.
- 시멘트 경화시 삽입물의 이동

(2) 무시멘트형 삽입물

① 대퇴스템

무시멘트형 대퇴스템에서는 시멘트형과는 달리, 대퇴스템의 이동 및 침강이 삽입물의 해리를 반드시 의미하지는 않는다. 다음은 무시멘트형 대퇴스템의 해리와 관련된 방사선 소견이다.

- 삽입물의 파손 및 변형: 명백한 해리를 의미한다.
- 삽입물의 이동이나 침강: 수술 후 보행 등에 의해 조기 침강 혹은 이동이 발생할 수 있으며, 침강의 결과 삽입물이 대퇴골 골수강 내에서 좀더 안정된 위치에 고정된다면, 골성장(골내성장 또는 골표면성장)도 가능하다. 그러나, 침강이 계속 진행하거나 수술 후 수개월 혹은 수년이 경과하여 새로 발생한 침강은 삽입물의 불안정성을 시사하므로, 침강의 시기 및 정도에 따른 구분이 필요하다(그림 36).
- Pedestal: 대퇴스템 첨부 주변의 골내막 증식으로, 대퇴스템의 피스톤 운동 혹은 응력 집중을 시사하며, 삽입물 원위부의 Gruen 4 구역에서 관찰된다. 항상 해리를 의미하지는 않으며, 안정성을 가지는 근위부 다공성 코팅 삽입물에서도 부분적인 pedestal이 종종 발견될 수 있으므로, 다른 방사선 소견을 함께 고려하여야 한다(그림 37).
- 삽입물 표면에 피복된 금속 염주의 탈락: 대퇴스템 삽입 시 표면의 코팅물이 탈락되어 방사선 불투과성의 미세입자로 발견될 수 있다. 따라서, 수술 후 단순 방사선 사진에서의 이러한 소견은 반드시 해리를 시사하는 소견은 아니나, 추시 방사선 사진상 새로 발생하거나 그 수가 늘어나는 경우에는 삽입물의 해리를 의심해야 한다.

다음은 무시멘트형 대퇴스템의 안정성을 시사하는 방사선 소견이다(그림 37).

- Spot weld: 대퇴스템과 대퇴골 골내막 사이의 해면골에 의한 연결로, 대퇴스템의 골성 안정을 시사한다.
- 피질골 비후(cortical hypertrophy): 응력 집중 혹은 미세운동 등 체중 전달의 변화에 기인한다. 골성 안정된 대퇴스템에서 대퇴골과 삽입물의 강도에 차이에 의한 대퇴골의 미세운동에 의해 표면처리 원위부에서 피질골 비후가 발생하는 반면, 불안정한 대퇴스템에서는 대퇴거 비후처럼 피질

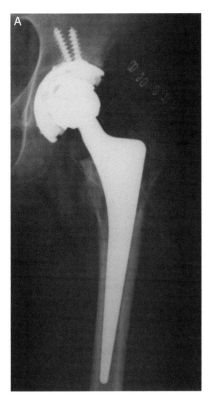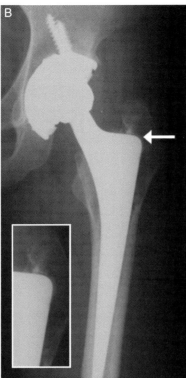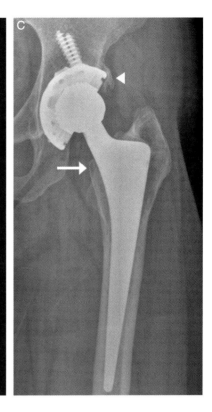

그림 36. 무시멘트형 대퇴스템의 침강

(A) 35세 환자의 무시멘트형 고관절 전치환술 후 사진으로 대퇴스템은 경도의 외반위로 삽입되었다. (B) 수술 후 1년 추시 방사선 사진상 대퇴스템의 약 1 mm 침강(화살표, 삽입 그림)이 관찰된다. (C) 수술 후 15년에 별다른 증상은 없었고, Harris 고관절 점수는 100점이었다. 방사선 사진상 삽입물의 침강은 더 진행하지 않았고 1도의 응력 차단(화살표) 및 이소성 골형성(화살표 머리)이 관찰된다.

골의 비후가 삽입물의 collar 하단 혹은 삽입물 첨부에서 발생할 수 있다.

- 대퇴거 위축(calca atrophy): 응력 차단에 의한 현상으로, 대퇴거 원위부에서의 체중 전달을 의미하고, 일반적으로 골성 안정성을 가지는 대퇴스템의 근위부에서 관찰되는 소견이다.

Engh 등은 방사선 소견에 따라 광범위 다공성 코팅 대퇴스템의 안정성을 다음과 같이 분류하였다

- 골성 안정(stable fixation by bony ingrowth): 삽입물 주변의 방사선 경화선과 침강이 없는 상태로 대부분의 대퇴스템이 이에 해당된다(그림 37).
- 섬유성 안정(stable fibrous ingrowth): 삽입물의

이동은 진행하지 않으나, 대퇴스템 주변에 광범위한 경화선을 가진다.

- 불안정(Unstable): 삽입물의 침강이나 이동이 진행하면서, 삽입물 주위로 분산된(divergent) 경화선을 가진다.

한편, 근위부 피복 대퇴스템은 골성장(osteointegration)의 양상에 있어 광범위 다공성 코팅 스템과는 차이를 보인다. 골성 안정된 근위부 피복 대퇴스템의 경우, 표면처리되지 않은 원위부에서는 골과 삽입물의 강도 차이로 인해, 상대적으로 강도가 약한 대퇴골의 삽입물에 대한 미세운동이 발생하게 된다. 그 결과, 근위부 피복 대퇴스템의 원위부에서는 골성 안정된 경우에도

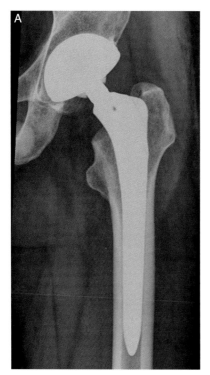
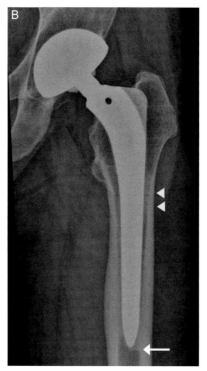

그림 37. 무시멘트형 대퇴스템의 안정성을 시사하는 방사선 소견
(A) 44세 환자의 무시멘트형 고관절 전치환술 후 사진으로, (B) 수술 후 13년에 별다른 증상은 없었으며, 방사선 사진상 Gruen 2구역의 spot weld (화살표 머리)와 4구역의 pedestal이 관찰되고, 5구역의 피질골 비후와 함께 7구역에서 1도의 응력 차단이 관찰된다.

광범위 다공성 코팅 스템에 비해 경화선과 부분적인 pedestal 및 피질골의 비후가 흔히 관찰된다(그림 37).

② 비구 삽입물

무시멘트형 비구 삽입물의 해리를 시사하는 가장 중요한 방사선 소견은 삽입물의 이동이다. 또한 비구 삽입물의 파손이 발생할 수 있으며, 이 또한 명백한 해리를 시사한다(그림 38).

한편, 무시멘트형 비구 삽입물에서의 방사선 투과성선과 실제 해리와의 관계는 저자마다 의견의 차이를 보인다. Engh 등은 무시멘트형 비구 삽입물의 방사선 소견을 해리와 관련하여 다음과 같이 분류하였다.

- Definitely unstable: 비구 삽입물의 이동이 있는

경우(그림 39)

- Probably unstable: 방사선 투과성선이 진행하는 경우
- Stable: 상기 A, B의 소견이 없는 경우

4) 치료

현재까지 해리를 예방하거나 치료하기 위한 승인된 약제는 없으며, 고관절 재치환술에 의한 수술만이 유일한 치료 방법이다.

비록, 해리를 예방 혹은 감소시키기 위한 비수술적 치료 방법들은 동물 실험 혹은 전임상 연구로 제한되어 있으나, 이들 연구들은 향후 해리를 감소시키기 위한 약물적 치료의 가능성을 제시하고 있다. 해리는 마모 입자와 이로 인한 생물학적 반응인 골용해가 주요

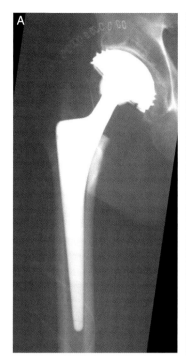
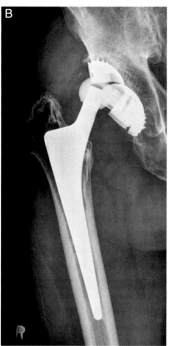
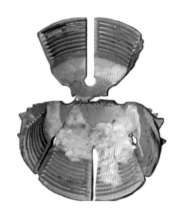

그림 38. 비구 삽입물의 파손
(A) 48세 환자의 무시멘트형 고관절 전치환술 후 사진으로, 극간격(polar gap)이 관찰된다. (B) 수술 후 12년에 3개월간의 악화되는 우측 고관절 통증을 주소로 내원하였으며, 수술 후 사진과 비교 시 비구컵의 lobe 파손과 함께 골두의 상외측 전위가 관찰된다. (C) 재치환술 시 비구컵의 파손이 관찰되었다.

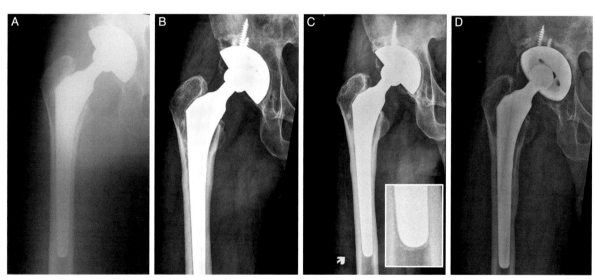

그림 39. 무시멘트형 비구 삽입물의 해리
(A) 39세 환자의 수산화인회석 코팅 비구컵을 이용한 우측 고관절 전치환술 후 사진으로, (B) 수술 후 4년에 별다른 증상은 없으나 방사선 사진상 경화선을 가지는 방사선 투과성선이 DeLee와 Charnley 2, 3구역에서 관찰되고, 대퇴골 Gruen 1구역에서도 관찰된다. (C) 수술 후 5년에 서혜부 통증을 호소하여 촬영한 방사선 사진상 비구 주변 방사선 투과성선의 범위는 진행하여 DeLee와 Charnley 1-3구역에 걸쳐 관찰된다(Engh 등의 분류상 'probably unstable'). Gruen 4구역에서 대퇴스템 원위부의 미세운동으로 인한 방사선 투과성선 역시 관찰된다(화살표 머리, 삽입 그림). (D) 수술 후 14년에 방사선 사진상 비구 삽입물이 상방 및 내측으로 이동되었다(Engh 등의 분류상 'definitely unstable'). Gruen 1구역의 대퇴스템 주변 방사선 투과성선은 진행하지 않았고 6구역에서의 피질골 비후가 관찰된다.

701

원인으로, 여러 종류의 사이토카인 및 단백 분해 효소들을 매개로 한 RANKL-RANK 및 osteoprotegrin 체계가 주된 역할을 한다. 따라서, 해리의 예방 혹은 치료를 위한 약물들도 이들 과정에 초점을 맞추고 있다. 이러한 약제들로는 비스포스포네이트(alendronate, zoledronate), TNF-α길항제, methylxanthine 유도체(pentoxifylline), 항염증사이토카인(IL-4 및 IL-10), RANKL 항체(Denosumab®) 및 sclerostin 항체 등이 있다. 그 외 osteoprotegrin-encoded adeno-associated virus와 IL-1 receptor antagonist 혹은 IL-10 encoded retrovirus 등을 이용한 유전자 치료도 시도되고 있다.

7. 골용해(Osteolysis)

고관절 재치환술의 원인으로 무균성 해리, 탈구, 감염 등이 있으나, 가장 중요한 원인은 골용해와 이로 인한 무균성 해리이다.

1) 역사

1975년 Charnley 등이 삽입물 주위 골절이 발생한 대퇴골 주위 조직에서 대식 세포 반응에 의한 낭종성 골미란을 발견한 이래, 1976년 Harris 등은 대퇴스템 주위에서 4예의 광범위한 국소적 골흡수를 보고하면서 감염이나 종양의 가능성을 의심하였다. 1977년 Willert와 Semlitsch는 실패한 코발트-크롬 관절을 이용한 고관절 삽입물의 관절낭과 섬유조직에서 금속입자를 발견하였고, 처음으로 이들 마모 입자가 과다하여 균형이 깨질 경우 임파관으로 이동된다고 하였다. 1983년 Goldring 등은 해리된 시멘트형 대퇴스템 주위에서 활액막 같은 막(synovial-like membrane)이 있다고 기술하면서, 이들 조직이 collagenase와 PGE2를 생성하는 것을 실험적으로 재현하여, 골을 흡수할 수 있는 능력을 가진다고 보고하였다. 이후 해리된 시멘트형 삽입물뿐만 아니라, 안정된 시멘트형 삽입물 주위에서도 같은 소견이 발견되어 소위 'cement disease'라 명명하였다. 물론 이 당시에도 폴리에틸렌 입자는 발견되었지만 그 의미를 알지 못했으며, 이후 해리 혹은 안정된 무시멘트형 삽입물 주위에서도 같은 소견이 발견되고, 관절면의 마모로 인한 폴리에틸렌 마모 입자가 주로 작용하는 것이 입증되면서, 'particle disease'라는 개념이 확립되었다. 또한, 관절면에서 생긴 마모 입자들이 관절액의 압력에 의해 삽입물, 시멘트 및 골조직 사이의 접촉면(interface) 어디든지 도달할 수 있다는 '유효 관절 공간(effective joint space)'이나 'access disease'라는 개념도 소개되었다.

2) 병인

골용해는 마모에 의해 생성된 입자가, 유효 관절 공간을 통해 전파되고, 이들 마모 입자에 대한 생물학적 반응에 의해 발생하게 된다. 자세한 내용은 'Section 4-4. 인공 관절면'의 '3. 마모와 생물학적 반응' 편에 기술되어 있다.

3) 진단

골용해는 임상적으로는 골소실 병변이 심화되어 삽입물의 해리 또는 주변골의 골절 등을 일으키기 전까지는 증상이 없다. 대퇴스템의 해리가 초래된 경우 대퇴부 통증이 주 증상이며 비구 삽입물 해리가 병발하면 국소적인 서혜부 또는 둔부의 통증이 나타난다. 이러한 통증은 활동과 관계가 있으며 일어서거나 걷기 시작할 때 발생하는 통증으로 삽입물 해리의 질병 특유의 증상이다. 골절에 의한 통증은 갑자기 시작될 수 있으며 미약한 외상으로 올 수도 있다.

고관절 전치환술 후 정기적으로 추시 관찰하다가 골용해가 발견되면 3-6개월 간격으로 자주 관찰해야 한다. 환자 추시 관찰에 대한 순응도가 가장 주된 문제가 된다. 환자의 나이, 동반된 질환여부, 활동수준을 알고 고관절과 관련된 증상 여부와 증상의 세부사항까지 점검한다. 골용해는 광범위하게 진행되기 전까지는 증상이 없는 것이 보통이다. 그러므로 방사선적 평가가 매우 중요하다.

(1) 방사선적 평가

대부분의 골용해증은 심각한 문제가 생기기 전까지는 대부분 증상이 없으므로 추시 기간 중 정기적인 방사선 검사가 필요하다. 매년 고관절에 대한 방사선 촬영을 한다. 고관절의 사면 촬영이 병변의 확인과 병변의 침윤 정도를 알 수 있어 유용하다. 삽입물 형태, 마모의 정도, 고정상태 등 삽입물과 관계된 요인을 파악한다. 시멘트형 삽입물의 경우 초기에 잘 고정된 삽입물 주위에 선상으로 방사선 투과성선이 서서히 진행된다(그림 40). 이에 반해 무시멘트형 삽입물에서는 삽입물과 골 또는 시멘트와 골 사이에 빠르게 팽창하는 비교적 큰 부채꼴 모양이나 풍선 모양의 삽입물 주위 골소실 병변을 야기하기도 한다(그림 41). 방사선 사진에서 관찰되는 병변의 크기는 실제 크기보다 작게 보인다.

단순 방사선 검사로 골용해의 정량적 판단을 하기에는 단순 방사선 검사의 감수성이 낮으므로 특이성 그리고 정확도를 높이기 위해 3차원적인 영상과 크기의 양적 표현이 가능해진 전산화단층촬영, 자기공명영상 그리고 이중에너지방사선 흡수계측법을 이용한다. 이 중에서 전산화단층촬영이 임상적으로 널리 사용되고 있다(그림 42).

(2) 방사선적 감시

현재 수술적 치료는 필요하지 않으나 추후 문제가 될 수 있는 골용해 환자는 방사선적으로 추시하여 병변의 진행 정도를 판단한다. 수술적 치료가 필요한지 판단하고 수술 시기를 놓치지 않도록 한다. 3-6개월 간격으로 환자의 증상과 병변의 크기를 일정한 간격으로 관찰한다. 병변과 추시 관찰의 중요성에 대해 환자에 교육하여 추시 관찰에 대한 중요성을 인식시키는 것이 중요하다.

4) 치료

증상이 없거나 미약한 환자에게는 비수술적인 치료를 고려한다. 골용해 병변이 후방 지주와 비구 상부에

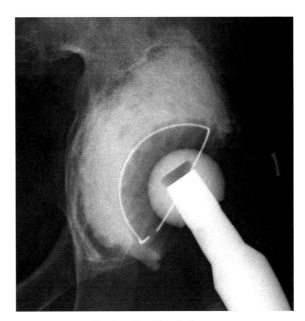

그림 40. 시멘트형 비구컵 주위 골용해
비구골과 시멘트 사이에 선상 골용해가 보인다.

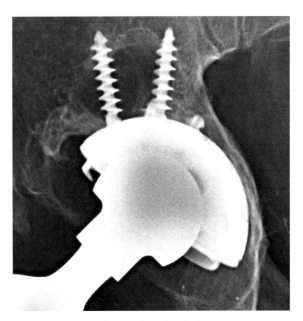

그림 41. 무시멘트형 비구컵 주위 골용해
무시멘트형 비구 삽입물의 나사 주위에 풍선 모양의 확장형 골용해가 보인다.

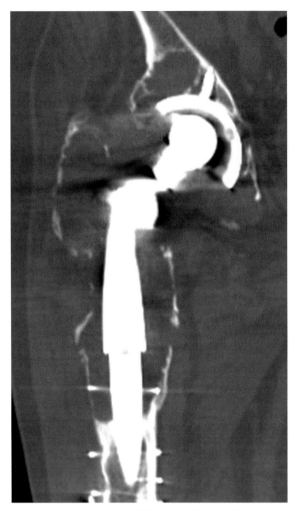

그림 42. 전산화단층촬영 영상에서 보이는 골용해

발생한 경우 구조적 문제가 없어야 한다. 수술적인 치료는 삽입물의 해리, 광범위한 마모와 골용해가 있거나 골절과 삽입물의 실패가 임박한 경우 시행한다. 대부분의 골용해는 증상이 있고 많이 진행된 상태에서 진단하게 되므로 수술적 치료가 주된 치료가 된다.

(1) 약물 치료

마모 입자에 의한 골용해 과정이 만성 염증, 이물질 반응, 삽입물 주변골의 파괴라는 병태생리학적 과정이 밝혀지면서 골용해를 조정하는 약물학적 중재에 대

하여 연구가 진행되고 있다. 그러나, 골용해에 대한 생물학적 약제에 대한 연구는 동물실험에 제한되어 있는 경우가 많으며, 골손실을 예방하는데 목적을 두므로 골다공증과 류마티스성 관절염에 사용되는 약제들이 고려되고 있다.

① **비스포스포네이트:** 미세 입자에 의한 골용해를 저지하는 약물로서 비스포스포네이트는 파골세포에 의한 골흡수를 방지하며 대식세포의 세포 자멸사를 유발시킨다. 동물 실험에서 효과가 있는 것으로 알려져 있다. 증상은 있으나 수술적 치료의 대상이 아닌 경우와 팽창성 골용해 병변이 있는 환자에서 제한적으로 고려해볼 수 있다. 그러나 약물의 반감기가 5-10년으로 길고, 불안정성에 의한 골흡수에는 효과가 없다.

② **소염제:** 염증을 조정하는 약물로는 일반적인 비스테로이드성 소염제 외에도 친염증성 싸이토카인인 TNF-α, IL-2, IL-6, IL-8 등을 억제하는 약물로 TNF-α의 수용성 억제제인 Entanercept 등이 있다. TNF receptor (p75TNFr II)는 실험적으로 미세 입자 유발 골용해를 차단하며 임상적으로는 류마티스성 관절염에서 소염제로 사용되고 있다.

③ **Osteoprotegerin (OPG):** 파골세포의 형성과 활성화에 기초적인 사이토카인인 RANKL의 길항제로서 파골세포의 형성과 활성화를 저해하는 기능이 있다. 동물 시험에서 미세 입자 유발 골용해와 골손실을 효과적으로 저해하며, 최근 임상 시험에서 단기 치료로 폐경기 여성에게서 골흡수 유발자를 감소시키는 것으로 나타났다.

④ **성장 인자:** 성장 인자의 국소 주입은 조골세포 분화 등을 유발하여 골형성을 촉진시킴으로써 골용해를 예 방 또는 치료하는 것으로 알려져 있으며, TGF-β, fibroblast growth factor (FGF) 등이 시험 중에 있다.

(2) 수술적 치료

잘 고정된 삽입물 주위의 골용해는 많은 경우 삽입물을 그대로 유지한 채 골이식술과 관절면만 교환해주는 방법을 시행하게 된다.

① 비구부 골용해의 수술적 치료: Howie 등은 전산화단층촬영을 이용한 연구에서 비구컵 후면의 골용해의 크기가 10 cm³보다 큰 경우에 그렇지 않은 경우보다 크기가 더 커져 악화될 확률이 2.5배가 된다고 하였다. 비구 라이너의 체적마모가 40 mm³보다 적으면 더 이상 진행될 가능성은 매우 적다고 한다. 궁극적으로 방사선 검사에서 발견된 골용해는 환자의 증상과 연관하여 고려해야 한다. 금속-금속 관절면을 사용한 경우 비구컵의 경사각이 크면 금속이온의 배출이 증가되고, 통증과 골용해 징후가 일찍 나타난다. 또한 연부조직의 파괴가 뚜렷하므로 정기적인 추시 관찰이 중요하다. 비구부 골용해의 치료 방법은 여러 가지 변수에 의해 정해진다. 방사선 검사에서 골용해가 있는 환자에서 증상이 있으면 재치환해야 한다. 증상이 없는 경우 비구컵의 안정성이 중요한 결정 요소가 된다. 병변이 빠르게 진행하는 경우 특히 3-6개월 이내에 크기가 커지는 경우에 수술적 치료를 해야 한다.

수술 후 5년 이내에 방사선상 골용해가 보이는 경우도 재치환술을 권한다. Mehin 등은 비구컵 외경의 50% 이상에서 골용해가 있으면 비구컵 해리가 있을 가능성이 높다고 했다. 관절면의 마모율이 높으면 골용해 발생 빈도가 증가할 뿐만 아니라, 탈구 등 불안정성을 유발하게 되므로 수술적 치료를 결정하는 데는 관절의 불안정성 여부도 중요하다. 그러나 마지막 결정은 수술 중에 해야 한다. 그러므로 수술 시에는 항상 비구 삽입물 재치환술 준비를 해야 한다. 수술 시에 비구컵 주위의 모든 섬유화 조직을 제거하고 모든 나사도 제거한다. 비구컵의 모든 방향에서 힘을 가해

비구컵과 골사이에서 액체가 스며 나오는지 검사한다.

• 안정적으로 고정된 무시멘트형 비구컵

저자에 따라서는 비구컵을 제거해야 골용해 병변을 정확하게 보고 접근할 수 있다고 생각하여 비구컵이 잘 고정되었다 하더라도 제거하기를 권했었다. 그러나 잘 고정된 비구컵을 제거하면 골조직의 과도한 손상으로 재건하기 어렵다. 이러한 경우 폴리에틸렌 라이너만 교체하고 변연절제와 골이식만으로도 좋은 결과를 보고하고 있다. Beaule 등은 폴리에틸렌 교체만으로도 골이식 여부에 상관없이 10년 생존율 93.5%를 보고하는 등 골용해의 진행이나 골이식 부위의 재발이 없다고 한다. 폴리에틸렌 라이너 교체만으로 치료하려면 비구컵의 위치가 좋아야 하고, 잠금 장치가 파손되지 않아야 한다. 잠금 장치가 파손되고 적절한 라이너를 구할 수 없다면, 비구컵의 내경이 새로운 라이너를 시멘트로 고정할 수 있을 정도로 커야 하고, 관절의 운동 범위가 좋아야 하며, 비구컵 후면의 그물망이나 세공 피복면의 탈락이 없어야 한다.

• 라이너 교체(double socket technique)

비구컵의 고정은 잘 되어있으나 잠금 장치가 파괴되거나 폴리에틸렌 라이너의 고정이 부적합할 경우 무시멘트형 비구컵에 폴리에틸렌 라이너를 시멘트로 고정하는 'double socket technique'을 시행할 수 있다. Beaule 등이 이 수술법을 사용한 42예에서 5년 추시 중 78%의 생존률을 보고하는 등 비교적 좋은 결과를 보인다. 이 방법을 시행하려면 시멘트의 두께가 최소 2 mm 이상 되어야 하고 너무 작은 비구컵에는 사용하지 못한다. 비구컵의 라이너만 교체했을 때 가장 주된 합병증은 탈구이며 22%까지 보고되고 있다. 탈구의 예방을 위해 구속형 라이너를 시멘트로 고정할 수도 있으며, 큰 대퇴골두 사용을 위해 금속 라이너를 시

멘트로 고정할 수 있다. 비구컵의 위치가 좋지 않을 경우에도 폴리에틸렌 라이너를 시멘트를 사용해 10-15°의 각도 내에서 조정해 고정할 수도 있다.

• 불안정한 비구컵의 재치환술

비구컵 제거 후 골용해 병변의 육아조직을 모두 제거하고 남은 골조직의 유용성을 판단해야 한다. 재치환술 시 50% 이상의 골접촉이 있어야 생물학적 고정을 기대할 수 있다. Paprosky 분류의 I형에서 비구연의 골이 튼튼하면 세공 피복 반구형 압박 고정 비구컵을 사용할 수 있다. 동공형 손상인 경우는 해면 골이식을 시행한다. II-A인 경우 I형과 비슷하지만 좀 더 큰 크기로 확공이 필요하고, 지름 66 mm 이상의 점보컵을 사용할 수 있다. II-B에서는 점보컵이나 탄탈륨 컵을 사용할 수 있다. II-C에서는 비구 돌출이 있으나 주변부 골조직이 유효하므로 반구형 컵을 사용하고 내측에 충분한 골이식이 필요하다.

비구컵과 골접촉이 50% 미만으로 적으면 구조적 골이식이나 탄탈륨 같은 세공 금속으로 보강이 필요하다(그림 43). III-A와 III-B의 경우는 비구 재건 케이지와 시멘트형 폴리에틸렌 라이너 그리고 구조적 골이식술이 필요하다. 골반의 불연속성이 있는 경우는 후방 지주대에 금속판과 나사로 고정후 탄탈륨 금속컵을 구조적 골이식술 등으로 보강해 광범위한 골손실을 재건해줘야 한다.

② 대퇴골 골용해의 수술적 치료: 골용해의 양상은 대퇴스템의 고정과 디자인에 좌우된다. 시멘트형 대퇴스템에서 골용해는 해리된 삽입물 주위로 확산되며 시멘트와 떨어진 거친 표면의 삽입물 주위에 더 심하고 시멘트 맨틀의 결손 부위에 집중되어 있다.

무시멘트형 대퇴스템에서는 환형으로 피복된 스템의 근위부에서 골용해가 발생하고, 해리가 발

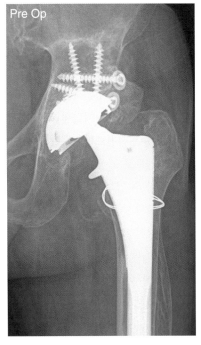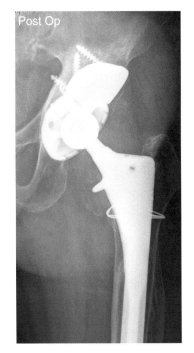

그림 43. 탄탈륨 보강 금속을 이용한 재치환술
(A) 고관절 전치환술 후 좌측 비구부에 광범위 골용해 및 비구컵 해리가 발생하였다.
(B) 탄탈륨 보강 금속을 이용하여 비구컵 재치환술을 시행하였다.

생하면 스템의 원위부와 근위부에 생성된다. 수술적 치료의 목적은 골손실의 진행을 저지하고 삽입물 주위 골절을 예방하며 통증을 없애는 것이다. 대퇴스템에서 일어나는 골용해의 원인은 관절면에서의 마모뿐만 아니라 경부-골두 사이, 조립형 스템에서의 접촉부, 그리고 티타늄 골두의 부식에 의한 미세입자의 발생이다. 수술 시에는 지주 이식골, 재치환술용 삽입물, 금속 절단 기구 등을 준비해 모든 상황에 대비한다.

대퇴스템이 불안정하면 삽입물을 제거한다. 점점 진행되는 골용해와 연속적 방사선 검사에서 Gruen 영역 1과 7 아래 부위로 병변의 크기가 커지며 이동하는 경우에도 삽입물을 제거한다. 시멘트형 대퇴스템이 잘 고정된 경우 골용해가 국소적이면 연속적인 방사선 검사로 진행을 관찰한다. 그러나 골손실이 상하로 길게 뻗어 있다면 젊은 사람에서는 스템을 재치환 한다. 영역 1과 7에 골용해가 있는 경우 대전자와 소전자의 골절을 예방하기 위해 미세 입자를 생성하는 원인을 제거하고 골이식을 시행한다. 영역 1과 7의 원위부까지 골용해가 있으면 스템을 재치환한다. 무시멘트형 스템의 경우 삽입물의 형태가 조립형인지 피복이 원위부까지 되어 있는지 환형 피복 스템인지, 조립부분만 재치환이 가능한지 파악해야 한다.

환형 코팅 스템이 아닌 경우 삽입물과 골사이로 미세 입자가 침투하여 대식세포에 의해 원위부로 이동하며 Gruen 영역 1과 7의 원위부에서 심각한 골용해가 일어날 수 있다. 대퇴스템 말단 원위부의 동공형 골용해가 있을 때는 대퇴골 골절을 방지하기 위해 대퇴스템을 재치환해야 한다.

대퇴스템 골절의 병력이 있거나 피복 스템의 직경이 작은 경우에는 잘 고정되어 있더라도 영역 1과 7에 골용해가 있으면 대퇴스템의 피로골절이 발생할 수 있으므로 재치환한다. 근위부에 아주 큰

골용해가 있는 경우 젊은 환자는 지주 골이식을 사용한 재치환술을 시행한다. 나이 많은 환자는 조립형 또는 종양 삽입물을 사용하여 원위부 고정을 한다.

골용해의 위험성이 있는 환자는 주기적으로 방사선 검사가 필요하며, 폴리에틸렌 라이너의 마모 또는 골용해가 진행되는 경우에는 최소한 6개월마다 방사선 검사로 추시 관찰해야 한다. 그리고 수술 시에는 비구컵과 대퇴스템이 잘 고정되어 있다 하더라도 재치환술을 시행할 만반의 준비가 되어있어야 한다.

8. 이소성 골형성

이소성 골형성(heterotopic ossification)은 연부조직 내 골조직이 형성되는 것으로서 주로 근육조직 내에 발생한다. 고관절 치환술 후 발병률은 10% 정도로 보고되고 있으며, 발생되는 기전은 아직 정확히 알려져 있지 않다. 외전근이나 장요근 부위에 방사선 사진에서 희미하게 보이는 음영부터 고관절의 완전 골강직까지 다양하게 나타난다. 수술 후 3-6주째 방사선적으로 처음 인지되며 그 양은 1년 정도까지 서서히 증가할 수 있고 음영도 골조직이 성숙해가면서 증가한다. 완전한 골조직의 성숙은 18-36개월째 이루어지며, 성숙된 골조직은 연속적인 방사선 검사에서 안정적인 형태를 취하고, 정상 alkaline phosphatase 범위, 골주사 검사상 다른 부위의 골조직과 비슷한 동위원소 섭취를 보인다.

많은 위험 인자들이 알려져 있으며 환자와 관련된 것들과 기술적 문제와 관련된 것들로 나눌 수 있다. 고위험군으로는 비대성 골관절염(hypertrophic osteoarthritis)이 있는 남자, 이소성 골형성의 과거력, 비대성 골극(hypertrophic osteophytosis)을 동반한 외상 후 관절염의 병력을 가진 환자 등이 있다. 중간위험군으로는 강직성 척추염, 미만성 특발성 과골화증(diffuse idiopathic hyperostosis), Paget 병, 편측 비대성 골관절염 등이 있다(표 10). 수술 중 연부조직 손상과 비구와 대

707

표 10. 이소성 골형성의 위험 인자

환자 요인
이소성 골형성 과거력
비후성 골관절염 남성
강직성 척추염
미만성 특발성 과골화증(diffuse idiopathic hyperostosis)
고관절부 외상 과거력

술기 요인
수술적 접근법
수술 중 외전근 손상
대퇴골 골절 수술 후
혈종
탈구
감염

퇴골 확공 시 떨어져 나온 골편도 이소성 골형성을 유발할 수 있다. 접근법으로는 전방과 전외측 접근법이 후외측 접근법보다 더 많은 이소성 골형성을 유발한다. 무시멘트 고정이 시멘트 고정보다 더 위험 요소가 된다는 보고도 있지만 그 반대의 결과들도 보고되고 있어 확실치 않다.

Brooker 등에 의한 분류가 골형성의 정도를 기술하는데 유용하게 사용되고 있다(그림 44).

이소성 골형성이 발생한 환자들의 대부분은 무증상이다. 그러나 Brooker 3, 4등급의 골화를 가진 환자에서는 운동 범위 제한이나 통증이 발생할 수도 있다. 현저한 운동 제한이나 골강직은 흔하지 않으며, 환자의 약 10%에서 중대한 기능 손실이 있는 것으로 보고되고 있다.

모든 환자에서 일괄적인 예방적 처치가 필요하지는 않으나 고위험군 환자에서는 추천된다. 수술 중 세심한 술기로 연부조직의 손상을 줄여야 하며, 수술 중 발생하는 골편에 의해 연부조직이 오염되지 않도록 주의를 기울이는 것이 중요하다. 최근 이소성 골형성의 예방에 있어서 저용량의 방사선과 비스테로이드성 소염제가 사용된다.

비스테로이드성 소염제는 prostaglandin을 비롯한 여러 세포 매개체들의 생성을 차단하여 이소성 골형성을 억제시키며 아직 그 정확한 기전은 알려져 있지 않다. 과거에는 비선택적 COX-1, COX-2 억제제를 수술 후 첫날부터 6주간 복용하는 것을 권장하였다. 하지만, 비스테로이드성 소염제는 위장관 부작용을 흔히 유발하고, 그 외 심혈관계 부작용, 신기능 부전 등이 있을 수 있으며 이러한 부작용으로 인해 20-35% 환자에서 치료를 끝까지 마치지 못하는 것으로 알려져 있다. 최근에는 선택적 COX-2 억제제가 이러한 부작용의 발생을 줄이면서 이소성 골형성의 예방에 indomethacin과 유사한 정도로 효과적이라는 많은 보고가 있다. 하지만, 비스테로이드성 소염제가 이소성 골형성의 예방에 효과적이나 전신성 부작용, 항혈소판 효과, 골성장에 대한 억제 작용, 절골부 치유의 지연, 환자 순응도 등으로 인해 사용이 제한적일 수 있다. 비스테로이드성 소염제는 다공성 삽입물에 골성장을 감소시키는 것으로 보고되고 있으나 방사선 치료와는 달리 이를 효과적으로 막을 수 있는 방법은 없다. 제한된 구획의 방사선 조사는 전신 부작용을 줄이고 골형성 억제를 국소화시킬 수 있다. 수술 전과 후 500 cGy 용량의 방사선 조사가 효과적인 예방법으로 보고되고 있다. 방사선 노출은 고관절 주위의 연부조직에 국한되어야 하며 절골술 부위, 골성장이 일어나는 표면은 차폐되어야 한다. 방사선 조사 후에 무균성 해리, 대퇴스템의 침강, 무시멘트형 삽입물 주변의 방사선 투과성선(radiolucent line)이 발생하는 임상적 증거는 없다고 보고되었으며, 전자간 절골술(trochanteric osteotomy)의 지연 유합 혹은 불유합이 발생할 수 있다. 현재 예방적으로 사용되는 방사선 용량에서 악성 변형(malignant transformation)은 보고된 바 없다.

이소성 골형성의 수술적 제거는 대부분의 환자에서 기능 장애 및 통증이 심하지 않고, 형성된 골의 제거가 어렵기 때문에 흔히 시행되지는 않는다. 보존적 치료

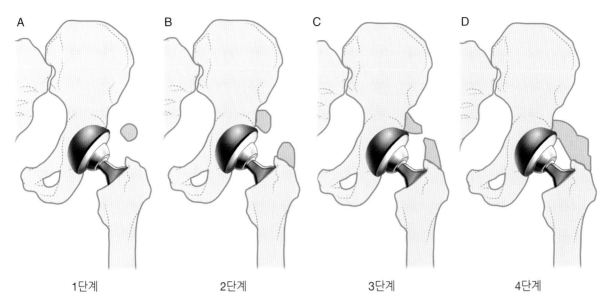

A	B	C	D
1단계	2단계	3단계	4단계

그림 44. 이소성 골형성의 Brooker 분류

(A) 1단계: 고관절 주위 연부조직 내에 유리된 골음영이 출현하는 경우, (B) 2단계: 이소성 골형성이 골반골 또는 대퇴골 중 어느 한 쪽과 연결되어 있으나 반대측과는 1 cm 이상의 간격을 보이는 경우, (C) 3단계: 이소성 골형성이 골반골 또는 대퇴골 근위부 중 어느 한 쪽과 연결되어 있으며 반대측과 간격이 1 cm 이하인 경우, (D) 4단계: 외견상 관절 강직의 소견을 보이는 경우

에 반응하지 않는 극심한 통증이 있거나 관절 운동의 감소로 중대한 기능 제한이 있는 환자에게서 고려되어 질 수 있다. 수술적 치료는 골성숙이 완전히 이루어지 는 6–12개월 이후에 시행해야 한다. 보통 이소성 골이 정상적인 해부학적 지표를 모호하게 만들고, 광범위한 노출이 요구되며, 또한 주변 연부조직으로부터 쉽게 분리되지 않아 상당한 양의 출혈이 동반되는 경우가 많다. 수술적 치료를 시행한 모든 환자에서는 재발을 방지하기 위하여 방사선 조사 혹은 비스테로이드성 소 염제를 이용한 예방적 조치가 시행되어져야 한다. 수 술적 제거 후 운동 범위는 호전되는 경우가 많지만 통 증의 경감은 일률적이지 않다.

9. 대전자 불유합

경전자 접근법으로 고관절 전치환술을 시행한 후 또 는 고관절의 재치환술 후 합병증으로 대전자의 불유 합(trochanteric nonunion after total hip arthroplasty) 을 초래할 수 있다. 대전자의 불유합의 발생 비율은 보

고에 따라 1–38%로 광범위하다. 불유합은 골접촉면이 불충분하거나 불완전한 고정, 그리고 최대 체중 부하 를 일찍 시행한 경우에 일어날 수 있다.

대전자 불유합의 증상은 대부분 둔근의 근력이 약간 저하되고 중등도의 통증만 호소할 수 있으나, 간혹 심 한 통증과 Trendelenburg 보행을 보일 수 있다. 심하면 고관절 외전 기능의 약화로 고관절의 탈구를 유발할 수 있다. 대전자를 고정하는데 사용한 환형 강선의 끊 어진 조각에 의해 국소적인 골용해와 3물체 마모를 유 발할 수 있다.

1) 임상 소견

방사선 사진에서 대전자의 불유합이 있다하더라도 항상 전자부 통증과 연관이 있는 것은 아니다. 대부분 의 불유합은 섬유성 유합으로 안정된 경우가 많으며, 치료를 요할 경우 통증과 관련된 대전자부 압통이나 불유합된 골편의 움직임이 있는지 확인해야 하고, 통 증의 다른 가능한 원인을 배제하여야 한다.

대전자 불유합으로 인해 고관절의 외전 장력이 감소하거나 없어지므로 탈구의 원인이 될 수 있다. 일부 저자들은 경전자 접근법의 경우 탈구의 발생률이 높다고 보고하지만, 다른 저자들은 경전자 접근법의 경우 삽입물의 위치를 좀더 정확하게 고정할 수 있기 때문에 후외방 접근법보다 수술 후 조기 탈구의 기회가 적다고 한다.

대전자의 불유합에 의한 전위가 2 cm 미만이면 고관절의 외전력이 약화되지 않지만 2 cm 이상 발생하면 고관절의 불안정성으로 탈구가 발생하기 쉬워지며, 골유합 여부와 상관없이 외전력을 약화시키고 Trendelenburg 보행을 유발시킬 수 있다. 대전자 불유합이 파행의 원인이 될 수 있으며 대전자의 전위 정도가 파행의 주요 원인이 된다. 대전자 불유합의 수술적 치료의 적응증은 주로 통증과 파행 등 기능적인 결손여부에 달렸으며 대전자 골편의 근위 이동거리에 따라 결정된다. 그러나 대전자의 불유합 이외에도 잘못된 삽입물의 위치, 관절 주위 조직의 충돌, 신경근육성 질환 등에 의한 근육의 불균형, 감염, 외상 등이 고관절 불안정성의 원인이 될 수 있으므로 이러한 원인을 배제한 후에 대전자부의 원위 전위와 재부착을 고려해야 한다. 대전자의 불유합의 빈도는 대략 5% 정도이며 이중 약 15%에서 고관절의 불안정성을 초래한다.

2) 치료

통증, 파행, 고관절의 불안정 등을 초래한 대전자의 불유합에 대해 재수술을 결정할 경우 예상보다 수술 후 만족도가 떨어질 수 있음을 생각해야 한다.

대전자 불유합에 대하여 Baker 등은 하나 또는 두개의 강선을 사용 후 고수상 석고 고정이나 외전 부목을 이용하여 60%의 골유합과 16%의 안정된 섬유성 유합을 얻었다고 하였다. 그러나, Clarke 등은 강선만을 사용한 대전자의 재고정으로 불유합의 발생률이 40% 이상으로 높았으며 이는 고정력이 약한 강선의 피로 파손이 주된 원인이라고 하였다. 근래에는 대전자부 갈

고리 또는 금속판 등을 이용하여 고정력을 높여 강선의 피로 파손을 예방하는 방법을 사용한다(그림 45). Hodgkinson 등은 29예의 불유합에서 이중 강선과 압박 스프링을 사용하여 81%의 높은 골유합 성적을 보고하였고, Hamadouche 등은 claw plate를 이용하여 72예의 불유합에서 51예(71%)의 골유합과 9예의 섬유성 유합의 결과를 얻었다고 하였다.

골유합이 잘 이루어졌다 하더라도 대전자부 금속판이나 그립의 사용으로 인한 전자부 점액낭염등의 합병증이 발생할 경우 통증이 유발되고 감염증이 발생할 수 있으므로, 금속 고정물을 제거해야 한다. 강선이나 그립을 사용한 경우 국소적 골용해나 3물체에 의한 관절면 마모를 유발할 수 있다.

전자부 골편의 부착 부위의 해면골이 충분치 않을 경우 자가골이식을 고려해야 하고, 골편이 대퇴골과의 접근이 불충분하면 고관절을 외전시켜 부착하고 수술 후 적어도 6주 이상 석고 고정이나 보조기로 외전 상태를 유지해야 한다. Chin과 Brick은 고관절을 20° 외전하여 대전자 골편이 대퇴골과 접촉하지 못하는 경우에 장골에서 대둔근을 박리하여 원위부로 이동시켜 대전자 골편을 대퇴골과 재고정하여 4예 모두에서 골유합을 얻었다고 하였다. 이때 별도의 피부 절개가 필요하며 상둔신경의 손상을 초래할 수 있고 대전자의 혈액순환이 차단될 수도 있다. 대전자가 유실되거나 외전근이 박리된 경우 고관절의 안정을 위해 구속형 비구컵의 사용을 고려해야 한다. 고관절의 외전근의 긴장력을 유지하기 위해 간혹 대퇴골을 단축시켜 외전건을 외측 광근 부착부에 연결하거나 후방 대퇴근막과 연결하며, 근육 등 연부조직으로 삽입물을 덮힐 수 있게 한다. 이 경우 고수상 석고 고정을 3개월 이상 유지해야 한다.

고관절 전치환술 후 발생하는 대전자의 불유합은 통증, 파행, 불안정성 등을 초래하는 경우 수술적 치료를 요한다. 특히 외전근의 약화에 의한 탈구의 재발로 심각한 결과를 초래할 수 있으며, 재수술을 시행한다 하더라도 외전근의 기능의 회복이 만족스럽지 못한 경우

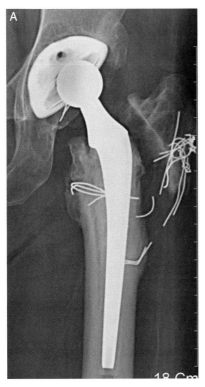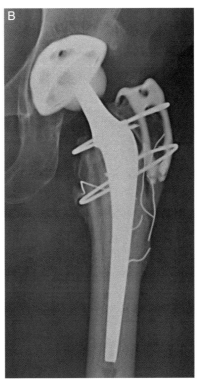

그림 45. 대전자 불유합의 치료
(A) 경전자 접근법으로 시행한 고관절 전치환술 후 대전자를 고정하였던 강선이 파손되어 대전자의 불유합이 초래되었다. (B) 전자부 갈고리형 금속고정물로 재고정하였다.

가 있으므로, 수술 시 고관절의 외전 긴장력이 회복되도록 수술 방법을 심사숙고해야 한다.

10. 정맥혈전색전증

정맥혈전색전증(venous thromboembolism, VTE)은 고관절 치환술이나 고관절 골절 수술 시 발생할 수 있는 치명적인 합병증 중의 하나이며, 임상적으로는 심부정맥혈전증(deep vein thrombosis, DVT)과 폐색전증(pulmonary embolism, PE)의 형태로 나타난다. 일반적으로 예방적 조치없이 고관절 치환술을 시행받은 환자에서 심부정맥혈전증의 발생률은 42-57%, 치명적인 폐색전증의 발생률은 0.1-2.0%이며, 고관절 골절 수술에서는 치명적인 폐색전증의 발생률이 2.5-7.5%로 보고되고 있다.

우리나라를 포함한 아시아 국가들을 대상으로 시행한 정형외과 수술(고관절 치환술, 슬관절 전치환술, 고관절 골절 수술) 후에 정맥혈전색전증의 발생 빈도에 대한 다기관, 전향적 역학연구 결과에 따르면, 아시아인에서 발생 빈도가 과거에 비해 증가하여 서양인에서의 발생 빈도와 큰 차이를 보이지 않았다고 하였다. 반면에 최근에 국내 환자들을 대상으로 한 연구에서 고관절 전치환술 후에 정맥혈전색전증의 발생 빈도가 서양인에 비하여 현저히 낮았으며 이러한 차이를 유전적인 소인으로 설명하는 보고도 있었다. 예방적인 약물치료 과정에서 과다 출혈이 발생할 위험성도 있지만 예방적인 약물치료를 하지 않았을 경우 정맥혈전색전증의 발생 빈도는 외과 수술의 2배에 이른다. 따라서 고관절 치환술 후 발생할 수 있는 정맥혈전색전증의 예방과 치료에 있어서 효율적이고 안전한 방법을 모색하여야 한다.

1) 병리 기전

혈전 형성을 일으키는 요인으로는 Virchow's triad인 정맥 혈류의 정체, 혈관 내막 손상, 과다응고 등이 있다. 이러한 요인은 고관절 치환술 중에 발생되는데, 수술 중 고관절의 탈구, 굴곡 등 하지의 위치 변화와 수술 후 국소 부종과 운동감소 등에 의해 정맥혈류량과 혈액 배출량이 급격히 감소하여 정맥혈류의 정체가 일어난다. 골시멘트에 의한 열손상뿐 아니라, 수술 중 하지의 조작과 극도의 하지 위치변화에 의해 대퇴 정맥이나 슬와 정맥의 혈관내막의 손상이 발생할 수 있다. 손상된 혈관내막과 정맥혈이 정체된 부위에서 조직 thromboplastin 인자와 다른 응고인자들이 활성화된다. 수술 중 출혈은 antithrombin III의 수치를 낮추고 내부 섬유소 용해계를 방해하여 정맥혈의 과다 응고현상이 나타나면서 지속적으로 혈전이 증가된다. Sharrock 등은 대퇴스템을 삽입할 때 혈전이 가장 많이 발생하며, 특히 시멘트형 대퇴스템을 사용할 때 더욱 뚜렷하다고 하였다. 또한 고관절 치환술 외에도 차량사고 등 고에너지 골절이나 골절에 대한 골수내 금속정 고정술 과정에서 골수강내 지방이 혈관 내로 침윤하여 혈액응고를 연쇄적으로 유발시킬 수 있다.

2) 역학

일반적으로 제시되고 있는 정맥혈전색전증의 위험인자는 60세 이상, 비만(체질량지수 > 30 kg/m²), 탈수, 내과적 동반질환(심장 질환, 대사성 또는 내분비 질환, 호흡기 질환, 급성 감염성 질환 등), 호르몬 치료 또는 여성 호르몬이 포함된 피임약 복용, 현재 암을 앓고 있거나 치료 중인 환자, 중증 치료를 위해 입원한 환자, 정맥염을 동반한 하지정맥류, 혈전 유발 소인, 정맥혈전색전증 과거력 등이 있다. 척추 마취나 경막외 마취 하에서 고관절 치환술을 시행할 경우 전신 마취보다 심부정맥혈전증이 적게 발생하는데, 이는 교감신경 차단 효과로 혈관이 확장되고, 하지로의 혈류가 증가하는 것과 관련있다. 또한 저혈압 마취로 출혈과 수혈의 필요성을 줄임으로써 근위부 혈전 생성을 줄일 수 있다. 혈전 예방을 하지 않은 환자에서 심부정맥혈전증의 발생률은 40-60%, 근위 정맥혈전증은 15-25%에서 발생하고 폐색전증에 의한 사망은 0.5-2%에서 발생한다. 아시아인에서의 심부정맥혈전증의 발생 빈도는 예방 조치하지 않았을 경우 9.1-27.5%이다. Klatsky 등에 의하면 정맥혈전색전증 유병률이 아시아인에게는 서양인의 20%에 불과하다고 하였다. Woo 등은 홍콩에 거주하는 중국인에서의 심부정맥혈전증과 폐색전증의 유병률이 서양인에 비해 10%에 불과하고 폐색전증이 생기더라도 그 임상증상이 미약하다고 하였다. 국내의 보고 또한 10-27%로 비교적 낮은 편이다.

혈전 예방을 하지 않은 고관절 치환술 환자에서는 근위부 혈전증이 전체 혈전 발생의 50-60%에 달하나 예방적 약물투여를 한 경우 10% 정도로 줄어든다. 이에 반해 슬관절 전치환술의 경우 예방적 조치와 상관없이 약 90%의 혈전이 하퇴부에서 발생한다. 혈전 예방을 하지 않은 경우 하퇴부의 혈전증은 대개 증상이 없을 뿐 아니라 임상적으로도 의미가 없다. 반면에 근위 정맥 혈전증은 혈관을 막지 않는다 하더라도 사망에 이르는 폐색전증으로 진행될 가능성이 있다. 고관절 치환술 환자에서는 증상이 없는 하퇴부의 혈전이라 하더라도 17-25%에서 근위부로 확산되어 색전증으로 악화될 위험이 있어 주의를 요한다. 고관절 치환술 후 무증상의 폐색전증의 유병률은 12.6-18.9%인데 반해 증상을 동반하는 폐색전증은 1.9% 정도로 보고된다. 이 중 치명적인 폐색전증의 비율은 예방 약물 요법과 상관없이 0-0.32% 사이로 매우 낮은 편이다.

3) 진단
(1) 심부정맥혈전증의 진단
임상 소견으로는 하지의 통증, 압통, 편측 부종, 홍반,

Homans 징후 양성, 빈맥 등이 있다. 그러나 환자의 50% 이상에서 신체 검사나 통상적인 혈액 검사로는 진단하기 어려우나 D-dimer 검사가 음성으로 나올 경우 심부정맥혈전증을 배제할 수 있다. 선별 검사는 심부정맥혈전증을 효과적으로 찾아낼 수 있어야 하고 안정성과 재현성이 높으며, 환자가 편해야 하고 값이 비싸지 않아야 한다.

정맥조영술은 심부정맥혈전증 진단에 가장 표준적인 방법이다. 혈전을 직접 관찰할 수 있다는 장점 이외에도 근위부와 원위부의 혈전을 모두 잘 볼 수 있다. 단점으로는 침습적 검사 방법이므로 통증이 있고 조영제에 과민 반응이 나타날 수 있으며, 정맥조영술에 의해 혈전증이 생길 수도 있다. 정맥 초음파검사와 도플러 초음파검사는 비침습적 진단방법으로 증상이 있는 근위 정맥혈전증의 진단에 정확도가 높다. 초음파검사가 선별 검사에 사용될 수 있을 만큼 신뢰도가 높지만 시술자에 따라 영향을 받을 수 있으며, 장골정맥의 혈전증을 찾아낼 수 없다는 단점이 있다. 전산화단층 정맥조영술은 족배부정맥에 조영제를 직접 주사하는 직접 전산화단층 정맥조영술과 정맥에 조영제를 주사 후 blood pool enhancement 상태에서 촬영하는 간접 전산화단층 정맥조영술의 두 가지 방법이 있다. 직접 전산화단층 정맥조영술에서의 골반 정맥과 하대 정맥의 영상은 기존의 정맥조영술보다 우수하며 정맥조영제의 사용량을 10분의 1로 줄일 수 있다. 간접 전산화단층 정맥조영술은 전산화단층 폐혈관 촬영과 동시에 시행할 수 있다. 자기공명 정맥조영술(magnetic resonance venography, MRV)은 이온화 방사선 조사를 피할 수 있고, 신장에 독성이 적은 조영제를 쓸 수 있기 때문에 신장 질환이 있는 환자, 조영제에 과민 반응을 보이는 환자, 임산부 등에 사용할 수 있다는 장점이 있다. 방사핵 정맥조영술(radionuclide venography)은 정맥조영술보다 덜 침습적이며 심부정맥혈전증과 폐색전증을 동시에 진단할 수 있다는 장점이 있다. 교류저항 혈량 측정법과 iodine-125-fibrinogen scanning은 근위 정맥혈전증의 진단에 대한 정확도가 떨어지기 때문에 선별검사 목적으로는 사용되지 않는다.

(2) 폐색전증의 진단

폐색전증의 증상으로는 흉막성 흉통, 빈맥, 흉막 마찰음, 빠른 호흡, 호흡 곤란 등이 있으며, 근위 심부정맥혈전증이 동반되었다면 해당 하지에 통증과 부종이 있을 수 있다. 폐색전증이 의심되면 Ventilation/perfusion scan과 조영제를 사용한 전산화단층촬영을 우선 시행한다. 폐동맥 조영술이 표준 검사이긴 하나 대부분 필요하지 않다. 폐주사 검사에서 폐색전증이 의심된다면 duplex scan으로 근위 정맥혈전증이 있는지 확인하고, 항응고 치료가 필요하다. 2주 후 duplex scan을 다시 시행하고, 환자가 보행이 어렵거나 비침윤적 검사를 할 수 없으면 항응고 치료를 계속 시행한다.

4) 치료

심부정맥혈전증 치료의 목적은 폐색전증으로 인한 사망 예방, 하지 통증 및 부종으로 인한 불편감 감소, 혈전증의 완화, 재발 방지, 혈전 후 증후군 예방 등이다. 심부정맥혈전증의 치료방법으로는 항응고제, 하지 거상, 압박스타킹 착용, 혈전 용해제, 하대정맥 필터 삽입, 혈전 제거술 등이 선택적으로 사용된다.

(1) 항응고제 치료

정맥혈전증이 의심되는 순간부터 항응고제 치료를 시작한다. 항응고제는 혈액응고 기전을 억제함으로써 혈전의 발생과 진행을 막는 약제이다. 대표적인 약제로는 미분획 헤파린(unfractionated heparin), 저분자량 헤파린(low molecular weighted heparin), 와파린, 제Xa 인자 억제제(fondaparinux, rivaroxaban), 트롬빈 억제제 등이 있다. 항혈소판 제제로는 아스피린, dipyridamole, clopidogrel 등이 대표적이며 주로 정맥혈전증 방지에 사용되고 정맥혈전증의 치료에는 효과가 대해서는 논란이 있다. 혈전 용해제는 이미 생성된 혈전을 용해시키는 효과를 가진 약제로 urokinase, streptokinase, tissue plasminogen activator (tPA) 등이 있다.

근위 정맥혈전증이나 폐색전증으로 진단하면 헤파린 정맥주사를 시작한다. 용량은 activated partial thromboplastin time (aPTT)이 정상치의 1.5–2배가 되도록 유지한다. 저분자량 헤파린은 헤파린에 비해 생체 이용률이 높고, 약효 지속시간이 길며 항응고 효과가 비교적 일정하므로 혈중 검사를 통한 감시 없이 환자의 체중에 따라 정해진 용량을 피하 주사할 수 있다는 장점이 있다. 와파린은 international normalized ratio (INR)를 2.0–3.0 수준으로 유지하도록 투여한다. 일반적으로 와파린은 최소 3개월은 투여하고, 투약을 종료할 때 정맥 혈전에 대한 검사가 필요하다. 와파린 장기투여 금기증으로는 임신, 심한 간질환, 환자와 협조가 잘 안 되는 경우, 심한 알코올중독증, 고혈압이 조절이 안 되는 경우, 출혈 경향이 있거나 혈액응고 상태를 감시할 수 없는 경우 등이다.

(2) 혈전 제거술

약물을 이용하는 혈전 용해술은 카테터를 통해 정맥혈전에 직접 혈전 용해제를 투여하는 방법과 정맥 내에 주입하는 방법이 있으며, 전자가 더 효과적이다. 증상이 발생한 지 3주 이내에 시행한 경우 성공률이 높으며 장골–대퇴정맥 사이의 근위정맥 혈전의 경우 성공률이 높다고 알려져 있다. 기계적 혈전 제거술은 수술적인 방법과 카테터를 이용한 방법이 있으며, 적응증은 주로 장골정맥, 대퇴정맥 같은 근위정맥에서 7일 이내에 발생한 급성 혈전증이다. 시술 중 정맥벽의 손상이 있을 수 있으며, 혈전의 확산으로 폐색전증을 유발할 수 있으므로 하대정맥 필터를 설치한 후 시술하는 것이 보통이다. 하대정맥 필터는 항응고제 사용에도 정맥혈전증과 폐색전증이 재발하는 경우와 장시간 외래에서 항응고제 투여가 불가능한 사람에게 사용할 수 있다. 최근에는 폐색전증의 위험이 사라진 후에는 제거가 가능한 하대정맥 필터를 사용할 수 있다. ACCP의 최근 가이드라인에 따르면 폐색전증 예방을 위한 통상적인 하대정맥 필터 삽입은 권고되지 않는다.

5) 예방

자가수혈을 하고 수술 시간을 줄이며 조기운동을 시키는 것이 정맥혈전색전증을 줄일 수 있는 방법이다. 예방의 방법을 선택할 때 고려해야 할 사항으로는 효과적이어야 하고 쉽게 투여하고 감시할 수 있으며, 부작용이 적고 가격이 저렴하여야 한다.

(1) 물리적 예방법(Mechanical prophylaxis)

최근 들어서 약물 예방법을 시행한 환자에서 수술 후 출혈의 위험성이 높아진다는 연구 결과들이 보고되면서 물리적 예방법에 대한 관심이 높아지고 있다. 과거에 사용되던 물리적 방법들은 압박 스타킹, 족부 펌프 등이 있었으나 최근에는 간헐적 공기압박장치 (intermittent pneumatic compression devices, IPCD)가 가장 효과적인 방법으로 권장되고 있다. 2016년도에 발표된 ACCP 가이드라인에서는 여러 가지 물리적 예방법 중 간헐적 공기압박장치만을 인정하고 있으며 또한 필수 조건으로 배터리를 사용하는 이동식 장치로 사용시간이 모니터링 되는 것이어야 하며 하루 18시간 이상을 사용하여야 한다고 명시하고 있다. 물리적 예방법의 가장 큰 장점은 출혈의 위험성이 없어서 출혈 소인이 있거나 다른 이유로 약물 요법을 사용할 수 없는 환자에게도 사용할 수 있다는 것이다. 그러나 소음이 있는 간헐적 공기압박장치를 하루 18시간 이상을 사용하기에는 환자의 순응도가 낮다는 단점이 있다. 또한, 물리적 방법 단독으로 사용 시에 정맥혈전색전증 예방 효과가 약물 요법만큼 있는지를 입증하기 위해서는 좀 더 많은 연구가 필요하다.

(2) 약물 예방법(Pharmacologic prophylaxis)

정맥혈전색전증 예방 약물의 개발은 1930년대 헤파

린으로부터 시작하여 와파린, 저분자량헤파린, 최근에는 Xa 인자 억제제 및 직접적 트롬빈억제제 등까지 이어져오고 있다.

① **아스피린:** 아스피린은 트롬복산 A2를 저해하여 혈소판 응집을 억제함으로써 혈전의 형성을 감소시킨다. 모니터링이 필요 없고 경구 복용이 가능한 장점이 있으나 예방 효과가 타 약물에 비해 떨어지는 단점이 있다. 관절치환술 후 심부정맥혈전증의 발생률을 감소시키지 못하므로 혈전 예방 목적으로 단독사용에 대해서는 논란이 있지만 저혈압 경막외 마취와 간헐적 공기압박기를 같이 사용하면 효과적이다. 또한 근래 분획 헤파린의 출혈 부작용이 명확해지면서 아스피린의 효용가치가 대두되기 시작했다. 심부정맥혈전증의 예방 요법으로는 325 mg을 하루 두 번씩 6주간 투약하는 것을 권장한다.

② **와파린:** 와파린은 간에서 비타민 K 의존 응고 인자인 II, VII, IX, X 인자의 생성을 억제함으로써 항응고 효과를 나타낸다. 와파린의 장점은 경구투여가 가능하고 가격이 저렴하다는 것이다. 하지만 효과를 나타내기까지 시간이 오래 걸리고 반감기가 긴 단점이 있다. Lieberman 등은 수술 후 3일에 이르러 서야 환자의 50%에서 Prothrombin time (PT)이 목적 수준에 이르렀으며, 수술 후 3일까지 폐색전증이 발현되었다고 하였다. 와파린 예방치료가 2주 이상 되어야 혈전의 근위 확산과 증후성 폐색전증을 방지할 수 있었다.

간에서 시토크롬(cytochrome) P450에 의해 대사 되기 때문에 다양한 음식물 및 약물과 상호작용을 하는 단점이 있다. 치료역(therapeutic window)이 좁아 항응고의 치료역에 도달하지 못하는 경우에는 뇌졸중 및 폐색전을 초래할 수 있으며, 과도한 항응고 시에는 출혈의 위험성을 증가시키므로 이에 대한 지속적인 모니터링이 필요한 단점이있다. PT를 대조군의 1.3–1.5배로 유지하거나 INR을 1.8–2.5로 유지하는 것이 좋다. 와파린으로 고관절 전치환술 후 심부정맥혈전증의 유병률을 9–26%까지 줄일 수 있고, 근위정맥혈전증은 2–5%로 줄일 수 있다. 부작용으로는 8–12%에서 출혈이 발생할 수 있으며, 간혹 생명을 위협하는 심각한 문제가 발생한다. 특히, 비스테로이드성 소염제와 병용할 경우 출혈성 위궤양이 발생할 확률이 65세 이상의 환자에서 13배까지 증가한다는 보고도 있다. 또한, 임산부 여성에서는 사용 금기이다.

③ **미분획 헤파린:** 헤파린은 antithrombin III와 상호작용하여 thrombin, IX 인자, Xa 인자 등의 응고효소를 억제한다. 미분획 헤파린의 장점으로는 항응고 효과가 빠르고, 신장으로 배설되지 않아 신부전환 자에서 저분자량 헤파린보다 상대적으로 안전하게 사용할 수 있다는 것이다. 또한 혈관 내의 카테터, 스텐트 또는 필터 관련 시술에서 발생 가능한 contact activation pathway (XI, XII 인자)를 조절하는데 유용하다. 단점으로는 2형 헤파린 유도 저혈소판증(heparin induced thrombocytopenia type II, HIT–II)이나 헤파린 유도 골다공증을 유발할 수 있다는 것이다. 헤파린은 반감기가 짧고 생체 이용률이 낮아 지속적으로 정맥내 주입을 하거나 하루 두세 번 피하주사를 해야 한다. 헤파린의 항응고 효과는 aPTT로 감시한다.

④ **저분자량 헤파린:** 저분자량 헤파린은 상대적으로 분자크기가 일정한 헤파린을 화학적 또는 효소적으로 분해(depolymerization)함으로써 분자량을 1,000에서 10,000 Da 사이로 만든 것이다. Antithrombine III의 작용을 강화시키는 작용을 한다. 저분자량헤파린은 Xa 인자를 억제하지만 thrombin은 억제하지 않는다. 헤파린–항트롬빈 III–트롬빈 복합체를 형성하기 위해서는 헤파린이 항트롬빈과 트롬빈에 동시에 결합해야 하는

데, 이는 17개 이상의 단당류로 이루어지거나 분자량 5.4 kDa 이상인 분자에서만 가능하므로 저분자량 헤파린은 이런 점에서 트롬빈을 억제할 수 없고 오직 Xa 인자만을 억제할 수 있다.

저분자량 헤파린은 미분획 헤파린보다 혈소판을 저해시키지 않고, 미세혈관 투과성이 적기 때문에 출혈 소인이 적다. 저분자량 헤파린은 생체 이용률이 높고 혈중 반감기가 길어 대부분의 환자에서 하루 한두 번 같은 용량으로 혈액응고 감시 없이 사용할 수 있다. 예방적 용량으로는 aPTT를 증가시키지 않으며 출혈률을 높이지 않는다. 저분자량 헤파린을 적은 용량의 와파린과 비교할 때 고관절 전치환술 후 혈전 생성을 방지하는 효과는 비슷하나 출혈 소인은 증가한다. 저분자량 헤파린이 와파린이나 미분획 헤파린에 비해 효과적이며 안전하다. 신장으로 배설되기 때문에 신장기능이 떨어진 환자에서는 모니터링이 필요하며, 헤파린보다는 가능성이 적지만 약 1%에서 저혈소판증이 발생하므로 헤파린 유도 저혈소판증의 최근 병력이 있는 환자에게는 사용을 금지하고, 퇴원 전에 적어도 한 번 혈소판 수를 확인할 것을 권장한다.

⑤ **Xa 인자 억제제:** Xa 인자 억제제는 간접 억제제와 직접 억제제로 대별된다. 간접 억제제란 약제 자체로는 억제가 불가능하며 항트롬빈과 결합을 할 때 비로소 억제 효과를 보이는 것을 말하며, 직접 억제제란 말 그대로 직접 Xa 인자와 결합하여 억제효과를 나타낼 수 있는 약제이다.

• 간접 억제제: 폰다파리눅스(fondaparinux)
폰다파리눅스는 항트롬빈과 Xa 인자가 복합체를 형성하는 것을 340배 정도 가속시킨다. 일단 Xa 인자와 공유 결합하면, 폰다파리눅스는 방출되어 Xa 인자에 항트롬빈 분자가 더 결합하도록 촉매제로서 작용하며, Xa 인자를 억제하여 외인적 및 내인적 응고활성물질에 의한 응고과정을 방해하고 트롬빈에 간접적으로 작용하여 트롬빈 생성을 효과적으로 억제한다. 폰다파리눅스는 생체 이용률이 높고 반감기도 17시간 정도로 길어 별도의 모니터링 없이 하루 한번 피하 주사가 가능하다. 신장을 통해 배설되므로 크레아티닌 청소율이 30 ml/min 미만인 환자에게 투약 금기이다.

• 직접억제제: 리바록사반(rivaroxaban), 아픽사반(apixaban)
두 약제 모두 경구용 제재이며 리바록사반은 매우 선택적으로 serine endopeptidase의 활성 부위에 직접 결합함으로써 Xa 인자를 억제하여 트롬빈 생성을 저지한다. 높은 생체 이용률(60−100%)을 보이며 반감기는 7−11시간 정도로 길다. 하루에 1−2번 복용하며 특별한 모니터링이 필요없다. 약 1/3은 변환되지 않은 상태로 바로 신장으로 배설되고 2/3 정도는 간에서 대사되기 때문에 심각한 간부전이나 신부전 환자에게는 사용에 주의를 요한다.

⑥ 직접적 트롬빈억제제(direct thrombin inhibitor): 헤파린과 달리 용액 상태와 섬유소에 결합된 상태 모두에서 선택적으로 트롬빈의 작용을 억제하며 헤파린 유도 저혈소판증이 생기지 않는다. 현재까지 직접적 트롬빈 억제제는 해독제가 없다. 대표적인 약제로는 다비가트란에텍실레이트(dabigatranetexilate)가 있다.

정맥혈전색전증 예방 약제의 선택에 도움이 될 수 있는 최근에 발표된 연구 결과들을 정리해 보면 다음과 같다.

• 저분자량 헤파린은 증상이 있는 정맥혈전색전증 발생률을 1,000명당 16명 감소시키며, 헤파린은 1,000명당 13명 감소시킨다.

• 와파린은 저분자량 헤파린에 비해서 증상이 있는 정맥혈전색전증 발생률을 1,000명당 3명 더 많이 감소시킨다. 하지만, 와파린은 장기간 사용 시 저분자량 헤파린보다 출혈 합병증을 일으킬 가능성

이 증가한다.

- 아스피린은 저분자량 헤파린에 비해서 정맥혈전색전증 예방효과가 떨어진다.
- 폰다파리눅스는 저분자량 헤파린에 비해서 정맥혈전색전증 예방효과는 우수하지만 출혈합병증 발생률을 1,000명당 9명 더 증가시킨다.
- 리바록사반은 저분자량 헤파린에 비해서 증상이 있는 정맥혈전색전증 발생률을 1,000명당 5명 더 감소시키지만 출혈 합병증 발생률을 1,000명당 9명 더 증가시킨다.
- 다비가트란은 저분자량 헤파린에 비해서 증상이 있는 정맥혈전색전증 발생률을 1,000명당 2명 더 감소시키지만 출혈 합병증 발생률을 1,000명당 4명 더 증가시킨다.
- 아픽사반은 저분자량 헤파린에 비해서 증상이 있는 정맥혈전색전증 발생률은 유사하게 감소시키며 출혈 합병증도 상대적으로 적게 발생한다. 하지만 아직 장기간 안정성에 대한 임상 결과가 없다.

현재 정형외과 영역에서 정맥혈전색전증의 예방 요법으로 가장 흔히 사용하는 약물은 저분자량 헤파린이다. 주요 정형외과 수술 후에 아무런 예방 요법을 시행하지 않은 경우에 증상이 있는 정맥혈전색전증의 수술 후 35일까지의 누적 발생률은 4.3%(PE 1.5%, DVT 2.8%)이지만 저분자량 헤파린을 예방적으로 사용한 경우에는 누적 발생률이 1.8%(PE 0.55%, DVT 1.25%)로 감소한다고 하였다. 저분자량 헤파린 사용에 따른 주요 출혈의 발생률은 현재 약 1.5%로 보고되고 있다. 하지만, 주요 정형외과 수술 후에 외래에서의 정맥혈전색전증 예방 약물의 순응도를 조사한 최근 결과에서 저분자량 헤파린과 폰다파리녹스와 같은 비경구용 제재의 비순응도는 13-37%로 상당히 높게 나타났다. 자가주사, 혹은 주변 가족이나 가정방문 간호사가 주사를 해야하는 불편함이 주요한 원인으로 파악되고 있다. 따라서, 리바록사반, 아픽사 반, 다비가트란과 같

은 모니터링도 필요없는 새로운 경구용 재제들은 정맥혈전색전증 예방 약제의 순응도를 높이는데 유리할 것으로 생각한다.

6) 예방 가이드라인

미국에서는 미국흉부의학회(American College of Chest Physicians, ACCP)의 혈전색전증 예방지침을 최근 2016년에 10번째 갱신을 하였고, 유럽에서는 International Union of Angiology (IUA)에서 예방과 치료에 관한 지침을 최근 2006년에 발표하였다. 영국에서도 National Institute for Health and Clinical Excellence (NICE)에서도 2010년 NICE 가이드라인을 발표하였다. 그러나, 이들 가이드라인들은 강력한 항응고제를 지나치게 오랜 기간 사용할 것을 강조하였으며, 약제 사용에 따른 수술 후 출혈 부작용과 이와 동반된 감염위험, 관절강직에 대한 고려는 전혀 없다는 것을 정형외과 의사들이 계속 문제점으로 제기하였다. 2007년 미국정형외과학회(AAOS)에서 처음으로 관절치환술 후 폐색전증 예방을 위한 가이드라인을 발표하였고, 2012년에 개정되었다. AAOS 가이드라인의 특징은 폐색전증의 발생을 변수로 하여 작성되었으며, 출혈의 위험도도 고려하여 권고사항을 달리 하였다.

(1) ACCP 가이드라인

1986년 최초로 심부정맥혈전증의 예방지침을 제시한 후 최근 2016년에 발표한 10차 개정안에서는 의학적 증거(등급 A, B, C)에 따른 권고의 정도를 등급 1(strong)과 등급2(weak)로 구분하였다. 이전 가이드라인과는 달리 증상이 있는 심부정맥혈전증과 폐색전증을 예방하는데 목표를 두었으며 근거 중심 의학의 등급(1-strong evidence, 2-less empirical consensus, A: randomized controlled trial, consistent, B: randomized controlled trial, inconsistent, C: observational studies)에 따라 다음과 같이 권고 하였다.

① 주요 정형외과 수술을 시행 받는 환자는 다음 중 하나의 요법을 최소 10-14일 사용할 것을 권장한다; 저분자량헤파린, 폰다파리눅스, 다비가트란, 아픽사반, 리바록사반, 미분획헤파린, 와파린, 아스피린 (모든 등급 1B), 또는 간헐적 공기압박장치(등급 1C)

② 약물 중에서는 다른 약제보다 저분자량 헤파린의 우선 사용을 권장한다(등급 2C/2B).

③ 약물 요법을 시행하는 환자에서도 입원 중에 간헐적 공기압박장치를 같이 사용할 것을 권장한다(등급 2C).

④ 약물 요법은 최장 35일까지 권장한다(등급 2B).

⑤ 출혈 위험이 있는 환자에서는 간헐적 공기압박장치 또는 아무 예방법도 사용하지 않는 것을 권장한다(등급 2C).

⑥ 주사제를 거부하는 환자에게는 아픽사반이나 다비가트란을 권장한다(모든 등급 1B).

⑦ 하대정맥 필터(inferior vena cava filter)를 정맥혈전색전증의 일차 예방 목적으로 사용하는 것을 권장하지 않는다(등급 2C).

⑧ 퇴원 전에 도플러 초음파 스크리닝 검사를 시행하는 것을 권장하지 않는다(등급 1B).

⑨ 급성 하지정맥혈전증 환자의 경우 혈전 후 증후군을 예방하기 위한 상시 압박 스타킹 사용은 권장하지 않는다(등급 2B).

(2) AAOS 가이드라인

2012년도에 AAOS에서 발표한 AAOS 가이드라인에서는 고관절 치환술 및 슬관절 치환술 환자에서 폐색전증 예방을 위하여 수술 전의 폐색전증 위험도와 출혈 위험도를 평가하여 환자를 네가지 임상군으로 분류해 각 임상군에 따라 항응고제 사용법을 제시하였다. 폐색전증 고위험군은 과응고 상태와 이전에 증명된 폐색전증이 있는 경우로 하였다. 출혈 고위험군은 출혈성질환의 과거력, 최근에 위장관 출혈이 있었던 경우,

또는 최근에 출혈성 뇌경색이 있었던 경우로 하였다. 의학적인 증거에 따라 등급을 strong, moderate, weak, limited, inconclusive, concensus로 나누어 표시하여 제안하였다. 고관절 전치환술 후 초음파검사를 통상적인 선별 검사로서 시행하지 말 것(strong), 출혈성 질환이나 활동성 간질환이 있는 환자에서는 물리적 방법을 추천(consensus), 정맥혈전색전증의 과거력이 있는 환자에서는 약물요법과 물리적 방법을 동시 시행, 수술 후 조기 보행을 권장(consensus) 등을 포함한 다음과 같은 10개의 권고안으로 구성되어 있다.

① 정규 수술로서 고관절 및 슬관절 치환술을 시행 받는 환자에서 수술 후 초음파 검사를 통상적 선별 검사로서 권하지 않는다(strong).

② 정규 수술로서 고관절 및 슬관절 치환술을 시행 받는 환자는 정맥혈전색전증 발생의 고위험군에 속한다. 정맥혈전색전증 발생의 추가 위험성을 평가할 때는 정맥혈전색전증이 있었던 과거력을 확인한다(weak).

③ 정규 수술로서 고관절 및 슬관절 치환술을 시행 받는 환자는 출혈 또는 이와 관련된 합병증의 발생 위험이 있다. 따라서, 이런 환자에서는 혈우병이나 활동성 간질환 같은 출혈 위험을 증가시키는 요인이 있는지 확인하여야 한다(weak).

④ 수술 전에 항혈소판제제(아스피린 또는 clopido-grel)의 복용을 중단할 것을 권장한다(moderate).

⑤ 추가적인 정맥혈전색전증 위험이나 출혈 위험이 없다면 약물 요법 단독 혹은 약물 요법과 물리적 방법의 병용 요법을 권장한다(moderate). 하지만 약물의 선택이나(inconclusive) 약물의 사용기간에 대해서는(consensus) 확실한 것은 없다.

⑥ 정맥혈전색전증의 과거력이 있는 환자에서는 약물 요법과 물리적 방법을 같이 사용한다(consensus).

⑦ 이미 알려진 출혈성 질환(예: 혈우병)이나 활동성 간질환이 있는 경우에는 물리적 방법을 추천한다

(consensus).

⑧ 수술 후 조기 보행을 권장한다(consensus).

⑨ 실혈을 줄이기 위해 신경축 마취(neuraxial anes-thesia)를 권장한다(moderate).

⑩ 하대정맥 필터 사용에 대해 찬성 혹은 반대를 하지 않는다(inconclusive).

(3) 대한고관절학회 가이드라인

2011년 대한고관절학회에서 정맥혈전색전증 위험 인자와 출혈 위험 인자를 구분하여 이들의 위험도에 따라 고관절 치환술, 고관절 골절 수술로 분류하여 각기 다른 예방 가이드라인을 제시하였다. 고관절 수술에 대한 정맥혈전색전증 예방 가이드라인의 내용은 아래와 같다.

① 일반적 내용에 대한 권장 사항

- 모든 고관절 수술 환자에서 입원과 동시에 정맥혈전색전증(venous thromboembolism, VTE) 발생 위험성과 출혈 발생 위험성을 평가하여 적절한 정맥혈전색전증 예방 요법을 사용할 것을 권장한다(표 11, 12).

- 마취과 의사와 협의 하에 가능하면 부위 마취(regional anesthesia)를 사용할 것을 권장한다.

- 의학적 판단에 의해서 항응고제 사용으로 인한 비정상적인 출혈이 의심되는 경우에는 항응고제 사용을 중단할 것을 권장한다.

- 정맥혈전색전증 예방을 위해서 수술 후에는 환자가 가능한 조기에 거동할 수 있도록 할 것을 권장한다.

- 퇴원 시에는 정맥혈전색전증의 다양한 임상 증상에 대하여 환자 및 보호자에게 교육하고, 이러한 증상의 발현 시에는 조기에 병원을 방문하도록 교육할 것을 권장한다.

② 고관절 전치환술 후 정맥혈전색전증 예방 요법에 관한 권장 사항(표 13)

표 11. 정맥혈전색전증 위험 인자

- 60세 이상

- 비만(체질량지수 > 30 kg/m²)

- 탈수

- 하나 이상의 동반 내과 질환(심장질환, 대사성, 내분비 또는 호흡기 질환, 급성 감염성 질환)

- 호르몬 치료 또는 여성 호르몬이 포함된 피임약 복용

- 현재 암을 앓고 있거나 치료 중인 환자

- 중증 치료를 위해 입원 중인 환자

- 정맥염이 동반된 하지 정맥류

- 혈전 성향증(known thrombophilias)

- 정맥혈전색전증 과거력

주) 1개 이상의 정맥혈전색전증 위험 인자를 가지는 경우를 고위험군, 해당 사항이 없는 경우를 표준 위험군으로 정의한다.

표 12. 출혈 위험 인자

- 활동성 출혈(active bleeding): 수술자의 판단에 의한 수술 중 비정상적인 출혈, 수술 부위 혈종 형성 또는 지속적인 삼출성 출혈(oozing), 수술 후 혈색소 수치의 비정상적인 감소

- 후천적 출혈 질환(예: 급성 간 부전, 간경화)

- 출혈 위험도를 증가시키는 항응고제 복용 중

- 향후 12시간 이내 척추 또는 경막외 마취 예정

- 최근 4시간 이내 척추 또는 경막외 마취 시행한 경우

- 급성 뇌출혈 혹은 최근 뇌출혈 과거력

- 최근 위장관 출혈 과거력

- 혈소판감소증(thrombocytopenia < 75,000 /mm³)

- 조절되지 않는 고혈압(> 230/120 mmHg)

- 유전성 출혈 질환(예; 혈우병, von Willebrand's disease)

주) 1개 이상의 출혈 위험 인자를 가지는 경우를 고위험군, 해당 사항이 없는 경우를 표준 출혈 위험군으로 정의한다.

표 13. 인공 고관절 수술에 대한 정맥혈전색전증 예방 가이드라인

위험도	권장 사항		사용 기간
표준 위험 정맥혈전색전증 / 표준 위험 출혈	약물요법 단독 또는 물리적 방법 단독 또는 두 가지 방법의 병행		
	약물	아스피린, 와파린, 저분자량헤파린, 폰다파리눅스, 리바록사반	최소 7일-최대 35일
	물리적 방법	항혈전 스타킹, 족부펌프 장치, 간헐적 공기 압박 장치	환자의 거동이 가능해질 때까지
고 위험 정맥혈전색전증 / 표준 위험 출혈	약물요법 단독 또는 약물요법과 물리적 방법의 병행		
	약물	아스피린, 와파린, 저분자량헤파린, 폰다파리눅스, 리바록사반	최소 7일-최대 35일
	물리적 방법	항혈전 스타킹, 족부펌프 장치, 간헐적 공기 압박 장치	환자의 거동이 가능해질 때까지
표준 위험 정맥혈전색전증 / 고 위험 출혈	물리적 방법 단독으로 사용, 출혈 위험성이 감소하면 약물요법을 병행		
	물리적 방법	항혈전 스타킹, 족부펌프 장치, 간헐적 공기 압박 장치	환자의 거동이 가능해질 때까지
고 위험 정맥혈전색전증 / 고 위험 출혈	물리적 방법 단독으로 사용, 출혈 위험성이 감소하면 약물요법을 병행		
	물리적 방법	항혈전 스타킹, 족부펌프 장치, 간헐적 공기 압박 장치	환자의 거동이 가능해질 때까지

- 표준 위험 정맥혈전색전증 – 표준 위험 출혈
  - 정맥혈전색전증 예방 약물요법 단독 또는 물리적 예방법 단독 또는 두 가지 방법의 병행요법을 시행할 것을 권장한다.
  - 예방 약제로서 아스피린, 와파린, 저분자량헤파린, 폰다파리눅스, 리바록사반 중 하나를 선택하여 사용할 것을 권장한다.
  - 물리적 예방법으로 항혈전 스타킹, 족부펌프 장치, 간헐적 공기 압박장치 중 하나 또는 병행하여 사용할 것을 권장한다.
- 고 위험 정맥혈전색전증 – 표준 위험 출혈
  - 정맥혈전색전증 예방 약물요법 단독 또는 약물 요법과 물리적 방법의 병행 요법을 시행할 것을 권장한다.
  - 예방약제로서 아스피린, 와파린, 저분자량헤파린, 폰다파리눅스, 리바록사반 중 하나를 선택하여 사용할 것을 권장한다.

- 물리적 예방법으로 항혈전 스타킹, 족부펌프 장치, 간헐적 공기 압박장치 중 하나 또는 병행하여 사용할 것을 권장한다.
- 표준 위험 정맥혈전색전증 – 고 위험 출혈혈
  - 물리적 예방법으로 항혈전 스타킹, 족부펌프 장치, 간헐적 공기 압박장치 중 하나 또는 병행하여 사용할 것을 권장한다.
- 고 위험 정맥혈전색전증 – 고 위험 출혈혈
  - 물리적 예방법으로 항혈전 스타킹, 족부펌프 장치, 간헐적 공기 압박장치 중 하나 또는 병행하여 사용할 것을 권장한다.
  - 출혈 위험성이 감소하면 약물요법을 병행할 것을 권장한다.
- 약물 및 물리적 요법에 관한 기타 권장사항
  - 항응고제 투여용량 및 투여 시기의 결정은 약품제조회사의 권장사항을 따르되, 환자의 임상 상황을 고려하여 결정할 것을 권장한다.

– 항응고제 투여기간은 수술 후 최소 7일 이상 최대 35일까지의 연장 투여가 고려될 수 있다.
– 물리적 예방법은 환자의 거동이 가능해질 때까지 사용할 것을 권장한다.

11. 내과적 합병증

고관절 치환술 후에는 정형외과적인 합병증뿐만 아니라 내과적인 합병증도 발생할 수 있다. 내과적인 합병증은 환자의 생명과 연관되어 있는 경우도 있기 때문에 수술 직후에는 정형외과적인 합병증보다도 오히려 더 중요하다고 할 수 있다. 고령화 사회가 급속하게 진행되면서 관절치환술을 시행받은 환자 중에서 노인층의 비율이 점차 증가하고 있다. Berend 등은 관절 치환술을 시행한 90세 이상의 환자에서 내과적 합병증률이 17.6%에 이른다고 보고하였다. 고관절 치환술 후 내과적인 합병증의 유병률에 대한 전체적인 보고는 거의 없는 상태이며, 특정 질병에 대한 보고는 있지만 저자별로 진단 기준과 진단방법이 서로 달라 다양한 유병률을 보고하고 있다(표 14).

1) 사망률

고관절 치환술을 받는 환자들은 고관절 골절 환자와 비교하여 젊고, 기저 질환이 적으며, 응급수술이 아닌 정규 수술로 이루어지는 경우가 많기 때문에 고관절 골절 환자의 사망률에 비하여 현저히 낮다. Singh 등은 고관절 치환술 후 30일 이내에 사망하는 경우는 0.63%, 90일 이내에 사망하는 경우는 0.74%이며, 고

표 14. 고관절 치환술 후 발생한 내과적 합병증의 유병률

합병증	유병률(%)
폐렴	1.4
심근경색	0.4–1.9
장폐색	0.3–4.0
섬망	11.7–14.7
요로 감염	0.8–10.7

관절 재치환술의 경우 30일 이내는 1.0%, 90일 이내는 1.0%로 보고하였다. 성별로는 30일 이내 사망률은 남자(남:여 = 1.8%:0.4%)에서 많았으나, 90일 이내에서는 차이(남:여 = 1.1%:1.0%)를 보이지 않았다. 양측 고관절을 동시에 수술하는 경우 30일 이내(양측:편측 = 0.5%:0.3%)와 90일 이내(양측:편측 = 0.7%:0.6%) 모두 큰 차이를 보이지 않았다. 사망의 원인으로는 폐렴(36%)과 심근경색(36%)이 가장 많았으며, 다음으로는 뇌혈관 질환, 폐동맥색전증 등이 있었다. 고관절 전치환술을 받지 않은 환자와의 비교 연구에서 30일 이내의 사망률은 높지만, 90일을 기점으로 수술에 따른 사망률의 증가는 없다.

2) 폐렴

폐렴은 수술 후 생길 수 있는 가장 흔한 감염이지만, 빠른 진단과 치료를 하기는 쉽지 않다. Katz 등의 보고에 의하면 80,904명의 고관절 치환술 환자 중 90일 이전에 1.4%에서 폐렴이 발생하였고, 90일 이전 사망의 가장 흔한 원인이었다. 위험 인자로는 70세 이상, 만성 폐질환, 흡입마취, 연하장애 등이 있었다. 임상적 증상으로는 기침(90%), 가래(66%), 호흡장애(66%), 흉통(50%), 객혈(15%) 등 폐 증상과, 구역, 구토, 설사 등의 소화기 증상 및 두통, 피로감, 근육통, 관절통 등의 전신 증상이 발생할 수 있다. 폐렴이 광범위하게 발생하면 폐의 주된 기능인 산소 교환에 심각한 장애가 발생하고 호흡부전으로 사망한다.

발열, 기침, 가래 등의 호흡기 증상을 통해서 폐렴을 의심할 수 있고, 흉부 방사선 촬영을 통해 진단할 수 있다. 가래에서 원인균을 배양하거나, 혈액배양 검사, 소변항원 검사 등을 통해서 원인균을 진단할 수도 있지만 균이 배양되는 경우는 6%밖에 되지 않는다.

가장 중요한 치료는 원인균에 감수성이 있는 항생제를 투여하는 것이다. 중증의 경우에는 적절한 항생제를 쓰더라도 폐렴이 진행되어 사망하기도 한다. 처음에는 세균성 폐렴에 준해 경험적 항생제 투여하고, 원

인균이 밝혀지면 그에 적합한 항생제로 교체한다. 독감과 같은 바이러스성 폐렴은 발생 초기에는 항바이러스제의 효과가 있으나 시일이 경과한 경우에는 항바이러스제의 효과가 뚜렷하지 않다. 합병증이 없거나 내성균에 의한 폐렴이 아니라면 일반적으로 2주간 치료한다. 호흡이 불가능할 정도로 중증인 환자는 중환자실에서 인공호흡기에 의지하여 치료를 받아야 한다.

3) 심근경색

고관절 치환술 후 심근경색의 발생률을 보면 Mantilla 등은 10,000명의 환자에서 0.4%, Marsch 등은 1.9%를 보고하였다. 연령이 증가하면서 발생 빈도도 따라서 증가하는데, 70세 이전에는 0.4%, 70대에는 0.7%, 80세 이상에서는 2.2%를 보고하고 있다. 고관절 치환술후 심근경색이 발현되는 시점은 평균 1일이다. 위험인자로는 흡연, 고혈압, 고지혈증, 당뇨, 75세 이상, 남성, 심근경색 기왕력, 운동부족 등이 있다.

심근경색은 다양한 임상증상을 보일 수 있다. 전형적인 심한 흉통과 함께 좌측 상지로의 방사통이 나타날 수 있지만, 복통, 오심, 구토, 발한, 위약, 호흡곤란 등과 같이 비전형적인 증상을 보일 수 있으므로 주의해서 관찰하여야 한다. 흉통은 대개 30분 이상 지속되며 니트로글리세린설하정을 혀 밑에 투여해도 증상이 호전되지 않는다. 흉통이 발생하기 전에 갑작스럽게 실신할 수 있으며, 이런 경우에는 급성 심근경색이 광범위한 부위에 발생한 경우가 많다. 진단은 심전도, 혈액 검사(troponin I, CK-MB), 임상 소견 등으로 하게 되는데, 수술 후에는 troponin I이 CK-MB보다 민감도와 특이도가 더 높으며, 심장초음파를 시행하여 진단에 도움을 받을 수 있다. 확진은 심혈관 조영술을 시행해야 한다. 응급으로 심전도와 혈액 검사를 시행하여 심전도상 특이적인 변화가 관찰되는 경우에는 심근경색을 강력하게 의심할 수 있고, 특히 심전도에서 ST절이 상승된 심근경색의 경우는 곧바로 심혈관 성형술, 스텐트 삽입술, 혈전 용해술 등이 필요하다. 심장초음파는 심장의 전반적인 수축 기능을 확인함과 동시에 경색혈관을 찾는 데에 도움을 주며, 심근경색에 동반된 합병증 유무를 확인하는 데에 유용하다. 심혈관 조영술은 경색 혈관을 찾아서 협착 정도와 부위를 진단함과 동시에 비경색 혈관의 협착 정도도 진단할 수 있다. 그뿐만 아니라 조영술 직후에 심혈관 성형술을 이어서 할 수 있다. 수술 후 심근경색이 의심된다면 심장내과 전문의와 상의 후 가능한 신속히 치료해야 하며, 이는 치료결과 및 예후에 지대한 영향을 미치게 된다.

술자는 다음과 같은 초기 치료를 함께 시작할 수 있어야 한다.

① 금기증이 없는 경우 325 mg 아스피린을 투여
② 산소 포화도가 90% 미만일 경우 혹은 수액 과다의 증상이 있는 경우 산소 보충
③ 혈압이 유지되는 환자에서 흉통이 있는 경우 니트로글리세린 설하정 투여. 강심제를 투여 후에도 흉통이 지속되는 경우 모르핀 정주

4) 섬망

섬망(delirium)은 혼돈(confusion)과 비슷하지만 과다행동(안절부절 못함, 불면증, 고성, 주사기를 빼내는 행위), 환각, 초조함, 떨림 등이 주로 나타나는 것을 말한다. 일반적으로 중독질환, 대사성 질환, 전신 감염, 신경계 감염, 뇌외상, 뇌졸중, 전신마취 후, 대수술 후 등이 있는 환자에서 나타난다. 수술 후 섬망이 발생하는 가장 중요한 인자는 연령인데, 고령에서 관절치환술 후 섬망의 발생률은 7.3-14.7% 이다. 섬망은 수술 후 평균 24시간이 경과한 후 발생하며, 증상 발현 후 48시간 이내에 대부분 소실되지만 몇 달간 지속될 수도 있다. 그 외 알려진 원인으로 수면 장애, 변비, 요류 정체, 거동제한, 저산소증, 빈혈, 폐렴 및 비뇨기계 감염과 같은 감염증 등이 있다.

수술의 응급성에 따라 섬망 유병률에 차이가 있다. 정규수술로 시행하는 경우 섬망의 유병률은 3.6-28%이고, 보통 2일 이내에 대부분 호전되지만, 응급수술로

진행되는 고관절 골절 환자에서 유병률은 35%이고, 증상 발현의 기간도 더 길어진다.

섬망의 병리 기전으로는 아세틸콜린이 섬망 발생에 중요한 역할을 한다고 알려져 있으며, 혈청 항콜린성 활성이 섬망의 중증도와 관련 있다. 이외에 신경펩티드, 도파민의 과다 분비, 엔돌핀, 세로토닌, GABA 등도 섬망 발생에 일부 작용한다. 강력한 진통제를 지속적으로 투여하는 경우와도 관련이 있는데, 고관절 골절 수술 환자에서 섬망이 많이 발생하는 것도 고령이면서 통증이 극심해 진통제 및 안정제를 많이 사용하기 때문이다.

섬망의 치료제로 항정신성약물이 주로 사용되며 이중 haloperidol이 현재까지도 가장 많이 사용되는 약물이다. 하지만, 최근 여러 systemic review의 결과에서 haloperidol 단독 사용은 수술 후 섬망의 발생 예방 및 치료에 효과에 대한 근거가 부족하며 haloperidol과 lorazepam 복합 투여가 기타 항정신성약물, rivastig-mine, ondansetron, alpha-2 agonist 단독 사용에 비해 치료효과가 우수한 것으로 보고하고 있다. 하지만, 수술 후 섬망을 치료하는 것보다 예방 혹은 최소화하는 것이 더 중요하다. 최근 멜라토닌 수용체 자극약물 ramelteon이 고령의 환자에서 섬망 발생을 예방하는데 효과가 있다는 보고가 있으나 향후 섬망과 멜라토닌과의 연관성에 대한 보다 많은 연구가 필요한 상태이다. 마취 중에 benzodiazepine계열 약물을 많이 쓸수록 섬망이 발생할 가능성이 높으며, 전신마취를 시행할 경우에는 환자의 진정정도를 제대로 평가하기가 어렵기 때문에 척추 마취를 하여 환자의 진정 정도를 조절하는 것이 섬망을 예방하는데 도움이 된다. 또한 조기에 거동할 수 있게 하고 자연스럽게 수면을 도와주는 것이 좋은 예방법이다.

5) 장마비 및 장폐색

수술 후에 발생하는 장마비는 연하 작용이 감소하면서 발생하게 되는데, 장에 가스와 장내 분비물이 쌓이게 되면서 장이 확장한다. 이는 환자의 영양 상태에 악영향을 미치며, 상처의 치유에도 영향을 줄 수 있다. 수술 시간이 긴 경우, 남성, 장수술의 기왕력, 진통제의 투여 등이 위험 인자이다.

복통, 오심, 구토, 복부 팽만 등이 주된 증상이지만 양상은 약간의 차이를 보인다. 주기적인 극심한 복통 없이 발생하는 복부 팽만이 가장 특징적인 증상이다.

장폐색 진단에 있어 가장 중요한 점은 기계적 장폐색과 구분하는 것이다. 기계적 장폐색은 수술적 처치가 필요한 경우가 많고, 적절한 치료 시기를 판단하는 것이 중요하지만, 마비성 장폐색은 수술적 처치가 거의 필요 없고, 수액요법과 약물요법으로도 충분히 치료할 수 있기 때문이다. 단순 복부방사선 촬영에서 막힌 부위의 상부에서 증가된 공기 음영이 관찰되고, 막힌 부위 이하에는 정상적으로 보여야 할 공기 음영이 잘 보이지 않게 된다. 대장보다 상부에서 폐색되었다면 정상적으로 보여서는 안되는 소장 내 가스가 관찰되고, 정상적으로 보여야 하는 대장 내의 가스는 아주 소량으로 관찰되거나 관찰되지 않는다.

수술 후 발생한 장폐색은 대부분은 일시적인 증상으로 대증적인 치료만으로 3일 이내에 호전되는 경우가 대부분이다. 초기 치료로 가장 중요한 것은 적절한 수액 및 전해질 공급과 감압이다. 물론 수액치료를 하면서 약물치료를 병행해야 하는데, 통증과 염증반응을 감소시키기 위한 소염진통제를 비롯하여 진경제, 항생제 등을 사용한다. 만약 3일 이후에도 호전되지 않는다면 기계적 장폐색을 의심하여야 하며, 복부 전산화단층촬영, 바륨조영술, 대장내시경 등을 고려한다.

6) 요로 감염

요로 감염은 주로 카테터를 오래 동안 삽입하고 거동이 불가능하며 인지 능력이 떨어지는 고령의 환자에서 발생한다. 세균뇨(bacteriuria)의 유병률은 젊은 여성에서 2-3%인데 반해, 65세 이상의 여성에서는 10%, 80세 이상에서는 20%로 상승한다. 또한, 고관절 치환술 후 요로 감염은 26%까지 보고되어 있다. 일반적인 증상은 배뇨통, 급뇨, 빈뇨 등이지만, 요로 감염의 대부분을 차지하는 고령의 환자에서는 이러한 증상들을 나타내지 않는 경우가 많다. 따라서 고령 환자에서 갑작스러운 발열이 있다면 소변 검사 및 배양 검사는 필수적이며 요로 감염 증상이 있는 환자의 요 배양 검사에서 10^5/ml 이상의 세균 집락이 확인된 경우 요로 감염이 있다고 진단한다. 치료는 거동이 어려울 경우 항생제를 1주일 정도 투여하며, 하부 요로 감염의 경우에는 3일 정도의 경구용 항균요법으로 대부분 치유된다.

7) 급성 신부전

수술 후 급성 신부전은 노폐물의 정체로 인한 신장 기능의 저하로 발생하게 된다. 고관절 치환술 이후 발생하는 급성 신부전은 수술 후 저혈량 혹은 저혈압으로 인한 전신성(prerenal) 신부전이 대부분을 차지하며 발생률은 0.55-2.2% 정도로 보고되어 있다. 알려진 위험 인자로는 높은 체질량지수, 수술 전 크레아티닌의 상승, 수술 시간의 지연, 전신마취, 폐쇄성 폐질환, 간질환, 대뇌 혹은 말초 혈관질환, 심장 질환 등이 있다.

급성 신부전 환자는 중환자실 치료를 필요로 하는 경우가 더 흔하며 적극적인 혈역동학적 평가 및 전해질 검사가 필요하다. 신독성이 있는 약제 투약을 중지하고 정맥혈을 통한 충분한 수액 수화(hydration)하는 것이 효과적인 치료 방법이며 투석을 요하는 경우는 흔치 않다. 급성 신부전 환자의 경우 입원 기간 내, 수술 후 1년 이내 사망률이 현저히 증가하는 것으로 알려져 있어 예방과 함께 발생 시 신속한 치료를 시행해야 한다.

참고문헌

1. 김신윤, 박의균, 김용구. 마모 입자에 대한 생물학적 반응. 대한고관절학회지. 2004;16:96-102.

2. 김신윤, 백승훈, 박일형, 김풍택, 인주철, 김창윤, 김영모. 제 4세대 시멘트 기법을 이용한 Hybrid 인공 고관절 전치환술의 초기결과. 대한고관절학회지. 2003;15:209-16.

3. 백승훈, 김신윤. 골다공증의 병인론. 대한고관절학회지. 2006;18:386-396.

4. Aaron A, Weinstein D, Thickman D, Eilert R. Comparison of orthoroentgenography and computed tomography in the measurement of limb-length discrepancy. J Bone Joint Surg Am. 1992;74(6):897-902.

5. Abdel MP, Cottino U, Mabry TM. Management of periprosthetic femoral fractures following total hip arthroplasty: a review. Int Orthop. 2015;39:2005-10.

6. Abraham WD, Dimon JH, 3rd Leg length discrepancy in total hip arthroplasty. Orthop Clin North Am. 1992; 23(2):201-9.

7. Alberton GM, High WA, Morrey BF. Dislocation after revision total hip arthroplasty: an analysis of risk factors and treatment options. J Bone Joint Surg, 2002;84-A: 1788-1792.

8. Ali Khan MA, Brakenbury PH and Reynolds IS. Dislocation following total hip replacement. J Bone Joint Surg, 1981;63-B:214-218.

9. Amstutz HC, Ma SM, Jinnah RH, et al. Revision of aseptic loose total hip arthroplasties. Clin Orthop Relat Res, 1982;170:21-33.

10. Anderson MJ, Murray WR and Skinner HB. Constrained acetabular components. J Arthroplasty, 1994; 9:17-23.

11. Anthony PP, Gie GA, Howie CR, Ling RS. Localised endosteal bone lysis in relation to the femoral components of cemented total hip arthroplasties. J Bone Joint Surg Br. 1990;72:971-9.

12. Arora A, Song Y, Chun L, Huie P, Trindade M, Smith RL, Goodman S. The role of the TH1 and TH2 immune

responses in loosening and osteolysis of cemented total hip replacements. J Biomed Mater Res A. 2003;64:693-7.

13. Aspenberg P, Goodman S, Toksvig-Larsen S, Ryd L, Albrektsson T. Intermittent micromotion inhibits bone ingrowth. Titanium implants in rabbits. Acta Orthop Scand. 1992;63:141-145.

14. Astrand J, Aspenberg P. Topical, single dose bisphos-phonate treatment reduced bone resorption in a rat model for prosthetic loosening. J Orthop Res. 2004;22:244-9.

15. August AC, Aldam CH, Pynsent PB. The McKee-Farrar hip arthroplasty. A long-term study. J Bone Joint Surg Br. 1986;68:520-27.

16. Barrack RL, Mulroy RD, Jr., Harris WH. Improved cementing techniques and femoral component loosening in young patients with hip arthroplasty. A 12-year radiographic review. J Bone Joint Surg Br. 1992;74:385-9.

17. Barrack RL. Neurovascular injury: avoiding catastrophe. J Arthroplasty, 2004;19(suppl):104-107.

18. Beaule PE, Schmalzried TP, Udomkiat P and Amstutz HC. Jumbo femoral head for the treatment of recurrent dislocation following total hip replacement. J Bone Joint Surg, 2000;84-A: 256-263.

19. Berry DJ, Harmsen WS, Ilstrup DM. The natural history of debonding of the femoral component from the cement and its effect on long-term survival of Charnley total hip replacements. J Bone Joint Surg Am. 1998;80:715-21.

20. Berry DJ, Knoch M, Schleck CD and Harmsen WS. The cumulative long-term risk of dislocation after primary Charnley total hip arthroplasty, J Bone Joint Surg, 2004;86-A:9-14.

21. Berry DJ. Unstable total hip arthroplasty: Detailed overview. Instr Course Lect, 2001;50:265-274.

22. Boucher HR, Lynch C, Young AM, Engh A and Engh C. Dislocation after polyethylene liner exchange in total hip arthroplasty. J Arthroplasty, 2003;18:654-657.

23. Bryan AJ, Abdel MP, Sanders TL, Fitzgerald SF, Hanssen AD, Berry DJ. Irrigation and Debridement with Component Retention for Acute Infection After

Hip Arthroplasty: Improved Results with Contemporary Management. J Bone Joint Surg Am, 2017;99(23):2011-2018.

24. Burroughs BR, Rubash HE and Harris WH. Femoral head sizes larger than 32mm aginst highly cross-linked polyethylene. Clin Orthop, 2002;405:150-157.

25. Capone A, Congia S, Civinini R, Marongiu G. Peripros-thetic fractures: epidemiology and current treatment. Clin Cases Miner Bone Metab. 2017;14: 189-96.

26. Charnley J, Eftekhar N. Postoperative infection in total prosthetic replacement arthroplasty of the hip-joint. With special reference to the bacterial content of the air of the operating room. Br J Surg, 1969;56(9):641-649.

27. Charnley J. Fracture of femoral prostheses in total hip replacement. A clinical study. Clin Orthop Relat Res. 1975;105-20.

28. Clayton ML and Thirupathi RG. Dislocation following total hip arthroplasty: Management by special brace in selected patients. Clin Orthop, 1983;177:154-159.

29. Cobb TK, Morrey BF and Ilstrup DM. The elevated-rim acetabular liner in total hip arthroplasty: Relationship to postoperative dislocation. J Bone Joint Surg, 1996;78-A:80-86.

30. Daly PJ and Morrey BF. Operative correction of an unstable total hip arthroplasty. J Bone Joint Surg Am, 1992;74-A:1334-1343.

31. Darrith B, Courtney PM, Della Valle CJ.Outcomes of dual mobility components in total hip arthroplasty: a systematic review of the literature. Bone Joint J. 2018; 100-B(1):11-19.

32. De Martino I,D'Apolito R,Soranoglou VG,Poultsides LA,Sculco PK,Sculco TP. Dislocation following total hip arthroplasty using dual mobility acetabular components. Bone Joint J, 2017;99-B:18-24.

33. D'Lima DD, Urquhart AG, Buehler KO, Walker RH and Colwell CW Jr. The effect of the orientation of the acetabular and femoral components on the range of motion of the hip at different head-neck ratios. J Bone

Joint Surg Am, 2000;82-A:315-321.

34. Dorr LD, Wolf AW, Chandler R and Conaty JP. Classification and treatment of dislocations of total hip arthroplasty. Clin Orthop, 1983;173:151-158.

35. Duncan CP, Masri BA. Fractures of the femur after hip replacement. Instr Course Lect. 1995;44:293-304.

36. Edeen J, Sharkey PF, Alexander AH. Clinical significance of leg-length inequality after total hip arthroplasty. Am J Orthop (Belle Mead NJ). 1995; 24(4):347-51.

37. Edwards BN, Tullos HS, Noble PC. Contributory factors and etiology of sciatic nerve palsy in total hip arthroplasty. Clin Orthop Relat Res, 1987;218:136-141.

38. Eggli S, Hankemayer S, Muller ME. Nerve palsy after leg lengthening in total replacement arthroplasty for developmental dysplasia of the hip. J Bone Joint Surg Br. 1999;81:843-5.

39. Eggli S, Hankemayer S, Müller ME. Nerve palsy after leg lengthening in total replacement arthroplasty for developmental dysplasia of the hip. J Bone Joint Surg, 1999;81B:843-845.

40. Ekelund A, Rydell N and Nilsson OS. Total hip arthroplasy in patients 80 years of age and older. Clin Orthop, 1992;281:101-106.

41. Engh CA, Bobyn JD, Glassman AH. Porous-coated hip replacement. The factors governing bone ingrowth, stress shielding, and clinical results. J Bone Joint Surg Br. 1987;69:45-55.

42. Engh CA, Bobyn JD. The influence of stem size and extent of porous coating on femoral bone resorption after primary cementless hip arthroplasty. Clin Orthop Relat Res. 1988;7-28.

43. Engh CA, Griffin WL, Marx CL. Cementless acetabular components. J Bone Joint Surg Br. 1990;72:53-9.

44. Engh CA, Hooten JP, Jr., Zettl-Schaffer KF, Ghaffarpour M, McGovern TF, Bobyn JD. Evaluation of bone ingrowth in proximally and extensively porous-coated anatomic medullary locking prostheses retrieved at autopsy. J Bone Joint Surg Am. 1995;77:903-10.

45. Engh CA, Jr., Young AM, Engh CA, Sr., Hopper RH, Jr. Clinical consequences of stress shielding after porous-coated total hip arthroplasty. Clin Orthop Relat Res. 2003;157-63.

46. Engh CA, McGovern TF, Bobyn JD, Harris WH. A quantitative evaluation of periprosthetic bone-remodeling after cementless total hip arthroplasty. J Bone Joint Surg Am. 1992;74:1009-20.

47. Engh CA, O'Connor D, Jasty M, McGovern TF, Bobyn JD, Harris WH. Quantification of implant micromotion, strain shielding, and bone resorption with porous-coated anatomic medullary locking femoral prostheses. Clin Orthop Relat Res. 1992;13-29.

48. Fackler CD and Poss R. Dislocation in total hip arthroplasties. Clin Orthop, 1980;151:169-178.

49. Fisher DA and Kiley K. Constrained acetabular cup disassembly. J Arthroplasty, 1994;9:325-329.

50. Fraser GA and Wroblewski BM. Revision of the Charnley low-friction arthroplasty for recurrent or irreducible dislocation. J Bone Joint Surg Br, 1981;63-B:552-555.

51. Friberg O. Clinical symptoms and biomechanics of lumbar spine and hip joint in leg length inequality. Spine (Phila Pa 1976). 1983;8(6):643-51, .

52. Garvin KL, Hanssen AD. Infection after total hip arthroplasty. Past, present, and future. J Bone Joint Surg Am. 1995;77:1576-88.

53. Gelderman SJ, Jutte PC, Boellaard R, Ploegmakers JJW, Vallez Garcia D, Kampinga GA, Glaudemans A, Wouthuyzen-Bakker M. (18)F-FDG-PET uptake in non-infected total hip prostheses. Acta Orthop, 2018;89(6):634-639.

54. Goetz DD, Capello WN, Callaghan JJ, Brown TD and Johnston RC. Salvage of total hip instability with a constrained acetabular component. Clin Orthop, 1998; 355:171-181.

55. Goodman SB. The effects of micromotion and particulate materials on tissue differentiation. Bone chamber studies in rabbits. Acta Orthop Scand Suppl. 1994;258:1-43.

56. Gramlich Y, Hagebusch P, Faul P, Klug A, Walter G, Hoffmann R. Two-stage hip revision arthroplasty for periprosthetic joint infection without the use of spacer or cemented implants. Int Orthop, 2019.

57. Gramlich Y, Walter G, Klug A, Harbering J, Kemmerer M, Hoffmann R. Procedure for single-stage implant retention for chronic periprosthetic infection using topical degradable calcium-based antibiotics. Int Orthop, 2018.

58. Gruen TA, McNeice GM, Amstutz HC. "Modes of failure" of cemented stem-type femoral components: a radiographic analysis of loosening. Clin Orthop Relat Res. 1979;17-27.

59. Gurney B, Mermier C, Robergs R, Gibson A, Rivero D. Effects of limb-length discrepancy on gait economy and lower-extremity muscle activity in older adults. J Bone Joint Surg Am. 2001;83(6):907-15.

60. Hamilton WG and MaAuley FP. Evaluation of the unstable total hip arthroplasy. Instructional Course Lectures, 2004;53:87-92.

61. Harris WH, McCarthy JC, Jr., O'Neill DA. Femoral component loosening using contemporary techniques of femoral cement fixation. J Bone Joint Surg Am. 1982;64:1063-7.

62. Harris WH, Schiller AL, Scholler JM, Freiberg RA, Scott R. Extensive localized bone resorption in the femur following total hip replacement. J Bone Joint Surg Am. 1976;58:612-18.

63. Heckmann N, McKnight B, Stefl M, Trasolini NA, Ike H, Dorr LD. Late dislocation following total hip arthroplasty: spinopelvic imbalance as a causative factor. The Journal of Bone and Joint Surg Am, 2018;7;100(21):1845-1853.

64. Hedlundh U, Ahnfelt L, Hybbinette CH, Weckstrom J and Fredin H. Surgical experience related to dislocations after total hip arthroplasty. J Bone Joint Surg, 1996;78-B:206-209.

65. Herrlin K, Pettersson H, Selvik G, Lidgren L. Femoral anteversion and restricted range of motion in total hip prostheses. Acta Radiol. 1988;29(5):551-553.

66. Hodgkinson JP, Shelley P, Wroblewski BM. The correlation between the roentgenographic appearance and operative findings at the bone-cement junction of the socket in Charnley low friction arthroplasties. Clin Orthop Relat Res. 1988;105-9.

67. Hofmann AA, Skrzynski MC, Leg-length inequality and nerve palsy in total hip arthroplasty: a lawyer awaits! Orthopedics. 2000;23(9):943-4.

68. Hooper GJ, Rothwell AG, Frampton C, Wyatt MC. Does the use of laminar flow and space suits reduce early deep infection after total hip and knee replacement?: the ten-year results of the New Zealand Joint Registry. J Bone Joint Surg Br, 2011;93(1):85-90.

69. Isern-Kebschull J, Tomas X, Garcia-Diez AI, Morata L, Rios J, Soriano A. Accuracy of Computed Tomography-Guided Joint Aspiration and Computed Tomography Findings for Prediction of Infected Hip Prosthesis. J Arthroplasty, 2019;34(8):1776-1782.

70. Jasty M, Bragdon C, Burke D, O'Connor D, Lowenstein J, Harris WH. In vivo skeletal responses to porous-surfaced implants subjected to small induced motions. J Bone Joint Surg Am. 1997;79:707-14.

71. Jasty M, Maloney WJ, Bragdon CR, Haire T, Harris WH. Histomorphological studies of the long-term skeletal responses to well fixed cemented femoral components. J Bone Joint Surg Am. 1990;72:1220-9.

72. Jasty MJ, Floyd WE, 3rd, Schiller AL, Goldring SR, Harris WH. Localized osteolysis in stable, non-septic total hip replacement. J Bone Joint Surg Am. 1986;68:912-19.

73. Johnston RC, Fitzgerald RH, Jr., Harris WH, Poss R, Muller ME, Sledge CB. Clinical and radiographic evaluation of total hip replacement. A standard system of terminology for reporting results. J Bone Joint Surg Am. 1990;72:161-8.

74. Jones LC, Hungerford DS. Cement disease. Clin Orthop Relat Res. 1987;192-206.

75. Kalebo P, Johansson C, Albrektsson T. Temporary bone tissue ischemia in the hind limb of the rabbit. A

vital microscopic study. Arch Orthop Trauma Surg. 1986;105:321-5.

76. Kaplan SJ, Thomas WH and Poss R. Trochanteric advancement for recurrent dislocation after total hip arthroplasty. J Arthroplasty, 1987;2:119-124.

77. Kim JI, Moon NH, Shin WC, Suh KT, Jeong JY. Reliable anatomical landmarks for minimizing leg-length discrepancy during hip arthroplasty using the lateral transgluteal approach for femoral neck fracture. Injury. 2017;48(11):2548-2554.

78. Krushell RJ, Burke DW and Harris WH. Elevated-rim acetabular components: Effect on range of motion and stability in total hip arthroplasty. J Arthroplasty, 1991;6(suppl):S53-S58.

79. Lee BP, Berry DJ, Harmsen WS and Sim FH. Total hip arthroplasty for the treatment of an acute fracture of the femoral neck: Long-term results. J Bone Joint Surg, 1998;80-A:70-75.

80. Lewallen DG. Neurovascular complications associated with total hip arthroplasty. J Bone Joint Surg, 2009;91A (suppl 5):20-21.

81. Lewinnek GE, Lewis JL, Tarr R, Compere CL and Zimmerman JR. Dislocations after total hip-replacement arthroplasties. J Bone Joint Surg, 1978;60-A:217-220.

82. Lindahl H, Garellick G, Regner H, Herberts P, Malchau H. Three hundred and twenty-one periprosthetic femoral fractures. J Bone Joint Surg Am. 2006;88:1215-22.

83. Lindahl H, Malchau H, Herberts P, Garellick G. Periprosthetic femoral fractures classification and demographics of 1049 periprosthetic femoral fractures from the Swedish National Hip Arthroplasty Register. J Arthroplasty. 2005;20:857-65.

84. Liporace F, Kubiak E, Levine B, Yoon R. Periprosthetic Fractures about the hip and Knee: Contemporary techniques for internal fixation and revision. Inst Course Lect. 2018.

85. Mahoney CR and Pellicci PM. Complications in primary total hip arthroplasty: avoidance and management of dislocations. Instructional Course Lectures, 2003;52: 247-255.

86. Maldonado J. Pathoetiological model of delirium: A comprehensive understanding of the neurobiology of delirium and an evidence-based approach to prevention and treatment. Crit Care Clin. 2008;24:789-856.

87. Maloney WJ, Jasty M, Harris WH, Galante JO, Callaghan JJ. Endosteal erosion in association with stable uncemented femoral components. J Bone Joint Surg Am. 1990;72:1025-34.

88. Maloney WJ. Orthopaedic crossfire-Larger femoral heads: a triumph of hope over reason! In opposition. J Arthroplasty, 2003;18(Suppl 1):85-87.

89. Matthews JB, Green TR, Stone MH, Wroblewski BM, Fisher J, Ingham E. Comparison of the response of primary human peripheral blood mononuclear phagocytes from different donors to challenge with model polyethylene particles of known size and dose. Biomaterials. 2000;21:2033-44.

90. McGee HM, Scott JH. A simple method of obtaining equal leg length in total hip arthroplasty. Clin Orthop Relat Res. 1985;194:269-70.

91. Min BW, Cho CH, Son ES, Lee KJ, Lee SW, Min KK. Minimally invasive plate osteosynthesis with locking compression plate in patients with Vancouver type B1 periprosthetic femoral fractures. Injury. 2018;49:1336-40.

92. Moore MS, McAuley JP, Young AM, Engh CA, Sr. Radiographic signs of osseointegration in porous-coated acetabular components. Clin Orthop Relat Res. 2006;444:176-83.

93. Morrey BF. Difficult complications after hip joint replacement: Dislocation. Clin Orthop, 1997;344:179-187.

94. Mulroy WF, Estok DM, Harris WH. Total hip arthroplasty with use of so-called second-generation cementing techniques. A fifteen-year-average follow-up study. J Bone Joint Surg Am. 1995;77:1845-52.

95. Muratoglu OK, Bragdon CR, Connor DO, O'Connor D, Perinchief RS, Estok DM 2nd, Jasty M and Harris

WH. Larger diameter femoral heads used in conjunction with a highly cross-linked ultra-high molecular weight polyethylene. A New Concept. J Arthroplasty, 2001;16 (Suppl 1):24-30.

96. Naito M, Ogata K, Asayama I. Intraoperative limb length measurement in total hip arthroplasty. Int Orthop. 1999;23(1):31-3.

97. Navarro RA, Schmalzried TP, Amstutz HC, et al. Surgical approach and nerve palsy in hip arthroplasty. J Arthroplasty, 1995;10(1):1-5.

98. Nercessian OA, Gonzalez EG, Stinchfield FE. The use of somatosensory evoked potential during revision or reoperation for total hip arthroplasty. Clin Orthop Relat Res, 1989;243:138-142.

99. Nercessian OA, Piccoluga F, Eftekhar NS. Postoperative sciatic and femoral nerve palsy with reference to leg lengthening and medialization/lateralization of the hip joint following total hip arthroplasty. Clin Orthop Relat Res. 1994;304:165-71.

100. Nogueira MP, Paley D, Bhave A, Herbert A, Nocente C, Herzenberg JE. Nerve lesions associated with limblengthening. J Bone Joint Surg Am. 2003;85(8): 1502-10.

101. O'Neill DA, Harris WH. Failed total hip replacement: assessment by plain radiographs, arthrograms, and aspiration of the hip joint. J Bone Joint Surg Am. 1984;66: 540-6.

102. Padgett DE and Warahina H. The unstable total hip replacement. Clin Orthop, 2004;420:72-79.

103. Park YS, Shin WC, Lee SM, Kwak SH, Bae JY, Suh KT. The best method for evaluating anteversion of the acetabular component after total hip arthroplasty on plain radiographs. J Orthop Surg Res, 2018;2;13(1): 66.

104. Parvizi J, Koo KH. Should a Urinary Tract Infection Be Treated before a Total Joint Arthroplasty? Hip Pelvis, 2019;31(1):1-3.

105. Parvizi J, Sharkey PF, Bissett GA, Rothman RH, Hozack WJ. Surgical treatement of limb-length discrepancy following total hip arthroplasty. J Bone Joint Surg Am. 2003;85(12):2310-7.

106. Parvizi J, Tan TL, Goswami K, Higuera C, Della Valle C, Chen AF, Shohat N. The 2018 Definition of Periprosthetic Hip and Knee Infection: An Evidence-Based and Validated Criteria. J Arthroplasty, 201833(5): 1309-1314.

107. Perregaard H,Damholt MB,Solgaard S, Petersen MB. Renal function after elective total hip replacement. Incidence of acute kidney injury and prevalence of chronic kidney disease. ActaOrthop. 2016;87(3):235–8.

108. Petis SM, Abdel MP, Perry KI, Mabry TM, Hanssen AD, Berry DJ. Long-Term Results of a 2-Stage Exchange Protocol for Periprosthetic Joint Infection Following Total Hip Arthroplasty in 164 Hips. J Bone Joint Surg Am, 2019;101(1):74-84.

109. Pilliar RM, Lee JM, Maniatopoulos C. Observations on the effect of movement on bone ingrowth into porous-surfaced implants. Clin Orthop Relat Res. 1986;108-13.

110. Pollice PF, Rosier RN, Looney RJ, Puzas JE, Schwarz EM, O'Keefe RJ. Oral pentoxifylline inhibits release of tumor necrosis factor-alpha from human peripheral blood monocytes : a potential treatment for aseptic loosening of total joint components. J Bone Joint Surg Am. 2001;83-A:1057-61.

111. Pritchett JW. Nerve injury and limb lengthening after hip replacement: treatment by shortening. Clin Orthop Relat Res. 2004;418:168-71.

112. Ramaniraka NA, Rakotomanana LR, Leyvraz PF. The fixation of the cemented femoral component. Effects of stem stiffness, cement thickness and roughness of the cement-bone surface. J Bone Joint Surg Br. 2000;82: 297-303.

113. Ranawat CS. Rodriguez J, Functional leg-length inequality following total hip arthroplasty. The Journal of Arthroplasty. 1997;12(4):359-64.

114. Ricci WM. Periprosthetic femur fractures. J Orthop Trauma. 2015;29:130-7.

115. Ritter MA. A treatment plan for the dislocated total hip

arthroplasty: Clin Orthop, 1980;153:153-155.

116. Robertsson O, Wingstrand H, Kesteris U, Jonsson K, Onnerfalt R. Intracapsular pressure and loosening of hip prostheses. Preoperative measurements in 18 hips. Acta Orthop Scand. 1997;68:231-4.

117. Schmalzried TP, Amstutz HC, Dorey FJ. Nerve palsy associated with total hip replacement: risk factors and prognosis. J Bone Joint Surg, 1991;73A:1074-1080.

118. Schmalzried TP, Jasty M, Harris WH. Periprosthetic bone loss in total hip arthroplasty. Polyethylene wear debris and the concept of the effective joint space. J Bone Joint Surg Am. 1992;74:849-63.

119. Schwarz EM, Looney RJ, O'Keefe RJ. Anti-TNF-alpha therapy as a clinical intervention for periprosthetic osteolysis. Arthritis Res. 2000;2:165-8.

120. Shin WC, Lee SM, Lee KW, Cho HJ, Lee JS, Suh KT. The reliability and accuracy of measuring anteversion of the acetabular component on plain anteroposterior and lateral radiographs after total hip arthroplasty. Bone Joint J, 2015;97-B(5):611-6.

121. Simmons C, Izant TH, Rothman RH, et al. Femoral neuropathy following total hip arthroplasty: anatomic study, case reports, and literature review. J Arthroplasty, 1991;6(suppl):559-566.

122. Skripitz R, Aspenberg P. Pressure-induced peripro-sthetic osteolysis: a rat model. J Orthop Res. 2000;18: 481-4.

123. Smith TH, Berend KR, Lombardi AV, Emerson RH and Mallory TH. Metal-on-metal total hip arthroplasty with large heads may prevent early dislocation. Clin Orthop, 2005;441:137-142.

124. Stauffer RN. Ten-year follow-up study of total hip replacement. J Bone Joint Surg Am. 1982;64:983-90.

125. Suh KT, Cheon SJ, Kim DW. Comparison of preoperative templating with postoperative assessment in cementless total hip arthroplasty. Acta Orthop Scand. 2004;75(1): 40-4.

126. Suh KT, Kang JH, Roh HL, Moon KP, Kim HJ. True femoral anteversion during primary total hip arthroplasty:

use of postoperative computed tomography-based sections. J Arthroplasty, 2006;21(4):599-605.

127. Suh KT, Kim DW, Lee HS, Seong YJ, Lee JS. Is the dislocation rate higher after bipolar hemiarthroplasty in patients with neuromuscular diseases? Clin Orthop Relat Res, 2012;470(4):1158-64.

128. Suh KT, Moon KP, Kim IB, Lee JS.Open reduction of a chronic proximal dislocation after total hip arthroplasty. J Arthroplasty, 2008;23(5):790-3.

129. Suh KT, Moon KP, Lee HS, Lee CK, Lee JS. Consideration of the femoral head cartilage thickness in preoperative planning in bipolar hemiarthroplasty. Arch Orthop Trauma Surg. 2009;129(10):1309-15.

130. Suh KT, Nam TW and Choi YJ. The causative factors of dislocation after total hip arthroplsty. J Korean Orthop, 2000;35:885-890.

131. Suh KT, Park BG and Choi YJ. A posterior approach to primary total hip arthroplasty with soft tissue repair. Clin Orthop, 2004;418:162-167.

132. Suh KT, Roh HL, Moon KP, Shin JK, Lee JS. Posterior approach with posterior soft tissue repair in revision total hip arthroplasty. J Arthroplasty, 2008; 23(8):1197-203.

133. Ulrich-Vinther M, Carmody EE, Goater JJ, K Sb, O'Keefe RJ, Schwarz EM. Recombinant adeno-associated virus-mediated osteoprotegerin gene therapy inhibits wear debris-induced osteolysis. J Bone Joint Surg Am. 2002;84-A:1405-12.

134. van der Vis H, Aspenberg P, de Kleine R, Tigchelaar W, van Noorden CJ. Short periods of oscillating fluid pressure directed at a titanium-bone interface in rabbits lead to bone lysis. Acta Orthop Scand. 1998;69:5-10.

135. Vink P, Huson A. Lumbar back muscle activity during walking with a leg inequality. Acta Morphol Neerl Scand. 1987;25(4):261-71.

136. Virdi AS, Liu M, Sena K, Maletich J, McNulty M, Ke HZ, Sumner DR. Sclerostin antibody increases bone volume and enhances implant fixation in a rat model. J Bone Joint Surg Am. 2012;94:1670-80.

137. Von Knoch M, Berry DJ, Harmsen WS, Morrey BF. Late dislocation after total hip arthroplasty. J Bone Joint Surg Am, 2002;84-A:1949-1953.

138. Wasielewski RC, Cooperstein LA, Kruger MP, et al. Acetabular anatomy and the transacetabular fixation of screws in total hip arthroplasty. J Bone Joint Surg, 1990;72A:501-508.

139. Wedemeyer C, von Knoch F, Pingsmann A, Hilken G, Sprecher C, Saxler G, Henschke F, Loer F, von Knoch M. Stimulation of bone formation by zoledronic acid in particle-induced osteolysis. Biomaterials. 2005;26: 3719-25.

140. Weingarten TN, Gurrieri C, Jarett PD, Brown DR, Berntson NJ, Calaro RD Jr, Kor DJ, Berry DJ, Garovic VD, Nicholson WT, Schroeder DR, Sprung J. Acute kidney injury following total joint arthroplasty: retrospective analysis. Can J Anaesth. 2012;59(12): 1111-8.

141. Wera GD, Ting NT, Moric M, Paprosky WG, Sporer SM, Della Valle CJ. Classification and management of the unstable total hip arthroplasty. The Journal of Arthroplasty Vol 27, No 5, May 2012;710-715

142. Whiteside LA, Roy ME. Incidence and treatment of abductor deficiency during total hip arthroplasty using the posterior approach: repair with direct suture technique and gluteus maximus flap transfer. Bone Joint J. 2019;101-B(6_Supple_B):116-122.

143. Williamson JA, Reckling FW. Limb length discrepancy and related problems following total hip joint replacement. Clin Orthop Relat Res. 1978;134:135-8.

144. Wolf CF, Gu NY, Doctor JN, Manner PA, Leopold SS. Comparison of one and two-stage revision of total hip arthroplasty complicated by infection: a Markov expected-utility decision analysis. J Bone Joint Surg Am, 2011;93(7):631-639.

145. Woo RY and Morrey BF. Dislocations after total hip arthroplasty. J Bone Joint Surg, 1982;64-A:1295-1306.

146. Woolson ST, Harris WH. A method of intraoperative limb length measurement in total hip arthroplasty. Clin Orthop Relat Res. 1985;194:207-10.

147. Woolson ST, Hartford JM, Sawyer A. Results of a method of leg-length equalization for patients undergoing primary total hip replacement. J Arthroplasty. 1999;14(2):159-64.

148. Woolson ST, Milbauer JP, Bobyn JD, Yue S, Maloney WJ. Fatigue fracture of a forged cobalt-chromium-molybdenum femoral component inserted with cement. A report of ten cases. J Bone Joint Surg Am. 1997; 79: 1842-8.

149. Yang SY, Wu B, Mayton L, Mukherjee P, Robbins PD, Evans CH, Wooley PH. Protective effects of IL-1Ra or vIL-10 gene transfer on a murine model of wear debris-induced osteolysis. Gene Ther. 2004;11:483-91.

150. Yoon PW, Lee YK, Ahn J, Jang EJ, Kim Y, Kwak HS, Yoon KS, Kim HJ, Yoo JJ. Epidemiology of hip replacements in Korea from 2007 to 2011. J Korean Med Sci. 2014;29:852-58.

151. Zajonz D, Wuthe L, Tiepolt S, Brandmeier P, Prietzel T, von Salis-Soglio GF, Roth A, Josten C, Heyde CE, Ghanem M. Diagnostic work-up strategy for periprosthetic joint infections after total hip and knee arthroplasty: a 12-year experience on 320 consecutive cases. Patient Saf Surg 2015;9:20.

152. Zhou XD, Li J, Xiong Y, Jiang LF, Li WJ, Wu LD. Do we really need closed-suction drainage in total hip arthroplasty? A meta-analysis. Int Orthop, 2013;37(11): 2109-2118.

CHAPTER

9 재치환술
Revision Arthroplasty

1. 수술 전 계획 및 준비

20세기 중반 이후 수술 방법의 발전과 적응증의 확대로 고관절 치환술의 시행 빈도가 증가되었다. 최근에는 세라믹 관절면이나 교차결합 폴리에틸렌 라이너의 사용이 많아지면서 마모나 골용해의 빈도가 감소하였지만 2000년도 전반까지 사용된 고식적 폴리에틸렌 라이너로 인하여 잠재적 고관절 재치환술 환자는 증가될 것으로 예측된다. 특히 젊고 활동적인 환자에서 재치환술의 빈도가 증가될 것으로 보고 있다. 1990년부터 2002년까지 미국에서 시행된 고관절 치환술의 17.5%가 재치환술이었다고 보고되었다. 우리나라에서는 젊고 활동적인 연령층에서 발생하는 대퇴골두 골괴사의 빈도가 높기 때문에 재치환술의 빈도가 증가하리라 예상된다. 또한 평균 수명의 증가로 노년층에서의 재치환술의 빈도도 증가하게 되어, 재치환술의 방법과 수술 전후 내과적 문제를 고려하여 접근하여야 한다. 국내 역학조사에 따르면 2007년부터 2011년 사이에 재치환술은 10,341건이 시행되었으며, 인구 10만 명당 고관절 반치환술이 33.2%, 고관절 전치환술이 21.4% 증가하였으나, 고관절 재치환술의 빈도는 증가하지 않았다고 보고하였다.

고관절 재치환술은 일차성 고관절 치환술보다 골결손이 심하고 삽입물의 안정성을 얻기 어려워 일차성 관절치환술의 결과보다는 만족스럽지 못하다. 또한 수술 시간이 길고 실혈량이 많으며, 감염, 정맥혈전증 및 색전증, 탈구, 신경 손상, 삽입물 주위 골절 등 합병증의 발생 빈도가 높다. 수술 술기가 어렵고, 수술 중 예측하지 못했던 돌발 상황이 발생할 수도 있다. 일차성 고관절 치환술 때보다 따져보아야 할 변수들이 많기 때문에 수술 전 계획도 훨씬 까다롭고 복잡하다. 수술 전에 철저히 준비할수록 환자의 장기 추적 결과에서 성공할 기회가 많아진다.

1) 수술 전 평가

고관절 치환술 실패의 원인 분석에 앞서 첫 번째로 평가해야 할 것은 고관절 또는 대퇴부 통증이 인공 관절의 실패로 인한 것인지 또는 다른 문제 때문인지를 감별하는 일이다. 통증을 유발하는 고관절 외적 요인으로는 척추 질환, 원발성 또는 전이성 종양, 혈관 폐색, 스트레스 골절, 복합부위 통증 증후군(complex regional pain syndrome) 등이 있을 수 있다. 인공 고관절 실패로 인해 증상이 유발되었다면, 고관절 재치환술이라는 복잡한 수술을 감행할 정도로 심한 장애가 있는지를 고려하여 수술여부를 결정해야 한다. 증상이 고관절 치환술의 실패 때문에 생겼다 하더라도 환자가 재치환술을 견딜 만큼 전신 상태가 허락되는지도 판단해야 한다. 환자의 연령, 내과적 질병 상태, 신체 조건 등을 고려하여 재치환술 대신 행동을 변경하거나 체중을 감소시키고, 목발 등 보조 장구를 사용하거나, 진통소염제를 사용하는 것이 보다 더 적절한 조치가 될 수도 있다. 고령으로 인해 신체적으로 활동적이지 않으며 고관절 기능의 의존도가 크지 않거나, 전신 상태가 재치환술을 감당하기에 어려울 경우라면 재치환술보다 절제 관절성형술을 시행하거나 수술하지 않고 장애를 견디는 것이 적절한 방법일 수 있다.

통증은 재치환술을 시행하는 주된 적응증이다. 그러나 때로는 통증이 없더라도 수술을 고려해야 하는 경우가 있는데, 수술을 지연시킬 경우 구조적 이상이 악화되어 수술을 보다 어렵게 만들 수 있기 때문이다. 재치환술의 대표적인 적응증은 1) 하나 또는 양쪽 삽입물 모두의 무균성 해리 2) 진행성 골소실 3) 삽입물의 파손이나 기타 기계적 실패 4) 탈구 5) 감염 6) 삽입물 주위 골절 등이 있다. 무균성 해리는 가장 흔한 재치환술의 적응증인데, 방사선 사진을 일정한 간격을 두고 연속적으로 촬영하여 발견할 수 있다. 무균성 해리는 감염에 의한 해리와 감별하는 것이 중요하다. 창상 치유가 지연되는 병력이 있거나 방사선적 변화가 있는 경우, 또는 검사실 소견에 이상이 있는 경우와 같이 감염이 의심되는 경우에는 지체 없이 관절액을 천자 흡인하여 세균 도말 및 배양 검사를 시행한다. 그러나 재치환술 전에 모든 환자에게 일률적으로 천자 검사를 시행할 필요는 없는데, 이 검사의 민감도(sensitivity)와 양성 예측도(positive predictive value)가 낮기 때문에 선택적으로 시행하는 것이 바람직하다.

해리에 의한 통증은 환자들이 보행을 하기 위해 처음 몇 발자국 디딜 때 발생한다(start-up pain). 비구컵에 해리가 발생하면 서혜부 통증을, 대퇴스템에 해리가 생기면 대퇴부나 무릎의 통증을 주로 유발한다. 과거에 촬영한 방사선 사진과 비교해 보면 진단에 도움이 된다. 해리와 관련된 골소실이나 골용해가 심하거나 진행하는 경우에는 현재 증상이 없더라도 앞으로 골흡수가 진행하여 수술을 보다 어렵게 만들 수 있기 때문에 재치환술을 고려해야 한다. 대퇴스템의 변형이 진행하거나 불완전 파손이 발견된 경우 재치환술을 시행한다. 대퇴스템이 완전히 파손되면 부러진 원위부를 제거하는 것이 매우 어려워진다. 완전 파손, Morse 테이퍼 연결부의 파손, 조립식 라이너의 잠김 기전의 손

상 등에서도 재치환술이 필요하다.

통증이 없는 경우 고관절 운동 범위의 감소나 다리 길이가 길어진 경우 같은 기능적 문제들은 재치환술의 적응증이 되지 않는다. 그러나 다리가 짧아지면 관절의 불안정성을 유발하여 보다 심각한 문제가 될 수 있으므로 재수술을 고려해야 한다. 또한 다리길이 차이를 해결하려고 반대쪽 정상측 다리를 수술하기 쉬운데, 반대쪽 고관절에 통증이 없는 경우라면 이는 그릇된 판단이다. 임상적으로 문제가 되는 이소성 골형성을 제외하면, 운동 범위를 증가시킬 목적으로 재수술을 시행할 경우 성공할 가능성이 적다. 또한 대전자 절골부의 불유합이나 전위와 같은 파행의 원인이 명확한 경우를 제외하면 파행이 있는 환자에서 재수술을 시행하는 것은 바람직하지 못하다.

일차성 고관절 전치환술을 받기 전과 비슷한 통증이 수술 후에도 계속된다면 통증의 원인을 재평가해 보아야 한다. 수술 후에도 통증이 지속되거나 통증 소실 기간이 없었다면 수술 술기상의 문제나 감염을 의심해야 한다. 고관절 재치환술 전에 통증의 원인이 밝혀지지 않았는데도 환자가 무언가 수술로 해달라고 요구하는 수도 있다. 이런 경우에는 재치환술의 결과를 예측할 수 없으며, 수술 도중 합병증이 발생한다면 환자는 오히려 더 나빠질 수도 있다. 집도의나 환자는 재치환술을 수행하기 전에 내재한 위험성과 성공할 확률이 제한적이란 점에 대해 충분히 인지하고 있어야 한다.

2) 수술 전 계획

고관절 재치환술은 통상적인 일차성 고관절 전치환술 과정보다 훨씬 까다롭고 복잡하기 때문에 계획을 세우는데 보다 많은 시간과 노력을 할애하여야 한다. 일차성 고관절 전치환술에서 고려하였던 평가 과정을 적용할 수 있지만, 수술 중 발생할 수 있는 문제점과 합병증으로 수술 전에 계획한 대로 진행하지 못할 수 있다. 그러나 합병증과 여러 가지 우발 상황들을 예측하고 처리하기 위한 계획을 세우고, 수술에 필요한 장

비틀을 철저히 준비하면 수술 중 일어나는 문제점을 효과적으로 대처할 수 있다.

수술 기록지와 제조 회사에서 발부한 제품인식 스티커(manufacturer's implant sticker)를 확인한다. 제품이 단종되었거나 수입되지 않는 경우도 있어 비구컵이나 대퇴스템 중 어느 한쪽만 수술하는 경우 적당한 삽입물이 있는지 고려해야 한다.

과거 수술 반흔을 확인하고 수술 접근법을 결정하는 데 참고한다. 술자마다 선호하는 절개 방식이 있고 과거의 수술 반흔에 추가 절개가 필요한 경우가 많다. 이 경우 혈행 차단으로 인한 피부괴사를 일으킬 수도 있으므로 미리 절개선과 접근법에 대해 준비를 하여야 한다. 하지 부동 및 고관절 운동 범위를 측정한다. 현성 하지 길이 측정은 외전, 내전 변형에 대한 골반 경사를 평가할 수 있으며 나무 블록을 이용하여 선 자세에서 변형 및 하지 단축을 측정할 수 있다. 골반 변형이 심하거나 척추 측만증, 2cm 이상의 하지 단축이 있는 경우, 양측 하지 scanogram을 촬영하여 정확하게 길이 차이를 평가해야 한다(그림 1).

고관절 운동 범위 측정 시 양측 고관절의 운동 범위를 함께 측정하여 운동 제한이나 구축이 있는지 확인한다.

골반과 대퇴골 전부를 포함하는 방사선 사진들이 필요하며, 환측의 무릎과 족관절의 변형이 있거나 하지 부동이 있는 경우에는 하지 전장 영상이 필요하다. 해상도가 낮은 영상은 얇아진 피질골과 인접 시멘트를 구별하기 어렵고 골소실 정도를 정확하게 측정하기 어려워 실제보다 과소 평가할 수 있다. 가늠술(templating)을 위해서는 확대 표지자(magnification marker)를 이용해서 촬영하여, 미리 매우 작거나 큰 삽입물의 필요성을 검토하여야 한다.

방사선 사진을 통하여 기존 삽입물의 위치, 정렬, 형태를 분석하고, 골용해의 정도, 시멘트의 질적 변화, 응력 차단, 골재형성, 이소성 골화증, 대전자부 유합 여부, 골의 질적 변화, 오프셋, 다리 길이 등을 확인한다.

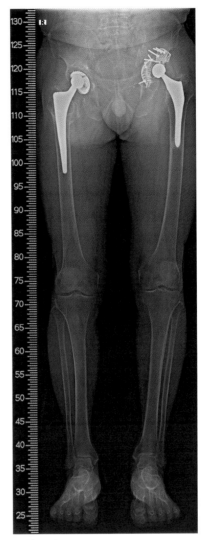

그림 1. Scanogram

재치환술 시점까지의 과거에 촬영한 영상 사진들을 연속적으로 관찰함으로써 더 많은 정보를 얻을 수 있다.

전후면 방사선 촬영 시 대퇴골 오프셋과 정확한 경간각 측정을 위하여 하지를 15-20° 내회전시켜 촬영한다. 회전 변형이 있을 시는 환자의 자세를 반앙와위 자세에서 대퇴골 경부와 촬영기가 직각이 되게 한다.

대퇴골의 전장이 포함된 측면 사진을 통해 대퇴골의 만곡 정도를 정확히 평가하여야 적당한 직경, 길이 및 전체적인 기하학적 구조를 파악하여 대퇴스템을 선택하는데 도움을 얻을 수 있다. 각형성 변형 또는 회전 변형이 상당한 경우에는 대퇴골 절골술을 고려해야 한다. 골반내 시멘트가 있거나 비구 부품이 골반 내로 과도하게 돌출되어 있는 경우에는 혈관 조영술이나 요로 조영술 등의 추가적인 검사가 필요할 수도 있다. 전산화단층촬영은 비구컵이나 대퇴스템 주위의 해리와 골 결손을 평가하는데 도움이 된다(그림 2). 이 검사로 비구 결손(acetabular deficiencies)의 형태와 정도를 파악할 수 있으며, 금속 외장(metal-backed) 비구 부품이 삽입되어 있는 경우에도 골 보존상태(bone stock)에 관한 유용한 정보들을 얻어낼 수 있다.

삽입물의 종류를 방사선 사진으로 식별하고 수술 기록지를 검토하는 것이 종종 도움이 되는데, 비구 또는 대퇴골 부위 중 어느 한쪽 삽입물만 신체 내에 존재하는 경우에 특히 그러하다. 대퇴스템의 형태와 그 표면 처리상의 특징들(peculiarities)을 숙지하고 있어야 스템 제거 시 필요한 시멘트 제거 부위를 결정하는데 도움을 얻을 수 있다. 또한 현재 삽입되어 있는 골두의 크기도 알고 있어야 한다. 비구측이나 대퇴부측 중 어느 한쪽의 불일치(mismatch), 이상 위치(malpostion), 또는 골두의 경부 길이 선택 오류(incorrect neck length)인 경우에는 반대쌍 부품(the opposite component)의 재치환이 필

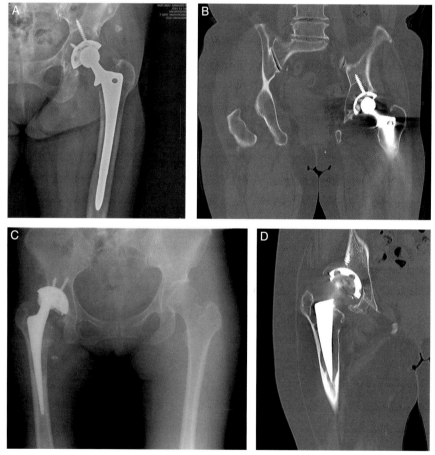

그림 2. 골용해의 방사선 소견
전산화단층촬영으로 단순사진보다 훨씬 심한 소견을 확인할 수 있다.
비구컵 주위 골용해(A, B), 대퇴스템 주위 골용해(C, D)

요하며 이때 필요한 삽입물 재고목록(implant inventory)과 장비(equipment)가 완비되어 있어야 한다.

대체로 고관절 재치환술에는 일차성 고관절 치환술 때보다 더 많은 장비들이 필요하다. 많은 병원들이 고가의 장비들을 모두 갖추고 있지 못하며 필요한 경우에 준비해야 한다. 재치환해야 할 삽입물이 최신 디자인 제품이라면 그 시스템에 합당한 기구들(instruments)을 미리 준비해야 한다. 삽입되어 있는 삽입물에 꼭 맞는 적출 도구(extraction tools), 나사못 제거기(screwdrivers)와 골두 분리 도구들(head disassembly instruments)을 미리 준비하면 수술 과정이 보다 쉬워진다. 골소실 및 골변형에 따라 삽입하고자 하는 치환물의 선택이 변경될 수 있으므로 여러 가지 돌발 상황에 대처할 수 있는 삽입물도 같이 준비한다. 조립식인 경우 맞는 부품을 구할 수 있다면, 비구와 대퇴골 삽입물 양쪽 모두를 재치환해야 하는 수고를 덜수 있다. 일차성 고관절 치환술에 필요한 장비와 재료들 이외에 재치환술에 추가로 준비해야 하는 장비와 재료로는 1) 방사선투시기와 방사선 투과 수술대 2) 대퇴스템과 비구컵 적출 도구 3) 시멘트 제거를 위한 수동 도구 4) 전동화된 또는 초음파(ultrasonic) 시멘트 제거 도구 5) 전동화된 금속 절단 도구 6) 유연성 골수강 확공기 7) 무시멘트형 대퇴스템 제거에 필요한 유연성 절골기 8) Trephine 확공기 9) 무시멘트형 비구컵 제거에 필요한 만곡형 절골기나 상업화된 적출기구(Explant acetabular removal system; Zimmer, Warsaw, Indiana, USA) 10) 광섬유 조명장치 11) 금속 나사와 골반 재건용 금속판 12)대전자 고정용 기구 및 강선 또는 케이블 13) 동종골(해면골 조각, 대퇴골두, 구조골과 분절형(segmental) 동종골) 14) 수술 중 혈액 회수 장비 등이 있고 이외에도 적절한 삽입물 목록들이 준비되어야 한다. 하지 부동, 골소실 및 수술 중 대퇴골 골절 등을 해결하려면 다양한 길이의 대퇴스템, 대퇴거 대치스템(calcar replacement stems), 큰 수평 오프셋을 가지는 스템 등이 필요하다. 대부분의 회사들은 재치환술에 맞게 특별히 고안된 대퇴스템을 가지고 있다. 직경 70-75 mm까지의 점보컵은 커다란 비구 결손을 채우는데 필요하다. 드물게 결손이 너무 불규칙하거나, 대퇴골이 너무 변형된 경우에는 맞춤형 부품(custom made component)이 유일한 해결 방법일 수도 있다. 준비할 사항들이 많으므로 점검표를 이용하여 꼼꼼히 확인하는 것이 좋다(표 1).

2. 비구 재치환술

비구 재치환술을 시행하는 흔한 이유는 이완(loosening), 불안정성(instability), 골용해(osteolysis), 삽입물 주위 감염(periprosthetic joint infection) 등이며, 대부분 비구컵 주위에 골결손이 동반되어 있거나 비구컵을 제거하는 과정에서 추가적인 골결손이 발생할 수 있으므로 이에 대한 대처가 필요하다. 성공적인 비구 재치환술이 되기 위해서는 비구컵과 숙주골 사이에 긴밀한 접촉이 이루어져야 하고, 무시멘트형 비구컵을 사용할 경우 골내성장(bone ingrowth)이 이루어질 수 있도록 기계적인 안정성을 얻어야 하며, 생리적인 부하가 비구골 주변으로 고르게 전달될 수 있도록 재건함과 동시에, 비구컵을 올바른 방향에 위치시키고 해부학적 고관절 중심을 회복하여야 한다. 비구 재치환술에서는 골결손 정도와 골질이 삽입물의 초기 안정성에 영향을 미치기 때문에 골결손의 크기와 형태를 정확하게 파악하는 것이 중요하다. 골결손은 고관절의 전후면 영상, 측면 영상, 사면 영상 등 단순 방사선 사진을 통해 관찰 가능하지만 전산화단층촬영을 시행하여 골결손 정도와 삽입물의 상태를 정확히 평가하여야 한다. 실제 골결손의 정도는 영상 검사에서 관찰되는 것보다 큰 경우가 많고, 삽입물을 제거하는 과정에서 추가적인 골손실이 발생할 수 있으므로 수술장에서 재평가하여야 한다. 비구 재치환술을 위해서 다양한 비구 삽입물들이 사용되어 왔으나, 비생물학적인(nonbiologic) 고정 방법을 사용할 경우에는 실패할 가능성이 높기 때문에 특수한 경우를 제외하고는 가능

표 1. 미국정형외과학회의 재치환술 전 점검표

■ Revision Total Hip Arthroplasty Checklist

1. Patient Name _____
2. Patient ID Name _____
3. Sex : M F   4. Date of Birth _____   5. Date of Planned procedure _____
6. Primary Diagnosis (Original THA) _____
7. Secondary Diagnosis (Planned Procedure) _____
8. Procedure
    Axetabulum _____
    Femur _____
9. Components in place
    Axetabulum (Type / Company) _____
    Femur (Type / Company) _____
10. Acetabulum Revision : _____ Yes _____ No
    If No
    Polyethylene liner exchnge   Option 1 _____
                     Type / Company _____
                     Option 2 _____
                     Type / Company _____
    If Yes
    Procedure
    Implant Selection   Option 1 _____
                     Type / Company _____
                     Option 2 _____
                     Type / Company _____
                     Option 3 _____
                     Type / Company _____
    Bone grafts   Morcellized _____ Yes _____ No
                     Structure graft option
                     Distal femur _____ Yes _____ No
                     Femoral head _____ Yes _____ No
                     Other _____

cage _____ Yes _____ No
                Type / Company _____
cemented Cup _____ Yes _____ No
                Type / Company _____
11. Femoral Revision : _____ Yes _____ No
    If No
    Femoral head exchnge Type / Company _____
    If Yes
    Procedure
    Implant Selection   Option 1 _____
                     Type / Company _____
                     Option 2 _____
                     Type / Company _____
                     Option 3 _____
                     Type / Company _____
    Cemented implant? _____ Yes _____ No
                     Option 1 _____
                     Type / Company _____
                     Option 2 _____
    Bone grafts   Morcellized _____ Yes _____ No
                     Structure graft option
                     Femoral Strut _____ Yes _____ No
                     Proximal Femur _____ Yes _____ No
                     Other _____
12. Special Equioment   High-Speed burrs _____ Yes _____ No
                     Ultrasound _____ Yes _____ No
                     Type / Company _____
                     Abduction Brace _____ Yes _____ No
                     Cell Saver _____ Yes _____ No
                     Other _____
                     Other _____

하면 다공성 무시멘트형 비구컵을 사용한 생물학적인 (biologic) 고정을 시행하도록 한다.

1) 비구골 결손의 분류

미국정형외과학회(American Academy of Ortho-paedic Surgeons)의 분류법(표 2)과 Paprosky 분류법(표 3)이 현재 가장 많이 사용되고 있다. 미국정형외과학회 분류법은 비구의 결손을 크게 분절성 결손(segmental defect)과 강내 결손(cavitary defect)의 두 가지로 분류

하였는데, 분절성 결손은 내측 벽을 포함한 비구 외연 (rim)의 결손을 의미하고, 강내 결손은 비구 내부의 용적 결손(volumetric loss)을 의미한다. 각각 분류는 골결손의 위치에 따라 상방, 전방, 후방, 중심부 등으로 세분된다. 복합 결손(combined defect)은 분절성 결손과 강내 결손이 혼재된 경우이고, 골반 불연속성(pelvic discontinuity)은 비구의 하방과 상방이 분리되어 전방 지주(anterior column)와 후방 지주(posterior column)가 단절된 것을 의미한다. 미국정형외과학회 분류법은

표 2. 비구 골결손에 대한 미국정형외과학회 분류

분류	골 결손
I	분절성 결손
II	강내 결손
III	분절성 결손과 강내 결손의 복합 결손
IV	골반 불연속성
IVa	경도의 분절성 또는 강내 결손을 동반한 불연속성
IVb	중등도 이상의 분절성 또는 강내 결손을 동반한 불연속성
IVc	골반에 대한 방사선 조사력이 있는 불연속성
V	고관절 유합

표 3. 비구 골결손에 대한 Paprosky 분류

분류	고관절 중심의 상방 이동	좌골 골용해	Köhler 선	눈물 방울
I	경미(< 3 cm)	없음	유지됨	유지됨
IIA	경도(< 3 cm)	경도	유지됨	유지됨
IIB	중등도(< 3 cm)	경도	유지됨	유지됨
IIC	경도(> 3 cm)	경도	파괴됨	중등도 골용해
IIIA	중증도(> 3 cm)	중등도	유지됨	중등도 골용해
IIIB	중증도(> 3 cm)	중증도	파괴됨	중증도 골용해

체계적으로 분류하고 있지만 비구 결손 부위 크기와 위치를 구체적으로 표시할 수 없고 치료방법을 결정하는데 한계가 있다.

Paprosky 분류법은 네 가지 기준에 따라 구분하고 있다.

① 고관절 중심의 상방 이동: 전방 지주와 후방 지주를 침범한 비구 원개(acetabular dome)의 골소실

② 좌골 골용해(ischial osteolysis): 비구 후벽을 포함한 후방 지주의 골소실

③ 눈물 방울 골용해(tear drop osteolysis): 비구 내측 골소실

④ Kohler 선에 대한 비구컵의 위치: Kohler 선보다 내측에 위치할 경우 비구 내측 골소실

Paprosky 분류법은 수술 중 골소실의 예측과 비구 재건 방법을 선택하는데 도움이 되기 때문에 실제 임상에서 많이 사용되고 있다(그림 3).

2) 비구컵의 제거

성공적인 비구 재치환술을 위해서는 수술 전 계획을 철저히 수립하고, 비구컵의 상태 및 비구골소실 정도에 따라 수술에 필요한 기구 및 장비들을 세심하게 준비해야 한다. 골소실을 최소화하면서 안전하게 비구컵을 제거하기 위해서는 이전 수술 기록지를 확인하여 해당 삽입물의 종류와 크기를 알아 두어야 한다.

(1) 라이너(liner)의 제거

비구 재치환술에서 적절한 위치와 방향으로 잘 고

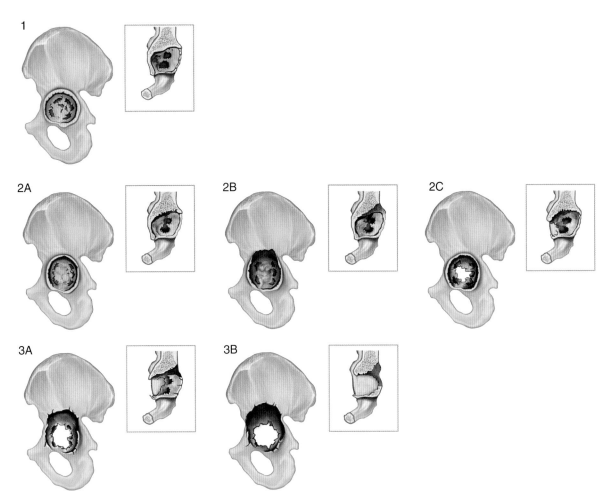

그림 3. 비구 골결손에 대한 Paprosky 분류

정되어 있는 무시멘트형 비구컵에서 라이너만 교체하는 것은 간단한 방법이지만 신중하게 고려해야 한다. 일부 오래된 비구컵 중에는 잠김 기전(locking mechanism)이 불량하거나 더 이상 구할 수 없는 부품들이 있기 때문이다. 비구컵과 라이너 사이의 잠김 기전은 제조 회사마다 다르기 때문에 수술 전에 미리 확인해야 한다. 비구컵 주변의 연부조직이나 골극을 제거하여 라이너가 완전히 노출되도록 해야 방해받지 않고 제거할 수 있다. 라이너만 제거하기로 계획한 경우에는 비구컵 금속면의 손상이 생기지 않도록 주의해야 한다. 폴리에틸렌 라이너를 제거할 경우 대부분은 곡선형 절

골기(curved osteotome)를 비구컵과 라이너 사이에 끼워 넣고 지렛대 원리를 이용하여 라이너를 제거할 수 있지만, 잠김 기전에 따라 특수한 기구가 필요할 수 있다. 유용한 방법 중의 하나는 폴리에틸렌 라이너 가장자리에 나사를 삽입하여 라이너가 비구컵으로부터 밀려 나오도록 하여 제거하는 것이다(그림 4). 세라믹 라이너의 경우 사용된 제품에 따라 제거용 기구나 방법을 이용하여 비구컵 금속면의 손상을 주지 않도록 제거하도록 한다. 제거용 기구가 없는 경우에는 라이너 삽입용 기구를 세라믹 라이너 내면에 고정한 후 비구컵 테두리를 금속 임팩터로 쳐 주면 세라믹 라이너와 비구

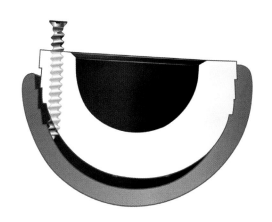

그림 4. 폴리에틸렌 라이너 제거
라이너 가장자리에서 비구컵과 라이너 사이로 나사를 삽입하여
라이너가 밀려 나오도록 하여 제거할 수 있다.

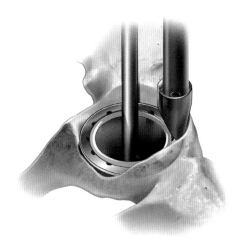

그림 5. 세라믹 라이너 제거
라이너 삽입용 기구를 세라믹 라이너 내면에 고정한 후 비구컵 테
두리를 금속 임팩터로 쳐 주면 세라믹 라이너와 비구컵 사이가 분
리된다.

컵 사이가 분리(dissociation)되어 세라믹 라이너를 삽
입용 기구로 제거한다(그림 5). 비구컵은 잘 고정되어 있
으나 오래되어 폴리에틸렌 라이너를 구할 없을 경우
시멘트를 이용하여 라이너를 고정할 수도 있다. 중기
결과에서 만족스러운 결과를 보이지만 젊고 활동적인
환자에서는 비구컵 재치환술을 고려해야 한다.

(2) 무시멘트형 비구컵의 제거

나사가 고정되어 있는 무시멘트형 비구컵을 제거하
기 위해서는 먼저 라이너를 제거해야 한다. 수술 전 미
리 나사의 개수를 확인하여 모두 제거해야 하는데, 나
사가 부러진 경우에는 비구컵을 제거한 후 필요하면
관상톱(trephine)을 사용하여 제거하도록 한다. 비구컵
의 해리(loosening)가 있는 경우에는 비교적 쉽게 제거
할 수 있으나 골내성장에 의해 단단히 고정되어 있는
비구컵을 제거하는 데는 주의가 필요하다. 방사선 사
진상 비구컵이 Kohler 선보다 내측으로 많이 돌출된 경
우에는 혈관조영술을 시행하여 주요 혈관의 주행을 확
인하고 필요한 경우 혈관 외과와 협업할 수 있도록 한
다. 먼저 비구컵 주변의 연부조직을 제거하고, 비구컵

위로 생성된 골극을 제거하여 경계를 완전히 노출시
켜야 한다. 곡선형 절골기를 사용하여 짧은 것부터 긴
것 순으로 비구컵과 비구골 사이 경계 전체를 환형으
로 분리시킨다. 필요한 경우 가는 연마기(burr)로 비구
컵과 비구골 사이에 틈을 미리 만든 후 절골기를 사용
할 수 있다. 가능한 한 절골기는 비구컵에 밀착시켜 사
용해서 골소실을 최소화하도록 한다. 다양한 크기의
인공 골두와 함께 조립할 수 있는 곡선형 절골기로 구
성된 Explant 시스템(Zimmer, 미국)은 기존의 비구컵
에 맞는 인공 골두를 사용하여 이를 중심으로 절골기
를 비구컵 주변으로 회전시키면서 비구컵을 효과적으
로 분리시킬 수 있다(그림 6).

(3) 시멘트형 비구컵의 제거

시멘트형 비구컵을 제거하기 위해서는 비구골의 손
상과 소실을 최소화하기 위해 시멘트-컵 경계 부위
를 먼저 분리시킨 후 남은 시멘트를 제거하도록 한다.
시멘트-컵 경계 부위는 대부분 어렵지 않게 분리시
킬 수 있으나 표면처리(precoating, textured coating)
가 되어 시멘트-컵 결합을 향상시킨 비구컵에서는 분

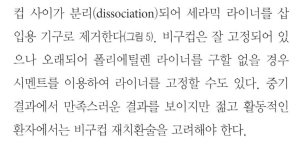

그림 6. Explant 시스템
비구 골소실을 최소화하면서 단단히 고정된 무시멘트형 비구컵을 안전하게 제거할 수 있도록 고안되었다.

리가 어려울 수 있다. 이러한 비구컵에서는 비구연 손상을 최소화하면서 시멘트–골 경계 부위를 분리시키도록 한다. 비구컵 제거 후 남아 있는 시멘트는 골소파기(curette)로 제거하고, 고정이 잘 되어 있는 시멘트는 좁은 절골기를 사용하여 조각으로 만든 다음 제거한다.

3) 비구 재치환술

비구 재치환술의 방법은 비구컵 주위 골결손의 정도와 위치에 따라 달라질 수 있지만 가능하면 생물학적인 고정을 얻을 수 있는 방법을 최우선적으로 선택해야 한다. 골반에 방사선 조사를 받은 병력이 있는 환자와 같이 골 상태가 좋지 못한 경우에는 골내성장을 기대하기 어려우므로 항돌출 케이지나 특수하게 고안된 삽입물을 사용하여 비구골에 부하가 가해지지 않도록 고정하는 방법을 고려해야 한다.

(1) Paprosky I, II형 골결손에서의 비구 재치환술

고관절 중심이 상방으로 3 cm 이상 이동하지 않은 Paprosky I, II형에서는 골결손의 정도가 심하지 않아 대부분 반구형 무시멘트 컵으로 재치환술을 시행할 수 있다. 기존의 비구컵을 제거한 후에는 육아조직을 포

함한 연부조직을 철저히 제거하여 비구골을 잘 노출시켜 숙주골의 상태를 재평가하도록 한다. 제거한 비구컵 크기 정도의 확공기(reamer)로 시작해서 전방 지주와 후방 지주가 확공기에 맞물릴 때까지 점차 크기를 늘려가면서 사용할 비구컵의 크기를 결정한다. 확공하는 과정에서 골반 불연속성이 생기는 것을 방지하기 위해 비구 전방의 골이 일부 희생되더라도 후방 지주는 보존하도록 한다. 확공을 마친 후 시험용 비구컵(trial acetabular component)을 사용하여 의도하는 각도와 방향으로 삽입한 상태에서 비구컵의 안정성과 숙주골과의 접촉 정도를 확인한다. 이 때 숙주골과의 접촉을 좋게 하기 위해 비구컵을 수직으로 세우지 않도록 주의해야 한다. 비구컵 경사각이 크게 삽입되면 탈구와 마모의 위험이 높아지게 된다. 비구의 강내 골결손은 자가 및 동종골을 사용하여 채운 후 마지막 확공 크기보다 2 mm 작은 확공기를 역방향으로 사용하여 압박한다. 실제 비구컵은 마지막 확공 크기보다 2 mm 큰 크기를 사용하여 압박 고정을 통해 초기에 안정성을 얻을 수 있도록 한다. 비구컵 재치환술에서는 수술 후 초기에 생길 수 있는 미세 움직임을 최소화하고 골내성장을 잘 유도할 수 있도록 여러 개의 나사를 사용하여 추가 고정하는 것이 좋다. 숙주골과 어느 정도 맞물릴 때까지 확공하므로 상당히 큰 비구컵을 사용할 수도 있다. 일반적으로 남성에서는 직경이 66 mm 이상, 여성에서는 62 mm 이상인 비구컵을 점보컵(jumbo cup)이라고 한다. 숙주골에 접촉하는 면이 증가하므로 상대적으로 안정적인 고정을 얻을 수 있지만 골결손이 심한 경우 추가적인 골이식이 필요하며 확공 과정에서 추가적인 골소실을 유발할 수도 있다. 또한 큰 비구컵을 사용해야 하므로 고관절 중심은 어느 정도는 상승된다.

(2) Paprosky IIIA형 골결손에서의 비구 재치환술

고관절 중심이 상방으로 3cm 이상 이동되어 있는 경우에는 비구 원개의 골소실 때문에 반구형 비구컵만으

로는 안정적인 고정을 얻을 수 없는 경우가 많다. 비구 상방의 분절성 골결손이 있는 경우에 선택할 수 있는 수술 방법으로는 장방형 컵(oblong cup), 고위 고관절 중심(high hip center)에 비구컵을 위치시키는 방법, 구조적 동종골이식(structural allograft)이나 금속 보강(metallic augmentation)과 반구형 컵을 사용하는 방법 등이 있다. 장방형 컵은 다공성 코팅된 이중 구조를 가진 형태로 구조적 동종골이식 없이 구조적인 안정성을 얻고, 해부학적인 고관절 중심에 비구컵을 위치시킬 수 있도록 고안되었다. 그러나 적절한 위치와 각도로 컵을 위치시키기 어렵고 장기 결과가 불량하여 최근에는 잘 사용되고 있지 않고 있다. 고위 고관절 중심에 컵을 위치시키는 방법의 장점은 숙주골과의 접촉을 최대화 할 수 있다는 것이다. 그러나 다리 길이를 맞추고 연부조직의 긴장도를 유지하기 위해 특별한 형태의 대퇴 삽입물을 사용해야 하고, 골반과의 충돌 때문에 고관절의 안정성이 떨어질 수 있다. 또한 작은 크기의 컵을 사용할 수밖에 없으므로 얇은 두께의 라이너를 사용하거나 작은 크기의 인공 골두를 사용해야 한다는

단점이 있다.

구조적 동종골이식과 반구형 컵을 사용한 비구 재치환술은 골결손 부위에 대하여 경부를 포함한 대퇴골두나 간부를 포함한 원위 대퇴골의 구조적 동종골을 사용하여 보강하고 반구형 컵을 고정하는 방법이다. 분절성 골결손의 크기에 맞게 동종골의 모양을 가공하고 가능하면 압박 고정으로 결손 부위를 보강한다. 나사를 서로 평행하게 삽입하여 장골에 단단히 고정하는데, 동종골이 장골에 압박될 수 있는 부하 방향으로 비스듬히 삽입한다(그림 7). 이후 동종골을 포함하여 점진적인 확공을 시행한 후 반구형 컵을 압박 고정하고 추가적인 나사를 고정한다. 고관절의 중심을 회복하고 향후 시행할 지도 모를 재치환술을 위해서는 유용한 방법이다. 그러나 술기가 어려워 수술 시간이 길어지고, 주변 연부조직을 더 많이 노출해야 하며, 감염의 위험성이 높아진다. 또한 시간이 경과하면서 이식된 동종골에서 골흡수나 골절이 발생할 수 있다는 단점이 있다.

금속 보강과 반구형 컵을 사용한 비구 재치환술은 동

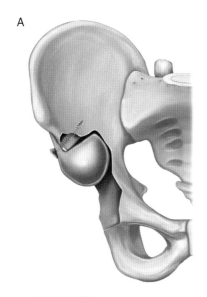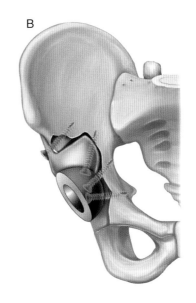

그림 7. 구조적 동종골이식술
(A) 원위 대퇴골 구조적 동종골을 사용하여 비구 상방의 분절성 골결손을 보강하고, (B) 비구컵을 고정하는 모식도이다.

종골이식을 사용한 재치환술에서 이식된 골이 흡수되는 등의 단점을 극복하기 위해 골결손 부위를 금속 보강물로 채우고 반구형 컵을 고정하는 방법이다. 금속 보강물로는 탄탈륨이나 티타늄 재질을 사용하고 다공성을 증가시킴으로써 탄성률(modulus of elasticity)을 낮추고 마찰계수(friction coefficient)를 증가시킨 것이다(그림 8). 이러한 특성은 골조직과 비슷하여 무시멘트형 비구컵의 초기 안정성을 얻는 동시에 생물학적 고정을 얻을 수 있다(그림 9). 분절성 골결손이 있는 부위에 금속 보강물을 나사로 고정한 후 보강물 내부는 골이식으로 채우고, 다공성 비구컵과 접하는 부위에는 미세 움직임에 의한 미동 마모(fretting wear)를 방지하기

그림 8. 금속 보강물

위해 시멘트를 사용한다. 초기 결과는 우수한 것으로 보고하고 있으나 장기적인 추적이 필요하다.

(3) Paprosky IIIB형 골결손에서의 비구 재치환술

Paprosky IIIB형 골결손이 있는 경우에는 비구 원개뿐만 아니라 내측 벽의 결손이 심하여 반구형 비구컵만으로는 안정적인 고정을 얻기 힘들다. 특히 골반 불연속성이 동반되어 있을 가능성이 높으므로 수술장에서 좌골을 흔들어봐서 확인해야 한다. 비구컵과 숙주골의 접촉면이 40% 미만인 경우가 대부분이므로 생물학적 고정을 얻기 어려운 경우가 많다. 비구의 심한 골결손에 대해서는 구조적 동종골이식, 여러 개의 금속 보강물로 채우고 반구형 컵이나 항돌출 비구 케이지를 사용하는 방법 등을 고려해 볼 수 있다. 비구컵을 제거한 후 확공기로 점진적으로 크기를 증가시키면서 최소한 비구에 2점 고정(two points of fixation)이 얻어질 때까지 확공한다. 비구 결손의 위치와 크기를 정확히 파악하고, Paprosky IIIA형 골결손과 유사한 방법으로 구조적 동종골이나 금속 보강물을 사용하여 골결손 부위를 보강한 후 반구형 컵을 압박 고정한다. 여러 개의 나사 고정으로 초기 안정성을 얻을 수 있어야 하는데,

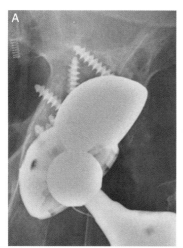
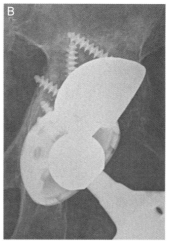
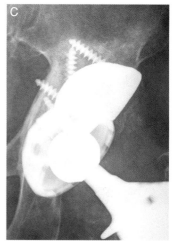

그림 9. 금속 보강물을 이용한 비구 재치환술
(A) 금속 보강물을 이용한 비구 재치환술을 시행 후 고관절 전후면 영상에서 부분적인 골결손 부위가 남아 있다. (B) 수술 후 6주에 골내성장이 이루어지는 것을 관찰할 수 있다. (C) 수술 후 3개월에 골결손 부위의 골형성을 관찰할 수 있다.

장골 방향뿐만 아니라 가능하면 좌골 방향으로도 나사를 삽입하여 고정하도록 한다. 골결손이 매우 심해서 비구 보강만으로 비구컵의 안정성을 얻기 힘들 때는 케이지를 사용하기도 한다(그림 10).

생물학적인 고정을 얻을 수가 없고 초기 고정과 장기 안정성 모두 나사에 의해서만 이루어지기 때문에 이식골의 재형성이 일어나지 않으면 장기 추적에서 케이지의 움직임이 생기고 실패할 가능성이 높아진다. 따라서 최근에는 컵-케이지(cup-cage) 구조를 사용한 비구 재치환술이 소개되고 있는데, 반구형 다공성 컵을 사용하여 부분적인 안정성을 갖도록 고정한 후, 초기 안정성을 제공하기 위해 비구 케이지로 보강하는 것이다. 라이너는 시멘트를 사용하여 고정하게 되는데, 비구컵의 생물학적인 고정을 얻을 수 있을 때까지 케이지가 단기간 안정성을 제공하여 초기 추시에서 좋은 임상 결과들이 보고되고 있다(그림 11). 특히 골반 불연속성이 있는 경우에도 사용할 수 있다. 골결손이 매우 심할 경우 골결손을 메우는 방법보다 골결손 상하부를 연결하는 맞춤형 삽입물(custom triflange cup)을 사용할 수 있다. 수술 전 전산화단층촬영을 통해 골결

손 부위와 고정을 할 부위를 고려하여 미리 제작한 후 사용하는 방법이다. 특히 골반 불연속성이 있는 경우에도 사용할 수 있다. 중기 결과에서 만족스러운 결과를 보고하고 있으나 비용과 시간이 소요되고 장기 추적이 필요하다. Paprosky 분류법에는 명시되어 있지 않지만 심한 골결손이 있는 환자에서는 골반 불연속성을 확인하여야 한다. 상하 골반의 단절로 인한 골반의 불안정성이 있는 경우 골반의 안정성을 얻어야 삽입물의 안정성을 얻을 수 있으므로 골반을 추가적으로 고정하든지 컵-케이지나 맞춤형 삽입물을 사용하여야 한다(그림 12). 고정이 어려운 경우 단절된 비구를 벌린 후 금속보강물과 반구형 비구컵을 삽입하는 견인 방법(distraction technique)이 있으나 장기 추적이 필요하다.

심한 골결손을 해결하기 위한 감입 골이식술(impaction grafting)은 생물학적 재건을 기대할 수 있는 방법으로, 앞서 기술한 경우에서 모두 적용할 수 있다. 수술 방법은 먼저 금속 철망(metal wire mesh)을 사용하여 비구 경계를 만들어 주고, 파쇄된(morcellized) 신선 동결(fresh frozen) 동종골을 겹겹이 임팩터(impactor)와 망치를 사용하여 감입 골이식을 시행한다. 감입 골이식

A

B

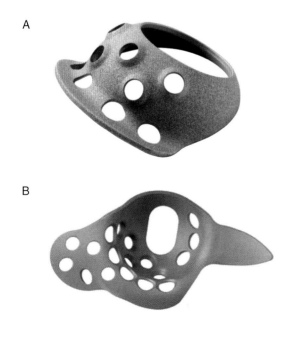

C

그림 10. 항돌출 비구 케이지
(A) Müller, (B) Burch-Schneider, (C) Ganz

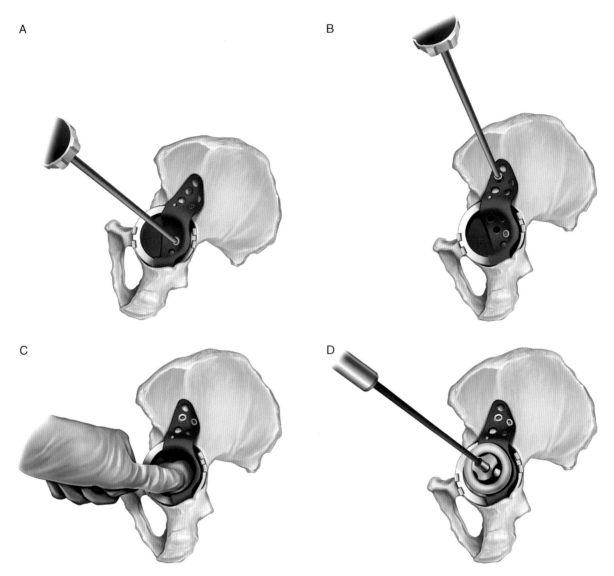

그림 11. 컵-케이지 구조(cup-cage construct)를 사용한 비구 재치환술
(A) 반구형 비구컵을 고정하고 비구 케이지로 보강한 후 나사로 컵과 케이지 사이를 고정한다. (B) 비구 케이지의 상방 날개에 있는 구멍을 통해 나사로 골반골에 케이지를 단단히 고정한다. (C) 골시멘트를 충진시킨 후, (D) 고도 교차결합 폴리에틸렌 라이너를 적절한 위치로 삽입한다.

술에 사용하기에는 신선 동결 동종골이고, 7–10 mm 크기 정도로 파쇄된 순수한 해면골이 가장 적합하다. 감입 기법도 중요한데, 망치와 임팩터를 사용하여 확실하게 압박하며 골이식을 시행해야 한다. 감입 골이식술의 제한점으로는 기술적으로 어렵고, 환자가 수술 후 3개월 동안 체중 부하를 하지 못한다는 점을 들 수 있다. 따라서, 생물학적인 골 재건이 매우 중요한 젊은 환자에서는 좋은 치료 방법이 될 수 있으나, 수술 후 조기 보행과 회복이 중요한 고령의 환자에서는 신중하게 선택해야 한다.

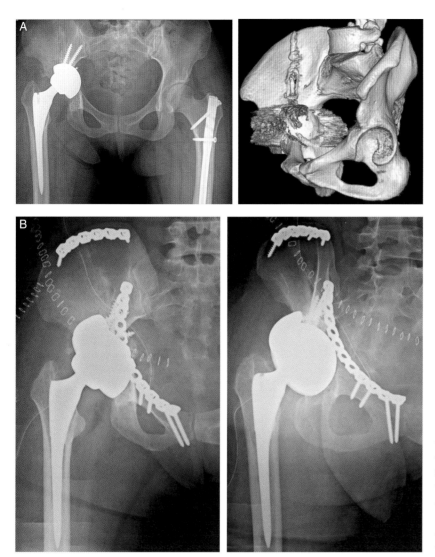

그림 12. **골반 불연속성에서 비구 재치환술**

(A) 단순 방사선 사진과 전산화단층촬영에서 심한 비구 골결손과 골반 불연속성이 동반된 비구컵의 이완이 관찰된다. (B) 골반 불연속성에 대해 금속판으로 고정하고 금속 보강물과 반구형 비구컵으로 재치환하였다.

3. 대퇴스템 재치환술

고관절 전치환술의 결과가 매우 양호함에도 불구하고 여러 이유로 인한 삽입물의 실패는 언제든지 일어날 수 있으므로, 재치환술의 필요성은 항상 존재한다. 국가적인 재치환술의 역학 연구는 그리 많지는 않다. 우리나라에서는 2007-2011년의 기간 중 발생 빈도에 큰 변화를 보이지 않은 반면, 미국의 경우 그 빈도가 해마다 증가하여 2026년이면 2005년에 시행되었던 재치환술의 두 배에 이를 것이라고 예측되고 있다.

미국의 데이터에 의하면, 고관절 재치환술 중 대퇴골 측의 재치환은 비구와 대퇴골 측을 모두 교체하는 경우(전체 재치환술의 40.3%)와 대퇴스템만을 교체하는 경우(14.4%)를 합한 약 54.7%이며, 원인으로는 해리(loosening)가 41.8%로 가장 많다. 고관절 재치환술의 목적은 통증을 없애고 고관절의 생역학적 기능과 골의 연속성을 복구하며 삽입물을 안정적으로 고정시키는 것이다. 이 중 대퇴스템 재치환술이 필요한 이유는 해리, 대퇴스템 주위 골절, 재발성 탈구, 대퇴스템 주위 감염, 골용해, 잘못된 위치로 삽입된 대퇴스템, 하지부동, 대퇴스템의 분절 등이며, 이 밖에도 비구컵 재치환술 시 수술적 접근을 위해 필요한 경우, 일체형 대퇴스템의 골두 손상이 있을 경우, 조립형 스템의 테이퍼에 손상이 있거나 사용 가능한 골두와 테이퍼가 맞지 않는 경우 등에도 시행하게 된다. 재치환술의 경우 일차성 고관절 전치환술과는 달리, 골재형성에 의한 형태의 변화를 감안해야 하며, 수술 전에 발생한 골용해뿐 아니라 대퇴스템을 제거할 때 발생하는 골손실 등에 의해 고정에 필요한 골이 부족한 경우가 많고, 수술 중 골절의 위험성이 높기 때문에 성공적인 수술을 위해 미리 준비해야 할 과제가 많다.

1) 수술 전 계획

환자의 주증상을 판단하여 실패의 원인이 무엇인지 정확히 파악하고, 수술 시에 일어날 상황을 예견하여 필요한 장비와 수술 재료를 준비하며, 수술 전 계획을 철저히 하는 것이 성공적인 재치환술을 위해 필수적인 과정이다. 대퇴스템 재치환을 위해서는 충분한 길이의 근위 대퇴골을 포함하는 방사선 사진이 중요한데,

삽입된 대퇴스템의 전장이 보여야 하고, 만일 시멘트가 사용되었다면 원위부 플러그 끝까지 확인할 수 있는 영상이 있어야 한다. 긴 스템을 사용한 재치환이 요구된다면 대퇴골 협부의 원위부까지 확인이 가능해야 하며, 대퇴골의 전방 만곡을 확인하기 위해 충분한 길이의 측면 영상도 필요하다(그림 13). 때로는 대퇴골 전장에 걸친 변형이 있거나, 슬관절 치환술로 인해 긴 삽입물의 사용에 문제가 된다고 판단되면 슬관절을 포함한 하지 전장의 scanogram이 요구된다(그림 14). 골용해나 감염 등으로 인한 심한 골결손이 있거나, 삽입물의 안정성이 의심되는 대퇴스템 주위 골절 등과 같이 재건에 대한 정확한 계획이 어렵다면 전산화단층촬영이 필수적이다(그림 15).

2) 수술적 접근법

수술적 접근법은 대부분 기존의 수술 반흔을 따라 가지만, 재치환술 과정에서 대퇴스템과 시멘트의 제거를 용이하게 하기 위해 절개부를 원위 방향으로 연장할 수 있도록 준비한다. 접근법에 따른 뚜렷한 장단점 때문에 재수술을 위해 어느 접근법을 사용하는 것이 좋

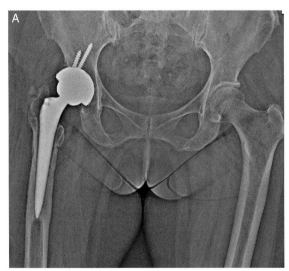
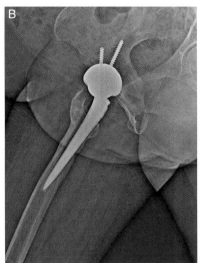

그림 13. 대퇴스템 해리로 재치환을 계획 중인 환자의 수술 전 방사선 사진
대퇴스템의 전장이 보이고(A), 측면 영상에서 전방 만곡의 정도를 충분히 파악할 수 있다(B).

도 높은 것으로 보고된다. 전측방 접근법은 원위부로의 확장은 용이하나, 전자부 절골을 하지 않는다면 외전근을 부착부에서 더 많이 절개해야 광범위한 접근이 가능하다는 단점이 있다. 측방 접근법은 원위부 확장이나 골수강내 접근이라는 측면에서는 우수하지만, 이미 한 번 손상된 외전근에 다시 손상을 줄 수 있다는 점에서 제한이 있다. 수술 자체만으로는 후외측 접근법이 비구와 대퇴골 모두에 쉽게 접근할 수 있고 절개부를 근위와 원위부로 연장하는데도 용이하나, 고관절의 후방 구조물을 다시 손상하므로 탈구의 빈도가 높은 단점이 있다.

어떠한 접근법을 사용해도, 대전자가 대퇴스템의 어깨 부위를 막아 제거하는데 방해가 될 때 무리하게 스템을 제거하면 원하지 않은 대전자 골절이 발생하여 많은 문제를 일으킬 수 있으므로, 경로에 방해가 된다고 생각되면 추후 재건이 가능한 방법으로 대전자를 절골해야 한다. 절골은 기존 삽입물을 노출시킨 후 탈구 시키기 전에 시행하는 경대퇴골 접근법(transfemoral approach)의 형태일 수도 있고, 골두를 분리한 후 다른 방법으로 제거를 시도하다가 실패한 이후에 시행할 수도 있다. 대전자의 절골은 활강 전자부 절골이나 확장전자부 절골과 같은 여러 방법이 알려져 있지만, 원위부 절골의 위치만 다를 뿐 모두 절골부에 근육을 최대한 붙여 놓은 상태에서 시행한다는 점에서는 같다. 절골 부위는 수술 전에 결정을 해야 하며 대전자부 근위 첨부에서부터 길이를 측정하여 결정한다. 수술 전에 결정된 절골 범위의 원위단에 해당하는 부위의 대퇴골을 노출시키고 전 후방에 두 개의 구멍을 뚫어 원위부 경계를 확정한다. 절골 시 원하지 않게 골절이 원위부로 이행하거나, 새로운 대퇴스템 삽입 시 골절이 발생하는 것을 막기 위해 계획한 절골 경계의 직하방에 하나의 예방적 환형 강선(prophylactic circumferential wire)을 설치한다. 고관절을 외회전하여 전방 절골 부위를 노출시키고 계획된 위치에 따라 일렬로 구멍을 뚫어 놓거나 혹은 직접 눈으로 보면

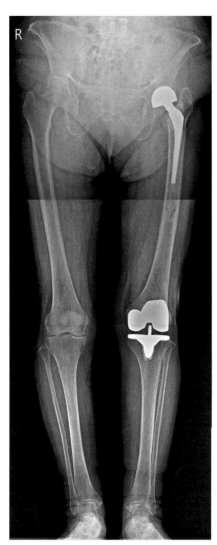

그림 14. 대퇴스템 해리로 재치환을 계획 중인 환자의 수술 전 방사선 사진
원위부 슬관절 치환술이 수술을 방해하지 않는지 확인하기 위해 하지 전장 사진이 필요하다.

은가에 대한 일반적인 합의는 없지만, 필요에 따라 대퇴골 협부까지 조작이 가능한 광범위한 절개가 요구되는 경우가 많다. 전방 접근법(anterior approach)은 대퇴골 골수강에 대한 접근이 어려워 원위부로 확장하려면 많은 근육 절개가 필요하거나, 독립된 절개창을 사용해야 하므로 근육 보존(muscle sparing)이라는 접근법 고유의 장점을 잃게 되며, 대전자 골절의 위험성

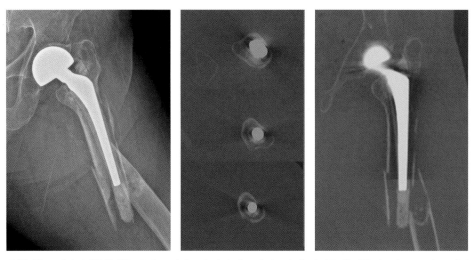

그림 15. 전산화단층촬영을 통해 골시멘트와 남아있는 해면골과의 관계를 확인할 수 있고, 골절로 인한 결손부도 정확히 파악할 수 있다.

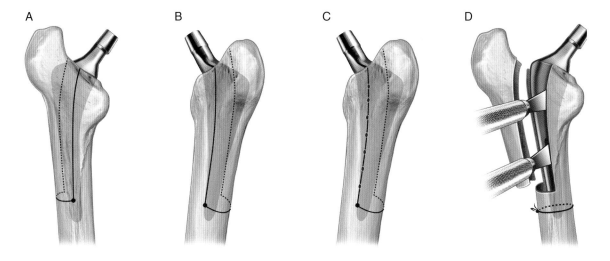

그림 16. 좌측 대퇴골에서 시행한 확장 전자부 절골술
수술 전 계획한 길이의 전후방에 구멍을 뚫고(A), 고관절을 외회전하여 전방 피질골을 노출한 후(B) 전방에 몇 개의 드릴 구멍을 뚫어 계획된 골절이 일어나게 한다(C). 절골기를 사용하여 절골편에 파손이 이루어지지 않도록 조심해서 들어올려 스템 외측 연을 노출시킨다(D).

서 절골한다. 다시 관절을 내회전하여 절단톱을 사용하여 절골을 한 후 절단면을 통해 몇 개의 넓은 절골기(osteotome)를 넣어 대전자 절골편의 전자하 부위에 골절이 발생하지 않도록 조심해서 절골편을 분리한다 (그림 16). 절골부의 위치는 대퇴스템 혹은 시멘트 원위단의 제거가 가능할 정도로 충분히 길어야 하지만 가

능한 한 대퇴골 협부는 4 cm 이상 남겨 놓는 것이 좋다. 수술 도중 전자하 부위에서 절골편이 골절되면 고정이 대단히 어렵고 만족할 만한 유합을 얻기도 힘들기 때문에 이러한 문제가 생기지 않도록 매우 주의해야 한다. 스템의 재치환까지 마무리된 이후 절골편은 다수의 환형 강선이나 케이블 등을 사용하여 고정한다

(그림 17). 최근 강한 고정을 위해 갈고리 형태의 고정물의 사용이 권장되기도 하나 수술 후 마찰에 의한 자극이 문제가 되는 경우가 많다.

3) 대퇴스템의 제거

어떤 방법을 선택하던 기존 스템을 제거하는 동안 대퇴골의 손상을 최소화하기 위해서는 유연 절골기를 포함하여 시멘트의 제거, 시멘트 원위 플러그의 제거 등에 사용 가능한 모든 수술 기구를 충분히 준비해야 한다(그림 18).

(1) 시멘트형 스템과 시멘트의 제거

시멘트형 스템을 제거하기 위해서는 먼저 시멘트와 스템 사이를 분리하고 스템을 꺼내야 한다. 광택 표면의 스템이거나, 시멘트형 스템의 해리가 시멘트와 스템 경계부에서 발생하였다면 비교적 쉽게 스템을 제거할 수 있지만, 스템을 추출하기 전에 근위부에 덮힌 골과 시멘트를 먼저 제거해 대전자부의 손상을 방지한다. 또한 대퇴스템의 침강으로 스템의 내측면이 골로 덮여 있다면 이것도 먼저 제거해야 한다. 만일 시멘트와 골 경계부에서 해리가 발생하였다면 스템과 시멘트층을 하나로 제거할 수 있어 수술이 비교적 용이할 수

있다. 다공성 코팅으로 시멘트와 스템 사이가 연결되어 있다면 유연 절골기로 분리를 할 수도 있다. 어떠한 경우라도 스템의 제거 시 대퇴골의 골절이나 천공이 생길 위험성이 클 때는 확장 전자부 절골술을 시행한다.

(2) 시멘트 제거

골간단부의 시멘트는 양이 많은데 비해 골은 얇고 약하다. 뼈가 갈라지거나 구멍이 나지 않게 조심해야 한다. T 또는 V자 모양의 절골기로 세로로 몇 개의 조각을 내어 떼어낸다. 시멘트-골 고정이 그리 단단하지 않으면 시멘트 천자를 이용해 시멘트를 빼낸다. 스템을 꺼낸 후 스템 원위부에서 플러그(plug)까지 시멘트층의 제거가 어려울 수 있다. 수술 중 방사선투시기(fluoroscopy)를 통해 위치를 확인해가며 드릴을 사용하여 시멘트 플러그의 중심을 지나도록 구멍을 뚫고, 확공기(reamer) 등을 사용하여 제거를 위한 다른 기구가 들어갈 수 있도록 구멍을 넓힌다. 이때 대퇴골 만곡을 고려해 대퇴골 전방 천공 등의 골손상이 없도록 유의해야 한다. 시멘트 플러그는 가는 갈고리, 큐렛, 해면골 나사용 tapper, ultrasonic plug puller 또는 동력기구를 이용해 제거할 수 있다. 만일 제거가 어려울 경

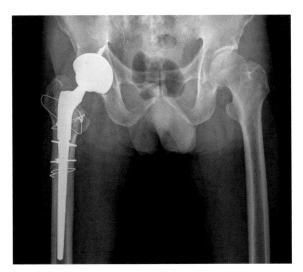

그림 17. 확장 전자부 절골술 후 강선 고정의 예

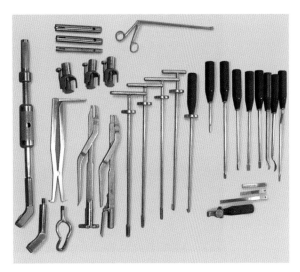

그림 18. 대퇴 삽입물의 재치환술에 쓰이는 기구

우 확공기를 사용해 일정 굵기까지 시멘트 층을 갈아 낸 후 남아있는 골시멘트를 절골기 등을 사용하여 제거할 수도 있고, 만일 접근이 어려울 정도로 원위부에 위치하는 경우는, 원인 질환이 감염이 아니라면, 조심스럽게 원위부로 밀어 넣기도 한다(그림 19). 만일 감염인 경우, 플러그를 남기지 않기 위해 원위부에 독립된 창을 내어 제거하기도 한다. 독립된 창을 사용할 때 주의할 것은 새로 고정되는 삽입물이 최소한 이 창의 길이 이상 원위부로 지나쳐 고정되어야 응력 집중에 의해 발생하는 골절을 피할 수 있다는 점이다. 만일 골시멘트나 시멘트 플러그가 골수강 내에 일부 남아있으면 확공기를 사용할 때 한쪽으로 치우쳐 대퇴골의 천공이나 골절을 일으킬 수 있다. 이것을 방지하기 위해 대퇴골 만곡의 정점까지 확장 전자부 절골술을 시행하여 시멘트와 시멘트 플러그를 눈으로 보면서 제거할 수

있다. 그러나 새로운 대퇴스템의 안정된 고정을 위해 절골 부위가 협부를 지나지 않도록 주의해야 한다.

(3) 무시멘트형 스템의 제거

무시멘트형 대퇴스템을 제거할 때는 고정 상태와 표면처리된 범위를 고려해야 한다. 수술 전 방사선 사진에서 스템의 안정성 여부를 판단하여 추출방법을 결정한다. 만약 골용해나 해리 등으로 불안정성이 예측되는 경우에는 먼저 여러 번 손과 기구로 흔들어 보고나서 다른 방법을 고려해도 늦지 않다. 짧게 근위부에만 다공성 코팅된 대퇴스템은 얇은 유연절골기(flexible osteotome)를 사용하여 골과 스템 사이를 분리시켜 추출해 낼 수 있다. 삽입물의 제거가 필요할 때 가장 접근이 어려운 부위는 곡면인 내측인데, 이곳은 여러 개의 가는 K-강선을 사용하는 방법, 대퇴골 전방부에 낸 창을 통해 날 끝을 둥글게 휘어 놓은 작은 톱을 사용하

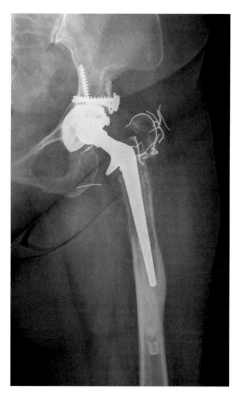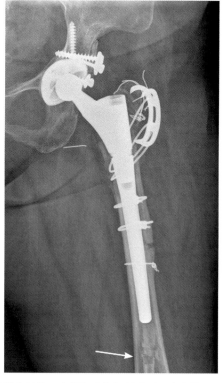

그림 19. 시멘트형 스템 해리에 의한 재치환술 시 원위부 시멘트 마개를 꺼낼 수 있게 절골하면 협부를 손상시킬 수 있으므로 조심스럽게 원위부로 밀어 넣고(화살표) 재치환을 할 수 있다.

여 제거하는 방법 등이 소개되어 있으며, 필요하면 적절한 길이의 대전자부 절골술을 시행한다. 절골 후 스템의 외측단이 개방되면 근위부 내측을 통해 가는 기글리 톱을 골과 스템 사이에 넣고 외측을 통해 밖으로 꺼내어 원위부로 당기며 스템-골 접합부를 분리하면 잘 고정되어 있는 스템도 별다른 골손실 없이 제거가 가능하다. 문제가 되는 것은 여러 이유로 광범위 다공성 코팅된 대퇴스템을 제거해야 하는 경우인데, 이 스템은 원위부까지 골내성장이 이루어져 확장 전자부 절골술이 필요하지만, 절골을 한다고 해도 절골편과 스템 외측면 사이의 연결을 분리하기가 어렵기 때문에 절골편의 골절이나 분쇄가 발생하여 매우 큰 골손실을 불러올 가능성이 많다. 또한 원위부까지 골내성장이 이루어져 있기 때문에 절골기만으로 분리하려 하면 대퇴골의 골절 또는 천공을 일으킬 수 있으므로 위험하다. 이런 경우 피질골에 창문을 내거나 비교적 짧은 확장 전자부 절골술로 근위-원위 경계부를 노출시킨 후 고속 금속 절단기로 스템의 해당 부위를 절단한다. 그 후 유연 절골기와 기글리 톱 등을 이용해 내측의 골-스템의 접촉면을 분리한다. 근위부를 먼저 추출하고

원위부는 속이 비어 있는 관상톱(hollow mill)을 이용해 추출해낸다(그림 20). 재치환술에 사용할 새로운 대퇴스템이 최소 4-6 cm 정도 골과 접촉할 수 있도록 준비해야 한다. 간혹 조립형의 대퇴스템을 제거할 경우 대퇴스템의 원위부를 추출하기 위한 해당 기구에 맞는 도구가 있으므로 기구 회사에 문의하면 도움이 된다. 어떠한 경우에도 기존 스템을 제거하기 위해 새로운 골손실이 발생하는 것을 피해야 하므로 조심스러운 조작이 필수적이다.

4) 대퇴골 결손의 분류

재치환할 대퇴스템의 초기 안정과 수명을 위해 골손실의 정도에 따라 치료 방법이 달라져야 한다. 수술 전 방사선 사진으로 분류하여 계획을 세운다 하더라도 대퇴스템과 시멘트 제거 후에 분류가 달라질 수도 있으므로 수술 중 다시 대퇴골의 상태를 점검해야 한다. Paprosky는 대퇴골 손실의 정도에 따른 치료 방침을 제시하면서(표 4, 그림 21) 대퇴스템과 동종골이식의 필요에 대해 기술한 분류를 보고하였다. 이 방법은 분류에 따라 치료 방법을 결정할 수 있는 장점이 있어 현

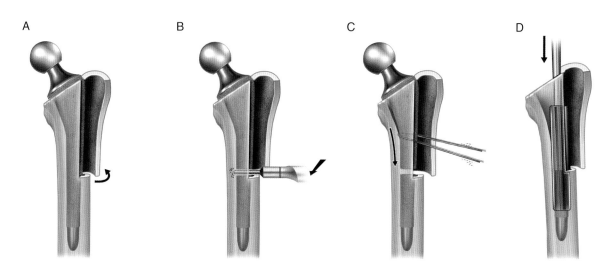

그림 20. 잘 고정되어있는 광범위 다공성 피복스템의 제거
짧은 확장 전자부절골 후(A) 스템을 자르고(B), 기글리 톱으로 골과의 접합부를 잘라 근위부를 제거 후(C), 원위부는 관상톱으로 제거한다.

표 4. Paprosky의 대퇴골 골결손의 분류

Type	골간단부 결손	골간부 결손	diaphyseal support
I	최소	없음	이상 없음
II	심함	최소	이상 없음
IIIA	심함	심함	≥ 4 cm
IIIB	심함	심함	< 4 cm
IV	심함	심함	없음

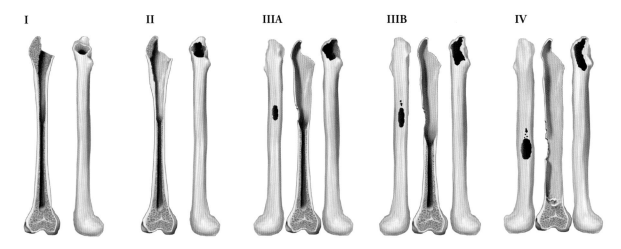

그림 21. 대퇴골 결손의 Paprosky 분류
Type I: 골간단부 해면골의 골결손이 적어 골의 구조에 영향이 없으며 골간부의 손상은 없다. Type II: 골간단부 해면골의 골결손이 크고 골간단부의 손상은 없다. Type III: IIIA형은 골간단부와 골간부의 골손실이 심한 상태이며 골간부 협부에서 4 cm 이상의 원위고정을 얻을 수 있다. IIIB형은 4 cm 미만의 원위고정을 얻을 수 있을 뿐이다. Type IV: 골간단부와 골간부의 심한 골결손이 있으며 대퇴골의 골수강이 넓어져 협부에서 대퇴스템을 지지할 수 없다.

재 가장 많이 사용되지만, 대전자부의 결손에 대한 고려가 없는 단점이 있다. I형은 골간단부와 골간부의 보존이 양호한 상태로 일차성 고관절 전치환술과 큰 차이 없이 재치환술을 시행할 수 있으며 추가적인 골이식이 필요하지 않다. II형은 근위 대퇴골 내측 피질골은 소실되었으나 골간부는 보존된 상태로 골소실은 골간단부에 국한된다. 대개 시멘트형 삽입물이나 근위부가 넓은 근위 고정형 스템을 제거한 이후 발생하는 형태로 짧은 근위부 충진형(proximally fitting)이나 근위부 고정형(proximally fixating) 스템의 사용이 어려운

상황이다. 근위부의 결손은 있지만 대퇴골 간부는 정상이므로 원위부에서 고정되는 스템을 사용하여 재건할 수 있으며, 근위부의 골결손에 대해서는 다양한 형태의 골이식이 필요할 수 있다. III형은 근위 골간단부의 소실이 심해 골성 지지를 전혀 기대할 수 없으며 골내막골(endosteal bone)도 심하게 손상되었거나 거의 없는 상태이다. 골간부의 소실도 동반되어 있다. 스템이 오랜 시간 동안 해리되어 있었거나, 골절 치료로 인한 합병증 이후에 시행되는 재치환술 시에 관찰될 수 있는 결손이다. II형과 비슷한 형태이나 골간부의 골손

실이 추가된 상태로 이해하면 쉽다. Paprosky 등의 보고를 포함한 여러 연구에서 광범위 다공성 코팅된 원위 고정형 스템을 사용할 때 최소한 4 cm 이상의 긁힘고정(scratch fit)을 얻을 수 있었던 경우 매우 우수한 임상 결과를 얻을 수 있었다는 임상적 보고들을 근거로 하여 골간부 협부에서 4 cm 이상의 강력한 긁힘 고정이 가능할 정도의 건강한 골간부를 가지고 있는 상태를 IIIA형, 그렇지 못한 상태를 IIIB형으로 분류한다. IIIB형의 결손에 대해서는, 골표면성장(bone ongrowth)을 기대할 수 있으며 회전 안정성을 위한 핀이나 홈이 있는 조립형 테이퍼 스템이 좋은 결과를 보이고 있고, 감입 골이식, 거대 삽입물 등도 여러 선택 중의 하나이다. IV형은 골간단부와 골간부의 심한 골결손이 있으며 대퇴골의 골수강이 넓어져 협부에서 대퇴스템을 지지할 수 없다. 무시멘트형 대퇴스템 고정으로는 초기 안정성과 골성 고정을 얻기 어려우며 대퇴골 근위부의 피질골이 보존되었다면 감입 골이식술을 사용한 재치환술을 시행하는 것이 좋다.

미국정형외과학회에서는 수술 전, 수술 중의 골소실의 소견을 기초로 분류 방법을 만들었다. 골소실의 두께와 길이 등 형태와 소실 전 골의 동적인 위치 그리고 스템을 지지할 수 있는 남아있는 골의 전체적인 골질과 이식골의 필요성에 따라 분류하였다. 골소실의 형태를 분절성 결손과 강내 결손으로 나누고, 복합 결손,

부정 정렬, 협착, 불연속성 등의 범주를 추가하였다 (표 5). 이 분류는 골결손을 형태에 따라 세밀히 기술한 장점이 있지만, 결손의 형태에 따른 재건 방법을 제시하지 않은 단점이 있다. 이외에도 유럽에서는 Endo-Klinik 분류법이 많이 쓰이며, Chandler-Penenberg 분류법, Engh의 분류법, Mallory의 분류법 등이 사용되고 있다.

5) 대퇴스템의 선택

대퇴골 골간단의 골결손이 경미하거나 중등도일 경우에는 일차성 고관절 전치환술에 사용되는 근위 또는 원위 고정형 스템을 사용할 수도 있다. 골간단의 손상이 골간부까지 연장된 경우는 남아있는 골질에 따라 근위부가 아주 두꺼운 근위 고정형 스템을 사용할 수도 있으나 대부분 원위 고정형 스템을 사용하며 결손의 정도에 따라 다양한 형태의 동종골이식과 병행하여 사용할 수 있다. 대퇴골의 골결손 정도에 따라 삽입하는 대퇴스템의 종류와 부가 수술을 선택해야 한다. 현대적인 시멘트 술기로 시멘트형 스템을 사용할 수도 있으며, 근위 다공성 코팅 스템을 동종골이식과 병행하거나, 광범위 다공성 코팅 스템, 조립형 테이퍼 스템 등을 사용할 수 있다. 골수강내 감입 골이식 또는 구조적 동종골이식을 병행할 수 있다.

표 5. 미국정형외과학회의 대퇴골 결손 분류법

Type	특징	설명
I	분절형	피질골 껍질까지 손실된 결손
II	강형	피질골은 남아있고, 내부 해면골만 손실
III	혼합	I과 II가 같이 있는 상태
IV	부정 정렬	이전의 수술이나 외상으로 각, 회전, 길이 정렬이 변화
V	협착	피질골이 두꺼워져 대퇴골 골수강이 협착된 상태
VI	대퇴 연속성 소실	골절이나 불유합 등으로 인해 대퇴골이 분절된 상태
IV	심함	없음

(1) 시멘트를 사용한 재치환술

재치환술 시에는 대퇴골 골내막 표면이 미끄러워 시멘트를 이용한 상호 교차가 이루어지지 않아 전단력에 대한 저항이 감소하고 대퇴골의 골손실이 큰 경우 시멘트의 누출로 고정이 실패할 수 있다. 시멘트를 사용한 초기의 고관절 재치환술은 결과가 좋지 않았다. Hunter 등은 140예의 시멘트형 스템을 이용한 고관절 재치환술 후 22%에서 절제 관절성형술을 시행하였으며 Engelbrecht 등은 7.4년 추시 결과 138예 중 31%에서 방사선적 해리가 있었다고 하였다. Pellicci 등은 8.1년 추시 관찰에서 19%의 재-재치환술을 시행했으며 29%에서 해리가 발생하였다고 하였다. Kavanagh와 Fitzgerald는 3년 추시에서 임상적 및 방사선적 실패가 50%에 달했다고 하였다. 그 외 합병증으로 대퇴골 골절이 2.1-8%, 대퇴골 천공이 4-13%, 신경 마비는 0.5-7%, 대전자부의 문제는 6.2-12.7%로 보고되고 있다. 그러나 골시멘트 경계의 신생 피질골을 제거하여

해면골과의 상호 교차를 가능하게 하는 시멘트 술기의 발달로 광범위한 대퇴골 골용해가 있다 하더라도 시멘트를 사용한 재치환술 후 10년에서 15년 추시에서 재-재치환술의 비율이 10%에 그치는 양호한 결과를 보이고 있다. Haydon 등은 97명의 환자를 5년 이상 추시한 결과 60세 이상의 환자에서 골질이 충분하고 현대적인 시멘트 술기를 사용했을 때 결과가 좋다고 하였다. Kim은 지주 골이식술과 감입 골이식술을 같이 시행한 28예의 시멘트형 스템을 사용한 재치환술 후 평균 5.8년 추시 기간 중 1예에서만 대퇴스템 해리에 의한 재치환술을 시행하였다고 한다(그림 22). 여러 연구들을 요약하면 광택 표면을 갖는 직선의 긴 스템, 나이가 많은 환자의 수술 후 결과는 표면처리가 되어있거나 짧은 스템, 젊은 환자들 보다 일관되게 우수하다.

시멘트형 스템을 사용하였을 때 실패 예측인자로는 골질, 환자의 나이, 시멘트 맨틀의 질 등이 있다. 그러나 골용해가 광범위하거나 골소실이 많은 환자에서는

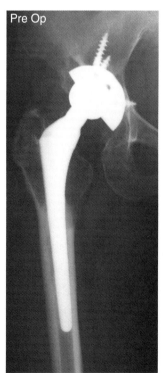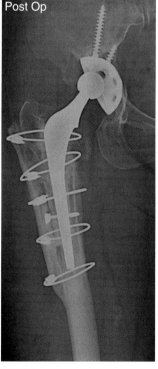

그림 22. 시멘트형 스템을 사용한 재치환술

감입 골이식술이나 광범위 다공성 코팅 대퇴스템을 선택하는 것이 더 낫다. 시멘트형 스템을 사용한 재치환술은 성공률이 낮으므로 대퇴골 결손을 동반한 대퇴스템의 해리가 있을 때 무시멘트형 재치환술을 권장한다.

(2) 시멘트내 시멘트(cement within cement) 술기

골내막 골과 잘 결합되어 있는 시멘트층을 제거할 경우 발생할 수 있는 골손실을 예방하고 재치환술을 쉽게 하기 위해 골시멘트를 제거하지 않고 기존의 시멘트층 위에 다시 시멘트를 이용한 대퇴스템 재치환술을 시행하여 좋은 결과를 보고한 경우도 있다. 일체형 대퇴스템에서 하지 부동이나 관절 불안정 등이 있어 길이를 조절하거나 골두의 크기를 바꾸어야 할 경우 사용할 수 있다. 이 방법을 성공적으로 시행하기 위해서는 남아있는 시멘트층의 두께가 충분하고 시멘트-골 접합부에 문제가 없어야 한다. 또한, 제거한 스템보다 작은 것을 사용한다고 하더라도 새로 설치하는 시멘트

층이 일정한 두께를 가질 수 있을 만큼의 여유 공간이 있어야 한다.

(3) 근위 다공성 코팅 대퇴스템을 사용한 재치환술

고관절 재치환술 시 근위 다공성 코팅 대퇴스템의 결과는 대체로 만족스럽지는 못하지만, 일부에서 광범위 다공성 코팅 스템과 같은 좋은 결과가 보고되고 있다. 대퇴골의 상태만 양호하다면 재치환술 시 근위 다공성 코팅 대퇴스템의 사용을 금기할 필요는 없다. 시멘트를 사용한 재치환술이나 근위 다공성 코팅 스템을 사용하는 재치환술 모두 대퇴골의 골손상 정도가 적어 일차성 고관절 전치환술과 같은 수준이어야 가능하다. 일차성 고관절 전치환술 시 짧거나 전후 폭이 좁은 스템이 사용된 경우, 그리고 조기에 해리된 경우 등에서는 기존 스템을 제거 후 남은 골손실이 상대적으로 적어 과거 일차 관절치환술에 사용된 비교적 큰 근위 고정형 스템을 재치환 시 사용하려는 시도도 많아지고 있다(그림 23). Cavagnaro 등은 최근의 체계적 분

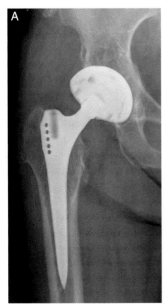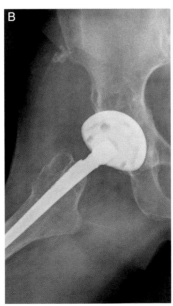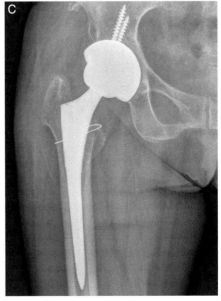

그림 23. 심한 비구측 골용해와 금속증, 대퇴스템 경부 함몰로 재치환술을 시행 받은 환자의 사진
수술 전 사진상 작고 전후 폭이 좁은 스템이 사용되었으며(A,B) 제거 후 골손실이 거의 없어, 예방적 환형 강선 설치 후 근위 다공성 피복된 이중 테이퍼 스템으로 강한 고정을 얻을 수 있었다(C).

석에서 성공적인 수술을 위해서는 환자의 선택이 가장 중요하다고 하며, Paprosky I, II형의 결손으로, 이전의 수술 이력이 적은 환자가 대상이 될 수 있다고 하였고, 확장 전자부 절골술 등을 같이 시행한 경우 금기에 해당할 수 있다고 지적하였다. 만일 근위부에서 대퇴스템의 축성 안정성과 회전 안정성이 확보되지 못해 이식골에만 의존하게 된다면 근위 다공성 코팅 스템은 사용하지 않아야 한다. 또한, 근위부 고정이 불안정하여 좀 더 큰 스템을 사용하기 위해 골간부를 과도하게 확공하면 골간부의 골은 약해지고 스템의 지름이 커져 좀 더 경직된 스템을 사용하게 되고 골간부에서 물리적 부조화가 커지면서 대퇴부 통증이 증가할 수 있다. 수술 중 삽입물의 안정성이 문제가 되거나 수술 후 체중 부하를 조절하기 어려운 경우에는 다른 종류의 스템을 사용해야 한다. 수술 후 처치는 일차성 고관절 전치환술과는 달리 연부조직의 절개가 광범위하므로 탈구에 유의해야 한다. 저자에 따라서는 수술 직후 4주 이상 고관절 외반 보조기를 착용시키기도 한다. 최소 6주 이상 보행기나 목발을 착용하게 하여 체중 부하를 줄이고 이후에도 6주 이상 지팡이를 짚게 한다. 근위부 대퇴골의 골질이 유지되고 스템이 안정하다면, 무시멘트형 대퇴스템을 이용한 일차성 고관절 전치환술과 동일한 예후를 얻을 수도 있다.

(4) 광범위 다공성 코팅 대퇴스템을 사용한 재치환술

대퇴스템이 제대로 고정되기 위해서는 대퇴골과 스템의 고정이 확실해야 한다. 그러나 대퇴골의 많은 부분이 소실되고, 남아있는 골은 경화되어 있으며 주위 연부조직은 충분치 않은 경우가 대부분이다. 이렇게 손상된 대퇴골을 재건하기 위해서는 새로운 스템을 남아있는 근위 대퇴골에 고정하든지, 대퇴골의 소실된 부분을 동종골을 이용해 채우거나 지주 골이식 등으로 복원시킬 수 있다. 또는 골이 소실된 부분을 지나 대퇴스템을 고정시키는 방법이 있다. 광범위 다공성 코팅 스템은 골손실에 의해 다양한 모양을 갖는 근위부

의 고정을 일부 포기하고 균일한 원통형의 모양을 갖는 대퇴골 협부를 중심으로 한 고정을 목적으로 하는 기구이다(그림 24). 안정적인 고정 여부는 원통형의 스템과 대퇴골 협부에 남아있는 골 사이에 얼마나 강한 긁힘 고정을 얻을 수 있는가에 달렸다. 이를 위해 사용하고자 하는 스템의 지름보다 0.5 mm 작게 확공해야 하며 협부에서 4 cm 또는 5 cm 길이의 초기 고정이 되어야 안정적인 골내성장이 이루어 질 수 있다.

광범위 코팅스템의 수명을 예측할 수 있는 소견으로는 Engh 등이 제시한 3가지 방사선적 양상이 널리 쓰인다. 이 중 골내성장은 스템의 이동이 없고, 스템의 다공성 코팅 주위에 방사선 투과성선이 보이지 않고, 다공성 코팅의 원위부에 골내막 비후가 없으며 pedestal 형성이 없다. 그러나 응력 차단에 의한 근위골 흡수 소견이 보일 수 있다. 섬유내성장(fibrous ingrowth)은 다공성 코팅 주위에 스템과 평행하게 형성되는 반응선이 있으나 스템의 침강은 없다. 이 반응선은 스템의 모양을 따라 약 1.0−1.5 mm의 간격을 두고 보이나 시간에 따른 변화는 없다. 원위부에 작은 좌

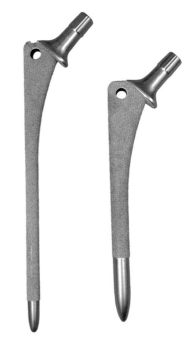

그림 24. 광범위 다공성 코팅 스템

대나 근위부 골흡수 소견이 미약하게 나타날 수 있다. 불안정 고정의 방사선 소견은 시간에 경과함에 따라 스템이 움직이며 회전 불안정성이 보이고 내반으로 기울어진다. 골경화선이 보이고 스템 원위 말단에 골내막 pedestal이 나타난다. 이러한 소견이 보이는 스템은 불안정하며 임상적으로 증상을 일으킨다.

적응증은 중등도 이상의 근위 대퇴골 결손이 있으나 골간부의 협부가 보존된 Paprosky 분류 Type II와 Type IIIA 골결손에서 적당하며 대퇴스템의 길이는 4-5 cm의 긁힘 고정으로 확고한 고정력을 얻을 수 있는 길이가 필요하다. 광범위 코팅 스템을 쓰지 못하는 경우로는 대퇴골 골수강이 넓어 고정이 안될 때, 즉 IV형 결손의 모든 경우와 IIIB형 결손에서 대퇴골 골수강의 지름이 19 mm 이상인 경우이다. 또한 심한 비틀림 변형이 있는 경우, 시멘트형 스템의 해리로 대퇴골의 내반,

후방염전 재형성이 있는 경우 등이다. 수술은 후외방 접근법이 비구와 대퇴골에 접근하기 쉽고 근위 원위부로 확장이 가능하다. 긴 스템을 사용할 경우 대퇴골의 전만곡과 후면 피질골의 비후에 의해 전면부의 천공이 일어나기 쉬우므로 유연 확공기와 휘어진 스템을 사용해야 한다. 대퇴스템을 삽입할 때 확장 전자부 절골에서 환형응력(hoop stress)에 의한 뜻하지 않은 골절을 예방하기 위해 절골의 원위부에 환상 강선을 설치한다. 케이블을 이용해 대전자부를 부착할 때 약간 후방 원위부에 위치하게 고정시켜 고정력을 증진시키고 충돌이 일어나지 않게 한다. 필요한 경우 골결손 부위에 지주형 동종골이식을 시행하며 케이블로 고정한다. 광범위 다공성 코팅 대퇴스템을 이용한 고관절 재치환술은 재-재치환술의 비율이 4-11% 정도로 중장기 추시 결과가 좋은 것으로 보고되고 있다(그림 25).

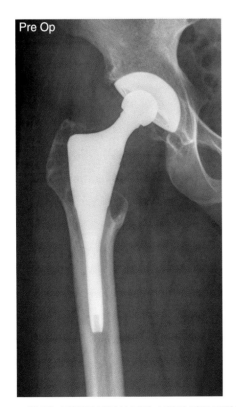
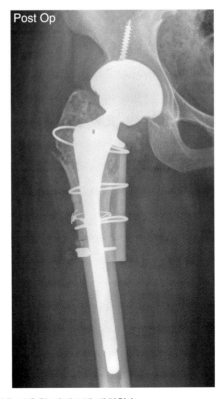

그림 25. 광범위 다공성 코팅 스템과 지주 골이식을 사용한 대퇴스템 재치환술
일차 고관절 전치환술 후 진행된 골용해로 인한 스템의 해리가 있어(A) 광범위 다공성 대퇴스템과 지주 골이식을 이용해 재치환하였다(B).

광범위 다공성 코팅 스템을 사용할 때 항상 우려되는
것이 응력 차단 현상에 의한 골위축이다. Engh은 대퇴
스템의 지름이 13.5 mm를 넘으면 응력 차단 현상이 5
배가 증가하고, 피복된 부위가 전체 스템의 3분의 2가
넘으면 2배에서 4배로 응력 차단 현상이 증가한다고 하
였다. 그러나 이 응력 차단 현상은 수술 후 초기 2년 내
에 일어나며 이 시기가 지나면 점차 나타나지 않는다
고 한다. Engh 등은 광범위 코팅 스템을 사용한 208예
의 대퇴스템에서 13.9년 추시결과 응력 차단은 여자에
서 조금 더 많으며, 피질골이 얇고, 더 큰 스템을 사용
한 환자에서 많았다고 했다. 응력 차단 현상이 있는 환
자에서는 대퇴스템의 해리나 골절, 다공성 코팅의 소
실 등은 볼 수 없었다. 재치환술의 비율은 응력 차단이
나타난 경우가 13%로, 응력 차단이 없었던 경우의 21%
보다 낮았으며, 15년 생존률도 각각 93%와 77%로 응
력 차단 현상이 나타난 경우가 수명에서는 더 좋은 결
과를 보였다고 했다. 광범위 다공성 코팅 스템을 사용
한 경우 골결손이 있는 근위부에서는 골내성장이 일어
나지 않고 골내성장이 일어난 골간부의 윗부분에서 외
팔보 효과에 의한 스템 파절이 유발될 수 있다(그림 26).
이 골절은 스템의 직경이 12 mm 이하인 경우에 잘 일
어난다고 한다. 스템의 고정 실패 또는 감염 등으로 인
해 광범위 코팅 스템을 제거할 경우 대퇴골의 파괴와
골손실이 커지는 점을 고려해야 한다. 대퇴스템을 절
단하고 원통형의 원위부 스템을 관상톱을 이용해 쉽게
제거할 수 있다고는 하나, 그 과정에서 생성된 금속 파
편이 잔존하며, 주위의 골조직의 손상이 심해질 수 있
다는 점을 감안해야 한다.

(5) 골간단부 sleeve가 있는 조립형 대퇴스템을 사용한
재치환술

근위 코팅 대퇴스템에서는 골간단부의 근위 골고정
과 대퇴골의 지지를 얻을 수 있는 장점이 있으나, 원위
고정이 되지 않아 재치환술에서는 초기 안정을 얻기
어렵다. 광범위 코팅 대퇴스템은 초기 안정성은 확보

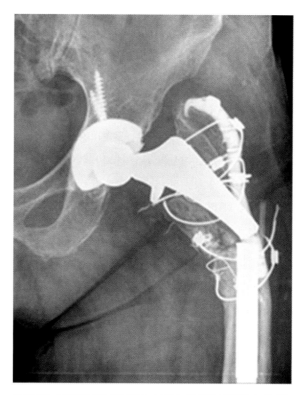

**그림 26. 광범위 다공성 코팅 스템을 사용한 재치환술 후 발
생한 스템의 파절**

되나, 대퇴부 통증과, 응력 차단에 의한 골위축의 문제
가 있고, 골결손이 심해 일정 길이 이상의 안정적인 긁
힘 고정을 얻을 수 없는 경우 실패율이 높다. S-Rom
(Sivash-Range of motion, Joint medical, USA)으로 대
표되는 이 형태의 스템은 이론적으로 대퇴골의 근위부
와 원위부 모두에서 고정할 수 있게 한다. 여러 가지
길이와 크기, 오프셋, 그리고 회전을 맞출 수 있어 유
용하다. 수술 시에는 역시 대퇴스템의 안정성과 운동
범위 내에서 고관절의 안정성을 반드시 얻어야 한다.
생물학적 고정은 근위부 sleeve에서만 이루어지고, 원
위부는 단순한 물리적인 고정인 관계로, 근위부의 골
내성장이 가능한 Paprosky I, II형 결손이 좋은 적응이
고, III, IV형의 결손에서는 실패율이 높아 사용하지
않는 것이 좋다. S-ROM의 3-7년 중기 추시 결과는
물리적 실패율이 약 1-9%로 좋은 편이나 수술 중 대

퇴골 골절, 탈구 등의 합병증이 있으며 조립면에서의 마모 입자가 골용해를 유발할 수 있다. 그러나 그 마모 입자는 금속-폴리에틸렌 관절에서 나오는 마모 입자의 양보다 1,000배나 적은 것으로 알려져 있다. 대퇴부 통증의 발생은 2-10%로 보고되고 있으나 대부분 미약하다. 스템과 sleeve의 접합부 내에서 발생하는 스템 파절(stem fracture)도 보고되고 있어 주의를 요한다.

(6) 원추형 세로홈이 있는 티타늄 테이퍼 스템을 사용한 재치환술

① **일체형 티타늄 테이퍼 스템:** Wagner 스템(그림 27)이 대표적이다. 테이퍼 되어있는 둥근 단면 때문에 강하게 압박 고정 시 시상면과 관상면, 그리고 축성 힘에 대한 안정성이 있고 세로로 길게 홈 또는 핀이 있어 회전 안정성도 얻을 수 있다. 골간 단부와 골간부의 골손실이 심한 경우와 골수강이 넓은 환자, 골수강내에 해면골이 없는 환자에게

그림 27. 일체형 티타늄 테이퍼 스템

유용하다. 그러나, 골간단부의 골이 체중 부하를 견딜 수 있을 정도로 강해야 하며, 골간부의 심한 골손실이 있는 환자에겐 사용할 수 없다. 좋은 결과를 얻기 위해서는 스템이 원위 골수강과 직접 접촉되는 면적이 넓어야 하는데, 단순 방사선 사진상 4-7 cm 정도 길이의 접촉이 필요하다고 알려져 있고, 일부 저자들은 Paprosky IIIB의 결손에서 최소 2 cm의 접촉만 있어도 충분하다고 보고하고 있다. 수술 중 대전자부의 골절 또는 대퇴골 간부 골절을 일으킬 수 있다. 직선의 긴 스템을 사용할 경우 수술 후 대퇴골의 천공이나 과상부 골절이 일어날 수 있으므로 조심해야 한다. 스템의 침강은 대퇴골의 골질에 따라 차이가 있으나 수술 후 약 3개월에서 일년까지 지속될 수 있고 침강 정도는 문헌에 따라 2.8 mm에서 10 mm 이상 일어난다고 보고하고 있다. 초기에 약간의 침강이 일어나더라도 지나치게 작은 스템을 선택한 것만 아니라면 테이퍼된 디자인 때문에 지름이 넓어지는 곳에서 새로운 안정성을 얻을 수 있다는 이론적인 장점이 있다. 경험이 적은 집도의일수록 강력한 압박 고정 보다는 길이를 맞추기 위해 가늘고 긴 스템을 선택하여 3점 고정을 시도하는 경향이 있어 조기 실패도 많이 알려져 있지만, 다수의 저자들에 의해 비교적 좋은 결과가 보고되었다.

② **조립형 티타늄 테이퍼 스템:** 표면에 세로로 핀이 있는 일체형 티타늄 테이퍼 스템은 오프셋과 길이, 굵기에 대한 선택의 폭이 좁고, 경험이 많지 않을 경우 조기 침강과 탈구 등의 합병증이 많이 보고되었다. 이러한 단점을 보완하기 위해 근위부와 원위부를 따로 만들고, 각각을 다양한 형태로 디자인하여 다양한 조합이 가능하게 함으로써 원위부에 강한 고정을 얻은 후 적절한 근위부 삽입물을 조합하는 조립형 테이퍼 스템이 도입되었다. 근위부는 다양한 모양과 표면처리가 되어

있어 대개 길이와 오프셋을 다양하게 선택할 수 있다. 원위부는 광범위 다공성 피복을 하거나 표면을 거칠게 하여 골표면성장을 유도하는 다양한 표면처리뿐 아니라 직선 혹은 곡선인 형태의 선택이 가능하며, 필요 시 결손부를 우회(bypass)할 수 있는 맞물림 나사(interlocking screw)를 설치할 수 있는 디자인도 있어 환자의 상태에 따라 매우 다양한 조합이 가능하므로 심한 결손이 있거나, 만곡이 심한 환자에도 사용할 수 있다(그림 28). 대부분의 Paprosky IV형 까지도 사용이 가능하고, 밴쿠버 B2, B3형 삽입물 주위 골절 시의 재치환술에도 사용이 용이하다. 주의할 것은 대부분의 스템이 골표면성장용 표면처리가 되어있으므로 굵기가 조금 가는 긴 스템으로 3점 고정을 얻으려 하는 경우 실패의 가능성이 높다는 것이다. 따라서 가능한 확장 전자부 절골술을 사용하여 남아있는 골과 최대한의 직선 접촉을 얻은 상태에서 압박 고정을 시행해야 좋은 결과를 기대할 수 있다(그림 29). 대부분의 최근 연구에서는 평균 3–8년 정도의 추시 상 약간의 조기 침강은 있으나 2% 이하의 해리를 보이는 등 좋은 결과를

보고하고 있다. 이 스템 고유의 합병증은 연결부에서의 파절(junctional fracture)이다. 이는 연결부 내측에 골 지지가 없는 경우나 비만인 환자, 작은 스템의 경우 발생할 수 있으며, 만일 내측에 골 지지가 없는 경우는 지주형 동종골이식(strut allogenous bone graft)이 도움이 될 수 있다.

(7) 감입 골이식술

대퇴스템 제거 후 대퇴골 골수강내 골내막면이 매끄럽고 해면골이 적어 시멘트형 스템을 고정하기에 충분치 않은 조건일 때, 골수강내 협부의 지름이 18 mm 이상으로 무시멘트형 대퇴스템을 사용하면 대퇴부 통증의 발생 위험이 높아지거나 충분한 긁힘 고정의 길이를 얻을 수 없을 때, 심한 Paprosky IV형의 결손으로 무시멘트성 스템의 적절한 고정을 얻을 수 없을 때 등의 상황에 감입 골이식술(그림 30)을 고려해 볼 수 있다(그림 31). 모든 연령대에서 가능하지만 골의 복원이 기대되는 젊은 나이에 좀 더 유용하다. 근위 골결손이 10 cm 이상인 경우에는 다른 방법의 고정을 고려해야 한다. 감입 골이식이 성공적으로 이루어지려면 충분한 유치와 골이식이 되어야 하고 시멘트 삽입이 효과적으

그림 28. 조립형 티타늄 테이퍼 스템
제조 업체마다 서로 다른 다양한 조합이 있어 선택의 폭이 넓다.

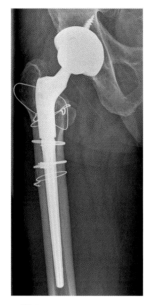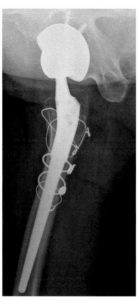

그림 29. 조립형 티타늄 테이퍼 스템을 사용 시에는 가능한 3점 접촉을 피하고 확대 전자 절골을 사용하여 최대한 많은 직선 접촉을 얻도록 삽입하여야 조기 침강 등의 문제 없이 안정적인 결과를 기대할 수 있다.

로 이루어져야 한다. 스템은 기본적으로 무칼라 이중 테이퍼 연마 스템을 사용하여 시멘트로 고정한다. 수술 시에 감염이 있으면 안되고, 골결손은 지주 골이식이나 금속 그물망으로 복원해야 한다. 골결손 부위를 지나는 충분한 길이의 대퇴스템을 선택해야 하며 원위 시멘트 플러그를 적어도 대퇴스템 원위 2 cm 부위에 위치시켜야 한다. 감입하는 동종 이식골 조각의 지름은 3-5 mm가 좋으며 대퇴골 근위 3 cm 부위에는 8-10mm의 조금 큰 조각을 사용한다. 시멘트는 점도가 낮을 때 사용하여 골수강 내의 원위부까지 충분히 들어가게 한다. 수술 후 보행은 환자가 허용되는 대로 체중 부하가 가능하다. 다수의 연구에서 평균 3-10년 추시 후 재수술은 3-12.3% 정도로 보고되어 수술 후 경과는 양호한 편이다. 그러나 4% 정도에서 대퇴골의 지연 골절이 발생하였다는 연구 등 임상적, 방사선적 실패율을 높게 보고한 경우도 있다.

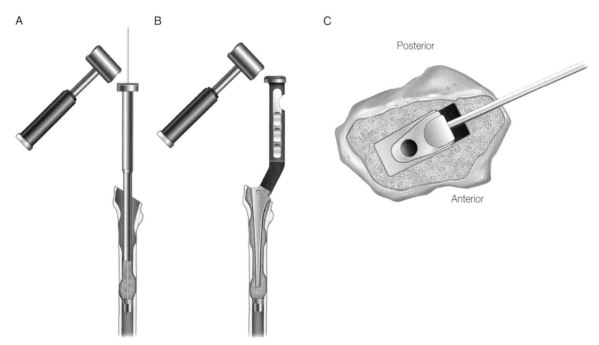

그림 30. 감입 골이식술
(A) 공동형 대퇴골 결손이 있을 때 플러그를 사용하여 골수강을 막고 특수제작된 골 tamp를 사용하여 잘게 부순 이식골을 다져넣는다. (B) 골수강이 파쇄동종골로 채워지면 tamp 또는 대퇴스템을 사용하여 이식골을 다지고 새로운 골수강을 만든다. (C) 새로 만들어진 골수강을 상부에서 본모습, 전염각이 올바로 만들어져있다.

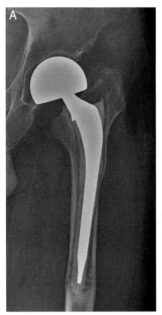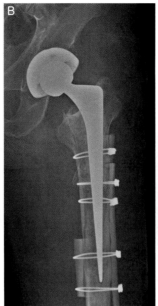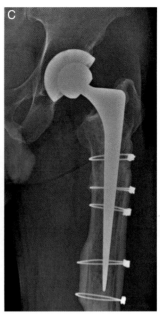

그림 31. 감입 골이식술과 지주 골이식을 사용한 대퇴스템 재치환술
(A) 65세 환자로 해리에 의한 시멘트형 대퇴스템의 침강이 있다. (B) 감입 골이식과 지주 골이식을 사용하여 대퇴스템 재치환술을 시행하였다. (C) 수술 후 2년에 대퇴스템의 침강없이 이식골의 유합이 잘 되어 있고 통증도 없다.

(8) 지주 골이식

심한 골결손이 있는 대퇴골 재치환술에서 원위부 고정은 강하고 골결손으로 근위부의 지지가 약하면 대퇴스템의 절단을 유발할 수 있으며, 조립형 대퇴스템을 사용한다 하더라도 조립된 접속 부위가 약해 스템의 절단을 초래할 수 있다. 또한 젊은 환자에서는 대퇴골을 생물학적인 방법으로 재건하여 추후 다시 발생할 수 있는 재치환술에 대처할 필요가 있다. 이와 같이 재치환하는 대퇴스템을 지지하기 위해서는 사용하기가 비교적 용이하고 임상적 결과가 양호한 지주 골이식술을 시행한다(그림 32). 동결 건조골은 신선 동결 피질골에 비해 물리적으로 굴곡과 비틀림에 약하기 때문에 가장 많이 사용되는 것은 신선 동결 피질골을 이용한 외재 골이식(onlay bone graft)이다. 지주 동종골은 건강한 원래의 골(host bone)과의 접촉부에서만 유합이 일어나며, 최적의 상황이라도 접촉 지점으로부터 제한된 깊이까지만 진행되므로 최대한 넓은 면적이 접촉할

수 있도록 하고, 환형 강선 등을 이용하여 움직임이 없도록 단단하게 고정할수록 골유합이 성공적으로 이루어진다.

동종골이식 후 합병증으로 불유합, 탈구 및 감염과 이식골의 골절 등이 초래될 수 있다. 수술 후 불유합은 4.7−20%, 탈구는 3.1−16%, 감염은 3−7.9%로 수술 수기가 발전하며 점차 개선되고 있다. 지주 골이식수술 후 골유합은 가장 중요하고 어려운 문제이며 스템의 고정과 환자의 대퇴골과 이식골 간의 안정성에 따라 결정된다. 대퇴골측 재치환술 시 사용된 지주 동종 이식골의 골유합 결과에 대해 다양한 연구가 알려져 있으며 최근의 연구로 올수록 우수한 결과가 보고되어 75−97%에서 골유합을 얻을 수 있었다고 한다. 감염은 동종골 자체에서 비롯될 수도 있지만 그보다는 수술이 얼마나 길고 복잡한가에 좌우되는 경우가 많다. 가장 흔한 균주는 표피 포도상구균(*Staphylococcus epidermidis*)이었다. 이식골의 골절은 짧은 대퇴스템

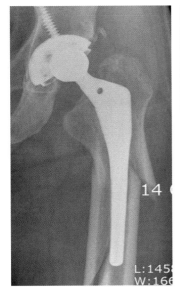
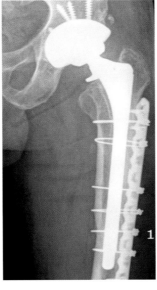
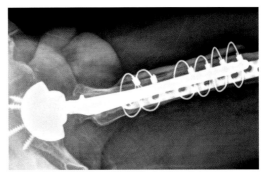

그림 32. 61세 남자의 Vancouver B2형 삽입물 주위 골절 (A) 심한 마모가 동반되어 비구와 대퇴측 모두 재치환이 시행되었다. 수술 시 전방 피질골에 분쇄가 심하여 동종 대퇴골을 사용한 지주 피질골이식이 같이 시행되었다. 수술 3년 후의 전후방(B) 및 측면(C) 방사선 사진

을 사용한 경우 대개 스템의 원위 말단 부위에서 일어나는데, 긴 대퇴스템 사용하는 것으로 예방할 수 있다. 수술 후 탈구를 방지하기 위해 대전자를 다시 부착해야 하며 불가능한 경우 다리가 조금 길어지더라도 연부조직의 긴장도를 유지해야 한다. 대부분의 경우 수술 전 하지의 단축으로 수술 후 반대쪽에 비해 더 길어지는 경우는 드물다. 지주 이식골이 외측에 위치할 경우, 장경대를 자극할 수 있으므로 전방이나 내측에 위치시킨다. 항생제는 수술 중 배양 검사가 음성으로 나오고 창상이 치유될 때까지 충분한 기간 사용한다. 수술 후 탈구를 예방하기 위해 굴곡과 내전을 제한시키는 용도로 보조기를 착용시킬 수 있다. 보행 시 체중 부하는 방사선적 골유합이 이루어질 때까지 대략 8개월 이상 제한한다.

(9) 동종골-삽입물 복합체
(Allograft-prosthesis composite, APC)

대퇴골 골간부를 침범하는 심한 분절 결손으로 인해 남아있는 근위 대퇴골이 거의 없거나, 심한 Vancouver B3의 삽입물 주위 골절이 있는 등 단순한

원위 고정형 스템만으로는 재건이 어려운 경우에 사용할 수 있는 두 개의 방법이 APC와 거대 인공 삽입물 (megaprosthesis / proximal femoral replacement)이다. 이 중 APC는 비교적 젊고 활동적인 환자로 결손부에 생물학적 재건이 필요한 경우 대상이 될 수 있지만, 동반 질환이 많아 수술 직후 체중 부하와 활동이 필요한 고령의 환자나 감염이 우려되는 환자는 적응이 되지 않는다.

신선 동결된 근위 대퇴골 동종골을 해동한 후, 스템을 넣기 위해 경부를 절골하고, 고정 후의 회전 안전성을 위해 미리 계측한 거리만큼의 원위부에 계단 모양의 절골(step-cut osteotomy)을 시행한다. 전장에 골성 고정을 얻을 수 있는 긴 광범위 다공성 피복 스템을 대퇴 전염각을 고려하면서 시멘트를 사용하여 동종골에 삽입한다. 이 경우 복합체를 만들 때 피복된 원위부에 시멘트가 붙지 않도록 주의해야 한다. 상황에 따라 긴 시멘트성 주대를 사용하여 고정하기도 한다. 복합체가 완성된 후 남아있는 대퇴골 간부에 동일한 계단형 절골을 하고 복합체를 남아있는 대퇴골 간부와 동종골이 1-2 cm 감입될 때까지 압박 고정한다. 접합부는 환형

강선을 사용하여 고정하는데, 유합을 돕기 위해 자가골이식과 지주 동종골이식을 시행하는 것이 안전하다 (그림 33). 외전근을 동종골의 대전자에 직접 부착시키려는 노력은 재관류로 인해 이식골을 심하게 약화시켜 삽입물 전체의 안정성에 영향을 줄 수 있으므로 피해야 한다. 가능한 대전자 골을 조금이라도 남겨 골끼리 접합하게 고정해야 한다. 수술 후 방사선상 접합부 유합의 소견이 있을 때까지 보행이나 추가적인 재활을 제한해야 한다. 발생 가능한 합병증은 접합부의 불유합, 동종골의 골절, 흡수, 삽입물 해리, 감염 등이 알려져 있다. 다수의 연구에서 7–10년 추시 후 복합체의 생존율은 70–89%에 불과한 것으로 알려져 있다.

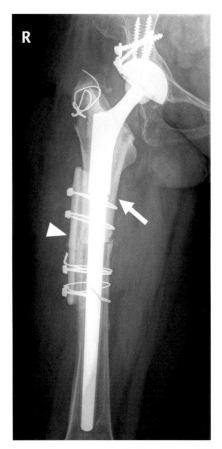

그림 33. 동종골-인공삽입물 복합체(화살표)를 설치한 방사선 사진
접합부의 유합을 돕기 위해 내부에 자가골을 이식하고, 지주 동종골을 덧대어 수술한 영상이다(화살표 머리).

(10) 거대 삽입물

골종양 제거 후 또는 고관절 관절치환술 삽입물 제거 후 심한 환형 근위 대퇴골 결손이 있을 경우 사용한다. 동종골이식을 이용한 재치환술보다 수술 시간이 짧으며 시술이 비교적 간단하다는 장점이 있어, 활동이 적은 나이 많은 환자에게 유용하다. 수술 후 탈구의 빈도가 높고 고관절의 외전근의 기능이 소실되는 단점이 있다. 약 30%까지 높은 탈구율을 보이며, 12년 추시기간 중 64%의 낮은 생존률을 보였다(그림 34).

6) 대전자 및 외전근의 문제 해결

재치환술 시의 대전자와 외전근의 문제는 크게 골손실 등으로 인한 대전자의 골절, 수술 중 고정한 전자부의 탈출(escape)이나 불유합, 신경 손상–만성 반흔–감염 등으로 인한 외전근 자체의 기능 저하 등으로 구분할 수 있다. 어느 것이던 이로 인한 기능의 장애가 있을 시 수술적 치료의 적응이 될 수 있겠지만, 반복적인 수술의 위험성과 또 다른 실패의 가능성이 항상 존재

그림 34. 거대인공삽입물

하기 때문에 대전자 혹은 외전근에 대한 수술 이후에 통증, 보행, 관절 안정성이 개선될 것이 기대될 때에만 한정적으로 시행되어야 한다. 수술 중 혹은 수술 후 발생한 대전자부 골절에 대한 고정은 일상적인 방법으로 시행해야 하나, 외전근의 위축이나 기능저하를 동반한 만성적인 전자부 불유합, 탈출 등은 조금 더 복잡한 재건술이 필요한 경우가 많다. 재부착이 가능한 대전자 골편이 남아있다면, 외전근을 장골 외측 기시부로부터

차례로 분리해 가면서 대전자를 원래의 위치까지 내리고 여러 기구를 사용하여 원위 대퇴골과 골성 접촉을 얻은 후 고정하는 방법을 택할 수 있다. 만일 남아있는 대전자가 없거나, 복구가 불가능한 외전근의 심한 위축이 있는 경우에는 대둔근의 전방 일부를 전–하방으로 이전하여 외전근의 역할을 하도록 하는 Whiteside의 재건술이 권장된다(그림 35).

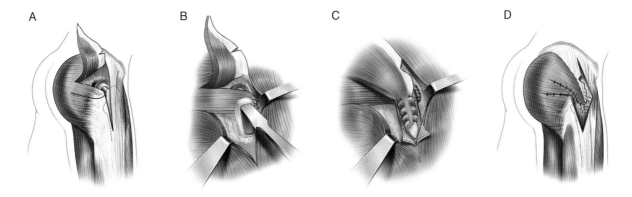

그림 35. Whiteside 외전근 재건술
대둔근의 전방 부착부를 절개하여 위로 들어 올린 후 그 직하방의 근육 일부를 절개한다(A). 절개한 근육편을 당겨 경부 위로 넘겨 전방연부조직에 부착하고, 대전자 외측연에 피질골을 제거한다(B). 위로 들어올린 전방 부착부를 끌어 내려 대전자에 부착시켜 봉합 후 환형강선 등으로 고정한다(C). 남은 절개부를 잡아 당겨 봉합한다(D).

참고문헌

1. Azar FM, Beaty JH, Campbell ST.Campbell's operative orthopaedics.13th ed. Philadelphia: Elsevier; 2017.275-7.

2. Baauw M, van Hooff ML, Spruit M. Current Construct Options for Revision of Large Acetabular Defects: A Systematic Review. JBJS Rev. Nov 8 2016;4(11).

3. Banerjee S, Issa K, Kapadia BH, Pivec R, Khanuja HS, Mont MA. Systematic review on outcomes of acetabular revisions with highly-porous metals. Int Orthop. Apr 2014;38(4):689-702.

4. Barrack RL, Harris WH. The value of aspiration of the hip joint before revision total hip arthroplasty. J Bone Joint Surg Am. 1993;75:66-76.

5. Blumenfeld TJ. Implant choices, technique, and results in revision acetabular surgery: a review. Hip Int. May-Jun 2012;22(3):235-247.

6. Bozic KJ, Kurtz SM, Lau E, Ong K, Vail TP, Berry DJ.The epidemiology of revision total hip arthroplasty in the United States. J Bone Joint Surg Am. 2009;91:128-33.

7. Buckup J, Salinas EA, Valle AG, Boettner F. Treatment of large acetabular defects: a surgical technique utilizing impaction grafting into a metallic mesh. HSS J. Oct 2013;9(3):242-246.

8. Callaghan JJ, Rosenberg AG, Rubash HE.The adult hip.3rd ed. Philadelphia:Wolters Kluwer; 2016. 1215-27.

9. Cavagnaro L, Formica M, Basso M, Zanirato A, Divano S, Felli L. Femoral revision with primary cementless stems: a systematic review of the literature. Musculoskelet Surg. 2018;102(1):1-9.

10. Chen AF, Hozack WJ. Component selection in revision total hip arthroplasty. Orthop Clin North Am. Jul 2014;45(3):275-286.

11. Colo E, Rijnen WH, Schreurs BW. The biological approach in acetabular revision surgery: impaction bone grafting and a cemented cup. Hip Int. Jul-Aug 2015;25(4):361-367.

12. D'Antonio J, McCarthy JC, Bargar WL, Borden LS, Cappelo WN, Collis DK, et al. Classification of femoral abnormalities in total hip arthroplasty. Clin Orthop Relat Res. 1993(296):133-9.

13. Dwivedi C, Gokhale S, Khim HG, Oh JK, Shon WY. Acetabular Defect Reconstruction with Trabecular Metal Augments: Study with Minimum One-year Follow-up. Hip Pelvis. Sep 2017;29(3):168-175.

14. Elting JJ, Mikhail WE, Zicat BA, Hubbell JC, Lane LE, House B. Preliminary report of impaction grafting for exchange femoral arthroplasty. Clin Orthop Relat Res. 1995(319):159-67.

15. Engelbrecht DJ, Weber FA, Sweet MB, Jakim I. Long-term results of revision total hip arthroplasty. The Journal of bone and joint surgery British volume. 1990;72(1):41-5.

16. Fehring TK, Cohen B. Aspiration as a guide to sepsis in revision total hip arthroplasty. JArthroplasty. 1996;11: 543-7.

17. Garcia-Cimbrelo E, Garcia-Rey E. Bone defect determines acetabular revision surgery. Hip Int. Oct 2 2014;24 Suppl 10:S33-36.

18. Gardiner R, Hozack WJ, Nelson C, et al. Revision total hip arthroplasty using ultrasonically driven tools: a clinical evaluation.J Arthroplasty.1993;8:517-21.

19. Gwam CU, Mistry JB, Mohamed NS, Thomas M, Bigart KC, Mont MA, et al. Current Epidemiology of Revision Total Hip Arthroplasty in the United States: National Inpatient Sample 2009 to 2013. The Journal of arthroplasty. 2017;32(7):2088-92.

20. Ha YC, Kim SY, Kim HJ, Yoo JJ, Koo KH. Ceramic liner fracture after cementless alumina-on-alumina total hip arthroplasty.ClinOrthopRelat Res. 2007;458:106-10.

21. Hamilton WH, Uggen JC. Fully porous coated stems for femoral revision. In: Callaghan JJ, Rosenberg AG, Rubash HE, Clohisy JC, Beaule PE, J. DVC, editors. The Adult Hip. 2. 3rd ed. Philadelphia: Wolters Kluwer; 2016. p. 1399-406.

22. Haydon CM, Mehin R, Burnett S, Rorabeck CH, Bourne RB, McCalden RW, et al. Revision total hip arthroplasty with use of a cemented femoral component. Results at a mean of ten years. The Journal of bone and joint surgery American volume. 2004;86(6):1179-85.

23. Howie DW, Neale SD, Stamenkov R, McGee MA, Taylor, DJ, Findlay DM. Progression of acetabularperiprostheticosteolytic lesions measured with computed tomography. J Bone Joint Surg Am. 2007;89:1818-25.

24. Hunter GA, Welsh RP, Cameron HU, Bailey WH. The results of revision of total hip arthroplasty. The Journal of bone and joint surgery British volume. 1979;61-b(4): 419-21.

25. Ibrahim DA, Fernando ND. Classifications In Brief: The Paprosky Classification of Femoral Bone Loss. Clin Orthop Relat Res. 2017;475(3):917-21.

26. Issack PS. Use of porous tantalum for acetabular reconstruction in revision hip arthroplasty. J Bone Joint Surg Am. Nov 6 2013;95(21):1981-1987.

27. Jain S, Grogan RJ, Giannoudis PV. Options for managing severe acetabular bone loss in revision hip arthroplasty. A systematic review. Hip Int. Mar-Apr 2014;24(2):109-122.

28. Kavanagh BF, Fitzgerald RH, Jr. Multiple revisions for failed total hip arthroplasty not associated with infection. The Journal of bone and joint surgery American volume. 1987;69(8):1144-9.

29. Kerboull L. Selecting the surgical approach for revision total hip arthroplasty. Orthop Traumatol Surg Res. 2015;101(1 Suppl):S171-8.

30. Kim Y-H. Acetabular Cup Revision. Hip & Pelvis. 2017;29(3).

31. Kim YM, Lim ST, Yoo JJ, Kim HJ. Removal of a well-fixed cementless femoral stem using a microsagittal saw. The Journal of arthroplasty.2003,18(4).511-2.

32. Kokubo Y, Oki H, Sugita D, et al. Long-term clinical outcome of acetabular cup revision surgery: comparison of cemented cups, cementless cups, and cemented cups with reinforcement devices. Eur J Orthop Surg Traumatol. May 2016;26(4):407-413.

33. Laffosse JM. Removal of well-fixed fixed femoral stems. Orthop Traumatol Surg Res. 2016;102(1 Suppl):S177-87.

34. Lieberman JR, Berry DJ. Advanced reconstruction hip: 1st ed. Rosemont: AAOS; 2005:287-8.

35. Makinen TJ, Kuzyk P, Safir OA, Backstein D, Gross AE. Role of Cages in Revision Arthroplasty of the Acetabulum. J Bone Joint Surg Am. Feb 3 2016;98(3):233-242.

36. Mitchell PA, Masri BA, Garbuz DS, Greidanus NV, Wilson D, Duncan CP. Removal of well-fixed, cementless, acetabular components in revision hip arthroplasty. J Bone Joint Surg Br. 2003;85:949-52.

37. Munro JT, Masri B, A, Garbuz DS, Duncan CP. Modular tapered titanium stems for femoral revision. In: Callaghan JJ, Rosenberg AG, Rubash HE, Clohisy JC, Beaule PE, J. DVC, editors. The Adult Hip. 2. 3rd ed. Philadelphia: Wolters Kluwer; 2016. p. 1407-20.

38. O'Neill CJ, Creedon SB, Brennan SA, et al. Acetabular Revision Using Trabecular Metal Augments for Paprosky Type 3 Defects. J Arthroplasty. Mar 2018;33(3):823-828.

39. Pak JH, Paprosky WG, Jablonsky WS, et al. Femoral strut allografts in cementless revision total hip arthroplasty. ClinOrthopRelat Res.1993;295:172-8.

40. Paprosky WG, Magnus RE. Principles of bone grafting in revision total hip arthroplasty: acetabualr technique. Clin Orthop Relat Res. 1994;298:147-155.

41. Paprosky WG, Perona PG, Lawrence JM. Acetabular defect classification and surgical reconstruction in revision arthroplasty. A 6-year follow-up evaluation. J Arthroplasty. 1994;9:33-44.

42. Pellicci PM, Wilson PD, Jr., Sledge CB, Salvati EA, Ranawat CS, Poss R, et al. Long-term results of revision total hip replacement. A follow-up report. The Journal of bone and joint surgery American volume. 1985;67(4): 513-6.

43. Philippe R, Gosselin O, Sedaghatian J, et al. Acetabular reconstruction using morselized allograft and a reinforcement ring for revision arthroplasty with Paprosky type II

and III bone loss: survival analysis of 95 hips after 5 to 13 years. Orthop Traumatol Surg Res. Apr 2012;98(2): 129-137.

44. Pitto RP. Pearls: How to Remove a Ceramic Liner From a Well-fixed Acetabular Component. Clin Orthop Relat Res. Jan 2016;474(1):25-26.

45. Pulido L, Rachala SR, Cabanela ME. Cementless acetabular revision: past, present, and future. Revision total hip arthroplasty: the acetabular side using cementless implants. Int Orthop. Feb 2011;35(2):289-298.

46. Rasouli MR, Porat MD, Hozack WJ, Parvizi J. Proximal femoral replacement and allograft prosthesis composite in the treatment of periprosthetic fractures with significant proximal bone loss. Orthopaedic surgery. 2012;4(4): 203-10.

47. Schreurs BW, Te Stroet MA, Rijnen WH, Gardeniers JW. Acetabular re-revision with impaction bone grafting and a cemented polyethylene cup; a biological option for successive reconstructions. Hip Int. Jan-Feb 2015;25(1): 44-49.

48. Schwarzkopf R, Ihn HE, Ries MD. Pelvic discontinuity: modern techniques and outcomes for treating pelvic disassociation. Hip Int. Jul-Aug 2015;25(4):368-374.

49. Sheth NP, Nelson CL, Springer BD, Fehring TK, Paprosky WG. Acetabular bone loss in revision total hip arthroplasty: evaluation and management. J Am Acad Orthop Surg. Mar 2013;21(3):128-139.

50. Solomon LB, McGee MA, Howie DW. Cemented Femoral Revision. In: Callaghan JJ, Rosenberg AG, Rubash HE, Clohisy JC, Beaule PE, J. DVC, editors. The Adult Hip. 2. 3rd ed. Philadelphia: Wolters Kluwer; 2016. p. 1452-64.

51. Sung YB. Preoperative planning for revision hip arthroplasty.Hip Pelvis. 2010;22:247-52.

52. Telleria JJ, Gee AO. Classifications in brief: Paprosky classification of acetabular bone loss. Clin Orthop Relat Res. Nov 2013;471(11):3725-3730.

53. Volpin A, Konan S, Biz C, Tansey RJ, Haddad FS. Reconstruction of failed acetabular component in the presence of severe acetabular bone loss: a systematic review. Musculoskelet Surg. Apr 2019;103(1):1-13.

54. Whitehouse MR, Masri BA, Duncan CP, Garbuz DS. Continued good results with modular trabecular metal augments for acetabular defects in hip arthroplasty at 7 to 11 years. Clin Orthop Relat Res. Feb 2015;473(2):521-527.

55. Whiteside LA. Surgical technique: Transfer of the anterior portion of the gluteus maximus muscle for abductor deficiency of the hip. Clin Orthop Relat Res. 2012;470(2):503-10.

56. Yoon PW, Lee YK, Ahn J, Jang EJ, Kim Y, Kwak HS, et al. Epidemiology of hip replacements in Korea from 2007 to 2011. Journal of Korean medical science. 2014;29(6):852-8.

57. Yoon PW, Lee YK, Ahn JH, Jang EJ, Kim YJ, Kwak HS, Yoon KS,Kim HJ, Yoo JJ.Epidemiology of Hip Replacements in Korea from 2007 to 2011.J Korean Med Sci 2014;29: 852-8.

10 컴퓨터 보조 수술
Computer-Assisted Surgery in Hip Arthroplasty

고관절 전치환술에서 삽입물의 위치는 결과에 중요하게 영향을 주는 요소이다. 부정확한 위치는 단기적으로 탈구의 직접적인 원인이 되고 삽입물의 충돌을 야기시키며 장기적으로는 마모와 라이너의 파손을 일으키고 삽입물의 안정성에 영향을 준다. 특히 삽입물의 충돌의 위험은 서구인보다 한국인에서 더 높은데 그 이유는 방바닥에 가부좌 자세로 앉고, 흔히 쪼그려 앉으며, 원인 질환인 대퇴골두 골괴사의 발생 연령이 젊다는 점 등이다. 이러한 이유로 우리나라 환자에서 삽입물을 정확하게 위치시키는 것은 더욱 중요하다고 할 수 있다. 그러나 삽입물의 적절한 위치는 아직까지 정확하게 정의되지 못하고 있다. 더욱이 고식적인 수술 기법에서 비구컵과 대퇴스템의 해부학적이고 기능적인 위치와 정보를 실시간으로 얻을 수 없다. 그러므로 고식적인 수술 기법은 항상 정확하지 않을 수 있으며 삽입물의 위치를 수치상으로 평가하는 것도 가능하지 않다. 수기로 수술하는 경우 기계적 정렬 가이드(mechanical alignment guide)가 이용되지만 수술대 위에서의 환자의 위치가 지속적으로 움직이므로 삽입물의 정확한 위치를 설정하는데 한계가 있으며 수술 중 촬영하는 방사선 사진도 정확한 정보를 제공하지 못한다. 판단 오류는 비구 부위에서 더 흔하게 발생하는데 그 이유는 비구를 포함하는 골반이 척추와 신체의 장축에 영향을 받기 때문이다. 컵의 의치는 골반의 피부, 지방, 근육들에 의해서도 영향을 받으며 골반의 위치의 평가는 측와위를 취할 경우 앙와위보다 골반의 지

표가 보이지 않아 더 어려울 수 있다. 이러한 이유로 삽입물을 좀 더 정확하게 위치시키기 위하여 1980년대 후반부터 컴퓨터 보조 정형외과수술(CAOS) 기법이 개발되기 시작하여 임상적으로 이용되고 있다. 컴퓨터 보조 정형외과수술은 정형외과 수술에서 내비게이션(navigation)이나 로봇(robot)등의 전산화 기구를 사용하여 공간적인 정확도를 높이고 수술 시야를 개선시키는 것을 목적으로 하는 수술기법으로 정의할 수 있다.

특히 골은 주위의 연부조직과 잘 구분되는 형태가 변하지 않는 인체 조직으로서 단순 방사선, 투시영상, 전산화단층촬영 등으로 정확한 영상을 얻을 수 있으며 3차원적인 재구성도 용이하고 수술 전의 계획과 수술 중의 실체를 정확히 연결시킬 수 있으므로 수술 시 컴퓨터 장치를 이용하기에 가장 적합한 분야라고 할 수 있다.

컴퓨터 보조 정형외과수술은 그 수술 기구의 사용 주체와 작동 방법에 따라 수동적(passive), 능동적(active), 반능동적(semi-active) 시스템으로 분류할 수 있다. 수동적 시스템은 수술 전 계획, 수술 모의 및 수술 중에 술자의 가이드 역할을 하는 것으로 내비게이션이 이에 속한다. 능동적 시스템은 수술 전에 술자에 의해 계획된 동작을 컴퓨터가 수술 중에 직접 환자에게 시행하는 것으로 수술용 로봇이 이에 속한다. 반 능동적인 시스템은 수술 전 계획된 동작을 집도의의 손에 의해 로봇이 행하는 것이다.

이러한 컴퓨터 보조 수술이 현재까지 고관절 치환술

에서 방사선적 임상적 결과를 개선시킨 것도 사실이지만 아직 효율성과 비용 등에 관하여 논란이 있는 것도 사실이다. 그러나 과거의 컴퓨터의 눈부신 발전 역사를 뒤돌아보면 앞으로 컴퓨터의 발전은 우리의 상상을 뛰어 넘을 수 있다. 이러한 면에서 컴퓨터 보조 수술의 역할을 이해하고 고관절 치환술에서 좀 더 나은 임상적 결과를 재현하기 위하여 어떻게 이용 할 수 있을지에 대한 숙고를 하고 나아가 이 분야를 발전 시키기 위한 노력을 하여야 할 것이다. 본 장에서는 이러한 관점에서 고관절 치환술에서 내비게이션과 로봇을 비롯한 컴퓨터 보조 수술 기구의 구성과 사용기법과 효용성에 관하여 구체적으로 기술하고자 한다.

1. 내비게이션(Navigation)을 이용한 고관절 전치환술

내비게이션은 수술 중 필요한 정보를 술자에게 제공하지만 능동적인 동작을 하지 않으며 술자의 동작을 제한하지도 않는 시스템이다. 중요한 구성 요소는 3차원적 위치 추적장치, 영상, 컴퓨터와 주변기기로 구성된다.

위치 추적 장치는 광학 센서나 마그네틱 센서를 이용하며 광학 시스템은 적외선 반사 표지자(infrared light-reflecting diodes, LED) 또는 적외선 발광 다이오드(infrared light-emitting diodes)를 갖는 DRF (dynamic reference frame) 또는 DRB (dynamic reference base)로 부터 반사 또는 발광되는 적외선을 통한 위치 정보를 얻는 CCD (charged coupled device) 카메라로 구성된다. DRF는 목표가 되는 골이나 수술 기구에 부착하여 추적하며 광학센서를 사용한 측정은 매우 정확하고 빠르다. CCD 카메라와 DRF 사이에 가시선의 방해가 없다면 여러 LED가 동시에 추적될 수 있다. 반면 마그네틱 센서는 수술 테이블이나 금속 기구 등의 움직임에 의해 영향을 받지만 가시선에 관한 문제는 없다.

영상 사용 유무에 따라 영상시스템(image based system)과 무영상 시스템(imageless system)으로 대별되며 영상 시스템은 전산화단층촬영(CT), 자기공명영상(MRI), 또는 방사선투시기(fluoroscopy)의 정보를 이용하고 무영상 시스템은 관절 운동학(kinematics) 데이터와 해부학적 데이터를 병합시켜 이용한다. 골의 형태적 모델 또는 morphing으로부터 얻어진 해부학적 데이터에 의하여 보강되기도 한다.

컴퓨터와 주변 기기를 통하여 술자는 해부학적 영상, 삽입물의 정보, 수술 방법 등의 정보를 얻어 수술에 활용한다.

1) 사용 기법
(1) 수술 전 계획과 시뮬레이션
수술 전 계획과 시뮬레이션은 전산화단층촬영 기반 내비게이션에서는 수술 전에 시행하고 투시검사기 또는 무영상 시스템을 이용하는 경우는 수술 중 행해진다. 전산화단층촬영 기반 내비게이션에서는 수술 전 촬영한 전산화단층촬영 영상을 이용하여 골표면을 재구성하여 삽입물의 데이터와 함께 3차원적인 기하학적 계획을 하고 운동 범위를 시뮬레이션하고 수술 중 등록에 이용한다.

(2) 수술 중 사용 기법
내비게이션을 이용하여 수술하는 과정은 1) 등록 2) 추적 및 유도 3) 삽입물의 삽입 과정으로 진행된다.

① 등록: 내비게이션을 사용하기 위한 기구들의 교정(calibration) 과정이 필요하다. 다음 골반 등록(registration)은 피부 소독을 한 후 앙와위 자세에서 시행하며 등록 기구를 장착하기 위하여 이식골을 채취하는 장골능에 핀을 삽입한다. 포인터 가이드는 정확한 등록을 위하여 반드시 골과 접촉하여야 하며 좌우 전상장골극(ASIS)과 치골 결절을 피하 촉진을 하며 등록한다. 이 정보를 이용 컴퓨터에서 재구성된 전방골반평면(anterior pelvic plane)이 수술 시 기준 평면으로 이용된다.

고관절의 중립위치에서 전방 골반평면의 시상각은 0°로 항상 평평하지 않으며, 개인마다 형태와 나이, 골다공증으로 인한 척추의 변형 등에 의해 영향을 받으므로 전산화단층촬영 테이블 위에 누운 자세에서 축의 방향으로 회전시켜 양측 전상장골극이 동일한 수평면 상에 놓이게 하여 양측 눈물 방울(tear drop) 사이의 선을 내외측 축으로 사용하는 기능적 골반평면(functional pelvic plane)을 전산화단층촬영 기반 내비게이션에서는 기준으로 사용하기도 한다(그림 1).

등록하는 방법에는 paired-matching 방법과 표면을 등록하는 shape-based 방법의 두 가지 방법이 있다. 측와위에서 수술을 하는 경우에는 환자를 옆으로 눕히고 몸의 장축을 등록하여 골반의 경사를 결정하는데 도움을 받을 수 있다(그림 2). 대퇴골의 등록을 위하여서는 대퇴골 원위부에 핀을 삽입하여야 하며 핀을 삽입한 부위에 약 6주간 통증이 유발될 수도 있다. 이러한 등록을 통하여 수술 중 비구컵과 대퇴스템의 위치 정보를 얻을 수 있게 된다.

전산화단층촬영 기반 내비게이션에서 표면 등록 기법은 수술 중 환자의 골반과 대퇴골의 위치를 전산화단층촬영 영상과 수술 전 계획에 연결시키는 것이다(그림 3). 대퇴골과 골반 표면의 포인트는 tracked probe를 골의 표면에 접촉시켜 획득한다. 이후 표면 포인트들을 전산화단층촬영 영상의 표면 모델과 일치시켜 전산화단층촬영의 정보를 수술실의 환자의 위치에 등록시킨다. 초음파를 이용하여서도 등록을 할 수 있는데 최소 침습술에서 유용한 방법이 될 수 있다.

방사선투시기를 이용하는 내비게이션은 수술 중 방사선투시기 영상을 이용하는 것으로 등록 과정은 자동화된 과정으로 진행되나 술자가 방사선투시기 영상과 해부학적인 표지(landmark)를 연관

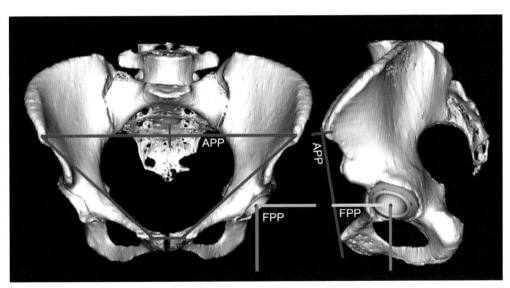

그림 1. 전방 골반평면과 기능적 골반평면
피하 촉진을 하며 등록한 좌우 전상장골극과 치골결절을 이용하여 컴퓨터에서 재구성한 전방 골반평면(anterior pelvic plane, APP)을 수술 시 기준 평면으로 이용하며 전산화단층촬영 기반 내비게이션에서는 누운 자세에서 축의 방향으로 회전시켜 양측 전상장골극이 동일한 수평면상에 놓이게 하여 양측 눈물 방울(tear drop) 선을 내외측 축으로 사용하는 기능적 골반평면(functional pelvic plane, FPP)을 사용하기도 한다.

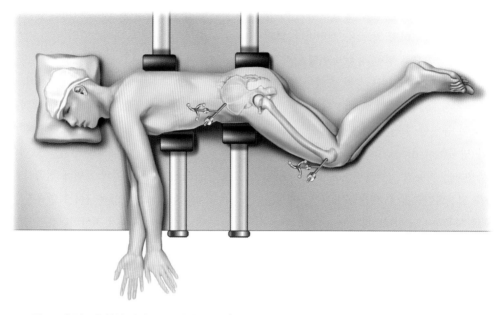

그림 2. 장골능과 원위 대퇴골에 장착한 DRF (dynamic reference frame)

DRF는 장골능과 원위 대퇴골에 장착하며 측와위에서 수술을 하는 경우에는 환자를 옆으로 눕히고 몸의 장축을 등록하여 골반의 경사를 결정하는데 도움을 받을 수 있다.

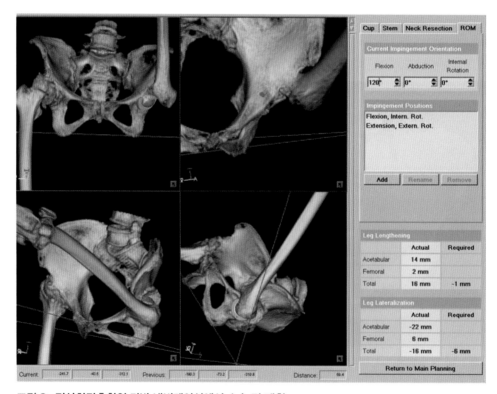

그림 3. 전산화단층촬영 기반 내비게이션에서 수술 전 계획

전산화단층촬영 영상을 이용하여 비구컵과 대퇴스템의 위치와 충돌, 하지 길이, 오프셋 등에 관한 수술 전 평가를 한다.

시켜야 한다.

무영상 시스템은 운동학에 기초를 두고 피동적인 하지의 운동을 추적함으로써 수술 중 정보를 제공하고 수술 중 촉지되는 해부학적인 데이터를 통계적인 방법으로 접근하여 3차원적인 정보를 제공한다.

② **추적 및 유도:** 내비게이션이 수술 과정을 유도하기 위하여서는 해부학적인 위치와 삽입물과 이와 관련된 수술 기기의 위치를 실시간으로 추적하는 것이 필수적이다. 이를 위하여 광학 추적장치 또는 전자기(electromagnetic) 추적장치를 사용한다. 광학 추적장치를 이용하는 경우 목표점(대퇴골 및 장골)에 장착한 DRB 또는 DRF에 적외선 반사 표지자(infrared light−reflecting diodes (LED)) 또는 적외선 발광 다이오드(infrared light−emitting diodes)를 부착시키고 CCD 카메라를 사용하여

적외선을 감지한다. 전자기 추적 장치를 사용하는 경우는 전자장비 및 모터나 쇠붙이 등에 의한 간섭 등의 우려가 있다.

③ **삽입물의 삽입:** 내비게이션을 통하여 얻어진 정보를 기준으로 비구컵의 전염각, 경사각, 대퇴스템의 전염각, 오프셋을 비롯하여 하지 길이 등을 실시간 컴퓨터 모니터를 통하여 확인하며(그림 4) 삽입물을 삽입한다(그림 5). 최근들어 병합 전염각(combined anteversion) 개념이 고관절 전치환술에서 주목 받고 있다. 이 개념은 비구컵과 대퇴스템을 충돌이 발생하지 않는 운동 범위 즉 비교적 안전한 영역 내에 위치시키는 것이다. 병합 전염각 기법은 대퇴골 측을 먼저 처리하고 대퇴스템의 전염을 평가한 뒤 거즈나 스폰지로 대퇴골 골수강을 패킹 한 뒤 스템의 전염 정도에 따라서 비구컵을 삽입하는 것이다. 내비게이션은 비구컵과

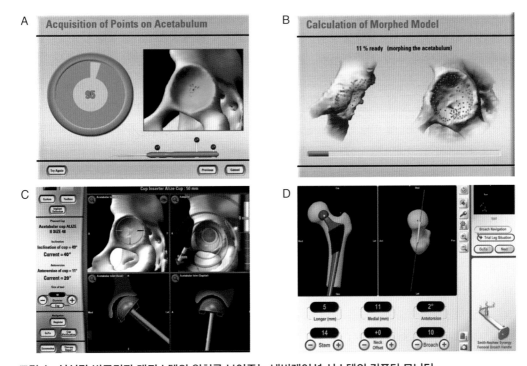

그림 4. 실시간 비구컵과 대퇴스템의 위치를 보여주는 네비게이션 시스템의 컴퓨터 모니터
수술 중 촉지되는 해부학적인 데이터를 morphing이라는 과정을 통하여 통계적인 방법으로 접근하여 3차원적인 정보를 컴퓨터 모니터를 통하여 제공한다. (A) 비구부의 point 등록, (B) 비구부의 morphing, (C) 비구컵의 위치, (D) 대퇴스템의 위치

 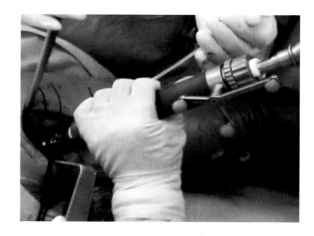

그림 5. 내비게이션 유도하에 비구컵을 삽입하는 과정
내비게이션을 통하여 얻어진 정보를 기준으로 비구컵의 전염각, 경사각, 대퇴스템의 전염각, 오프셋을 비롯하여 하지 길이 등을 실시간 컴퓨터 모니터를 통하여 확인하며 인공 삽입물을 삽입한다.

대퇴스템의 전염 각도를 수술 중에 실시간으로 수치로써 제공하고 확공의 방향과 깊이를 양적으로 측정하는 것을 가능하게 하므로 이 기법에서 유용하게 사용될 수 있다. 이러한 병합 전염각은 Komeno 등은 탈구율에 영향을 준다고 하였으며 다른 저자들에 의해서도 그 중요성이 기술된 바 있으며 같은 환자에서도 대퇴스템 전염이 양측에서 완전히 다를 수 있다. 이러한 병합 전염각의 안전한 영역은 저자들에 따라서 다르게 정의되었는데 Ranawat에 의하면 남자에서는 20°에서 30° 사이, 여자에서는 45°라고 하였으며 Muller는 25°에서 45° 사이라고 하였고 Barrack은 컵과 스템 전염각이 15°, Dorr는 평균 35°로 25°에서 50° 사이라고 하였다. Widmer는 유한요소 분석을 통하여 병합 전염각의 공식 '비구컵 전염각 + (0.7 × 대퇴스템 전염각) = 37.3°'를 제시하였다. 그러나 30° 이상의 전염각으로 비구컵을 삽입하는 경우는 권고되지 않으며 대퇴스템이 5° 이상 후염이 되는 경우는 조립형 스템을 사용하거나 시멘트형 스템을 사용하는 것을 고려하여야 한다.

2) 고관절 치환술에서 내비게이션의 효용성

(1) 전산화단층촬영 기반 내비게이션

고관절 전치환술에서 전산화단층촬영을 이용하는 내비게이션은 Jaramaz 등과 DiGioia 등에 의하여 개발되었다. 전산화단층촬영 영상을 사용하여 삽입하려는 기구의 위치와 정렬 계획을 시상, 관상, 축상면에서 할 수 있으며 3차원으로 골과 삽입물을 재구성하여 볼 수 있다. DiGioia 등은 45° 외전 20° 전염을 안전 영역의 기준으로 한 경우 수기를 이용하는 경우 안전구역을 벗어난 경우가 78%이었는데 비하여 전산화단층촬영을 이용한 내비게이션을 이용하는 경우 계획된 위치의 5° 내에 위치하였다고 하였다. 실험적 연구에서도 Jolles 등은 정확도가 전산화단층촬영을 이용한 내비게이션이 수기나 기구를 이용한 경우보다 더 높은 것을 보고한 바 있다. 이러한 정확도는 다른 여러 저자들에 의해서도 보고 된바 있으며 Sugano 등은 세라믹 관절면을 이용한 환자들을 대상으로, Haaker 등은 비구 이형성증 환자들을 대상으로 전산화단층촬영을 이용한 내비게이션의 효용성을 보고한바 있다. 그러나 수술 전 전산화단층촬영 영상을 얻어야 하므로 방사선 조사, 고비용, 시간 소요 등의 단점이 있다.

(2) 방사선투시기 기반 내비게이션

방사선투시기(fluoroscopy)를 이용하는 방법은 전산화단층촬영 기반 내비게이션에서 전산화단층촬영 영상을 얻어야 한다는 단점을 극복하기 위하여 개발되었으며 정확도에서 거의 차이가 없다고 보고되고 있다. 그러나 Tannast 등은 사체를 이용한 연구를 통하여 수기 방법보다 외전에서는 개선이 있었으나 전염에서는 개선이 없었다고 하며 이러한 현상은 치골 결절을 확인하는 정확도가 떨어지기 때문이라고 기술한 바 있다. 최근 방사선투시기와 결합된 pointer based percutaneous palpation을 이용하여 정확도를 더 높일 수 있다는 보고가 있다.

(3) 무영상 내비게이션

전산화단층촬영과 방사선투시기를 이용하는 경우 두 경우 모두 수술 중 방사선 영상을 이용하게 되고 시간과 경비가 소모되는 단점을 보완하기 위하여 무영상 기법이 개발되었다. Nogler 등은 사체를 이용하여 무영상적으로 얻어진 전방 골반 평면을 이용하여 외전과 전염에서 비구컵의 부정위를 감소시킬 수 있다고 보고한 이후 여러 저자들에 의하여 이 평면을 이용한 무영상 기법의 임상적인 효용성과 정확도가 보고되고 있다. 또한 수술 후 전산화단층촬영 영상을 이용하여 평가한 무작위 전향적 연구에서도 무영상 내비게이션을 이용한 수술에서 고식적인 방법에 비해 비구컵의 위치가 일정하게 위치된 것이 보고되어 있다. 한편 무영상 기법의 정확도는 골 표지를 정확하게 찾을 수 있는가와 측와위가 영향을 주는가 하는 문제와 연관이 되나 연구 결과에 따라 이론이 있다. 무영상 기법에서 외전각은 전상장골극의 등록에 따른 영향을 적게 받으나 전염각은 치골의 등록 시 치골 상부의 연부조직으로 전후방 측정에 차이가 있을 수 있어 영향을 더 받을 수 있다. 가능한 포인터로 연부조직을 깊이 눌러 뼈에 가깝도록 하여 등록하여야 한다. 그러나 무영상 기법의 재현성에 관한 연구에서 표준편차가 외전에서 6.3°의

전염에서 9.6°를 보인 연구 결과도 있다. 최근 좀 더 정확한 등록을 위하여 초음파나 방사선투시기를 이용한 방법이 소개되고 있다. 또한 비구컵의 위치의 기준인 전방 골반 평면을 정확하게 등록하여 구성시킨다 하더라도 삽입물의 위치가 수술 중과 수술 후에 다르게 평가될 수 있어 의도한 바와 다른 결과를 야기시킬 수 있다. 측방 접근법에서 골반은 환자가 옆으로 누워 있을 경우 요추 만곡이 펴지게 되어 전방으로 굴곡하게 된다. McCollum 등은 이러한 현상이 30°까지 된다고 하였으며 Jaramaz등은 0°에서 20° 사이라 하였다. 즉 골반 경사는 개인에 따라서 다양하고 서고 앉고 눕고 하는 자세에 따라서 역동적으로 변화한다. 이러한 차이가 내비게이션에서 골반 평면을 부정확하게 만드는데 원인이 될 수 있다. Davis 등은 앙와위에서 등록한 데이터가 수술을 위하여 측와위로 바꾸며 골반 경사의 변화로 인한 영향을 없애기 위하여 최근에 전방 골반 평면을 이용하지 않고 등록을 하는 방법을 개발하고 임상적으로 시도하고 있다(그림 6). 현재까지 연구 결과를 토대로 하여 보면 무영상 기법은 외전에서 정확하고 전염에서도 고식적 방법보다 더 우수한 결과를 보이지만 전염각의 수치는 정확한 것보다는 근사치에 가깝다고 할 수 있다. 무영상 방법은 사용상 편이성으로 유용한 방법으로 기대되고 있지만 이상의 관점에서 등록과 비구컵의 위치의 기준이 되는 표지에 대한 연구가 더 필요한 상태이다.

2. 로봇(Robot)을 이용한 고관절 전치환술

내비게이션은 수술 부위와 수술 기구의 공간적 위치를 보여주나 술자는 기계처럼 정확하게 수술 평면에 기구를 위치시키지 못할 수 있다. 또한 고식적 방법에서는 수술 중 대퇴골 골절의 발생할 가능성이 있고 삽입물의 크기의 예측 오차와 하지 부동이 있을 수 있으며 폐색전증의 위험도도 있을 수 있다. 이러한 수기에 의하여 야기되는 문제점을 극복하기 위하여 로봇 수술이 개발되고 있으며 수동형(passive), 반능동형(semi-

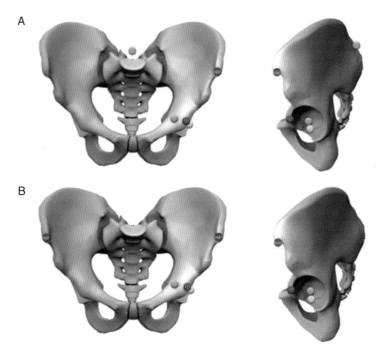

그림 6. 무영상 내비게이션 고관절 전치환술에서 전방 골반평면을 사용하지 않는 등록
(A) 측와위에서 등록점 (B) 앙와위에서 등록점

active), 능동형(active) 세가지 시스템으로 분류할 수 있으며 영상의 필요성에 따라 영상 기반 시스템과 영상 비의존형 시스템으로 나눌 수 있다.

수동형은 로봇이 절골용 블록이나 드릴 sleeve를 잡고 있으며 술자가 움직임에 제한 없이 수술을 시행하는 시스템이다.

반능동형은 로봇이 기구를 잡고 움직임을 정해진 경로에 맞게 제한하지만 동작은 술자의 손에 의해 조정되는 것으로 Acrobot® System (Acrobot Company Ltd., London, UK), MAKOplasty® System (Stryker, FL, USA)(그림 7) 등이 있다. Acrobot® 시스템은 로봇 팔 끝에 붙어있는 드릴을 수술자가 수술 전 삼차원 영상으로 계획된 범위 내에서 손으로 조작하는 시스템으로 이에 관한 연구는 표면 치환술에서 이용한 연구만 있다. MAKOplasty®는 또 다른 반능동형 로봇 시스템으로 최근 들어 정확한 비구 확공 및 비구컵 삽입술 시행

그림 7. MAKOplasty® System

에 성공적으로 사용되고 있다. 술자에게는 능동형 시스템보다 반능동형 시스템이 더 적응하기 쉬울 것이나 아직 적합성 및 안정성 효용성에 대해 충분한 근거는 아직 부족하다.

능동형은 수술 준비 및 시행 과정의 일부 또는 전부를 컴퓨터 시스템이 시행하는 시스템으로 수술 전 환자에 맞는 적절한 크기와 형태의 무시멘트형 대퇴스템을 선택하도록 하여 로봇이 골수강을 절삭하고 압박형 무시멘트형 스템을 삽입하도록 한다. CASPAR® (Orto Maquet, Rastatt, Germany)(그림 8)와 ROBODOC® (Curexo Technology Corporation, Fremont, CA., USA) 로봇이 개발되었으나 주로 ROBODOC®이 사용되어 왔으며 임상적 결과와 임상적 효용성에 관한 평가가 구체적으로 보고되어 있어 이에 관하여 구체적으로 기술하고자 한다.

1) 능동형 로봇수술

능동형 로봇으로 주로 사용되어 온 ROBODOC®은 2014년부터 TSolution One® (Think Surgical Inc.,

CA, USA)으로 제품명이 변경되어 현재 생산되고 있다(그림 9). 고관절 전치환술을 위한 수술 로봇의 개발은 1980년대에 수의사인 Howard Paul과 정형외과 의사인 William Bargar가 공동으로 창안하여 미국의 IBM (International Business Machine Corp.)과 University

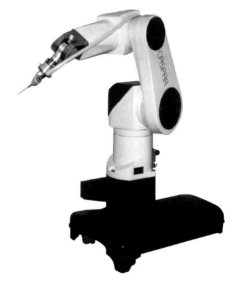

그림 8. CASPAR® 로봇

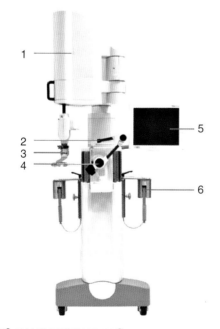

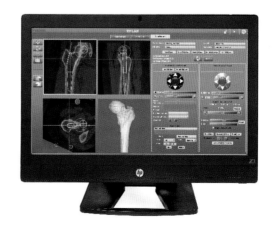

그림 9. TCAT® 로봇의 구성과 TPLAN®
1. TCAT Arm 2. Digitizer 3. Coupler 4. Cutting Tool 5. Monitor 6. Bone Motion Monitor

779

of California, Davis 분교가 공동개발 프로젝트로서 진행하였다. 1989년 동물을 대상으로 한 시술에서 성공한 이후 1990년에는 Integrated Surgical Systems (ISS)이 설립되어 수술 로봇 기술의 상용화에 착수, 컴퓨터 프로그램을 통해 직접 조종과 시술이 가능한 로봇인 ROBODOC®과 ORTHODOC®을 개발하였다. 1994년부터 독일에서 임상적으로 이용되기 시작된 이후 여러 국가들에서 사용되기 시작하여 그 임상 결과들이 보고되었으며 2008년 Food and Drug Administration (FDA)으로부터 승인을 받았다.

(1) 사용 방법

로봇 수술의 등록 방법은 크게 pin-base method와 pin-less method 두 가지 기법이 있다. Pin-base method는 환자가 CT 촬영 전에 표준이 되는 마커 역할을 하는 핀을 대퇴골 전자부와 대퇴골과에 삽입하는 추가적인 소수술 후, 수술 전 계획을 하고, 24시간 이내에 고관절 전치환술을 시행하는 방법이다. 로봇은 이 표준 핀을 통해 환자의 골의 위치를 인식하고, 계획된 대로 골의 밀링 절삭(milling)을 시행한다(그림 10). 반면 pin-less method는 수술 전에 촬영된 전산화단층촬영 영상으로 수술 전 계획을 하고, 디지 매치(Digi-Match)를 통해 로봇이 인식하고 있는 가상의 골 모델

과 환자의 골을 일치시켜 로봇이 가상의 골 모델을 토대로 수립된 절삭 계획을 실제의 환자의 골에 시행하는 방식이다. Pin-base method는 디지 매치 단계를 거치지 않아도 되지만, 두 번 수술을 해야 한다는 단점이 있고, 핀으로 인한 문제로 인해 현재는 잘 쓰이지 않는다. 그러나 대퇴골두에 골절이 있거나 금속 물질이 삽입되어 있는 경우에는 pin-base method로 수술을 시행한다.

TSolution One® system은 수술 전 계획을 위한 워크스테이션(workstation)인 TPLAN®과 수립한 계획대로 정확한 밀링 절삭 및 확공을 수행하는 TCAT®으로 구성되어 있다(그림 9). TCAT®은 실제 움직임을 담당하는 TCAT 로봇 팔, 팔이 장착되는 base 그리고 control cabinet으로 구성된다. TCAT arm의 끝에는 실제 밀링 절삭 및 확공을 담당하는 절삭 기구와 cutter drive에 전달되는 torque를 실시간으로 감지하는 force torque sensor가 장착되어 있다. Base에는 디지 매치의 기능을 수행하는 digitizer가 설치되어 있고, 수술 중 환자의 움직임을 실시간으로 감지하는 bone motion monitor (BMM)가 설치되어 있으며, 절삭 기구의 모터에 전원을 공급하고 세척용 식염수를 배출하는 장치가 장착되어 있다. Controller cabinet은 RCC (robot control computer)와 RTM (real time monitor)로 구성되어 있

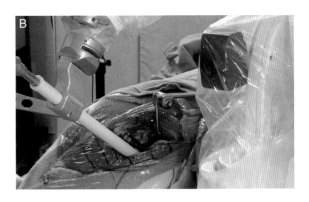

그림 10. 능동형 로봇(TSolution One® system)을 이용한 고관절 전치환술
(A) Schematic drawing, (B) Photograph from operation field ROBODOC® 로봇을 이용하여 수술하는 장면으로 수술 전 수립한 계획에 따라 로봇 팔이 자동으로 움직이며 골을 절삭한다.

다. RCC는 로봇 팔의 움직임을 제어해주고 BMM이나 force sensor로부터 들어오는 신호들을 실시간 감지하여 수술 정확도를 높여주는 역할을 하며, RTM은 뼈의 절삭 진행 상황 같은 실시간 정보들을 모니터에 출력하는 역할을 한다.

(2) 임상적 효용성

로봇을 이용하여 수술한 고관절 전치환술의 임상적 및 방사선적 결과들 중 첫 보고는 미국에서의 1994년부터 1995년까지 FDA에서 주도한 ROBODOC®에 관한 다기관 무작위 대조군 연구이다. 136예의 고관절 전치환술에서 임상적 결과에서는 차이가 없었으나 방사선 사진상 대퇴스템이 더 정확하게 정렬되고 고정 된다는 소견을 보여주었다. 또한 대퇴골 골절이 대조군에서는 3예 발생하였으나 ROBODOC® 군에서는 없었다. 또 다른 연구로 Hananouchi 등이 ROBODOC® 수술이 골형성에 미치는 영향에 관하여 보고하였다. 로봇 수술 환자 29명(31예), 일반 수술 환자 24명(27예)을 대상으로 dual energy X-ray absorptiometry (DEXA)와 단순 방사선 사진을 이용하여 평가하여 ROBODOC®을 이용한 환자가 원위부 삽입물 접촉 부에 골손실이 유의하게 적게 일어나고 spot weld도 48%에서 뚜렷하였다고 하였다. 1994년 독일에서 시행한 900예를 대상으로 한 연구(일측성 고관절 전치환술 852예, 양측성 고관절 전치환술 42예, 고관절 재치환술 30예)에서도 수술 중 대퇴골 골절이 발생하지 않았으며 수술 시간도 90분으로 현저히 줄었다고 하였다. 또한 고관절 재치환술 시 시멘트 제거에 로봇이 유용하였다고 보고하였다. Hagio 등은 후방 접근법을 통한 two-pin 등록 방법을 사용한 경우 2년 추시에서 대조군보다 임상 점수가 우수하였고, 방사선적으로도 대퇴스템의 정렬이 더 우수하였다고 하였다. Nakamura 등은 하지 부동의 빈도도 적었다고 하였다. 골을 절제하면서 발생하는 열에 의한 골괴사의 우려가 있지만 실제 임상적으로 보고되지는 않았다. 이밖에 경식도 심초음파 검사

상 폐색전증의 발생 빈도가 낮으며, 이중 DEXA 검사 결과 응력 차단 현상도 적은 것으로 보고되고 있다. 그러나 Honl 등은 2003년 능동형 로봇을 이용한 고관절 전치환술에서 하지 길이 차이와 대퇴스템 정렬에서는 양호한 결과를 보였으나 수술 중 수기로 전환된 비율이 18%였으며, 수술 후 탈구과 재치환술 비율이 각각 18%, 15%라 하여 불량한 결과를 보고하며 로봇 고관절 전치환술의 우려를 제기하였다. 또한 로봇 수술은 수술 전 계획과 수술의 정확도에서 장점이 있었으나 재치환율, 근육 손상 정도, 탈구율, 수술 시간 등에서 단점을 지적하였다. 그러나 이 연구의 문제는 삽입물의 부정확한 선택과 위치, 전측방 접근법 사용 시 연부조직의 부적절한 보호 같은 인적 오류의 가능성도 있다.

한편, Lim 등은 짧은 대퇴스템을 사용한 고관절 전치환술에서 로봇을 이용한 경우 고식적 방법에 비해 대퇴스템의 정렬과 하지 길이가 더 정확하였으며 수술 중 대퇴골 골절의 발생 빈도도 감소하였다고 하였다.

(3) 발전 방향

최근 비구컵의 고정에서도 사용이 가능한 것으로 발전 하며 전체적으로는 로봇을 이용한 고관절 전치환술은 수술의 정확도를 개선시키는 것은 분명하지만 장기 추시 임상 결과를 포함하여 지속적인 연구가 필요한 상태이다. 절삭 과정에서 골의 움직임으로 인해 수술이 중단될 경우 재등록을 하거나 재등록이 실패하는 상황 등의 기술적인 문제 등도 아직 남아있다. 특히 전산화단층촬영으로 인한 방사선 피폭과 비용, 연부조직 손상 등의 우려가 있을 수 있다. 또한 수기로 진행되는 수술에 비해 환자를 로봇에 고정하고, 골의 삼차원 영상과 실제 골과의 일치를 위한 등록 및 확인 과정 등으로 인하여 수술 시간이 전체적으로 많이 소요된다. 그러므로 시간을 줄이기 위한 개선도 필요한 상태이다. 더불어 현재의 로봇 팔은 4축의 수평 다관절 로봇(Selective Compliance Articulated Robot Arm, SCARA)의 끝에 회전축을 추가한 형태이나 더 자유로

운 움직임을 갖고 가동 범위에 제한이 없는 로봇 팔의 이용과 control cabinet의 통합과 운용 소프트웨어의 개선도 필요하다.

2) 반능동형 로봇수술

반능동형은 로봇이 수술 기구의 움직임을 정해진 밀링 절삭 방향과 범위 내에서 제한하지만 동작은 술자에 의해 조정되는 것으로 Acrobot® System (Acrobot Company Ltd., London, UK), MAKOplasty® System (Stryker, FL, USA) 등이 있다. Acrobot® system은 로봇 팔 끝에 붙어있는 드릴을 술자가 삼차원 영상 기반 술 전 계획에 따라 밀링 절삭 방향과 범위내에서 수동으로 조작하는 시스템으로 이에 관한 연구는 고관절 표면 치환술에 관한 것만 있다. RIO (Robotic Arm Interactive Orthopaedic) 시스템을 이용하는 MAKOplasty® system은 또 다른 반능동형 시스템으로 정확한 확공과 비구컵 삽입에 성공적으로 사용되고 있다. MAKOplasty® system은 2004년 처음 소개된 이후

2006년 슬관절 반치환술에 사용되기 시작하였다. 이후 2010년 FDA로부터 고관절 전치환술에 대한 승인을 받은 후 비구컵 삽입에 사용되기 시작 하였다.

시술 방법은 express 방법과 enhanced 방법이 있다. Express femoral workflow procedure는 계획, 준비, 삽입 3단계로 구성되어 있다. 계획 단계에서는 수술 전 전산화단층촬영 영상을 이용하여 환자에 따른 3차원 가늠자(template)를 구성하고 비구컵과 대퇴스템의 적정 위치를 결정한다. 준비 단계에서는 삽입물의 삽입 위치를 정하는 것과 비구와 대퇴골 골수강의 확공을 로봇 가이드 하에 시행하고 삽입 단계에서는 로봇의 가이드에 따라 삽입물의 삽입을 시행한다. 최근 대퇴스템 삽입 위치를 결정하고 측정하는 enhanced femoral workflow의 추가로 인해 병합 전염각 개념의 적용이 가능하게 되었다(그림 11).

Nawabi 등은 사체 연구를 통하여 고관절 전치환술에서 MAKOplasty®를 이용하는 경우 고식적 방법보다 더 정확하게 비구컵을 삽입 할 수 있었다고 하였

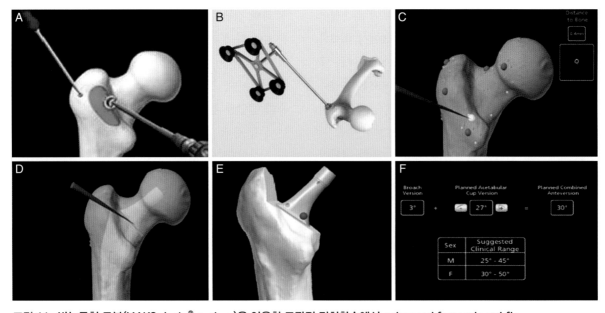

그림 11. 반능동형 로봇(MAKOplasty® system)을 이용한 고관절 전치환술에서 enhanced femoral workflow
(A) Femoral array screw placement & checkpoint, (B) Femoral array placement, (C) Femur registration & verification, (D) Guided femoral neck resection, (E) Stem version check, (F) Combined anteversion check.

다. Domb 등은 MAKOplasty® system을 이용한 고관절 전치환술에서 안전 구역 내에 비구컵 삽입의 개선이 있었으며 이는 장기적인 관점에서 중요하다고 하였다. 로봇을 이용한 경우 비구컵의 전염과 경사각이 Lewinnek 안전 구역내에 100%에서 수기에서는 80%에서 위치하였고 Callanan 안전 구역 내에는 로봇을 이용한 경우 92% 수기에서는 62%에서 위치되었다고 하였다. Redmond 등은 고관절 전치환술에서 술기의 습득 과정이 부가적인 임상적 기술적 합병증을 야기 하지 않았다고 하였다.

최근에 대퇴스템의 삽입에도 사용이 가능 한 것으로 발전한 MAKOplasty® system의 장점으로는 정확하게 삽입물을 위치시킬 수 있도록 술자에게 도움을 주며 피드백을 받을 수 있다는 점이다. 단점으로는 전산화단층촬영 영상을 얻기 위한 부가적인 방사선 피폭이 발생하고 장비가 고가라는 점이다. 또한 술자에게는 능동형 로봇 시스템보다 반능동형 로봇 시스템이 더 적응하기 쉬울 것으로 보이나 적합성 및 안정성, 효용성에 대해 충분한 근거는 아직 부족하다.

3. 기타

비록 로봇과 내비게이션이 고관절 치환술에서 정확도를 향상시키는데 도움을 주지만 고비용, 추가 시간, 술자와 기계 사이의 상호작용, 수술장내 추가 장비 배열에 있어 공간적 한계 등이 광범위한 적용을 저해하는 요인으로 작용한다. 이러한 관점에서 고비용의 장비 설치를 요하지 않는 PST (patient specific template)가 좀 더 정확한 수술을 위한 또 다른 컴퓨터 보조 수술 기법으로 개발되어 이용되고 있다. 이는 수술 전 3차원 영상을 이용하는 기구로서 고관절 치환술에서 비구컵 삽입과 고관절 표면 치환술 시 대퇴 가이드를 삽입하는데 사용할 수 있다. PST는 수술 전 전산화단층촬영 영상과 3차원 템플레이트 제작을 위한 비용이 들며 수술 전 계획을 적절히 수행할 기술이 필요하다. 그러나 내비게이션 수술 시보다 더 큰 피부 절개선 및 노출이 필요하다.

Hip Sextant (Surgical Planning Associates Inc., Medford, MA, USA)는 컴퓨터 보조 기계적 장치로서 전산화단층촬영 영상을 이용하는 소프트웨어를 통하여 수술 전 계획된 세 개 접촉 포지션을 조준하여 비구컵의 위치에 도움을 주는 기구이다(그림 12). 최근 이러한 PST와 컴퓨터 보조 기계적 장치 등의 효용성과 안정성을 입증하기 위한 연구들이 진행되고 있다.

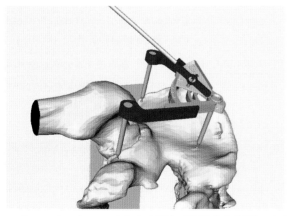
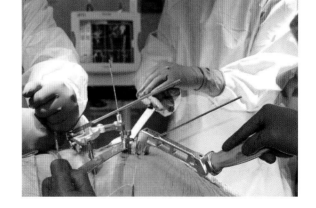

그림 12. 컴퓨터 보조 기계적 장치를 이용하여 수술하는 장면
컴퓨터 보조 기계적 장치로서 전산화단층촬영 영상을 이용하는 소프트웨어를 이용하여 수술 전 계획된 세 개 접촉 포지션을 조준하여 비구컵의 위치에 도움을 주는 기구이다.

참고문헌

1. Bargar WL, Bauer A, Borner M. Primary and revision total hip replacement using the Robodoc system. Clin Orthop. 1998; 354:82-91.

2. Barrett AR, Davies BL, Gomes MP, et al. Computer-assisted hip resurfacing surgery using the acrobot navigation system. Proc Inst Mech Eng H. 2007;221: 773-85.

3. Barsoum WK, Patterson RW, Higuera C, et al. A computer model of the position of the combined component in the prevention of impingement in total hip replacement. J Bone Joint Surg Br. 2007; 89-B:839-45.

4. Chang JD, Kim IS, Bhardwa AM, Badami RN. The Evolution of Computer-Assisted Total Hip Arthroplasty and Relevant Application., Hip Pelvis 2017; 29(1):1-14

5. Chang JD, Kim IS, Prabhakar S, Mansukhani S, Lee SS, Yoo JH. Revision total hip arthroplasty using imageless navigation with the concept of combined anteversion, J Arthroplasty. 2017; 32:1576-1580.

6. Chun YS, Kim KI, Cho YJ, Kim YH, Yoo MC, Rhyu KH. Causes and patterns of aborting a robot-assisted arthroplasty. J Arthroplasty. 2011;26:621-5.

7. Cobb JP, Kannan V, Dandachli W, Iranpour F, Brust KU, Hart AJ. Learning how to resurface cam-type femoral heads with acceptable accuracy and precision: the role of computed tomography-based navigation. J Bone Joint Surg Am. 2008;90:57-64.

8. DiGioia AM, Jaramaz B, Blackwell M, et al. The Otto. Aufranc Award. Image guided navigation system to measure intraoperatively acetabular implant alignment. Clin Orthop. 1998; 355:8-22.

9. Domb BG, El Bitar YF, Sadik AY, Stake CE, Botser IB. Comparison of robotic-assisted and conventional acetabular cup placement in THA: a matched-pair controlled study. Clin Orthop Relat Res. 2014 Jan; 472(1):329-36.

10. Dorr LD, Jones RE, Padgett DE, Pagnano M, Ranawat AS, Trousdale RT. Robotic guidance in total hip arthroplasty: the shape of things to come. Orthopedics. 2011;34:e652-5.

11. Dorr LD, Malik A, Dastane M, Wan Z. Combined anteversion technique for total hip arthroplasty. Clin Orthop Relat Res. 2009; 467:119-27.

12. Grutzner PA, Zheng G, Langlotz U, et al. C-arm based navigation in total hip arthroplasty: Background and clinical experience. Injury. 2004; 35:S-A90-95.

13. Haaker R, Tiedjen K, Rubenthaler F, Stockheim M. Computer-assisted navigated cup placement in primary and secondary dysplastic hips. Z Orthop Ihre Grenzgeb. 2003;141:105-11.

14. Hagio K, Sugano N, Takashina M, Nishii T, Yoshikawa H, Ochi T. Effectiveness of the ROBODOC system in preventing intraoperative pulmonary embolism. Acta Orthop Scand. 2003;74:264-9.

15. Hananouchi T, Sugano N, Nishii T et al. Effect of robotic milling on periprosthetic bone remodeling. J Orthop Res. 2007; 25:1062-9.

16. Hohmann E, Bryant A, Tetsworth K. Anterior pelvic soft tissue thickness influences acetabular cup positioning with imageless navigation. J Arthroplasty. 2012;27:945-52.

17. Honl M, Schwieger K, Salineros M, Jacobs J, Morlock M, Wimmer M. Orientation of the acetabular component. A comparison of five navigation systems with conventional surgical technique. J Bone Joint Surg Br. 2006; 88:1401-5.

18. Jaramaz B, DiGioia AM III, Blackwell M, Nikou C. Computer assisted measurement of cup placement in total hip replacement. Clin Orthop Relat Res. 1998; 354:70-81.

19. Jolles BM, Genoud P, Hoffmeyer P. Computer-assisted cup placement techniques in total hip arthroplasty improve accuracy of placement. Clin Orthop Relat Res. 2004; 426:174-9.

20. Kim TH, Lee SH, Yang JH, Oh KJ. Computed tomography assessment of image-free navigation-assisted cup placement in THA in an Asian population. Orthopedics. 2012 ;35:13-7.

21. Kitada M, Nakamura N, Iwana D, Kakimoto A, Nishii T, Sugano N. Evaluation of the accuracy of computed

tomography-based navigation for femoral stem orientation and leg length discrepancy. J Arthroplasty. 2011;26:674-9.

22. Lim SJ, Ko KR, Park CW, Moon YW, Park YS. Robot-assisted primary cementless total hip arthroplasty with a short femoral stem: a prospective randomized short-term outcome study. Comput Aided Surg. 2015;20(1):41-6.

23. Lin F, Lim D, Wixson RL, Milos S, Hendrix RW, Makhsous M. Limitations of imageless computer-assisted navigation for total hip arthroplasty. J Arthroplasty. 2011;26:596- 605.

24. McCullum DE, Gray WJ. Dislocations after total hip arthroplasty. Causes and prevention. Clin Orthop Relat Res. 1990; 261:159-70.

25. Miki H, Kyo T, Sugano N. Anatomical hip range of motion after implantation during total hip arthroplasty with a large change in pelvic inclination. J Arthroplasty. 2012;27: 1641-1650.

26. Najarian BC, Kilgore JE, Markel DC. Evaluation of component positioning in primary total hip arthroplasty using an imageless navigation device compared with traditional methods. J Arthroplasty. 2009;24:15-21.

27. Nakamura N, Sugano N, Nishii T, Kakimoto A, Miki H. A comparison between robotic-assisted and manual implantation of cementless total hip arthroplasty. Clin Orthop Relat Res. 2010;468:1072-81.

28. Nawabi DH, Conditt MA, Ranawat AS, et al. Haptically guided robotic technology in total hip arthroplasty: a cadaveric investigation. Proc Inst Mech Eng H. 2013; 227(3):302-9.

29. Nishihara S, Sugano N, Nishii T, Miki H, Nakamura N, Yoshikawa H. Comparison between hand rasping and robotic milling for stem implantation in cementless total hip arthroplasty. J Arthroplasty. 2006;21:957-66.

30. Nogler M, Kessler O, Prassl A, et al. Reduced variability of acetabular cup positioning with use of an imageless navigation system. Clin Orthop Relat Res. 2004;426: 159-63.

31. Ohashi H, Matsuura M, Okamoto Y, Okajima Y. Intra- and

intersurgeon variability in image-free navigation system for THA. Clin Orthop Relat Res. 2009;467:2305-9.

32. Olsen M, Davis ET, Waddell JP, Schemitsch EH. Imageless computer navigation for placement of the femoral component in resurfacing arthroplasty of the hip. J Bone Joint Surg Br. 2009;91:310-5.

33. Ryan JA, Jamali AA, Bargar WL. Accuracy of computer navigation for acetabular component placement in THA. Clin Orthop Relat Res. 2010;468:169-77.

34. Saxler G, Marx A, Vandevelde D, et al. The accuracy of free-hand cup positioning: A CT based measurement or cup placement in 105 total hip arthroplasties. Int Orthop. 2004;28:198-201.

35. Steppacher SD, Kowal JH, Murphy SB. Improving cup positioning using a mechanical navigation instrument. Clin Orthop Relat Res. 2011;469:423-8.

36. Sugano N, Nishii T, Miki H, Yoshikawa H, Sato Y, Tamura S. Mid-term results of cementless total hip replacement using a ceramic-on-ceramic bearing with and without computer navigation. J Bone Joint Surg Br. 2007;89: 455-60.

37. Sugano N, Takao M, Sakai T, Nishii T, Miki H. Does CT based navigation improve the long-term survival in ceramic-on-ceramic THA. Clin Orthop Relat Res. 2012; 470:3054-9.

38. Takao M, Nishii T, Sakai T, Sugano N. Application of a CT- 3D fluoroscopy matching navigation system to the pelvic and femoral regions. Comput Aided Surg. 2012; 17:69-76.

39. Tannast M, Langlotz F, Kubiak-Langer M, Langlotz U, Siebenrock K : Accuracy and potential pitfalls of fluoroscopy guided acetabular cup placement. Comput Aided Surg. 2005;10:329-36.

40. Zhang YZ, Chen B, Lu S, et al. Preliminary application of computer-assisted patient-specific acetabular navigational template for total hip arthroplasty in adult single development dysplasia of the hip. Int J Med Robot. 2011;7:469-74.

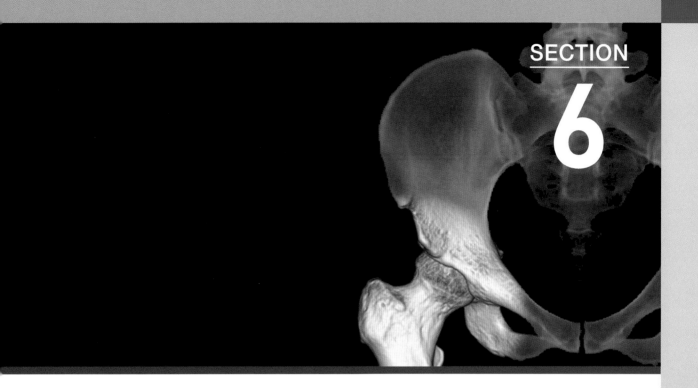

SECTION

6

골절 및 탈구
Fracture and Dislocation

1

골반환 손상
Injury of the Pelvic Ring

골반환 손상(pelvic ring injury)은 전체 골절의 약 3% 를 차지하는 비교적 드문 골절이지만, 교통사고로 인한 사망 환자의 42%까지 차지하는 심각한 손상이다. 골반 골절의 20-30%는 교통사고, 추락, 낙상 사고 등이 발생 원인인 고에너지 손상으로 골반내 장기, 비뇨생식기, 신경혈관 조직 등 동반 손상이 흔하며 사망률과 이환율이 높고 치료가 쉽지 않은 손상이다. 노인 환자에서 발생하는 저에너지성 골반 손상은 골다공증성 골절의 하나로, 노인성 고관절 골절과 비슷하게 1년 내 사망률이 14.3-27% 정도로 보고되고 있다. 고에너지 골반 손상의 사망률은 10%에서 31%로 보고되고 있으며, 개방성 손상의 경우 50%까지 보고되고 있다. 골반 손상으로 인해 혈역학적 불안정성이 초래된 경우 사망률은 40%까지 보고되고 있으며, 급속한 출혈과 이를 막기 위한 지혈 조치가 어렵기 때문이다. 그러나 1970년대 들어 골반에 대한 해부학적 이해와 전산화단층촬영 등이 진단에 이용되고, 체외 및 체내 골반 고정 기구가 개발됨에 따라 사망률과 이환율의 감소가 이루어지고 있다. 현재에는 혈관조영술 및 색전술의 발달과 함께 다학제적 접근법(multidisciplinary approach)으로 혈역학적으로 불안정한 환자에 대한 소생 단계(resuscitation algorithm)가 잘 개발되어 있어 치료 결과의 향상이 이루어지고 있다.

골반환 손상의 장기적 예후에 영향을 미치는 가장 중요한 인자는 골반환의 안정성(pelvic stability) 여부이다. 골반환의 안정성은 골반환이 생리적 부하를 지탱

할 수 있는지 여부를 의미하며, 골반환 손상의 안정화를 위해서는 골반환의 골 인대 구조물과 안정성에 대한 이해가 필요하다. 따라서 골반환 손상의 치료를 위해서는 골반환의 해부학적 구조와 손상 기전 및 이를 안정화시키는 전략은 물론 응급 소생 단계에 대한 충분한 지식과 술기 및 장비가 필수적이며, 골반 외상 분야의 충분히 훈련된 의사에 의해 충분한 장비가 갖추어진 병원에서의 치료가 요구된다. 또한 골반환에 대한 생역학적인 이해의 증가와 함께 내고정기법 및 기구의 발전으로 불안정한 골반환의 안정화 역시 많이 발전하여 골반환 손상에 의한 이환이 많이 감소하였다. 최근에는 수술 중 3차원 방사선투시 영상, 내비게이션 수술, 경피적 고정을 포함한 최소 침습적 방법, 척추-골반 고정(spino-pelvic fixation) 등의 새로운 치료 기법도 개발되어 임상에 사용되고 있다. 그러나 현재까지도 수술 후 이환(morbidity)이 많은 분야로 이를 줄이기 위한 지속적인 연구와 노력이 요구된다.

1. 외과적 해부학

1) 골 인대 구조

골반은 2개의 무명골과 천골 및 미골로 구성된 골조직이 인대에 의해 결합된 고리 모양의 구조로, 골반환이라 불리며, 골조직에 의한 안정성은 없고 안정성은 전적으로 인대조직에 의한다. 따라서 인대조직의 구조와 기능에 대한 이해는 골반환 안정성의 이해에 필수적이다. 골반에 전달되는 부하의 많은 부분은 후방 골

반환을 통해 전달되므로 후방 골반환은 전방 골반환에 비해 골반환의 안정성에 중요하게 작용한다.

골반환 인대들은 골반 내의 골격을 연결해주며, 1) 천골과 장골, 2) 천골과 좌골, 3) 양측 치골, 4) 천골과 미골을 연결하는 인대로 구분할 수 있다. 천장인대(sacroiliac ligament)는 전방, 골간(interosseous), 후방 인대로 구분되는데, 이중 전방 인대는 얇고 약하여 골반환 후방의 안정성에 큰 역할을 하지 못하는 반면에 골간 인대와 후방 인대는 매우 강력하다. 특히 후방 천장인대는 골반환의 안정성 유지에 가장 중요한 인대로 이것이 파열되면 수직 불안정성이 생기게 된다. 천골과 좌골을 연결하는 인대에는 천결절인대(sacrotuberous ligament)와 천극인대(sacrospinous ligament)가 있다. 이중 천결절인대는 천골 및 미골의 외측방에서 기시하여 조면 결절(ischial tuberosity)의 내측방에 붙으며, 이의 상연은 대좌골공(greater sciatic foramen)과 소좌골공(lesser sciatic foramen)의 후방부 경계를 이룬다. 천극인대는 천골 및 미골의 외측방에서 기시하여 좌골극(ischial spine)에 붙으며, 이의 상연은 대좌골공의 하측 경계를 이루고, 하연은 소좌골공의 경계의 일부를 이룬다. 양측 치골을 연결하여 치골 결합(symphysis pubis)을 이루는 인대는 치골 간 디스크, 전방과 후방 및 상방과 하방 인대로 구분되며, 이중 하방 인대는 치골궁형인대(arcuate ligament of pubis)라 불리며 가장 두껍고 강력하다.

골반환의 안정성은 가해지는 외력의 방향에 따라 각기 다른 인대에 의해 유지된다. 골반환에 가해지는 외회전력에 저항하는 인대로는 치골 결합부의 인대, 천극인대와 전방 천장인대가 있고, 시상면상의 회전력에 대항하는 인대로는 천결절인대가 있으며, 수직 전단력에 대해서는 주로 골간 천장인대와 후방 천장인대 그리고 장요인대(iliolumbar ligament)가 대항하고, 기타 다른 인대도 어느 정도의 역할을 담당한다. 이러한 해부학적 지식은 골반 골절의 분류 및 치료 방침 선정과 예후의 판단에 필수적이다(그림 1).

2) 골반내 장기

골반은 여러 가지 중요한 장기를 보호하므로 골절이 있는 경우 항상 이들 장기의 손상 가능성을 염두에 두어야 한다. 방광이 양측 치골 바로 뒤에 얹혀져 있고, 요도는 요생식 격막(urogenital diaphragm)을 통과하므로 치골 결합 이개(diastasis)가 있을 경우 흔히 손상되며(그림 2), 하부 위장관 중 하행 결장(descending colon)의 일부와 S상 결장(sigmoid colon) 및 직장(rectum)이 골반 내에 존재한다. 골반환 손상 시 직장의 파열이 동반되는 경우가 있으므로 직장 수지 검사(rectal exam)이 필요하다. 4 요추체 앞에서 대동맥으로부터 분지되어 나오는 총장골동맥(common iliac artery)의 분지들이 골반 내를 통과하면서 골반 내외의 장기 및 근육으로 분지를 내는데, 특히 하복동맥(hypogastric artery)의 분지들은 골반 내벽에 밀착되어 진행하기 때문에 골절시 손상되기 쉽다. 또한 하복동맥 또는 내장골동맥(internal iliac artery)과 외장골동맥(external liacartery)의 문합(anastomosis)인 'corona mortis anastomosis'는 치골 상지의 상부에 위치하며, 이 부위를 박리할 때 다량의 출혈을 유발할 수 있으므로 주의를 요한다. 주요 신경조직으로는 요천추신경이 골반 내에서 형성한 신경총(lumbosacral plexus)이 있다. 그래서 전위가 큰 불안정 골반환 손상 시, 흔히 신경학적 손상과 이로 인한 후유증을 동반하게 된다. 여성의 경우에는 자궁과 난소가 골반 내에 있으며, 질이 요생식 격막을 통과한다.

2. 손상 기전

골반 골절을 정확히 분류하여 적절한 치료를 하기 위해서는 작용된 외력의 성질과 작용 방향을 정확히 파악해야 한다. 그러므로 일반적인 증상 파악이나 신체 검사와 함께 손상받을 때의 상황과 가해진 외력의 종류, 방향 및 그 정도를 반드시 병력 청취를 통해 알아야 한다. 예를 들면 보행 중 차량에 의해 보행자의 측면에 가해진 충격은 측방 압박 손상을 일으키며, 전방에서의 충격은 전후방 압박 손상을 일으킨다. 특히

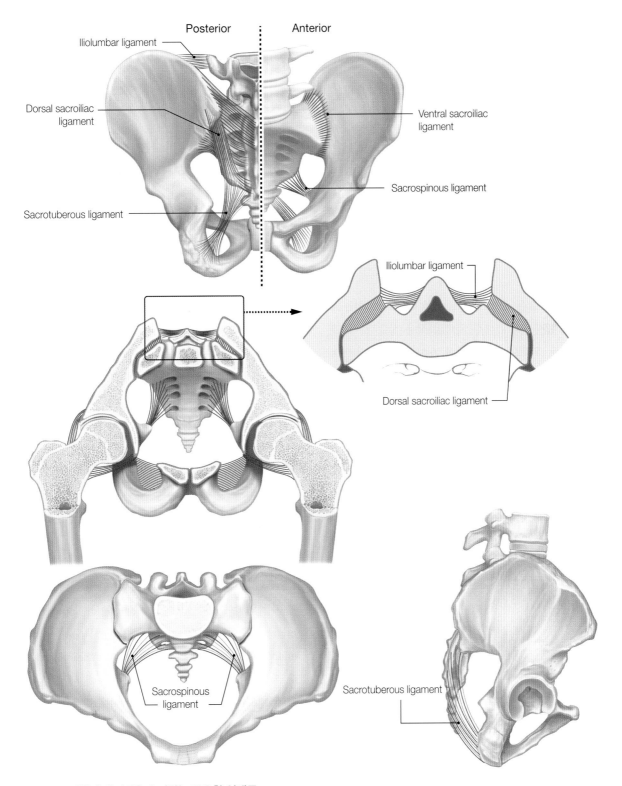

그림 1. 골반환의 안정성을 유지하는 중요한 인대들
치골 결합부 인대, 천극인대와 전방 천장인대는 골반환에 가해지는 외회전력에 저항하며, 천결절인대는 시상면상의 회전력에 저항한다.

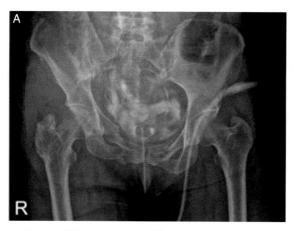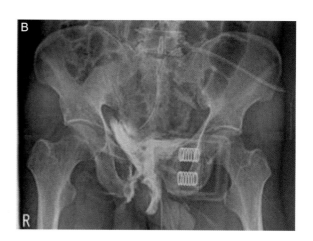

그림 2. 골반환 손상에 동반한 (A) 방광 파열 및 (B) 요도 파열

교통사고와 같은 충돌 손상을 분석하기 위해서는 손상 당시의 자세와 가해진 외력의 작용 상황과 각도뿐만 아니라, 외력이 피해자에게 가해지면서 작용 방향의 변화가 있었는지 여부를 파악해야 한다. 또 다른 예로, 오토바이 사고에서 정면충돌은 전후방 압박 손상, 오토바이가 넘어지면서 발생한 골절은 측방 압박 혹은 복합 손상의 가능성이 있다.

골반 골절은 가해진 외력의 크기에 따라 저에너지 골절과 고에너지 골절로 분류할 수 있다. 저에너지 골절은 골반 내의 구성 골격 중 단일골 골절로서 일반적으로 골반환 전체의 안정성에 손상을 주지 않는다. 전상장골극, 전하장골극, 좌골 결절, 장골능의 견열 골절, 장골익 단독 골절, 천골과 미골의 단독 골절 등이 해당된다. 고에너지 골절은 보다 강한 외력에 의해 골반환을 구성하는 골격 중 적어도 두 군데 이상에서 골절 또는 탈구가 발생하여 골반환 전체의 구조적 안정성이 소실된 경우이다. 골다공증이 있는 노인에서는 단순한 낙상과 같은 저에너지 손상에 의해서도 불안정한 골반환 손상이 발생하기도 한다.

3. 분류

많은 저자들이 골반 골절을 여러 가지 방법으로 분류하고 있다. 골절의 해부학적 위치, 골반환 내 체중 부하 부위의 손상 여부, 골반환 내 골절선의 개수, 골절로 인한 혈류 역학적 변화 여부, 외력의 작용 방향 또는 골반환 손상 여부 및 그 안정성 손실 여부 등이 그 근거가 되었다. 이 중 외력의 작용 방향에 따른 Pennal 등의 분류, 골반환의 안정성 소실 정도로 분류한 Tile의 방법과 이들 방법을 보다 발전시켜 손상을 일으킨 외력의 방향과 골반환의 안정성 소실의 정도도 함께 고려하여 분류를 시도한 Young과 Burgess의 방법이 치료 방침의 선정과 예후의 판단에 도움이 되어 가장 널리 사용되고 있다.

1) Pennal 분류

Pennal 등은 외력의 작용 방향에 따라 골반 골절을 전후방 압박에 의한 골절(anteroposterior compression injury), 측방 압박에 의한 골절(lateral compression injury), 수직 전단에 의한 골절(vertical shear injury)의 세 가지로 분류하였다. 골반의 골절은 대개 복합된 외력에 의해 발생하기 때문에 항상 이에 맞추어 분류하지는 못하지만, 모든 외력을 위의 세 가지 힘의 방향으로 합성 또는 분리할 수 있기 때문에 세 가지 기본적 힘의 방향에 따른 골절의 양상을 이해하는 것은 골반 골절의 분류와 치료 방침 설정에 매우 유용하다.

2) Tile 분류

Pennal 등의 개념을 발전시켜 골반환의 안정성 소실 정도에 따라 분류하는 방법으로 현재 문헌에서 가장 널리 사용된다. A형 골절은 골반환 후방부가 손상되지 않은 안정성 골절, B형 골절은 골반환 후방부의 부분 손상으로 회전력에는 불안정하지만(rotationally unstable) 수직 전단력에는 안정된(vertically stable) 골절, C형 골절은 골반환 후방부가 완전 손상되어서 회전력과 수직 전단력 모두에 불안정한 골절이다. 이러한 분류는 외력의 작용 방향과 골반환의 안정성 유지 정도를 고려하였으므로 치료 방침의 선정과 예후 판단에 도움이 된다는 장점이 있으나, B형 골절 내에 동반 손상 양상, 치료 방법 및 예후 등이 상이한 전후방 압박에 의한 골절과 측방 압박에 의한 골절을 함께 포함하고 있다는 단점이 있다. 한편, AO 그룹은 Tile의 분류를 기초로 하여 보다 세부적인 분류를 제시하였다(표 1).

3) Young—Burgess 분류

Young과 Burgess는 외력에 의한 분류를 신체 검사와 방사선 검사 소견을 통하여, 가해진 외력의 크기와 손상 정도에 따라 보다 세분화하였으며, 또한 복합된 외력에 의한 손상을 추가하여 분류하였다. 임상적으로 골절의 형태를 가지고 손상 기전과 외력의 정도를 판단하여 치료 지침으로 삼을 수 있어 유용하게 사용되는 방법이다.

표 1 Tile 분류를 기초로한 OTA분류

A형 골절: 골반환 후방부가 유지된 안정성 골절(stable, posterior arch intact)
A1형: 견열 골절
A2형: 직접적인 타격에 의한 장골익이나 골반환 전방부의 골절
A2-1형: 장골익 단독 골절
A2-2형: 전위가 없거나 경미한 안정 골절(전방 치골지 골절과 후방 천골 비전위 골절)
A2-3형: 후방 손상이 없는 좌우 상하 4개 치골지 골절
A3형: 천골과 미골의 횡골절
A3-1형: 미골 골절이나 천미골 탈구
A3-2형: 천골 횡골절
B형 골절: 골반환 후방부의 부분 손상으로 회전력에는 불안정하나 수직 전단력에는 안정된 골절 **(partially stable, incomplete disruption of posterior arch)**
B1형: 외회전력에 의한 전후방 압박손상(open book injury)
B2형: 내회전력에 의한 측방 압박손상
B2-1형: 전후방 손상이 편측에 위치
B2-2형: 전후방 손상이 다른 편에 위치
B3형: 양측성 손상
C형 골절: 골반환 후방부의 완전손상으로 인하여 회전력과 수직 전단력 모두에게 불안정한 골절 **(unstable, complete disruption of posterior arch)**
C1형: 편측 손상
C1-1형: 장골 골절 동반
C1-2형: 천장관절 골절 탈구 동반
C1-3형: 천골 골절 동반
C2형: 양측 손상이지만 한쪽은 수직 안정성이 있는 손상
C3형: 양측 모두 수직 불안정성이 있는 손상

(1) 측방 압박 손상

측방에 가해진 외력에 의해 편측 골반이 내회전되는 것으로 골절 혹은 탈구된 전방부가 후방의 골절 혹은 탈구 부위를 축으로 내회전되는 형태를 보인다. 전방 천장인대, 천극인대, 천결절인대는 인장력(tensile force)보다는 오히려 단축되는 힘을 받는다. 전방의 골절은 후방의 골절과 동측 혹은 반대측 상하 치골지가 골절될 수 있으며, 골절 양상은 횡골절을 나타낸다. 양측 상하 치골지가 모두 골절되어 전궁 골절(straddle fracture)이 되는 경우도 흔하고, 치골 결합 손상이 되

기도 한다. 이 손상은 후방부의 손상 정도에 따라 세분화할 수 있다.

① **측방 압박 손상**(lateral compression injuries, LC) **1형**(LC 1): 가장 흔한 경우로, 후방부에 위치한 천골에 압박력이 가해져 천골 해면골이 감입(impaction)되나 그 진단이 어려워 예전에는 치골지의 단독 골절이라 오진되던 손상 유형이다. 안정성이 있으므로 대부분 수술적 고정이 필요 없다(그림 3).

② **측방 압박 손상**(lateral compression injuries,

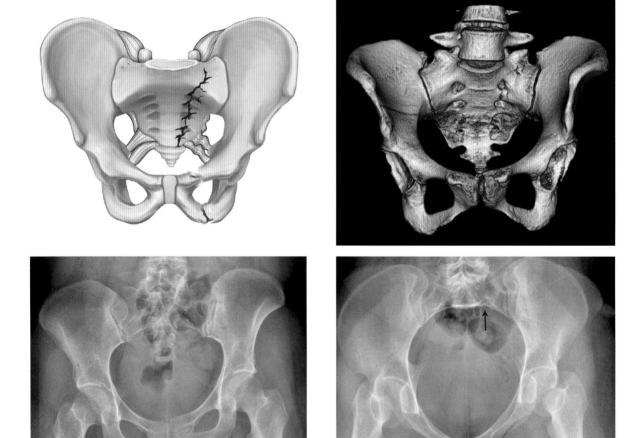

그림 3. 측방 압박 손상 1형(LC1)
치골지의 횡골절(흰색 화살표)과 천골 감입 골절이 특징적인 소견이다. 골반 전후면 사진보다 inlet 사진에서 좌측 골반의 내회전과 천골의 감입 골절(검은색 화살표)을 잘 보여준다.

LC) 2형(LC 2): 천장관절에 장골의 일부분이 부착되어 있는 후방 장골익 골절이 발생하여 특징적인 '초승달 모양 골절(crescent fracture)'이 형성된다. 환측 골반의 전방부는 내회전력에 어느 정도의 운동성을 보이지만, 외회전력이나 수직 전단력에는 안정성이 있다. 측방 압박 손상 1형보다 불안정하여 고정을 요하는 경우가 많다(그림 4).

③ **측방 압박 손상(lateral compression injuries, LC) 3형(LC 3):** 2형 손상에 이어 계속되는 측방 외력이 반대편 골반에도 가해지면서 반대편 골반에 외회전력이 추가로 작용하여, 반대편 골반의 전방 천장인대, 천극인대, 천결절인대가 인장력에 의해 파열된다. 즉 반대편 골반은 전후방 압박

손상 형태의 골절이 온다. 신경혈관계의 동반 손상이 흔히 발생한다(그림 5).

(2) 전후방 압박 손상

전후방 압박에 의한 골절의 전형적인 형태는 치골 결합이 분리되면서 편측 골반이 천장관절을 축으로 외회전하여 천장관절의 전방부가 분리되는 것으로, 개서형 손상(open book injury)이라 불린다. 치골 결합이 분리되지 않고 대신 치골의 수직 골절이 올 수도 있으며, 방광이나 요도 손상 등의 하부 요로 손상이 흔히 동반된다.

① **전후방 압박 손상(anteroposterior compression injuries, APC) 1형(APC 1):** 치골 결합 분리가

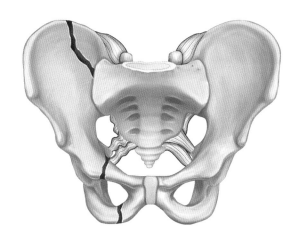

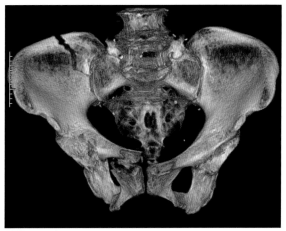

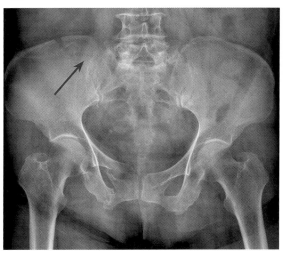

그림 4. 측방 압박 손상 2형(LC 2)
특징적인 초승달 모양 골절이 관찰된다(화살표).

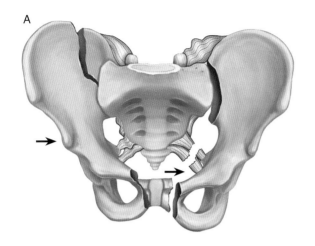

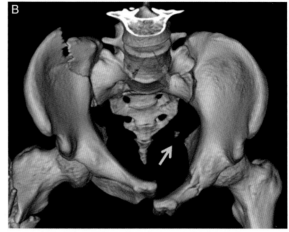

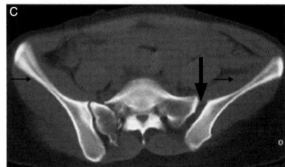

그림 5. 측방 압박 손상 3형(LC 3)
검은색 작은 화살표 방향의 손상이 가해진 골반의 내회전, 반대편 골반의 외회전이 특징적인 양상이다. 흰색의 화살표는 천극인대의 견열 골절로 외회전력을 받았음을 의미한다. 검은색 화살표는 좌측 천장관절의 이개를 의미한다.

2.5 cm 이하이며 천장관절의 분리 역시 경미하여 전방 천장인대의 손상만 존재하고, 천극인대 및 천결절인대는 온전하다(그림 6).

② **전후방 압박 손상 2형(APC 2):** 전방 천장인대와 천극인대 및 천결절인대가 모두 파열되며, 천장관절의 분리 소견이 있으나 후방 천장인대는 손상이 없는 경우이다(그림 7).

③ **전후방 압박 손상 3형(APC 3):** 후방 천장인대도 파열되어 환측 골반이 완전 분리되어 외측으로 전위되지만 수직 방향으로의 전위는 없다. 신경혈관계의 동반 손상과 출혈이 가장 심한 경우이다(그림 8).

(3) 수직 전단 손상

낙상 사고와 같은 수직 전단력이 환측 하지에 가해지며 발생한다. 전방부는 주로 치골 결합이 분리되나 치골지가 골절되기도 한다. 후방부는 주로 천장관절이 분리되나 천골 내지는 장골이 골절되기도 하며, 환측 골반은 후상방으로 전위된다. 방사선 사진상 4 또는 5 요추의 횡돌기 골절, 좌골극의 견열 골절 등은 골반환의 수직 불안정을 나타내는 소견이다(그림 9).

(4) 복합 손상

앞서 기술한 세 가지의 외력이 복합적으로 작용하여 발생되며 수직 전단력과 측방 압박력의 복합 손상(combined mechanical injuries, CM)이 가장 흔한 유형이다(그림 10).

(5) 척추 골반 분리(Spino-pelvic dissociation)

Suicidal jumper 골절이라고 불리는 이 골절은 고에

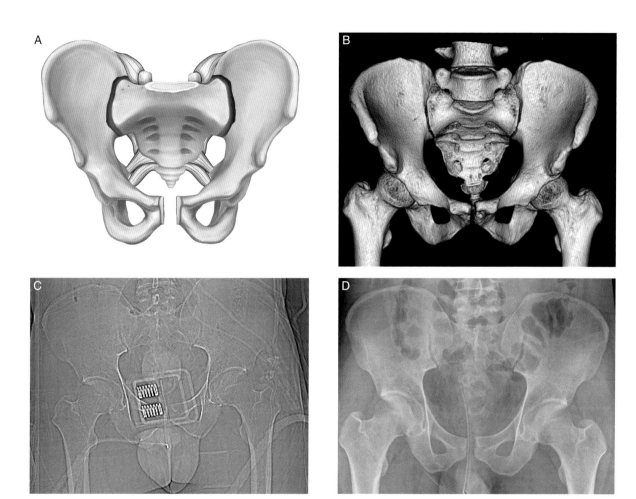

그림 6. 전후방 압박 손상 1형 (APC 1)
(A) 천극인대와 천결절인대의 손상은 없다. (B) 치골 결합의 이개는 (C) 골반 바인더(pelvic binder)를 하면 안 보일 수도 있다. (D) 2.5 cm 이하의 치골 결합 이개가 있다.

너지 손상에 의해 드물게 발생하며, 천장관절 위치에서 수평형 천골 골절 및 양측 천골의 수직형 골절 혹은 천장관절 탈구의 양상을 보이는 U 혹은 H 모양의 골절이 발생한다. 이들은 대부분 수직 전단력 또는 회전력에 의하여 발생하는 불안정성 골절로서 척추의 안정성에 영향을 줄 수 있으므로 수술적 고정술이 필요하다. 신경학적 손상을 동반하는 경우가 많으나, 단순 방사선 사진에서 진단하기 어려운 경우가 있으므로 전산화단층촬영이 필수적이다. 조기에 진단하고 고정하지 않으면 점진적인 변형과 통증을 야기할 수 있으며 수평형 천골 골절의 변형은 특히 문제가 된다(그림 11).

4) 골반 부전 골절(pelvis insufficiency fracture)의 분류

앞서의 분류는 골반 부전 골절에서 맞지 않는 경우가 있으므로 더 적합한 Rommens 분류가 사용되고 있다(그림 12). 이 분류는 불안정성의 정도에 기초를 두고 있으며, 치료 방법의 결정에 도움이 되고자 만든 분류법이다. I형은 전방환만 골절이 있는 경우로 일측인 경우 Ia, 양측인 경우 Ib이다. II형은 비전이성 후방환 골절로 IIa는 전방환 골절 없이 후방환만 있는 경우, IIb는 천골 압박(sacral crush) 골절과 전방환 골절 동반한 경우, IIc는 비전이성 천골, 천장골, 혹은 장골을 침범

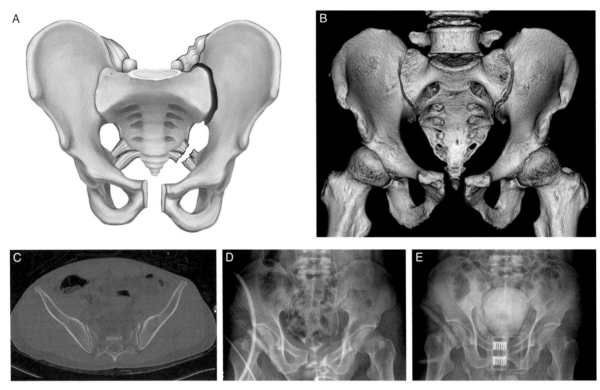

그림 7. 전후방 압박 손상 2형(APC 2)
(A) 치골의 결합 이개는 2.5 cm 이상이다. (B) 좌측 천장관절의 분리도 관찰된다. (C) 좌측 천장관절의 분리 소견이 있으나 후방 천장인대는 이개가 없다. (D) 방사선 사진에서도 천장관절의 분리와 좌측 천장관절의 분리가 관찰되나 (E) 골반 바인더 착용 후에는 관찰되지 않을 수도 있다.

한 후방환 골절과 전방환 골절이 동반된 경우이다. III 형은 일측 후방환의 전이가 있는 경우인데 IIIa는 장골 골절의 형태로 전이된 경우, IIIb는 천장관절에서 전이 된 경우, IIIc는 천골에서 전이된 경우이다. IV형은 양 측 후방환이 전이된 경우인데, IVa는 천골 혹은 천장관 절에서 전이된 경우, IVb는 척추골반 분리(spinopelvic dissociation)을 포함한 천골 양측의 골절, IVc는 a형과 b형이 함께 있는 경우이다.

4. 진단

1) 임상 검사

골반 골절은 골반 내의 내부 장기 손상이 동반되거나 과다한 출혈이 발생할 수 있으며, 이는 골반 골절로 인 한 사망의 주원인이다. 골반 손상에 따른 출혈은 대부

분 정맥 손상에 의하며, 골절 부위에서의 출혈, 동맥에 서의 출혈 순서이다. 동맥 손상은 내장골동맥(internal iliac artery)과 그 분지에서 주로 발생한다. 따라서 환 자의 전신 상태를 파악하는 것이 중요하므로 활력 징 후를 측정하여 적절한 초기 응급처치가 선행되어야 한 다. 골반 골절 혹은 다발성 손상 환자는 전문외상처치 술(advanced trauma life support, ATLS) 가이드 라인에 따라 진단 및 치료해야 하고, 골반환 손상과 동반된 복 부의 출혈을 확인하기 위해 복부 전산화단층촬영 혹은 응급 외상 복부 초음파(focused abdominal sonography for trauma, FAST)를 시행한다. 골반 외의 기타 다른 골격계의 골절 및 손상 여부도 확인하고 의심되는 부 위에는 필요한 검사를 시행한다. 요도의 끝부분에서 출혈이 발견되는 경우에는 하부 요도 손상을 의심하

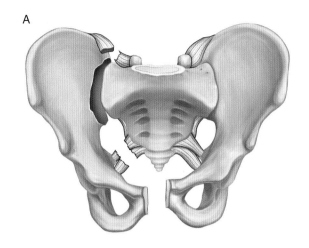

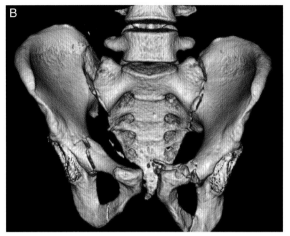

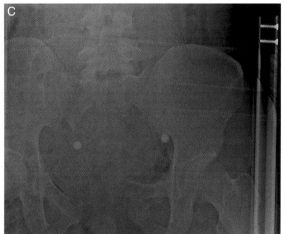

그림 8. 전후방 압박 손상 3형(APC 3)
(A) 우측 치골 결합의 2.5 cm 이상의 이개와 후방 천장인대 파열 동반되었다. (B) 우측 천장관절의 탈구 및 이개, 우측 천극인대가 부착하는 천골에서 견열 골절이 관찰된다. (C) 심한 출혈과 함께 혈역학적 불안정성을 보였고, 우측 요천추부 신경총 마비의 신경 손상도 동반되었다.

여야 한다. 방사선 검사를 하기 전에 골반의 안정성에 대해 대략의 평가를 위해 양측 전상장골극에 압박 또는 회전력을 가해 볼 수 있으며, 다른 도수 검사로는 push-pull 검사로 다리를 밀고 당기어 골반의 수직 불안정성을 확인할 수 있다. 이러한 도수 조작은 한 번만 시행해야 하며, 무리한 조작으로 골절 상태를 악화시키거나 내부 출혈을 조장해서는 안 된다. Tile은 신체 검사에서 1) 하지 부동이 나타날 정도의 심한 편측 골반 전위가 있거나, 2) 도수 조작 시에 골반환의 불안정성이 있거나, 3) 골반 내부 장기, 혈관, 신경 등의 동반 손상이 있는 경우, 4) 개방성 창상이 있는 경우에는 골반의 불안정성이 의심된다고 하였다. 그러나 이러한

소견이 없을 경우에도 안정성이 있는 상태라고 단정할 수는 없으며, 방사선 검사를 통한 확인을 반드시 하여야 한다.

2) 방사선 검사

골반 골절은 외관상 눈에 띌 만한 변형을 동반하지 않는 경우가 흔하며, 동반되는 다른 장기의 손상으로 환자의 의식 상태가 좋지 않은 경우가 많기 때문에 진단이 늦어지는 경우가 흔하다. 그러므로 다발성 외상 환자, 특히 의식 상태가 나쁜 경우나 하지에 중요한 골절이 있는 경우에는 흉부 및 경추의 방사선 사진과 함께 항상 골반의 전후면 사진을 찍어야 하며, 심각한 골

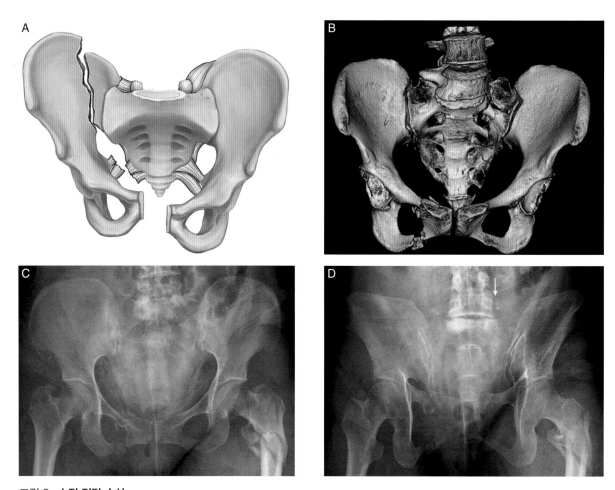

그림 9. 수직 전단 손상
(A) 환측 골반이 후상방으로 전위된다. (B) 후방환의 골절과 함께 좌측 5 요추 횡돌기의 골절이 관찰된다. (C) 골반 전후면 사진보다 (D) outlet 사진이 횡돌기 골절 및 천추 골절을 잘 보여준다.

반환 손상의 경우에는 전이 및 변형이 많으므로 전후면 사진 한 장만으로도 대부분 진단이 가능하다. 방사선 촬영을 위해 환자를 옮길 때는 항상 의사가 따라다니면서 환자의 상태를 관찰하여 돌발 사태에 대비하여야 하며, 골반 사진을 즉시 판독하여 필요한 경우 그 자리에서 추가 촬영을 지시함으로써 필요 없는 환자의 이동을 막아야 한다.

(1) 단순 방사선 검사
골반 손상을 평가하기 위한 표준 방사선 사진은 골반의 전후면 사진과 방사선 조사 각도를 달리한 inlet 사진과 outlet 사진이다. 전후면 골반 방사선 사진은 90% 정도의 진단적 가치를 가지는 것으로 알려져 있으나, 원통형의 3차원적 구조인 골반의 손상을 정확히 파악하기 위해서는 inlet 사진과 outlet 사진이 필요하다.

두 촬영 모두 환자를 앙와위 상태에서 inlet 사진은 방사선이 두부로부터 골반 중심부를 향해 필름에 대하여 약 40–60°의 각도를 이루도록 조사한다. 이 사진에서는 골절 탈구된 편측 골반(hemipelvis)의 전후방 전위와 내외회전 전위 및 천골의 미세한 손상을 알 수 있다. 장천골 래그 나사 삽입 시에 사용하는 inlet 사진은 1, 2 천추의 전방 추체가 겹치도록 해야 한다(그림 13).

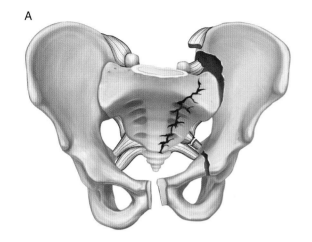

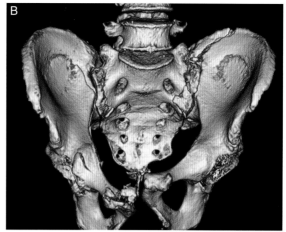

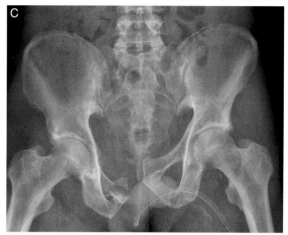

그림 10. **복합 손상**

outlet 사진은 환자를 앙와위 상태에서 주사선을 족부로부터 치골 결합을 향해 필름에 대해 약 40-60°의 각도를 이루도록 조사한다. 이 사진은 골절된 편측 골반의 상하 전위와 천장관절의 미세한 손상을 평가하는 데 유용하다(그림 14).

이러한 단순 방사선 검사로 골반환의 안정성에 대한 여러 정보를 얻을 수 있다. 치골 결합이 2.5 cm 이상 분리된 소견은 천극인대의 파열을 의미하며 회전 불안정성이 있는 골반임을 시사하고, 천극인대가 부착하는 천골의 외측부 또는 좌골극의 견열 골절은 골반의 회전 불안정을 의미한다. 편측 골반의 1 cm 이상의 상방 전위나 천골 골절면 사이의 간격이 보이는 경우, 그리고 장요인대 부착 부위인 5 요추 횡돌기의 견열 골절 소견은 골반환의 수직 불안정성을 의미한다. Bucholz 는 검사자가 환자의 한쪽 하지에 하방 견인력을, 반대편 하지에는 상방 압박력을 가하며 촬영한 골반의 전후면 단순 방사선 검사상, 1 cm 이상의 골반 전위가 확인이 되면 골절로 인한 불안정성이 있다고 진단하였다 (push-pull test). 그러나 이는 내부 장기 손상 및 출혈을 더욱 조장할 수 있으므로 골절 손상 초기에는 시행에 제한이 있으며, 반드시 한 번만 시행하여야 한다. 만성 골반환 불안정성에 대한 평가로는 일측 하지로만 체중을 지탱하고 골반 전후면 촬영을 하는 flamingo 영상으로 골반의 만성 불안정성 평가에 도움을 준다.

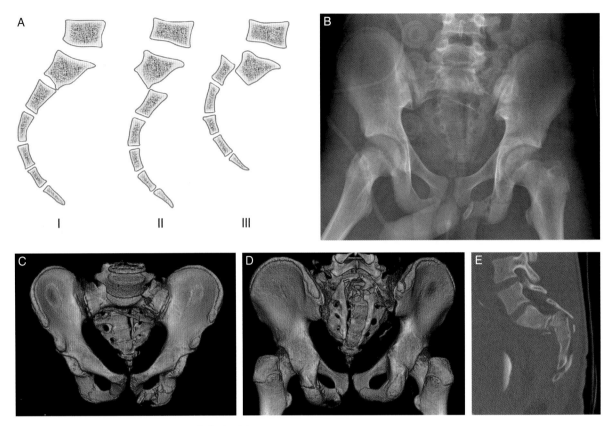

그림 11. 척추-골반 분리 시 천추의 전이에 따른 분류

(A) Roy–Camille 분류. I형은 굴곡형 후만 변형이 있으나 전이는 없는 형태, 2형은 굴곡형 및 근위부의 후방 전이 형태, 3형은 신전형으로 근위부의 전방 전이 형태를 보인다. (B) 단순 방사선 사진에서 천골의 수직 골절이 관찰되나 수평 골절은 분별하기 어렵다. (C, D) 3차원 전산화단층촬영에서 수평형 천골 골절 및 양측의 수직형 천골 골절이 관찰된다. (E) 시상면 영상에서 III형의 골절 형태 및 변형을 잘 확인 할 수 있다.

(2) 전산화단층촬영

전산화단층촬영은 골반환 손상을 평가하는 데 있어서 필수적인 검사이다. 1) 환자의 위치 변경 없이 골절의 분쇄 정도 및 골편의 전위 방향과 정도를 정확하게 판정할 수 있고, 2) 단순 방사선 사진에서 보이지 않던 골절선의 발견이 가능하여, 특히 골반환 후방부와 천골 부위 및 비구 부위의 손상 여부 및 양상을 정확히 알 수 있으며, 3) 골반내 장기의 손상 여부와 후복막 혈종의 유무 및 크기를 알 수 있는 장점이 있다. 이외에도 4) 복강내 장기의 손상이나 출혈 등 신체 다른 부위의 손상이 의심되는 경우에는 동시에 검사가 가능하며,

5) 골반 골절의 내고정 후 내고정물이 적절한 위치에 안정성 있게 고정된 것도 확인할 수 있다.

(3) 3차원 전산화단층촬영

전산화단층촬영으로 획득한 영상 정보를 컴퓨터를 이용하여 3차원 영상으로 재구성하는 기술이 발전함에 따라 가능해진 진단 방법이다. 2차원적인 영상에 비하여 골절 양상을 보다 입체적인 3차원 영상으로 골절의 양상과 전위 정도를 파악하기 용이하며, 원하는 위치로 회전시켜 볼 수 있어 수술 전 계획을 세우는 데 도움이 되어 근래에 와서 많이 사용되고 있다.

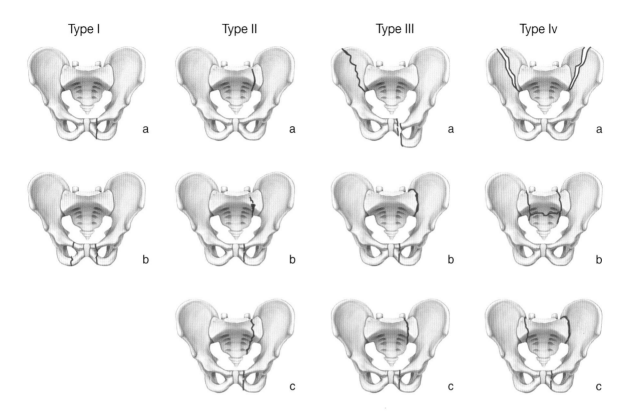

Type I	Type II	Type III	Type Iv
a	a	a	a
b	b	b	b
	c	c	c

그림 12. **골반 부전 골절의 Rommens 분류**

(4) 자기공명영상

고에너지 골반 손상에서는 전산화단층촬영을 통해 골절의 진단과 정도를 정확하게 판정할 수 있지만, 골반 부전 골절의 경우에는 진단에 어려움이 있을 수 있다. 이때 자기공명영상 검사를 시행하면 민감도 96-100%, 특이도 83% 정도로 진단할 수 있으므로 골반 부전 골절에서 가장 권장되는 검사이다. 골주사 검사도 민감도가 96-100%이지만 특이도는 만족스럽지 못하다는 보고가 있으나, 후방환 천골 골절의 경우 특징적인 혼다 징후를 보여주므로 진단에 도움이 된다고 하였다.

5. 치료

골반환 손상 환자의 치료는 혈역학적으로 불안정한 경우와 안정된 경우로 나눌 수 있으며, 전자의 치료 목적은 환자의 생명 유지, 소생시키는 것이며, 후자의 경우 골격의 해부학적 구조를 복원하고 발생 가능한 변형을 예방하여 불편을 최소화함으로써 회복 후 기능을 정상화시키는 것이다.

1) 혈역학적 불안정성이 동반된 골반환 손상

혈역학적으로 불안정한 외상 환자의 치료는 'advanced trauma life support (ATLS)' 치료 지침을 따라야 한다. 일차 치료는 골반 출혈을 즉시 조절하여 생명 징후를 안정화시키는 데 모아져야 한다. 여러 치료 방침들이 다양한 방법으로 소개되어 있지만, 어느 한 방법만으로 출혈을 조절할 수 있는 효과적인 방법은 없다. 출혈은 골반 골절로 인한 사망 원인의 약 60%

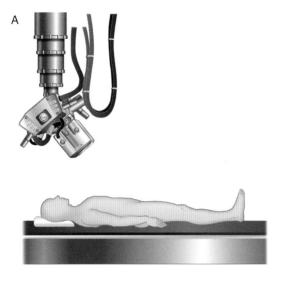

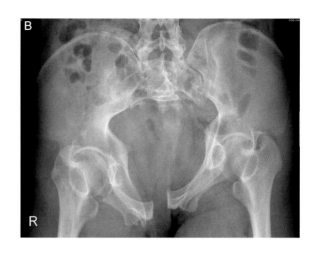

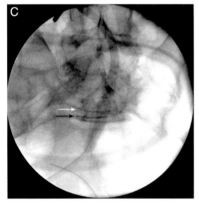

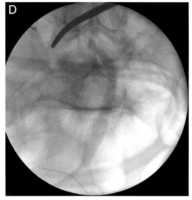

그림 13. Inlet 사진

(A) 촬영 방법, (B) 좌측 골반의 외회전 및 후방 전이를 잘 관찰할 수 있다. (C) 둥근 형태의 1 천추 전방 추체(흰색 화살표)와 직선 형태의 2 천추 전방 추체(검은색 화살표)가 일치하지 않았다. (D) 두 선이 겹쳐서 보일 때 장천골 나사못 삽입을 위한 inlet 사진이 된다.

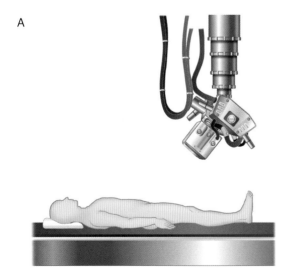

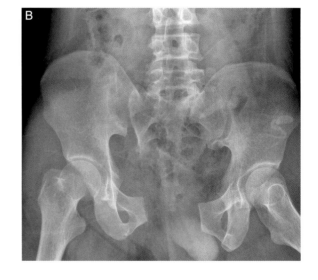

그림 14. Outlet 사진

(A) 촬영 방법, (B) 좌측 골반의 상방 전위를 잘 관찰할 수 있다.

를 차지하며, 출혈의 근원은 골절면, 작은 정맥이나 동맥의 손상, 그리고 주요 혈관의 손상에 의해서도 발생할 수 있다. 충분한 양의 수혈에도 불구하고 환자의 혈압이 정상화되지 않거나, 이를 유지하기 위하여 계속적인 수혈이 필요한 경우에는 복강내 출혈이나 후복막 출혈을 의심하고, 우선 복강내 출혈 여부부터 확인하여야 한다. 전산화단층촬영은 복강내 및 후복막 출혈 여부 및 장기 손상의 진단에 도움이 되며, 복강내 출혈이 의심되면 즉시 개복술이 요구된다. 최근에는 'focused abdominal sonography for trauma (FAST)'도 복강내 출혈을 확인하기 위하여 많이 사용되고 있다.

우선 순위에 따라 여러 방법들의 조합(조기 골반 고정 및 필요한 경우 수술적 지혈)으로 환자의 생명을 구할 수 있고, 소생술 규칙을 지속적으로 평가하면서 치료하는 것이 환자의 생명을 구하는데 매우 중요하다.

AO 그룹에서 권유하는 혈역학적으로 불안정한 경우의 표준화된 응급 치료 규칙은 입원 후 30분 이내 이루어지는 3가지의 단순한 결정에 기초를 두며, 단순하지만 환자의 생명을 구하는 데 매우 유용하다(표 2).

만약 골반 불안정성으로 혈역학적 불안정성이 있는 경우, 즉시 골반 고정을 시행하며, 골반 C-겸자(pelvic C-clamp) 또는 단순 외고정으로 수술실 또는 응급실에서 효과적으로 골반의 안정성을 얻을 수 있다(그림 15). 만약에 이런 기구들이 즉시 사용 불가능한 경우 다른 비침습적 방법들(traction and ring closure with sheet or pelvic sling, pneumatic anti-shock garment, vacuum splint)을 응급 고정 방법으로 사용한다. 구의 부피는 반경의 세 제곱에 비례하므로($4/3 \ r^3$) 골반환의 부피를 줄이는 위와 같은 시술은 출혈의 잠재적 공간을 매우 많이 감소시킬 수 있다. 역학적인 고정이 골반

표 2. AO 그룹의 혈역학적으로 불안정한 골반 골절의 표준화된 응급 치료 규칙

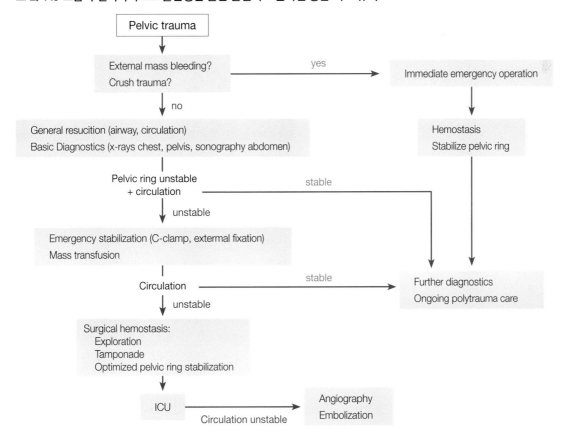

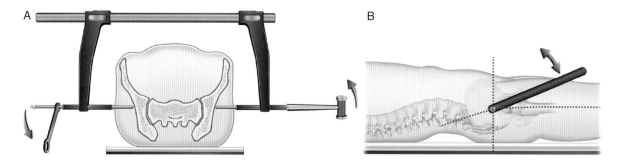

그림 15. C-clamp를 이용한 골반 고정

(A) C-clamp를 이용한 직접적인 후방 고정은 외고정장치를 이용한 전방 고정에 비해 생역학적으로 보다 안정적으로 골반내 부피를 감소시켜 출혈을 감소시키는데 효과적이다. (B) 핀의 삽입 위치는 전상장골극에서 직후방으로 그은 수직선과 대퇴골 축의 연장선이 만나는 지점이다. 매우 불안정한 골반환의 C-clamp 고정 시에는 하지를 견인과 동시에 내회전하며 고정하는 것이 전위된 편측 골반을 정복하는 데 도움이 된다.

출혈량을 줄일 수는 있지만 완전한 지혈을 할 수는 없다. 만약 환자가 이러한 응급 처치 10-15분 후에도 혈역학적으로 불안정하면, 즉시 혈관조영술을 시행하여야 한다. 색전술이 가능한 소동맥은 환자의 혈전(blood clot)이나 젤폼(gelfoam)을 이용하여 색전술을 시행하고, 큰 크기의 동맥은 풍선 카테터를 이용하여 지혈한다(그림 16). 그러나 혈관조영술을 통한 방법으로 지혈이 안 되는 큰 동맥(외장골동맥, 총장골동맥)이나 정맥 출혈일 경우에는, 즉시 탐색술을 시행해서 복원해 주어야 하며, 후복막 정맥총(retroperitoneal venous plexus) 출혈의 경우는 골반내 충진(pelvic packing) 등의 수술적 처치가 시도되기도 한다.

골반내 충진법

앙와위에서 전체 골반 및 복부를 소독한다. 하복부 중심 절개를 시행한다. 추가적인 복강내 출혈이 있을 경우, 전형적인 개복술을 시행하고, 절개는 치골결합부까지 연장한다. 대분분의 경우 골반 주위 근막층은 이미 파열되어 있으므로 좌우 방광 주위 공간(paravesical space)을 통해 천골부 전방으로 더 이상의 절개 없이 도달할 수 있다. 우선 드물게 있는 동맥 출혈을 찾아서 바로 겸자하거나, 결찰 또는 복원술을 시

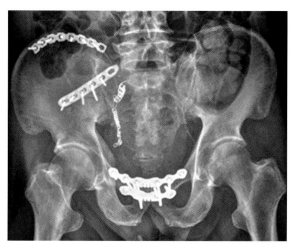

그림 16. 혈관조영술을 통한 내장골동맥 분지의 색전술

행한다. 다량 출혈이 있는 경우에는 신장하 대동맥의 일시적 겸자가 필요할 수 있다. 그러나 대부분의 경우 범발성 출혈은 정맥총이나 골절 부위에서 시작하므로 특별한 출혈의 근원은 파악할 수 없다. C형 손상의 경우, 출혈의 원인이 천골 앞부분에서 흔히 기원하므로 전천골부(presacral) 및 방광 주위 공간에 타월을 충진함으로써 지혈을 할 수 있다. 지혈은 후방 골반환이 효과적으로 안정(C-clamp)되는 경우에만 효과적이다. 만약 촉진 시 후방 골반환의 전위가 그대로 남아 있으

면 겸자를 느슨하게 하고, 손으로 재정복을 시도한 후 지혈한다. 마지막으로 전방 골반환은 치골 결합부 금속판으로 고정하거나 치골을 통한 불안정성(transpubic instability)인 경우 외고정으로 고정한다. 추가적인 복강내 장기손상은 일반적인 외과적 처치법에 따라 복원하고, 추가적인 수술은 환자의 전신상태에 따라 시행하며, 대부분의 경우 초기에는 응급 손상 처치만 권유된다. 지혈 충진은 24–48시간 유지하고, 이차 수술 시 제거하거나 재충진하며, 이러한 조작들을 위해서는 외과, 비뇨기과 의사들과의 협진이 필요하다.

2) 혈역학적으로 안정된 골반환 손상

혈역학적으로 안정된 골반환 손상의 경우, 고정의 적응증 및 적정한 고정 방법을 결정하기 전에 골반환 손상의 상세한 평가가 필요하며, 명확한 결정이 내려지기 전에 완전한 진단 절차가 완료되어야 한다.

(1) 적응증 및 치료 방법 결정

수술적 고정이나 비수술적 치료의 적응증은 골절 형태에 따르며, AO 분류에 따른 치료 지침은 다음과 같다.

① **A형 손상(안정 골반환):** 기본적으로 수술적 고정은 필요치 않다. 기능적 치료로 더 이상의 전위는 없다. 치료는 수일간의 침상 안정 및 조기 보행이며, 필요에 따라 목발을 이용한 부분 체중 부하를 시키기도 한다. 예외적인 경우로, 개방성 또는 완전 전위된 장골능 골절, 전위된 치골지 골절, 젊은 직업 운동선수의 견열 골절 등에서 관혈적 정복 및 내고정술을 고려할 수 있다.

② **B형 손상(회전 불안정성, 부분적 후방 불안정성):** 골반환 후방에 안정성이 있으므로 전방 골반환의 고정만으로 부분 체중 부하 및 조기 보행이 가능하다. B형 골절과 C형 골절의 감별은 처음에는 어려우며, 특히 조금 전위된 추간공을 통한 천골 골절(transforaminal sacral fracture)을 동반한 외측방 압박 골절에서는 감별이 더욱 어렵

다. 그러므로 수상 후 8일에서 14일 후 또는 보행 후 더 이상의 후방 전위가 발생하는지 확인하기 위해 주기적인 방사선 추시가 필요하며, 전위가 관찰될 경우에는 후방 골반환의 고정이 필요하다.

③ **C형 손상(전방 및 후방 불안정성 골반):** 해부학적 정복, 조기 보행 및 합병증을 피하기 위해 전방 및 후방 모두의 고정이 필수적이다. 실제로 불안정성이 있는 골반환의 모든 부분은 방사선상 전위가 적더라도 안정성 및 조기 보행을 확보하기 위해 고정을 해야 한다. 그러나 고정 방법은 골절 양상에 따라 달리 선택한다.

(2) 수술 전 준비

골반 수술은 복잡한 수술이며, 해부학적 위치 관계 때문에 혈관 손상, 신경 손상, 주위 장기 및 연부조직 손상 등 추가 손상의 위험성이 매우 높다. 개별적 결정 및 계획이 필요하기 때문에 모든 경우에 대한 자세한 분석이 요구되며, 합병증을 줄이기 위해 해부학적 관계와 정복 및 고정 방법에 대한 완전한 이해가 요구된다. 손상에 대한 철저한 분석을 토대로 수술 전에 접근법, 정복 방법, 사용 기구, 내고정물 등을 포함한 세심한 수술 전 계획이 수립되어야 한다. 골반 수술은 전문적인 수술이며, 만약 수술 경험이 미비하다면 "혈역학적으로 안정된 환자"는 전원을 고려하여야 한다.

수술을 위해서는 아래 고려 사항과 준비가 필요하다.

- 수술 후 중환자실(ICU) 사용 가능성
- 충분한 혈액 이용 가능성
- 실혈을 줄일 수 있는 전략(수술 방법, cell saver)
- 숙련된 수술 팀과 적절한 보조 인력
- 기본 기구 및 골반 기구(정복기구 및 내고정물이 있는 pelvic set 등)

수술 시기는 환자의 전신 상태에 따른다. 응급 고정의 적응증은 이미 기술하였으며, 일반적으로 불안정한 골반 손상은 가능한 빨리 고정한다. 대부분의 환자들

은 다발성 손상 환자이므로 조기에 확실한 고정이 치료에 도움이 될 뿐만 아니라, 전체 예후에 도움이 된다. 혈역학적으로 안정된 환자의 경우, 본 수술은 14일 이내 시행하며, 가능한 한 수상 후 7일 이내의 수술이 권장된다. 골반골은 체간 및 하지의 큰 근육이 부착되며, 수술의 지연 시 구축이 일어나므로 14일 이후에는 해부학적 정복이 극히 어려워지며, 대부분 불완전하게 정복된다. 나중에 수술적 교정 시 복잡한 문제점이 남는 부정유합 또는 불유합으로 인한 장애를 예방하기 위해 해부학적 정복 및 고정을 위한 결정이 조기에 이루어져야 한다.

(3) 고정 방법의 선택

① **체외 고정(external fixation):** 다양한 형태의 골반환 손상 시 외고정과 내고정의 적응증에 대한 논란이 있다. 외고정 장치는 골반 불안정 시 응급 치료로써 효과적이며, 회전 불안정성 골절과 같은 경우에는 전방 골반환의 보조 고정 방법으로 쓰이기도 한다. 반면, 전방 골반환의 골절이 치골지를 통한 경우에는 일반적으로 유합이 빨리 이루어지므로 최종적인 고정 기구로 사용되기도 한다. 하지만 궁극적인 고정 기구로써의 역할은 아직 확실히 정립되어 있지 않으며, 6주 이상 체외

고정기를 장착할 시에는 핀 통로 감염의 위험과 착용에 따른 불편감이 생길 수 있는 단점이 있다. 또한 후방 골반환의 고정에는 생역학적으로 고정력이 부족하여 최종적인 고정 방법으로는 사용할 수 없다. 외고정 핀의 삽입 위치에 따라 전하방 고정법(anteroinferior fixation)과 전상방 고정법(anterosuperior fixation)이 있다(그림 17, 18).

• 전하방 고정법

고정핀을 전상장골극과 전하장골극 사이에 삽입하는 방법으로 골밀도가 강한 비구 상방에 핀이 고정되므로 고정력이 강하고, 도수 정복이 용이한 장점이 있으나, 핀이 고관절을 침범할 우려와 외측 대퇴피부신경(lateral femoral cutaneous nerve) 손상의 위험이 있다(그림 17A).

• 전상방 고정법

고정 핀을 장골능에 삽입하는 방법으로 장골능이 피하에 바로 위치하므로 삽입이 용이하고, 신경 혈관 손상의 위험이 적은 장점이 있는 반면, 고정력이 약하고 골절의 도수 정복이 전하방 고정법보다 어려운 단점이 있다(그림 17B).

② **관혈적 정복 및 내고정 방법:**

• 치골 결합 분리의 고정

Pfannenstiel 피부 절개 후, 복직근(rectus abdominis)

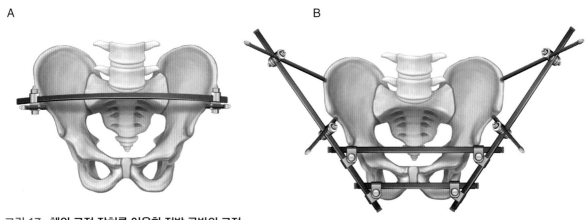

그림 17. 체외 고정 장치를 이용한 전방 골반의 고정
(A) 전하방 고정법, (B) 전상방 고정법

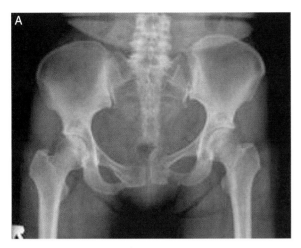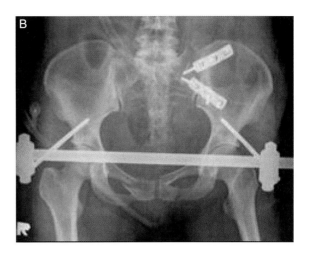

그림 18. 체외 고정 장치를 이용하여 고정한 사진
(A) 좌측 천장관절 골절 탈구 및 치골 상하지 골절 (B) 후방 골절에 대해 4.5 mm 역동적 압박 금속판을 이용하여 고정하고, 전방 골절에 대해 전하방 고정을 통한 체외 고정 장치를 이용하여 고정한 사진

의 근막을 정중선에서 분리하면 용이하게 접근할 수 있다. 정복은 큰 골반 겸자를 이용하여 시도하고, 4.5 mm 역동적 압박 금속판으로 관혈적 정복 및 내고정을 시행하며, 체구가 작은 사람은 3.5 mm 금속판을 사용하기도 한다. 최근에는 고정력을 높이기 위해 상방과 전면에 2개의 금속판을 이용하거나, 잠김 압박 금속판을 사용하기도 한다. 나사못은 치골 체부에 깊이 삽입될 수 있도록 하며, 나사못을 위한 천공 시 치골의 내측면을 술자의 손가락으로 촉지하여 내측 피질골과 평행한 방향으로 나사못을 삽입한다(그림 19).

- 치골지의 고정
  치골지 골절은 심각한 골절이 아니다. 두터운 골막과 광범위한 근육 피복으로 인해 충분한 안정성이 있으며, 신속히 유합된다. 그러므로 수술적 고정은 골절 부위의 광범위한 전위나, 치골지의 심한 전위 시, 또는 후방 병변 고정 후 전방 골반환 고정이 필요한 경우(C형 골절)에 필요하다. 고정 기구로는, 특히 응급 시에는, 외고정으로도 충분하며, 치골지의 분리가 동반된 경우 등에서는 변형된 Stoppa 접근법을 이용하여 긴 재건 금속판

(reconstruction plate)으로 고정할 수 있다(그림 20).

- 장골익 불안정성에 대한 고정
  장골을 통과하는(transiliac) 골절은 여러 가지 다양한 형태로 나타나므로 개개의 경우에 따른 내고정 계획이 필요하다. 장골능의 경우는 3.5 mm 래그 나사를 이용하거나, 3.5 mm 재건 금속판을 이용하여 고정할 수 있다(그림 20). 골반 골연(pelvic brim)은 3.5 mm 역동적 압박 금속판이나 재건 금속판이 사용된다.

- 천장관절 불안정성에 대한 고정
  천장관절 불안정성은 천장관절 탈구 또는 장골(transiliac) 또는 천골(transsacral)을 침범하는 골절 탈구 시에 발생한다. 수술자의 선호에 따라 전방 혹은 후방 접근법을 사용한다. 전방 접근법에 의한 금속판 고정법은 장골와(iliac fossa)와 천장관절을 가장 잘 볼 수 있다. 대부분의 경우 전방 병변(치골 결합 분리)을 동시에 노출할 수 있으므로 정복이 쉽고, 방광 손상의 치료 등 복부의 다른 수술과 함께 할 수 있으며, 앙와위에서 수술하므로 다발성 손상의 경우 수술 중 환자 감시가 쉽다는 장점이 있다. 그러나, 천골의 외측 노출에

809

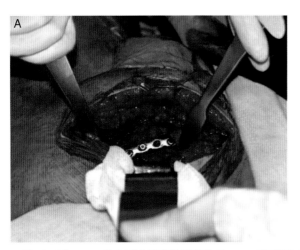
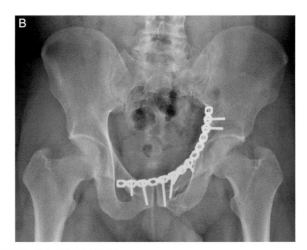

그림 19. Pfannenstiel 피부 절개와 변형된 Stoppa 접근법을 이용한 치골 결합의 내고정

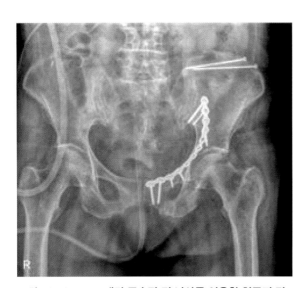

그림 20. 3.5 mm 재건 금속판 및 나사를 이용한 치골지 및 장골능 골절의 내고정

능의 치밀골에 고정하는 것을 용이하게 해 주기 때문이다(그림 21).

천장관절 골절-탈구(crescent fracture dislocation) 의 경우, 내고정 방법은 골절편(crescent fragment) 의 크기에 따라 다르며, 전측방 접근법으로 나사 못 및 금속판 고정이 선호된다. 그 외의 방법으 로 장골과 천골을 통과하는 장천골(iliosacral) 래 그 나사못 고정을 앙와위 또는 복와위에서 시행 한다(그림 22). 이때 사용되는 나사로는 6.5 mm 해 면골 나사 또는 7.3 mm 유관 나사가 주로 사용 되며, 장골의 외측부로부터 천장관절을 관통하여 1 또는 2 천추체로 삽입한다. Matta에 의해 제안 된 방사선투시기(fluoroscopy)의 사용 방법이 의 인성 천추신경총의 손상을 피하기 위해 추천되며 (그림 23), 이 방법은 경피적으로도 사용될 수 있다. 이때 측면상에서 'iliac cortical density (ICD)'를 잘 관찰하여야 하며, 이를 침범할 경우 5 요추신 경근을 손상시킬 수 있다(그림 24).

신경 손상을 피하기 위해 천골의 전후면, inlet, outlet 사진을 보면서 나사못을 삽입하며, 수술 전에 위 세 가지 영상을 충분히 얻을 수 있는지 확인하여야 한다.

제한이 있으며, 5 요추신경근은 보통 전방 천장 관절의 1.5-2 cm 이내 위치하므로 손상의 위험 이 있다. 이를 피하기 위해서는 천골 외측에 대한 조심스러운 박리가 필요하다. 내고정을 위해서는 2개의 4.5 mm (3 hole 또는 4 hole) 역동적 압박 금속판이 추천되며, 두 금속판 사이의 각도는 60° 에서 90°가 좋은데, 이는 골반 골연과 후방 장골

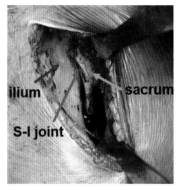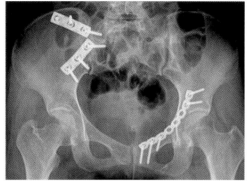

그림 21. 천장관절 탈구에 대해 전방 접근 후 2개의 4.5 mm 역동적 압박 금속판을 이용한 내고정

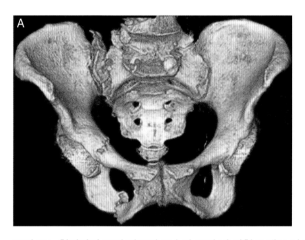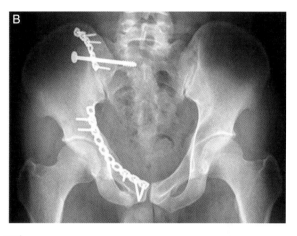

그림 22. 천장관절 골절 탈구의 금속판 고정 및 장천골 래그 나사 고정

- 천골 관통 불안정성에 대한 고정

천골 골절의 수술적 치료에 대해서는 아직 논란이 많다. 특별히 골반 불안정성과 함께 골절 양상이 마미(cauda equina)를 침범할 때가 문제이다. 신경 합병증 발생률이 매우 높으며, 치료 또한 힘들다. 신경 손상의 잠복된 위험 인자(전위 골절, 신체 검사 시 신경 손상, 전산화단층촬영 시 신경근이 골절편에 낀 경우)들을 조기에 발견해야 하고, 손상 부위의 적절한 안정성을 얻어야 한다. 또한 고정도 용이하지 않아 여러 가지 고정 방법이 시도되고 있다. 고정 방법은 장천골 나사못 고정(iliosacral screw fixation), 후방 장골간 금속판 고정(posterior transsacral plating), 장골간 천골봉(transiliac sacral bar) 등이 사용될 수 있다(그림 25). 신경 증상이 있는 경우, 천추신경총의 감압뿐만 아니라 골절선을 직접 볼 수 있는 후방 접근법을 통하여 천골의 안전 지역에 금속판을 고정하는 천추 금속판 고정도 시도되고 있다. 최근에는 천골을 직접 고정하지 않고 요추와 장골을 연결하는 요추-장골 고정법(lumbo-iliac fixation)도 시행되고 있으며, 생역학적 안정성이 보고되고 있다(그림 26). 어떤 고정방법을 선택하든 천골의 해부학적 정복과 안정된 고정이 필요하다.

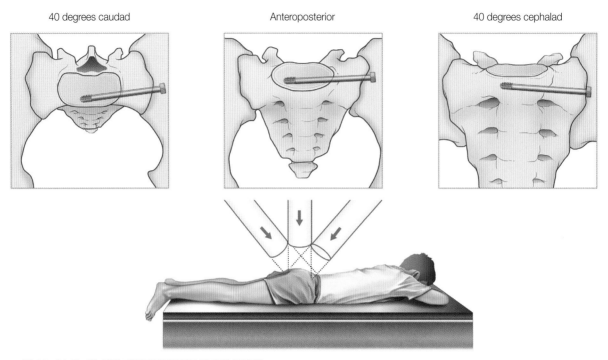

40 degrees caudad　　　　Anteroposterior　　　　40 degrees cephalad

그림 23. Matta에 의해 제안된 방사선투시기의 사용법
신경 손상을 피하기 위해 천골의 전후면, inlet, outlet 사진을 보면서 나사못을 삽입하며, 수술 전에 위 세 가지 영상을 충분히 얻을 수 있는지 확인하여야 한다.

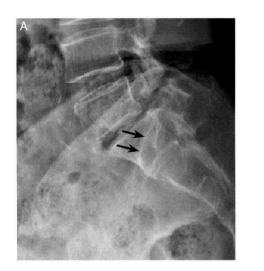

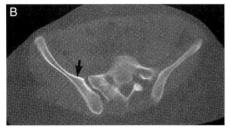

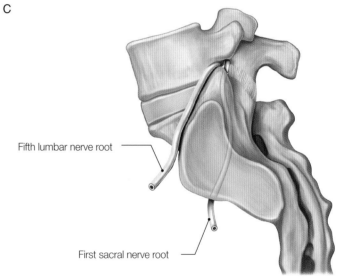

Fifth lumbar nerve root

First sacral nerve root

그림 24. 화살표는 전산화단층촬영에서 iliac cortical density (ICD)를 표시한 것이고, (C) 모식도는 5 요추신경근과 1 천추신경근의 주행을 표시하고 있다.

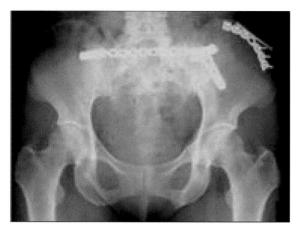

그림 25. 천골 관통 불안정 골절에 대한 후방 장골간 금속판 고정

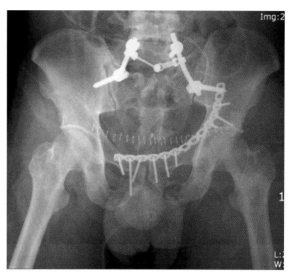

그림 26. 요추 장골 고정으로 고정한 천골 골절

6. 수술 후 처치

골반 고정의 목적은 환자의 조기 거동이며, 제시된 고정법들은 수술만 정확히 이루어진다면 부분 체중 부하로 거동이 가능한 안정성을 제공한다. 부분 체중 부하 시기에는 후방 골반환 손상이 없는 쪽에 체중 부하를 허용하는 것이 권장된다.

거동 후에는 분류의 오류(B형 또는 C형) 또는 수술 수기 오류로 초래되는 후기 재전위를 찾기 위해 주기적 방사선 추시 검사를 시행하며, 만일 전위가 발견되면 불안정성을 시사하므로 재고정이 요구된다. 통상적인 부분 체중 부하 기간은 B형 손상의 경우 6주, C형 손상의 경우 8-10주이다.

7. 합병증

골반환 손상의 장기적 예후에 영향을 미치는 가장 중요한 인자는 골반환의 안정성이다. 또한 신경 손상 역시 장기적인 예후에 중요한 영향을 미치는 것으로 보고되고 있다

불안정 골반 골절의 사망률은 10-20%까지 보고되고 있으며, 사망의 50% 이상은 골절 자체에 의한 출혈이 원인이다. 골반 골절의 수술적 치료 후 감염률은 5-25%까지 보고되고 있으며, 후방 고정 시 연부조직의 Morel-Lavallée 병변이 있을 경우에는 감염이 발생하기 쉽다. 이러한 경우에는 관혈적 정복보다는 경피적 고정술을 고려하여야 한다. 골반 손상 시 혈전색전증의 합병증 동반율이 높으므로 고위험군의 예방은 광범위한 수술 전 검사(color-coded Doppler ultrasound, 정맥조영술)와 함께 계속 감시하여야 한다. 국소적인 합병증으로는 요통이 가장 흔하며, 천장관절의 외상성 관절염이 주요 원인이 된다. 이 외에도 골반의 변형이나 편측 골반의 상방 전위에 의한 하지 길이 부동 등이 발생할 수 있다.

참고문헌

1. 서용민, 김영창, 김지완. 골반 부전 골절의 임상 양상과 치료 결과. 대한골절학회지. 2017; 30(4): 186−191

2. associated with pelvic and acetabular fractures. J Trauma.1997; 42: 1046-1051.

3. Banierink H, Ten Duis K, de Vries R, Wendt K, Heineman E, Reininga I, IJpma F. Pelvic ring injury in the elderly: Fragile patients with substantial mortality rates and long-term physical impairment. PLoS One. 2019 May 28; 14(5): e0216809.

4. Baskin KM, Cahill AM, Kaye RD, Born CT, Grudziak JS, Towbin RB. Closed reduction with CT-guided screw fixation for unstable sacroiliac joint fracture-dislocation. Pediatr Radiol. 2004; 34: 963-969.

5. Baskin KM, Cahill AM, Kaye RD, Born CT, GrudziakJS, Towbin RB. Closed reduction with CT-guidedscrew fixation for unstable sacroiliac joint fracture dislocation. Pediatr Radiol. 2004; 34: 963-969.

6. Bucholz RW, Peters P. Assessment of pelvic stability. AAOS ICL. 1988; 37:119-127.

7. Burgess AR, Eastridge BJ, Young JWR. Pelvic ring disruption: Effective classication system and treatment protocosl. J Trauma.1990; 30: 848-856.

8. Falchi M, Rollandi GA. CT of pelvic fractures. Eur J Radiol. 2004; 50: 96-105.

9. Gansslen A, Pohlemann T, Paul CH. Epidemiology of pelvic ring injuries. Injury. 1996; 27: 13.

10. Ganz R, Krushell RJ, Jakob RP, Kuffer J. The antishock pelvic clamp. Clin Orthop Relat Res.1991; 267: 71-78.

11. Grin DR, Starr AJ, Reinert CM. Vertically unstable pelvic fractures fixed with percutaneous iliosacral screws: does posterior injury predict fixation failure? J Orthop Trauma.2003; 17: 399-405.

12. Gruen GS, Leit ME, Gruen RJ. Functional outcome of patients with unstable pelvic ring fractures stabilized with open reduction and internal fixation. J Trauma.1995; 39: 838-845.

13. Hak DJ, Olson SA, Matta JM. Diagnosis and management of closed internal degloving injuries associated with pelvic and acetabular fractures. J Trauma. 1997; 42: 1046-1051.

14. Hanson PB, Milne JC, Chapman MW. Open fractures of the pelvis. J Bone Joint Surg Br. 1991; 73: 325-329.

15. Ji Wan Kim, Juan C Quispe, Hao J, Herbert B, Mark Hake, Mauffrey C. Fluoroscopic views for a more accurate placement of iliosacral screws: An experimental study. J Orthop Trauma 2016 Jan; 30(1): 34-40

16. Kim WJ, Hearn TC, Seleem O, Mahalingam E,Stephen D, Tile M. Effect of pin location on stability of pelvic external fixation. Clin Orthop Relat Res.1999; 361: 237-244.

17. Kricun ME. Fractures of the pelvis. Orthop Clin N Am. 1990; 21: 573-590.

18. Matta JM. Indications for anterior fixation of pelvic fractures. Clin Orthop Relat Res. 1996; 329: 88-96.

19. Miranda MA, Riemer BL, Butterfield, Burke CJ. Pelvic ring injuries. Clin Orthop Relat Res. 1996;329: 152-159.

20. Moed BR, Ahmad BK. Intraoperative monitoring with stimulus-evoked electromyography during placement of iliosacral screws. J Bone Joint Surg Am. 1998; 80:537-546.

21. Montgomery KD, Geerts WH, Potter HG. Tromboembolic complications in patients with pelvic trauma.Clin Orthop Relat Res. 1996; 329: 68-87.

22. Pennal GF, Tile M, Waddle JP, Garside H. Pelvic disruption: Assessment and classication. Clin Orthop Relat Res. 1980; 151: 12-21.

23. Poelstra KA, Kahler DM. Supra-acetabular placement of external fixator pins: a safe and expedient method of providing the injured pelvis with stability. Am JOrthop.2005; 34: 148-151.

24. Poka A, Libby EP. Indications and techniques for external fixation of the pelvis. Clin Orthop Relat Res.1996; 329: 54-59.

25. Rafii M, Firooznia H, Golimbu C, Waugh T Jr.,Naidich D. e impact of CT in clinical management of the pelvic and

acetabular fractures. Clin Orthop Relat Res. 1983; 178: 228-235.

26. Rommens PM, Hofmann A: Comprehensive classification of fragility fractures of the pelvic ring: Recommendations for surgical treatment. Injury, 2013; 44: 1733-1744.

27. Routt MLC Jr., Meier MC, Kregor PJ. Percutaneous iliosacral screws with the patient supine technique.Tech Orthop.1993; 3: 35.

28. Sadri H, Nguyen-Tang T, Stern R, Homeyer P, PeterP. Control of severe hemorrhage using C-clamp and arterial embolization in hemodynamically unstable patients with pelvic ring disruption. Arch Orthop Trauma Surg. 2005; 125: 443-447.

29. Shuler TE, Boone DC, Gruen GS, Peitzman AB. Percutaneous iliosacral screw xation. Early treatment for unstable posterior pelvic ring disruptions. J Trauma.1995; 38: 453-458.

30. Simpson LA, Waddell, Leighton RK. Anterior approach and stabilization of the disrupted sacroiliac joint.J Trauma.1987; 27: 1332.

31. Smith W, Williams A, Agudelo J, Shannon M, MorganS, Stahel P, Moore E. Early predictors of mortality in hemodynamically unstable pelvic fractures.J OrthopTrauma.2007; 21: 31-37.

32. Taillandier J, Langue F, Alemanni M, Taillandier-Heriche E. Mortality and functional outcomes of pelvic insufficiency fractures in older patients. Joint Bone Spine. 2003; 70(4): 287-9.

33. Tile M. Acute pelvic fractures. I. Causation and classi-cation. JAAOS.1996; 4: 143-151.

34. Tile M. Acute pelvic fractures. II. Principles of manage-ment. JAAOS. 1996; 4: 152-161.

35. Tile M. Fractures of the pelvis and acetabulum. Baltimore, Williams & Wilkins; 2003.

36. Tile M. Fractures of the pelvis and acetabulum.Stuttgart, Thieme; 2015.

37. Tonetti J, Carrat L. Percutaneous iliosacral screw placement using image guided techniques. Clin Orthop Relat Res. 1998; 354: 103-109.

CHAPTER

2

비구 골절
Fracture of the Acetabulum

비구 골절은 비교적 드문 골절로 주로 교통 사고나 추락 등의 고에너지 손상에 의해 발생하며, 최근에는 고령 인구의 급속한 증가로 인해 가벼운 낙상으로 인한 노인 비구 골절 환자도 증가하고 있다.

비구 골절은 주로 고에너지 손상으로 신체 다른 장기의 손상이 동반될 수 있으므로 초기에 세심한 전신 상태의 점검 후 골절 부위를 치료해야 한다. 비구는 해부학적으로 심부에 위치하여 수술적 도달이 어렵고 정확한 정복과 견고한 고정이 쉽지 않다. 비구 골절의 치료는 과거에는 보존적 방법이 주된 치료였으나 최근에는 전산화단층촬영, 수술적 접근법의 발달로 인해 해부학적 정복 및 견고한 내고정 후 조기 관절 운동을 시키는 것이 권장되고 있다.

1. 역사적 배경

비구 골절의 치료는 1700년대 말 처음 기술된 이후 보존적 방법으로 치료되어 왔으나, 1950년대 Robert Judet과 Emil Letournel이 비구 골절의 수술적 치료에 대한 필요성을 발표하고 비구 골절을 분류하였다. 이 분류는 현재까지도 수술적 치료에 중요한 지침이 되고 있다. 또한, 비광범위 접근법인 장서혜 접근법과 Kocher−Langenbeck 접근법의 개발은 비구 골절의 수술적 치료에 많은 변화를 가져 왔다. 이후 비구 골절의 치료에 대한 연구와 교육이 활발히 진행되어 현재는 비구 골절에 대한 보다 적극적인 치료가 보편화되고 있다.

2. 해부학

비구란 골반환의 양측에 위치하는 반구형 모양의 구조물로서 해부학적으로 관절 연골, 비구 전·후벽(anterior & posterior wall of acetabulum), 전·후방 지주(anterior & posterior column), 비구연 등으로 구성되어 있다. 사춘기(12−13세)에 골화가 일어나는 삼방사 연골(triradiate cartilage)이 비구의 중심이며, 전하방 1/5은 치골, 상방 2/5는 장골, 후하방 2/5는 좌골에 의하여 구성되어 있다. 비구는 2개의 골 지주(bony column)에 의해 지지되고 있으며, 뒤집어진 Y자형의 두 지주가 만나는 부분에 비구가 위치한다(그림 1).

전방 지주는 전상장골극 부위의 장골능에서 하방 전내측으로 진행하여 치골 결합까지 이어져 있다. 후방 지주는 대좌골 절흔(greater sciatic notch)에서 하방으

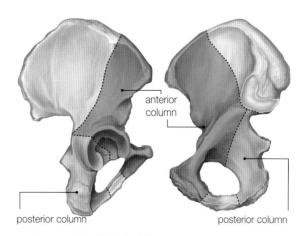

그림 1. 골반의 외측면과 내측면의 모식도
전방 지주와 후방 지주 사이에 비구가 위치한다.

로 좌골 결절(ischial tuberosity)까지 뻗어 있는데 전방 지주에 비하여 골격이 두껍다.

비구주위의 혈액 공급은 내측의 장요동맥(iliolumbar artery), 외측의 상둔동맥, 비구와(acetabular fossa)는 폐쇄동맥에 의해 이루어진다.

장서혜 접근법으로 접근할 경우, 폐쇄동맥과 하복벽 동맥(inferior epigastric artery) 사이에 큰 문합인 사관 동맥(corona mortis artery)이 약 5-40% 정도 존재하 며 수술 중 이를 확인하지 않고 손상시키면 지혈이 쉽 지 않아 대량 출혈의 위험이 있으므로 조심해야 한다 (그림 2).

3. 골절 기전

대부분의 경우, 슬관절 전방부 또는 족부에 가해진 외력이 대퇴골 간부와 골두를 거쳐 전해지면서 비구 골절이 발생한다. 따라서 외력이 가해졌을 때, 대퇴골 및 골두의 위치와 가해지는 힘의 방향에 따라 비구의 골절 부위와 대퇴골두의 탈구 방향이 결정된다(그림 3). 예를 들어, 대퇴골두가 외회전되어 있으면 전방 지주 골절이, 내회전되어 있으면 후방 지주 골절이 발생하

며, 대퇴골이 내전된 경우 비구의 상방 골절이, 외전된 경우 비구의 하방 골절이 발생한다.

4. 임상 소견

비구 골절은 일반적으로 강한 외력에 의해 발생하므 로 동반 손상 가능성에 대해 항상 주의를 해야 한다. 모든 중증 외상 환자에서처럼 기도 확보 및 적절한 호 흡과 순환의 유지가 초기 치료 방침이며 이후 전신적 인 신체 검사가 이루어져야 한다. 이때 환측 하지뿐 아 니라 반대쪽 하지에 대한 검사가 동시에 이루어져야 한다. 특히 비구 골절 환자 중 12-38% 정도에서 좌골 신경 손상이 동반되어 있으며 경골신경 부분보다는 비 골신경 부분에 대한 손상이 흔하므로 이에 대한 확인 이 필요하다. 또한 피부와 주변 연부조직의 상태는 수 술적 치료를 고려하는데 있어 중요한 사항이므로 철저 한 시진 및 촉진이 필요하다. 강한 외력에 의해 근막으 로부터 피부 및 피하조직이 분리되는 Morel-Lavallée 병변의 유무를 확인하여 수술적 치료 후 발생할 수 있 는 감염과 피부 괴사를 예방해야 한다.

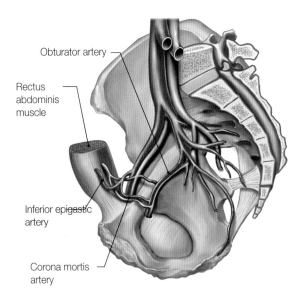

그림 2. 사관동맥
사관동맥(corona mortis artery)은 외장골동맥 또는 하복벽동맥과 폐쇄동맥이 문합하여 형성된다.

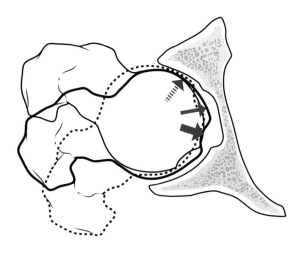

그림 3. 비구 골절 부위와 대퇴골두의 방향
손상 시 대퇴골두의 위치와 방향에 따라 비구의 골절 부위가 달라 진다.

5. 영상 소견

1) 단순 방사선 검사

골반 및 비구는 골 구조가 단순하지 않아 비구 골절의 정확한 진단을 위해서는 골반의 전후면 사진이나 측면 방사선 사진만으로는 부족하며, Judet은 골반의 전후면, 이환된 고관절의 전후면 사진, 장골익 사진, 및 폐쇄공 사진이 필수적이라 하였다.

(1) 골반의 전후면 사진

환측 골반의 골절, 반대측 비구, 양측 천장관절 및 근위 대퇴골의 손상 유무를 확인해야 한다.

(2) 이환된 고관절 전후면 사진

다음 6개의 선을 확인할 수 있다(그림 4).

① **비구 전연(anterior rim of acetabulum) 또는 비구 전방벽:** 이 선의 손상은 전벽 골절을 의미한다.

② **비구 후연(posterior rim of acetabulum) 또는 비구 후방벽:** 이 선의 손상은 후벽 골절을 의미한다.

③ **비구개(roof of acetabulum):** 관절면의 가장 윗부분에 해당한다.

④ **눈물 방울(tear drop):** 내측선은 장골의 장사변형 표면(quadrilateral surface)의 전하방부, 외측선은 비구와(acetabular fossa)의 전하부에 해당한다. 정상에서 장좌골선이 눈물 방울과 함께 내측으로 전위된 경우, 비구를 가로지르는 횡골절을 의미하고, 눈물 방울은 제자리에 있으면서 장좌골선만 내측으로 전위된 경우는 후방 지주의 골절을 의미하며, 장좌골선의 손상 없이 눈물 방울만 내측으로 전위된 것은 전방 지주 혹은 내벽의 골절을 의미한다.

⑤ **장좌골선(ilioischial line):** 장골의 장사변형 표면의 일부에 의해 형성되며 이 선의 손상은 후방 지주의 골절을 의미한다.

⑥ **장치골선(iliopectineal line):** 대좌골 절흔으로부터 치골 결절(pubic tubercle)로 이어진다. 이 선의 손상은 전방 지주의 골절을 의미한다.

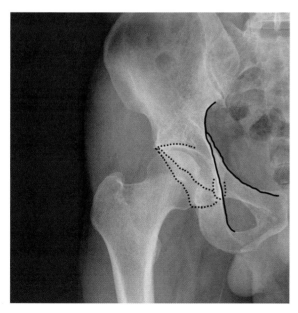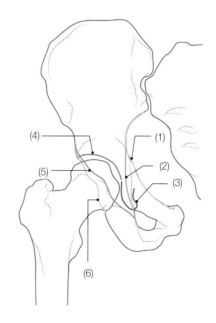

그림 4. 골반 전후면 사진

(1) 장치골선(iliopectineal line), (2) 장좌골선(ilioischial line), (3) 눈물 방울(tear drop), (4) 비구개(roof of acetabulum), (5) 비구 전연(anterior rim of acetabulum), (6) 비구 후연(posteior rim of acetabulum)

(3) 장골익 사진(iliac oblique view)

환자를 앙와위에서 골절 측으로 45° 기울여서 촬영한다. 장골의 후연과 장사변형 표면, 후방 지주와 비구 전연을 평가하는데 사용된다(그림 5A).

(4) 폐쇄공 사진(obturator oblique view)

환자를 앙와위에서 골절 측 반대 방향으로 45° 기울여서 촬영한다. 전방 지주 전체를 볼 수 있고 후방벽, 비구 후연을 확인할 수 있다(그림 5B). 이 촬영 상에서 양 지주 골절 시, 골절편이 축성 골격에서 분리된 상태로 천장관절에 붙어있는 장골 골편이 비구 골절편과 분리되어 나타나는 스퍼 징후(spur sign)를 볼 수 있다.

2) 전산화단층촬영

전산화단층촬영 및 3차원 영상은 단순 방사선 사진에서 확인할 수 없는 골절의 분쇄 정도와 전위 정도를 확인할 수 있고, 대퇴골두의 골절과 관절내 골편을 쉽

게 확인할 수 있어 그 유용성이 크다. 전산화단층촬영의 해석에 기본 개념은 횡단면상에서 골절선이 전후방으로 나타나면 횡골절(transverse fracture)을 의미하고 골절선이 관상면으로 나타나면 지주 골절이 있는 것이다. 또한 수술 전 손상의 정도를 정확하게 이해할 수 있으며 치료 방침을 세우는데 유용하게 쓰일 뿐 아니라 수술 후 정복 상태를 확인하는 목적으로도 사용할 수 있다.

최근 전산화단층촬영을 이용한 3차원 영상의 재구성으로 대퇴골두를 제거한 비구 영상이 비구 골절의 정확한 분류와 적절한 수술적 치료 계획에 많이 사용되고 있으며(그림 6), 수술 후 정복 및 고정을 평가하는 데에도 유용하게 사용된다.

6. 분류

비구 골절 치료의 첫 단계는 골절의 정확한 분류에 있으며 이는 수술 접근법 및 내고정 방법을 결정하는

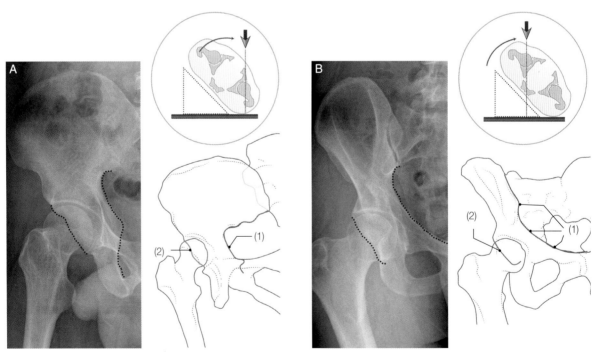

그림 5. 장골익 사진과 폐쇄공 사진
(A) 후방 지주와 비구 전연 , (B) 전방 지주와 비구 후연 확인에 용이하다.

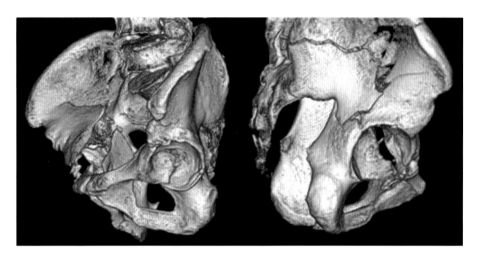

그림 6. 대퇴골두를 제외한 비구의 3차원 영상

데 있어 매우 중요하다. 비구 골절의 분류에 있어 근간을 이루는 것은 Judet과 Letournel 분류법이며, 이는 해부학적 분류를 근간으로 하고 있으므로 수술 접근법과 내고정 방법 등을 전략적으로 결정하는데 매우 중요한 분류이다.

1) Judet과 Letournel 분류

가장 많이 사용되는 분류법으로 비구 골절을 전벽 골절, 전방 지주 골절, 후벽 골절, 후방 지주 골절, 횡골절의 5가지 기본 골절로 분류하였으며, 더 강한 외력에 의한 골절 시, 두 가지 이상의 기본 골절이 복합된 5가지의 복합 골절로 분류하였다(표 1).

복합 골절은 여러가지 형태로 나타날 수 있지만 접근법 및 내고정 방법에 공통점이 있는 것들을 통합하여 T형 골절, 후방 지주 및 후벽 골절, 횡골절 및 후벽 골절, 전방 지주 및 후방 반횡골절, 양 지주 골절의 다섯 가지 복합 골절을 제시하여 기본 골절을 포함하여 총 10종류로 분류하였다(그림 7). 그러나 이 분류 방법은 예후에 영향을 미치는 인자들에 대해 고려하지 못했다는 단점이 있다. 예를 들어, T형 골절 시 전위 여부, 대퇴 골두의 탈구 유무, 심한 분쇄 골절이 동반된 고에너지 손상 또는 노인에서 발생한 저에너지 손상인 경우 등의 여러가지 예후에 관련된 인자가 있기 때문에 같은 골절로 분류되더라도 같은 예후를 나타낼 수 없다.

표 1. Judet과 Letournel 분류

기본 골절(elementary fracture)	복합 골절(associated fracture): 최소한 2개 이상의 기본 골절
후벽 골절(posterior wall fracture)	T형 골절(T-shaped fracture)
후방 지주 골절(posterior column fracture)	후방 지주 및 후벽 골절(posterior column and posterior wall fracture)
전벽 골절(anterior wall fracture)	횡골절 및 후벽 골절(transverse and posterior wall fracture)
전방 지주 골절(anterior column fracture)	전방 지주 골절 및 후방 반횡골절(anterior column and posterior hemitransverse fracture)
횡골절(transverse fracture)	양 지주 골절(both columns fracture)

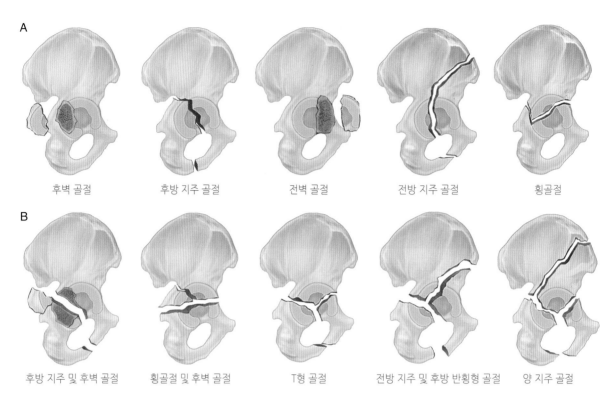

A

| 후벽 골절 | 후방 지주 골절 | 전벽 골절 | 전방 지주 골절 | 횡골절 |

B

| 후방 지주 및 후벽 골절 | 횡골절 및 후벽 골절 | T형 골절 | 전방 지주 및 후방 반횡형 골절 | 양 지주 골절 |

그림 7. Judet과 Letournel 분류
(A) 기본 골절, (B) 복합 골절

2) AO 분류

AO 그룹에서는 모든 골절을 같은 언어로 표현하고 컴퓨터 데이터화하기 위하여 알파벳과 숫자를 이용한 분류를 시작하였는데 이 분류는 골절을 손상 정도에 비례하여 A, B, C군으로 나누어 A형은 부분 관절내 골절로 양 지주 중 한 지주만 침범한 골절, B형은 부분 관절내 골절 및 횡골절을 포함한 골절, C형은 완전 관절내 골절, 양 지주 골절인 경우로 구분하였다(그림 8).

각 군은 다시 골절의 위치에 따라 1, 2, 3으로 세부 분류하여(그림 9), 현재의 AO 분류를 사용하고 있다(표 2). 그러나 이 분류도 대퇴골두의 탈구, 비구 관절면의 상태, 대퇴골두 관절면의 상태, 관절내 골편 등과 같이 예후에 영향을 미칠 수 있는 여러 인자들을 정성화 시킬 수 없는 단점이 있어 정확한 예후를 예측할 수는 없

으며, 중요한 것은 모든 골절은 동일하지 않고, 환자의 상태나 술자의 경험에 의한 판단도 중요한 인자가 될 수 있다.

비구 골절의 분류는 수술적 치료 시 접근법을 결정하는 데에도 도움을 준다. 일반적으로 골절이 후방에 있을 경우 Kocher−Langenbeck 접근법, 전방에 있을 경우 장서혜 접근법 또는 변형된 Stoppa 접근법을 사용한다. 횡골절은 전위 방향에 따라 선택하지만 주로 Kocher−Langenbeck 접근법, T형 골절에서는 Kocher−Langenbeck 접근법이나 장서혜 접근법, 양 지주 골절에서는 주로 장서혜 접근법이나 변형된 Stoppa 접근법이 사용된다. 이러한 권장 접근법 외에도 손상이 심한 경우에는 드물게 전후방 동시 접근법(combined anterior and posterior approach)이 사용되기도 한다.

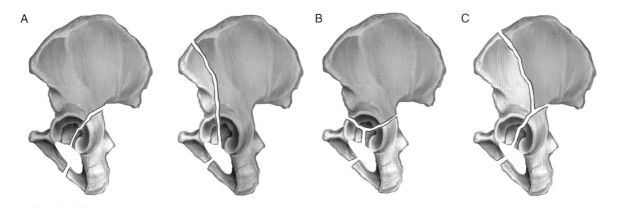

그림 8. AO 분류

(A) 부분 관절내 골절, 양 지주 중 한 지주만 침범, (B) 부분 관절내 골절, 횡골절 포함, (C) 완전 관절내 골절, 양 지주 포함으로 분류하였다.

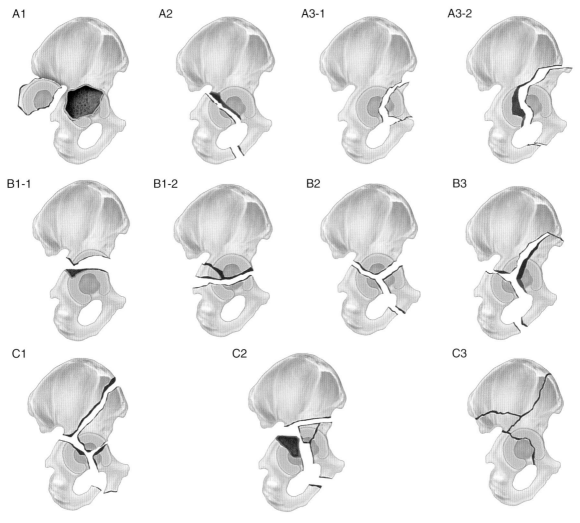

그림 9. 비구 골절의 AO 분류법

표 2. AO 분류법

Type A	부분 관절내, 양 지주 중 한 지주만 침범(partial articular, involving only one of the two columns)
A1	후벽 골절(posterior wall fracture)
A2	후방 지주 골절(posterior column fracture)
A3	전방 지주 또는 전벽 골절(anterior column or wall)
Type B	부분 관절내 골절, 횡골절 성분 포함(partial articular, involving a transverse component)
B1	횡골절(pure transverse)
B2	T형 골절(T-shaped)
B3	전방 지주 및 반횡형 골절(anterior column and posterior hemitransverse)
Type C	완전 관절내 골절, 양 지주 포함(complete articular, both column)
C1	상위 골절, 장골능까지 침범(high variety, extending to the iliac crest)
C2	하위 골절, 장골의 전방 경계까지 침범(low variety, extending to the anterior or the ilium)
C3	천장관절 침범(extension into the sacroiliac joint)

7. 치료

치료의 목적은 고관절의 안정성 회복 및 관절면의 해부학적 정복이다. 전신 상태가 수술에 적합하지 않는 경우를 제외하고, 현재 대부분의 골절에 있어 관절면의 해부학적 정복이 가능하고 조기 거동이 가능한 수술적 치료를 선호하는 추세이다. 그러나 비구 골절의 수술적 치료는 침습적이므로 합병증의 발생 가능성이 높기 때문에 치료 방법을 결정할 때에는 신중해야 할 것이다. 또한, 환자의 연령이나 전신 상태, 동반 손상의 유무 및 정도 등도 고려해야 하며, 의료진의 능력이나 전문성 및 병원 시설 등과 같은 치료자 요인도 함께 고려하여 치료에 임해야 한다.

1) 비수술적 치료

전위가 없거나 경미한 골절의 경우, 일정 기간의 침상 안정 가료 후 목발 보행을 시행하고, 체중 부하는 수상 후 8-12주 경에 시행한다. 그 이외에도 전산화단층촬영에서 후벽 골절편의 크기가 후벽 전체의 30% 이하인 경우, 수술 시 절개하여야 할 부위의 연부조직에 문제가 있어 수술 후 감염 또는 피부 괴사가 우려되는 Morel-Lavallée 병변이 있는 경우, 환자의 전신 상태가 좋지 못하여 수술적 치료가 불가능한 경우 등에 있어서 보존적 치료를 할 수 있다.

또한, 비수술적 치료를 시행함에 있어 Matta는 roof arc 각을 측정함으로써 비구의 체중 부하 비구개 침범 여부를 판단하였다. 내측 roof arc 각은 전후면 방사선 사진에서, 전방 roof arc 각은 폐쇄공 사진에서, 후방 roof arc 각은 장골익 사진에서 측정하며, 이들 모두에서 대퇴골두 중심으로부터 수직으로 그은 선과 비구의 골절선이 이루는 각도가 모두 45° 이상이면 비구개를 침범하지 않은 골절이므로 보존적 치료가 가능하다는 것이다(그림 10). 그러나 이 개념은 양 지주 골절 및 후벽 골절에서는 적용될 수 없다. 양 지주 골절에서는 골절이 일어나게 되면 대퇴골두를 중심으로 비구 골절편이 재조합 하게 되는데 이것을 이차적 관절면 조화(secondary congruence)라 하며 이것이 적절히 이루어

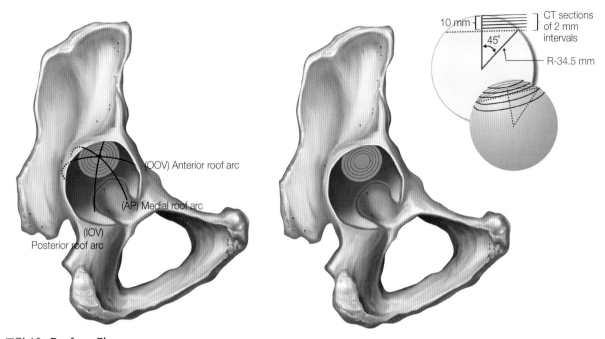

그림 10. Roof arc 각

비구의 천장 상부 10 mm와 roof arc 각이 45° 이내인 경우, 비구의 체중 부하 관절면이므로 수술적 치료가 바람직하고 roof arc 각이 45° 이상이면 비수술적 치료가 가능하다.

질 때에는 골격 견인을 유지하여 골유합을 얻을 수도 있다.

골격 견인은 대퇴골 과상부나 근위 경골에 핀을 삽입하여 하방 견인을 시행하며, 추가적으로 대퇴골 대전자부에 나사못이나 금속핀을 이용한 측방 혹은 측하방 견인을 시행할 수도 있다. 견인으로 골절이 어느 정도 정복되면 견인 무게는 체중의 5–10% 정도로 줄인다. 견인은 최소 12주간 유지시키고, 제거 후에도 최소 3–6개월간 전체중 부하는 피한다. 비수술적 치료 시, 견인 기간이 길수록, 체중 부하가 늦을수록, 관절의 수동 운동 시작이 빠를수록 예후가 좋다고 알려져 있다.

2) 수술적 치료

일반적으로 수술적 치료의 적응증은 1) 고관절 탈구의 정복 후 비구내에 골절편 또는 연부조직의 삽입이 의심되는 경우, 2) 다발성 손상이나 다른 동반 손상으로 장기간의 견인 치료나 침상 안정보다는 조기 활동

을 위해 견고한 내고정이 필요한 경우, 3) 전위가 심한 분쇄 골절로 보존적 치료로 좋은 결과를 얻을 수 없다고 판단되는 경우(2–3 mm 이상의 전위), 4) roof arc 각이 45° 이하, 5) 전산화단층촬영상 40–50% 이상의 후벽 골절 등이다. 대퇴골두가 탈구되는 경우는 정형외과적 응급 상황으로 가능한 빠른 시간에 정복을 하는 것이 예후가 좋다. 도수 정복 후 좌골신경의 손상이나, 혈관 손상, 개방성 골절이 있는 경우에는 응급 수술을 시행해야 한다. 이러한 응급 상황이 아니라면, 수상 후 5일에서 7일경이 적절한 수술 시기이며, 보통 3주가 넘으면 골절의 정복이 어려워지기 때문에 가능한 그 전에 수술을 하는 것이 권장된다.

수술 접근법으로는 광범위 접근법과 비광범위 접근법으로 크게 분류되며 광범위 접근법으로는 광범위 장대퇴 접근법(extended iliofemoral approach) 및 광범위 삼방사 접근법(triradiate extensile approach) 등이 있으며, 비광범위 접근법은 후방으로는 Kocher–

Langenbeck 접근법, 전방으로는 장서혜 접근법(ilioin-guinal approach) 및 변형된 Stoppa 접근법이 있다. 비광범위 접근법은 출혈, 이소성 골화, 창상 감염 등의 합병증이 낮고 대부분에서 골절의 정복이 가능하며 전후방 동시 접근법(combined anterior and posterior approach)이 가능한 장점들이 있어 대부분의 술자들이 선호하는 방법이다.

(1) 수술적 접근법의 종류

① **장서혜 접근법:** 주로 전벽 골절, 전방 지주 골절, 양 지주 골절 및 횡골절에 사용되고 약 10−40%의 경우에 존재하는 사관동맥(corona mortis)을 주의하여야 한다. 출혈을 예방하기 위해서 수술 중에 결찰하기도 한다. 또한, 수술 중 외측 대퇴피부신경과 대퇴신경 및 혈관을 주의하여야 한다(그림 11).

② **Kocher−Langenbeck 접근법:** 이는 주로 비구의 후방부를 노출시키기 위해 사용하며 주로 후벽 골절, 후방 지주 골절, 횡골절 및 후벽 골절, T형 골절 시에 사용하며, 양 지주 골절에서도 사용된다. 후방 지주를 거의 모두 볼 수 있다는 장점이 있으나 후상방 골절의 경우에는 추가적인 대전자 절골술을 요하기도 한다(그림 12).

③ **변형된 Stoppa 접근법:** 전벽 골절, 전방 지주 골절, 전방 지주 및 후방 반횡골절, 양 지주 골절 등에 유용한 접근법으로, 사변형 표면 전위 골절을 포함한 골절에 특히 유용하며 장서혜 접근법 대신 많이 쓰인다(그림 13).

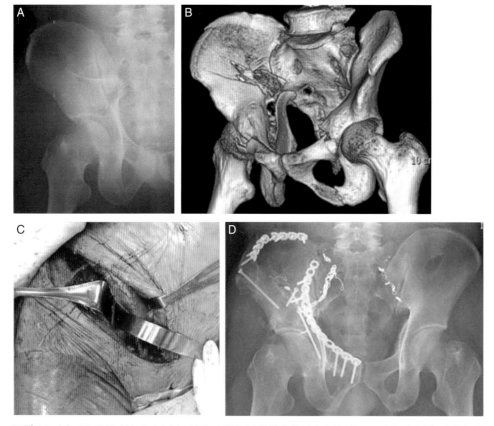

그림 11. (A) 전후면 방사선 사진과 (B) 3차원 전산화단층촬영에서 진단된 양 지주 골절에 대해 (C) 장서혜 접근법으로 수술 후, (D) 4년째 추시 사진

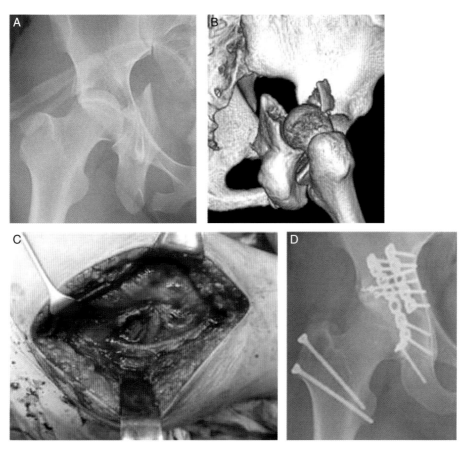

그림 12. (A) 전후면 방사선 사진과 (B) 3차원 전산화단층촬영에서 진단된 후방 지주 및 후벽 골절에 대해 (C) Kocher-Langenbeck 접근법으로 수술 후, (D) 3년째 추시 사진

④ **장대퇴 접근법:** 전방 지주와 전벽에 도달하기 위한 접근법으로 피부 절개는 장골능 중간 부위에서 전상장골극까지 시행하며 봉공근(sartorius)을 전상장골극에서 분리하며 대퇴직근을 전하장골극에서 분리한다. 박리 중에는 대퇴신경과 외측 대퇴피부신경을 주의해야 하고 수술 후 장요근의 약화나 혈종이 생길 수 있다.

(2) 골절 양상에 따른 수술 방법

① **후벽 골절:** 전체 비구 골절의 25%를 차지하는 가장 흔한 골절이나 합병증이 흔히 생긴다. 수술 결정의 가장 중요한 요소인 관절의 안정성은 마취 상태에서 90° 굴곡 시까지 관절의 안정성 여부를 보고 판단한다. 보통 후방 접근법인 Kocher-Langenbeck 접근법을 사용하나 후벽 골편이 체중 부하 부위인 비구개(acetabular roof or dome)를 침범한 경우에는 trochanteric flip osteotomy를 추가하여 연부 조직 손상을 최소화한다.

골절편을 정복하고 3.5 mm 재건 금속판을 정복된 후벽 골편 위에 지주 형태로 두고 장골과 좌골에 고정한다. 금속판 고정 시에는 금속판을 under-bending하여 고정하는 것이 골절편의 압박에 도움이 된다. 국소 함몰 골절(marginal impaction fracture)은 반드시 교정되어야 하며 후벽 골절의 분쇄가 심하거나 골절편이 작은 경우 spring 금속판을 사용하기도 한다(그림 14). 이 때

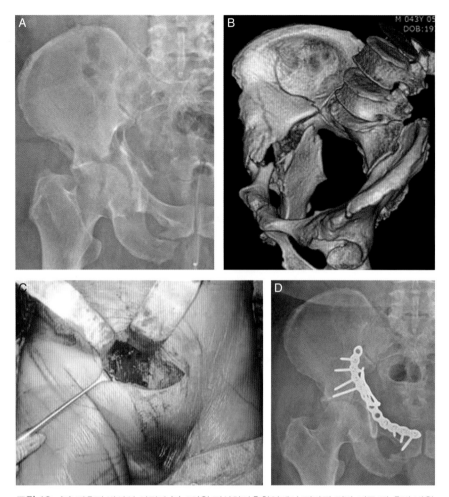

그림 13. (A) 전후면 방사선 사진과 (B) 3차원 전산화단층촬영에서 진단된 전방 지주 및 후방 반횡 골절에 대해 (C) 변형된 Stoppa 접근법으로 수술 후, (D) 2년째 추시 사진

주의할 점은 비구순과 후벽의 골성 경계부(bony margin)를 확인한 다음 골성 경계부에서 2-3 mm 떨어지게 spring 금속판을 위치시켜야 한다. 비구순에 spring 금속판의 끝부분이 닿으면 대퇴 골두 연골 손상의 원인이 될 수 있다.

② **후방 지주 골절:** 후방 접근법을 사용하며, 대개 골절된 후 후방 지주는 후내측방으로 전위되고 내회전 되어 Schanz screw를 주로 좌골 결절에 삽입하여 정복한다. 단독 골절보다는 주로 후벽 골절과 함께 발생한다. 대개 지지 금속판(buttress plate)과 래그 나사로 고정한다.

③ **전벽 골절과 전방 지주 골절:** 전방 접근법인 장서혜 접근법이나 변형된 Stoppa 접근법을 주로 사용하고, 상치골지(superior pubic ramus)에서 장골 내측까지 금속판을 이용해서 고정한다. 이때 비구 내측벽이 얇기 때문에 나사못이 관절내로 삽입되지 않도록 주의해야 한다.

④ **횡골절:** 전방 지주와 후방 지주 중 전위가 심한 쪽으로 도달하는데 대개 후방 지주 전위가 심하므로 후방 접근법을 사용하는 경우가 많다. 횡골절 치료는 후방 지주 골절 치료와 유사하지만 전방 지주 골절로 정복에 어려움이 있다. 후방 고정

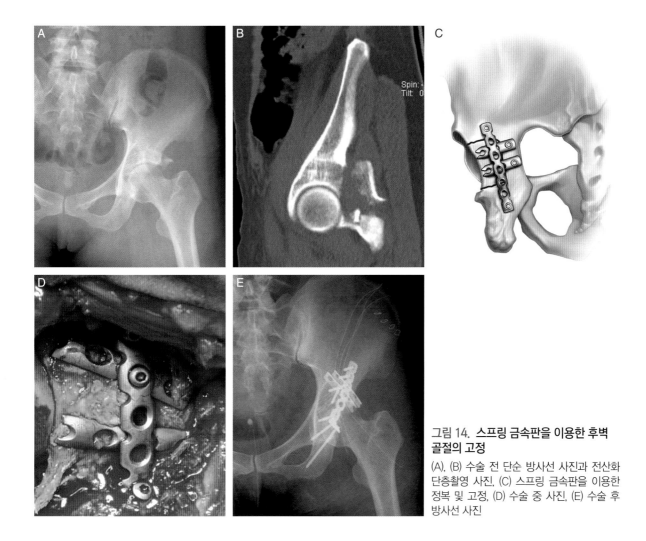

그림 14. 스프링 금속판을 이용한 후벽 골절의 고정

(A), (B) 수술 전 단순 방사선 사진과 전산화 단층촬영 사진, (C) 스프링 금속판을 이용한 정복 및 고정, (D) 수술 중 사진, (E) 수술 후 방사선 사진

시 재건 금속판을 덜 구부리면 전방 지주의 골절 면이 벌어질 수 있어 over-bending해서 고정해야 한다. 후방 지주 고정시에는 전방 지주의 정복 상태를 항상 확인하여야 한다(그림 15).

⑤ **후벽 골절과 후방 지주 골절:** 후방 접근법을 이용하여 후방 지주의 경계를 따라 후방 지주를 먼저 정복한 후 후벽 골절을 정복한다. 대개 이중 금속판을 사용하여 고정한다.

⑥ **횡골절과 후벽 골절:** 대부분 후방 접근법을 사용하나, 전후방 동시 접근법이 필요할 수도 있다. 횡골절을 먼저 정복한 후 전방 지주 골절을 나사

못으로 고정하고 후방 지주 및 후벽 골절은 금속판으로 정복한다.

⑦ **전방 지주 골절 및 후방 반횡형 골절:** 대개의 경우 전방 전위가 심하므로 전방 접근법을 사용하여 전방 지주를 먼저 정복한다. 후방 관절낭의 손상은 심각하지 않아 전방 지주 골절을 정복하게 되면 후방 지주가 동시에 정복되는 경우가 많다.

⑧ **양 지주 골절:** 대부분 장서혜 접근법이나 변형된 Stoppa 접근법과 같은 전방 접근법으로 가능하나 일부의 경우 후방 접근법이 추가로 필요할 수 있다. 전방 지주를 먼저 정복한 후 후방 지주를 정

829

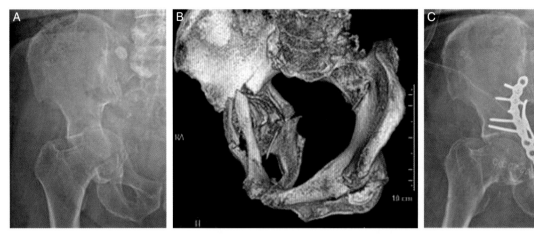

그림 15. 대퇴골두가 사변형 표면(quadrilateral surface, QLS) 골절과 함께 내측으로 전위된 횡골절의 수술적 치료
(A) 전후면 방사선 사진과, (B) 3차원 전산화단층촬영에서 우측 비구 장사변형 표면 전위 골절이 동반된 횡골절이 관찰되어,
(C) modified Stoppa 접근법과 QLS 금속판을 이용한 정복 및 고정을 시행하였다.

복하여 고정한다(그림 16).

⑨ T형 골절: 하부 골절편이 수직 골절선에 의해 후방 및 전방 골편으로 나뉘어져 있어 정복이 어려운 골절로서 대부분 후방 접근법으로 치료한다. 후방 지주 골절편을 조작하여 따로 분리된 전방 지주 골편을 조절하는 것이 불가능하므로 좌골 절흔을 통해 기구를 삽입하여 후방 지주를 임시 고정한 후 전방 지주를 조작하여 정복하거나 후방 지주를 먼저 정복하고 경우에 따라 추가적인 전방 접근법이 필요할 때도 있다(그림 17).

(3) 고관절 전치환술

비구 골절의 치료에서 관혈적 정복 및 내고정술은 전위성 비구 골절 환자에서 좋은 결과를 보이고 있으나 비구의 심한 감입 골절, 비구 및 대퇴골두 관절면의 손상이 심한 경우에는 불량한 예후가 보고되고 있다. 따라서, 고령의 급성 비구 골절 환자에서 선택적으로 일차성 고관절 전치환술을 시행하게 되는 경우가 있는데, 비구 골편의 심한 감입 및 분쇄, 비구관절 연골의 표면적 30% 이상의 손상을 보이는 경우와 재건이 불가능한 대퇴골두 골절 및 정복이 되지 않는 전위성 대

퇴골 경부 골절이 동반된 경우를 들 수 있다(그림 18). 또한, 수상 전 고관절의 퇴행성 관절염이 동반된 경우에도 고관절 전치환술을 시행할 수 있다. 비구 골절에서 즉시 일차성 고관절 전치환술을 시행하는 장점은 비구 골절의 비수술적 치료나 수술적 치료 후에 발생하는 외상성 관절염, 대퇴골두 골괴사, 불유합이나 부정유합 등의 합병증을 피할 수 있고 한번의 수술로 조기 회복 및 체중 부하가 가능하다는 점이다.

8. 합병증

수술 중에는 신경혈관 손상, 불충분한 정복, 고정물의 관절내 침습, 폐색전증 등의 합병증이 발생할 수 있으며, 수술 후에는 기간에 따라 심부정맥혈전증, 피부괴사, 감염, 정복 소실, 이소성 골형성, 연골용해증, 대퇴골두 골괴사, 외상성 관절염 등이 발생할 수 있다.

1) 신경 손상

비구 골절의 20–30%에서 동반되며, 주로 후방부 손상에 의한 좌골신경 손상이다. 도수 정복이나 견인, 수술 후에도 발생할 수 있으며, 대퇴골두의 후방 탈구나 후벽 골절, 횡골절 또는 후방 지주 골절 시 주로 발생

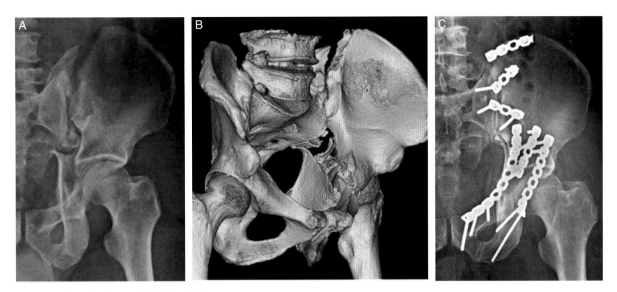

그림 16. 비구 양 지주 골절의 수술적 치료

(A) 전후면 방사선 사진과, (B) 3차원 전산화단층촬영에서 좌측 비구 양 지주 골절이 관찰되어, (C) 전후방 동시 접근법을 이용한 수술적 치료를 시행하였다.

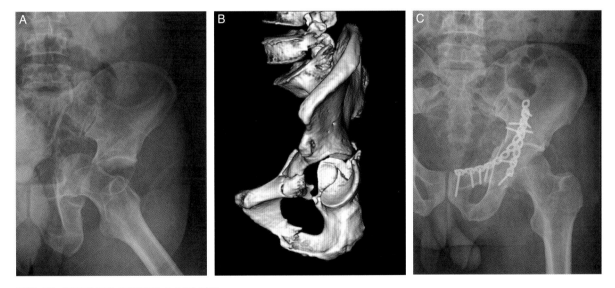

그림 17. 비구의 T형 골절에서 수술적 치료

(A) 전후면 방사선 사진과, (B) 3차원 전산화단층촬영에서 비구의 T형 골절 및 내측 탈구가 관찰되어, (C) 전후방 동시 접근법으로 정복 및 고정을 시행하였다.

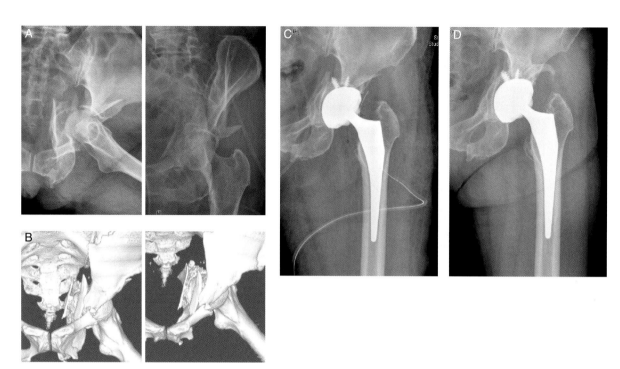

그림 18. 양 지주 분쇄 골절에서 고관절 전치환술
(A) 71세 여자의 단순 방사선 사진과, (B) 3차원 전산화단층촬영에서 비구 양 지주 분쇄 골절을 보인다. (C) 대퇴골두 자가골 및 동종골이식 후 무시멘트형 비구컵을 이용하여 고관절 전치환술을 시행하였다. (D) 3년 추시 방사선 사진에서 안정된 고정이 관찰된다.

한다. 대부분 불완전 마비이나 경골신경 분지 손상보다는 비골신경 분지 손상이 흔하며 예후가 나쁘다. 약 30%에서 완전 회복을 기대할 수 있으나 수술 후 3년까지도 회복 가능성이 있다고 한다. 수술 도중 발생한 좌골신경 손상은 대부분 수술 도중 과도한 견인에 의해 발생한 것으로 수술 중 좌골신경의 긴장을 줄이기 위해 환자의 체위, 즉 슬관절 굴곡, 고관절 신전 및 견인기(retractor)의 위치 등에 각별한 주의를 기울여야 한다. 그 외에 외측 대퇴피부신경 손상은 전방 접근법인 장서혜 접근법을 시행할 때 과도한 견인이나 직접적인 신경 절단에 의해 흔히 발생할 수 있어 주의를 요한다.

2) 대퇴골두 골괴사

약 10%에서 생기고 탈구 및 대퇴골두 골절이 동반될 경우 흔하며, 거의 대부분에서 1년 이내에 늦어도 2년 이내에 발생하게 된다. 대퇴골두의 후방 탈구가 발생하면 정복이 늦어질수록 발생 빈도가 증가하여, 24시간 이후에 정복될 경우에는 24시간 이내에 정복된 경우에 비해 발생 빈도가 현저히 증가하게 된다. 진단은 연골용해증, 외상성 관절염, 부정 정복된 골편이나 나사못에 의한 관절 마모와 감별이 어려운 경우가 있어 전산화단층촬영이 도움이 된다.

3) 이소성 골형성

수술을 시행한 경우가 보존적 치료를 한 경우보다 빈도가 높고 전방 접근법에 비해 후방 접근법에서 빈도가 높으며(그림 19), 둔부 근육의 손상 정도가 가장 많은 영향을 미친다. 예방 목적으로 인도메타신(indomethacin) 복용이나 방사선 치료를 시행하기도 하며, 영상에서 진단되기 전 조기에 시행하는 것이 효과적이다.

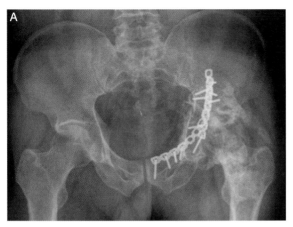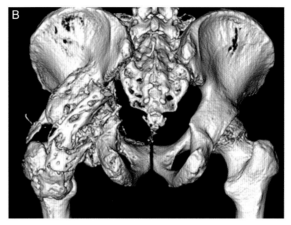

그림 19. 이소성 골형성
(A) 단순 방사선 사진과, (B) 3차원 전산화단층촬영에서 좌측 고관절 주위에 광범위한 이소성 골형성이 관찰된다.

4) 외상성 관절염

가장 흔한 후기 합병증의 하나로 약 20%에서 발생한다. 골편의 최초 전위 및 분쇄 정도, 정복 상태가 외상성 관절염 발생에 영향을 미친다. 골절의 위치에 따라서도 외상성 관절염의 발생에 큰 차이가 있어, 비구의 상부 천장에 생기는 전위성 골절에서 불완전한 정복이 있었던 경우 대개 외상성 관절염이 생긴다. 다른 합병증과 비슷하게 대부분 1년 이내에 발생하므로 수상 후 1년째의 추시 소견이 중요하다.

5) 감염

4–5%에서 발생하며 Morel–Lavallée 병변과 같은 연부조직에 문제가 있을 경우 감염의 빈도가 증가한다(그림 20). 또한, 장기간의 골격 견인이 필요한 경우 핀통로 감염에 주의를 기울여야 한다. 이를 간과하는 경우 골수염이 속발하기 때문에 골격 견인 중에 측방 골격 견인은 필요한 경우 최소한으로만 시행하고 제거해야 한다.

6) 연골용해증(chondrolysis)

관절 간격의 점진적인 협소나 대퇴골두 및 비구의 특별한 이상 없이 고관절부에 심한 동통이 있는 경우 의심되며 감염, 관절내 나사못 또는 부정 정복 골편에 의한 관절 마모와의 감별을 요한다.

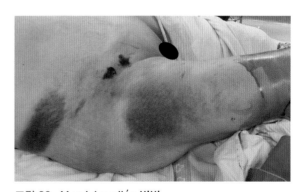

그림 20. Morel-Lavallée 병변

참고문헌

1. Cole JD, Bolhofner BR. Acetabular fracture fixation via a modified Stoppa limited intrapelvic approach. Description of operative technique and preliminary treatment results. Clin Orthop Relat Res. 1994;305:112-23.

2. Goulet JA, Rouleau JP, Mason DJ, Goldstein SA. Comminuted fractures of the posterior wall of the acetabulum: A biomechanical evaluation of fixation methods. J Bone Joint Surg Am. 1994; 76: 1457-63.

3. Grimm MR, Vrahas MS, Thomas KA. Pressure-volume characteristics of the intact and disrupted pelvic retroperitoneum. J Trauma. 1998; 44: 454-9.

4. Gsutsh TL, Johnson EE, Seeger LL. True three dimensional stereographic display of 3D reconstructed CT scans of the pelvic and acetabulum. Clin Orthop Relat Res. 1994; 305: 138-51.

5. Helfet DL, Bartlett CS, Lorich D. The use of a single limited posterior approach and reduction techniques for specific patterns of acetabular fractures. Op Tech Orthop. 1997; 7: 196-205.

6. Judet R, Lagrange J. La voie postero externe de Gibson. Press Med. 1958; 66: 263-4.

7. Kellam JF, McMurtry RY, Paley D, Tile M. The unstable pelvic fracture. Operative treatment, Orthop Clin North Am. 1987; 18: 25-41.

8. Kim WY, Sung JH, Han, CW, Chun JS, Hwang HJ. Combined anterior and posterior approach for complex acetabular fractures. J Korean Orthop Surg. 2001; 36: 287-92.

9. Kim WY. Treatment for the acetabular fracture. J Korean Hip Soc. 2010; 22(2): 116-121.

10. Kricun ME. Fractures of the pelvis. Orthop Clin North Am. 1990; 21: 573-90.

11. Letournel E, Judet R. Fracture of the acetabulum. 2nd ed. Berlin: Springer-Verlag; 1993.

12. Matta JM. Fractures of the acetabulum: accuracy of reduction and clinical results in patients managed operatively within three weeks after the injury. J Bone Joint Surg Am. 1996; 78: 1632-45.

13. Matta JM. Indications for anterior fixation of pelvic fractures. Clin Orthop Relat Res. 1996; 329: 88-96.

14. Matta JM. Operative indications and choice of surgical approach for fractures of the acetabulum. Techn Orthop. 1986; 7: 13.

15. Mears DC, Velyvis JH. Acute total hip arthroplasty for selected displaced acetabular fractures. J Bone Joint Surg Am. 2002; 84: 1-9.

16. Mears DC, Velyvis JH. Primary total hip arthroplasty after acetabular fracture. Instr Course Lect. 2001; 50: 335-54.

17. Montgomery KD, Potter HG, Helfet DL. Magnetic resonance venography to evaluate the deep venous system of the pelvis in patients who have an acetabular fractureoint. J Bone Joint Surg Am. 1995;77:1639-49.

18. Olson SA, Matta JM. Surgical treatment of acetabular fractures. 2nd ed, Philadelphia. WB Saunders. 1998; 1181-1222.

19. Pennal GF, Davidson J, Garside H, Plewes J. Result of the treatment of the acetabular fractures. Clin Orthop Relat Res. 1980; 151: 115-23.

20. Routt ML Jr., Swiontkowski MF. Operative treatment of complex acetabular fractures. Combined anterior and posterior exposures during the same procedure. J Bone Joint Surg Am. 1990; 72: 897-904.

21. Ruedi TP, Murphy WH. AO principles of fracture management. New York: Thieme New York; 2000.

22. Smith WR, Ziran BH, Morgan SJ. Fractures of the pelvis and acetabulum. New York, Informa healthcare USA; 2007.

23. Stannard JP, Alonso JE. Controversies in the unstable pelvic fractures. Clin Orthop Relat Res. 1998; 353: 74- 80.

24. Tile M, Helfet D, Kellam J. Fracture of the pelvis and acetabulum. 3rd ed. Willams and Wilkins; 2003.

25. Young JWR, Burgess AR, Brumback RJ, Poka A. Pelvic fractures: Value of plain radiography in early assessment and management. Radiology. 1986; 160: 445-51.

CHAPTER

3 고관절 탈구 및 대퇴골두 골절
Hip Dislocation and Femoral Head Fracture

고관절은 볼−소켓형 관절(ball and socket joint)로 구조적으로 안정화되어 있기 때문에 고관절 탈구는 교통사고 등 큰 외력에 의하여 발생하고 대퇴골두나 비구의 골절을 수반하기도 한다. 교통사고 후에 발생하는 고관절 탈구 환자의 40‒70%에서 전신적인 동반 손상이 존재할 정도로 고관절 탈구 환자에서는 신체 다른 부위의 손상을 흔히 동반한다. 모든 환자는 다른 손상을 놓치는 경우가 없도록 면밀한 근골격계 및 신경계통의 검사와 자세한 방사선 촬영이 필요하다. 특히 동측의 대퇴골 간부 골절이 동반되면 고관절 탈구에서 나타나는 하지의 변형이 불분명해지므로, 대퇴골 간부 골절 시 반드시 근위부와 원위부 관절의 방사선 촬영을 동시에 실시해야 한다는 골절 치료의 기본 원칙을 준수하는 것이 필요하다. 또한 동측 무릎과 연관된 부상이 있을 수 있으며 특히 슬개골 골절, 과열상, 인대손상 등이 있다. 후방 십자인대 파열은 초기 검사가 어렵기 때문에 정확하게 평가하기가 어렵다.

고관절 탈구와 골절−탈구는 정형외과적으로 응급에 해당된다. 고관절 탈구 및 골절−탈구의 치료와 합병증의 예측에서 대퇴골두는 혈류 공급이 적고 외상에 쉽게 손상될 수 있다는 점과 좌골신경이 근접한 위치에 있다는 점을 고려하여야 하며, 탈구의 정복이 늦어질수록 골괴사 및 외상성 관절염 등의 합병증이 증가한다는 사실에 유의하여야 한다. 유리체에 의한 연골 손상이나 대퇴골두 골괴사와 같은 조기 합병증을 피하더라도, 고관절 탈구 환자의 50%이상에서 불만족스러운

장기 결과가 보고되고 있다. 따라서 고관절 탈구와 대퇴골두 골절의 치료는 빠른 관절 정복을 통하여 안정적인 관절을 유지함으로써, 고관절 탈구 후 예상되는 합병증을 줄이는 것에 초점을 두어야 한다.

1. 분류

고관절 탈구와 골절−탈구의 분류는 여러 방법이 있으며, 전후방 탈구 모두에 적용할 수 있는 포괄적 분류법이 개발되었으나 예후와의 연관성은 부족하다. 따라서 탈구 발생 시 비구에 대한 대퇴골두의 위치에 따라 전방, 후방, 중심성으로 나누어 골절의 병적 형태, 치료 방법의 선택, 예후 등과 가장 밀접한 분류법을 사용하여야 한다.

1) 전방 탈구
변형된 Epstein 분류법은 다음과 같다.
(1) 1형: 상방 탈구
  - 1A형: 단순 탈구
  - 1B형: 대퇴골두 혹은 대퇴골 경부 골절이 동반된 탈구
  - 1C형: 비구 골절이 동반된 탈구
(2) 2형: 하방 탈구
  - 2A형: 단순 탈구
  - 2B형: 대퇴골두 혹은 대퇴골 경부 골절이 동반된 탈구
  - 2C형: 비구 골절이 동반된 탈구

2) 후방 탈구

Thompson과 Epstein 분류법은 다음과 같다.

(1) 1형: 단순 탈구 혹은 미미한 골절이 동반된 탈구

(2) 2형: 한 개의 커다란 후방 비구연의 골절이 동반된 탈구

(3) 3형: 후방 비구연의 분쇄 골절이 동반된 탈구

(4) 4형: 비구와(acetabular floor)의 골절이 동반된 탈구

(5) 5형: 대퇴골두의 골절이 동반된 탈구

5형의 경우 Pipkin 분류에 의해 세분하였으며 상세 분류는 다음과 같다.

Pipkin의 Thompson과 Epstein 5형 세부 분류법(그림 1)

- I형: 중앙와(fovea centralis) 하부의 대퇴골두 골절이 동반된 탈구
- II형: 중앙와 상부의 대퇴골두 골절이 동반된 탈구
- III형: 대퇴골 경부 골절이 동반된 탈구
- IV형: 비구 골절이 동반된 탈구

3) 중심성 골절–탈구

변형된 Rowe와 Lowell 분류법은 다음과 같다.

(1) 1형: 비전위성 골절

(2) 2형: 비구 내벽 골절

- 2–A형: 초기 방사선 사진에서 대퇴골두가 정복되어 있는 경우
- 2–B형: 초기 방사선 사진에서 대퇴골두가 정복되어 있지 않은 경우

(3) 3형: 비구개 골절

- 3–A형: 비구개의 윤곽이 유지되어 있는 경우
- 3–B형: 비구개의 윤곽이 유지되어 있지 않은 경우

(4) 4형: 방출성 골절

- 4–A형: 대퇴골두와 비구개의 관계가 일치하는 경우
- 4–B형: 대퇴골두와 비구개의 관계가 일치하지 않는 경우

최근에는 모든 유형의 환자에게 적용이 가능하며 환자 간의 비교가 용이한 장점을 근거로 정형외과 외상 협회(Orthopaedic Trauma Association, AO/OTA)에서 발표한 고관절 탈구 및 대퇴골두 골절 분류를 사용하기도 한다(그림 2).

AO/OTA의 고관절 탈구 및 대퇴골두 골절 분류법은 다음과 같다.

- 30–A1: 전방 탈구
- 30–A2: 후방 탈구
- 30–A3: 내측 혹은 중심성 탈구
- 30–A4: 폐쇄공 탈구

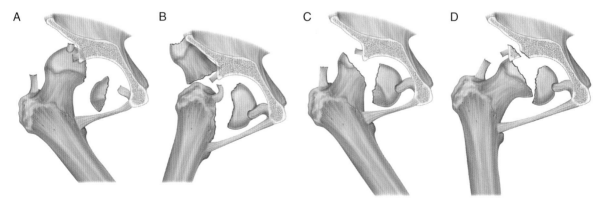

그림 1. 대퇴골두 골절을 동반한 고관절 후방 탈구에 대한 Pipkin의 분류
(A) I형, (B) II형, (C) III형, (D) IV형

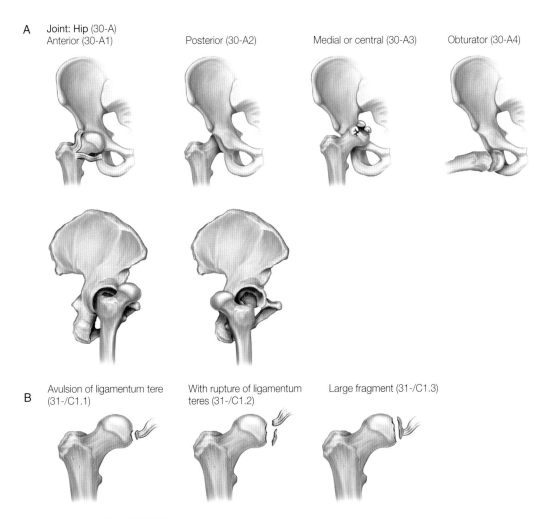

그림 2. AO/OTA의 고관절 탈구
AO/OTA의 고관절 탈구(A) 및 대퇴골두 골절(B) 분류

- 31-C1.1: 원형인대의 견열 골절
- 31-C1.2: 원형인대의 파열이 동반된 경우
- 31-C1.3: 큰 골편을 동반한 대퇴골두 골절

2. 유형별 진단 및 치료

1) 후방 탈구

고관절 후방 탈구는 외상성 고관절 탈구의 85-90%를 차지하며, 교통사고 등의 고에너지 손상이 증가함에 따라 발생률이 증가하는 추세에 있다. 손상 기전은 전방 충돌의 교통사고에서 고관절과 슬관절이 굴곡된 상태에서 계기판 손상(dash-board injury)이나, 슬관절과 고관절이 굴곡된 상태에서 슬관절 전방에 힘이 가해지는 추락사고 등에 의해 발생한다. 충돌 시 고관절이 중립 또는 내전되어 있으면 비구 골절이 없이 단순 탈구가 되며, 이보다 고관절이 덜 내전되거나 덜 내회전되었을 경우 후상방 비구연의 골절이 수반되고 고관절이 많이 굴곡되어 있을수록 단순 탈구의 가능성이 높다(표 1). 후방 고관절 골절-탈구 환자의 비구 전염각은 정상인에 비해서는 감소되어 있으나 단순 탈구 환자보다는 증가되어 있다고 알려져 있다. 따라서 손상

표 1. 탈구 방향에 따른 손상 기전

탈구 방향	작용하는 외력
단순 후방 탈구	굴곡, 내전, 내회전
후방 골절-탈구	부분 굴곡, 부분 내전, 내회전
전방 탈구	외전, 신전, 외회전

당시 대퇴골두의 순간적인 위치와 고관절의 해부학적 특징이 탈구의 유형을 결정한다.

(1) 임상 소견

특징적으로, 탈구된 쪽의 하지는 단축되며 대퇴는 내전 및 내회전의 변형을 보인다(그림 3). 대부분이 고에너지 손상에 의한 것이라 신체의 다른 장기의 손상이 동반될 수 있으며, 하지의 다른 손상도 흔히 수반되므로 자세한 신체 검사가 필요하다. 10−15%에서는 좌골신경 손상을 동반할 수 있으며 슬부인대 손상, 대퇴골두 골절, 대퇴골 간부 골절 등의 손상 가능성에도 주의해야 한다.

(2) 영상 소견

단순 방사선 검사는 전후면 사진으로도 쉽게 진단할 수 있으나(그림 4) 비구와 대퇴골두 및 경부에 골절이 동반될 수 있으므로 반드시 양측 사면 사진(oblique lateral view)도 검사하여야 한다. 전후면 사진에서 대퇴골두와 비구의 천장이 이루는 일치된 관절면이 소실된 소견을 관찰할 수 있고 후방 탈구가 된 경우에는 탈구된 대퇴골두의 크기가 반대측에 비해 작게 나타난다. 정복하기 전 방사선 사진에서는 대퇴골두와 비구의 골절 여부, 골절편의 크기 및 위치, 대퇴골 경부 골절 여부 등을 점검하여야 하며, 정복 후에도 방사선 촬영을 시행하여 정복의 정확성, 관절내 유리체의 존재, 동반된 대퇴골두나 비구 골절편의 정복 정도 등을 확인하여야 한다. 특히 정복 후 전산화단층촬영은 단순 방사선 사진에서 나타나지 않는 골절편이나 유리체 등을 진단하는 데 매우 유용하여 필수적인 진단 방법이다(그림 5).

A

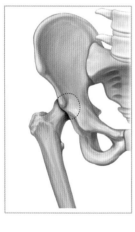

B

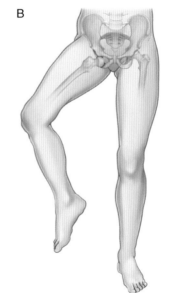
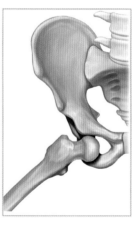

그림 3. 고관절 탈구에서 하지의 위치
(A) 후방 탈구, (B) 전방 탈구

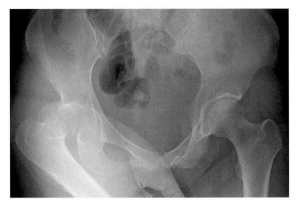

그림 4. 고관절 단순 후방 탈구 환자(Thompson과 Epstein 분류 제1형)의 단순 방사선 사진
하지는 굴곡, 내전, 내회전 변형을 보인다.

(3) 치료

거의 모든 고관절 탈구의 첫 번째 처치는 도수 정복을 시도하는 것이며, 대퇴골두의 골절 혹은 비구의 골절이 동반된 경우를 포함하여 응급처치로 시행하여야 한다. 일반적인 도수 정복의 금기는 드물지만, 비전위 대퇴골 경부 골절이 동반된 경우 및 탈구된 하지를 조작하지 못하는 다른 동반 손상이 있는 경우이다. 대표적인 도수 정복 방법에는 Allis, Stimson, Begelow 세 가지의 방법이 있다. 정복이 이러한 방법으로 되지 않을 때는 대퇴골두의 추가 손상 위험 때문에 반복 시도는 권장하지 않는다. 환자를 수술실로 데려가 전신

마취하에 도수 정복을 시행할 수 있으며 이것이 성공하지 못하면 관혈적 정복을 시행한다. 정복 후에는 전산화단층촬영을 시행하여 정복의 정확성을 평가하고, 대퇴골두 혹은 비구의 동반된 골절 유무를 점검한다. 일반적으로 관절면 사이가 아닌 곳에서 발견되는 작은 골절편은 수술적 치료가 필요하지 않는 경우가 많지만, 골절편이 관절면 사이에 끼어 있는 경우에는 수술적으로 제거해 주어야 하는데 관혈적인 방법으로 제거할 수 있지만 최근에는 관절경 수술로 제거할 수도 있다(그림 9). Thompson과 Epstein 1형의 단순 탈구의 경우에는 정복 후에 과거와 같이 장기간 피부 견인이나 골격 견인을 시행하지 않고, 관절낭과 연부조직이 치유될 때까지의 기간인 4~6주간은 자세를 주의시키면서 환자가 하지직거상이 가능하면 바로 부분체중 부하 보행을 시작하고, 이후에 통증이 사라지면 전체중 부하 보행을 허용한다. 그러나 탈구 발생 6시간 이후에 정복이 된 경우에는 대퇴골두 골괴사의 발생 빈도가 높기 때문에 전체중 부하를 8~12주 이후에 시행하는 것이 권장된다.

① **도수 정복**
• Stimson 정복법
  정복 과정에서 최소한의 손상을 주는 것으로 알려져 있지만, 환자가 엎드려 누워야 하기 때문에

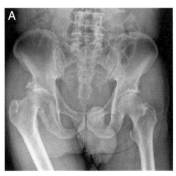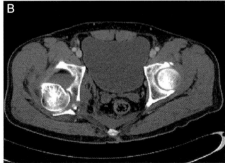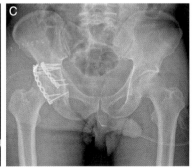

그림 5. 후방 비구연의 분쇄 골절이 동반된 탈구 환자(Thompson과 Epstein 분류 제3형)
(A) 단순 방사선 사진, (B) 전산화단층촬영 축영상에서 비구 후벽의 분쇄 골절이 관찰된다. (C) 수술 후 단순 방사선 사진에서 안정된 정복 상태를 얻을 수 있었다.

동반 손상이 있는 환자들에게는 부적합하다. 환자를 복와위에서 테이블 가장자리에 고관절을 굴곡시킨 후, 보조자로 하여금 치골을 압박하거나 반대측 고관절을 신전시켜 골반을 안정시킨다. 탈구된 고관절과 슬관절을 90°로 굴곡시키고, 굴곡된 슬관절 뒤에서 하방으로 힘을 가하며 대퇴를 회전시키면 정복한다(그림 6).

- Allis 정복법

앙와위에서 보조자가 환자의 골반을 고정시키고, 대퇴축을 따라 견인하면서 고관절을 90°로 굴곡시킨 후, 지속적으로 대퇴축을 따라 견인하면서 대퇴를 회전시켜 정복한다. '굴곡-내전 방법'은 변형된 Allis 방법으로, 고관절을 90°로 굴곡시키고 보조자로 하여금 한 손으로는 골반을 고정하고, 다른 손으로는 대퇴골두를 비구 방향으로 진행시키면서 정복하는 방법이다(그림 7).

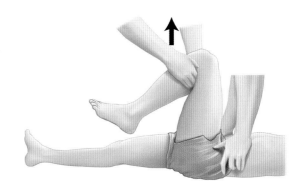

- Bigelow 정복법

앙와위에서 보조자가 환자의 골반을 고정시킨 후, 한 손으로 탈구된 하지의 발목을 쥐고 반대측 전완부를 환자의 슬관절부 후방에 두고 대퇴축을 따라 견인한다. 내전 및 내회전되어 있는 대퇴

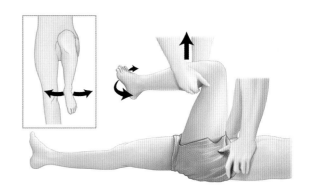

그림 6. 고관절 후방 탈구의 정복에 사용하는 Stimson 방법

그림 7. 고관절 후방 탈구의 Allis 방법

840

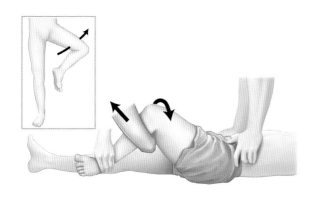

그림 8. 고관절 후방 탈구의 Bigelow 방법

를 90° 이상 굴곡시키고 견인을 계속하며 고관절을 외전, 외회전, 신전시켜 정복한다(그림 8). 이 방법은 큰 힘이 필요하므로, 도수 정복 시 골절이나 연부조직 손상 등을 초래할 수 있어 주의하여야 한다.

② **관혈적 정복:** 개방성 탈구 및 골절이나 도수적인 방법으로 정복되지 않는 탈구, 도수 정복 후에 좌골신경 손상이 의심되는 경우, 관절면이 일치되지 않는 정복 상태나 관절면 사이에 골절편이 끼어 있는 경우에는 관혈적 정복(open reduction)이 필요하다. 만일 도수적인 방법으로 정복이 되지 않는 경우에는 신속하게 관혈적 정복을 시행해야 하는데, 대부분 골절된 골편이나 근육 및 인대가 중간에 끼어서 정복을 방해하는 경우가 많다. 전방 탈구에서는 대퇴직근, 장요근, 전방 관절낭이나 비구순이 정복을 방해하고, 후방 탈구에서는 관절낭을 뚫고 나온 대퇴골두가 단추 구멍 효과에 의해 정복이 안되거나 이상근(piriformis), 대둔근, 원형인대, 비구순 및 큰 골절편에 의해 정복이 안되는 경우가 있다. 관혈적 정복을 시행하기 전에는 수술 시작을 크게 지연시키지 않는다면 전산화단층촬영을 시행하여 정복을 방해하는 구조물을 확인하고 치료 계획을 세우는 것이 좋다. 정복되지 않는 탈구와는 달리 도수 정복 후에 관절면이 일치하지 않는 상태는 응급 수술이 필요한 것은 아니다. 따라서 일단 정복이 이루어진 상태에서는 필요한 검사 및 치료가 필요한 다른 손상에 대한 처치가 충분히 이루어진 후에 치료 계획을 세우도록 한다. 도수 정복 후에도 관절면이 일치하지 않는 경우는 대부분 골절편이나 연부조직이 관절면 사이에 끼어서 완전한 정복을 방해하기 때문이다. 관절면 사이에 끼어 있는 골절편이나 연골 조각 등의 유리체(loose body)는 관절 운동 시 연골의 마모를 초래하여 향후 관절염을 유발할 수 있기 때문에 반드시 제거해야 한다.

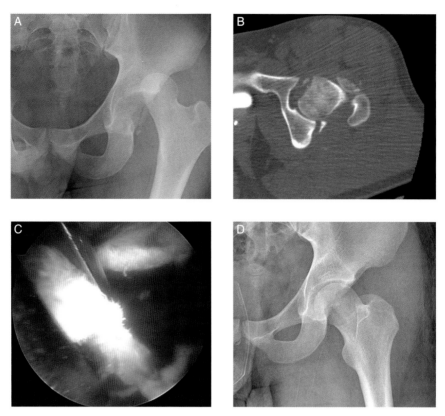

그림 9. 좌측 고관절 후방 골절 탈구(Thompson과 Epstein 분류 5형, Pipkin I형)
(A) 정복 전 단순 방사선 사진, (B) 도수 정복 후 전산화단층촬영 영상, (C) 관절경적 골편제거술, (D)
수술 후 단순 방사선 사진

③ **관혈적 정복 및 내고정술:** 골절이 동반된 고관절
탈구에서는 관혈적 정복과 동시에 내고정술이 필
요한데, 비구 골절이 동반된 탈구에 대해서는 '비
구 골절' 단원에서 다루고 대퇴골 경부 및 대퇴골
두 골절이 동반된 경우에 대해서만 기술하기로
한다. 드물지만, 젊은 연령에서 대퇴골 경부 골절
이 동반된 경우에는 응급으로 관혈적 정복과 내
고정을 시행해야 한다. 비전위성 골절에서는 대
개 경부 골절을 먼저 고정하고 난 후 정복을 시
행하고, 전위성 경부 골절인 경우에는 탈구된 대
퇴골두를 먼저 정복해야 경부 골절을 정복하기가
용이할 수 있다. 고령에서 대퇴골 경부 골절이 동
반된 고관절 탈구는 대퇴골두 골괴사 합병증 발
생의 위험을 고려하여 처음부터 고관절 치환술을

고려할 수도 있다.

대퇴골두 골절이 동반된 고관절 탈구도 관혈적
정복 및 내고정술의 적응증이 될 수 있다. 특히,
대퇴골두의 골절이 골두와 상방에 위치한 Pipkin
2형 골절−탈구인 경우에는 체중 부하가 이루어
지는 관절면에서 골절의 정복이 정확하게 이루
어져야 한다. 대부분 대퇴골두의 골절은 골절편
이 원형인대에 부착되어 있어서 도수적인 방법으
로 탈구가 정복되면서 골두 골절도 비교적 잘 정
복되는 경우가 많지만, 정복 후에 단순 방사선 사
진과 전산화단층촬영을 시행하여 관절면의 일치
상태를 평가해야 한다. 만일 관절면이 해부학적
으로 일치하지 않는 경우에는 다시 관혈적 정복
술 및 내고정술을 시행해야 한다(그림 10). 하지만,

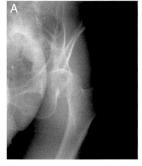
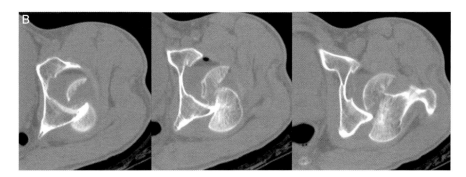
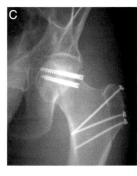

그림 10. 좌측 고관절 후방 골절 탈구(Thompson과 Epstein 분류 5형, Pipkin II형)
(A) 정복 전 단순 방사선 사진, (B) 도수 정복 후 전산화단층촬영 영상, (C) 대퇴골두 골편에 대한 관혈적 정복 및 내고정술 후 단순 방사선 사진

대퇴골두 골절은 대부분 전단력에 의해 발생하기 때문에 골절편이 작고 얇아서 고정하기 어려운 경우가 많다. 대퇴골두 골절의 내고정을 위한 수술 접근법을 선택할 때도 대부분의 골절편이 대퇴골두의 전내측에 존재하는 경우가 많기 때문에 후방 접근법으로 수술을 시행하면 고정을 위해 관절을 재탈구 시켜야 한다. 또한 탈구 시켰다고 하더라도 골절편은 원형인대에 부착되어 있는 경우가 많아서 해부학적인 정복을 위해서는 원형인대에서 골절편을 떼어 내야 하지만 이 경우 골절편의 혈류가 완전히 차단될 위험이 있다. 따라서, 비록 Epstein 등이 후방 탈구에서는 전방의 혈류를 보존하기 위해 이미 손상된 부위인 후방으로 접근할 것을 권장했지만, 대퇴골두 골절을 정복하기 위해서는 전방 접근법을 사용하는 것이 유리할 수 있다. 전방으로 접근하게 되면 관절을 재탈구 시키지 않아도 외회전 하는 것만으로 골절면을 확인할 수 있고 정확한 정복을 시행할 수 있다. 수술적 접근법에 대한 상세한 내용은 '수술적 접근법' 단원에 기술되어 있다. 최근에는 몇몇 저자들에 의해 관절경을 사용하여 대퇴골두 골절을 고정한 증례들이 보고되기도 하였다.

대퇴골두 골절을 고정할 때는 무엇보다도 나사못 고정물이 관절내로 돌출되지 않도록 연골하골에 위치시키는 것이 중요하다. 따라서 나사 머리가 없는 나사못을 사용하기도 하고, 흡수성 핀으로 고정하거나 봉합사로 고정하기도 한다.

④ **정복 후 처치:** 정복 후 지나친 침상 안정에 의한 부동(immobilization)은 관절내 유착이나 관절염을 유발할 수 있기 때문에 피해야 한다. 대개 continuous passive motion (CPM) 운동부터 시작해서 가능한 조기에 거동하도록 하는 것이 환자의 회복에 도움이 된다. 관절의 과도한 움직임은 관절낭 및 고관절 주변 연부조직이 치유되도록 돕기 위해 4~6주 정도 피하는 것이 좋다. 고관절 주변 근육을 강화시키는 운동을 시행하도록 하고, 고강도의 활동이나 스포츠 운동은 6~12주 후나 고관절의 근력이 거의 정상화 된 후에 허용

하도록 한다.

⑤ **합병증:** 초기 합병증으로 가장 흔한 것은 좌골신경 손상이며 8-19% 정도로 보고되고 있다. 단순 탈구보다는 골절-탈구 환자에서 더 자주 발생하며, 비골신경 부분의 손상이 더 흔하다. 약 70%의 환자에서는 어느 정도의 기능 회복을 기대할 수 있으나, 완전 마비의 경우에는 예후가 불량하다. 최초에 정상이었다가 도수 정복 후에 신경 증상이 발생한 경우에는 즉시 신경 탐색을 시행하여야 한다. 후기 합병증으로는 대표적으로 대퇴골두 골괴사와 외상성 관절염이 있다. 후방 탈구 후 대퇴골두 골괴사의 발생률은 1.7-40%로 다양하게 보고되고 있는데, 일반적으로 탈구 후 정복되기까지의 시간과 발병률이 관계가 있다고 알려져 있다. 탈구 후 정복까지의 시간이 6시간 이내인 경우에는 발생률이 0-10%인데 반해, 6시간이 경과한 이후에는 58%까지 보고되고 있다. 진단은 대부분 수상 후 2년 이내에 방사선 사진으로 확인할 수 있는데 일부에서는 수상 5년 후에도 발생한 보고가 있어 이에 대한 장기적인 추시 관찰이 요구된다. 외상성 관절염은 고관절 탈구 후 발생하는 가장 흔한 합병증으로 발생률은 23-37.5%로 보고되고 있다. 전방 탈구보다는 후방 탈구에서, 단순 탈구보다는 골절-탈구에서 발생률이 높으며, 대퇴골두 골절이 동반된 경우에는 50%의 환자에서 외상성 관절염이 발생한다고 보고되고 있다. 그 외의 후기 합병증으로 재탈구, 부정유합, 이소성 골형성, 후기 좌골신경 기능장애 등이 있다(그림 11). 후기 좌골신경 기능장애는 주로 이소성 골형성으로 인해 신경이 눌리거나 신경 견인이 유발될 경우 발생하게 된다. 따라서, 수상 후 외래 방문 시에 좌골신경의 기능에 대한 평가가 중요하며 필요한 경우 조기 감압이 신경 회복에 도움이 된다고 한다.

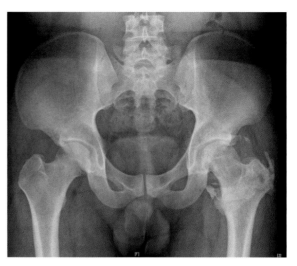

그림 11. 이소성 골형성
좌측 고관절 후방 골절-탈구환자의 2년 추시 사진에서 이소성 골형성이 관찰된다.

2) 전방 탈구

고관절 전방 탈구는 흔치 않으며, 외상성 고관절 탈구의 10% 이하에서 발생한다. 교통사고 중 계기판 외상에 의해 발생한다. 즉 대퇴부를 외전, 외회전 시켜 앉은 상태에서 슬관절이 계기판에 부딪쳐 고관절이 과외전, 신전되어 발생하며(표 1), 낙상 사고나 쪼그리고 앉은 상태에서 뒤쪽으로부터의 직접적인 외상에 의해서도 일어날 수 있다. 이때 고관절의 굴곡 정도에 의해서 탈구의 방향이 상방 또는 하방으로 결정되는데 손상 당시 고관절이 굴곡되어 있으면 하방 탈구형, 고관절이 신전되어 있으면 상방 탈구형이 된다.

(1) 임상 소견

탈구된 쪽의 대퇴는 외전 및 외회전되어 있으며, 상방형인 경우는 고관절이 신전 및 퇴골두가측 지인 경우는 외전, 외회전 및 굴곡된다(그림 3B). 환자가 비만하지 않으면 대퇴골두를 촉지할 수도 있다. 장골 측 탈구는 전상장골극 부근에서, 치골측 탈구는 서혜부에서 촉지되며, 하방형인 폐쇄공측 탈구에서는 폐쇄공 부근에서 대퇴골두가 촉지된다. 하지의 단축은 분명하지 않으며 골반골 다른 부위의 손상의 유무와 대퇴신경 및 혈관의 상태를 검사해야 한다.

(2) 영상 소견

고관절의 전후면 및 측면 방사선 사진에서 어렵지 않게 전방 탈구를 관찰할 수 있다. 탈구된 대퇴골두의 크기는 전후면 사진에서 반대측에 비해 크게 나타나게 된다. 방사선 사진에서 탈구 및 수반된 골절의 유무를 평가하여야 하며, 골절의 형태나 대퇴골두 및 비구의 상태, 관절내 유리체 등의 정확한 진단을 위해서는 전산화단층영상이 도움이 된다(그림 12).

(3) 치료

조기 진단 및 신속한 도수정복이 치료의 원칙이고,

응급실에서 진정제나 근육이완제를 투여하고 도수 정복을 시행하면 대부분 어렵지 않게 성공할 수 있다. 응급실에서 도수 정복에 실패한 경우에는 수술실에서 전신 또는 척추 마취하에서 한 차례 더 도수 정복을 시도한다. 도수 정복법으로는 다음의 세 가지가 널리 사용되고 있다.

① 도수 정복

- Allis 방법

  앙와위에서 슬관절을 굴곡시켜 슬근을 이완시키고 보조자로 하여금 환자의 골반을 고정시킨 상태에서 대퇴 안쪽에서 바깥쪽으로 힘을 가하게 한다. 고관절을 약간 굴곡시킨 상태에서 대퇴축을 따라 견인하면서 대퇴를 내전하고 내회전시켜 정복을 완성한다(그림 13).

- 역 Bigelow (reverse Begelow) 방법

  고관절을 약간 굴곡, 외전시키고 슬관절을 굴곡시킨 상태에서 대퇴를 급격히 잡아당겨(lifting method) 정복을 시도한다. 이 방법으로 정복이 실패하면 대퇴축을 따라 견인한 후 고관절을 내전

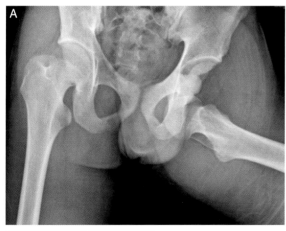

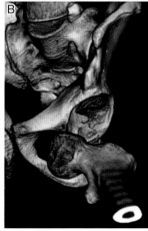

그림 12. 좌측 고관절 전방 골절-탈구(Epstein 분류 IIB형)의 단순 방사선 사진 (A) 및 3차원 전산화단층촬영 영상(B)

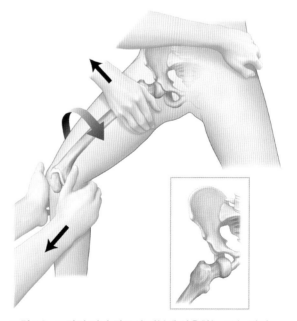

그림 13. 고관절 전방 탈구의 정복에 사용하는 Allis 방법

시키고 급격히 내회전시키면서 신전시킨다. 이렇게 급격히 내회전시킬 때 골다공증이 있는 경우 대퇴골 경부 골절이 발생할 수 있다.

• Stimson 방법

원래 후방 고관절 탈구 시 사용하는 방법으로 전방 탈구 시에도 동일한 방법을 사용할 수 있으나 고관절이 신전되어 있는 상방 탈구에서는 더 신전시켜 정복해야 하므로 이 방법을 사용할 수 없다.

② **관혈적 정복:** 수술실에서도 도수 정복에 실패한 경우에는 응급으로 전방 접근법을 통한 관혈적 정복술을 시행한다. 도수 정복에 실패하는 원인으로는 1) 대퇴골두가 전방 관절낭을 관통한 경우, 2) 대퇴직근, 장요근, 비구순이나 골절편이 끼었을 경우이다. 단순 탈구의 경우에는 후방 탈구와 마찬가지로 정복 후에 피부 견인이나 골격 견인을 시행하지 않고 4-6주간 자세를 주의시키면서 부분체중 부하 보행을 시행하고, 이후에 전체중 부하 보행을 허용한다.

③ **합병증:** 초기 합병증으로 가장 흔한 것은 상방 탈구 시에 발생하는 대퇴신경 및 혈관 손상이다. 전방 탈구는 후방 탈구에 비해 대퇴골두 골괴사가 적게 발생하며 8-10%로 보고되고 있다. 외상성 관절염은 전체적으로 23%로 보고되고 있으나, 대퇴골두에 감입골절이 있었던 경우에는 88%까지 발생률이 증가하는 것으로 보고되고 있다.

3) 중심성 골절-탈구

비구 중심부의 분쇄 골절과 동시에 대퇴골두와 비구 골절편이 골반 내로 전위되는 상태이다(그림 14). 손상 기전은 주로 교통사고나 추락으로 대전자부 외측에 직접적인 힘을 받아 대퇴골두가 비구와로 충격을 전달하여 발생한다. 하지만, 단순한 고관절 중심성 골절-탈구는 매우 드물며 심각한 대사성 골질환을 가진 환자에서 극히 일부 발생할 수 있고, 대부분은 비구의 횡골

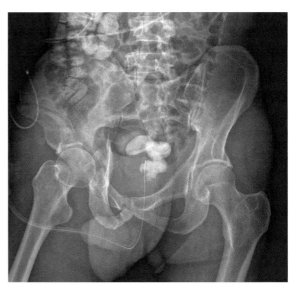

그림 14. 우측 고관절 중심성 골절-탈구의 단순 방사선 사진

절, 전방 지주나 후방 지주 혹은 양 지주 골절을 동반하여 발생한다. 진찰 소견 상 환측 하지는 약간 단축되어 있고 고관절 운동시에 심한 통증을 호소한다. 골반 방사선 촬영 및 전산화단층촬영을 시행하여 동반된 비구 골절을 확인하는 것이 중요하다. 단순 고관절 중심성 골절-탈구의 치료는 크게 견인, 관혈적 정복 및 내고정술, 고관절 치환술의 방법이 있으며, 비구의 횡골절이나 지주 골절이 동반된 경우의 치료는 비구 골절의 치료 원칙에 따라 시행한다.

4) 고관절 탈구 치료에서의 고관절경술

고관절경술(hip arthroscopy)은 최근 들어 상당히 증가하고 있다. 몇몇 저자들은 단순 고관절 탈구 후에도 초기 단순 방사선 사진이나 전산화단층촬영 등에서 관찰되지 않는 관절내 유리체, 연골 손상 및 비구순 파열이 발생 수 있다고 주장하였다. 단순 고관절 탈구의 도수 정복 후에 비구심성(nonconcentric) 정복 된 경우에는 고관절경술을 시행해 볼 수 있으며, 고관절 골절-탈구의 경우에도 고관절이 안정적이고 골절 골편의 크기가 작으면서 변연절제술이 필요한 경우에도 고

관절경술을 시행할 수 있다. 고관절경술을 통해서는 관절내 유리체를 제거하고, 파열된 비구순을 봉합할 수 있으며, 연골 손상 부위가 클 경우에는 미세 천공술

등을 시행한다. 수술 후 재활 과정은 고관절 탈구 정복 후 일반적인 재활 과정에 준하여 시행한다.

참고문헌

1. Allis OH. The hip. Philadelphia: Dorman; 1985.

2. Armstrong JR. Traumatic dislocation of the hip joint; review of 101 dislocations. J Bone Joint Surg Am. 1948; 30B(3):430–45.

3. Bagaria V, Sapre V. Arthroscopic removal of intraarticular fragments following fracture dislocation of the hip. Indian J Orthop. 2008;42(2):225–7.

4. Bastian JD, Turina M, Siebenrock KA, et al. Long-term outcome after traumatic anterior dislocation of the hip. Arch Orthop Trauma Surg. 2011;131(9):1273–8.

5. Bosse MJ, Poka A, Reinert CM, Ellwanger F, Slawson R, McDevitt ER. Heterotopic ossification as a complication of acetabular fracture. Prophylaxis with low-dose irradiation. J Bone Joint Surg Am. 1988; 70: 1231-37.

6. DeLee JC, Evans JA, Thomas J. Anterior dislocation of the hip and associated femoral head fractures. J Bone Joint Surg Am. 1980;62(6):960–4.

7. Derian PS, Bibighaus AJ. Sciatic nerve entrapment by ectopic bone after posterior fracture-dislocation of the hip. South Med J. 1974; 67: 209-10.

8. Dreinhöfer KE, Schwarzkopf SR, Haas NP, Tscherne H. Isolated traumatic dislocation of the hip. Long-term results in 50 patients. J Bone Joint Surg Br. 1994; 76: 6-12.

9. Dreinhöfer KE, Schwarzkopf SR, Haas NP, Tscherne H. Femur head dislocation fractures. Long-term outcome of conservative and surgical therapy. Unfallchirurg. 1996; 99: 400-9.

10. Epstein HC, Wiss DA, Cozen L. Posterior fracture dislocation of the hip with fractures of the femoral head. Clin Orthop Relat Res. 1985; 201: 9-17.

11. Epstein HC. Traumatic dislocation of the hip. Clin Orthop Relat Res. 1973; 92: 116-42.

12. Gillespie WJ. The incidence and pattern of knee injury associated with dislocation of the hip. J Bone Joint Surg Br. 1975; 57: 376-8.

13. Haw DW. Complication following fracture-dislocation of hip. Br Med J. 1965; 1: 1111-2.

14. Hirasawa Y, Oda R, Nakatani K. Sciatic nerve paralysis in posterior dislocation of the hip. A case report. Clin Orthop Relat Res. 1977; 126: 172-5.

15. Hoppenfeld S. Physical Examination of the Spine and Extremities. New York: Appleton-Century-Crofts. 1976; 155-59.

16. Hunter GA. Posterior dislocation and fracture-dislocation of the hip. A review of fifty-seven patients. J Bone Joint Surg Br. 1969; 51: 38-44.

17. Ilizaliturri VM Jr, Gonzalez-Gutierrez B, Gonzalez-Ugalde H, et al. Hip arthroscopy after traumatic hip dislocation. Am J Sports Med. 2011;39(Suppl):50S–7S.

18. Kelly RP, Yarbrough SH 3rd. Posterior fracture-dislocation of the femoral head with retained medial head fragment. J Trauma. 1971; 11: 97-108.

19. Kleiman SG, Stevens J, Kolb L, Pankovich A. Late sciatic-nerve palsy following posterior fracture-dislocation of the hip. A case report. J Bone Joint Surg Am. 1971; 53: 781-2.

20. Letournel E, Judet R. Fractures of the acetabulum. New York: Springer-Verlag; 1993.

21. McCarthy JC, Busconi B. The role of hip arthroscopy in the diagnosis and treatment of hip disease. Can J Surg. 1995;38(suppl 1):S13–7.

22. Mullis BH, Dahners LE. Hip arthroscopy to remove loose bodies after traumatic dislocation. J Orthop Trauma. 2006;20(1):22–6.

23. Paus B. Traumatic dislocations of the hip; late results in 76 cases. Acta Orthop Scand. 1951; 21: 99-112.

24. Philippon MJ, Kuppersmith DA, Wolff AB, et al. Arthroscopic findings following traumatic hip dislocation in 14 professional athletes. Arthroscopy. 2009;25(2): 169–74.

25. Pipkin G. Treatment of grade IV fracture-dislocation of the hip. J Bone Joint Surg Am. 1957; 39: 1027-42.

26. Rowe CR, Lowell JD. Prognosis of fractures of the acetabulum. J Bone Joint Surg Am. 1961; 43: 30-92.

27. Sahin V, Karakaş ES, Aksu S, Atlihan D, Turk CY, Halici M. Traumatic dislocation and fracture-dislocation of the hip: a long-term follow-up study. J Trauma. 2003; 54: 520-9.

28. Stewart MJ, McCarroll HR Jr., Mulhollan JS. Fracture-dislocation of the hip. Acta Orthop Scand. 1975; 46: 507-25.

29. Stewart MJ, Milford LW. Fracture-dislocation of the hip; an end-result study. J Bone Joint Surg Am. 1954; 36: 315-42.

30. Stimson LA. Five cases of dislocation of the hip. NY Med J. 1889; 50: 118-21.

31. Stuck WG, Waughan WH. Prevention of disability after traumatic dislocation of the hip. South Surg. 1949; 15: 659-75.

32. Suraci AJ. Distribution and severity of injuries associated with hip dislocations secondary to motor vehicle accidents. J Trauma. 1986;26(5):458–60.

33. Thompson VP, Epstein HC. Traumatic dislocation of the hip. a survey of two hundred and four cases covering a period of twenty-one years. J Bone Joint Surg Am. 1951; 33: 746-78.

34. Tornetta P 3rd, Mostafavi HR. Hip Dislocation: Current Treatment Regimens. J Am Acad Orthop Surg. 1997; 5: 27-36.

35. Whitehouse GH. Radiological aspects of posterior dislocation of the hip. Clin Radiol. 1978; 29: 431-41.

36. Wilson JN. The management of fracture dislocation of the hip. Proc R Soc Med. 1960; 53: 941-5.

37. Yang RS, Tsuang YH, Hang YS, et al. Traumatic dislocation of the hip. Clin Orthop Relat Res. 1991; (265):218–27.

38. Yoon TR, Chung JY, Jung ST, Seo HY. Malunion of femoral head fractures treated by partial ostectomy: three case reports. J Orthop Trauma. 2003; 17: 447-50.

4 대퇴골 경부 골절
Femoral Neck Fracture

1. 역학 및 손상 기전

대퇴골 경부 골절은 전체 고관절 골절의 약 50% 정도를 차지한다. 기존 연구에서 평균 수명의 연장으로 인한 노령 인구의 증가 및 현대 사회에서 교통사고의 증가 등으로 인해 그 발생 빈도가 2050년까지 꾸준히 증가하여 전 세계적으로 연간 약 600만 명 이상의 고관절 골절 환자가 발생할 것이라고 예측되었으나, 최근 연구들에 따르면 골흡수 억제제의 사용, 체질량지수의 증가, 취약골절(fragility fracture)의 위험도를 줄이는 약물(베타-억제제, 칼슘채널 억제제 등)의 사용 등으로 인해 대퇴골 경부 골절의 발생 빈도는 어느정도 정체를 보이거나 감소 추세에 있다고 보고되고 있다.

대퇴골 경부 골절의 발생은 두 가지 연령 분포를 보이며 손상 기전 또한 차이가 있다. 대퇴골 경부 골절의 대부분을 차지하는 고령의 환자들은 주로 선 자세의 높이 정도에서 단순 낙상과 같은 저에너지 외상으로 골절이 발생하며 대게 골다공증과 관련된다. 이들 환자의 손상 기전은 크게 3가지로 나누어지는데 첫 번째 기전은 넘어지면서 대전자 측면이 직접 부딪쳐 외반 감입(valgus impaction)에 의해 발생하는 경우이고, 두 번째는 대퇴골두가 비구 내에 위치한 상태에서 하지가 외회전 되면서 대퇴골 경부의 후방 피질골이 비구에 부딪쳐 경부 후방의 심한 분쇄를 동반한 경부 골절이 발생하는 경우이다. 세 번째 기전은 낙상 전에 이미 존재하던 대퇴골 경부의 피로 골절이 염전성 손상(torsional injury)으로 인해 완전 골절로 변하는 경우이다. 이에 반해 대퇴골 경부 골절의 3-5%를 차지하는 젊은 연령의 환자들에서는 주로 교통사고나 추락과 같은 고에너지 외상으로 골절이 발생하며, 대퇴골 간부의 축을 따라 직접적으로 힘이 가해져 발생한다. 특히 젊은 환자에서 발생하는 대퇴골 경부 골절의 경우 외상의 강도가 심할수록 연부조직 손상이나 골절의 분쇄가 심하며 동측에 대퇴골 간부 골절이 동반된 경우 치료 실패율이 높아질 수 있으므로 주의를 요한다.

여러 역학 연구를 통해서 고관절 골절 위험을 증가시킬 수 있는 위험 인자들이 보고되고 있다. 나이, 성별, 골다공증성 골절의 가족력, 인종과 같이 변경할 수 없는 인자와 체질량지수(< 18.5 kg/m^2), 흡연, 음주, 활동력, 햇빛에 노출되는 정도 등과 같은 조절 가능한 인자로 구분할 수 있다. 이 외에도 기타 기저 질환이나 복용 약물 등도 골절 위험도 증가에 영향을 미칠 수 있다.

2. 분류

대퇴골 경부 골절은 골절의 해부학적 위치, 골절선이 이루는 각의 방향, 골절의 전위 정도 등에 따라서 다양한 분류법이 개발되어 사용되고 있으나 어느 분류법도 대퇴골 경부 골절의 치료 방법 및 예후를 명확히 반영하고 있지는 못한 실정이다. 따라서 대퇴골 경부 골절의 치료법을 결정하고 가장 흔한 합병증인 대퇴골두 골괴사 및 불유합의 발생 위험을 예측할 수 있는 분류 체계가 필요할 것이다.

1) 해부학적 위치에 따른 분류

대퇴골 경부 골절이 발생한 해부학적 위치에 따라 골두하(subcapital), 경경부(transcervical) 및 하경부(basicervical) 골절로 분류할 수 있다(그림 1). 이러한 해부학적 분류는 골절의 예후와 관련이 있을 수 있으나, 대퇴골 경부 골절을 관절낭내(intracapsular) 골절로 정의할 경우 하경부 골절은 관절낭외(extracapsular) 골절이므로 제외될 수 있다. 또한, 대부분의 대퇴골 경부 골절이 골두하 골절이며 단순 방사선 사진상 골두하 골절과 경경부 골절을 구분하기가 어렵다는 단점이 있다.

2) 골절선이 이루는 각도에 따른 분류

Pauwels는 대퇴골 경부 골절선이 수평선과 이루는 각도에 따라 대퇴골 경부 골절을 세 가지 형으로 분류(Pauwels 분류)하였다(그림 2). 1형은 골절선과 수평선이

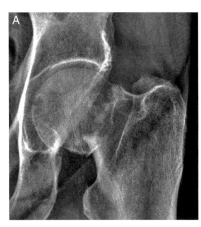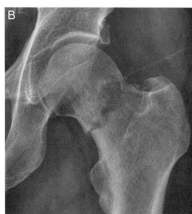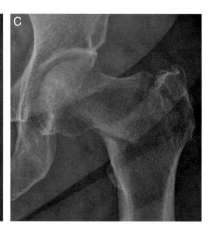

그림 1. 해부학적 위치에 따른 대퇴골 경부 골절의 분류
(A) 골두하 골절, (B) 경경부 골절, (C) 하경부 골절

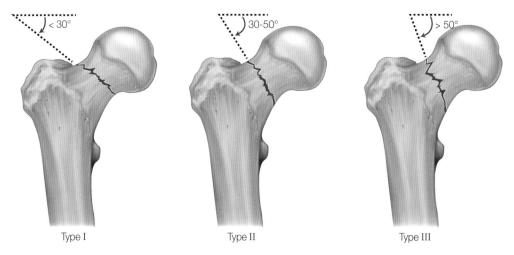

Type I   Type II   Type III

그림 2. 골절선이 이루는 각도에 따른 대퇴골 경부 골절의 분류(Pauwels 분류)
Pauwels는 골절선과 수평선이 이루는 각도에 따라서 대퇴골 경부 골절을 3가지 형태로 분류하였으며, 이론적으로 1형에서 3형으로 갈수록 전단력이 증가한다.

850

이루는 각도가 30° 이하, 2형은 30–50°, 3형은 50° 이상으로 3형으로 갈수록 골절선이 더욱 수직에 가까운 형태를 보인다. 이러한 Pauwels 분류는 이론적으로 1형에서 3형으로 갈수록 골절면에 전단력이 증가하여 고정 실패 및 불유합 등의 합병증이 증가할 수 있어 예후를 예측할 수 있다는 장점이 있다. 하지만 대퇴골 경부 골절의 대부분을 차지하는 저에너지 손상의 경우 수직 형태의 골절보다는 수평 형태의 골절이 흔히 발생하며, 골절선과 수평선이 이루는 각이 하지의 위치에 따라 변화될 수 있고 골절의 안정성에 영향을 미치는 대퇴골 경부 후방의 분쇄 정도를 고려하지 않았다는 단점이 있다.

3) 골절의 전위 정도에 따른 분류

현재 임상적으로 가장 널리 사용되고 있는 분류법으로 Garden은 1961년 고관절 전후면 단순 방사선 사진상 대퇴골두와 비구의 골소주 형태에 기초하여 골절의 전위 정도에 따라 대퇴골 경부 골절을 네 가지 형태로 구분(Garden 분류)하였다(그림 3). Garden 1형은 외반 감입 골절 형태 또는 대퇴골 경부 외측의 골절선이 내측 피질골을 통과하지 못한 불완전 골절 형태로 대퇴골두의 골소주가 비구의 골소주와 각을 형성하여 일직선 상에 위치하지 않는다. Garden 2형은 전위가 없는 완전 골절 형태로 대퇴골두 및 비구의 골소주가 일직선상에 위치하게 되며 대퇴골두와 골절선 아래쪽 대

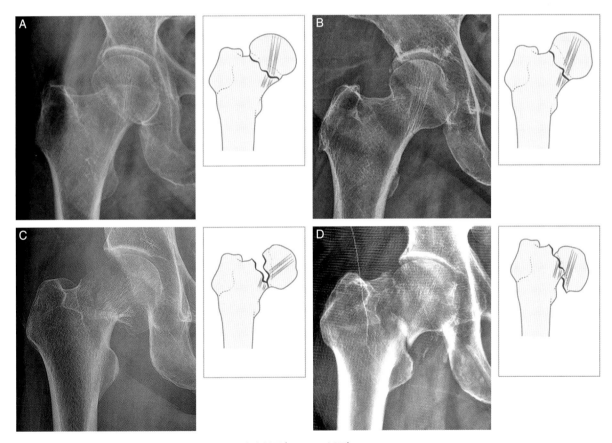

그림 3. 골절의 전위 정도에 따른 대퇴골 경부 골절의 분류(Garden 분류)
(A) Garden 1형은 불완전 골절로 나타날 수 있으나 전형적으로는 외반 감입 골절의 형태로 나타난다. (B) Garden 2형은 비전위성 완전 골절로 골소주가 일직선상에 존재한다. (C) Garden 3형은 부분적인 전위가 있는 완전 골절로 근위 대퇴골의 상방 전위가 적다. (D) Garden 4형은 전체적으로 전위된 완전 골절로 근위 대퇴골의 상방 전위가 나타난다.

퇴골 경부의 골소주 역시 일직선상에 위치하게 된다. Garden 3형은 부분적인 전위가 있는 완전 골절 형태로 후방 지대(retinaculum of Weitbrecht)가 양쪽 골절편에 부착되어 있어 두 골절편 사이의 연속성이 유지되며, 근위 골절편을 잡아당겨 대퇴골두가 비구에 대하여 내반 위치로 회전하게 된다. 따라서 대퇴골두의 골소주 양상이 비구의 골소주 양상과 일직선상에 위치하지 않는다. Garden 4형은 전체적인 전위가 있는 완전 골절 형태로 후방 지대가 골편과 분리되어 방사선 소견상 대퇴골두와 비구의 골소주가 일직선상에 위치하게 되지만 대퇴골두와 골절선 아래쪽 대퇴골 경부의 골소주는 일직선상에 위치하지 않는다. Garden 1, 2형은 비전위 골절로 예후가 좋으며, Garden 3, 4형은 전위 골절로서 합병증 발생의 가능성이 높아 예후가 좋지 못하다. 하지만 Garden 분류는 관찰자 내 또는 관찰자 간의 차이가 많으며, 비전위 골절인 Garden 1, 2형 내에서 그리고 전위 골절인 Garden 3, 4형 내에서의 치료 방법 및 예후에 차이가 크지 않다는 단점이 있다.

4) AO/OTA 분류

가장 최근에 소개된 분류로 골절 양상의 이해 및 예후를 판정하는데 있어서 장점이 있으며 제3자에게 골절 양상을 정확히 전달할 수 있어 Garden 분류의 단점을 보완할 수 있으나 모든 골절을 단순화하고 획일적으로 분류하는 데 어려움이 있으며 임상적으로 이용하는데 복잡하다는 문제점이 있다. AO/OTA 분류에서 대퇴골 경부는 31-B이며 2018년도에 다음과 같이 개정되었다. 대퇴골 경부내 골절의 위치에 따라 골두하 골절이 B1, 경경부 골절이 B2, 하경부 골절이 B3로 분류되며 B1형 골절의 경우 외반 감입 골절을 B1.1, 비전위 골두하 골절을 B1.2, 전위된 골두하 골절을 B1.3으로 다시 세분하였다. B2형 골절은 단순 골절을 B2.1, 분쇄 골절을 B2.2, 전단 골절을 B2.3으로 세분하였다 (그림 4).

3. 진단

1) 임상 검사

대부분의 대퇴골 경부 골절 환자들은 단순 낙상과 같은 가벼운 외상으로 발생하게 되며 전위 골절의 경우 고관절 부위의 심한 통증 및 운동 제한을 호소하게 된다. 또한 하지의 외전, 외회전, 단축 등이 나타난다. 하지만 약 2-3%의 환자에서 외상의 병력 없이 대퇴골 경부 골절이 발생할 수 있는데 이 경우는 반드시 병적 골절이나 피로 골절을 의심해 보아야 한다. 또한 많은 환자들이 고령으로 심혈관계 질환과 같은 동반 질환이 있을 수 있으며 인지 장애 등을 가진 경우 정확한 병력 청취가 어려울 수 있음을 이해하여야 한다. 비전위 골절이나 외반 감입 골절의 경우 환자의 증상이나 신체 검사가 불분명할 수 있는데, 서혜부나 대퇴부 또는 고관절 외측 부위에 경미한 통증만을 호소하기도 한다. 또한, 통증성 보행을 보이지만 하지의 변형도 없고 스스로 걸을 수도 있는 등 진단에 어려움이 있을 수 있다.

저에너지 손상으로 발생하는 대부분의 대퇴골 경부 골절은 단독으로 발생하는 경우가 많으며 약 4% 정도에서 다른 골절을 동반할 수 있는데 대부분 원위 요골 골절이나 근위 상완골 골절과 같은 상지의 골절이 동반된다. 이에 반해 주로 젊은 연령에서 고에너지 손상으로 발생하는 대퇴골 경부 골절의 경우 약 2-9%의 환자에서 대퇴골 간부 골절과 동반되는 경우가 있으므로 주의를 요한다. 대퇴골 경부 골절 환자에서 동반 골절보다 더 중요한 부분은 동반 질환의 유무 및 관리이다. 즉, 60-70%의 환자가 미국 마취과 학회(American Society of Anesthesiologists, ASA) 등급 3 또는 4에 속한다고 알려져 있으며 이러한 동반 질환은 수술 후 합병증 및 사망률 증가에 영향을 미치는 위험 인자이므로 수술 전 동반 질환의 확인 및 관리가 무엇보다 중요하다.

31-B1: Femur, Proximal end segment, Femoral neck, **Subcaptial fracture**

Valgus impacted fracture
31B 1.1

Nondisplaced fracture
31B 1.2

Displaced fracture
31B 1.3

31-B2: Femur, Proximal end segment, Femoral neck, **Transcervical fracture**

Simple fracture
31B 2.1*

Multifragmentary fracture
31B 2.2*

Shear fracture
31B 2.3*

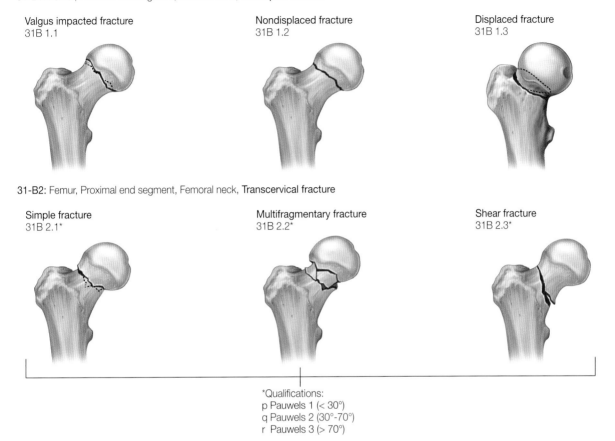

*Qualifications:
p Pauwels 1 (< 30°)
q Pauwels 2 (30°-70°)
r Pauwels 3 (> 70°)

31-B3: Femur, Proximal end segment, Femoral neck, **Basicervical fracture**

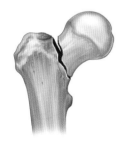

그림 4. 대퇴골 경부 골절의 AO/OTA분류
골절 양상의 이해 및 예후 판정에 도움이 되나 모든 골절을 획일적으로 분류하기 어렵고 임상적으로 이용하는데 복잡하다는 문제점이 있다.

2) 방사선적 평가

대부분의 대퇴골 경부 골절 환자의 진단은 단순 방사선 촬영으로 가능하다. 일반적으로 골반 전후면 및 측면 단순 방사선 검사가 많이 사용되며 단순 방사선 사진을 통해서 골절의 형태, 후방 피질골의 분쇄 정도, 골다공증의 유무 등을 평가할 수 있다. 이외에 임상적으로 골절이 의심되지만 초기 단순 방사선 사진에서 골절선이 명확하지 않을 경우 전산화단층촬영, 골주사 검사, 자기공명영상 등을 촬영하기도 한다. 골주사 검사의 경우 골다공증이 심한 환자에서 수상 후 48-72시간 이내에 시행할 경우 위음성으로 나올 수 있으므로 주의를 요하며 초기 잠재성 골절의 진단에 대한 민감도는 자기공명영상이 더 높은 것으로 알려져 있다(그림 5).

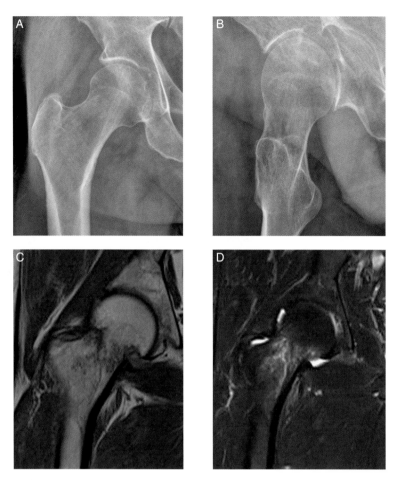

그림 5. 74세 환자로 당뇨, 고혈압, 신장암으로 치료받은 병력이 있다. 특별한 외상없이 발생한 우측 서혜부 통증으로 내원하였고 단순 방사선 사진상 명확한 골절선을 발견할 수 없다(A, B). 자기공명영상(C, D) 사진상 골두하 부분에서 이어지는 골절선 및 혈관절증을 확인할 수 있다.

4. 치료

1) 치료 원칙

대퇴골 경부 골절의 치료 목적은 골절 이전의 기능 수준을 회복하는 것이며 이러한 목적을 달성하기 위해서 극히 제한된 경우를 제외하고는 수술적 치료가 필요하다. 근본적으로 안정성이 있는 감입 골절의 경우에도 비수술적 치료를 시행할 경우 약 15%에서 이차적인 전위가 일어날 수 있으므로 대퇴골 경부 골절에서 비수술적 치료를 결정할 때는 고관절 상태에 기초한 것이 아니라 환자의 전신 상태에 바탕을 두고 결정해야 한다 특히 비수술적 치료를 통해서는 불유합 등의 발생 빈도가 증가하고 내과적 합병증으로 인해 높은 치사율을 보이므로 고관절의 기능 회복이 의미가 없는 죽음을 앞둔 환자나 보행이 불가능한 환자 등에서 고려해야 하고 이렇게 비수술적 치료를 하더라도 욕창, 폐렴, 요로 감염, 심부정맥혈전증 등을 예방하기 위해 조기에 휠체어를 통한 침상 밖으로의 활동을 시작해야 한다. 수술적 치료를 시행할 경우 우선 골절의 전위 여부를 확인하는 것이 중요하다. 비전위성 골절의 치료 원칙은 다발성 핀이나 역동적 고 나사(dynamic hip

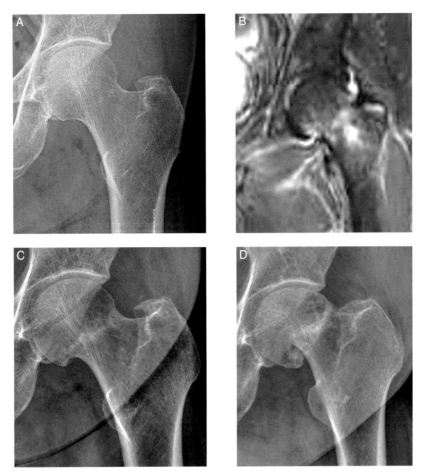

그림 6. 77세 여자 환자로 넘어진 후 발생한 좌측 서혜부 통증으로 내원하였고 단순 방사선 사진상 명확한 골절선을 발견할 수 없었으나(A), 자기공명영상 검사상 골두하 비전위 골절을 확인할 수 있었다(B). 건강상의 문제로 보존적 치료를 시행하였고 수술 후 4주(C), 18주(D) 단순 방사선 사진상 골절 부위의 전위가 발생하였다.

screw) 등을 이용해 수술적 안정화를 시행하고 조기 운동을 시작하는 것이다. 응급 수술과 긴급 수술 사이에 아직 논란의 여지는 있으나 환자와 의료진의 수술 전 준비가 이루어지는 대로 가능한 빨리 시행하는 것이 좋고 많은 연구에서 24-48시간 이내에 수술하는 것을 권하고 있다(그림 6). 전위성 골절의 경우 젊은 환자에서는 가능하면 해부학적 정복 및 금속 내고정술을 시행하여야 하며, 노년층에서는 전신상태와 수술 합병증, 활동 정도 등을 고려하여 내고정술 또는 고관절 치환술 중에서 선택해서 치료하게 된다.

2) 골절 정복술

방사선 사진 소견상 거의 완전한 정복이라고 해도 실제 골절의 접촉면은 사진에서 보는 것보다 절반 이상 감소하므로 대퇴골두 골괴사나 불유합의 가능성을 낮추기 위해 반드시 완전한 해부학적 정복을 얻기 위해 노력해야 한다. 도수 정복은 최대 2-3회 이상 시도하지 않는 것이 좋으며 대부분의 경우 도수 정복을 통해 만족할 만한 결과를 얻을 수 있다. 도수 정복이 불가능할 경우, 전방 접근법인 Smith-Petersen 접근법이나 전외측 접근법인 Watson-Jones 접근법 등으로 관혈적 정복을 시도하는 것이 선호된다. 도수 정복은 고관절을 신전시킨 상태에서 시행하는 Whitman의 방법과 90° 굴곡시킨 상태에서 시행하는 Leadbetter의 방법으로 나누어 진다.

(1) Whitman의 방법

골절용 테이블에서 환자의 양측 하지를 고정시킨 후, 환측의 하지를 신전 상태에서 약간 외회전, 외전 상태로 견인하고 하지를 다시 내회전, 내전하면서 방사선투시 상에서 골절편이 해부학적으로 정복되는 위치에서 골절 테이블을 고정시킨다.

(2) Leadbetter의 방법

고관절을 90° 굴곡 및 외회전 상태에서 대퇴축을 따라 견인하고, 이어 견인 상태를 유지하면서 서서히 신전 및 내회전 시키는 방법으로 이 방법은 굴곡 상태에서 골절편을 유리시키고, 신전 상태에서 골절편을 정복하며 내회전을 통해서 다시 골절편을 맞물리게 하는 방법이다.

3) 정복의 평가

정복의 적합한 정도는 골절의 안정성과 대퇴골두의

혈류 공급을 유지함으로써 예후를 판단할 수 있는 중요한 지표로 여겨지며 Garden의 정렬 지수(alignment index)나 Lowell의 방법이 주로 사용된다.

(1) Garden의 정렬 지수

고관절 전후면 방사선 사진상 정상적으로 대퇴골두 내측의 일차 압박 골소주(primary compression trabecula)의 중심축과 대퇴골 내측 피질골이 이루는 각도는 160°이며, 측면 방사선 사진상 대퇴골두의 중심축과 대퇴골 경부의 중심축이 이루는 각도는 180°이다. Garden은 골절 정복 후 전후면 및 측면 방사선 사진상 모두 155°에서 180° 이내에 있을 때 대퇴골두 골괴사나 불유합 등의 합병증이 적다고 보고하였고 만족할 만한 정복이 이루어진 것으로 평가하였다(그림 7). 하지만 Garden의 정렬 지수를 평가하기 위해서는 양질의 방사선 사진이 필요하며 통상적인 방사선투시기에서는 그와 같이 상세한 사진을 얻기 어렵다는 단점이 있다.

(2) Lowell의 방법

정상적으로 대퇴골두의 볼록한 외곽과 대퇴골 경부의 오목한 외곽선은 항상 맞물리게 되며 'S' 모양의 형태를 띠게 된다. 정복 후 이 형태가 없어질 경우 불완

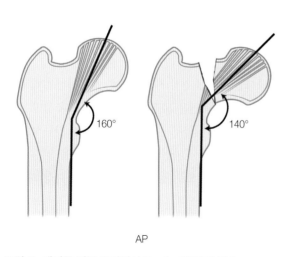
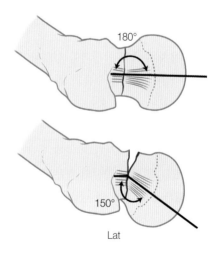

AP

Lat

그림 7. 대퇴골 경부 골절에서 Garden의 정렬 지수
골절 정복 후 전후면 및 측면 사진상 모두 155°에서 180° 이내에 있을 때 만족할 만한 정복이 이루어진 것으로 평가한다.

전한 정복이나 전염각이 증가되었음을 의미하게 된다 (그림 8). 이 방법은 수술 중 방사선투시기 사진에서도 잘 관찰되므로 Garden의 정렬 지수를 사용하기 어려운 경우에도 유용하게 이용될 수 있다.

4) 금속 내고정술

여러 종류의 금속 내고정물이 알려져 있지만, 정확한 골절의 정복과 적절한 위치에서의 내고정물 삽입을 통한 강한 골절편의 밀착 및 견고한 내고정만이 좋은 결과를 보장하며, 어떠한 내고정물도 부정확한 정복을 보상해 줄 수는 없음을 명심하여야 한다.

(1) 다발성 핀 삽입술

유관 나사(cannulated screw), Knowles 핀, Moore 핀, Hagie 핀 등을 사용하여 내고정하는 방법으로 현재 다발성 유관 나사를 이용한 고정법이 가장 많이 사용되고 있다. 대부분의 경우 3개의 유관 나사를 역삼각형 모양으로 평행하게 삽입함으로써 충분한 고정력을 얻을 수 있지만 후방 피질골의 분쇄가 심하거나 골질이 불량한 경우 등에 있어서 필요한 경우 4번째 나사를 다이아몬드 형태로 삽입할 수 있다(그림 9). 유관 나

사 삽입 시 첫 번째 나사는 대퇴거에 걸치도록 하고, 2번째 나사는 후방 피질골에, 3번째 나사는 전방 피질골에 접하도록 하여 역삼각형 모양으로 평행하게 삽입한다. 나사의 삽입 위치가 소전자부 하방에서 이루어지는 경우에는 응력 집중부위로 작용하여 이차적인 전자하 골절을 유발할 수 있으므로 주의해야 하고, 가능한 외측 피질골에 구멍을 적게 내도록 한다. 또한 충분한 고정력을 얻기 위해서 삽입되는 나사는 대퇴골두의 연골하골 5 mm 이내까지 삽입되어야 하지만 연골용해증의 발생을 예방하기 위해 유도강선(guide wire)이 대퇴골두를 관통하지 않도록 주의하여야 한다. 대퇴골두 전상방에 나사가 삽입되지 않도록 하고 외측 피질골만 확공하여 충분한 고정력을 얻도록 노력하여야 하며 필요한 경우 washer를 추가로 사용할 수 있다(그림 10).

(2) 압박 금속판 고정술

역동적 고 나사(dynamic hip screw, DHS)는 대퇴골두 내 고정력을 증가시킬 수 있고 지속적인 골절면의 압박이 가능하여 기저부 대퇴골 경부 골절, 심한 골다공증이 있는 경우, 대퇴골 외측면에 분쇄 골절이 있는 경우 등에서 사용될 수 있다. 특히 대퇴골 경부의 골

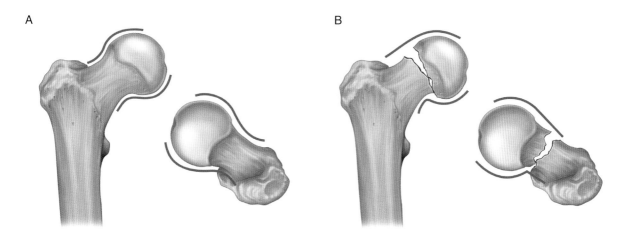

그림 8. Lowell의 방법을 이용한 골절 정복의 평가
(A) 정상적으로 전후면 및 측면 방사선 사진상 대퇴골두와 경부는 'S' 모양을 이룬다. (B) 정확한 정복이 이루어지지 않을 경우 한쪽 곡선은 평평해지며 다른 쪽 곡선은 날카로운 꼭지점(sharp apex)을 가지게 된다.

절선이 수직에 가까운 Pauwels 분류 3형의 치료에 있어 다발성 핀 고정술보다 더 좋은 결과를 보이는 것으로 알려져 있다. 하지만 출혈량이 상대적으로 많아질 수 있는 단점이 있으며, 래그 나사 삽입 시 대퇴골두의 회전 변형이 발생할 수 있어 래그 나사 상방에 항회전 금속 나사를 추가 고정하는 것도 고려하여야 한다 (그림 11).

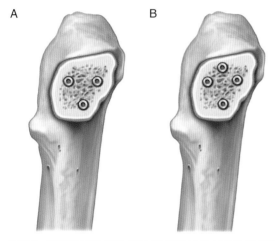

그림 9. 대퇴골 경부 골절 치료 시 유관 나사 삽입의 단면도

(A) 대부분의 경우 3개의 유관 나사를 역삼각형으로 평행하게 삽입하여 충분한 고정력을 얻을 수 있으나, (B) 후방 피질골의 분쇄가 심하거나 골질이 불량한 경우 4번째 나사를 다이아몬드 형태로 추가한다.

(3) 고관절 치환술

고관절 치환술은 고령의 전위된 대퇴골 경부 골절에서 일차적으로 고려되는 치료 방법이며 고령의 환자에서 대퇴골 경부 골절의 후방 분쇄가 심하여 정복이 어렵거나, 골다공증이 심하여 금속 내고정이 어렵다고 판단되는 경우, 또는 병적 골절인 경우 등에서도 환자의 상태를 고려하여 고관절 반치환술이나 고관절 전치환술과 같은 고관절 치환술을 시행할 수 있다. 비전위 대퇴골 경부 골절의 경우 내고정술을 시행하는 것이 일차적으로 고려되는 치료 방법이나 기존에 증상을 동반한 고관절의 관절염이 있는 경우, 내고정 실패를 일으킬 위험이 높은 내과적 동반 질환(만성 신부전, 류마티스 관절염, 스테로이드 사용 등)을 가진 환자의 경우에는 비전위 골절이라도 고관절 치환술을 고려할 수 있다.

① **고관절 반치환술:** 고관절 반치환술은 수술 후 조기에 운동 및 체중 부하를 할 수 있으며 수술 후 기능적 결과가 우수하여 고령층의 환자에서 발생할 수 있는 여러가지 내과적 문제점을 감소시킬 수 있으며, 내고정술 후 발생할 수 있는 대퇴골두 골괴사나 불유합 등과 같은 합병증을 배제할 수 있다는 장점이 있다(그림 12). Hudson 등은 367명

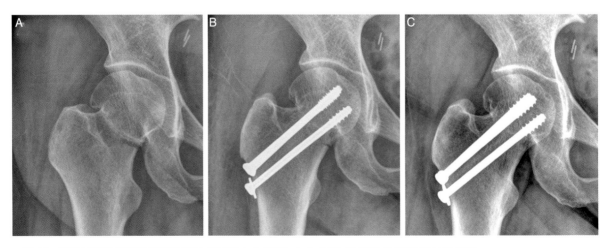

그림 10. 유관 나사를 이용한 대퇴골 경부 골절의 수술 전(A), 수술 후(B) 및 최종 추시(C) 방사선 사진

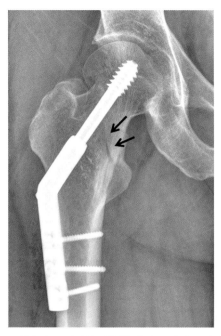

그림 11. 역동적 고 나사를 이용한 대퇴골 경부 골절의 치료
기저부 대퇴골 경부 골절(화살표)로 골절선이 수직에 가까운 Pauwels 3형의 골절이다. 역동적 고 나사를 이용하여 내고정술을 시행하였다.

의 환자를 대상으로 한 연구에서 80세 이상의 환자인 경우 전위성 대퇴골 경부 골절의 치료에 있어서 고관절 반치환술에 비하여 금속 내고정술에서 월등히 높은 재수술 비율을 보고하였으며, Rogmark 등은 70세 이상의 보행 가능한 환자들을 대상으로 한 연구에서 금속 내고정술 군에서 더 높은 실패율 및 기능 장애를 보고하기도 하였다. 따라서 고관절 반치환술은 전위가 있는 고령의 대퇴골 경부 골절 환자에서 일차적인 치료 방법으로 고려될 수 있으나 내고정술에 비하여 상대적으로 출혈량이 많고 수술 시간이 길며, 감염의 위험성이 높다는 단점이 있다.

② **고관절 전치환술:** 대퇴골 경부 골절의 일차적인 치료로서 고관절 전치환술의 적응증에 대해서는 아직까지 명확한 기준이 없다. 전통적으로 퇴행성 관절염과 같이 동측의 고관절 질환을 동반한

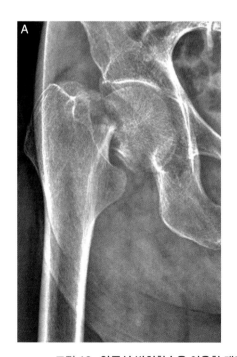
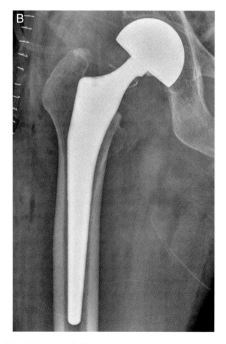

그림 12. 양극성 반치환술을 이용한 대퇴골 경부 골절의 치료
(A) Garden 4형의 전위성 골절 전후면 방사선 사진. (B) 양극성 반치환술 후 전후면 방사선 사진

대퇴골 경부 골절, 반대측 고관절 질환이 있는 경우 등에서 제한적으로 시행되어져 왔으나 최근 적응증이 넓어져 독립 보행이 가능하고 인지 장애가 없는 고령의 대퇴골 경부 골절의 일차 치료에 사용되는 경향이 증가되고 있다(그림 13). 대퇴골 경부 골절에서의 고관절 전치환술은 통증 경감과 수술 후 기능이 우수하고 고관절 반치환술에 비하여 사망률이나 이환율이 높다는 증거가 없으며, 내고정술 후 합병증으로 인한 재수술에 드는 경제적인 면을 고려한다면 효과적인 치료 방법의 하나로 인정될 수 있다. 하지만, 고관절 반치환술에 비해 출혈량이 많고, 수술 후 탈구율이 높은 등의 단점이 있다.

5. 합병증

1) 사망

고관절 주위 골절 후 1년 이내 사망률은 13-37%까지 보고되고 있으며, 골절 후 6개월 이내의 사망률이 가장 높고 1년이 경과한 후에는 정상인과 같아진다. 따라서 환자와 보호자에게 이 부분에 대한 설명이 필수적이며 환자의 연령, 기저질환 등의 전신 상태, 골절 전 기능의 정도 등과 관련이 있다.

2) 정맥혈전색전증

고관절 주위 골절 환자의 약 40%에서 발생하며 이 중 1/4 정도에서만 임상 증상을 유발한다. 정형외과적 손상 후 최소 1주일 이상 생존하였던 환자의 사망 원인 중 가장 많은 부분을 차지하며, 예방 및 치료 방법으로 간헐적 공기 압박 기구, 덱스트란, 아스피린, 헤파린, 저 자량 헤파린 등이 있다.

3) 감염

대퇴골 경부 골절 환자의 대부분이 고령이므로 당뇨병과 같은 기저 질환이 동반된 경우가 많아 감염 발생률이 1-14%로 보고되고 있다. 최근 예방적 항생제의 사용으로 발생 빈도가 감소하고 있으나 감염이 발생한 경우 예후가 불량하다. 감염의 발생에 관여하는 인자들로는 수술 시간, 골절 시부터 입원까지의 기간, 요도 내 도관 삽입 기간 등이 있으며 수술 후 환자가 지속적으로 고관절 부위에 통증을 호소할 경우 감염을 의심

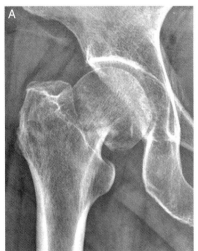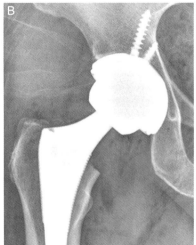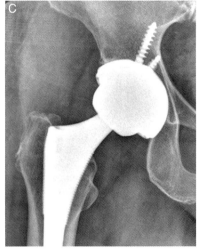

그림 13. 고관절 전치환술을 이용한 대퇴골 경부 골절의 치료
(A) 81세 여자 환자로 전위성 대퇴골 경부 골절 소견을 보이며 나이에 비하여 골질이 양호하다. (B) 고관절 전치환술을 시행하였으며, (C) 수술 후 3년 추시 전후면 방사선 사진에서 비구컵과 대퇴스템은 안정적으로 고정된 소견을 보인다.

해 보아야 한다. 특히 관절의 운동과 관련된 통증, 적혈구 침강속도 및 C 반응성 단백의 증가, 방사선 사진상 관절 간격의 감소와 골음영 감소 및 내고정물의 해리 증후 등이 있으면 전신 증상이 없어도 감염을 의심하여야 한다. 표재성 감염은 배농과 항생제의 투여로 치료될 수 있으며, 고관절을 침범한 심부 감염의 경우 내고정물과 대퇴골두를 제거하고 괴사된 연부조직을 절제하는 절제 관절성형술을 시행할 수 있으며 항생제를 투여하면서 감염이 조절되면 추후 재건술을 시행한다.

4) 불유합

대퇴골 경부는 해부학적으로 장관골의 골막과 달리 얇고 형성층(cambium layer)이 없어, 골막성 신생 골형성(periosteal new bone formation)이 일어나지 않고, 골수성 가골형성(medullary callus formation)으로만 골유합이 이루어지며, 관절낭내 골절이므로 관절액이 골절 부위를 씻어내어 골유합을 지연시키므로 불유합의 발생 빈도가 높다. 비전위성 골절에서는 드물게 발생하지만 전위성 골절의 경우 20–30%의 불유합 빈도가 보고되고 있다. 불유합의 발생에 영향을 미치는 인자는 환자의 나이, 골밀도, 골절의 전위 정도, 골편의 형성, 정복의 정도, 내고정물의 선택, 내고정물의 위치 등이 포함되며 집도의의 경험 역시 영향 인자 중 하나이다. 대퇴골 경부의 불유합을 진단하는 기준은 확실하지 않으나, 골절 후 6–12개월 사이에 유합의 증거가 없을 경우 의심해 보아야 하며, 방사선적으로 1 cm 이상의 골절면 변화, 5% 이상의 유관 나사의 각도 변화, 2 cm 이상의 유관 나사 탈출(screw back out), 유관 나사의 대퇴 천공 등이 발생한 경우 의심해 볼 수 있다. 불유합의 치료는 대퇴골두의 혈류가 정상이고 대퇴골 경부가 적절하게 남아 있으면 전자부 절골술, 후방 근유경 골이식술(posterior muscle pedicle graft) 등과 같은 골유합술을 시도해 볼 수 있으며, 대퇴골두 골괴사가 동반되고 대퇴골두나 비구의 관절 연골이 파괴되어 있는 경우에는 고관절 치환술을 시행할 수 있다(그림 14).

5) 대퇴골두 골괴사

대퇴골 경부 골절의 가장 심각한 합병증 중의 하나로서, 그 발생 빈도는 비전위 골절에서 10–20%, 전위 골

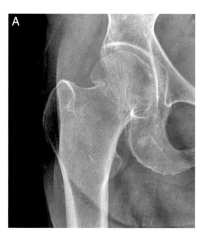
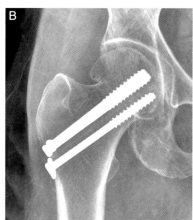
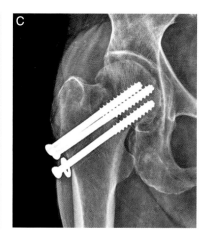

그림 14. 대퇴골 경부 골절 치료 후 발생한 불유합
대퇴골 경부 골절(A)에 대해 다발성 유관 나사 삽입술로 수술을 시행하였고(B), 수술 후 9개월 추시 방사선 사진(B)상 골절면의 변화, 유관 나사의 각도 변화 및 외측 돌출이 관찰된다.

절에서 15-35%의 빈도로 보고되고 있다. 골괴사가 발생하는 원인으로는 대퇴골 경부 골절에서 골편의 전위로 인하여 상 지대 동맥(superior retinacular artery)이 손상 받아 일어나며, 따라서 도수 정복 시나 금속 내고정물 삽입 시에 남아 있는 혈관이 추가적으로 손상 받지 않도록 과격한 정복은 피하고 대퇴골두가 회전되지 않도록 유의하여야 한다. 대퇴골 경부 골절의 합병증으로서의 골괴사를 이해할 때는 초기의 골괴사와 후기 분절 함몰(late segmental collapse)을 구분하는 것이 중요한데, 초기 골괴사는 대퇴골 경부 골절 이후 발생하는 국소적 허혈에 의해 골괴사가 발생하는 것으로 현미경적 소견이다. 이에 반해 후기 분절 함몰은 경색(infarct)된 골조직 위에 놓인 연골하골과 관절 연골이 함몰되는 것으로 임상적 소견이며 골절 수 년 후에도 나타날 수 있으나 80% 이상은 2년 이내에 발생한다. 부분적으로 괴사된 대퇴골두는 함몰되기 전에 재혈관화를 통해 재생될 수 있으므로, 모든 골괴사가 후기 분절 함몰로 진행되지는 않는다(그림 15).

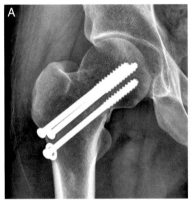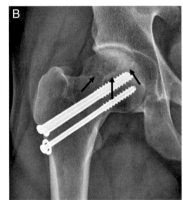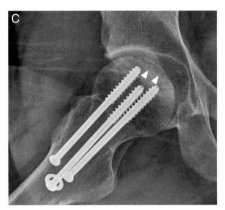

그림 15. 대퇴골 경부 골절 치료 후 발생한 대퇴골두 골괴사
(A) 전위된 대퇴골 경부 골절에 대해 유관 나사를 이용하여 치료하였다. (B) 골절 부위의 유합은 이루어 졌으나 대퇴골두 골괴사(화살표)가 발생하였다. (C) 측면 방사선 사진상 대퇴골두 골괴사 부위의 연골하 골절(화살표 머리)을 확인할 수 있다.

참고문헌

1. Alho A, Benterud JG, Solovieva S. Internally fixed femoral neck fractures. Early prediction of failure in 203 elderly patients with displaced fractures. Acta Orthop Scand. 1999;70:141-4.

2. Baker RP, Squires B, Gargan MF, Bannister GC. Total hip arthroplasty and hemiarthroplasty in mobile, independent patients with a displaced intracapsular fracture of the femoral neck: a randomized, controlled trial. J Bone Joint Surg Am. 2006;88:2583-9.

3. Bartonicek J. Pauwels'classification of femoral neck fractures: correct interpretation of the original. J Orthop Trauma. 2001;15:358-60.

4. Bhandari M, Devereaux PJ, Swiontkowski MF, et al. Internal fixation compared with arthroplasty for displaced fractures of the femoral neck: a meta-analysis. J Bone Joint Surg Am. 2003;85:1673-81.

5. Bhandari M, Devereaux PJ, Tornetta P 3rd, et al. Operative management of displaced femoral neck fractures in elderly patients: an international study. J Bone Joint Surg Am. 2005;87:2122-30.

6. Bhandari M, Tornetta P 3rd, Hanson B, Swiontkowski MF. Optimal internal fixation for femoral neck fractures: multiple screws or sliding hip screws? J Orthop Trauma. 2009; 23:403-7.

7. Bjorgul K, Reikeras O. Low interobserver reliability of radiographic signs predicting healing disturbance in displaced intracapsular fracture of the femoral neck. Acta Orthop Scand. 2002;73:307-10.

8. Blomfeldt R, Tornkvist H, Ponzer S, Söderqvist A, Tidermark J. Comparison of internal fixation with total hip replacement for displaced femoral neck fractures: randomized, controlled trial performed at four years. J Bone Joint Surg Am. 2005;87:1680-8.

9. Damany DS, Parker MJ, Chojnowski A. Complications after intracapsular hip fractures in young adults: a meta-analysis of 18 published studies involving 564 fractures. Injury. 2005;36:131-41.

10. Davidovitch RI, Jordan CJ, Egol KA, Vrahas MS. Challenges in the treatment of femoral neck fractures in the nonelderly adult. J Trauma. 2010;68:236-42.

11. Davison JN, Calder SJ, Anderson GH, et al. Treatment for displaced intracapsular fracture of the proximal femur. A prospective, randomised trial in patients aged 65 to 79 years. J Bone Joint Surg Br. 2001;83:206-12.

12. Deangelis JP, Ademi A, Staff I, Lewis CG. Cemented versus uncemented hemiarthroplasty for displaced femoral neck fractures: a prospective randomized trial with early follow-up. J Orthop Trauma. 2012;26:135-40.

13. Frihagen F, Nordsletten L, Madsen JE. Hemiarthroplasty or internal fixation for intracapsular displaced femoral neck fractures: randomised controlled trial. BMJ. 2007; 335:1251-4.

14. Gjertsen JE, Vinje T, Engesaeter LB. Internal screw fixation compared with bipolar hemiarthroplasty for treatment of displaced femoral neck fractures in elderly patients. J Bone Joint Surg Am. 2010;92:619-28.

15. Gurusamy K, Parker MJ, Rowlands TK. The complications of displaced intracapsular fractures of the hip: the effect of screw positioning and angulation on fracture healing. J Bone Joint Surg Br. 2005;87:632-4.

16. Hippisley-Cox J, Coupland C. Derivation and validation of updated Q fracture algorithm to predict risk of osteoporotic fracture in primary care in the United Kingdom: prospective open cohort study. BMJ. 2012;344:1-16.

17. Hopley C, Stengel D, Ekkernkamp A, Wich M. Primary total hip arthroplasty versus hemiarthroplasty for displaced intracapsular hip fractures in older patients: a systematic review. BMJ. 2010;340:c2332.

18. Jakob M, Rosso R, Weller k, Babst R, Regazzoni P. Avascular necrosis of the femoral head after open reduction and internal fixation of femoral neck fracture an inevitable complication? Swiss Surg. 1999;5:257-64.

19. Jo S, Lee SH, Lee HJ. The correlation between the fracture types and the complications after internal fixation of the

femoral neck fractures. Hip Pelvis. 2019;28(1): 35-42

20. Kannus P, Niemi S, Parkkari J. et al. Nationwide decline in incidence of hip fracture. J Bone Miner Res. 2006;21(12):1836-8.

21. Karanicolas PJ, Bhandari M, Walter SD, et al. Interobserver reliability of classification systems to rate the quality of femoral neck fracture reduction. J Orthop Trauma. 2009;23:408-12.

22. Keswani A, Lovy A, Khalid M, et al. The effect of aortic stenosis on elderly hip fracture outcomes: a case control study. Injury. 2016;47:413-8.

23. Kloen P, Rubel I, Lyden JP, Helfet DL. Subtrochanteric fracture after cannulated screw fixation of femoral neck fractures: report of four cases. J Orthop Trauma. 2003; 17: 225-9.

24. Liporace F, Gaines R, Collinge C, Haidukewych GJ. Results of internal fixation of Pauwels type-3 vertical femoral neck fractures. J Bone Joint Surg Am. 2008; 90:1654-9.

25. Ly TV, Swiontkowski MF. Treatment of femoral neck fractures in young adults. J Bone Joint Surg Am. 2008; 90:2254-66.

26. Mabry TM, Prpa B, Haidukewych GJ, Harmsen WS, Berry DJ. Long-term results of total hip arthroplasty for femoral neck fracture nonunion. J Bone Joint Surg Am. 2004;86:2263-7.

27. McKinley JC, Robinson CM. Treatment of displaced intracapsular hip fractures with total hip arthroplasty: comparison of primary arthroplasty with early salvage arthroplasty after failed internal fixation. J Bone Joint Surg Am. 2002;84:2010-5.

28. Meinberg EG, Agel J, Roberts CS, Karam MD, Kellam JF. Fracture and dislocation classification compendium-2018. J Orthop Trauma. 2018;32 Suppl 1:S1-S170.

29. Min BW, Lee KJ, Bae KC, Lee SW, Lee SJ, Choi JH. Result of internal fixation for stable femoral nck fracture in elderly patients. Hip Pelvis. 2016;28(1):43-8.

30. Miyamoto RG, Kaplan KM, Levine BR, Egol KA, Zuckerman JD. Surgical management of hip fractures: an evidence-based review of the literature, part I: femoral neck fractures. J Am Acad Orthop Surg. 2008;16:596-607.

31. Oakey JW, Stover MD, Summers HB, Sartori M, Havey RM, Patwardhan AG. Does screw configuration affect subtrochanteric fracture after femoral neck fixation? Clin Orthop Relat Res. 2006;443:302-5.

32. Pederson AB, Christiansen CF, Gammelager H, et al. Risk of acute renal failure aand mortality after surgery for a fracture of the hip: a population-based cohort study. Bone Joint J. 2016;98-B:1112-8.

33. Piirtola M, Vahlberg T, Isoaho R, et al. Incidence of fractures and changes over time among the aged in a Finnish municipality. A population-based 12-year follow-up. Aging Clin Exp Res. 2007;19(4):269-76.

34. Probe R, Ward R. Internal fixation of femoral neck fractures. J Am Acad Orthop Surg. 2006;14:565-71.

35. Raval P, Mayne AI, Yeap RM, Oliver TB, Jariwala A, Sripada S. Outcomes of magnetic resonance imaging detected occult neck of femur fractures: Do they represent a less severe injury with improved outcomes? Hip Pelvis. 2019;31(1):18-22.

36. Rogmark C, Carlsson A, Johnell O, Sernbo I. A prospective randomised trial of internal fixation versus arthroplasty for displaced fractures of the neck of the femur: functional outcome for 450 patients at two years. J Bone Joint Surg Br. 2002;84:183-8.

37. Schmidt AH. Putting it all together: what can we learn from meta-analysis regarding femoral neck fractures? Tech Orthop. 2008;23:317-21.

38. Stiasny J, Dragan S, Kulej M, Martynkiewicz J, Płochowski J, Dragan SŁ.Comparison analysis of the operative treatment results of the femoral neck fractures using side-plate and compression screw and cannulated AO screws. Ortop Traumatol Rehabil. 2008; 10:350-61.

39. Zlowodzki M, Weening B, Petrisor B, Bhandari M. The value of washers in cannulated screw fixation of femoral neck fractures. J Trauma. 2005;59:969-75.

5

대퇴골 전자간 골절
Femoral Intertrochanteric Fracture

대퇴골 전자간 골절(intertrochanteric fracture of the femur)은 대퇴골의 전자부 사이에서 발생하는 관절낭 외(extracapsular)골절을 의미한다. Pertrochanteric 또는 trochanteric hip fracture는 전자간 골절(intertrochanteric fracture)을 의미하는 또 다른 명칭이다. 최근 평균 수명 연장에 따른 고령층의 인구 증가로 인해 고관절 골절의 발생이 현저히 증가하고 있다. 전자간 골절은 고관절 골절의 약 절반을 차지하며 대퇴골 경부 골절 보다 호발 연령의 평균 나이가 더 많아서 80세에 가깝다. 대부분 환자들은 여러 가지 내과적 기저 질환들을 가지고 있고 활동에 제약이 있으며 인지력의 감소를 보이는 경우도 있다. 최근 전자간 골절 환자의 평균 연령이 증가하고 있지만 적절한 치료로 인하여 연령이 증가한다고 하여 사망률의 증가는 없는 것으로 보고되고 있다. 전자간 골절의 치료 목표는 빠른 시기에 해부학적 정복과 견고한 내고정술을 실시하여 조기 보행을 시킴으로 장기간 침상 안정으로 발생할 수 있는 합병증을 예방하고 수상 이전의 보행 능력을 회복하는 것이다.

1. 해부학적 특징

대퇴골 전자간 부위는 혈관 분포가 풍부한 피질골과 해면골이 결합된 부위로 대퇴골 근위부ward 삼각형 주위로 대퇴골두에서 소전자 방향으로 진행되는 박판형(laminated) 해면골이 아케이드(arcade)를 형성하고 있다. 소전자의 전방에서 경부의 내측을 향해 관상

면으로 뻗쳐있는 박판형 피질골 골판을 대퇴거(calcar femorale)라 부르는데 전자간 골절이 발생할 때 후내측 분쇄 골절과 함께 대부분 이 부위가 손상된다. 전자간 선(intertrochanteric line)에 부착하는 관절낭은 전자간 정복에 중요한 역할을 한다. 원위부 골편과 관절낭이 연결된 경우 정복이 수월할 수 있으나 관절낭이 파열된 경우 골편에 붙어있는 연부조직에 의해 전위가 생겨 정복에 어려움이 있을 수 있다.

2. 손상 기전

전자간 골절은 젊은 환자에서는 교통사고나 추락과 같은 고에너지 손상으로 발생한다. 반면, 고령층에서는 대부분 단순 낙상으로 발생하는데 시력 감퇴, 근력 약화, 불안정한 혈압, 감소된 반사 반응, 혈관 질환, 동반된 근골격계 질환 등 많은 요소들이 낙상의 원인이 되고 있다. 노인들은 낙상 시 충격을 감소시킬 수 있는 보호 반응이 떨어져 고관절 골절 발생 위험이 높다. 노인에서 전자간 골절을 일으키는 원인 중 특히 여성 노인에서 가장 중요한 원인은 골다공증이다.

3. 임상 검사

전자간 골절의 종류, 심각성, 원인에 따라 나타나는 증상도 다양하다. 전위된 골절에서는 보행이 불가능하고 통증이 심하며, 하지 단축과 외회전 변형이 발생한다. 비전위 골절 환자는 통증이 경미하여 보행이 가능한 경우도 있다. 전위가 심하게 발생한 경우에는 전자

간 골절에서 신경혈관 손상이 흔하지 않으나 항상 주의 깊은 관찰이 필요하며, 혈관 질환이나 신경병증이 있는 환자는 정복을 할 때 과도한 압력을 피하여 피부 손상을 예방해야 한다.

4. 영상 검사

고관절 전후면 및 측면 방사선 사진으로 쉽게 전자간 골절을 진단할 수 있다. 때로는 측면 사진에서 골절의 전위나 각형성, 분쇄 정도를 더 잘 볼 수 있어 치료에 도움이 된다. 고관절을 10° 내회전한 후 촬영한 방사선 사진이 진단에 도움이 될 수 있다.

골절이 의심되나 방사선 사진에서 관찰할 수 없는 잠재 골절(occult fracture)을 진단하기 위해 자기공명영상이 필요하다. 자기공명영상은 대전자 골절(greater trochanteric fracture)과 불완전 전자간 골절(incomplete intertrochanteric fracture)을 감별할 때도 도움이 된다. 전산화단층촬영은 골절의 형태와 분쇄 정도를 좀 더 자세히 평가하는데 도움이 될 수 있다.

5. 분류

1) Boyd와 Griffin 분류

Boyd와 Griffin이 1949년에 처음으로 대퇴골 전자간 골절을 4가지 형태로 분류하였다(그림 1). 1형은 전자간

선을 따라서 발생한 골절이고, 2형은 주 골절선이 전자간선을 따라 발생하면서 분쇄 골절 및 이차적 골절선이 나타난다. 3형은 소전자를 침범하거나 소전자 이상으로 확대된 골절이며, 4형은 최소 2개면 이상에서 골절선이 발생한 전자부와 전자하부 골절이다.

2) AO 분류

AO/OTA 분류는 관찰자 내 및 관찰자 간의 골절 분류 일치성에 대한 차이가 적어 치료와 결과의 결정에 유용하기 때문에, 현재 가장 널리 사용되는 분류법으로 골절선의 숫자와 방향에 따라 분류하였다(그림 2). 31A1은 분쇄 골편이 없는 단순 이분 골절로 외측벽(lateral wall)이 유지된 골절이고, 31A2는 다분절 분쇄 골절로 외측벽이 20.5 mm 이하로 남아있는 불안정 골절이며, 31A3는 외측 피질골이 손상된 역경사(reverse obliquity)나 횡골절이다. 각각의 분류는 골절 형태와 분쇄 정도에 따라 다시 세분화된다.

6. 치료

1) 비수술적 치료

적당한 수술 기구가 소개되기 전인 1960년대에는 전자간 골절은 비수술적으로 치료하였다. 그러나 최근에는 마취를 할 수 없을 정도로 전신 상태가 좋지 못한

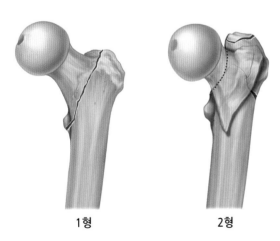
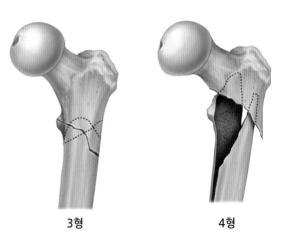

1형 2형 3형 4형

그림 1. Boyd와 Griffin 분류
대퇴골 전자간 골절을 4개의 분류로 구분하였다.

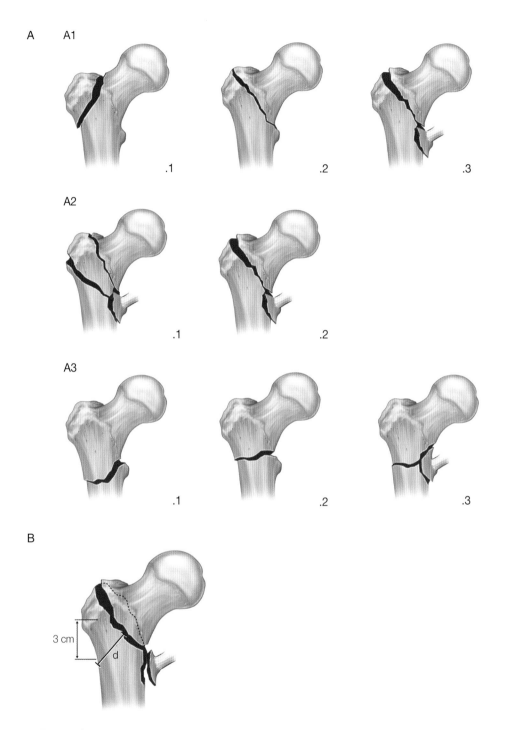

그림 2. AO/OTA 분류

(A) AO/OTA 전자간 골절의 분류. 골절선의 위치와 숫자 그리고 외측벽의 길이를 기준으로 분류
(B) 대전자 외측벽 두께(lateral wall thickness – innominate tubercle) 하방 3 cm에서 골절선을 향해 135° 각도로 선을 그어 남아있는
외측벽 두께(d)를 측정한다. 남아있는 외측벽이 20.5 mm 이하인 경우 불안정 골절로 분류한다.

환자나 암으로 여명 기간이 아주 짧은 환자에서 아주 드물게 선택되는 치료 방법이다. 자기공명영상에서 진단되는 불완전 전자간 골절에서 비수술적 치료를 선택할 수 있으나 최근에는 완전 골절로 진행하는 염려로 인하여 수술적 치료 방법을 선택하는 경우가 많다. 노인에서 발생하는 전자간 골절의 비수술적 치료는 보행을 할 수 없는 환자나 침상에 누워있는 환자에서 선택할 수 있는 방법이었으나, 지속적인 통증과 간병의 어려움으로 욕창, 요로 감염, 관절 구축, 폐렴, 색전증 등 여러 가지 합병증이 발생함으로써 최근엔 마취가 가능한 경우 수술적 방법을 선택하는 경우가 더 많다.

2) 수술적 치료

수술의 목표는 골절의 정복 및 안정화를 이루어 환자를 조기에 보행이 가능하게 하고 긴 침상 안정 기간으로 생기는 합병증을 방지하는 데 있다. 술자에 의해 결정되는 골절의 정복 정도, 적절한 고정물의 선택, 정확한 위치에 고정물의 삽입이 수술 결과에 매우 중요한 역할을 한다.

(1) 수술 전 준비 사항

전자간 골절이 진단되면 비스테로이드성 소염진통제를 제외한 약물로 통증에 대해 치료가 필요하다. 골절이 발생하면 보통 500−1,000 cc의 출혈이 발생하므로 충분한 수액을 공급해주어야 한다. 수술 전 견인 치료는 특별한 이득이 없다. 수술 전에 내과적 질환에 대한 검사와 치료는 환자의 상태를 정확하게 파악할 수 있고 전신 상태 호전에 도움이 될 수 있으나 검사로 인하여 수술이 지연이 되는 것은 오히려 환자에게 해가 될 수 있다. 수술은 가능하면 빠른 시기에 하는 것이 좋다는 연구가 있으니 특별한 이유가 없으면 가능한 빨리 수술을 시행하는 것이 좋다.

(2) 골절의 정복

골절 테이블에서 통상적으로 견인, 내전 그리고 내회전을 시켜 정복할 수 있다. 방사선투시기(fluoroscopy)를 이용하여 정복 여부를 판정할 때에는 전후면 사진에서 내측 피질골의 연속성 여부를, 측면 사진에서는 후측 피질골의 연속성 여부와 각형성 여부를 확인한다. 정복은 전후면 사진에서 해부학적 또는 외반 정복을 해야 하며 고정의 실패가 높은 내반 정복은 절대 피해야 한다(그림 3). 전후면 상에서 정복되면 측면 상에서도 정복이 되는 경우가 많으나 소전자를 포함하여 후내측에 분쇄 골절이 발생한 경우에는 측면 상에서도 세심한 정복이 필요한 경우가 있다. 측면 상에서도 후방으로 각형성이 안되도록 정복하는 것이 중요하다. 최근에는 골수강내 금속정(intramedullary nail)을 사용하여 수술하는 경우에 경피적으로 정복 기구를 삽입하여 골절을 정복한다(그림 4, 5). 대퇴골두, 경부 대전자가 측면 사진에서 일직선으로 정렬되는 모습이면 충분한 정복이 된 것이다.

(3) 내고정물의 선택

대퇴골 전자간 골절에 이용되는 수술적 내고정 방법은 크게 골수강외(extramedullary) 고정과 골수강내(intramedullary) 고정으로 나뉜다. 지금까지 모든 연구에서 두 종류의 고정 방법에 따른 임상 결과는 매우 비슷하여 수술자가 익숙한 내고정물을 선택하여 정확한 수술 술기로 치료하는 것이 중요하다.

① **역동적 고 나사**(dynamic hip screw): '골절편에 대한 조절된 압박(controlled collapse)'에 의해 골절의 유합을 촉진시킨다는 개념으로 고안된 골수강외 고정장치인데, 압박 고 나사(compression hip screw) 또는 활강 고 나사(sliding hip screw)라는 용어로 사용되기도 한다. 대퇴골 전자간 골절의 치료에 가장 널리 이용되는 기구로서 래그 나사(lag screw)와 배럴이 있는 측면 금속판(side plate with barrel)으로 구성되어 있다. 래그 나사와 금속판 사이의 각은 제조사에 따라 125°에서 150°까지 5° 간격으로 그 각을 증감시켜 사용

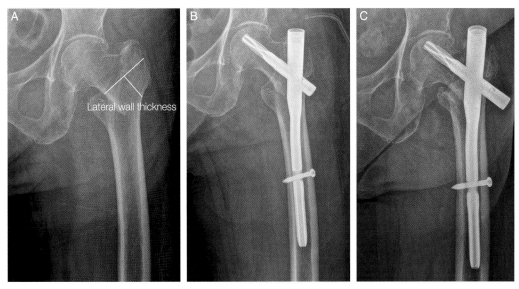

그림 3. 내반 변형과 짧은 외측벽 두께를 가진 AO–31A2의 전자간 골절(A)에 대하여 불완전 정복된 상태로 골수강내 금속정을 사용한 내고정술을 시행하였다(B). 추시 중 골절편의 내반 변형과 고정의 실패가 발생하였다(C).

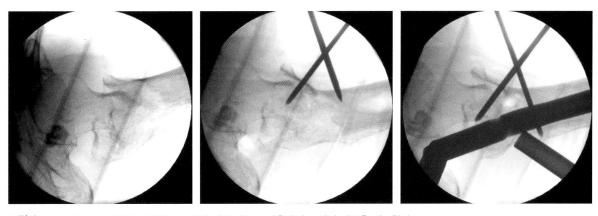

그림 4. 방사선투시기 하에서 경피적으로 여러 가지 기구를 이용하여 골절의 정복을 시도한다.

할 수 있으며 125–135° 금속판이 가장 흔하게 사용된다(그림 6). 장점은 역학적으로 외측 긴장대 역할을 하면서 내측 피질골 골절편을 밀착 압박시켜 주고, 고정 후에 골절편의 감입(impaction)이 생겨도 일정한 대퇴골 경간각을 유지하면서 래그 나사가 배럴 내에서 활강함으로써 골절 부위의 압박을 증가시키고 골두의 천공을 예방할 수 있다는 것이다. 그러나 불안정 골절에서는 골절 부위의 지나친 감입에 의해 원위 골절편이 심하

게 내측으로 전위될 수 있고, 지속적인 내반 변형에 의해 래그 나사가 대퇴골두 상부를 뚫고 나오는(cut-out) 등의 고정 실패가 생길 수 있다는 단점이 있다. 역동적 고 나사의 정확한 내고정 방법 중에서 가장 중요한 것은 래그 나사의 대퇴골두 내 삽입 위치이다. 전후면과 측면 상에서 모두 인장 골소주와 압박 골소주가 만나는 중앙에 위치하는 것이 좋다는 주장, 전후면과 측면 상에서 모두 하방에 위치하는 것이 좋다는 주장, 그리고

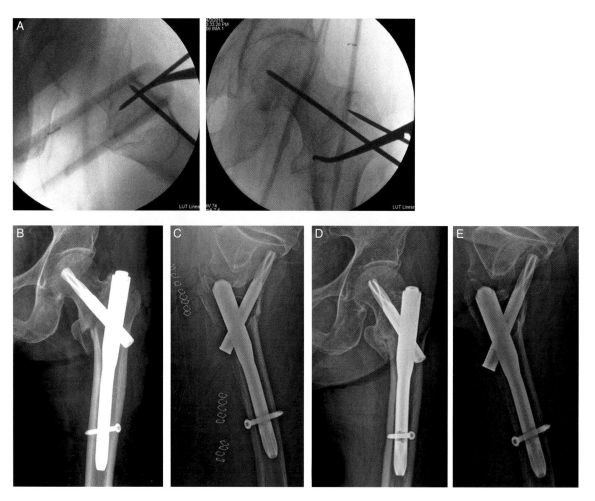

그림 5. 정복한 골편의 유지가 힘든 경우는 금속핀을 이용하여 임시로 골절을 고정한 상태에서 고정 기구를 삽입한다(A). 전후방 방사선 사진에서 근위골편이 골수강 밖에 위치하도록 외반 정복(B)과 측면 사진에서 근위골편이 원위 골편의 전방에 위치하도록 하였다(C). 수술 후 5개월에 고정의 실패없이 골유합을 얻었다(D, E).

전후면 상에서는 하방, 측면 상에서는 중앙이 좋다는 주장 등이 다양하게 제시되고 있다. 그러나, 전상방에 래그 나사가 위치하는 것은 반드시 피해야 한다는 데에는 의견의 일치를 보이고 있다. 래그 나사는 대퇴골두 관절면으로부터 연골하골 5-10 mm 이내까지 삽입해야 강한 고정력을 얻을 수 있다. Baumgaertner 등은 대퇴골두 정점에서 나사 첨부까지의 거리를 전후면과 측면 방사선 사진에서 계측하여 합산한 수치인 Tip-Apex Distance (TAD)가 25 mm 미만이면 고정 실패는

줄어들고 45 mm를 초과하면 고정 실패의 위험성이 60%까지 증가한다고 보고하였다. 고전적인 역동적 고 나사에서 래그 나사의 cut-out은 1.1-6.3% 발생하는데, cut-out이 있는 경우 84%에서 고정 실패가 속발된다고 한다. 역동적 고 나사의 고정 실패율은 4-12.5% 정도이고 불안정 골절의 경우에는 25%까지 증가한다고 한다. 전자부 안정화 금속판(trochanter stabilizing plate)(그림 7)은 기존의 역동적 고 나사에 지지 금속판을 덧대어 추가 고정하는 방법으로 골절 부위의 과도한 감

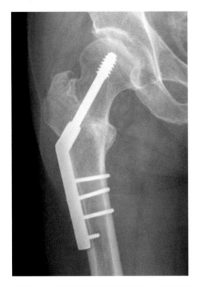

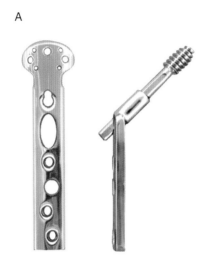

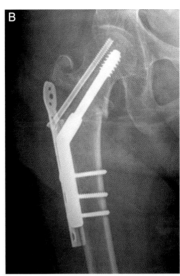

그림 6. 역동적 고 나사 고정술 후 방사선 사진

그림 7. 전자부 안정화 금속판 및 항회전 나사(A)를 이용한 수술 후 방사선 사진(B)

입과 하지 단축을 90%에서 예방한다고 한다. 금속판 근위부에 구멍에 있어서 이를 통해 대전자부에 대한 추가적인 내고정이 가능하며 대퇴골두 내에 항회전 나사(anti-rotation screw)를 삽입할 수도 있다. 적응증이 확실하지 않고 절개 부위가 커져 수술 시간 및 실혈량이 증가하며, 금속판에 의한 대전자부 점액낭염의 발생 가능성이 있고 가격이 비싸다는 단점이 있다. 불안정 골절에서 외측 피질골의 지지가 없을 때, 대전자부 분쇄 골절이 동반되었을 때 즉 AO분류 중 A2.2, A2.3에서 임상적으로 유용하다고 보고되고 있다.

② **근위 대퇴골 골수강내 금속정**(proximal femur intramedullary nail): 근위 대퇴골 골수강내 금속정은 불안정성 대퇴골 전자간 골절에서 매우 유용한 치료법이다. 상대적으로 방사선 조사량이 많고 술기 습득에 시간이 소요된다는 단점이 있지만 출혈량이 적고 절개 부위가 감소하며, 수술 시간이 단축되는 장점이 있다. 또한 지렛대 길이가 짧아 기구 자체에 전달되는 인장력이 상대적으로 줄어 기구 실패 위험이 적고, 삽입물이 골수

강내 위치하기 때문에 하중 전달이 효과적이다. 또한 활강에 제한이 있어 골절 부위의 지나친 감입이 일어나지 않으며 수술 후 조기 거동이 가능하다는 장점이 있다. 1980년대 소개된 감마 금속정 이후 디자인의 변화가 있었으며, 현재 여러 종류의 근위 대퇴골 골수강내 금속정이 개발되어 사용되고 있다.

- 감마 금속정(gamma nail) (그림 8A)
1980년대에 소개된 1세대 감마 금속정은 래그 나사와 골수강내 금속정으로 구성되어 있고, 래그 나사의 삽입이 가능한 각도는 125°, 130°, 135°였으며 골수강내 금속정은 근위부 직경이 17 mm이고 10° 외반, 원위부 직경은 12, 13, 14, 16 mm에 6.28 mm 직경의 두 개의 교합 나사(interlocking screw)를 적용하였다. 그러나 근위부 직경이 두껍고 딱딱하여 발생하는 의인성 대퇴골 근위부 골절, 10° 외반각 때문에 발생하는 대전자 골절, 원위 교합 나사가 지나치게 굵어서 발생하는 금속정 주변부 골절, 그리고 금속정 끝에 응력이 집중되어 발생하는 대퇴골 간부 골절 등이 문제로

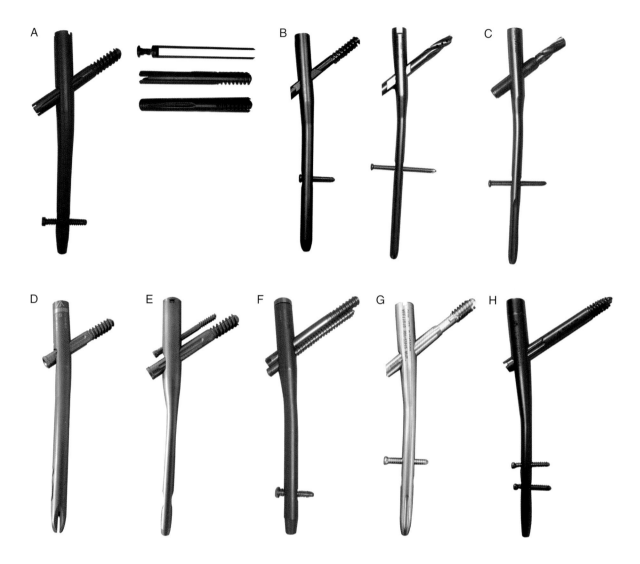

그림 8. 대퇴골 전자간 골절에 사용되는 골수강내 금속정

(A) Gamma 3 nail and Gamma 3 U-blade (Stryker, Mahwah, NJ, USA)
(B) Trochanteric fixation nail advanced (TFNA, Synthes GmbH, Oberdorf, Switzerland); screw type and blade type
(C) Proximal femoral nail antirotation II (PFNA II, Synthes GmbH, Oberdorf, Switzerland)
(D) Zimmer natural nail cephalomedullary asia nail (ZNN CM, Zimmer, Winterthur, Switzerland)
(E) AFFIXUS hip fracture nail (Biomet, Warsaw, USA)
(F) ATLAS hip fracture nail (Smith & Nephew, Memphis, USA)
(G) Compression hip nail (CHN, TDM, Gwangju, Korea)
(H) Dyna locking trochanteric nail (DLTN, U&I, Uijeongbu, Korea)

지적되었다. 2세대 감마 금속정은 금속정 근위부의 직경을 10.5 mm, 외반각을 4°로 그리고 원위 교합 나사의 직경을 5 mm로 감소시켜 보급되었고 1세대에 비해 우수한 임상 결과를 보였다. 최근 새로운 3세대 감마 금속정은 근위부의 직경이 15.5 mm, 래그 나사의 삽입 가능한 각도는 120°, 125°, 130°이면서 5 mm 직경의 교합 나사 한 개를 사용하여 고정한다(그림 11).

- Proximal femoral nail antirotation (PFNA)(그림 8C)
  래그 나사 대신에 나선형 날(helical blade)을 삽입하는 것으로 대퇴골두의 골소실을 최소화하면서 고정력이 뛰어나 내반 변형과 회전 변형에 대한 저항이 우수하다고 알려져 있다. 금속정 근위부의 직경은 16.5 mm, 6°의 외반각, 나선형 날의 삽입 가능한 각도는 125°, 130°, 135°이며 4.9 mm 직경의 교합 나사 한 개를 사용한다.

- Zimmer natural 금속정(Zimmer natural nail)(그림 8D)
  골수강내 금속정 근위부 직경은 15.5 mm, 근위부 외반각은 4°, 원위부 직경은 10−14.5 mm까지 다양하게 있고, 래그 나사의 삽입 각도는 125°, 130°이며 5.0 mm 직경의 교합 나사 두 개를 사용한다. 금속정 근위부에 전만각을 준 것이 특징이다.

③ **수술 방법:**
- 역동적 고 나사
  - 골절 테이블 사용 시 하지 견인을 위해 서혜부에 포스트를 설치할 때 고환이나 음순이 눌리지 않는지 확인해야 한다.
  - 환자의 수술 부위를 멸균 소독하기 전에 방사선투시기의 전후면 및 측면 상이 잘 보이는지 확인하고 골절 정복 상태를 평가한다.
  - 유도 핀(guide pin)의 삽입 위치는 외측 광근 돌출부(vastus lateralis ridge)의 약 2 cm 하방으로 소전자 근위부 높이 정도가 적당하다.
  - 유도 핀은 전후면과 측면 상에서 모두 중앙에

위치시키고 대퇴골두 관절면에서 10 mm까지 삽입한다.
- 유도 핀은 관절면에서 10 mm까지만 삽입하고 확공은 5 mm까지 하여 확공 시 유도 핀이 골두를 뚫고 나가는 현상을 예방한다. 방사선투시기를 보면서 확공을 시행하여 유도 핀의 의도하지 않은 전진을 확인할 수도 있다.
- 골다공증이 아주 심한 경우를 제외하고는 래그 나사 삽입 시 발생할 수 있는 대퇴골두의 회전을 막기 위해 래그 나사 삽입 길이만큼 tapping을 시행한다.
- 래그 나사의 길이는 측정 길이와 같은 길이를 삽입하면 골절 부위에서 5 mm의 압박 효과를 볼 수 있으며 더 많은 압박이 필요한 경우 측정 길이보다 5 mm 짧은 래그 나사를 선택할 수 있다. 측정 길이보다 10 mm 이상 짧은 래그 나사를 사용하면 배럴과 래그 나사의 해리(dissociation)가 발생할 수 있으므로 주의해야 한다.
- 래그 나사는 시계 방향으로 진행시켜 고정을 시행하는데, 우측 골절 시에는 래그 나사 삽입 시 근위 골절편이 하방으로 향하는 힘을 받게 되는 반면, 좌측 골절 시에는 전방으로 향하는 힘을 받기 때문에 이를 고려하여 골절의 정복과 유지를 위해 주의하여야 한다.
- 대퇴골 간부는 전방 만곡이 있기 때문에 금속판의 끝부분이 약간 앞으로 들리는 것이 금속판이 대퇴골의 중앙에 위치하게 되는 위치이다.
- 금속판의 가장 근위부 나사 구멍은 관상면에서 45° 근위부로 25° 원위부로 나사 삽입 각도 조절이 가능하며 시상면에서 14°의 각도 조절이 가능하므로 이를 통해 필요한 경우 소전자부 골편을 내고정할 수도 있다.
- 수술 시 피해야 할 사항으로는 역경사 골절에

의 사용, 래그 나사 첨부가 대퇴골두의 전상 방에 위치하거나 관절면에서 10 mm 바깥쪽에 위치하도록 삽입하는 경우, 유도 핀이 휘거나 대퇴골두를 천공하여 관절내로 들어가는 경우, 확공 후 tapping을 시행하지 않아서 래그 나사 삽입 중 근위 골절편이 회전하여 정복이 소실되는 경우, 래그 나사를 측정 길이보다 짧은 것을 사용하는 경우 등이 있다.

- 골수강내 금속정
  - 수술 전 골수강내 금속정 선택이 적절한 것인 지 방사선 사진을 면밀히 검토한다.
  - 내고정물로 골절의 정복을 얻으려 하지 말고 내고정물 삽입 전에 확실한 정복을 얻어야 한다.
  - 대전자부 첨부에 삽입구를 만드는데 방사선 투시기 하에서 대전자부 전후면 사이의 최정 점에서 시작하는지 확인해야 한다.
  - 대퇴골 골수강 직경이 작은 젊은 환자는 필요한 경우 골간부의 협부까지 확공하는 것이 좋다.
  - 금속정 삽입 전에 assembly에 유도 핀이나 sleeve가 정확하게 통과하는지 확인한다.
  - 금속정 삽입 시 손의 힘으로만 밀어 넣어야 한다.
  - 래그 나사 삽입을 위한 유도 핀은 관절면에서 부터 10 mm까지만 삽입하고 확공은 5 mm까지 하여 확공 시 유도 핀이 대퇴골두를 천공하지 않도록 한다.
  - 래그 나사가 대퇴골두의 전상방에 삽입되지 않도록 하고 연골하골에서부터 5 mm까지 삽입한다.
  - 수술 상처를 봉합하기 전에 원위 교합 나사가 금속정의 나사 구멍에 확실히 들어갔는지 확인한다.
  - 수술 시 피해야 할 사항으로는 다음과 같다. 막혀 있거나 심한 변형이 있는 골수강에의 사용, 내고정물로 골절의 정복을 얻으려는 경

우, 골수정 삽입구가 지나치게 대전자부 외측 에 위치하는 경우, 금속정과 삽입장치의 조립 이 정확하지 않은 경우, 래그 나사가 대퇴골 두의 전상방에 삽입되거나 연골하골에서부터 10 mm 바깥쪽에 위치하는 경우, 원위 교합 나사가 금속정의 구멍에 들어가지 않는 경우 등이다.

(4) 고관절 치환술

고관절 치환술은 내고정술에 비해 수술 및 마취 시간이 길고 절개 부위가 크다. 또한 실혈량이 많아 합병증 발생 가능성이 높다는 단점이 있어 제한된 환자를 대상으로 시행되고 있다. 대부분의 저자들이 수긍하는 적응증으로는 류마티스 관절염이나 골관절염의 기저질환이 있었던 고관절의 골절, 내고정이 불가능한 병적 골절, 골다공증이 심해 내고정과 골시멘트 보강을 하여도 실패가 예견되는 경우 등이 있다. 고관절 치환술 시에는 수술 후 탈구 위험을 줄이기 위해 대전자부를 확실하게 고정해야 하고, 적절한 삽입물의 선택이 필요하다.

7. 합병증

1) 고정 실패

내고정술 후 합병증으로는 래그 나사의 골두 천공 (cut-out 또는 cut-through)과 내반 변형이 가장 대표적이며 불안정 골절에서는 빈도가 20%에 달하는 것으로 보고되고 있다. 래그 나사의 골두 천공은 수술 후 3개월 이내에 주로 발생하는데, 래그 나사가 지나치게 대퇴골두의 상방에 치우쳐 삽입되었거나 부적절한 확공으로 골두 내에 확공 구멍이 두 개 생성된 경우, 안정된 정복을 얻지 못한 경우, 래그 나사와 배럴의 연결이 부적절한 경우, 내고정력이 떨어지는 심한 골다공증 등을 그 원인으로 꼽을 수 있다(그림 9).

수술 후 고정 실패를 예방하는 가장 좋은 방법은 적절한 삽입물을 선택하여 정확한 정복과 견고한 내고정

을 실시하는 것이다. 견고한 내고정을 위해서는 래그 나사를 전후면과 측면에서 중앙에 위치시키고 25 mm 이하의 TAD를 가지도록 유의하여야 하겠다. 고정 실패가 발생하였을 경우에는 골질이 양호한 경우, 특히 젊은 환자에서는 재수술하여 골유합술을 다시 시행한다. 반면, 골질이 불량하거나 고령의 환자에서는 고관절 치환술로 전환한다.

2) 불유합

대퇴골 전자부는 혈액 공급이 풍부한 해면골 부위이기 때문에 불유합은 2% 미만으로 드물게 발생하는데, 불안정 골절 시 빈도가 높다. 대부분 래그 나사의 골두 천공이나 골절 부위의 내반 변형으로 인한 고정 실패 후 발생한다. 드물게 래그 나사와 배럴 사이에서 활강이 생기지 못하는 상태(jamming)나 하지 길이의 부조화로 골절 부위에 부적절한 압력이 가해져 발생하기도 한다. 골질이 양호한 경우에는 기존의 삽입물을 제거한 후 외반 절골술 및 내고정술을 시행하고, 고령의 환자에서는 고관절 치환술을 시행한다(그림 10).

3) 부정회전 변형

부정회전 변형의 흔한 원인은 수술 시 발생하는 원위 골편의 내회전이다. 심한 불안정 골절에서는 근위부와 원위부 골편이 완전히 분리되어 독립적으로 움직이는 경우가 생기는데, 이러한 경우 부정회전 변형 예방을 위해 삽입물 고정 시 원위부 골편은 중립이나 약간 외회전 상태로 유지해야 한다. 부정회전이 심해 보행에 지장을 줄 경우에는 회전 절골술을 시행할 수도 있다.

4) 기타 합병증

대퇴골두 골괴사, 래그 나사와 금속판 또는 금속정 사이의 분리, 분리된 래그 나사가 골반 내부로 들어간 경우, 전위된 소전자부 골편에 의한 대퇴동맥 열상 등이 있을 수 있다.

8. 임상 결과

Koval 등은 85세 이상의 고령, 혼자 생활하는 경우나 한 가지 이상의 동반 질환이 있는 경우에 수술 후 회복이 불량하다고 보고하였다. 미국의 경우 수술 후 1년 이내의 사망률은 10-30% 정도이나 수술 후 1년이 지나면 동일 연령군과 유사한 정도로 낮아지며, 수술 후 보행 능력은 수상 이전의 상태로 회복하는 경구가 70% 정도이고, 단독 보행이 가능한 경우가 23-50% 정도로 보고되고 있다. 역동적 고 나사를 사용할 것인지 골수강내 금속정을 사용할 것인지에 대한 결정은 술자의 숙련도와 선호도, 비용, 환자의 상태, 골절의 형태 등에 따라 다르다. 골수강내 금속정을 선호하는 술자들은 역동적 고 나사에 비해 골절 부위 감입에 의한 하지 길이 단축이 적다고 주장하지만, 최근 연구에 의하면 안정성 전자간 골절에 역동적 고 나사와 골수강내 금속정을 사용한 경우 각각 평균 5.9 mm, 5.3 mm의 단축이 발생하여 차이가 없었다. Adams 등은 대퇴골 전자간 골절 400예를 대상으로 감마 금속정과 역동적 고 나사로 수술한 비교 연구에서 재수술율은 각각 6%, 4% 였으며, 수술 후 합병증 및 단기간의 기능에 있어서 차이가 없었다고 하였다. 그 외의 보고에서도 수술 시간, 출혈량, 합병증, 입원 기간, 이환율에서 차이가 없는 것으로 보고하고 있다. 그러나 Utrilla 등은 65세 이상의 환자에서 전자간 골절을 감마 금속정으로 치료하든 역동적 고 나사로 치료하든 차이는 없으나 불안정성 골절에서는 골수강내 금속정을 사용한 경우가 역동적 고 나사를 사용한 경우보다 12개월간의 보행 능력이 우수하다고 하였다. Ahrengart 등은 426명의 환자군을 대상으로 연구한 결과에서 안정성 골절에서는 역동적 고 나사를, 불안정성 골절에서는 감마 금속정의 사용을 추천하였다(그림 11). 불안정성 대퇴골 전자간 골절에서 골유합술과 고관절 치환술의 결과를 비교한 연구는 매우 제한적이다. Kim 등은 AO/OTA 분류 A2 환자 58명을 대상으로 골수강내 금속정을 이용한 골유합술과 무시멘트형 고관절 양극성 반치환술의 결과를 비교하였을 때, 두 군 간에 입원 기간, 기능적 결과, 체중 부하까지 걸린 기간, 재수술률, 합병증 등에는 차이가 없었지만 수술 시간, 출혈량, 수혈 필요성, 사망률 등은 골수강내 금속정 수술 군에서 의미있게 낮았다고 보고하였다. Stappaerts 등은 역동적 고 나사 47 예, 시

멘트형 양극성 반치환술 43예를 3개월간 추시한 결과 수술 시간, 합병증, 재수술율, 사망률 등에는 차이가 없었으나 수혈량은 양극성 반치환술 군에서 더 높다고 하였다.

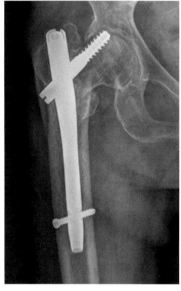 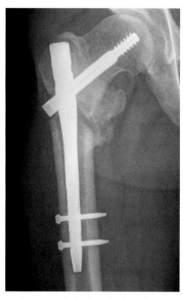 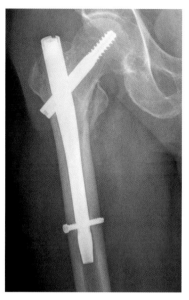

그림 9. 감마 금속정을 이용한 내고정 후 래그 나사의 골두 천공(cut-out)

그림 10. 골수강내 금속정 고정 후 발생한 불유합

그림 11. 감마 금속정을 이용한 대퇴골 전자간 골절의 치료

참고문헌

1. Ahrengart L, Tornkvist H, Fornander P et al. A randomized study of the compression hip screw and Gamma nail in 426 fractures. Clin Orthop Relat Res.2002; 401: 209-23.

2. Babst R, Renner N, Biedermann M, et al. Clinicalresults using the trochanteric stabilizing plate : The modular extension of the dynamic hip screw for internal xation of selected unstable intertrochanteric fractures. J Orthop Trauma. 1998; 12(6): 392-99.

3. Baumgaertner MR, Chrostowski JH, Levy RN. Intertrochanteric hip fracture. In Bowner BD, Levine AM, Jupiter JB, Trafton PG, ed. Skeletal trauma, vol 2. Philadelphia: WB Saunders. 1992; 1833-81.

4. Baumgaertner MR, Curtin SL, Lindskog DM, Keggi JM. e value of tip-apex distance in predicting failure of fixation of peritrochanteric fractures of the hip. J Bone Joint Surg Am. 1995; 77: 1058-64.

5. Baumgaertner MR, Curtin SL, Lindskog DM. Intramedullary versus extramedullary fixation for the treatment of intertrochanteric hip fractures. Clin Orthop Relat Res. 1988; 348: 87-94.

6. Bong MR, Patel V, Iesaka K et al. Comparison of sliding hip screw with a trochanteric lateral support plate to an intramedullary hip screw for fixation of unstable intertrochanteric hip fractures : A cadaverstudy. J Trauma. 2004; 56(4): 791-4.

7. Cheng CL, Chow SP, Pun WK, Leong JCY. Longterm results and complications of cement augmentation in the treatment of unstable trochanteric fractures, Injury. 1989; 20: 134-7.

8. Chung PH, Hwang JS, Kang S, Kim JP, Kwak JY. Comparison of intramedullary hip screw and compression hip screw for treatment of unstable intertrochanteric hip screw for treatment of unstable intertrochanteric fractures of the femur. J Korean Hip Soc. 2004; 16: 63-9.

9. Davis TRC, Sher JL, Horsman A, Simpson M, Porter BB, Checjetts RG. Intertrochanteric femoral fractures. Mechanical failure after internal xation. J Bone Joint Surg.

1990; 72: 26-31.

10. Evans EM. Trochanteric fractures. J Bone Joint Surg Br. 1951; 338: 192-204.

11. Goldhagen PR, O'Connor DR, Schwarze D, Schwartz E. A prospective comparative study of the compression hip screw and the Gamma nail. J Orthop Trauma. 1994; 8: 367-71.

12. Harrington KD. The use of methylmetacrylate as an adjuvant in the internal fixation of unstable intertrochanteric fractures.J Bone Joint Surg Am. 1975; 57: 744-50.

13. Hwang DS, Kwak SK, Woo SM. Results of cementless hemiarthroplasty for elderly patients with unstable intertrochanteric fractures. J Korean Hip Soc. 2004; 16: 386-91.

14. Hwang DS, Lee CH, Hong CH, Kim GK, Joo YB. Surgical treatment for unstable intertrochanteric fracture of the femur in elderly patients. J Korean Hip Soc. 2005; 17: 156-62.

15. Kaufer H. Mechanics of the treatment of hip injuries. Clin Orthop Relat Res. 1980; 146: 53-61. 16. Kim JH, Lee S, Jeong SY, Park JS, Seo YH. Bipolar hemiarthroplasty using the greater trochanter reattachment device (GTRD) for comminuted intertrochanteric fracture in elderly patients. J Korean Hip Soc. 2004; 16: 441-6.

16. Kim JO, Kim TH, Seo JH. Effect of a trochantersta-bilizing plate in unstable intertrochanteric fracture - A clinical and biomechanical study. J Korean Hip Soc.2009; 21: 180-8.

17. Kim JO, Kim TH. Surgical treatment of femur intertrochanteric and subtrochanteric fracture. J. Korean Hip Soc. 2010; 22(1): 1-12.

18. Kim JO, Ko YO, Song MH. eeciency of additional fixation of the alternative bone substitution in unstable intertrochanteric fracture in femur treated with Gamma nail. J Korean Fracture Soc. 2011; 24(1): 1-6.

19. Kim YH, Song SJ ,Choi IY. Cemented bipolar hemiarthroplasty for the femoral intertrochantericfracture in elderly patients. J Korean Hip Soc. 1988;10: 149-55.

20. Koval KJ, Aharonoff GB, Rokito AS, Lyon T, Zuckerman JD. Patients with femoral neck and intertrochanteric fractures: Are they same? Clin Orthop Relat Res. 1996; 330: 166-72.

21. Koval KJ, Aharonoff GB, Rosenberg AD, Bernstein RL, Zuckerman JD. Functional outcome after hip fracture : effect of general versus regional anesthesia. Clin Orthop Relat Res. 1998; 348: 37-41.

22. Koval KJ, Cantu RV. Intertrochanteric fractures. In: Rockwood CA Jr, Green DP, ed. Fracture in adults. 5th ed. Philadelphia, JB Lippincott; 2004. 1792-1825.

23. Koval KJ, Skovron ML, Aharonoff GB, Zuckerman JD. Predictors of functional recovery after hip fractures in the elderly. Clin Orthop Relat Res. 1998; 348: 22-8.

24. Kwon SY, Chung DH. Internal fixation for unstable intertrochanteric fractures of the femur. J Korean Hip Soc. 2004; 16: 278-82.

25. Kyle RF, Cabanela ME, Russel TA et al. Fractures of the proximal part of the femur. Instr Course Lect. 1995; 14: 227-53.

26. La Velle DG. Fractures of hip. In: Crenshaw AH ed. Campbell's operative orthopaedics, 11th ed, Philadelphia: Mosby inc; 2008. 3237-85.

27. Lee SH. Treatment of intertrochanteric fracture of the femur. J Korean Hip Soc. 2005; 17: 206-10.

28. Lha JD, Kim YH, Yoon SI et al. Factors affecting sliding of the lag screw in intertrochanteric fractures. Int Orthop. 1993; 17: 320-4.

29. Lorich DG, Geller DS, Nielson JH. Osteoporotic pertrochanteric hip fractures: Management and current controversies. Instr Course Lect. 2004; 53: 441-54.

30. Medo RJ, Maes K. A new device for the xation of unstable pertrochanteric fractures of the hip. J Bone Joint Surg Am. 1991; 73: 1192-9.

31. Moroni A, Faldini C, Pegre F et al. How to prevent fixation failure in patients with an osteoporotic trochanteric fractures treated with dynamic hip screw : a prospective randomized study. Annual OTA meeting; 2002.

32. Seong YB, Sohn YJ, Yum JG et al. Intertrochanteric fracture of the femur treated with proximal femoral nail : Long term results. J Korean Hip Soc. 2005; 17: 141-7.

33. Soballe K. Laceration of superficial femoral artery by an intertrochanteric fracture fragment. J Bone Joint Surg Am. 1987; 69: 781-3.

34. Templeman D, Baumgaertner MR, Leighton RK, Lindsey RW, Moed BR. Reducing complications in the surgical treatment of intertrochanteric fractures. Instr Course Lect. 2005; 54: 409-15.

35. Yang KH. Treatment of pertrochanteric fractures. J Korean Fracture Soc. 2005; 18: 76-82.

36. Yoon HG. Update on hip fractures. J Korean Hip Soc. 2006; 18: 259-69.

37. Zuckerman JD. Comprehensive care of orthopedic injuries in elderly. Baltimore: Urbanand Schwarzenberg; 1990.

CHAPTER

6 전자부 단독 골절
Isolated Trochanteric Fracture

1. 대전자부 단독 골절

1) 손상 기전

대퇴골의 대전자부 단독 골절(isolated greater trochanteric fracture)은 드문 손상 형태로, 발생 연령에 따라 골절 양상이 다르다. 청소년기에서의 손상은 주로 골단판의 분리 형태로 발생하는데, 근육의 수축에 의하여 골단의 전체가 견열되며 심할 경우 6 cm까지 전위가 발생하기도 한다. 견열에 의한 골절에서는 골편이 대부분 상방, 후방, 내측으로 전위가 되는데, Milch는 이러한 전위가 외전근이 아닌 외회전근 때문에 발생한다고 하였다. 직접 외상에 의한 대전자부 부분 골절에서는 중둔근의 일부가 남아있어서 골절의 전위가 비교적 적다.

2) 임상 소견

대전자부 단독 골절만 있는 경우 통증은 국소적이고 미약할 수 있으며 어떤 경우에는 초기 통증이 없을 수도 있어 염좌나 좌상으로 오인될 수 있다. 통증이 심하고 특히 내회전 시 악화될 때에는 전자부의 잠복 골절(occult fracture)이 있을 가능성이 높다. 대부분의 환자에서 체중 부하는 가능하지만 보행에 어려움을 겪게 되고, 신체 검사상 대퇴골 전자부에 압통이 있으며 통증으로 인하여 근육의 연축이 일어나 고관절의 굴곡 변형이 발생할 수 있다. 전자부 바로 위 피부에 반상출혈이 있을 수 있으나 드물다.

3) 진단

골반의 전후면 방사선 촬영을 통해 반대편의 대전자부와 비교할 수 있으며 손상받은 부위 고관절의 전후면 방사선 촬영 및 cross-table 측면 촬영을 시행한다 (그림 1). 전위가 없는 대전자부 단독 골절은 단순 방사선 사진으로는 진단이 어려운 잠복 골절 양상으로 나타날 수 있기 때문에 임상적으로 골절이 의심되는 경우 이를 감별하기 위한 추가 검사가 필요하다. 골주사 검사, 전산화단층촬영, 자기공명영상 검사가 시행될

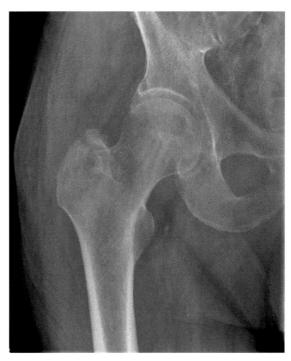

그림 1. 우측 대전자부 단독 골절의 전후면 방사선 소견

879

수 있으나 골주사 검사는 비용-효율성이 좋지 않고 전산화단층촬영은 자기공명영상 검사에 비하여 정확도가 떨어지기 때문에 골절의 감별을 위한 검사로는 자기공명영상 검사가 가장 추천된다. 한편 단순 방사선 사진에서 대전자부 단독 골절로 진단되었지만 단순 방사선 사진에서는 보이지 않는 골절선이 자기공명영상에서 전자간 부위로 연장되어 있는 경우도 있다. 단순 방사선 사진에서 대전자부 단독 골절로 진단된 경우 자기공명영상이나 골주사 검사 등의 추가 검사를 시행하였을 때 28.5-90%에서 전자간 잠복 골절이 있다고 보고

되었으며, 특히 골다공증이 있는 고령에서 낙상과 같은 직접 타격으로 발생할 때 빈도는 높아진다.

단순 방사선 사진 결과에만 의존하여 대전자부 단독 골절로 오인하고 조기 체중 부하를 통한 보존적 치료를 한다면, 골절의 전위를 유발하여 수술 및 재활 치료를 더 어렵게 만들 수 있다. 따라서 단순 방사선 사진상 대전자부 단독 골절이 진단되면 추가 검사를 통하여 골절선이 전자간 부위나 대퇴골 경부까지 연장되어 있는지를 확인하는 것이 중요하며, 이를 위한 검사로는 자기공명영상 검사가 가장 권장된다(그림 2).

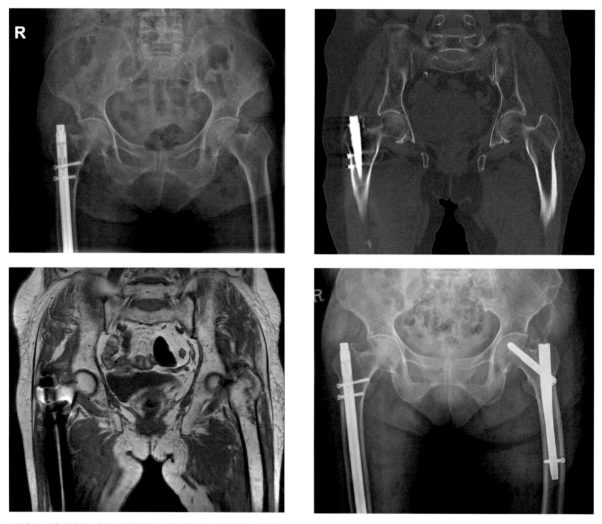

그림 2. 대전자부 단독 골절에서 전자간부로 이어지는 골절
(A) 고관절 전후면 방사선 사진으로 좌측 대전자부 단독 골절소견이 보인다. (B) 전산화단층촬영에서 전자간부의 골절 유무는 명확하지 않다. (C) 자기공명영상 검사에서 전자간부 골절이 확인되었다. (D) 예방적 내고정술을 시행하였다.

4) 치료

대전자부 단독 골절은 대개 보존적 요법으로 치료하며 견열에 의한 손상과 직접 외상에 의한 손상 모두에서 양호한 결과를 보여준다. 이러한 예후는 골절편이 연부조직으로부터 박리된 정도에 따라 어느 정도 달라질 수 있는데, 완전히 박리되어 전위된 경우는 섬유성 가관절로, 골막과 섬유조직이 부분적으로 박리된 경우에는 골유합으로 치유될 가능성이 높다. 보존적 요법은 대개 침상 안정과 약물 치료를 병행하여 급성 통증을 가라앉히고, 통증이 감소되면 능동적 운동 및 목발을 이용한 부분체중 부하 보행을 시작한다. 이후 목발의 도움을 받지 않는 전체중 부하 보행으로 서서히 진행해가며, 수상 후 완전한 전체중 부하가 가능해지기까지는 보통 4~6주가 소요된다. 관혈적 정복술 및 내고정술은 비교적 젊은 성인에서 1 cm 이상의 전위가 있으며 골편의 분쇄성이 없는 경우에 권장된다. 한편 대전자부 골절이 전자간까지 연장되어 있는 경우 아직까지 내고정술시행 여부에 대해서는 논란이 있으나, 자기공명영상의 관상면 사진에서 잠복 골절선이 전자간 중앙을 넘어 내측으로 많이 연장되어 있거나 다중평면 재구성 전산화단층촬영(multiplanar reformation CT)에서 전방 피질골에 골절선이 보일 경우, 내고정술을 시행하는 것이 좋다는 연구들이 있다.

2. 소전자부 단독 골절

1) 역학 및 손상 기전

대퇴골의 소전자부 단독 골절(isolated lesser trochanteric fracture)은 주로 10대 청소년에게 발생하며 성인에서는 매우 드물다. 청소년기에서는 주로 과격한 스포츠 활동을 하는 과정에서 장요근의 갑작스럽고 강한 수축에 의하여 소전자부의 골단이 견열되어 발생한다(그림 3). 성인에서는 주로 원발성 또는 전이성 암에 의한 병적 골절 형태로 발생하는데, 암으로 인해 골이 약화되어 일상적인 장요근의 수축에도 견열 골절이 잘 발생하기 때문에 특별한 외상력이 없는 경우가 많다.

소전자부의 병적 골절은 원발암 보다는 전이성 암이 원인인 경우가 많다(그림 4).

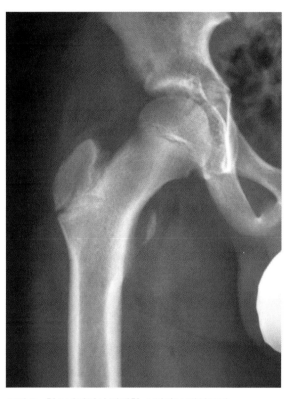

그림 3. 청소년기에서 발생한 소전자부 견열골절

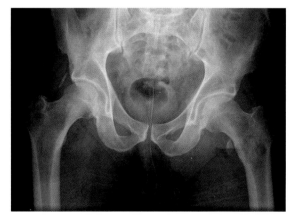

그림 4. 성인에서 발생한 소전자부 단독 골절. 전자부 곳곳에 음영이 감소된 병변을 볼 수 있으며 간암에 의한 전이로 진단되었다.

2) 임상 소견

환자는 대퇴부 내측에 통증을 느끼며 고관절의 경직을 동반한 파행을 보이게 된다. 간혹 서혜부, 측복부, 또는 고관절에 방사성 통증이 생기기도 한다. 신체 검사상 고관절의 능동 굴곡 운동이 불가능하고 Scarpa's triangle에 압통을 호소한다. 부종이나 반상 출혈이 있을 수 있지만 드물다. 하지의 단축은 없으나 외회전 되어있는 경우가 흔하며 고관절의 수동 운동은 모든 방향으로 가능하지만 통증이 동반된다. 하지 직거상 검사상 고관절 굴곡이 증가함에 따라 통증이 심해지고 완전한 굴곡을 할 수 없다.

3) 진단

고관절의 전후면 및 측면 단순 방사선 사진으로 충분히 진단이 가능하다. 특히 측면 방사선 사진은 병적 골절에서 소전자부 기저부의 골용해성 병변을 잘 보여준다. 임상적으로 소전자부 단독 골절이 의심될 때는 전후면 방사선 사진 촬영 시 고관절을 외회전 시켜 촬영하는 것이 진단에 도움이 된다. 다양한 크기의 골편이 장요근에 의하여 내측, 근위부로 전위를 보이며 소전자부의 전위 정도는 예후에 영향을 미치지 않는다. 성인에서 특별한 외상이나 과거력 없이 소전자부 단독 골절이 발생하였다면 원발암 또는 전이성 암에 의한 것인지 감별하기 위한 추가 검사가 필요하며 골주사 검사, 전산화단층촬영, 자기공명영상 검사 등을 시행할 수 있고 이중 자기공명영상 검사가 가장 권장된다. 만약 과거력상 원발암이 없었던 환자라면 치료 시작 전 반드시 생검을 시행하여야 한다.

4) 치료

소전자부 단독 골절은 병적 골절이 아닌 경우 주로 보존적 치료를 시행하며 수술적 치료는 골편이 아주 크고 전위가 심해서 돌출이 되어 보이는 경우가 아니면 시행하지 않는다. 급성기에는 침상 안정과 진통제를 통한 통증 경감이 주된 치료가 된다. 1–2주 후부터는 목발 보행과 함께 능동적 운동을 시행하게 되며 대부분의 경우 손상 이전의 기능 회복을 기대할 수 있다. 그러나 일부 연구에서는 골다공증이 있는 고령의 환자의 경우 소전자부 골절이 전자간 골절로 진행할 수 있기 때문에 예방적 목적의 내고정술을 시행해주는 것이 좋다고도 하였다. 한편 병적 골절에서는 소전자부 단독 골절이 전자하부 골절로 진행될 가능성이 높으며, 전자하부에 병적 골절이 발생할 경우 적절한 고정력을 얻기가 어려워 치료가 굉장히 힘들어지게 된다. 때문에 소전자부의 병적 골절에서는 수술적 치료가 선호되며 수술 방법은 병기에 따라 달라지게 된다. 진행성 암에서는 고식적인 목적의 예방적 내고정술을, 단독의 전이성 암이나 국한성 원발암인 경우에는 병변 제거술 및 종양 삽입물 치환술이 권장된다.

참고문헌

1. 대한고관절학회. 고관절학, 초판. 서울. 군자출판사; 2014.831-5

2. Armstrong GE. Isolated fracture of the great trochanter. Ann Surg. 1907;46:292

3. Craig JG, Moed BR, Eyler WR, van Holsbeek M. Fracture of the greater trochanter: intertrochanteric extension shown by MR imaging. Skeletal Radiol. 2000; 29:572-6.

4. Kim SJ, Park BM, Yang KH, Kim DY. Isolated fractures of the greater trochanter. Report of 6 cases. Yonsei Med J. 1988;29:379-83.

5. LaLonde B, Fenton P, Campbell A, Wilson P, Yen D. Immediate weight-bearing in suspected isolated greater trochanter fractures as delineated on MRI. Iowa Orthop J. 2010;30:201-4.

6. Lee KH, Kim HM, Kim YS, Jeong C, Moon CW, Lee SU, Park IJ. Isolated fractures of the greater trochanter with occult intertrochanteric extension. Arch Orthop Trauma Surg. 2010;130:1275-80.

7. Omura T, Takahashi M, Koide Y, et al. Evaluation of isolated fractures of the greater trochanter with magnetic resonance imaging. Arch Orthop Trauma Surg. 2000; 120:195-7.

8. Roberts CS, Siegel MG, Mikhail A, Botsford J. Case report 808: Avulsion fracture of the greater trochanter. Skeletal Radiol. 1933;22:536-8.

9. Schultz E, Miller TT, Boruchov SD, Schmell EB, Toledano B. Incomplete intertrochanteric fractures: imaging features and clinical management. Radiology. 1999;211:237-40.

10. Bertin KC, Horstman J, Coleman SS. Isolated fracture of the lesser trochanter in adults: an initial manifestation of metastatic malignant disease. J Bone Joint Surg Am. 1984;66:770-3.

11. Bonshahi AY, Knowles D, Hodgson SP. Isolated lesser trochanter fractures in elderly-a case for prophylactic DHS fixation. A case series. Injury. 2004;35:196-8.

12. Phillips CD, Pope TL, Jr., Jones JE, Keats TE, MacMillan RH, 3rd. Nontraumatic avulsion of the lesser trochanter; a pathognomonicsign of metastatic disease?. Skeletal Radiol. 1988;17:106-10.

13. Rouvillain JL, Jawahdou R, Labrada Blanco O, Benchikh-El-Fegoun A, Enkaoua E, Uzel M. Isolated lesser trochanter fracture in adults: an early indicator of tumor infiltration. OrthopTraumatolSurg Res. 2011;97: 217-20.

14. Wilson MJ, Michele AA, Jacobson EW. Isolated fracture of the lesser trochanter. J Bone Joint Surg Am. 1939;21:776-7.

15. Lubovsky O, Liebergall M, Mattan Y, Weil Y, Mosheiff R. Early diagnosis of occult hip fractures MRI versus CT scan. Injury. 2005;36:788-792.

16. Oka M, Monu JU. Prevalence and pattern of occult hip fractures and mimics revealed by MRI. Am J Roentgenol. 2004;182:283-8.

17. Herren C, Weber CD, Pishnamaz MP, et al. Fracture of the lesse trochanter as a sign of undiagnosed tumor disease in adults. Eur J Med Res. 2015;20:72.

18. Kumar P, Agarwal S, Rajnish RK, Kumar V, Jindal K. Isolated spontaneous atraumatic avulsion fracture of lesser trochanter of femur-A pathognomonic sign of malignancy in adults? A case report and review of literature. J Orthop Case Rep. 2017;7(6):16-9.

19. Arshad R, Riaz O, Aqil A, Bhuskute N, Ankarath S. Predicting intertrochanteric extension of greater trochanter fractures of the hip on plain radiographs. Injury. 2017;48(3):692-4.

20. Kim SJ, Ahn J, Kim HK, Kim JH. Is magnetic resonance imaging necessary in isolated greater trochanter fracture? A systemic review and pooled analysis. BMC Musculoskeletdisord. 2015;16:395.

21. Noh J, Lee KH, Jung S, Hwang S. The frequency of occult intertrochanteric fractures among individuals with isolated greater trochanteric fractures. Hip Pelvis. 2019; 31(1): 23-32.

22. Ratzan MC. Isolated fracture of the greater trochanter of the femur. J IntColl Surg. 1958;29:359-63.

CHAPTER

7 대퇴골 전자하 골절
Femoral Subtrochanteric Fracture

대퇴골 전자하 골절은 소전자와 소전자에서 5 cm 하방까지 사이에서 발생한 골절을 말한다. 전체 고관절 골절의 10-34%를 차지하는 것으로 보고되고 있으나 교통사고의 증가와 평균 수명의 연장으로 인한 노령 인구의 증가로 점차 그 발생 빈도가 증가하는 추세에 있다.

1. 골절의 분류

여러 가지 분류법이 사용되고 있으나 치료에 도움이 되는 몇 가지 분류법을 소개한다.

1) Fielding 분류

주 골절선과 소전자와의 관계로 분류하는데 1형은 소전자 부위의 골절이고, 2형은 소전자에서 1인치 하방까지의 골절이며, 3형은 소전자 하방 1인치에서 2인치 사이의 골절을 의미하는데 3형에서 합병증이 가장 많이 발생한다. 그러나 이 분류는 골절의 안정성을 평가하는 분쇄 정도는 포함하지 않고 있다(그림 1).

2) Seinsheimer 분류

큰 골절편의 수와 골절선의 위치 및 모양에 따라 분류한 것으로 내측 피질골의 소실에 따라 고정 실패가 좌우되기 때문에 예후의 평가에 용의하며 현재 널리 사용되고 있다(그림 2).

I: 2 mm 이하의 전위가 거의 없는 골절

IIA: 두 부위의 횡골절

IIB: 소전자가 골절 근위부에 있는 나선형 골절

IIC: 소전자가 골절 원위부에 있는 나선형 골절

IIIA: 소전자가 골절 근위부에 붙어 있지 않은 세 조각의 골절

IIIB: 소전자가 골절 근위부에 붙어 있는 세 조각의 골절

IV: 4개 이상의 분쇄 골절

V: 대전자로 진행된 전자하-전자간 골절

3) Russel-Taylor 분류

생역학적으로 적절한 삽입물을 선택할 수 있게 고안되었다. 소전자의 골절 여부와 골절선이 뒤로 연장되

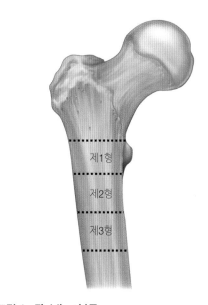

그림 1. Fielding 분류

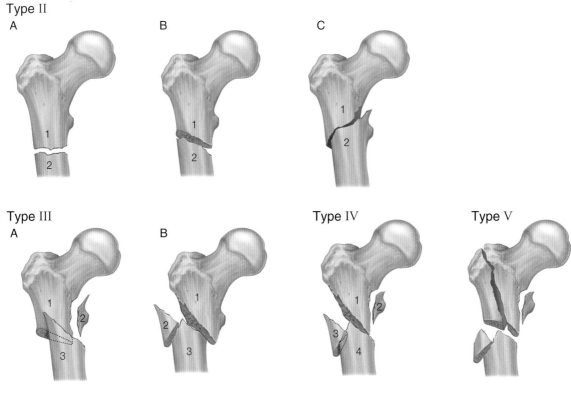

Type II
A   B   C

Type III
A   B   Type IV   Type V

그림 2. Seinsheimer 분류
큰 골절편의 수와 골절선의 위치 및 모양에 따라 분류한다.

어 이상와를 침범하는 대전자 골절의 유무를 기준으로 하여 재건 금속정(reconstruction nail)을 사용할 수 있는지 여부에 중점을 두었다. 그러나 최근의 금속정은 기시점이 이상와가 아닌 대전자부인 경우도 있어 이 분류법의 효용성이 떨어진다. 소분류는 소전자의 포함 여부에 따라 나뉘며 소전자 이하의 분쇄 정도는 손상의 정도에 영향을 주지 않는다. IA형은 소전자 이하로 협부까지 이어지는 골간부의 골절이다. IB형은 소전자의 골절과 그 이하의 골절을 포함하지만 대전자나 이상와는 포함되지 않는다. IIA형은 소전자는 온전한 채로 이상와가 포함된다. IIB형은 IIA형과 같고 이에 소전자의 내측 부분이 포함된다(그림 3).

4) AO 분류

AO 분류는 A, B, C형으로 분류하는데 A형은 소전자 직하방의 단순 골절, B형은 내측 또는 외측에 쐐기형의 골편이 있는 경우, C형은 분절 골절 또는 심한 분쇄가 있는 경우이다.

각각의 골절은 추가로 나선형, 사선형, 횡형 골절로 세분화된다. 이 역시 골절의 심한 정도에 따라 분류하여 예후 예측에 도움이 된다(그림 4).

2. 해부학적 특징 및 손상 기전

대퇴골의 전자하 부위는 두꺼운 피질골로 이루어져 있으며, 생역학적으로 200 lb의 성인에서 내측 피질골은 약 1,200 lb/in²정도의 압박력을 받는 반면 외측 피질골은 약 900 lb/in²의 인장력을 받는 구조로 되어 있다

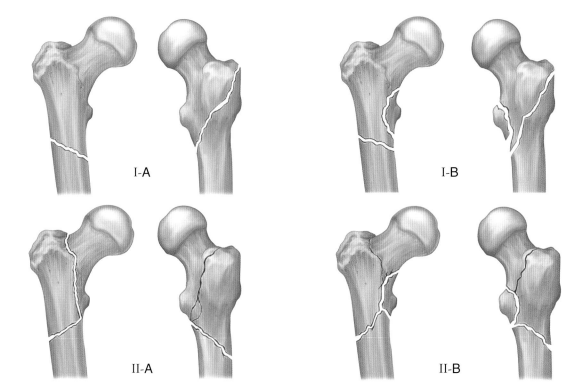

그림 3. Russel–Taylor 분류
소전자부의 보전 및 골절의 이상과 침범에 따라 분류한다.

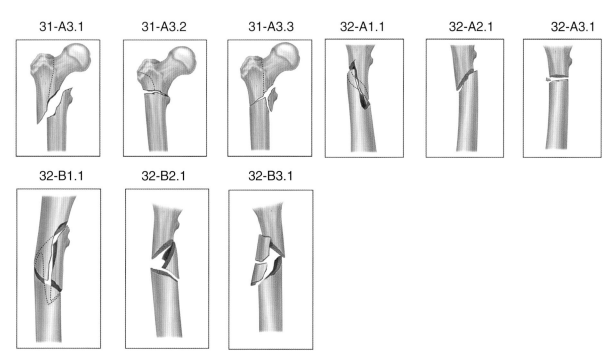

그림 4. AO/OTA 골절 분류

(그림 5). 이러한 구조에 의해 대퇴골 전자하부에 골절이 발생 시에 골절부가 내반되려고 하는 굽힘 모멘트가 발생하기 때문에 주로 내측에 분쇄 양상을 보이게 되어 내측 지지대가 소실된다.

전자하 골절 시 근위 골편은 소전자에 부착된 장요근과 단외회전근들에 의해 굴곡, 외회전되며 대전자에 부착된 소둔근과 중둔근에 의하여 외전된다. 골절은 특징적으로 원위 골편이 내반 형태를 이루게 되는데 내전근과 슬근에 의하여 항상 내측 전위 및 근위부로의 단축이 발생한다(그림 6).

전자하 골절이 발생한 환자의 연령 분포는 이중 분포(bimodal distribution)로 젊은 환자에서는 고에너지 손상에 의해 발생하지만 고령의 환자에서는 약한 외력으로도 생기며 전이성 혹은 원발성 암에서 병적 골절의 형태로 생길 수도 있다. 드문 경우이기는 하나 대퇴골 경부 골절에 대한 치료로 유관 나사를 이용한 내고정을 하는 경우, 유관 나사의 삽입부가 소전자 하부에 위치할 경우 응력에 취약해져 인장력에 의한 전자하 골

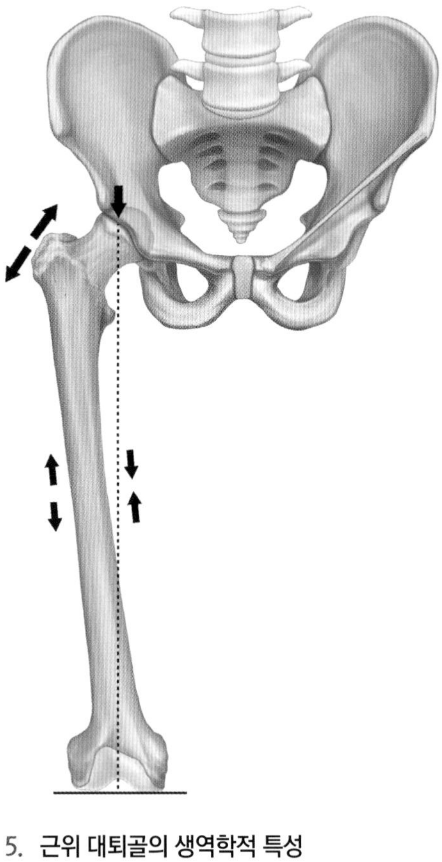

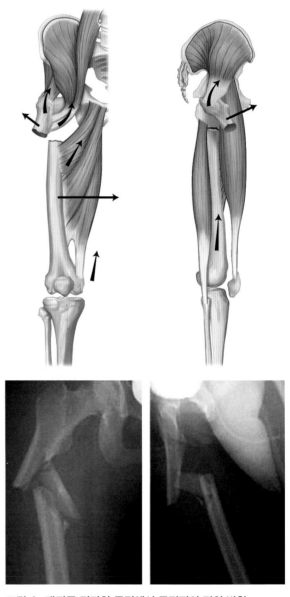

그림 5. 근위 대퇴골의 생역학적 특성
대퇴골 내측에는 압박력이 작용하며 외측에는 인장력이 작용한다.

그림 6. 대퇴골 전자하 골절에서 골절편의 전위 방향
골절 근위부는 장요근에 의해 굴곡되고, 단외회전근에 의해 외회전되며, 외전근에 의해 외전된다. 골절 원위부는 내전근 및 대퇴사두근에 의해 단축, 내전된다.

절이 발생할 수도 있다.

최근에는 비스포스포네이트의 장기간 사용과 관련하여 비전형 골절(atypical fracture)이 발생할 수 있는데, 단순 방사선 사진상 골간단과 골간부 사이에서 안쪽 및 바깥쪽 피질골의 비후 또는 불완전 골절선이 관찰되기도 한다. 대퇴부 통증을 수반하다가 횡골절 형태의 완전 골절이 발생하기도 한다(그림 7).

3. 임상 검사

정확한 병력 청취는 검사가 이루어지기 전에 보통 고에너지 손상과 저에너지 손상을 구별할 수 있다. 정형외과 의사는 이환된 사지의 근골격계 손상이나 다른 신경혈관 손상을 위해 조심스럽게 검사해야 하며 만일 운동이나 감각신경의 기능에 이상이 있다면 정확하게 기술해야 한다. 또한 척추에 대한 방사선 검사 및 전산화단층촬영, 자기공명영상도 필요하다면 이루어져야 한다. 만일 견인되는 하지에 맥박이 만져지지 않는다면 혈관 손상에 대한 검사가 이루어져야 한다. 구획증후군은 대퇴부 부위에서는 적은 편이지만, 놓치는 경우가 많아 구획의 압력이 높다고 의심될 때는 반드시 측정해야만 한다.

4. 영상 검사

전자하 골절을 포함하여 골간부 손상 시 인접 관절을 포함해서 방사선 촬영하는 것이 중요하다. 대부분 단순 방사선 검사의 전후, 측면, 사면 촬영으로 수상 부위의 골편의 길이와 간부의 골직경을 알 수 있다. 해부학적 길이를 회복시키기 위해 반대편 대퇴골의 전장을 촬영하여 수상한 부위의 길이를 측정할 수 있다.

견인한 상태의 방사선 촬영은 골절의 형태 및 위치를 파악하는 데 도움이 된다. 삽입물의 선택을 위해 골절선이 이상와 및 대전자 또는 소전자로 연장되었는지 확인한다. 골절선의 연장이 의심되거나 모호하면 전산화단층촬영도 필요하다.

5. 치료

1) 비수술적 치료

전자하 골절에서는 견인, 석고 고정, 보조기 등으로 유지하기 어려운 변형력이 발생하므로 성인에서는 대부분 수술적 치료가 필요하다. 보존적 치료는 소아, 전신 상태가 마취나 수술을 견디기 힘든 경우, 개방성 골절이나 젊은 환자에서 안정된 내고정을 얻을 수 없을만큼 심한 분쇄 골절을 가진 환자 등에서 제한적으로 사용될 수 있다.

2) 수술적 치료

(1) 금속판 고정술

금속판을 이용한 경우 역학적으로 금속정보다 더 긴 모멘트 길이로 인해 많은 굴곡력이 작용하게 된다. 심한 분쇄 골절 또는 불완전하게 정복된 골절에서 내측 지주가 소실될 경우 인장력대로 작용하고 있는 금속판의 한 곳에 모든 응력이 집중되어 기계적 실패가 발생하기 쉬운 단점이 있다. 그러나 관혈적 정복 후 삽입하므로 비교적 해부학적 정복을 할 수 있으며 분쇄가 심

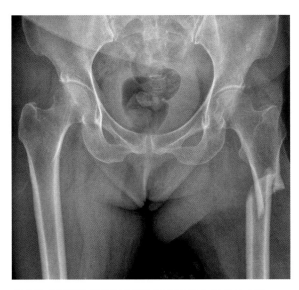

그림 7. 비전형 대퇴골 전자하 골절의 단순 방사선 소견
좌측 대퇴골 전자하 골절의 형태는 분쇄가 없는 짧은 사상형 골절이며, 외측 피질골의 비후와 내측 피질골의 돌출(medial spike)이 관찰된다.

한 경우는 골이식, 보조적 나사 고정이나 강선 고정을 함께 시행할 수 있는 장점이 있다.

주로 역동적 고 나사(dynamic hip screw), 역동적 과 나사(dynamic condylar screw), 칼날 금속판(condylar blade plate), 잠김 금속판(locking plate) 등이 사용된다. 역동적 고 나사는 래그 나사의 활강에 의해 골절편이 감입되고 이로 인해 모멘트 길이가 작아져 삽입물의 체중 부하 능력이 증가되는 장점이 있다. 또한 나사의 끝이 무디며 외측 나사 지름이 크므로 근위 골절편의 고정력이 향상되고, 대퇴골두 관통의 위험성을 감소시켜 내고정 실패율을 감소시킬 수 있는 장점이 있다(그림 8). 그러나 술기가 어렵고 수술 시간이 길며, 출혈량이 많다. 특히 역경사나 횡형 골절의 경우에는 래그 나사의 과도한 활강에 의해 근위 골편이 외측으로 전위되어 지연 유합이나 불유합 또는 기계적 실패가 발생하기도 한다(그림 9).

래그 나사의 대퇴골두 천공과 같은 내고정 실패나 원위 골간부의 내측 이동, 하지 단축, 내반 변형 및 불유합이 15−17% 정도로 보고되고 있다. 충분한 수술 전 검사를 통하여 골절 양상에 적당한 각도 및 길이의 금속판을 결정하는 것이 중요하다. 전자부 안정화 금속판은 대전자의 버팀 금속판(buttress plate)으로 작용하여 과도한 골절부 감입이나 간부의 내측 이동을 억제할 수 있다(그림 10).

칼날 금속판은 강도에 있어 다른 삽입물보다 뛰어나

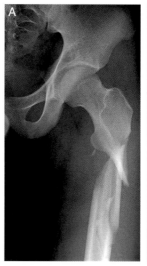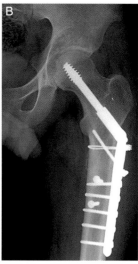

그림 8. 역동적 고 나사를 이용한 치료
(A) 대퇴골 전자하 분쇄 골절. (B) 역동적 고 나사와 강선으로 고정하여 골유합을 얻었다.

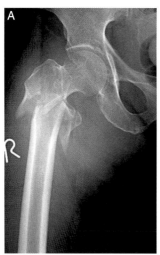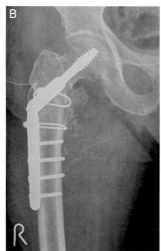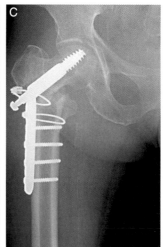

그림 9. 역동적 고 나사 고정 후 발생한 불유합
(A) 후내측의 골절편 및 대전자 골절이 동반된 불안정성 대퇴골 전자하 골절. (B) 역동적 고 나사와 강선을 이용한 골유합술을 시행하였다. (C) 래그 나사의 과도한 활강 및 불유합 소견을 보인다.

고 골질이 좋지 못한 경우에도 견고한 고정을 얻을 수 있다. 또한 골간단부의 회전 정렬에 대한 조절이 좋으며, 골절 부위에 압박력을 가할 수 있는 장점이 있다.

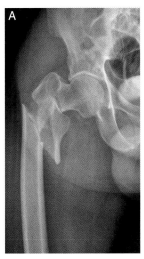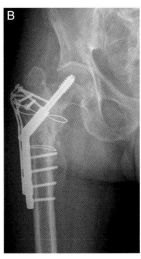

그림 10. 전자부 안정화 금속판을 이용한 치료
(A) 후내측의 큰 골절편을 동반한 불안정성 골절. (B) 전자부 안정화 금속판을 사용하여 골절부의 과도한 감입을 예방하고 분쇄된 전자부에 추가적 고정력을 얻을 수 있다.

그러나 수술 방법이 어려우며 상당한 연부조직의 절개를 필요로 하는 단점이 있다. 주로 근위 골편이 작아 역동적 고 나사를 이용하기 힘든 경우나 대퇴골의 골수강이 좁아 골수강내 금속정을 사용하기 어려운 경우, 역경사의 골절과 같이 골절편을 안정적으로 고정할 수 없는 경우에 유용한 방법이다.

최소 침습적 금속판 고정술은 생물학적 고정법(biologic fixation)의 일종으로 주위 연부조직 손상을 줄이고 골절부의 혈류를 보존하는데 목적이 있다. 특히, 주로 피질골로 이루어진 대퇴골 전자하부의 골편은 외상으로 인해 이미 골편의 혈류가 손상 받은 상태이므로 개방적 수술법은 추가적인 혈류 손상을 일으켜 지연유합, 불유합, 심부감염 등의 합병증을 유발할 수 있다. 특히 분쇄가 심할 경우 많은 저자들에 의해 기존의 관혈적 정복술보다 더 좋은 결과가 보고되었다. 그 외에도 골수강이 좁거나 동일 부위의 수술력 등으로 인해 골수강내 금속정 사용이 어려운 경우에도 사용될 수 있다(그림 11). 하지만 외측 광근(vastus lateralis) 아래

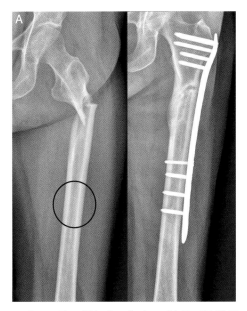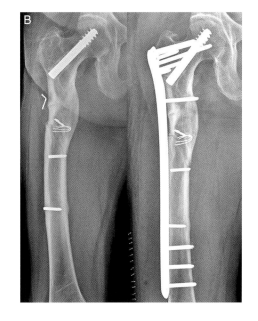

그림 11. 최소 침습적 금속판 고정술을 이용한 치료
좁은 골수강(A) 및 동일 부위 수술력(B)으로 인해 골수강내 금속정 사용이 어려운 경우로 최소 침습적 금속판 고정술을 이용하여 골유합을 얻었다.

로 근육하 터널(submuscular tunnel)을 만들어야 하므로 금속판이 잘 삽입되지 않는 경우 피부 절개를 더해야 하거나 정복의 어려움으로 인해 방사선 노출이 많아질 수 있으며, 하지 단축, 각변형, 회전변형 등의 문제점이 발생하지 않도록 주의가 필요하다.

(2) 골수강내 금속정 고정술

교합성 골수강내 금속정은 최근에 선호되는 방법으로 역학적으로 우수하고, 골절 주위 연부조직의 박리가 필요 없어 출혈이 적고, 골편의 혈액 공급 상태의 보전이 가능하며 수술 시간이 짧다. 생역학적으로 골수강내 금속정은 고관절의 회전 중심에 더 가까이 위치하게 되는데 이는 내고정물까지 더 짧은 지렛대 역할을 함으로써 굽힘 모멘트가 작아져 역학적인 실패의 가능성이 줄어든다.

기존의 1세대 골수강내 금속정의 경우 근위부의 교합 나사가 근위부에서 원위부의 소전자로 향하게 되어 있어 Russel-Taylor I형의 골절에서는 사용하기 어려웠으나 2세대 금속정의 경우 근위부 교합 나사의 방향이 대퇴골 경부 및 대퇴골두를 향하게 되어 있어 소전자 골절에도 사용할 수 있다(그림 12). 전자하 골절은 해부학적 특징상 근위 골편이 외회전과 내반되는 경향이 있기 때문에 골수정의 삽입점을 찾기가 어려우며 외측으로 골수정이 삽입되는 경향이 있어 골절의 내반 변형을 유발하게 된다(그림 13).

근위 대퇴골 골수강내 금속정은 래그 나사와 금속정을 이용한 고정 방법으로 대퇴골 근위부 골절을 보다 견고하게 고정하여 조기 체중 부하를 할 수 있도록 고안되었다. 역동적 고 나사와 같이 래그 나사의 활강을 통해 골절부에 압박력을 가할 수 있으면서 지렛대 거리가 짧기 때문에 삽입물에 가해지는 굴곡응력이 적어 골절 부위 후내벽의 해부학적 정복이 불완전해도 비교적 견고한 안정성을 얻을 수 있다. 1980년대에 소개된 감마 금속정은 삽입점이 대퇴골 대전자부 외측에 존재하며 대퇴골 골수강에 잘 맞도록 근위부가 두껍

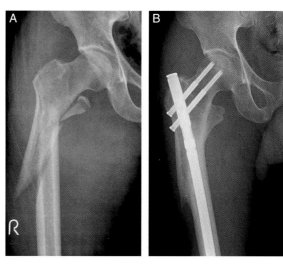

그림 12. 2세대 골수강내 금속정을 이용한 치료
(A) Russel-Taylor IIB형 골절. (B) 2세대 골수강내 금속정을 이용하여 골유합을 얻었다.

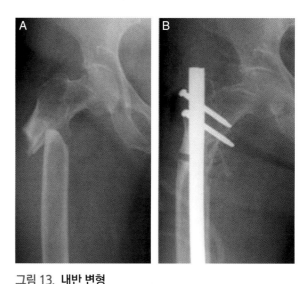

그림 13. 내반 변형
(A) 단순 횡형 전자하 골절. (B) 금속정 삽입부가 외측으로 치우쳐 있으며, 내반 부정정렬이 발생하였다.

게 만들어졌다. 그러나, 술기가 어렵고 수술 중에 근위 대퇴골 또는 골간부의 골절이 발생하거나 수술 후 전자부 점액낭염 등의 합병증이 보고되었다. 최근에 개발된 항회전 근위 대퇴골 금속정(proximal femur nail antirotation)의 경우 나선형 날(helical blade)을 삽입하

는 방식으로 대퇴골두의 해면골을 압축시키며, 완전히 고정된 후에는 회전이 불가능하여 회전 없이 활강만 가능하기 때문에 대퇴골두가 회전하여 후방 돌출 되는 현상을 막을 수 있다(그림 14).

(3) 환상 강선을 이용한 정복 및 금속정 고정술

골수강내 금속정 수술 시 짧은 근위 골절편의 전위로 인해 도수 정복을 시행하기가 기술적으로 어려워 부정 유합의 빈도가 높은 것이 문제점으로 지적되면서, 골절 부위를 개방하고 환상 강선(cerclage wire)을 이용하여 먼저 골절 정복을 시행한 후 금속정으로 고정하는 방법도 종종 사용되고 있다. 하지만 술기 중 골절편의 골막을 손상시켜 불유합을 초래하는 문제점들이 지적되어 왔다. 또한 골막의 혈류 공급이 대퇴골의 종방향으로 이루어지기 때문에 강선 고정 시 이를 방해하여 생물학적 고정을 저해한다는 의견이 많다. 반면 다른 장골과 달리 대퇴골은 횡 방향의 환상 형태로 여러 개의 근골막 혈관으로부터 혈류 공급이 이루어진다는 동물 연구가 있으며, 한두 개의 강선 고정은 골막의 혈류 공급에 큰 지장을 초래 하지 않기 때문에 골막을 잘 보존하여 강선을 이용한 정복 후 골수강내 금속정 삽입하게 되면 오히려 안정적인 술기가 될 수 있다는 주장도 제기 되고 있다. 따라서 강선 고정 후 발생하는 불유합의 원인은 강선 고정 자체의 문제라기보다는 수술 중 골절편에 부착된 골막 및 근육을 박리하여 골유합에 필요한 혈액 공급을 파괴하는 것이 주된 요인으로 생각된다. 따라서 강선 고정을 이용한 정복술 시는 wire passer를 이용하여 강선이 지나가는 부위로만 골막 박리를 최소화하여 시행하는 것이 중요하다.

6. 수술 후 재활

수술 후 환자의 상태가 호전되는 즉시 고관절의 능동적 운동과 지속적인 수동 운동을 시작한다. 심한 분쇄가 있거나 불안정한 전자하 골절에서 골수강외 고정 장치를 사용하는 경우 체중 부하 시기는 환자의 상태나 고정의 안정성 정도에 따라 다르겠지만, 두 개의 목발 또는 보행기를 6-12주간 이용하여 수술 후부터 서서히 시행해 볼 수 있다. 반면 골수강내 고정 장치를 이용한 경우는 골수강외 고정 장치를 이용한 경우보다 수술 직후부터 좀 더 빠른 부분 또는 전체중 부하를 권장하고 있다.

7. 합병증

1) 부정유합

주로 내반고의 형태로 각형성이 일어나기 때문에 골절 고정 시 전후면 상에서 경간각을 회복하는 것이 중요하다. 주로 골절 정복 시 근위부의 외전 상태가 적절히 정복되지 않거나 금속정 삽입 시 삽입점이 외측에 치우쳤을 때 발생한다. 변형이 심할 경우에는 골유합이 확인된 후 외반 절골술과 골이식 및 내고정을 시행한다.

심한 분쇄가 있는 골절이나 역동적 고 나사를 사용한 수술 후 래그 나사의 과도한 활강에 의하여 하지 길이 단축이 발생하며, 골절부의 각형성이나 골결손 등도

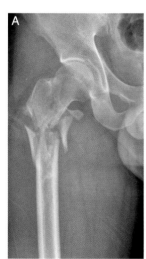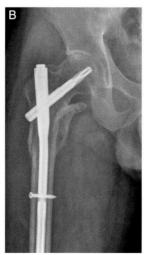

그림 14. 항회전 근위 대퇴골 금속정을 이용한 골유합술
(A) 대퇴골 전자하부의 심한 분쇄 골절. (B) 항회전 근위 대퇴골 금속정은 나선형 날을 삽입하여 대퇴골두의 골손실을 줄이고 회전 불안정성을 예방할 수 있다.

단축의 원인이 될 수 있다. 경미한 경우에는 보조 신발로 처치할 수 있지만 심한 경우에는 반대측을 단축시키거나 환측을 연장시키는 방법이 필요할 수도 있다 (그림 15).

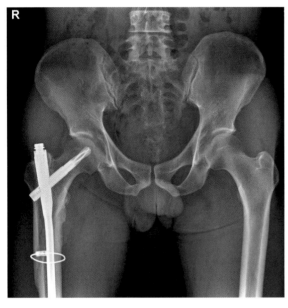

그림 15. 전자하 골절에 대하여 환상 강선 이용한 정복을 시행하고 골수강내 금속정으로 고정하여 골유합을 얻었다.

2) 불유합

불유합은 치료가 어려운 합병증이다. 특히 대퇴골 전자하 골절은 고에너지 손상에 의한 경우도 있고, 전자하부의 해부학적인 특성으로 인하여 지연 유합이나 불유합 발생률이 20%에 이르는 것으로 보고되고 있다. 다양한 치료 방법이 있는데 먼저 집도의는 골절의 정렬 상태가 적절하여 큰 골수강내 금속정의 교체만으로 치료가 가능한지, 골절의 재정렬이 필요한지를 결정하여야 한다. 만약 정렬이 올바르다면 더 큰 직경의 금속정을 비관혈적 방법으로 시행할 수 있겠고, 부정 정렬이 있을 경우에는 95° 칼날 금속판을 이용한 관혈적 재정복술 및 내고정술을 시행해 볼 수 있겠다(그림 16). 대개 광범위한 관혈적 접근을 통하여 불유합 부위의 모든 섬유조직을 제거하고, 골절편의 가동성을 확보하여 변형을 교정하게 된다. 많은 연구에서 근위 골절편의 안정적인 고정이 성공적인 골유합에 중요함을 보여주고 있다. 또한 위축성 불유합(atrophic nonunion)이나 골결손이 심한 경우에는 골이식이나 골이식 대체재를 사용할 수 있다. 고관절 치환술은 심한 골결손이나 관절면의 손상이 있을 경우 시도될 수 있으나, 이러한 경우에는 삽입물 주위 골절이나 삽입물 주위 감염 등의 합병증이 높은 빈도로 보고되고 있다.

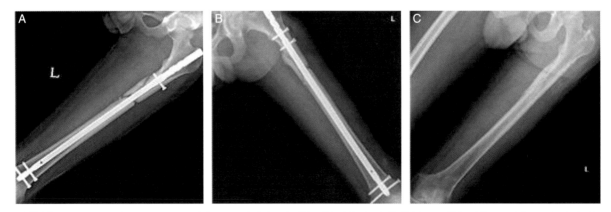

그림 16. 정렬이 적절한 불유합에 대하여(A) 더 큰 직경의 금속정을 이용하여 재수술한 후(B) 골유합을 얻을 수 있었고 금속정 제거술까지 시행하였다(C).

3) 감염

불유합과 함께 치료가 가장 어려운 합병증 중 하나이다. 수술 후 조기 감염은 안정적으로 고정되어 있는 삽입물을 남겨둔 채로 변연절제술과 함께 항생제를 투여한다. 해리된 삽입물이나 파절된 금속이 잔존하는 만성 감염에서는 삽입물을 모두 제거하고 변연절제와 철저한 세척술을 시행하며 정맥용 항생제를 투여한다. 항생제 함유 골시멘트 충진물을 골수강내 삽입하여 일시적인 안정성을 제공하기도 하며 임시적으로 외고정술을 시행할 수도 있다. 감염이 치유된 후에는 견고한 고정술과 함께 골이식술을 시행할 수 있다(그림 17).

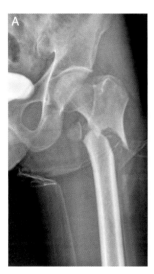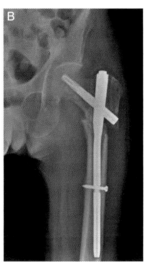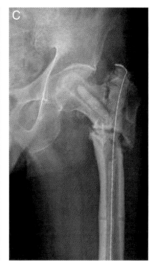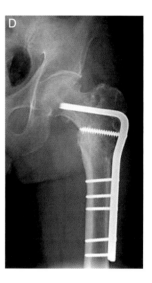

그림 17. 대퇴골 전자하 골절 수술 후 감염
(A) 소전자부 분쇄를 동반한 횡형 불안정성 전자하 골절. (B) 항회전 근위 대퇴골 금속정을 이용하여 고정하였다. (C) 수술 후 심부 감염이 발생하여 금속정을 제거하고, 변연절제술 및 항생제 함유 골시멘트 충진물을 삽입하였다. (D) 감염 조절 후 칼날 금속판을 사용한 재고정술을 시행하여 골유합을 얻었다.

참고문헌

1. 대한골절학회. 골절학, 초판. 서울. 범문에듀케이션; 2013. 631-9.

2. 대한정형외과학회. 정형외과학, 7판. 서울. 최신의학사; 2013. 1451-4.

3. Broos PL, Reynders P. The use of the undreamed AO femoral intramedullary nail with spiral blade in nonpathologic fractures of the femur: experiences with eighty consecutive cases. J Orthop Trauma. 2002;16:150-4.

4. Byun YS, Yoo CH, Nam JM, Cho YH, Shin DJ. Unstable trochanteric fractures of the femur treated with a condylar blade plate. J Korean Fracture Soc.2002; 15: 320-7.

5. Canale ST, Beaty JA. Campbell's operative orthopedics. 12th Ed. Philadelphia: Mosby/Elsevier. 2013. 2750-9.

6. Celebi L, Can M, Muratli HH, Yagmurlu MF, Yuksel HY, Bicimoğlu A. Indirect reduction and biological internal fixation of comminuted subtrochanteric fractures of the femur. Injury. 2006;37:740-50.

7. DeLee JC, Clanton TO, Rockwood CA Jr. Closed treatment of subtrochanteric fractures of the femur in a modi_ed cast-brace. J Bone Joint Surg Am. 1981;63:773-9.

8. Fielding JW, Cochran GV, Zickel RE. Biomechanical characteristics and surgical management of subtrochanteric fractures. Orthop Clin North Am. 1974;5:629-50.

9. Fielding JW, Magliato HJ. Subtrochanteric fractures. Surg Gynecol Obstet. 1966;122:555-60.

10. Fracture and dislocation compendium. Orthopaedic Trauma Association Committee for Coding and Classification. J Orthop Trauma. 1996;10(Suppl 1):v-ix, 1-154.

11. Goldhagen PR, O'Connor DR, Schwarze D, Schwartz E. A prospective comparative study of the compression hip screw and the gamma nail. J Orthop Trauma. 1994;8: 367-72.

12. Haidukewych GJ, Berry DJ. Nonunion of fractures of the subtrochanteric region of the femur. Clin Orthop Relat Res. 2004;419:185-8.

13. Hardy DC, Descamps PY, Krallis P, et al. Use of an intramedullary hip-screw compared with a compression hip-screw with a plate for intertrochanteric femoral fractures. A prospective, randomized study of one hundred patients. J Bone Joint Surg Am. 1998;80:618-30.

14. Jacobs RR, McClain O, Armstrong HJ. Internal _xation of intertrochanteric hip fractures: a clinical and biomechanical study. Clin Orthop Relat Res. 1980;146:62-70.

15. Jones JB. Screw fixation of the lesser trochanteric fragment. Clin Orthop Relat Res. 1977;123:107.

16. Karr RK, Schwab JP. Subtrochanteric fracture as a complication of proximal femoral pinning. Clin Orthop Relat Res. 1985;194:214-7.

17. Kim HJ, Lee TJ, Oh JK. Subtrochanteric Fracture: Emphasis on surgical techniques in nailing. J Korean Orthop Assoc. 2015;50:202-14.

18. Kim HT, Cho YH, Kim JH, Bang HH, Nam SO. Treatment of Subtrochanteric fractures of the femur with a condylar blade plate. J Korean Hip Soc. 2005;17: 65-9.

19. Kulkarni SS, Moran CG. Results of dynamic condylar screw for subtrochanteric fractures. Injury. 2003;34: 117-22.

20. Kwek EB, Goh SK, Koh JS, Png MA, Howe TS. An emerging pattern of subtrochanteric stress fractures: a long-term complication of alendronate therapy? Injury. 2008;39:224-31.

21. Laros GS, Moore JF. Complications of fixation in intertrochanteric fractures. Clin Orthop Relat Res. 1974;101:110-9.

22. Lee SH. Operative treatment of subtrochanteric fractures of the Femur. J Korean Hip Soc. 2006;18:430-6.

23. Leung KS, So WS, Shen WY, Hui PW. Gamma nails and dynamic hip screws for peritrochanteric fractures.A randomised prospective study in elderly patients. J Bone Joint Surg Br. 1992;74:345-51.

24. Madsen JE, Naess L, Aune AK, Alho A, Ekeland

A,Strømsøe K. Dynamic hip screw with trochanteric stabilizing plate in the treatment of unstable proximal femoral fractures: a comparative study with the Gamma nail and compression hip screw. J Orthop Trauma. 1998;12:241-8.

25. Müller ME, Allgöwer M, Schneider R, Willenegger H: Manual of internal _xation. Techniques Recommended by the AO-ASIF Group. 3rd ed. Berlin Heide erg: Springer·Verlag. 1991;252: 576·8.

26. Oh CW, Kim JJ, Byun YS, et al. Minimally invasive plate osteosynthesis of subtrochanteric femur fractures with a locking plate: a prospective series of 20 fractures. Arch Orthop Trauma Surg. 2009;129:1659-65.

27. Pakuts AJ. Unstable subtrochanteric fractures-gamma nail versus dynamic condylar screw. Int Orthop. 2004;28:21-4.

28. Park KC, Kim HS. Efficacy of percutaneous cerclage wiring in intramedullary nailing of subtrochanteric femur fracture-technical note. J Korean Fract Soc. 2013;26:212-6.

29. Park SY, Yang KH, Yoo JH, Yoon HK, Park HW. The treatment of reverse obliquity intertrochanteric fractures with the intramedullary hip nail. J Trauma. 2008;65:852-7.

30. Sanders R, Regazzoni P, Ruedi TP. Treatment of supracondylar-intracondylar fractures of the femur using the dynamic condylar screw. J Orthop Trauma. 1989;3: 214-22.

31. Schatzker J, Waddell JP. Subtrochanteric fractures of the femur. Orthop Clin North Am. 1980;11:539-54.

32. Seinsheimer F. Subtrochanteric fractures of the femur. J Bone Joint Surg Am. 1978;60:300-6.

33. Shukla S, Johnston P, Ahmad MA, Wynn-Jones H, Patel AD, Walton NP. Outcome of traumatic subtrochanteric femoral fractures fixed using cephalomedullary nails. Injury. 2007;38:1286-93.

34. Siebenrock KA, Müller U, Ganz R. Indirect reduction with a condylar blade plate for osteosynthesis of subtrochanteric femoral fractures. Injury. 1998;29 Suppl 3:C7-15.

35. Strauss E, Frank J, Lee J, Kummer FJ, Tejwani N. Helical blade versus sliding hip screw for treatment of unstable intertrochanteric hip fractures: a biomechanical evaluation. Injury. 2006;37:984-9.

36. Thorngren KG. Optimal treatment of hip fractures. Acta Orthop Scand Suppl. 1991;241:31-4.

37. Tornetta Iii P, Ricci WM, McQueen MM, McKee MD, Court-Brown CM. Rockwood and Green's fractures in adults. 9th ed. Philadelphia: Lippincott Williams & Wilkins; 2019. 2318-39.

38. Trafton PG. Subtrochanteric-intertrochanteric femoral fractures. Orthop Clin North Am. 1987;18:59-71.

39. Vaidya SV, Dholakia DB, Chatterjee A. The use of a dynamic condylar screw and biological reduction techniques for subtrochanteric femur fracture. Injury. 2003;34:123-8.

40. Waddell JP. Subtrochanteric fractures of the femur: a review of 130 patients. J Trauma. 1979;19:582-92.

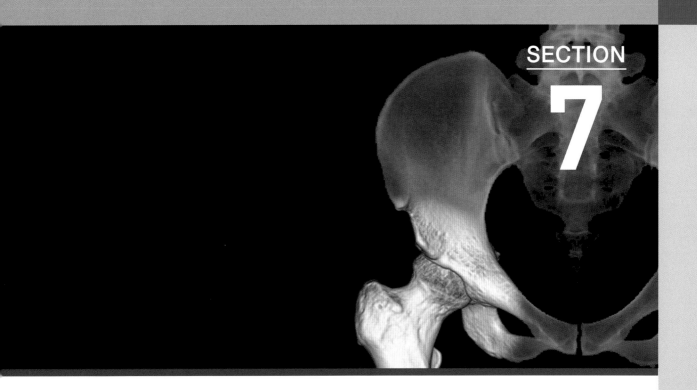

골다공증
Osteoporosis

1

기전 및 진단
Pathogenesis
and Diagnosis

1. 골다공증의 기전

1) 병태생리

2000년 미국 국립보건원(National Institutes of Health, NIH)에서는 골다공증이란 '골강도의 약화로 인하여 골절 위험성이 증가되는 골격계 질환'으로 정의하였으며, 1994년 세계 보건기구(World Health Organization, WHO)에서는 실제 진료에서 골밀도가 '건강한 젊은 성인의 평균 골밀도보다 2.5 표준편차 이상 떨어져 있을 때(T 값<−2.5 SD)' 골다공증이라 정의하였다. 즉, 골다공증은 골량의 감소와 미세구조의 이상을 특징으로 하며, 골강도를 감소시켜 골절의 위험성을 높이는 골격계 질환으로, 골강도는 골밀도와 골질에 의해 영향을 받는다. 폐경 후 골다공증은 에스트로겐 결핍에 기인한다는 사실은 잘 알려져 있다. 그러나 골다공증의 발병 기전은 에스트로겐 결핍 이외에도 유전적 요소, 생활 습관, 영양 상태, 약제의 복용 유무 등에 의해 크게 영향을 받는다.

골다공증은 원인, 연령, 임상적 특징에 따라 일차성 골다공증과 이차성 골다공증으로 분류한다. 일차성 골다공증은 성인에서 선행 질환 없이 발생하는 골다공증이며, 이차성 골다공증은 연령에 상관없이 골다공증을 유발하는 원인 질환이 선행되어 발생한다.

일차성 골다공증은 1형인 폐경 후 골다공증(postmenopausal osteoporosis)과 2형인 노인성 골다공증(senile osteoporosis)으로 구분할 수 있다. 폐경 후의 여성은 두 가지 형태의 골다공증이 모두 생길 수 있으나 남성의 경우 주로 2형 골다공증이 생긴다. 여성의 폐경 후 골다공증은 폐경 후 약 1년 동안 급속히 진행하고 주로 해면골이 영향을 받게 되며, 남성 골다공증은 노화에 따라 서서히 지속적으로 진행하여 해면골과 피질골이 모두 영향을 받게 된다. 여성의 경우에도 폐경 이후에는 남성 골다공증과 같은 경로로 골다공증이 진행된다. 폐경 후 골다공증은 에스트로겐 결핍에 의해 발생하나 노인성 골다공증은 골모세포의 이상과 같은 노화 과정의 일부이다. 그러나 이러한 구분은 실제 임상에서 명확히 구분되지는 않으며 폐경 후 골다공증과 노년의 남성 골다공증 모두 에스트로겐 결핍에 의해 발생한다는 통합된 기전 역시 제시되고 있다.

노년기의 골량은 아동기와 청소년기 동안의 최대 골량에 의해 결정된다. 아동기의 골량은 신장과 골밀도, 부피 증가에 따라 지속적으로 증가하며, 특히 사춘기 동안에는 최대로 증가하여 성장 급등(growth spurt) 기간 동안에는 성인의 최대 골량의 25−50%에 달하는 증가를 보인다. 성장기에 최대 골량에 미치지 못하거나, 골재형성 시 골흡수가 과하게 일어나거나 골형성이 부족할 경우 골다공증이 발생할 수 있다. 최대 골량이 10% 증가할 때 고관절 골절을 약 30% 감소시킬 수 있다는 보고가 있으며, 따라서 성장기에 최대 골량에 도달하는 것은 골다공증과 골다공증에 속발하는 골절 예방에 매우 중요하다. 최대 골량은 주로 유전적인 요인에 기인하여, low density lipoprotein receptor related protein 5(LRP5), sclerostin (SOST), osteoprotegerin

(OPG), estrogen receptor 1과 receptor activator of NF−κB (RANK) 경로 유전자가 최대 골량을 결정하며 또한 성장기의 에스트로겐이나 영양 상태나 운동, 흡연 여부 등도 최대 골량에 영향을 주는 것으로 알려져 있다.

청장년기 남성의 장관골의 단면적은 여성에 비해 35−42% 가량 더 크며, 남성과 여성 모두 일생 동안 골의 단면적은 약 15%까지 지속적으로 증가한다. 해면골의 체적당 골밀도(volumetric bone mineral density, vBMD)는 남성과 여성 모두 20대에 이미 감소하기 시작하여 90대에 이르면 신체 중심 골격에서는 여성의 경우 총골량의 55%, 남성의 경우 46%, 말단 골격에서는 여성과 남성 모두 24−26% 가량 감소한다. 피질골의 경우에는 해면골에 비해 골량의 감소는 비교적 적어서 여성 폐경기가 시작되는 40대 중반부터 감소하기 시작하여 여성의 경우 약 25%, 남성의 경우 약 18%까지 감소한다.

폐경과 에스트로겐 결핍은 여성의 연령과 연관된 골소실의 주된 원인으로 폐경 초기의 해면골의 소실은 에스트로겐 결핍과 연관된다. 폐경기에는 혈장내 테스토스테론도 감소하나 테스토스테론은 난소 외에도 부신피질에서도 지속적으로 생성되므로 그 영향은 크지 않다. 폐경기 골량의 감소는 골흡수 표지자의 큰 폭의 증가와 골형성 표지자의 소폭 상승으로 확인할 수 있는데 이는 골흡수가 큰폭으로 증가하는 데 반해 골형성은 상대적으로 적은 현상에 기인한다. 폐경기 초기의 빠른 골소실은 골조직에서 혈장으로 칼슘을 이동시키나 신장에서 칼슘의 배설이 증가하며, 소장에서 칼슘의 흡수가 감소하고 부갑상선 호르몬의 분비가 줄어서 고칼슘 혈증은 발생하지 않는다.

폐경기 초기의 빠른 골소실을 제한하여 항상성을 유지하는 기전은 아직 잘 알려져 있지 않다. 골소실에 의한 기계적인 압력이 골세포에 가해져 어느 시점이 되면 골소실의 속도는 늦어지는 것으로 추측되나 에스트로겐 결핍에 의한 골소실은 지속적으로 진행된다. 이는 노년에 이르면 점차 혈장내 부갑상선 호르몬 수치가 높아지는 이차성 부갑상선항진증으로 나타난다. 부갑상선 호르몬 분비의 증가는 다시 골교체와 골소실의 증가를 유발한다.

에스트로겐 결핍은 골흡수와 이에 대한 보상으로 발생하는 골형성의 증가로 나타나지만 최근에는 에스트로겐이 골흡수를 억제할 뿐 아니라 골형성 유지에도 직접적으로 연관되어 있다고 보고되고 있다.

남성에서는 폐경기가 없지만 총 테스토스테론의 양역시 나이가 들면서 감소한다. 또한 테스토스테론과에스트로겐의 비 역시 감소하여 20대에 비하여 90대에서는 가용 가능한 테스토스테론은 64%, 에스트로겐은 47% 가량 감소한다. 남성의 주된 성호르몬은 테스토스테론이지만 남성의 골다공증 역시 에스트로겐의 영향을 받는다. 55세 이상에서 골밀도는 혈장내 에스트라디올 수치와 양의 상관관계를 보이며 테스토스테론 수치와는 음의 상관관계를 보인다. 혈장 테스토스테론의 양은 요추부와 대퇴골 경부의 골밀도와는 직접적인 상관관계를 보이지는 않지만 노인성 골절의 발생 빈도와는 직접적인 관계를 보인다. 이는 테스토스테론의 골격에 대한 영향보다는 근력과 균형 유지, 그리고 이와 연관된 낙상의 빈도에 따른 것으로 생각된다.

여성의 에스트로겐 결핍과 남성의 테스토스테론 결핍은 골모세포와 파골세포로 구성되는 골다세포 단위에 의한 골재형성의 증가를 초래한다. 골재형성이란 골의 미세 손상이나 오래된 골조직을 복구하여 골조직을 유지하는 과정이지만 골흡수에 비해 골형성이 결핍되므로 결과적으로 골소실을 보이게 된다.

에스트로겐이 결핍되면 조혈세포와 골수의 간엽 세포로부터 기원한 파골세포 전구체와 조골세포 전구체가 증가한다. 전구체의 증가는 알렌드로네이트와 같은 골흡수 억제제를 사용하는 경우에도 발견되는 현상으로 골흡수가 선행하지 않는 경우에도 골모세포 전구체의 증가하여 에스트로겐이 파골세포와 골모세포의 전구체에 대해 직접적인 억제효과가 있음을 알 수 있다.

에스트로겐은 조혈세포와 간엽세포로부터 파골세포와 골모세포의 전구체 생성을 억제하는 것과 더불어 파골세포의 발달과 활동성, 세포자멸사에도 영향을 미친다. 파골세포의 발달에 가장 중요한 열쇠는 골수 기질 세포와 골모세포 전구체, T 세포와 B 세포의 표면에 존재하는 Receptor Activator of Nuclear factor−κB Ligand (RANKL)이다. RANKL은 파골세포에 존재하는 그와 유사한 수용체인 RANK와 결합하는데 이 수용체는 골모세포에서 만들어지는 간섭 수용체인 osteoprotegerin (OPG)에 의해 중성화된다. 에스트로겐은 골포세포와 T 세포, B 세포에서 만들어지는 RANKL을 억제하고 OPG의 생성을 증가시킨다(그림 1). RANKL, RANK, OPG는 골다공증의 병태생리를 이해하는 데 핵심적인 역할을 한다(표 1).

에스트로겐의 골에 대한 효과는 면역세포를 통하여 발현되기도 한다. 현재까지 IL−1, IL−6, TNF−α, 프로스타글란딘 $E_2(PGE_2)$ 등의 사이토카인과 염증 매개체가 골다공증의 병태생리와 연관이 있음이 밝혀졌다. IL−1은 활성화된 단핵구세포, 골모세포, 암세포 등에서 분비되어 파골세포의 형성과 분화의 모든 단계에 작용하며 RANKL을 증가시켜 파골세포의 생성을 촉진한다. IL−6는 골모세포와 파골세포에서 분비되며, 파골세포의 형성을 약하게 촉진하며, TNF−α는 IL−1과 함께 파골세포 분화를 유도할 수 있는 인자로 염증성 골소실에 많은 역할을 한다. PGE_2는 악성 종양이나 만성 염증에 관계된 고칼슘혈증이나 증가된 골흡수에 관여하는 것으로 여겨지며, RANKL을 증가시켜 파골세포에 작용한다(그림 2).

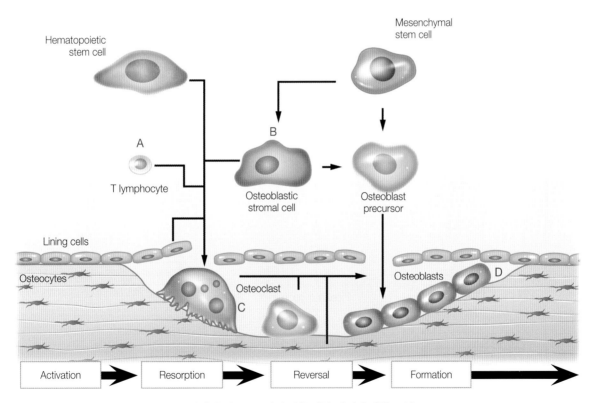

그림 1. 골재형성에 관여하는 골다세포 단위와 에스트로겐의 작용 예상 기전에 대한 모식도
에스트로겐은 골의 재형성 과정에서 다음 네 가지 기전에 의해 작용하는 것으로 예상된다. 즉, 파골세포 활성에 관여하는 것으로 알려진 T 세포의 사이토카인 생성(A)이나 기질 또는 골모세포로부터 RANKL 또는 OPG의 생성(B)에 영향을 미치고, 분화된 파골세포를 직접적으로 억제하기도 하며(C), 골모세포와 골세포에 가해지는 물리적 힘에 대한 감수성을 향상시켜 이들 세포에 의해 매개되는 골형성에 영향을 준다(D).

표 1. 주요 호르몬의 OPG/RANKL에 대한 효과

	OPG	RANKL	OPG/RANKL
Estrogen	↑	↓	↑
Glucocorticoid	↓	↑	↓
Parathyroid hormone*	↓	↑	↓
1,25(OH)₂ vitamin D	↑	↓	↑

* PTH의 지속적인 사용은 OPG/RANKL 비를 감소시켜 골다공증을 유발
하지만, PTH의 간헐적인 사용은 OPG/RANKL 비를 증가시켜 골형성을
유도한다.
OPG, osteoprotegerin; RANKL, Receptor Activator of NF-κB Ligand.

성호르몬 결핍으로 인한 골재형성과 골흡수의 증
가는 조직 수준에서 골형성의 증가를 초래한다. 그러
나 각 골다세포 단위에서는 골흡수와 골생성의 속도
에 차이가 있기 때문에 결과적으로는 골소실을 보이

게 된다. 따라서 성호르몬의 결핍은 골생성의 결핍으
로 나타난다. 최근에는 에스트로겐이 부족하면 골모세
포의 Nuclear factor-κB (NF-κB)의 활동성이 증가하
며, NF-κB의 활동성을 억제하면 골흡수와 골형성의
간극을 줄여 골소실을 줄일 수 있다는 보고가 있으며
NF-κB가 에스트로겐 결핍에 의한 골형성의 상대적인
결핍의 중요한 매개인자로 생각된다. 또한 세포단위에
서는 에스트로겐과 테스토스테론이 골모세포의 세포
자멸사를 억제하여 골모세포의 생존기간을 연장한다.

에스트로겐의 결핍은 골모세포뿐만 아니라 골세포에
도 영향을 준다. 에스트로겐의 결핍은 골세포의 세포
자멸사를 촉진하며, 골세포는 골소주 안에서 기계적
부하를 감지하고 체중 부하의 변화에 대해 반응하므로
결과적으로 골격계의 체중 부하에 대한 반응을 저하시
킨다.

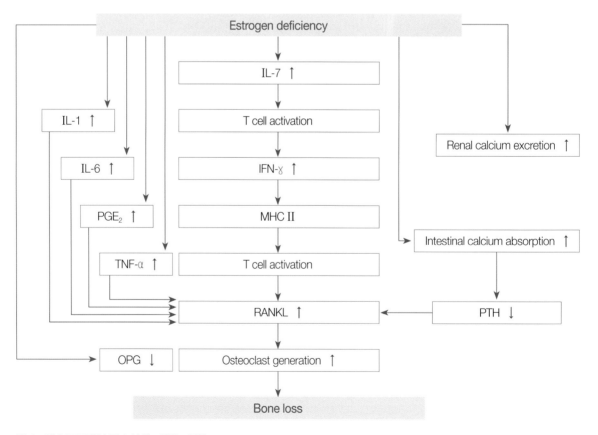

그림 2. 에스트로겐이 골소실에 미치는 영향

2) 생역학

피질골은 표면적과 부피의 비가 적으나 해면골의 경우 상대적으로 표면적이 더 넓다. 골재형성은 골표면에서 주로 발생하므로 해면골이 피질골에 비해 골다공증의 영향을 더 많이 받게 된다.

(1) 피질골의 변화

장관골과 같은 원주 형태의 구조물을 가정할 때 관성 모멘트는 원주의 반지름의 네 제곱에 비례한다. 즉 골량이 같은 경우 외경이 크고 피질골이 얇은 경우가 외경이 작고 피질골이 두터운 경우보다 파괴 하중이 더 커서 골절에 더 잘 저항한다(그림 3). 성장기 이후의 장관골에서 장관골의 내경과 외경은 평생 동안 증가한다. 남성과 여성 모두에서 골수강의 부피는 매 10년마다 약 10에서 15%씩 증가하며 이는 골내막 피질골의 골흡수에 기인한다. 남성에서는 이와 동시에 나이가 증가함에 따라 장관골의 외경이 같이 증가하므로 피질골의 단면적에는 변화가 없으나 여성에서는 외경이 증가하지 않아 나이에 따라 피질골의 단면적이 줄어들게 된다. 따라서 여성에서는 남성에 비해 나이에 따른 장관골의 형태의 변화가 골절에 저항하는 힘이 약하다. 장관골의 확장은 대퇴골 경부에서도 관찰된다. 대퇴골 경부의 단면적은 성장기 이후 여성에서는 약 13% 증가하며 남성에서는 약 7% 증가하는데, 반면 골수강의 면적은 여성에서는 약 30%, 남성에서는 약 16% 증가하

여 결과적으로 여성에서는 약 14%, 남성에서는 23%의 피질골의 손실을 보인다.

대퇴골 경부의 단면적의 증가는 남성에서 여성보다 약 3배 정도 더 증가하여 골절에 더 잘 저항하게 된다.

피질골 조직은 나이가 들어감에 따라 공극률(porosity)이 높아지며 콜라겐의 교차결합이 줄어들어 피질골의 탄성과 인성, 골강도는 감소하게 된다. 대퇴골 피질의 탄성계수는 35세 이후 매 10년마다 1내지 2%씩, 인성은 매 10년마다 약 10%씩, 골강도는 매 10년마다 2내지 5%씩 감소한다고 보고된 바 있으며 이는 비교적 적은 에너지의 외상에 의한 골절의 감수성을 증가시키는 원인이 된다.

(2) 해면골의 변화

골다공증이 있는 해면골의 미세구조, 밀도와 기계적 성질은 해부학적 위치와 가해지는 힘의 방향에 따라 많은 차이를 보인다. 골다공증의 해면골에서 가장 큰 변화를 보이는 것은 현성 밀도(apparent density)이다. 해면골의 현성 밀도는 무게를 전체 부피로 나눈 값으로, 나이가 들어감에 따라 골강도와 비례하여 크게 감소하여 25세부터 75세의 기간 동안 척추체의 압박력에 대한 강도는 약 70%까지 감소한다. 현성 밀도의 감소는 골다공증이 진행함에 따라 각각의 골소주의 두께와 수가 줄어들게 되며 효소에 의하지 않은 교차결합이 늘고 미세 손상이 축적됨에 기인하는 것으로 추정된다.

골다공증성 골절이 많이 발생하는 추체의 경우 골다공증이 진행됨에 따라 먼저 상하 연골하골판의 해면골이 막대 모양으로 변하고 이어서 수평 골소주가 소실된다. 수평 골소주가 소실되어 수직 골소주만 남았을 경우 수직으로 가해지는 압박력을 제외한 여러 방향에서 가해지는 힘에 취약해지며 결국은 압박 골절이 발생한다. 일단 압박 골절이 추체에 발생하면 척추가 전방으로 기울어지며 무게중심이 앞으로 이동하여 압박 골절이 발생한 추체의 상하위 추체에 추가적인 힘이

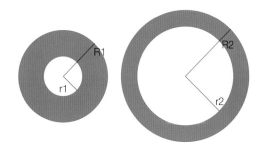

그림 3. 외경과 내경의 차이에 따른 단면적 관성 모멘트

Cross sectional moment of inertia = π/4 x (R⁴−r⁴), 즉 단면적이 같을 경우 단면적 관성 모멘트는 R⁴−r⁴에 비례하며 외경이 큰 경우 외력에 더 잘 저항한다.

가해져 골절 위험이 4–5배 이상 증가하게 된다. 따라서 첫 번째 압박 골절이 생기지 않도록 하는 것이 중요하며 압박 골절이 발생한 경우 추체 성형술을 시행하는 이유가 된다(그림 4).

2. 골다공증의 진단

1) 방사선 검사

방사선 사진에서 초기의 골다공증을 진단하기는 어려우나 골다공증이 진행하였을 때는 골 결핍이나 골다공증성 골절이 관찰되며, 이환된 골의 피질이 얇아지고 골소주의 모양이 거칠어진다. 이러한 변화가 가장 뚜렷하게 나타나는 부위는 척추와 대퇴골 근위부이다.

또한 방사선 검사상 골다공증에 의한 압박 골절이 추체에서 발견될 수 있다. 압박 골절 시 추체에서는 추체 전면의 높이는 감소되어 있으나 후연의 높이는 정상인 설상 골절(wedge deformity), 추체의 중앙 부위가 함몰된 양요 골절(biconcave deformity), 추체의 모든 부위에 압박이 가해져 편평하게 보이는 압궤 골절(crush deformity)이 관찰되며, 이러한 변화가 혼합되어 다양하게 나타난다.

골다공증성 골절은 척추 이외에도 대퇴골, 요골, 척골, 상완골 근위부 등에서 낙상과 연관되어 발생하며 방사선 검사상 비교적 쉽게 진단할 수 있다. 노령의 환

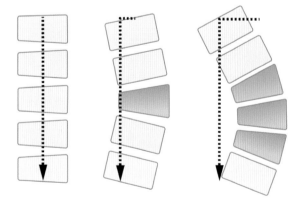

그림 4. 추체에 압박 골절이 발생하면 척추가 전방으로 기울어지며 무게중심이 앞으로 이동하여 상하위 추체에 추가적인 힘이 가해진다.

자나 골대사 질환이 있는 환자에서 방사선 검사상 골절이 뚜렷하지 않은 경우에도 골절이 의심이 되면 자기공명영상 검사, 혹은 전신 골주사 검사로 골절여부를 확인해야 한다.

(1) 척추

척추의 방사선 사진에서 골음영의 변화를 육안으로 감별하기 위해서는 약 30%의 골조직이 소실되어야 하며 이는 사진 촬영의 조건과 척추 주위의 연부조직의 양이 다양하기 때문이다. 척추의 방사선 검사에서 골음영을 평가할 때에는 추체의 골음영이 인접한 연부조직 또는 추간판의 음영과 같거나 낮으면 추체의 골음영이 감소되었다고 판단한다. 또한 골다공증의 진행에 따라 추체의 골소주의 양과 형태가 변화한다. 골다공증이 진행하면 수평 방향의 골소주는 소실되며 상대적으로 수직 방향의 골소주가 뚜렷하게 보이게 된다. 척추의 골다공증을 진단하기 위하여 골음영의 감소와 골소주의 변화를 기준으로 한 Saville 지표가 사용되었으나 최근에는 골다공증 진단 방법의 발달로 잘 사용하지 않는다(표 2).

(2) 근위 대퇴골

방사선 검사로 골다공증을 평가하는 방법 중에는 Singh 지표(Singh index)가 있다. Singh 지표는 압박 골소주와 인장 골소주로 구성되어 있는 근위 대퇴골의 5종류의 골소주의 방사선적 형태를 기본으로 하여 골소주의 형태를 6단계로 나누어 골다공증과 근위 대퇴골의 골질을 진단한다(그림 5).

Singh 지표 6단계는 모든 정상 골소주가 관찰되며 대퇴골의 상단이 해면골로 완전히 채워져 있으며, 지표 5단계는 일차 인장 골소주(primary tensile trabeculae)와 일차 압박 골소주(primary compressive trabeculae)가 강조되어 보이며 Ward 삼각(Ward's triangle)이 두드러져 보인다. 지표 4단계는 일차 인장 골소주가 눈에 띄게 감소하나 외측 피질골로부터 대퇴골 경부의 상연

표 2. Saville 지표에 의한 추체의 골다공증 평가

	척추체의 방사선적 소견
0	정상 골밀도
1	골밀도의 경미한 소실이 있음: 추체 종판이 뚜렷해진다.
2	수직 골소주가 뚜렷해짐; 추체 종판은 얇아진다.
3	골소실이 심해짐; 추체 종판은 잘 보이지 않는다.
4	추체의 형태가 불명확해짐; 골밀도는 연부조직과 비슷해지고 골소주가 보이지 않는다.

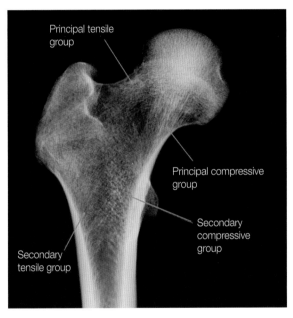 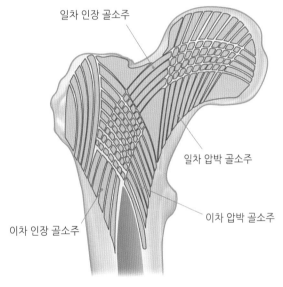

그림 5. 근위 대퇴골의 골소주 집단

까지 골소주가 관찰된다. 지표 3단계는 대전자의 반대편의 일차 인장 골소주가 단절되어 있으며 이 단계부터 골다공증을 진단할 수 있다. 지표 2단계는 일차 압박 골소주만 확실하게 관찰된다. 지표 1단계는 일차 압박 골소주의 수가 눈에 띄게 줄어들며 더 이상 확실하게 보이지 않는다.

이 방법은 관찰자 내 오류는 비교적 낮지만 관찰자 간 오류가 높고, 최근 들어 골밀도 측정이 보편화되면서 잘 사용하지 않으나, 비교적 쉽고 저렴하게 사용할 수 있어 선별 검사 방법으로 유용하다.

2) 골밀도 측정

골밀도 검사는 임상에서 골다공증의 진단과 추시 관찰에 가장 유용한 평가방법으로 2013년 대한골대사학회에서는 6개월 이상 무월경을 보이는 폐경 전 여성, 골다공증 위험인자를 갖는 폐경 이행기 여성, 폐경 후 여성, 골다공증 위험 인자를 갖는 50–69세의 남성, 70세 이상 남성, 골다공증 골절의 과거력, 방사선 검사에서 척추 골절이나 골다공증이 의심될 때, 이차성 골다공증이 의심될 때, 골다공증의 약물요법을 시작할 때, 골다공증 치료를 받거나 중단한 모든 환자의 추시 관찰 등에 골밀도 검사를 시행할 것을 권고하였다.

(1) 이중에너지 방사선흡수계측법

골밀도 측정에는 이중에너지 방사선흡수계측법(dual energy x-ray absorptiometry, DEXA)이 주로 사용된다. 척추와 대퇴골 외의 다른 부위에서 측정한 골밀도는 나이에 맞춘 골밀도가 평균치의 1 표준편차 감소할 때 골절의 상대 위험도는 1.5배 증가하였지만 척추부에서는 골절의 상대 위험도는 약 2.5배, 대퇴골 골밀도는 골절의 상대 위험도는 약 2.6배 증가한다. 따라서 골다공증성 골절이 가장 흔하게 발생하는 중심축의 척추부와 대퇴골의 골밀도를 측정하는 것이 중요하다.

골밀도는 연령, 성별, 종족 간의 정상 평균값과 비교하여 해석한다. T 값은 골절에 대한 절대적인 위험도를 나타내기 위해 골량이 가장 높은 젊은 연령층의 골밀도를 비교한 값으로 1994년 세계보건기구(WHO)는 T 값이 −1에서 −2.5 전까지를 골감소증, −2.5 이하를 골다공증으로 분류하였다. Z 값은 같은 연령대의 평균 골밀도와 비교한 값으로 폐경 전 여성과 50세 이전의 남성에서 적용한다. Z 값이 −2.0 이하일 때는 '연령 기대치 이하(below the expected range of age)'라 하여 이차성 골다공증의 가능성을 고려하여야 한다.

요추부의 골밀도 측정 시에는 환자를 검사대에 정확히 위치시키고 12 흉추와 5 요추의 중간 부위가 반드시 포함되도록 하며, 이 때 연부조직에 의한 효과를 감소시키기 위하여 주위 연부조직에 조영제나 요로 결석 등이 포함되지 않도록 주의한다. 요추부의 골밀도는 1 요추에서 4 요추까지 추체의 골밀도의 평균치를 사용하며, 퇴행성 변화로 T 값이 주위 추체와 1 표준편차 이상 차이가 나는 부위는 제외한다. 가장 낮은 수치를 보이는 추체의 값으로만 평가하지는 않으며, 반드시 평가 가능한 추체가 2개 이상 포함되어야 한다(그림 5).

대퇴골의 골밀도 측정 시에도 역시 환자를 검사대에 정확히 위치시키는 것이 중요하여 대퇴골을 영상의 중심축에 평행으로 위치하도록 하고 고관절을 15−20° 내회전시킨 자세에서 골밀도를 측정한다. 대퇴골의 골밀도는 근위 대퇴골 전체와 대퇴골 경부 중 낮은 수치를 사용하며 와드 삼각은 정밀도가 낮고 골다공증이 과잉 진단될 위험이 있어 제외한다(그림 6).

(2) 정량적 전산화단층촬영
(Quantitative computed tomography, QCT)

이중에너지 방사선 골밀도 측정법(DEXA)은 임상적으로 매우 유용하고 중요한 진단 방법이지만, DEXA로 측정되는 골밀도는 사실상 골의 부피에 대한 골 무기질의 양이 아니라 측정부위의 면적에 대한 골 무기질의 양(mg/cm^2)이다. 즉, 측정 대상인 척추골이나 대퇴골의 크기가 커질수록 골 무기질의 양은 삼차함수로 증가하나 DEXA의 조사면은 이차함수에 따라 증가하므로 척추골이나 대퇴골의 크기가 커질수록 작은 골에 비하여 실제 골밀도보다 골밀도가 높게 측정된다. QCT와 DEXA의 가장 큰 차이점은, QCT는 해면골과 피질골의 골밀도를 현성 골밀도(mg/cm^3 또는 g/cm^3)로 나타낼 수 있다는 점이다.

중심축 QCT는 보통 척추의 12 흉추부터 4 요추 사이의 연속된 2개 내지 4개의 추체를 검사 대상으로 한다. 추체의 연골하골판에 평행으로 추체의 중심부를 지나는 단면을 얻은 후, 그 단면에서 자동 또는 수동으로 관심 영역(region of interest, ROI)을 설정하고 관심 영역의 신호 강도와 이미 밀도를 알고 있는 칼슘 수산화인회석 표지자의 신호 강도를 비교하여 골밀도를 측정한다(그림 7). 측정된 각 추체의 현성 골밀도를 평균하여 골밀도를 결정하며 정상 인구에서의 골밀도와 비교하여 T 값과 Z 값을 구할 수 있다. QCT는 추체의 압박 골절을 예상하거나 추체의 골밀도를 연속적으로 추시 관찰하는 데 유리하나 골수 섬유증이나 골수의 지방에 의해 신호 강도가 낮아질 수 있다. 이론적으로는 DEXA에 비해 추체의 기계적 강도에 영향을 주지 않는 부위와 퇴행성 변화나 칼슘이 축적된 부위를 배제할 수 있고, 압박에 견디는 추체의 해면골의 골밀도만 선

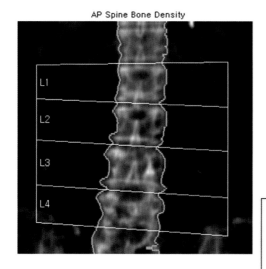

AP Spine Bone Density

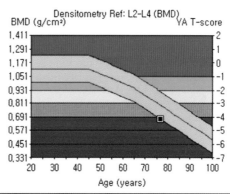

Densitometry Ref: L2-L4 (BMD)

Region	BMD[1] (g/cm²)	Young-Adult[2] (%)	T-score	Age-Matched[3] (%)	Z-score
L1	0.606	57	-3.9	86	-0.8
L2	0.692	61	-3.6	93	-0.4
L3	0.664	55	-4.4	84	-1.1
L4	0.656	55	-4.4	80	-1.4
L1-L2	0.651	59	-3.7	91	-0.6
L1-L3	0.656	58	-4.0	87	-0.8
L1-L4	0.656	57	-4.1	86	-0.9
L2-L3	0.677	58	-4.1	88	-0.8
L2-L4	0.670	57	-4.2	84	-1.0
L3-L4	0.660	55	-4.4	81	-1.3

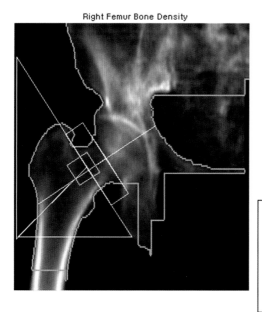

Right Femur Bone Density

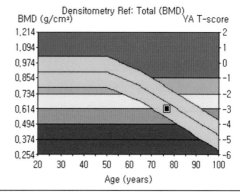

Densitometry Ref: Total (BMD)

Region	BMD[1] (g/cm²)	Young-Adult[2] (%)	T-score	Age-Matched[3] (%)	Z-score
Neck	0.547	58	-3.3	89	-0.6
Upper Neck	0.440	–	–	–	–
Lower Neck	0.662	–	–	–	–
Wards	0.419	50	-3.0	99	0.0
Troch	0.515	70	-2.0	103	0.1
Shaft	0.745	–	–	–	–
Total	0.610	63	-3.0	92	-0.4

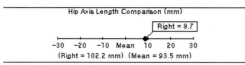

Hip Axis Length Comparison (mm)

Right = 9.7

-30 -20 -10 Mean 10 20 30
(Right = 102.2 mm) (Mean = 93.5 mm)

그림 6. 76세 여자 환자의 이중에너지 방사선 흡수계측법 측정 예

요추부의 T 값은 1 요추에서 4 요추까지(L1-L4) 추체의 골밀도의 평균인 -4.1이며, 대퇴골 근위부의 T 값은 근위 대퇴골 전체와 대퇴골 경부 중 대퇴골 경부의 T 값이 더 낮으므로 -3.3으로 해석한다.

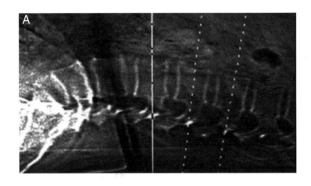
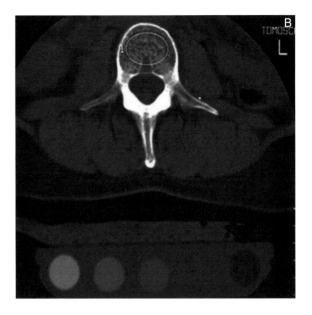

그림 7. 추체의 정량적 전산화단층촬영 검사
(A) 추체의 연골하골판에 평행으로 추체의 중심부를 지나는 단면을 얻는다. (B) 관심 영역을 설정한 후 이미 밀도를 알고 있는 칼슘 수산화인회석 표지자의 신호 강도와 비교하여 골밀도를 측정한다. 그림의 아래 부분에 칼슘 수산화인회석 표지자를 볼 수 있다.

택적으로 측정할 수 있으며, 골밀도뿐만이 아니라 추체의 해면골 구조를 확인할 수 있다. 그에 반해 비교적 방사선 노출이 크며, 정밀도가 떨어지고, 비용이 많이 들며, 검사자에 대한 의존도가 높은 단점이 있다.

말단부 QCT는 중심축 QCT의 단점을 극복하기 위하여 개발되었으며 골밀도와 동시에 골절 위험성에 대한 생역학적 정보를 얻을 수 있는 장점이 있으나 현재 남성과 여성 모두에서 골절 위험성 예측을 위한 신뢰할 만한 자료는 부족한 상태이다.

(3) 말단 골밀도 측정법

골밀도는 말단부에서도 측정이 가능하여 방사선 흡수 계측법(radiographic absorptiometry), 말단골 이중에너지 방사선흡수계측법(peripheral DEXA), 정량적 초음파 측정법(quantitative ultrasound, QUS) 등이 사용된다. 말단 골밀도 측정법은 대부분 가격이 저렴하고 공간을 적게 차지하며, 측정 방법이 비교적 간단한 장점이 있으나 검사 결과 해석의 표준화가 어렵고 골다공증을 진단하는 기준도 명확하지 않아 사용이 제한된다. 2002년 국제임상골밀도학회에서는 말단 골밀도

측정법은 현재 사용되는 세계보건기구의 T 값 기준을 적용할 수 없으며, 각 기기마다 골다공증 진단에 적합한 수치가 설정되어야 하며, 추적 검사에 사용할 수 없으며, 폐경 후 여성에서 가장 유용하게 사용될 수 있다고 하였다.

3) 생화학적 골표지자

폐경기의 여성에서 에스트로겐 결핍은 골재형성을 촉진하여 골교체의 증가에 의한 골소실을 가져오게 된다. 골교체의 증가는 골소실을 가속화시키고 이는 해면골의 천공과 골의 구조적인 요소들의 소실로 인한 미세구조의 손상, 그에 따른 골강도의 저하로 인해 골절의 위험을 증가시킨다.

골표지자의 측정은 골교체의 불균형을 비교적 저렴하고 쉽게 비침습적으로 측정할 수 있는 방법으로 현재 임상에서 사용 가능한 골형성 표지자는 혈청 검사로 시행하는 bone specific alkaline phosphatase, procollagen type 1N peptide, procollagen type 1C peptide, osteocalcin 등이 있으며, 골흡수 표지자는 혈청 검사로 시행하는 C telopeptide of type 1 collagen, tartrate resistant acid phosphatase 5b와, 소변 검사로 시행하는 hydroxyproline, pyridinoline, deoxypyridino-line, N telopeptide of type 1 collagen 등이 있다.

골표지자 검사는 비침습적인 장점이 있지만 골량과의 연관성이 약하고 골조직에 특이적이지 않으므로 결과의 해석에 혼란을 주는 요인이 많다. 따라서 급성 질환이나 대사의 변화 또는 골모세포와 파골세포의 기능에 영향을 미치는 약물을 사용할 경우 골교체를 반영하여 치료 반응의 추시 관찰하는 데는 유용하나 골표지자 검사만으로 골다공증을 진단하기에는 한계가 있다. 따라서 골표지자의 측정은 골다공증의 진단에서 주된 진단 방법이라기 보다는 보조적인 방법으로 사용된다.

4) 골절의 절대 위험도 평가(FRAX®)

세계보건기구에서는 골밀도가 골절 발생을 예측함에 있어 예민도는 높으나 특이도가 낮은 특성을 보완하

기 위하여 총 60,000여명을 대상으로 총 5,400건의 골절자료가 포함된 12개의 전향적 코호트 연구를 통하여 골다공증성 골절의 위험인자를 선정하고 각 위험 인자 간의 상호작용을 분석하여 10년내 골절 위험도를 측정하는 새로운 평가도구를 개발하였다. 10년내 골절 위험도는 나이, 성별, 기존의 골다공증성 골절, 대퇴골 경부 골밀도, 체질량지수, 류마티스 관절염 유무, 이차성 골다공증, 대퇴골 골절의 가족력, 흡연 여부, 음주, 경구 스테로이드 사용 여부등을 분석하여 계산되며, 인터넷 상에서 www.shef.ac.uk/frax 주소로 접속하여 위험 인자를 입력하면 계산 할 수 있다(그림 8). 현재 코호트 연구를 통하여 골절과 사망의 유병률 자료를 보유하고 있는 우리나라를 포함한 31개국에 대한 모델이 개발되어 있다.

FRAX®는 골밀도 검사의 상대 위험도의 개념에서 골다공증의 여러 위험 인자에 대한 정보를 추가하여 절대 위험도의 개념으로 전환하였으며 골밀도를 측정하

그림 8. FRAX®의 한국인을 대상으로 한 골절 위험도 계산
(http://www.shef.ac.uk/FRAX/tool.aspx?country=25)

기 어려울 때에도 비교적 간단한 질문으로 골절의 위험도를 평가할 수 있다. 하지만 낙상 위험성과 골표지자, 척추 골밀도를 반영하지 않았으며 대퇴골 골절의 발생률과 사망률 등의 역학이 변화함에 따라 지속적인 개선이 필요한 단점이 있다. 또한 국내에서는 FRAX®를 기준으로 한 예방적 치료의 보험 적용을 허용하지 않기 때문에 FRAX® 역시 골다공증 치료 여부를 판단하는 데 도움을 줄 수는 있으나 골다공증의 진단의 주된 도구로 사용하는 데는 한계가 있다.

5) 골밀도 검사에 대한 건강보험 심사 기준

2019년 2월부터 기존의 골밀도 검사의 건강보험 인정 기준이 일부 개정되었다. 골밀도 검사의 급여 기준은 1) 65세 이상의 여성과 70세 이상의 남성, 2) 65세 미만의 폐경 후 여성 중 BMI가 18.5 kg/m² 미만, 비외상성 골절의 과거력이나 가족력이 있는 경우, 외과적인 수술로 인한 폐경 또는 40세 이전의 자연 폐경의 고위험 요소가 1개 이상 있는 경우, 4) 비외상성 골절, 5) 골다공증을 유발할 수 있는 질환이 있는 경우, 6) 골다공증을 유발할 수 있는 약물을 복용 중이거나 3개월 이상 투여 계획이 있는 경우, 7) 기타 골다공증 검사가 반드시 필요한 경우이다.

2007년부터 시행되던 급여 기준과 비교하여 골다공증을 유발할 수 있는 약물을 3개월 이상 투여 계획이 있는 경우에도 급여를 인정받을 수 있도록 개정되었다.

급여 횟수는 진단 시 1회만 인정되며 말단골 골밀도 검사 결과 추가 검사의 필요성이 있는 경우 1회에 한하여 중심축의 요추부와 근위 대퇴골의 골밀도 추가 검사가 인정된다. 추적 검사의 경우 실시 간격은 1년 이상으로 하되, 검사 결과 정상 골밀도로 확인된 경우는 2년에 1회 인정되며, 치료 효과 판정을 위한 추적 검사는 요추부와 근위 대퇴골의 중심축에서 시행한 경우에만 인정된다. 스테로이드를 3개월 이상 복용하거나 부갑상선기능항진증으로 약물치료를 받는 경우에는 T 값이 −1 이상의 정상 골밀도에서 첫 1년에 1회, 그 이후부터는 2년에 1회 인정되며, T 값이 −3 이하인 경우에는 첫 1년은 6개월에 1회씩, 그 이후부터는 1년에 1회 인정된다. 임신과 연관된 골다공증성 골절이 의심되는 경우에는 6개월 간격으로 2회 인정되며, 환자의 장기 부재, 진료 일정 등 불가피한 사유로 추적 검사 실시 간격을 충족하지 못하는 경우에는 4주 범위 내에서 인정된다.

2007년부터 시행되던 급여 기준과 비교하여 골다공증을 유발할 수 있는 약물을 3개월 이상 투여 계획이 있거나, 임신과 연관된 골다공증성 골절이 의심되는 경우 급여를 인정받을 수 있게 되었으며, 환자의 편의를 위하여 추적 검사 실시 간격을 충족하지 못하는 경우 4주 범위 내에서 먼저 시행하더라도 급여를 인정하도록 개정되었다. 이외에도 만 10세 이상 만 18세 미만인 경우에도 본인 부담률 80%로 급여 기준이 마련되었다.

참고문헌

1. Jae Gyoon Kim, Young-Wan Moon. Diagnosis of Osteoporosis. 2011;23(2):108-115

2. Deog-Yoon Kim. New Guidelines for the Diagnosis and Fracture Risk Assessment of Osteoporosis. Korean Journal of Bone Metabolism. 2008;15(1);1-7

3. Korean Society for Bone and Mineral Research. Textbook of Osteoporosis. 4th ed. Seoul: Koonja; 2013. 130-8

4. Bes C, Guven M, Akman B, Atay EF, Ceviz E, Soy M. Can bone quality be predicted accurately by Singh index in patients with rheumatoid arthritis? Clinical rheumatology. 2012;31(1):85-9.

5. Bonnick SL. Osteoporosis in men and women. Clinical cornerstone. 2006;8(1):28-39.

6. Clowes JA, Riggs BL, Khosla S. The role of the immune system in the pathophysiology of osteoporosis. Immunological reviews. 2005;208:207-27.

7. Diab DL, Watts NB. Diagnosis and treatment of osteoporosis in older adults. Endocrinology and metabolism clinics of North America. 2013;42(2):305-17.

8. Faienza MF, Ventura A, Marzano F, Cavallo L. Postmenopausal osteoporosis: the role of immune system cells. Clinical & developmental immunology. 2013;2013:575936.

9. Hernandez CJ, TangSY, Baumbach BM et al. Trabecular micro fracture and the influence of pyridinium and non-enzymatic glycation-mediated collagen cross-links. Bone, 2005 37(6):825-832

10. Honig S, Chang G. Osteoporosis: an update. Bulletin of the NYU hospital for joint diseases. 2012;70(3):140-4.

11. Link TM. Osteoporosis imaging: state of the art and advanced imaging. Radiology. 2012;263(1):3-17.

12. Mosekilde L, Vestergaard P, Rejnmark L. The pathogenesis, treatment and prevention of osteoporosis in men. Drugs. 2013;73(1):15-29.

13. Pisani P, Renna MD, Conversano F, et al. Screening and early diagnosis of osteoporosis through X-ray and ultrasound based techniques. World journal of radiology. 2013;5(11):398-410.

14. Raisz LG. Pathogenesis of osteoporosis: concepts, conflicts, and prospects. The Journal of clinical investigation. 2005;115(12):3318-25.

15. Sandhu SK, Hampson G. The pathogenesis, diagnosis, investigation and management of osteoporosis. Journal of clinical pathology. 2011;64(12):1042-50.

16. Schneider R. Imaging of osteoporosis. Rheumatic diseases clinics of North America. 2013;39(3):609-31.

17. Seeman E. Age- and menopause-related bone loss compromise cortical and trabecular microstructure. The journals of gerontology Series A, Biological sciences and medical sciences. 2013;68(10):1218-25.

18. Silva MJ. Biomechanics of osteoporotic fractures. Injury. 2007;38 Suppl 3:S69-76.

19. Sipos W, Pietschmann P, Rauner M, Kerschan-Schindl K, Patsch J. Pathophysiology of osteoporosis. Wiener medizinische Wochenschrift. 2009;159(9-10):230-4.

20. Vilela P, Nunes T. Osteoporosis. Neuroradiology. 2011;53 Suppl 1:S185-9.

21. Warriner AH, Saag KG. Osteoporosis diagnosis and medical treatment. The Orthopedic clinics of North America. 2013;44(2):125-35.

22. Singh M, Nagrath AR, Maini PS. Changes in trabecular pattern of the upper end of the femur as an index of osteoporosis. The Journal of bone and joint surgery American volume. 1970;52(3):457-67.

23. Saville PD. A quantitative approach to simple radiographic diagnosis of osteoporosis: its application to the osteoporosis of rheumatoid arthritis. Arthritis and rheumatism. 1967;10(5):416-22.

CHAPTER

2 치료
Treatments

최근 인구 구조가 급격히 노령화되면서 골다공증의 유병률이 높아지고 있고, 고관절부 골절 및 고관절 질환이 증가하여 골다공증과 관련된 새로운 지식을 습득해야 할 필요성이 증가하고 있다. 또한 젊은 연령층에서 부신피질 호르몬제 사용의 증가, 80–90대 고령층에서의 고관절 골절, 고관절 치환술의 장기 생존율 관리, 고관절 재치환술, 삽입물 주위 골절 등 전에는 흔치 않았던 골다공증에 관련된 문제들이 동반되고 있어 수술적 치료와 더불어 골다공증에 대한 예방과 치료를 병행해야 한다. 골다공증은 치료하는 질환이라기보다는 일생에 걸쳐 지속적으로 관리해야 하는 만성 질환으로 보아야 한다. 골다공증의 일반적인 치료 지침은 식이 조절, 운동, 금주 및 금연 등 생활 습관을 교정하고, 1) 대퇴골 혹은 척추 골절의 유무, 2) 골밀도에서 T 값이 −2.5 이하, 3) 골감소증이 있으면서 골절 과거력, 골절 위험도를 증가시키는 이차성 골감소증, FRAX로 계산해서 10년 이내의 대퇴골 골절 위험도가 3% 이상이거나 척추를 포함한 주요 골(척추골, 전완골, 상완골 등)의 골절 위험도가 높은 경우(일본은 15%, 미국은 20% 이상, 우리나라는 아직 미정) 등에서는 약물로 예방 및 치료를 하는 것이 기본이다.

1. 골다공증에서의 식이요법

충분한 열량과 단백질, 칼슘, 비타민 D 등이 함유된 음식과 함께 신선한 채소와 과일을 섭취하면 골다공증의 예방 및 치료에 도움이 된다. 대한골대사학회에서 권장하는 한국인에서 골다공증의 식이 지침은 다음과 같다.

① 기본적으로 흡연, 음주, 짠 음식, 과다한 카페인 등을 삼간다.

② 칼슘이 풍부한 유제품, 생선, 해조류 등을 매일 2회 이상(어린이, 청소년, 임산부 등은 3회 이상) 섭취한다(예: 저지방우유, 요구르트, 어류, 해조류, 들깨, 달래, 무청).

③ 단백질 음식 및 다양한 채소를 포함하는 균형 있는 식사를 한다(예: 단백질, 칼슘, 비타민 D, K, 마그네슘, 구리, 망간, 보론 등).

④ 싱겁게 먹고(소금 하루 5 g 이하) 과다한 양의 단백질이나 지나친 섬유소 섭취를 피한다.

⑤ 비타민 D와 오메가 3 지방산이 풍부한 생선을 일주일에 2회 이상 섭취한다.

⑥ 콩과 두부의 섭취를 충분히 한다. 콩제품은 익힌 것이 단백질 흡수에 좋다.

⑦ 비타민 C, K와 칼륨, 마그네슘 등의 무기질 섭취를 위해 신선한 채소와 과일을 충분히 먹는다.

⑧ 체중 미달일 때는 총열량 및 칼슘, 단백질 섭취를 증대시킨다.

⑨ 무리한 체중감량은 삼가고, 감량을 해야 할 때는 칼슘을 보충을 해주어야 한다.

2. 골다공증과 운동

운동은 근력강화, 균형감각 및 신체활동 능력을 좋게 하여 삶의 질을 증진시킴은 물론 골밀도 증가 및 낙상예방에 효과가 있어 골다공증의 예방 및 치료에 있어서 기본이라 할 수 있다. 자동차 및 항공기의 발달, 전신, 전화, 컴퓨터, 무선 리모콘 등의 발달로 현대 사회에서는 점점 운동을 적게 하게 된다. 이러한 운동량의 감소는 과거 영양결핍으로 발생되었던 최대 골량형성 장애로 인한 골다공증과는 달리, 뼈의 생성을 자극하는 움직임이 감소되어 뼈로부터 칼슘이 유리되어 골량의 감소가 일어나는 운동 부족성 골다공증을 유발한다. 특히 사춘기에는 최대 골량이 형성되는 시기인데, 과도한 다이어트로 몸매를 관리하는 여성에 있어서는 더욱 위험하다. 규칙적이고 적절한 운동을 통한 다이어트만이 적절한 몸매와 튼튼한 뼈를 형성하게 된다는 것을 알려야 한다. 골절이 발생하여 석고 고정을 하면 불과 약 6주 만에 근육 위축과 골량 감소가 발생하고, 사지마비 환자에서는 1년 만에 30% 정도의 골량이 감소한다고 보고된 바 있는데, 이는 운동이 골량 형성 및 유지에 중요하다는 것을 시사한다. 골절 예방을 위해서는 단순히 걷는 유산소운동과 함께 근력 강화를 위한 저항성 운동(resistance exercise) 및 균형 감각 강화를 위한 안정성 운동(core stability exercise)을 해야한다. 전자는 근육에 저항 부하를 주어서 근력 및 근육량을 높이는 것으로서 반드시 무거운 역기 등을 가지고 하는 것은 아니며 가벼운 아령, 팔굽혀 펴기, 앉았다 일어나기 등으로 가능하다. 후자는 큰 공을 가지고 몸통 근육 및 균형감각을 높이는 것으로서 어느 정도 선행 교육이 필요하다. 중요한 점은 지속적으로 이런 운동을 하는 것이 중요한데, 10-18주간 저항운동을 하면 20% 정도 근력이 증가하나 12주간 운동을 하지 않으면 얻은 근력의 70%는 다시 소실된다는 연구가 있다. 운동의 강도와 양은 연령와 운동 능력을 감안하여야 한다. 골다공증이 심한 경우에는 높이 뛰기, 심한 구부리기, 비틀기 등의 운동들 즉, 농구, 심한 에어로빅, 라켓볼, 요가 등은 피하고 수영, 수중 에어로빅, 가벼운 산보나 걷기, 자전거 타기 등으로 대신하는 것이 좋다. 실행하기 어려운 운동처방보다는 일상에서 활동량을 증가시키는 방법을 먼저 권장하고, 일상생활 중에서 보다 많이 걸을 수 있는 방법을 모색한다. 예를 들면 가까운 상점을 가거나 직장을 다닐 때 가능한 걷기, 목적지보다 한두 정거장 일찍 내리기, 엘리베이터보다는 계단을 이용하기, 주차를 할 때는 가능한 한 출입구에서 먼 곳을 택하기, 텔레비전을 시청 시 트레이드밀이나 고정 자전거로 운동을 하면서 보는 방법 등이 있다.

1) 운동이 뼈에 미치는 영향

운동이 뼈에 미치는 영향은 아직 확실히 밝혀져 있지는 않지만 그 기전은 다음과 같다.

① 뼈에 스트레스로 작용하며 뼈는 이에 대한 반응으로 커지고 강해진다.
② 뼈에 공급되는 혈류를 증가시켜 영양분의 공급을 원활히 한다.
③ 뼈에 작은 전기적 자극을 주어 새로운 뼈의 생성을 돕는다.
④ 뼈 재형성에 필요한 호르몬들에 영향을 주어 뼈를 튼튼하게 유지한다.

2) 체중 부하 운동과 체중 부하 없는 운동

체중 부하 운동은 중력과 근육의 수축을 통하여 다른 육체적 운동보다 골량을 더 많이 증가시키며, 체중 부하 없는 운동은 단지 근육의 스트레스만 주는 운동으로 골다공증의 예방과 치료에는 큰 도움이 되지 않는다. 체중 부하 운동에는 걷기, 계단 오르내리기, 등산, 춤, 조깅, 스키, 에어로빅, 트레이드 밀 등이 있으며, 체중 부하 없는 운동에는 수영, 수중발레 등이 해당된다. 수영은 골량 증가에 전혀 도움이 되지 않는 것은 아니고 수영할 때 사용하는 근육이 뼈에 자극을 주어 뼈의 성장과 골량의 증가에 어느 정도 기여할 수 있으므로 무릎 관절 질환이나 척추 디스크 증상 등으로 체중 부하 운동을 충분히 할 수 없는 환자의 경우에는 권장할 만한 운동이다.

3) 운동 프로그램의 설정 시 고려사항

① **빈도**: 일주일에 3−7일간

② **기간**: 지속적으로 20−60분간 시행하되 처음에는 천천히 움직이기 시작하여 약 10−15분간 준비단계로 몸을 적응시킨다. 즉 가벼운 걷기, 자전거 타기 등으로 서서히 움직이기 시작하여 심박동수를 점차 증가시켜, 충분한 양의 혈류가 근육과 뼈로 갈 수 있게 한다. 운동을 마칠 때도 준비할 때와 마찬가지로 서서히 끝낸다.

③ **강도**: 약 10−15분간의 준비단계로 몸을 적응시킨다. 즉 가벼운 걷기, 자전거 타기 등으로 서서히 움직이기 시작하여 심박동수를 점차 증가시켜, 충분한 양의 혈류가 근육과 뼈로 갈 수 있게 하여 최대 심박동수의 55−85%로 시행한다.

④ **종류**: 운동의 종류를 다양하게 설정하면 싫증나지 않고 새로운 근육을 사용하게 되며, 과도하게 한 근육의 사용으로 인한 부상을 방지할 수 있다

4) 골다공증성 골절이 없는 60대 폐경 여성을 위한 권장 운동의 예시

기본적으로 준비운동, 저항성운동, 유산소운동, 정리운동 등으로 구성된다. 준비운동은 운동에 필요한 혈액을 공급하기 위해 심박동수를 증가시키고 관절과 근육의 손상을 최소화하기 위해 시행하며 스트레칭이나 걷기 운동으로 시작한다. 저항성운동으로 기구나 맨손운동을 이용하여 근력을 향상시키는 운동으로 골다공증 환자의 경우에는 운동 부하를 너무 크게 하지 않는 것이 좋다. 근력운동을 할 때는 한번 운동할 때 8−12회를 반복하고, 1−2분 정도 휴식한 후 다시 8−12회를 반복한다. 유산소운동으로는 자전거, 빠른 걷기, 달리기 등을 권장한다. 정리운동으로는 느리게 걷기와 같은 회복 운동이나 스트레칭으로 근육 긴장을 이완시킨다. 운동량의 구성 비율은 정해진 것은 없으나 50분을 운동한다면 준비운동 10분(20%), 저항성운동 20분(40%), 유산소운동 15분(30%), 정리운동(10%)의 비율로 할 수 있다.

3. 골다공증에서의 약물치료

약제는 약물의 작용 기전에 따라 골흡수 억제제와 골형성 촉진제로 나누며, 칼슘과 비타민 D는 병행 처방해야 하는 기본 약제이다(표 1).

1) 칼슘과 비타민 D

골다공증 치료 시 기본적인 약제이다. 골흡수 억제제를 사용하더라도 함께 복용해야 하는 기본 약제로 비스포스포네이트와 복합제형으로 만들어져 출시되기도 한다. 성인의 경우 매일 200 mg의 칼슘이 골격계에서 혈액으로 빠져나오고 그만큼 음식물을 통하여 장에서 흡수되어 항상성이 유지된다. 장에서는 칼슘 흡수율이 좋지 않기 때문에 매일 600 mg 이상의 칼슘 섭취가 필요한 데다가 나이가 들면서 비타민 D에 대한 장 내 수용체의 감소 및 저항성의 증가로 칼슘 필요량은 더욱 증가하게 된다. 그러므로 칼슘이 풍부한 음식 섭취는 기본이며 음식을 통한 섭취가 불충분한 경우에는 칼슘 보충제를 사용할 수 있다. 그러나 과도한 칼슘 보충은 신결석의 발생 위험을 증가시킬 수 있고 고령이거나 신부전이 있는 경우 과다한 칼슘 섭취로 인해 심근경색 등 심혈관 질환의 위험이 증가할 수도 있으므로 주의해야 한다. 위장장애 및 변비로 복약 순응도가 의외로 낮다는 것도 고려해야 한다. 골절 예방에 대한 칼슘 투여의 효과에 대한 연구들을 종합하면 하루에 1,000−1,200 mg의 칼슘 섭취가 필요하고, 미국골다공증재단(National Osteoporosis Foundation, NOF)에서는 50세 이상의 성인에게서 하루 1,200 mg을 권장하고 있다. 우리나라의 관련학회에서 정한 권고안은 음식을 통한 칼슘 섭취 및 보충제를 포함해 일일 권장 총 섭취

917

표 1. 골다공증 약제 및 투여 방법

종류	성분	용량	투여방법
호르몬요법	에스트로겐+/− 프로게스토겐	종류에 따른 용량 차이	1일 1회 경구 1주 2회 피부 부착형 1일 1회 에스트로겐 겔
	티볼론	2.5 mg	1일 1회 경구
선택적 에스트로겐 수용체 조절 제제	랄록시펜	60 mg	1일 1회 경구
칼시토닌	칼시토닌	20 IU/MI (elcatonin) 50 IU/mL (salcatonin) 200 IU (salcatonin)	1주 2회 10 IU 근주 1일 100 IU 피하, 근주 1일 1회 비강흡임입
비스포스포네이트 제제	알렌드로네이트	10 mg 70 mg	1일 1회 경구 1주 1회 경구
	알렌드로네이트+콜레칼시페롤	70 mg + 2,800 IU	1주 1회 경구
	알렌드로네이트+콜레칼시페롤	70 mg + 5,600 IU	1일 1회 경구
	알렌드로네이트+칼시트리올	5 mg + 0.5 mg	1일 1회 경구
	리세드로네이트	5 mg 35 mg 75 mg 150 mg	1일 1회 경구 1주 1회 경구 1개월 2회 경구 1개월 1회 경구
	리세드로네이트+콜레칼시페롤	35 mg + 5,600 IU	1주 1회 경구
	파미드로네이트	100 mg 15 mg/1 mL/amp	1일 1회 경구 30 mg 3개월 1회 정주
	이반드로네이트	150 mg 3 mg	1개월 1회 경구 3개월 1회 정주
	졸레드로네이트	5 mg	1년 1회 정주
단클론항체	데노수맙	60 mg	6개월 1회 피하주사
부갑상선 호르몬	테리파라타이드	20 ug	1일 1회 피하주사
스트론티움	스트론티움	2 g	1일 1회 경구
활성형 비타민D	칼시트리올 1−알파 수산화 비타민 D	0.25 ug 0.5 ug	상태에 따라 횟수 차이, 경구
기타	비타민 K	0.5 mg	1일 3회 경구
	이프리플라본	200 mg	1일 3회 경구

량 칼슘원소(elemental calcium) 기준으로 19–50세는 800–1,000 mg, 50세 이상은 1,000–1,200 mg이다. 칼슘 보충제는 탄산칼슘, 구연산칼슘 등 다양한 종류가 있다. 탄산칼슘의 경우 위산이 존재해야 흡수가 잘 되므로 식후에 복용한다. 비타민 D는 비활성형 식물성 비타민인 비타민 D$_2$ (ergocalciferol)를 섭취할 수도 있지만, 피부 상피층에서 7–dehydrocholesterol이 자외선을 받으면 광화학적 변환(photochemical conversion)을 일으켜 비타민 D$_3$ 전구체(pre–vitamin D$_3$)로 변환된다. 이것이 열성 변환(thermal conversion)을 일으켜 비타민 D$_3$(콜레칼시페롤, cholecalciferol)로 바뀐 후 진피내의 모세혈관을 통해 전신 혈류로 들어가는 것이 주요 공급원이다. 특히 자외선은 파장이 긴 것부터 작은 순으로 UV–A, B, C로 나뉘는데 그 중 중간 영역인 UV–B (280–320 nm)가 프리비타민 D를 비타민 D로 전환시키는 과정에 필요하다. 일일 15–20분 정도 햇볕을 쬐는 것이 개인의 비타민 D 보충에 도움이 될 수 있다. 피부에서 합성된 비타민 D는 혈액을 통해 간으로 이동해 식사 때 섭취한 비타민 D와 합쳐진 후, 간에서 중간 활성형인 25–hydroxycholecalciferol [25(OH)D$_3$]이 된다. 비타민 D 상태는 혈청 25(OH)D$_3$ 수치를 검사하여 판단하는데, 비타민 D 결핍은 12 ng/mL 미만, 부족은 12–20 ng/mL, 충분 상태는 20 ng/mL 초과일 때로 정의하고 있다. 우리나라의 국민건강영양조사에 따르면 남성의 86.8%, 여성의 93.3%가 비타민 D 부족에 해당한다[25(OH)D$_3$<30 ng/mL 기준]. 25(OH)D$_3$는 최종적으로 신장에서 부갑상선 호르몬에 의해 생리적 활성형인 1,25(OH)2D$_3$ (calcitriol)로 전환되어야 여러 조직으로 이동하여 다양한 생리적 작용을 나타낼 수 있다. 소장에서 칼슘과 인산염의 흡수를 증가시키고 신장에서 칼슘과 인산염의 재흡수를 증가시켜 뼈의 미네랄화를 이루고 부갑상선 호르몬과 함께 체내의 칼슘 및 인의 항상성을 유지한다. 칼슘의 혈중 농도가 높으면 갑상선에서 갑상선 호르몬, 칼시토닌이 분비되어 혈중 칼슘을 뼈로 유입시켜 뼈가 재생되게 한다. 칼슘의 혈중 농도가 낮아지면 부갑상선 호르몬이 분비되어 골흡수를 증가시켜 혈중 칼슘 농도를 상승시킨다. 비타민 D는 뼈의 강도를 유지하고 하지의 근력과 기능을 증가시키며 낙상의 위험을 감소시켜 근골격계에 좋은 영향을 미친다. 뿐만 아니라 면역, 관절염, 당뇨병, 암 발생 등에도 관계하여 부족하면 유방암, 대장암, 심혈관계 질환, 류마티스 관절염 등을 유발할 수 있다. 우리나라에서는 비타민 D가 많이 들어 있는 식품(연어, 고등어, 참치, 계란 등)의 섭취가 적을 수 있고 자외선 차단제의 사용과 사무실에서 유리창문을 통한 광선은 비타민 D 생성에 유효하지 못한 점 등으로 인해 대부분 비타민 D 보충제가 필요한 것으로 조사되었다. 비타민 D의 일일 권장 섭취량은 50세 이상의 경우 2010년 한국영양학회에서는 400 IU, 미국 미국골다공증재단은 800–1,000 IU, 대한골대사학회는 600 IU이다. 임신부 및 수유부는 섭취량을 늘리는 것이 좋다. 비타민 D 중독은 일일 4,000 IU 이상 장기복용 시 발생할 수 있으며, 비타민 D 과다복용 시 고칼슘혈증, 고칼슘뇨증, 혈관과 연부조직 석회화, 신결석증이나 신석회화증 등이 발생할 수 있다. 비타민 D의 효과는 용량 및 활성형 여부에 따라 다르지만 23–37%의 골절 감소 효과가 있다고 보고되었다. 칼슘과 같이 투여한 연구에서도 용량 및 대상군의 나이에 따라 22–58%의 다양한 골절 감소 효과를 보고하고 있다.

2) 비스포스포네이트 제제

효과, 안정성 및 복용 편의성이 우수해 우리나라는 물론 전 세계적으로 가장 많이 처방되고 있는 골다공증 약물이다. Pyrophosphate (P–O–P) 분자의 중심에 있는 산소원자를 탄소원자로 대치하여 더욱 안정한 화학 구조인 P–C–P가 되어 생분해가 잘되지 않는 안정한 합성 화합물이다. 중앙의 탄소원자에 결합하는 두 개의 측부 사슬(R1, R2)을 다른 구조로 치환시킴으로써, 생물학적 특성, 효능, 약동학, 부작용 등이 다른 다양한 비스포스포네이트를 합성할 수 있다(표 2).

표 2. 비스포스포네이트 제제의 종류, 화학구조 및 상대적 역가(대한골다공증학회, 임상의를 위한 골다공증 가이드, 진단 예방 및 치료)

종 류	상품명	R1	R2	상대적 효능
Etidronate (에티드로네이트)	Didronel	—OH	—CH_3	1×
Clodronate (클로드로네이트)	Astac, Bonefos	—Cl	—Cl	10×
Pamidronate (파미드로네이트)	Aredia	—OH	—CH_2—CH_2—NH	100×
Alendronate (알렌드로네이트)	Fosamax	—OH	—CH_2—CH_2—CH_2 —NH_2	1,000×
Risedronate (리세드로네이트)	Actonel	—OH	—CH_2	5,000×
Ibandronate (이반드로네이트)	Bondronate	—OH	—CH_2—CH_2—NH_2—CH_3 C_5H_{11}	10,000×
Zoledronate (졸레드로네이트)	Zometa	—OH	—CH_2—N	20,000×

흡수 억제 효과가 상대적으로 적은 질소 비함유제제와 효과가 큰 질소 함유 제제로 대별된다. 질소 비함유 제제는 세포내에서 대사되어 독성을 가진 ATP 대사산물로 바뀌어 파골세포의 기능을 방해하여 골흡수 감소효과를 나타낸다. 질소 함유 제제는 farnesyl-pyrophosphate (FPP) 합성 효소의 기능을 막아 세포골격 재형성(cytoskeletal reorganization) 및 소수포 융합(vesicular fusion)이 일어나지 않아 파골세포의 세포자멸사를 유발하여 골흡수 감소 효과를 나타낸다. 장에서의 흡수율이 1–2% 이하로 매우 낮은 데다가 음식물, 칼슘 및 기타 미네랄에 의해 흡수율은 더욱 낮아질 수 있어 아침식사 전에 180–240 mL의 충분한 양의 물(유제품, 쥬스, 보리차 등은 비스포스포네이트 제제의 흡수장애를 일으킴)과 함께 복용해야 하고 식도염을 일으킬 수 있기 때문에 눕지 않은 채로 약 1시간 동안 공복을 유지해야 한다. 복용 후 수시간 이내에 흡수된 용량의 50%는 넓은 골표면에 산재한 하이드록시아파타이트에 대한 높은 친화력으로 뼈에 남아 있게 된다. 동물실험에서 알렌드로네이트는 골형성 표면보다 골흡수 표면에 8배나 높은 농도로 존재한다고 한다. 제형은 매일, 매주, 월 2회 및 매월 복용하는 경구용과 3개월 및 1년 간격으로 맞는 주사용으로 대별되며, 경구용은 비타민 D와 복합제형으로 출시된 제형도 있다(표 3).

비스포스포네이트 약제가 흡수된 후에는 혈액을 통해 뼈가 활발히 재형성되는 부위로 신속히 이동하거나 소변으로 배출된다. 골표면에서 골흡수 억제작용을 다한 비스포스포네이트는 뼈 내부에 묻혀 비활성 상태로 존재하게 된다. 골조직 내에서 제거되는 데 걸리는 반감기는 최장 10년이고 파미드로네이트의 경우 복용 중단 후 8년까지 소변으로 배출된다. 비스포스포네이트의 골흡수 감소효과는 '짝짓기 효과(coupling effect)' 때문에 골형성을 동반하게 되어 투약 후 3–6개월이 지나면서 새로운 평형이 이루어져서 '저하된 골교체 주기'로 안정적으로 들어서기 시작한다. 이와 같은 감소된 골교체 주기는 약제 투여기간 내내 유지되기 때문에 약제 축적에 의한 효과는 골교체율의 축적효과로 이어지지는 않는다. 매일 경구 복용하는 비스포스포네이트를 이용한 대규모 무작위 임상시험에서 보고된 골절 예방 효과는 척추 골절의 경우 35–65%라고는 하나 대부분이 위약과 비교한 결과이기 때문에 특정 약제끼리 직접 비교한 결과와는 다르게 해석해야 한다. 대부분의 비스포스포네이트에서 투여 후 1년에 척추골

표 3. 비스포스포네이트 제형, 용량 및 투여 경로

	용량 / 용법	경로
알렌드로네이트	5 mg/day	경구
	10 mg/day	경구
	70 mg/week	경구
리세드로네이트	5 mg/day	경구
	35 mg/week	경구
	75 mg/2 month	경구
	150 mg/month	경구
이반드로네이트	150 mg/month	경구
	3 mg/3 month	주사
졸레드로네이트	5 mg/year	주사
복합제	Alendronate 5 mg + Calcitriol 0.5 μg/day	경구
	Alendronate 70 mg + Cholecalciferol 2,800 IU/week	경구
	Alendronate 70 mg + Cholecalciferol 5,600 IU/week	경구
	Risedronate 35 mg + Cholecalciferol 5,600 IU/week	경구

절 위험도가 감소하며 이들 약제 중에서 리세드로네이트는 복용 후 6개월부터 척추 골절 예방 효과가 있다고 보고되었다. 비척추 골절의 예방 효과에 대해서는 Cochrane 협회에 의한 메타분석 결과 골다공증이 있었던 여성 골다공증 환자에서 알렌드로네이트 및 리세드로네이트의 경우 각각 23% 및 20%의 골절 골절감소 효과가 있었고, 고관절 골절의 경우 각각 53% 및 26%이었다. FIT (Fracture Intervention Trial) 연구에 의하면 알렌드로네이트 10 mg을 3년간 복용하면 요추 골밀도는 9%, 대퇴골 경부 골밀도는 5% 증가하며, 복용 1년 후 척추 골절은 59% 감소하고, 3년 후에도 45% 감소하였다. 고관절 골절은 약제 복용 18개월 후 63%, 3년 후 59% 감소하였다. VERT (Vertebral E cacy with Risedronateerapy)연구에 의하면, 리세드로네이트 5 mg을 3년간 투여하여 요추 골밀도가 5.4%, 대퇴골 경부 골밀도가 1.6% 증가하였다. 새로운 척추 골절의 발생은 65% 감소하였고, 다른 약제에 비해 골절 감소

효과가 나타나는 가장 빨라 투여 후 6개월 만에 의의 있는 골절 감소를 보였다. 대퇴골 골절은 80세 이상의 고령군에서는 의의 있는 골절 감소가 없었으나, 골다공증이 있는 70-79세 환자군에서 40% 감소시켰으며, 척추 골절을 이미 동반한 환자군에서는 60% 감소하였다. Horizon RFT (Recurrent Fracture Trial) 연구에 의하면 대퇴골 골절이 있었던 환자를 대상으로 수술 치료 90일 이내에 졸레드로네이트를 사용한 경우 전체 임상적 골절은 35%, 비척추 골절은 27%, 진찰로 발견한 척추 골절은 46% 감소하였으며, 전반적인 사망률도 대조군에 비해 28% 감소하였다(표 4).

경구용 제제의 경우 위장관 부작용 및 복용 불편성 때문에 주마다 또는 그 이상의 기간에 한 번씩 복용하는 제제가 출시되고 있으며, 약동학적으로 동일한 효과를 유지하면서 약물의 복용 준수도(compliance)를 의미 있게 높였다고 평가되고 있다. 그러나 간혹 나타나는 급성 발열 반응(두통 및 체온상승)이 있을 수 있고

표 4. 골다공증 약제의 골절 예방 효과

	척추 골절	비척추 골절	고관절 골절
알렌드로네이트	*	*	*
리세드로네이트	*	*	−
졸레드로네이트	*	†	−
이반드로네이트	*	†	−
데노수맙	*	*	*
바세독시펜	*	*	−
에스트로겐	*	*	*

*: 강한 증거. †: 약한 증거(대상 군내에서만 증거 있음). −: 증거 없음

중증의 신부전(크레아티닌 청소율 < 35 mL/분), 식도협착, 저칼슘혈증 및 골연화증 등의 환자에서는 금기이다. 장기간 사용하면 악골괴사 및 대퇴골에 비전형 골절을 일으킬 수 있다는 보고가 있어 장기간 사용한 경우 휴약기를 고려해야 한다.

(1) 비스포스포네이트 제제의 부작용

① **위장관 부작용:** 매일 먹는 경구 제제의 경우에 많이 나타나며 이를 경감시킬 목적으로 복용 간격을 주, 월로 할 수 있는 제제가 나와 있으나 이 역시도 위장관 장애는 나타난다. 대부분의 환자가 고령이어서 기존의 위장병을 가지고 있으며 각종 성인병으로 많은 약제를 복용하고 있으므로 비스포스포네이트 제제의 제형 선택이 의외로 약제에 대한 순응도 및 복용률에 영향을 미치므로 투약 기간 중에는 위장관 증상에 대하여 면밀히 관찰하여 제형을 바꾸어 투여하는 정성이 필요하다.

② **급성기 반응:** 처음 투여한 지 3일 내에 간혹 나타나는 부작용으로서 두통과 함께 체온이 약 1도 정도 오르는 독감증세(flu-like symptom)가 나타날 수 있으나 타이레놀이나 아스피린등을 투여하는 정도의 간단한 대증요법으로 조절이 잘 된다. 정맥주사나 고용량의 경구제 복용으로 잘 발생한다.

③ **비전형 대퇴골 골절(atypical femoral fracture):** 응급실 환자에서 흔히 볼 수 있는 전형적인 대퇴골 골절은 대퇴골 경부 또는 전자간 골절의 형태로 발생하며, 전자하부에 발생할 경우에도 대개 분쇄상의 골절 형태를 보인다. 특히 전자 하부는 인체에서 가장 응력이 집중되는 부위이고 피질골의 구성이 높아 작은 외상으로는 골절이 발생하지 않는 부위이다. 반면에 비전형 대퇴골 골절은 이러한 전자 하부에 비전형적인 형태, 즉 횡형 혹은 짧은 사선 골절이며, 분쇄상이 없는 단순 골절로 외측에서 시작하여 내측에 돌기 형성되는 특징을 보인다(그림 1). 그 외에도 외측 피질골의 골막 반응, 전반적인 피질골의 비후, 골절 발생 전구 증상으로 해당 부위에 통증 등을 보이기도 한다. 이러한 비전형 대퇴골 골절의 원인은 많으나 최근에 장기간 비스포스포네이트 제제를 투여한 환자에서 발생하는 경우가 많아 연관성이 강력히 의심되고 있다. 비스포스포네이트는 파골세포에 의한 골흡수를 줄여 골교체율을 감소시키므로 crystalline apatite가 적고 무기질화만 상대적으로 많이 진행되어 오래된 뼈로 재형성 공간을 채우게 된다. 이런 뼈는 연성(ductility)이 적어 부서지기 쉽고 에너지 흡수 능력이 떨어져서 미세골절을 유발한다는 우려가 있었다. 또한 골재

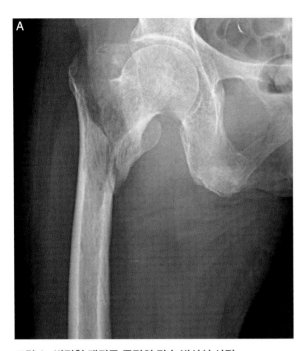

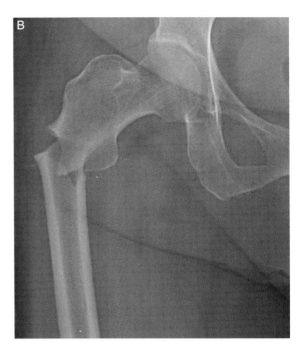

그림 1. 비전형 대퇴골 골절의 단순 방사선 사진
(A) 골다공증이 있는 환자에서 발생한 대퇴골 전자간 골절로 전형적인 골다공성 골절 양상을 보인다. (B) 10년간 알렌드로네이트로 골다공증 치료를 받았던 환자에서 발생한 대퇴골 전자하 골절로 비전형 골절 양상을 보인다.

형성을 막으면서 미세골절을 치유하는 능력도 저하되어 장기적으로는 골조직 전체의 기계적 강도를 감소시킨다는 이론적 모순이 일찍부터 제기되어 왔다. 그러나 장기간 비스포스포네이트를 투여한 후 뼈의 미세구조 및 성상이 정상적인 뼈와 다른 변화가 관찰되지 않았고, 36개월간 경구 투여한 후 조직병리학적으로 유의한 변화가 관찰되지 않았다는 반론도 있었다. 또한 뼈가 약해진다는 기계적 강도 실험 결과는 동물에서 단기간 약제 투여에 의한 것이며 사람에게 투여하여 골절을 감소시킨다는 10년 이상의 임상적 결과가 있으므로 섣부른 판단보다는 더 장기적인 관찰이 요구된다. 임상적으로는 Odvina 등이 비전형 전자하 골절이 발생한 환자에서 대부분 비스포스포네이트의 장기간 복용력이 있었으며, 이들 환자의 장골능 해면골에서 골형성이 심각하게 저하

되어 있음을 보고한 이후 비스포스포네이트와의 연관성을 시사하는 임상 논문이 보고되고 있다. Goh 등은 장기간 알렌드로네이트를 투여하였던 환자에서 13예의 전자하 골절이 발견되었다고 하였다. 이외에도 장기간 알렌드로네이트를 투여하였던 환자에서 대퇴골 피질골에 골비후를 보이고 이 부위에서 미세한 골절이 있으면서 통증이 있고 결국은 골절로 발전하는 특이한 패턴의 골절이 계속 보고되었다. 우리나라에서도 Yang 등이 골다공증 치료로 비스포스포네이트를 장기간 사용할 경우 골재형성이 지속적으로 억제되므로 대퇴골 부전 골절의 한 원인이 될 수 있다며 보고하였다. 최근에는 데노수맙(denosumab)이라는 골다공증 신약에서도 발생하는 것으로 보고되어 골흡수 억제제 전반에서 관찰될 수 있는 부작용으로 간주되게 되었다. 그러나 Abrahamsen 등은

16만여 명을 대상으로 조사한 국가차원의 대규모 임상 연구에서 아직도 이러한 골절이 비스포스포네이트 제제가 직접적인 원인이라고 단정할 증거가 부족하다고 하였다. 골다공증 약물에 의한 비전형 대퇴골 골절은 저에너지 손상으로 일어나며 종종 전구 증상으로 대퇴부 통증이 있고 50%까지 양측성으로 발생한다. 그러나 비스포스포네이트를 장기간 사용하는 환자에서 골교체율 및 골형성이 저하되어 부전 골절의 양상으로 발전하는 것이 가장 주요한 원인 중 하나로 추정되고 있고 비스포스포네이트와의 연관성이 해마다 높아지는 보고가 있을 뿐이지 아직도 정확한 병태생리는 밝혀지지 않았다고 보아야 한다. 2010년에 미국 골대사학회의(American Society for Bone and Mineral Research, ASBMR) 산하의 전담 팀에서 발표한 비전형 대퇴골 골절의 정의(표 5) 및 관련 보고는 이후 전 세계적으로 중요한 논문이 계속 발표되면서 2014년에 일부 개정되었다. 2014년에 개정 보고한 바로는 일종의 스트레스성 골절(stress fracture) 또는 부전 골절(insufficiency fracture)이 확실하며 2010년도에 보고할 때보다도 비스포스포네이트 제제의 장기 투여와의 연관성이 훨씬 높다는 증거가 있다고 하였다. 비스포스포네이트 제제에 의한 비전형 대퇴골 골절은 불완전 골절과 완전 골절의 형태로 나타나며, 한쪽이 완전 골절로 진행되어 내원한 경우 반대쪽 대퇴골에 불완전 골절이 발견되는 경우가 종종 있다(그림 2). 특히, 장기간 이 약제를 사용 중인 환자가 방사선 사진상 전자하부에 불완전 골절 및 비전형적 피질골 반응을 보이면서 고관절이나 대퇴부에 통증을 호소하는 등의 골절 임박 소견을 보이는 경우에는 완전 골절로 진행할 가능성이 높아 예방적인 내고정술이 필요하다는 의견이 우세하다. 특히 국내에서는 Ha 등이 14예의 전자하부 부전 골절 환자 중 5예가 추시 도중에 완전 골절로 진행되어 수술적인 치료가 필요하였고, 5예는 부전 골절이 진행하고 통증이 악화되어 예방적 고정술을 시행하여 합병증 없이 치료한 결과

표 5. 미국 골대사학회의 비전형 대퇴골 골절(atypical femur fracture, AFF)에 대한 정의(2013)

비전형 골절은 소전자 하단에서 원외 대퇴골 상과 사이 간부에서 발생하여야 하며, 아래의 5개 주된 특징 중 최소한 4개 이상 만족시켜야 한다. 보조적 특징은 진단에 반드시 필요한 것은 아니지만 비전형 골절과 관련된 특징이다.

주된 특징*
경미한 외상 혹은 외상과 관련없이 발생
골절선은 외측 피질골에 수평으로 발생(진행하면서 내측을 향해 사선형으로 나타날 수 있음)
완전 골절에서 내측 피질골은 가시형태(spike); 불완전 골절은 외측 피질골에 국한
비분쇄성 골절이거나 경미한 분쇄골절
외측 피질골에 국소적 골막 혹은 골내막의 비후(beaking or flaring)

보조적 특징
대퇴골 간부의 전반적인 피질골 비후
편측 혹은 양측성으로 전구 증상(서혜부 혹은 대퇴부 통증)
양측성 불완전 혹은 완전 대퇴골 간부 골절
골유합의 지연

*대퇴골 경부 골절, 전자까지 침범한 전자간 골절, 삽입물 주위 골절, 병적 골절 등은 제외.

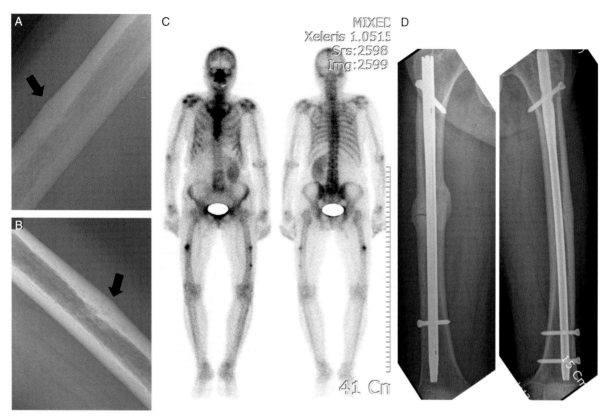

그림 2. 비전형 대퇴골 골절의 증례
(A) 5년간 알렌드로네이트 복용하고 있던 환자가 6개월 전부터 양측 대퇴부 통증이 발생하였다. 우측 대퇴골 간부의 외측 피질골에 불안전 골절이 관찰된다. (B) 좌측 대퇴골 간부에는 외측 피질골의 비후가 관찰된다. (C) 골주사 검사에서 양측 대퇴골 간부에 동위원소 섭취 증가되어 있다. (D) 우측 대퇴골은 완전 골절이 발생하여 골수강내 금속정 고정술을 시행하였고, 좌측 대퇴골에는 예방적 고정술을 시행하였다.

를 보고하였으며, 예방적 수술의 필요성을 언급하였다. Lee 등은 비전형 대퇴골 골절 증례 보고(18명 21예, 불완전 골절 3예, 평균 연령 70.9세)에서 모든 환자에서 비스포스포네이트 복용력이 있었고 저에너지 손상이었으며 1예를 제외하고는 모두 골수강내 금속정을 이용하여 수술을 시행하였다고 하였다. 이들의 보고에서도 2예(15.4%)에서 지연유합을, 1예(7.7%)에서 불유합을 보여 상대적으로 부정유합이나 불유합의 빈도가 높았다. 평균 골유합 기간은 22.9주였으며, 지연유합 2예, 불유합 1예를 제외한 환자들의 평균 골유합 기간은 18.3주였다.

• 완전 비전형 대퇴골 골절의 수술
Prasarn 등은 비스포스포네이트를 복용 중인 비전형 대퇴골 골절 환자들이 대조군인 비스포스포네이트 사용력이 없는 대퇴골 전자하 또는 간부 골절 환자들에 비해 골유합에 걸리는 시간이 길뿐만 아니라 수술 중 의인성 골절, 수술 후 금속 고정 실패, 불유합 등의 합병증 발생률이 높음을 보고하였다. 이는 비스포스포네이트가 파골세포의 골흡수를 억제하여 골이 재형성되는 과정을 차단하기 때문에 골의 기계적 강도 및 재생 능력이 손상되어 발생한다고 추정된다. 그러므로 비전형 대퇴골 골절 시에는 실패 가능성이 높은 금속판보다는 골수강내 금속정을 사용하는 것이 좋지만 골수강이 작은 경우에는 금속판 고정술을 시행할 수도 있다. 또한 불충분한 길이의 기구를 사용하게 되면 부하가 집중되는 부위로 재골절이 일어날 수 있으므로 대퇴골 전장을 고정하여야 한다. 골수강은 삽입될 골수강내 금속정보다 최소한 2.5 mm 이상 확공을 해야 경화된 피질골을 제거하고 골전도 및 골유도 물질을 유리시켜 골유합을 향상시킬 수 있다. 그뿐만 아니라 좁아진 골수강을 보완하며 골수강내 금속정의 삽입을 용이하게 하고 수술장에서 의인성 골절의 발생을 감소시킬 수 있다. 하지만 수술 중 골절부 피질골의 경화에 의해 유도 핀 삽입 및 확공기의 진행이 어려울 수 있음을 염두에 두어야 한다. 또한 원위 대퇴골의 피질골이 얇아져 있을 경우에는 골수강내 금속정 고정 후 원위 나사못이 이완되어 고정력이 약해질 수 있으므로 골수강내 금속정으로 고정 후 골절부의 안정성이 떨어진다고 판단되면 골절부에 최소절개를 시행하여 금속판을 추가하여 보강하는 것도 고려해 볼 수 있다. 대부분의 경우 양측 대퇴골이 전외측으로 많이 휘어져 있어 완전 골절된 대퇴골을 골수강내 금속정으로 고정하면 수술측 대퇴골이 펴지면서 길어져 하지부동이 발생할 수 있으므로 수술 기구 선택 시 이를 고려하여 전외측으로 휘어져 있는 골수강내 금속정을 사용하든지 환자에게 미리 다리가 길어질 수 있다는 것을 설명해 두어야 한다.

- 불완전 비전형 대퇴골 골절의 예방적 수술
대퇴골의 비전형 골절은 양측성으로 발생하는 경우가 많으므로 골절이 발생하였던 환자의 반대편 대퇴골에 대하여 불완전 골절이 완전 골절로 진행하는지 주의 깊게 관찰하여야 한다(그림 2).
보존적 치료를 해도 골절치유가 일어나는 경우도 있어 예방적 내고정술이 꼭 필요한가에 대해서는 아직 논란이 있지만 반대편 하지에 통증이 있

다면 주기적인 방사선 촬영과 자기공명영상 촬영 및 골주사 검사를 고려하여야 하며, 임박 비전형 골절 소견이 관찰되는 경우에는 예방적 내고정술이 필요하다. 예방적 내고정술 시에도 대부분 교합성 골수강내 금속정을 사용하는 경우가 많다.
한편 비전형 대퇴골 골절력이 없이 장기간 비스포스포네이트 제제를 복용 중인 환자가 고관절이나 대퇴부에 통증을 호소하고 통증이 있는 부위에 타원형의 외측 피질골 비후가 있으면서 자기공명영상 촬영이나 골주사 검사상 피로 골절의 소견이 보인다면 예방적 내고정술이 추천된다. 통증이 발생하기 전에 비전형 골절의 전형적인 방사선 소견이 발견되었다면 보다 적극적인 관찰이 필요하다. 통증이 경미하고, 타원형의 외측 피질골 돌출(buckling) 없이 골수강내로의 골 반응만이 주소견인 경우에는 목발이나 보행기를 이용하여 체중 부하를 제한하고 부갑상선 호르몬 등 대체 제제를 투여하며 근접 추시해 볼 수 있으며, 2-3개월간의 보존적 치료에도 증상 및 방사선적 소견이 호전되지 않는 경우에는 완전 골절로 진행할 가능성이 높으므로 역시 예방적 수술을 시행해야 한다. 통증이 없다면 자기공명영상에서 골부종(bone edema)이 없어질 때까지 체중 부하는 하되 무리한 활동은 제한하여야 한다.

- 비전형 대퇴골 골절의 약물치료
비스포스포네이트 사용과 관련되어 발생하는 비전형 대퇴골 골절에서는 골형성 촉진제가 효과적이라고 생각해 볼 수 있다. 현재까지 연구된 바에 의하면 대표적인 골형성 촉진제인 부갑상선 호르몬 및 라넬산 스트론티움이 골모세포의 형성, 분화, 활성화 등을 자극하고 기질의 형성을 촉진하고 골모세포 및 골세포의 자멸을 막아 수명을 늘린다고 생각되어 추천되는 상태이다. 하지만 비전형 대퇴골 골절의 빈도는 낮아 아직 대규모 임상연구가 진행된 것은 없으며 증례보고만 있다.

Carvalho 등이 비전형 골절 3명에서 2명은 라넬산 스트론티움, 1명은 부갑상선 호르몬을 사용하여 성공적인 골유합을 얻었다는 보고를 하였다. 현재로서는 비스포스포네이트를 중단하고 칼슘과 비타민 D를 투여해야 한다는 것에는 일치된 의견이지만 부갑상선 호르몬 제제와 같은 골형성 촉진제를 사용하는 것에 대해서는 많은 이견이 있는 상태이다.

④ **악골괴사:** 원래는 다발성골수종 또는 뼈에 전이성 암이 있는 환자에서 정맥으로 질소 비함유 비스포스포네이트 제제를 고용량으로 투여받은 환자에서 전체 발생 건수의 대부분을 차지한다고 알려져 왔으며 골다공증 치료로 사용되는 경구 용량에서는 매우 드물게 관찰된다. Ruggiero 등이 비스포스포네이트 제제를 장기적으로 복용 후 악관절을 이루는 뼈에 만성 골수염 증상을 보이는 환자 64명을 보고하면서 발치 후 상처가 아물지 않으면서 턱뼈가 노출되는 공통점을 가진 환자를 'osteonecrosis of jaw (ONJ)'라고 보고한 이래 비스포스포네이트 제제와의 관련성을 강조하기 위해 bisphosphonate−related osteonecrosis of jaw (BRONJ)라고도 한다.

환자의 60%에서 발치 후 발생하고 상악골이 하악골보다 2배 많이 발생한다. 우리나라에서는 관련학회(대한내분비학회, 대한골다공증학회 및 대한골대사학회, 2009년)가 공동으로 1) 과거 또는 현재 비스포스포네이트를 사용하는 환자에서, 2) 안면에 방사선치료를 받은 병력 없이, 3) 악안면 부위의 뼈가 노출된 병변이 8주 이상 회복되지 않은 경우로 정의하였다. 대부분 선행된 치과 시술과 연관성이 많기 때문에 비스포스포네이트를 사용하는 환자에서는 치과의사를 포함한 모든 의료진간의 의사소통이 필요하다. 비스포스포네이트 사용기간이 3년 미만이고 위험인자가 없는 경우에는 치과 치료 약 3개월 전에 비스포스포네이

트 중지가 권장된다. 치료는 정상 골재형성 과정인 골흡수가 오랫동안 저해되어 골교체의 평형이 깨지고 골형성도 저해되어 있기 때문에 매우 어렵다. 비스포스포네이트 제제가 파골세포가 골흡수를 하고 있는 노출된 뼈의 무기질에 부착되므로 resorption lacuna에 고농도로 침착되고 한번 침착된 비스포스포네이트 제제의 반감기는(알렌드로네이트의 경우 8−10년) 매우 길기 때문이다. 국소적인 골소파술로는 소파된 면이 다시 감염되고 골괴사가 발생해서 결국은 부골 제거술, 해당 턱뼈의 부분 골절제술이나 전절제술을 시행하여야 한다. 예방이 중요하며 비스포스포네이트 제제를 사용하기 전에 악골에 감염이 없는지 확인하는 습관이 중요하다 하겠다. 그러나 보고된 악골괴사의 대부분이 고용량의 비스포스포네이트 제제가 단기간에 비경구적으로 투여된 악성종양 환자에서 발생한 것이고 단순히 골다공증 예방 및 치료를 위한 용량의 투여에서는 발생 빈도가 극히 낮아 모든 골다공증 환자에서 반드시 치과 검진을 받아야 하느냐에 대한 논란이 있다 (그림 3).

(2) 비스포스포네이트 제제가 골절 치유에 미치는 영향

현재 가장 많이 쓰이고 있는 골다공증 예방 및 치료 약물은 비스포스포네이트 제제이다. 여기에 속하는 약물은 화학적 구조, 역가, 용량, 투여 경로 및 투여기간 등에 따라 서로 다른 골성장, 골재형성 및 골 무기질화 (mineralization)를 저해하므로 골절빈도 및 골절 치유에도 각각 다른 정도로 영향을 끼치게 된다. 그러나 이제까지의 기초 및 임상 연구 결과에서는 이견이 많아 골다공증 골절 수술 후 어떤 약제를 언제부터 시작해야 하고 얼마나 장기간 투여해야 하는지에 대한 정확한 지침은 나와 있지 않은 실정이다. 그동안 가장 많이 그리고 비교적 장시간 동안 처방되었던 알렌드로네이트에 관해서는 과도한 골흡수 억제와 이에 대한 짝짓

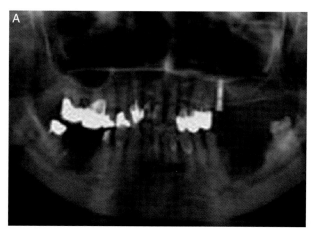
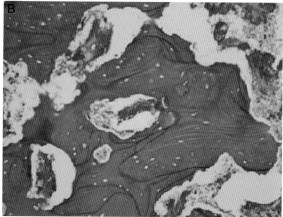

그림 3. 악골괴사

(A) 당뇨병이 있고 골다공증 치료를 위해 5년간 알렌드로네이트를 복용하였던 환자의 파노라마 방사선 사진에서 치조백선(lamina dura)과 치조골(alveolar bone)의 경화가 관찰된다. (B) 병리조직 검사에서 골괴사가 동반된 만성 골수염 소견이 보인다(H&E 염색, ×100).

기 효과로 발생하는 골형성 부전이 골절 치유 과정에 부정적인 효과를 미칠 것이라는 보고가 있었다. 그러나 Peter 등은 동물 실험에서 골절 치유 전후에 장기간 투여되어도 골유합, 골무기질화 및 골강도에 부정적인 영향을 미치지 않는다고 하였고 Nishii 등도 알렌드로네이트 제제를 장기간 투여한 동물 실험에서 가골의 재형성 속도가 느려지기는 하지만 골형성과 골무기질화는 억제되지 않았다고 보고하였다. 그러나 골절 치유 과정은 복합적이고 이질적인 과정이 섞여 있어 상반된 의견이 공존하고 있는 실정이다. 양 등은 파미드로네이트를 투여한 동물 실험에서 초기 가골의 강도에는 영향을 주지는 않으나 고농도에서는 정상 뼈(대퇴골)의 기계적 강도를 약하게 하였다고 하였다. Seebach 등에 의하면 수술 후 16주에도 가골의 강도에는 영향을 주지 않았고 총체적인 골절 강도를 저해한다는 보고도 없으므로 골절 환자에서 비스포스포네이트 제제 투여를 늦출 필요가 없다고 하였다. Mashiba 등은 동물실험에서 가골 재형성을 방해하여 자연적인 골절치유기전을 지연시켰지만 골절 부위의 강도 및 골절 유합을 방해하지는 않는다고 하였다. 이는 오히려 가골의 양을 극적으로 증가시켜 골절부위의 강도를 증가시

켰으나 신생골을 구조적으로나 기계적으로 우수한 성질을 가지는 층판골(lamellar bone)로 재형성시키는 과정을 지연시키기 때문이며 궁극적으로는 골절치유기전의 저해가 미성숙골의 증가된 가골에 의해 보상된다고 하였다. 비스포스포네이트 제제는 골절 치유의 기전의 모든 단계에서 영향을 줄 수 있는 약이므로 골절수술 후 어느 시점부터 투여할 수 있는지에 대한 지침도 중요하다. Cecilia 등은 골다공증성 고관절 골절 환자에서 수술 직후부터 주 1회 요법으로 알렌드로네이트, 칼슘 그리고 비타민 D를 투여하는 임상실험에서 근위 대퇴골 골밀도를 증가되었고 골교체 지표들은 치료기간 동안 감소하는 효과를 보고하였다. 이 연구는 고관절 골절 수술을 시행한 노인 환자에게 수술 직후 투여한 알렌드로네이트의 골흡수 억제효과에 대한 최초의 임상연구이며 연구에서 밝혀진 효과는 후속 골절(이차성 골절)의 빈도에도 긍정적인 영향을 미칠 것으로 기대된다. 그러나 역가가 높은 졸레드로네이트의 일회정맥 주사시기에 관한 임상연구에서는 골절 직후에 정맥주사한 것보다는 골절 1-2주 이후에 주사한 경우가 더 높은 골절 부위 생역학적 수치를 보여 급성기가 지난 후에 투여하는 것이 효과적이라고 하였다.

(3) 비스포스포네이트 제제의 휴약기(drug holiday)

결론적으로 말하면 많은 논란이 있지만 비스포스포네이트 제제의 뛰어난 효과를 고려하면 비전형 대퇴골 골절 및 악골괴사의 빈도는 아주 낮으므로 이 약제를 전면 투여 중지해야 한다고 볼 증거는 없다. 2012년 New England Journal of Medicine에 발표된 연구에서는 알렌드로네이트를 5년간 사용했음에도 대퇴골 경부 골밀도(T-score)가 −2.5 미만이거나 척추 골절을 가지고 있으면서 대퇴골 경부의 골밀도가 −2.0 미만이라면 계속 사용해도 된다고 하였다. 하지만 아직 이에 대한 가이드라인이 정해진 것은 아니며, 이를 모든 비스포스포네이트 제제에 적용해도 되는지에 대해 합의는 이뤄지지 않았다. 또한 약제를 중단하고 얼마나 관찰할 것 인지에 대해서도 진행된 연구는 없다. 비스포스포네이트 제제를 중단한 후 골표지자의 변화를 살펴본 연구에 의하면 약제와 골 결합능력 따라서 휴약기가 달라져야함을 알 수 있다. 단지 지금으로서는 4–5년 투여 후에 T-score가 −2.0 이상이면서 대퇴부 통증과 같은 비전형 대퇴골 골절의 전구증상이 없거나 그동안 골절 과거력이 없는 사람이라면 휴약기를 가질 수 있다고 보고 있다. 그러나 투약 중단 후 급격히 투약 전 상태로 돌아가는 여성 호르몬제와는 다르게 비스포스포네이트는 서서히 골흡수가 증가되고 골밀도가 감소하기 때문에 환자한테 주어질 장단점을 고려해서 약리기전이 다른 선택적 에스트로겐수용체 조절제 등과 같은 대체 약제를 고려해야 한다.

3) 데노수맙(denosumab)

데노수맙[상품명: 프롤리아, Prolia®, 암젠/성분명: 데노수맙(denosumab)]은 그동안 사용되어왔던 비스포스포네이트 제제에 비해서 대퇴골 근위부의 피질골 및 해면골에 차별화된 효과를 보이며 다른 골다공증 약제와의 병합 또는 순차 치료에서도 우수한 효과가 확인되고 2019년 4월 1일부터 국민건강보험 1차 치료제로 급여가 확대되므로 고관절 골절을 다루는 고관절 전문의사한테는 특히 중요한 약제라고 할 수 있다. 또한 폐경 후 여성 골다공증 환자, 남성 골다공증 환자, 안드로겐 차단요법을 받고 있는 비전이성 전립선암 환자, 아로마타제 저해제 보조요법을 받고 있는 여성 유방암 환자 등 다양한 환자군을 대상으로 한 임상 시험에서 우수한 효과와 안정성을 입증하였으며, 다른 약제와의 비교 임상 시험에서도 우수한 골밀도 및 골미세구조의 개선효과를 보여주었다. Sköldenberg 등(2016)이 고관절 전치환술 받고 7년 이상 경과하고 무시멘트형 비구 삽입물 주위에 발생한 골용해를 보인 110명의 환자에서 데노수맙을 30개월간 투여하고 비구컵 주변의 골용해 체적의 감소를 3D-CT로 측정하는 연구가 진행중이다. 60 mg을 6개월에 한번 피하로 주사하는 투여의 편리성으로 약물 순응도가 우수한 것도 고령의 고관절 골절 환자에서는 장점이라고 할 수 있다.

이 약제는 파골세포의 분화 및 활성화하는 가장 중요한 사이토카인인 RANKL (receptor activator of nuclear factor kappa-B ligand)를 억제하는 완전인간단클론 항체(fully human monoclonal antibody)이다. 비스포스포네이트가 골기질에 결합되어 있다가 골흡수 과정에서 성숙한 파골세포에 침입하여 FPP (farnesyl-pyrophosphate) 합성효소의 기능을 방해함으로써 세포 내 신호전달 단백의 프레닐레이션을 억제하여 파골세포의 기능과 생존에 영향을 준다. 특히 뼈 흡수 과정에 가장 중요한 주름가장자리(ruffled border)를 형성하지 못해 뼈 표면에 붙을 수 없어 뼈 흡수가 중단되고 조기 고사가 촉진되어 파골세포의 생존과 기능을 떨어뜨리는 것과 달리 데노수맙은 파골전구세포 단계부터 작용하여 파골세포의 생존과 기능을 억제할 뿐 아니라 성숙한 파골세포로의 분화와 형성을 차단한다. 비스포스포네이트는 일단 복용 후 골표면에 빠르게 흡수되면서, 침착한 상태에서 효과를 나타내게 되고, 대개는 골교체율이 높은 해면골 표면에 주로 분포를 한다. 따라서 해면골 비율이 높은 척추에는 골절예방 및 골밀도 증가 효과가 높지만, 피질골 비율이 높은 근위 대퇴골 부위에서는 그에 비해 제한된 효과를 보인다. 그러나 데노수맙은 혈액과 세포외액을 순환하며 해면골뿐 아니라 피질골에서 강력하지만 가역적으로 골흡수를 억제시키게 되어 더욱 강력하면서도 가역적이라는 다른 약제와의 차별적인 골흡수 억제기능을 나타내게 된다. 다른 면역글로불린과 같은 대사과정을 거치며, 피하주사 후 최대 혈청농도에 도달한 후 3개월에 걸쳐 감소하며, 평균 반감기는 26일이고 6개월 후에는 53%의 환자에서 검출되지 않으며 여러 번 투여해도 체내에 축적되지 않는다. 약동학적 특성이 신기능에 따라 변하지 않아 신기능이 저하된 환자에서 용량 조절이 필요하지 않다.

골흡수 표지자인 C-telopeptide (CTX)는 투여 1개월째 억제정도가 최대치에 도달하고 6개월째는 45~80%로 약해져서 약효의 가역성을 보이는데 골형성 표지자는 약제 투여 시 1개월 이내에 감소하지만, 골흡수 표지자의 억제에 비해 지연되어 나타나는 양상을 보인다. 이는 비스포스포네이트가 골재형성이 일어나는 부위, 특히 골재형성이 활발한 해면골의 골기질과 결합하여 장기간의 반감기로 오랫동안 작용하는 반면, 데노수맙은 혈액과 세포외액을 순환하며 해면골뿐 아니라 피질골에서 강력하지만 가역적으로 골 흡수를 억제시키기 때문이다. 그러므로 데노수맙을 처방할 때는 칼슘과 비타민 D를 같이 처방해야 하며 신기능이 저하된 환자에게도 처방할 수 있지만 저칼슘혈증 발생 가능성이 있다. 그리고 비스포스포네이트에서 데노수맙으로 전환한 환자군이 비스포스포네이트를 지속 투여한 환자군 대비 척추, 대퇴골 경부, 고관절 부위에서 더 큰 골밀도 개선 효과를 보인다.

대표적인 대규모 연구는 폐경 후 골다공증 여성을 대상으로 36개월간 투여한 FREEDOM 연구로서 데노수맙 투여군은 척추·고관절·비척추 부위 골절 발생률이 위약군 대비 각각 68%, 40%, 20%까지 감소되었다. 특히 10년까지 연장한 FREEDOM Extension 연구에서도 프롤리아 투여군은 척추·비척추 골절 발

생률이 2% 미만으로 낮게 유지됐다. 이러한 결과는 FREEDOM 연구의 처음 3년 결과와 비슷한 수준으로 연장 기간 동안에도 지속적으로 낮은 골절률이 유지되었음을 보여준다. 이후 오픈라벨로 변경하여 진행된 연구에서는 총 12개월 동안 데노수맙은 요추 골밀도를 기저치 대비 5.6% 증가시켰고, 대퇴부의 골밀도도 증가되었다. 기존의 대표적인 골흡수 억제제인 비스포스포네이트와 데노수맙의 효과를 비교하기 위한 임상 연구인 DECIDE (determining efficacy: comparison of initiating denosumab versus alendronate)에서는 요추 또는 대퇴골 전체에서 측정한 골밀도 T 점수가 −2.0 이하로 낮은 골밀도를 갖는 폐경 후 여성 1,189명을 대상으로 12개월 동안 데노수맙(60 mg/6개월) 또는 알렌드로네이트(70 mg/주) 투여 후 골밀도를 비교하였는데, 데노수맙 투여군이 알렌드로네이트 투여군에 비하여 요추, 대퇴골 경부, 대퇴골 전체에서의 골밀도가 각각 1.1%, 0.6%, 1.0% 유의하게 더 높았다.

비스포스포네이트 계열 약제를 사용하던 환자 중 치료를 중단했거나 낮은 순응도를 보인 환자를 대상으로 프롤리아 전환 치료의 골밀도 개선효과를 알아본 결과 비스포스포네이트에서 프롤리아로 전환한 환자군이 비스포스포네이트를 지속 투여한 환자군 대비 척추·대퇴골 경부·고관절 부위에서 더 큰 골밀도 개선효과를 보였다. 비스포스포네이트는 잠시 약제를 중단하더라도 골흡수 억제 및 골절 감소 효과는 수년 이상 지속되는 것과는 달리 데노수맙은 매우 가역적인 특징을 가져서 투여를 중단하면 억제되었던 골흡수는 즉시 회복되며 증가된 골밀도는 빠르게 소실되는 '리바운드' 효과로 다발성 척추 골절의 우려가 제기되지만 비스포스포네이트로 변경 투여 시 골교체율 증가와 골밀도 감소를 일부 막을 수 있다는 보고도 있다. FREEDOM 연구의 하부군 분석에서 골절이 있는 환자에서 투약이 골절 시점에 가깝더라도 골절치유에 영향을 미친다는 근거는 없었다.

폐경 후 골다공증 여성 94명을 대상으로 시행되었

던 DATA Extension (Denosumab and teriparatide administration) 연구에서는 총 24개월 투약 후 골밀도의 변화를 분석한 결과 테리파라타이드와 데노수맙 병합요법을 시행한 군이 테리파라타이드 또는 데노수맙 단독 치료군보다 요추, 대퇴골 경부 및 대퇴골 전체 등에서 골밀도가 더 높게 측정되었다.

데노수맙이 결합하는 RANKL은 조골세포뿐 아니라 T림프구에서도 발현되므로 데노수맙 사용 시 면역기능이 떨어져 감염이 증가할 수 있다는 우려가 있었으나 FREEDOM 연구에서는 감염 질환의 증가는 관찰되지 않았다. 비전형 대퇴골 골절이나 악골괴사의 경우 발생률은 낮아 장기간 치료 시 발생 가능성은 있으나 비스포스포네이트 제제와 달리 휴약기까지는 아직 권고되지 않는다.

4) 부갑상선 호르몬

일반적으로 골흡수를 촉진하는 호르몬으로 알려져 왔으나 역설적으로 간헐적으로 투여할 때에는 골모세포의 분화 증대와 세포사멸 억제효과가 지배적으로 나타나서 골형성 효과가 뚜렷해지고 생역학적으로는 골의 미세구조를 개선시켜 골의 강도를 증대시킨다. 이와 같은 부갑상선 호르몬의 작용을 'PTH paradox'라고 하는데 고용량을 지속적으로 투여할 경우 이화작용제(catabolic agent), 즉 골을 감소시키고, 저용량으로 하루 한 번 투여하면 동화작용제(anabolic agent), 즉 골을 형성하는 역할을 하게 되는 것을 말한다. 현재 임상적으로 사용 가능한 골다공증 치료제 중에서 골형성을 유도하는 유일한 치료제이다. 직접적으로는 조골세포의 증식력과 세포사멸을 억제해 주고 간접적으로는 성장호르몬양 인자 및 조골세포 억제자인 스클레로스틴을 분비를 막는다. 이런 작용을 나타내는 곳은 분자 구조의 N-terminus 쪽에 집중되어 있다. 현재 개발된 것 중 34개 아미노산의 부갑상선 호르몬이 승인이 되어 있고, 84개의 아미노산을 모두 갖는 부갑상선 호르몬도 개발되어 있다. 투여 초기에는 우선적으로 조골세

포를 활성화시키게 되면서 '골형성 촉진기간(anabolic window)'이 오고 순차적으로 파골세포도 자극하게 되면서 평형에 이르게 된다. 이것은 부갑상선 호르몬 투약 후 골전환 표지인자의 변화를 보면 알 수 있는데 골형성 촉진인자가 먼저 상승하고 약 3개월 이후에 골흡수 인자가 상승하면서 전체 골량이 증가하게 된다. 조직학적으로는 사람에서나 원숭이에서 모두 해면골의 골량, 연결도, 골 미세조직의 개선 등을 관찰할 수 있다. 골연결도의 개선은 부갑상선 호르몬에서 독특한 작용으로 두꺼워진 해면골을 다시 골흡수하면서 이분화한 결과이다. 생역학적인 검사에서도 골강도의 증가를 분명하게 관찰할 수 있다. 이러한 골강도의 증가는 부갑상선 호르몬이 피질골의 바깥쪽에 주로 골형성 촉진작용을 하므로 피질골의 직경이 증가한 결과이다. 그러나 인간에서는 백서에서만큼 뚜렷하게 피질골에서 골형성촉진 효과가 보이지 않고 오히려 대퇴부나 요골에서는 골밀도의 증가가 미미하거나 후자의 경우는 약간 저하되는 양상도 보인다. 그러나 임상실험에서는 실제로 비척추성 골절이 의미 있게 감소시키므로 투약에 문제가 될 것 같지는 않다. 실제 폐경 후 골다공증 여성을 대상으로한 연구에서는 평균 21개월 동안 20 μg을 매일 투여한 결과 척추부 골밀도가 8–9% 증가하고 대퇴부 골밀도는 3%가 증가하였다. 더욱 중요한 점은 척추 골절의 발생률을 65% 감소시켰다는 점과 비척추성 골절을 54% 감소시켰다는 것에 있다. 기존 골흡수 억제제의 경우 골밀도의 증가가 대개 이차성 골기질화의 기간을 증가시켜서 올렸다는 점과는 달리 부갑상선 호르몬은 직접 골형성이 촉진했다는 큰 차이점이 있다. 또한 갓 만들어진 골기질이라서 현재 이중에너지 흡수 방사선법으로만 측정 시 그 효과가 평가 절하되는 점도 있다. 따라서 부갑상선 호르몬 치료 후에 골량의 변화는 정량적 전산화단층촬영(quantitative computed tomography, QCT)으로 평가 시 증량된 골량을 비교적 정확하게 계측해 볼 수 있다. 현재 미국에서는 골절에 대한 위험이 높은 폐경 후 여성과 남성에

서 투약이 승인되어 있다. 여기서 고위험군이라 하면 골밀도에서 일단 T 점수가 −3.0 이하인 경우를 말하는데, 임상적 위험요소로서 골다공증성 골절의 기왕력, 골다공증에 대한 가족력 등이 고려될 수도 있다. 유럽에서는 기존의 골흡수 억제제에 효과가 없고, 동시에 골다공증성 골절을 이미 가지고 있는 환자에서만 적응증을 인정받았다. 우리나라를 비롯하여 몇몇 국가에서는 아예 보험급여의 대상에서 이 약제가 빠져 있는 상황이다. 미국에서도 사용 가능한 기간을 2년, 유럽은 18개월로 제한하고 있다. 우리나라도 2007년부터 실제 투여 가능하게 되었으나 주사로만 투약 가능하다는 점과 우리나라의 경우 전액 본인 부담의 고가 약제인 것이 한계로 보인다. 따라서, 실제 부갑상선 호르몬을 임상적으로 적용할 때는 주기적 또는 순차적 요법 등 단기투약을 하면서 기존 골흡수 억제제를 조합해서 써보는 방법을 고려해 볼 수 있겠다.

(1) Abaloparatide

Abaloparatide는 34개의 아미노산으로 이뤄진 합성 펩타이드로서, 부갑상선 호르몬과 구조적 상동성을 공유하며 teriparatide와 동일하게 PTH-1 수용체를 활성화시키지만 더 높은 G-protein coupled receptor에 대해 높은 친화력을 갖는다. 18개월간 투약하였을 때 높은 BMD 증가 및 척추 골절(86% 감소)과 비척추 골절의 감소(43% 감소)를 보였다. 실제 임상적으로는 teriparatide에 비해 abaloparatide를 사용하였을 때 주요 골다공증성 골절 위험의 감소는 더 큰 것으로 나타났다. teriparatide와 마찬가지로 고칼슘 혈증의 가능성이 있어 주의해야 한다.

5) 여성호르몬제

폐경 후 골다공증뿐만 아니라 노인성 골다공증의 중요한 원인은 에스토로겐 결핍이므로 호르몬 대체요법 (hormone replacement therapy, HRT)은 이미 수십 년

전부터 폐경 증상의 개선과 골다공증의 예방목적으로 사용되어 왔다. 그러나 호르몬 대체요법에 대한 대규모 연구인 WHI (Women's Health Initiative) 연구 및 NHANES (National Health And Nutrition Examination Surveys) 연구에 의하면 관상동맥 질환, 유방암 및 자궁내막암 등에 대한 위험과 폐경기 증후군에 대한 이득에 대한 충분한 설명과 논의가 필수적이다. 현재로서는 골다공증 예방 및 치료가 필요한 초기폐경기 여성에게서 일차적인 약물 요법으로 적용할 수 있을 것으로 판단된다. 장기간 사용한 경우(특히 프로제스틴과 함께 투여한 경우) 유방암 위험을 증가시키며, 그 외 정맥혈전증과 담낭질환의 위험이 증가할 수 있다. 자궁이 있는 경우 에스트로겐 투여는 자궁내막암을 유발시킬 수 있어 폐경된 지 얼마되지 않은 기간에 저용량으로 단기간만 사용할 수 있다. 우리나라는 노령인구의 급속한 증가로 폐경 여성의 수도 급증하고 있으며, 50세를 전후로 폐경을 경험하는 우리나라 여성들의 경우 약 30여 년의 생을 폐경 후에 보내게 되므로 삶의 질을 위해서는 호르몬 대체요법을 고려해야 한다. 여성호르몬 요법은 에스트로겐 단독요법(estrogen therapy, ET)과 에스트로겐-프로게스토겐 병합요법 (estrogen-progestogen therapy, EPT)으로 대별된다. 자궁이 없는 여성의 경우에는 에스트로겐 단독요법을 시행하며, 자궁을 가진 여성의 경우에는 자궁내막의 증식을 예방하기 위하여 에스트로겐-프로게스토겐 병합요법을 시행하는 것이 일반적이다. 결론적으로 여전히 논란들이 남아있지만, 호르몬 대체요법은 갱년기 증상의 관리와 골다공증 골절의 예방에 분명한 이익이 있으며, 특별히 폐경 초반에 사용할 경우 심혈관 질환의 예방까지 기대할 수도 있다. 향후 저용량 호르몬 대체요법이 주 흐름이 될 것이고 나이든 여성들의 골다공증 예방을 위하여 표준 용량의 1/2-1/4에 해당되는 호르몬 대체요법이 권장될 것으로 보인다(표 6).

표 6. 여성호르몬요법에 사용되는 에스트로겐 제제와 표준용량

투여방법	제 제	1일 표준 용량
경구	Conjugated equine estrogen	0.625 mg
	Micronized estradiol	1–2 mg
	Estropipate	0.625 mg
패취	Estradiol	50 μg
겔	Estradiol	1.5 mg

6) 티볼론

STEAR (selective tissue estrogenic activity regulator) 계통의 물질로서 복용 후 체내에서 에스트로겐 대사물과 프로게스테론 및 안드로겐의 효능을 나타낸다. 조직 선택성이 있어, 유방과 자궁 내막 조직은 자극하지 않으면서 폐경 증상의 완화 및 폐경 후 골소실을 예방하게 된다. 24개월간 단기간 투여에서 요추 골밀도는 3.6% 증가하며 대퇴골 골밀도는 2.5% 증가하였다. 저용량으로 10년간 장기간 투여에서 요추 골밀도는 4.8% 증가하였으며, 대퇴골 골밀도는 3.7% 증가하였다. 폐경 후 골다공증 여성에게 3년간 저용량 티볼론 1.25 mg을 투여한 LIFT (Long-term Intervention on Fractures Tibolone) 연구에서 새로운 척추 골절의 상대 위험도가 45% 감소하였으며, 비척추 골절은 26% 감소하였다. 안면 홍조, 수면장애, 질 건조증 등의 폐경 증상을 완화시키나 유방암발생 위험군과 유방암 환자에서는 주의를 요하며 뇌졸중의 위험도를 증가시킨다.

7) 선택적 에스트로겐 수용체 조절제(selective estrogen receptor modulator, SERM)

선택적 에스트로겐 수용체 조절제(selective estrogen receptor modulator, SERM)는 에스트로겐 제제와는 달리 조직 선택적으로 작용하여 뼈에는 골밀도를 증가시키는 작용을 하며 심장, 자궁, 유방, 뇌 등에는 에스트로겐의 길항제로 작용하여 암발생을 걱정하지 않고 사용할 수 있다. 랄록시펜(raloxifene)은 골밀도와 골표지

자의 관점에서 볼 때 에스트로겐의 반 정도의 효과를 보이나, 척추 골절은 치료 첫 해 60–70%, 3–4년경에는 30–50% 감소시킨다. 비척추 골절의 감소에는 효과적이지 못하나 선택적으로 위험성이 높은 여성군에서는 효과를 나타내는 것으로 밝혀져 있다. 골질의 관점에서 볼 때 안정하고, 효과적인 골흡수 억제제로 평가되고 있다. 또한 심혈관 질환의 고위험군 여성에서는 심혈관 질환과 뇌혈관 질환의 발생 위험성을 감소시킨다. 유방암과 자궁내막암의 예방이 가능하다는 것이 최대의 장점이며 반면 중추신경계, 비뇨생식계, 피부 등에 대해서는 효과를 나타내지 못한다는 것이 단점이다. 폐경 초기에 가장 흔한 열성 홍조에는 효과가 없으며 사용자의 1/4에서는 오히려 열성 홍조를 유발하는 단점이 있다. 따라서 랄록시펜은 에스트로겐을 대체 혹은 보완하면서 사용될 수 있으며 폐경 초기에는 에스트로겐이, 그 후에는 랄록시펜의 장기적 사용이 바람직할 것이다. 이 계열 신약으로서 최근 국내에 출시된 바제독시펜(bazedoxifene)은 척추 골절은 3년 사용에 42% 감소하였으나 비척추 골절은 고위험군에서만 감소 효과를 보였다. 여성 골다공증 치료의 최근 개념으로 TSEC (tissue specific estrogen complex)이 있는데 이것은 바제독시펜에 여성호르몬을 병합하여 여성호르몬의 장점을 살리면서 여성호르몬에 의한 자궁내막증식은 바제독시펜으로 억제하여 효과적인 골다공증 치료와 폐경 후 증상을 관리하는 것이다.

8) 칼시토닌

칼시토닌 32개의 아미노산으로 구성된 펩티드로, 파골세포의 수용체에 결합하여 골흡수를 저하시킨다. 연어 칼시토닌이 가장 널리 사용되고, 투여 방법으로는 주사와 비강내 투여가 있다. 비강 분무는 흡수율이 근육내 투여의 25% 정도이므로 200 IU가 50 IU의 근육내 투여와 동등한 용량이다. 비강내 투여 방법은 이상반응이 적고, 통증 감소 효과도 우월한 것으로 알려져 있다. 폐경 후 여성에서 2년간 매일 연어 칼시토닌 100

IU 비강내 투여 시, 요추 골밀도가 약 3% 정도 증가하였으며, 주사제도 동등한 효과를 나타냈다. PROOF (prevent recurrence of osteoporotic fractures) 연구에서 표준 용량 200 IU 연어 칼시토닌 투여 시, 척추 골절 위험도는 유의하게 감소하였으나, 비척추 골절 위험도는 감소시키지 못하였다. 칼시토닌 주사 및 비강 분무는 급성 척추 골절에서 통증을 줄일 수 있다. 진통 효과는 골절 후 첫 수 주일 동안에 가장 잘 나타나며, 비강내 투여가 더욱 효과적이다. 또한 파제트병 혹은 악성 종양의 골전이에 의한 통증 조절에도 이용된다. 연어 칼시토닌의 비강 분무에 의한 이상 반응은 경미하며, 비염이 문제 될 수 있다. 살카토닌은 시판 후 조사에서 암 발생률을 높이는 것으로 조사되어 급성 골소실을 막기 위해 최소 기간 2-4주 이내만 사용하도록 하고, 장기사용은 신중히 고려해야 한다.

9) 로모소주맙(Romosozumab)

골형성을 억제하는 물질인 sclerostin은 매우 드문 유전질환인 경화협착증(sclerosteosis)과 Van Buchem disease의 연구로 인해 발견되었다. 경화협착증은 임상적으로 골량이 비정상적으로 높고 청소년기의 과도한 골발육으로 인해 이마 돌출, 하악 비대, 두개골 비대 등의 소견을 보이는 질환으로 sclerostine을 코딩하는 SOST 유전자의 불활성화 돌연변이로 발생한다. 이 질환의 원인 유전자가 발견된 이후, sclerostin을 타켓으로 하는 치료 연구가 빠르게 진행되어 골형성 촉진제로 개발되었으며 romosozumab은 sclerostin에 대한 단클론 항체로 sclerostin 작용을 억제함으로써 골형성을 촉진하는 효과를 나타낸다. 2019년 4월 골다공증 치료제로 미국 식약청 승인을, 2019년 5월 국내 식약청 승인을 받았으며 월 1회 피하 주사한다.

폐경 후 골다공증 여성을 대상으로 romosozumab과 위약군으로 나누어 12개월 투여 비교한 연구에서 romosozumab군은 위약군 대비 임상적 골절(clinical fracture) 및 척추 골절이 각각 36%, 73% 감소하였으

며 이후 denosumab으로 변경하여 1년 투여 후 24개월째 요추부 골밀도가 17.6% 증가하는 것을 확인하였다. 최소 3년 이상 비스포스포네이트로 치료하였던 436명의 여성을 대상으로 romosozumab과 테리파라타이드를 비교한 다른 연구에서는 1년 후 요추부 골밀도가 romosozumab군에서 9.8%, 테리파라타이드군에서 5.4% 증가하였으며 대퇴부 전체 골밀도는 각각 2.9%, −0.5% 증가하였다. 이러한 결과는 임상에서 기존에 비스포스포네이트로 치료하였던 환자에서도 romosozumab 사용의 효과가 있음을 입증하는 결과라 하겠다. 그러나 심장질환, 뇌졸중 및 심혈관질환 사망을 증가시킬 수 있기 때문에 이러한 병력이 있는 경우에는 사용하지 않도록 권고되고 있으며 12개월 사용 후에는 골형성 효과가 약해지기 때문에 12개월 이상 사용하지 않도록 권고된다.

10) 골다공증 약물의 맞춤 치료

골다공증 약제들은 약리 기전에 따라 골흡수 억제제와 골형성 촉진제로 양분할 수 있으나 같은 기전을 가진제제도 약리학적 차이, 복용 편의성, 작용시간, 골절 예방 및 치료효과, 약제 부작용 등에 있어서 차이가 있다.

환자 맞춤형 치료의 핵심 개념은 8−10년 이상 체내에 남아 지속적인 영향을 미치는 비스포스포네이트 제제는 장기적 투여를 시작해야 하는 연령에서 투여하지 않는다는 것이다. 다른 약제로도 골다공증을 예방 및 치료할 수 있는 단계에서부터 사용하지 않는다는 것이다. 그러므로 단순히 골밀도만 보고 판단하기 보다는 환자의 성별, 나이, 골절 위험인자, 골표지자 등을 고려하여 환자 맞춤형 치료를 하는 것이 최근 경향이다.

여러 약제들 중에서도 비스포스포네이트 제제와 비타민 D를 같이 투여하는 것이 근간이라고 볼 수 있는데 이는 두 약제의 상호의 단점을 보완할 수 있기 때문이다. 비타민 D는 비스포스포네이트 제제의 단점인 골연화증, 저칼슘혈증, 골흡수 억제, 악골괴사, 비전형 대퇴골 골절 등을 보완해 줄 수 있다. 반면에 비스포스

포네이트 제제는 비타민 D는 단독으로는 할 수 없는 골흡수 억제 작용을 하고, 고칼슘혈증과 고칼슘뇨증의 부작용이 나타날 경우 이를 보완해 줄 수 있기 때문이다. 그러나 비스포스포네이트 제제와 같은 강력한 골흡수 억제제는 뼈 구조의 손상이 현저히 진행된 골다공증에서 정상적인 골조직으로 회복되기는 어렵다. 그러므로 이런 경우에는 골형성을 촉진하는 약제인 부갑상선 호르몬과 스트론티움도 적극 권장해야 한다(그림 4).

(1) 초기 폐경기(50-65세)

폐경 직전 1년부터 급격한 골량의 감소가 시작되는 양상을 보이면서 폐경 후 5-6년간 지속적으로 골밀도가 감소하는 양상을 보이는 기간이다. 그러나 골밀도는 낮아도 골절 위험도는 상대적으로 낮은 시기이다. 특별한 골절 위험인자를 가지고 있지 않으면 칼슘과 비타민 D의 투여가 기본 치료이나 이것만으로는 골량 감소까지는 막지 못하므로 SERM 제제를 병용 투여하는 것이 바람직하다. 특히 곧 미국 FDA 승인을 획득하고 국내 허가도 임박한 TSEC 제제를 사용하는 것도 바람직하다. 이는 SERM 제제의 부작용이었던 안면 홍조를 감소시키는 방법으로 바세도시펜과 에스트로겐을 합성한 약제이다.

(2) 후기 폐경기(65-75세)

전에 비해 골량의 감소 속도는 줄어드나 골질 및 골 미세구조의 퇴행이 상대적으로 증가하는 시기이다. 골절위험도가 높으면 비스포스포네이트 제제를 적극적으로 고려해 볼 수 있다. 그 외에도 SERM 제제, TSEC 제제, 스트론티움 제제, 데노수맙 등을 투여할 수도 있다.

(3) 노인성 골다공증(70세 이상)

비스포스포네이트 제제가 제일 먼저 추천되는 연령군이지만 기존에 골절이 있던 환자나 특히 향후 고관절 골절 등의 위험성이 높은 환자에서는 골형성을 자극하는 부갑상선 호르몬 제제를 적극적으로 고려해 볼 수 있다.

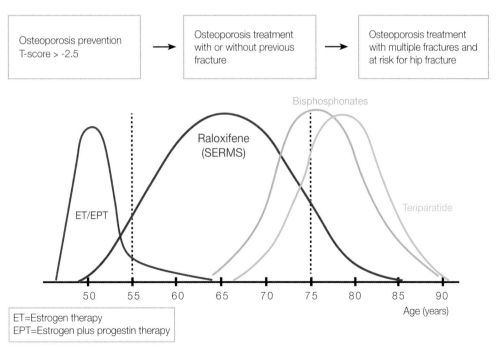

그림 4. 폐경기 전후부터 시기별로 골다공증에 많이 사용되는 약제 선택

(4) 남성 골다공증

남성은 여성과는 달리 이차성 골다공증의 비율이 월등히 높으므로 진단 단계에서부터 기본적인 혈액 검사와 골대사 지표 검사를 철저히 해서 원인을 밝히는 것이 중요하다. 생활습관 개선과 칼슘과 비타민 D 투여를 기본으로 하면서 비스포스포네이트 제제를 사용한다.

참고문헌

1. 골다공증의 진단 및 치료 지침 2011. 대한골대사학회 진료지침위원회. 민컴; 2011.

2. 석세일, 이춘기 등. 정형외과학 7판. 대한정형외과학회, 최신의학사. 2011. 258-68.

3. 임상의를 위한 골다공증 가이드, 진단 예방 및 치료. 대한골다공증학회. 청운; 2007.

4. Adami S et al. Denosumab treatment in postmenopausal women with osteoporosis does not interfere with fracture-healing: results from the FREEDOM trial. J Bone Joint Surg Am. 2012;94:2113-9

5. Alison M, Duncan, William R, Phipps Mindy S, Kurzer. Osteoporosis: Best Practice & Research Compendium, 1e: Best Practice and Research Compendium, Elsevier; 2006. 139-76.

6. Brown JP, Prince RL, Deal C, et al. Comparison of the effect of denosumab and alendronate on BMD and biochemical markers of bone turnover in postmenopausal women with low bone mass: a randomized, blinded, phase 3 trial. J Bone Miner Res 2009;24:153-161.

7. Carvalho NN, Voss LA, Almeida MO, Salgado CL, Bandeira F. Atypical femoral fractures during prolonged use of bisphos phonates: short-term responses to strontium ranelate and teriparatide. J Clin Endocrinol Metab. 2011; 96: 2675-80.

8. Cecilia D, Jódar E, Fernández C, Resines C, HawkinsF. Effect of alendronate in elderly patients after low trauma hip fracture repair. Osteoporos Int. 2009; 20:903–10.

9. Clinton T, Rubin, janet Rubin, Stefan Judex. Primer on the Metabolic Bone Diseases and Disorders of Mineral Metabolism, Wiley-Blackwell. 2013; 396-467.

10. Cummings SR, San Martin J, McClung MR, et al. Denosumab for prevention of fractures in postmenopausal women with osteoporosis. N Engl J Med 2009; 361:756-765.

11. Das De S, Setiobudi T, Shen L, Das De S. A rational approach to management of alendronate-related subtrochanteric frac tures. J Bone Joint Surg Br. 2010;92: 679-86.

12. Goh SK, Yang KY, Koh JS, et al. Subtrochanteric insufficiency fractures in patients on aendronate therapy -A CAUTION-. J Bone Joint Surg Br. 2007;89: 349-53.

13. Ha YC, Cho MR, Park KH, Kim SY, Koo KH. Is surgery necessary for femoral insufficiency fractures after long-term bisphosphonate therapy? Clin Orthop Relat Res. 2010; 468: 3393-8.

14. Ha YC, Lee YK, Min BW. Medical Treatment of Atypical Femoral Fracture. J Korean Orthop Assoc. 2013; 48: 180-4.

15. Kenemans P, Spero L; International Tibolone Consensus Group. Tibolone: clinical recommendations and practical guidelines. A report of the International Tibolone Consensus Group. Maturitas. 2005; 51: 21-8.

16. Koh JM, Chung DJ, Chung YS, et al. Assessment of denosumab in Korean postmenopausal women with osteoporosis: randomized, double-blind, placebo-controlled trial with open-label extension. Yonsei Med J 2016;57: 905-914.

17. Leder BZ, Tsai JN, Jiang LA, Lee H. Importance of prompt antiresorptive therapy in postmenopausal women discontinuing teriparatide or denosumab: the denosumab

and teriparatide follow-up study (DATA-Follow-up). Bone 2017;98:54-58.

18. Lee KJ, Kwon YW, Ha YC, Lee YK, Kim BS, MinBW. Surgical Treatment of Atypical Femoral Fracture. JKorean Orthop Assoc. 2013; 48: 185-9.

19. Lee YK, Yoon BH, Koo KH. Epidemiology and Clinical Features of Atypical Femoral Fractures. J Korean Orthop Assoc. 2013; 48: 175-9.

20. Leung PC. Osteoporosis and the orthopaedic surgeon. Chin Med J (Engl). 2013; 126: 3803-5.

21. Lyles KW, Colón-Emeric CS, Magaziner JS, et al. Zoledronic acid and clinical fractures and mortality after hip fracture. N Engl J Med. 2007; 357: 1799–809.

22. Mashiba T, Mori S. Bone fracture and the healing mechanisms. The effects of anti-resorptive agents on fracture healing. Clin Calcium. 2009; 9: 673-9.

23. Miller PD et al. Effect of abaloparatide vs placebo on new vertebral fractures in postmenopausal women with osteoporosis: a randomized clinical trial. JAMA 2016; 316 (7):722-33.

24. Miller PD, Bolognese MA, Lewiecki EM, et al. Effect of denosumab on bone density and turnover in postmeno-pausal women with low bone mass after long-term continued, discontinued, and restarting of therapy: a rando-mized blinded phase 2 clinical trial. Bone. 2008; 43: 222-9.

25. Nishii T, Sugano N, Miki H, Hashimoto J, Yoshikawa H. Does alendronate prevent collapse in osteonecrosis of the femoral head? Clin Orthop Relat Res.2006;443: 273-9.

26. Odvina CV, Zerwekh JE, Rao DS, Maalouf N, Gottschalk FA, Pak CY. Severely suppressed bone turnover: a potential comlplication of alendronate therapy. J Clin Endocrinol Metab. 2005; 90: 1294-301.

27. Potts JT, Gardella TJ. Progress, Paradox, and Potential Parathyroid Hormone Research, over Five Decades. Ann N Y Acad Sci. 2007; 1117: 196-208.

28. Potts JT. Parathyroid hormone: past and present. J Endocrinol. 2005; 187: 311–25.

29. Prasarn ML, Ahn J, Helfet DL, Lane JM, Lorich DG.

Bisphos phonate-associated femur fractures have high complication rates with operative xation. Clin Orthop Relat Res. 2012; 470: 2295-301.

30. Reid IR, Horne AM, Mihov B, Gamble GD. Bone loss after denosumab: only partial protection with zoledronate. Calcif Tissue Int 2017;101:371-374.

31. Reiner B, Bertha F. Periprosthetic Osteolysis and Aseptic Loosening of Prostheses in Total Joint Arthroplasty. Bisphosphonates in Medical Practice. 2007; 165-71.

32. Rossouw JE, Anderson GL, Prentice RL, et al. Women's Health Initiative Steering Committee. Risks and benefits of estrogen plus progestin in healthy postmenopausal women: principal results From the Women's Health Initiative randomized controlled trial. JAMA. 2002; 288: 321-33.

33. Ruggiero SL, Mebrotra B, Tracey J, Rosenberg TJ, Engro SL. Osteonecrosis of the Jaws Associated With the Use of Bisphosphonates: A Review of 63 Cases. J Oral Maxillofac Surg. 2004; 62: 527-34.

34. Shane E, Burr D, Abrahamsen B, et al. Atypical subtrochanteric and diaphyseal femoral fractures:second report of a task force of the American Society for Bone and Mineral Research. J Bone Miner Res. 2014; 29: 1-24.

35. Shane E, Burr D, Ebeling PR, et al. Atypical subtro-chanteric and diaphyseal femoral fractures: report of a task force of the American Society for Bone and Mineral Research. J Bone Miner Res. 2010; 25:2267-94.

36. Sköldenberg O, Rysinska A, Eisler T, Salemyr M, Bodén H, Muren O. Denosumab for treating periprosthetic osteolysis; study protocol for a randomized, double-blind, placebo-controlled trial. BMC Musculoskeletal Disorders (2016) 17:174

37. Talmo CT, Shanbhag AS, Rubash HE. Nonsurgical Management of Osteolysis: Challenges and Opportunities. Clin Orthop Relat Res. 2006; 453: 254-64.

38. Woo SB, Hellstein JW, Kalmar JR. Systematic Review: Bisphosphonates and Osteonecrosis of the Jaws. AnnIntern Med. 2006; 144: 753-61.

39. Yang KH, Sim DS. Clinical Consideration on Insufficiency

Fracture of Femur. Korean Journal of Bone Metabolism. 2009; 16: 37-41.

40. Yang KH, Won JH, Yoon HK, Ryu JH, Choo KS, Kim JS. High Concentrations of Pamidronate in Bone Weaken the Mechanical Properties of Intact Femora in a Rat Model. Yonsei Med J. 2007; 48: 653-8.

41. Romosozumab in postmenopausal women with low bone mineral density. McClung MR, Grauer A, Boonen S, Bolognese MA, Brown JP, Diez-Perez A, Langdahl BL, Reginster JY, Zanchetta JR, Wasserman SM, Katz L, Maddox J, Yang YC, Libanati C, Bone HG. N Engl J Med. 2014 Jan 30;370(5):412-20. doi: 10.1056/NEJMoa1305224. Epub 2014 Jan 1.

42. Romosozumab Treatment in Postmenopausal Women with Osteoporosis. Cosman F, Crittenden DB, Adachi JD, Binkley N, Czerwinski E, Ferrari S, Hofbauer LC, Lau E, Lewieck

INDEX 색인

ㅇ